QUÉ SE PUEDE ESPERAR

CUANDO SE ESTÁ

ESPERANDO

Qué se puede esperar cuando se está esperando en la prensa española

"¡Imprescindible para futuras mamás!"

—LECTURAS

◆ ◆ ◆

"Una guía que responde de forma sensata a las inquietudes de toda embarazada."

—EUSKAL TELEBISTA

◆ ◆ ◆

"Si estás embarazada y todavía no tienes *Qué se puede esperar*, sólo se me ocurre preguntarte cómo has podido pasar tanto tiempo sin comprarte esta guía."

—AVUI

◆ ◆ ◆

"Especialmente práctica e interesante es la descripción que se realiza mes a mes del estado de la gestante y el niño."

—SALUD TOTAL

◆ ◆ ◆

que más aprecian los lectores es que se identifica con el punto de vista de quien lo lee y su situación."

—PUERICULTURA MARKET

◆ ◆ ◆

excelente que explica de forma completa los problemas del embarazo, parto y posparto."

—CAMBIO 16

QUÉ SE PUEDE ESPERAR
CUANDO SE ESTÁ ESPERANDO

Heidi Murkoff
y Sharon Mazel

Prólogo del Dr. Charles J. Lockwood

Profesor de Salud Femenina en el Anita O'Keefe Young y jefe del Departamento de Obstetricia, Ginecología y Ciencias de la Reproducción de la Facultad de Medicina de la Universidad de Yale

Revisión y prólogo de la edición española
Dr. José M.ª Dexeus Trías de Bes

 Planeta

Para Emma y Wyatt, mis mejores expectativas
Para Erik, mi todo
Para Arlene, con mucho amor, para siempre
Para todas las mamás, papás y bebés del mundo

Título original: *What to Expect When You're Expecting*

© What to Expect LLC, 1984, 1988, 1991, 1996, 2002, 2008, 2011
What to Expect ® es una marca registrada de What to Expect LLC
© Editorial Planeta, S. A., 2014
Diagonal, 662-664, 08034 Barcelona
www.editorial.planeta.es
www.planetadelibros.com

Traducción: Victòria Tarrida y Gemma Fors
Diseño del interior: Lisa Hollander
Ilustraciones del interior: Karen Kuchar
Ilustraciones médicas: Tom Newsom

Primera edición en esta presentación: enero de 2014
Décima impresión: octubre de 2016
Depósito legal: B. 27.941-2013
ISBN: 978-84-08-12297-5
Preimpresión: Víctor Igual, S. L.
Impresión: Unigraf, S. L.
Printed in Spain – Impreso en España

Ediciones anteriores (1.ª edición a 4.ª impresión): Ediciones Medici

El papel utilizado para la impresión de este libro es cien por cien libre de cloro y está calificado como **papel ecológico**

MÁS DE LO QUE PUEDO EXPRESAR, A ARLENE EISENBERG, MI PRIMERA
COAUTORA EN *QUÉ SE PUEDE ESPERAR*, Y LA MÁS IMPORTANTE.
SU LEGADO DE AMOR, EMPATÍA E INTEGRIDAD PERDURARÁ PARA
SIEMPRE; SIEMPRE SERÁS AMADA Y RECORDADA.

Muchas gracias (aún más)

HE APRENDIDO ALGO A LO LARGO de los últimos veintitrés años: los niños no se crían a sí mismos, y los libros tampoco se escriben a sí mismos (sin importar cuánto tiempo se pase delante de la pantalla en blanco).

Afortunadamente, no tuve que desempeñar ninguno de los dos trabajos yo sola. Para criar al niño (un período que oficialmente ha terminado, aunque, seamos realistas, ¿termina eso alguna vez?), tuve al mejor compañero que se puede tener, a mi marido Erik, que también es mi compañero en *Qué se puede esperar*. Para escribir el libro conté con la ayuda de docenas de colegas y amigos que aportaron apoyo, perspicacia e ideas a la creación (y re-creación… y re-creación… y re-re-creación) de las distintas ediciones de *Qué se puede esperar cuando se está esperando*.

Algunos de estos ayudantes han llegado y se han ido, pero otros han permanecido hasta el día de hoy, una edición tras otra. Un millón de gracias a:

Sandee Hathaway, por todas tus valiosas contribuciones a *Qué se puede esperar*. Tú eres una gran hermana e incluso una mejor amiga.

Suzanne Rafer, editora y amiga, que guió fielmente *Qué se puede esperar* desde la concepción hasta el parto varias veces, poniendo todos los puntos sobre las íes y aclarando todo embrollo de palabras (y borrando paréntesis innecesarios). ¿Qué significa esto? En lo que se refiere a *Qué se puede esperar*, muchísimo, y tenemos que agradecerle a Suzanne el memorable apo-

yo que nos ayudó no sólo a lanzar 29 millones de ejemplares, sino también a protagonizar cientos de titulares, caricaturas, historietas y parodias.

Peter Workman, un editor de una integridad poco común y una dedicación absoluta, que creyó en nuestro libro cuando las librerías no lo hicieron, que dejó que las raíces de *Qué se puede esperar* se tomaran todo el tiempo necesario para crecer, y que nunca se rindió en la serie dedicada a los pequeños, que podía hacerse y se hizo.

A todos los demás de Workman que ayudaron al nacimiento de nuestro último retoño: David Matt, por creer en la evolución (de la mamá de la cubierta), asumiendo riesgos artísticos, y supervisando nuestra extrema remodelación, muy desafiante y exitosa. John Gilman, por su inacabable paciencia en esta revisión exhaustiva y por hacer realidad la magia de las ilustraciones. Lisa Hollander, que siempre ha sido mi diseñadora favorita, así como Weiheng Tang. Tim O'Brien, por darle vida a la mamá de la cubierta, la siguiente generación, y haciéndola levantarse por fin de su mecedora. Lynette Parmentier, por recrear nuestro "estampado", que era un icono, dándole un aire más actual. Karen Kuchar, por dibujar a nuestras bellas mamás (¡que casi me hacen desear salir corriendo y volverme a quedar embarazada!), y Tom Newsom, por sus fabulosos fetos. Irene Demchyshyn, por estimular todo este flujo, y por hacer que siguiera fluyendo. Y a mis otros amigos fenomenales de Workman, incluyendo a

Suz2 (Suzie Bolotin), Helen Rosner, Beth Doty, Walter Weintz, Jenny Mandel, Kim Small y Amy Corley. A mi otra coautora, Sharon Mazel. Tú eres mi miniyo, mi otra (y mejor) mitad, mi mejor amiga, y te quiero. A las encantadoras Daniella, Arianne, Kira y Sophia, por compartir a su extraordinaria mamá conmigo. Y al doctor de la familia, Jay, por sus grandes lecciones de biología y su buen carácter, pero sobre todo por dejarme ser la otra mujer en la vida de Sharon.

Al doctor Charles Lockwood, nuestro notable consejero médico, por sus precisos y concisos consejos, su meticulosa atención al detalle (médico o de otro tipo), y por su obvia compasión por las mamás y los bebés. Es realmente increíble cuánto sabes, cuánto haces, y cuánto te preocupas.

A Steven Petrow (MG), Mike Keriakos, Ben Wolin, Jim Curtis (CSOB), Sarah Hutter y a todos mis maravillosos amigos y compañeros de Waterfront Media, por hacer realidad nuestro sueño de whattoexpect.com y *My What to Expect*. Gracias también a la extraordinaria comunidad de mamás, no sólo por hacer de nuestro sitio web el lugar especial que es, sino también por compartir sus barrigas, bebés e hijos pequeños conmigo todos los días.

A los otros dos "hombres de mi vida" (cualquier chica podría llegar a volverse una mimada): Marc Chamlin, por su visión de águila en cuanto a temas legales, sus *business smarts*, su infatigable amistad y su apoyo; y a Alan Nevins, por su maestría en la gestión, su fenomenal aptitud, su interminable paciencia, su tenacidad y su disponibilidad.

A Jennifer Geddes y Fran Kritz, por ayudarnos a mantener nuestros textos impecables (¡comprobar... comprobar... y comprobar!). A la doctora Jessica Wu, por sus impecables consejos sobre el cuidado de la piel durante el embarazo, y al doctor Howie Mandel, por ser tan eficaz en cuanto a las preguntas de *Qué se puede esperar*, de las que siempre me escabullo en mis anuarios. Y a Lisa Bernstein, que siempre me inspira, y es la directora ejecutiva de la Fundación What to Expect, por hacer que sucedieran los milagros (milagros gorditos y a término), y a Zoe, Oh-That-Teddy, y Dan Dubno.

A Erik, mi compañero en todo lo que hago, siempre y para siempre, por todas las razones que he mencionado antes, y muchas más que podría mencionar. No existe nadie más con quien yo pudiera mezclar negocios y amor, y te amaré siempre. Y hablando de amor, a mi orgullo y alegría (no voy a decir quién es quién), Emma (el bebé que hizo que todo comenzara) y Wyatt (el bebé que la siguió). Os quiero, chicos, me habéis hecho una mamá muy feliz.

Al adorable Howard Eisenberg, padre y amigo (no necesariamente por este orden); a Victor Shargai (y John Aniello), por vuestro amor y apoyo; y a los mejores suegros (y cada día más atractivos), Abby y Norman Murkoff. Y a Rachel, Ethan y Liz, los tres fantásticos de Sandee, y a Tim, su Número Uno.

Al Colegio Americano de Obstetricia y Ginecología, por ser defensores de mujeres y bebés, y a todos los médicos, comadronas, enfermeras y ayudantes de enfermería que trabajan todos los días para hacer que el embarazo sea más seguro y feliz para las familias que esperan. Y sobre todo, a todas las embarazadas, las nuevas y antiguas mamás (y papás) que han ayudado a que cada edición de *Qué se puede esperar* sea mejor que la anterior. Ya lo dije antes, y lo volveré a decir: los padres son mi recurso más valioso, ¡así que continuad mandando vuestras tarjetas, cartas y correos electrónicos!

Gracias de nuevo, y una vez más, a todos... ¡y que todos vuestros mayores deseos se hagan realidad!

Índice de materias

Parte 1: El principio

Parte 2: Nueve meses y contando
De la concepción al parto

Capítulo 6: El primer mes

• Estrías • ¿Tatuajes para dos? • Aumento de peso del primer trimestre • El embarazo se nota enseguida • Los chicos son chicos • ¿Gemelos o más? • Doppler en casa • El latido cardiaco del bebé • El corazón es la cuestión • Deseo sexual • Un calambre después del orgasmo

Capítulo 12: El séptimo mes

preparar el nido • *Estar preparada* • El momento del parto • El bebé posmaduro • *¿Cómo le va al bebé?* • *¿Parto inducido por una misma?* • Invitados al parto • *Masajes para facilitar el parto* • ¿Miedo a otro período de dilatación prolongado? • *¿Alimentos para inducir el parto?* • *Qué se debe llevar al hospital* • Hacer de madre • *Planificar el parto* • *Deje la despensa llena*

QUÉ ES IMPORTANTE SABER

Goteo de leche • Pezones doloridos • *Medicación y lactancia* • *La dieta ideal durante la lactancia* • *Dar el biberón* • Complicaciones ocasionales • Dar el pecho después de una cesárea • Dar el pecho a más de un bebé • *Dar de mamar a gemelos* • *Dese tiempo*

padre • Sexo • *Sexo durante el embarazo* • Sueños durante el embarazo •
Cuestión de hormonas • Impaciencia ante los cambios de humor de la mujer •
Cambios de humor en el hombre • Ansiedad sobre el parto • Ansiedad sobre
los cambios de vida • *Estar ahí* • Miedo a la paternidad • Lactancia materna •
Tristeza del padre • Vínculo afectivo • *Vigile el ánimo de la madre* • Sentir poco
deseo sexual después del parto • *¿Sexo posparto?*

Parte 6: Cuidar la salud durante el embarazo

Parte 7: Complicaciones durante el embarazo

Prólogo

Por el Dr. Charles J. Lockwood

*Profesor de Salud Femenina en el Anita O'Keefe Young
y jefe del Departamento de Obstetricia, Ginecología y Ciencias de la
Reproducción de la Facultad de Medicina de la Universidad de Yale*

HACE UNOS DÍAS RECIBÍ UNA SIN-cera y emotiva carta de agradecimiento de una paciente. Adjuntaba la fotografía de un fornido jugador de hockey al que ayudé a nacer ¡hace 19 años! Mi trabajo es el mejor del mundo. Tengo la oportunidad de compartir el momento más alegre, emocionante y fascinante que los seres humanos podrán experimentar jamás –el nacimiento de un hijo– y yo lo experimento un día detrás de otro. No hace falta decir que ejercer de ginecólogo también tiene momentos duros: el agotamiento de las 3 de la madrugada, la inacabable dilatación de alguna paciente... También hay subidas ocasionales de adrenalina, mujeres con cuadros complicados y la inevitable combinación de emociones complejas, pero en conjunto continúa siendo un oficio agradable.

En cierto modo, mi trabajo se parece un poco al que probablemente será su embarazo: cada día con nuevas aventuras, pero en general siempre positivas. *Qué se puede esperar cuando se está esperando* viene a ser como tener un obstetra particular en casa que la irá guiando a través de su propia aventura. Hace unos años que recomiendo este libro y he vuelto a disfrutar leyendo esta nueva edición, porque lo que ya

era bueno se ha mejorado todavía más. Completamente renovada, cuenta con información y consejos muy útiles, similares a los que recibiría de su médico o comadrona preferidos: profesionales tan expertos como cercanos, tan cultos como prácticos, tan experimentados como entusiastas, y tan organizados como empáticos.

Este libro la guiará desde antes de la concepción, con interesantes recomendaciones sobre qué hacer –y qué no hacer– antes de quedarse embarazada. Después la acompañará desde la concepción hasta su primera visita a un facultativo. También se explican los cambios que sería necesario hacer en el estilo de vida, en el trabajo y en la dieta. Una de las ideas más acertadas de este manual es la explicación mes a mes –o, de hecho, semana a semana– de cómo se desarrolla su bebé y qué hace en el útero. Esta explicación se complementa con una descripción de cómo cambia *usted* –y no sólo su vientre, sino en general, de pies a cabeza– y qué puede sentir. Se comenta qué revisará el médico en cada visita, recordándole qué pruebas le practicará y por qué.

Más adelante, también la preparará para el gran día, tanto si da a luz por vía vaginal como si lo ha de hacer por cesárea. Se informará sobre los planes para dar a luz, sobre cómo distinguir las falsas contracciones de las reales y sobre las mejores posiciones para el proceso de dilatación. Se le resolverán sus dudas (incluso si todavía no se las había planteado) sobre parto de riñones, monitorización fetal, episiotomía, medicación contra el dolor y anestesias. A continuación, *Qué se puede esperar* la guiará en todos los aspectos del increíble proceso del nacimiento.

Esta guía también abarca el período del posparto, ofreciendo ayuda para diferenciar la tristeza posparto de la auténtica depresión. Un capítulo específico trata de las complicaciones sobre las que se puede informar en caso de que se presenten, y que es mejor no leer si no las padece. También abarca el embarazo en mujeres con enfermedades crónicas, como asma, presión alta o diabetes, y explica cómo maximizar las posibilidades de tener un embarazo normal. Además, aconseja qué hacer si se sufre un aborto, y lo hace con una fantástica combinación de consuelo y de sentido práctico. Las pare-

jas tampoco se dejan de lado: este libro les ofrece unas recomendaciones muy prácticas para ser buenos acompañantes. También se tiene en cuenta a los futuros progenitores de varios bebés; un capítulo entero está dedicado a resolver sus preguntas y preocupaciones, sin duda multiplicadas.

Como especialista en medicina maternofetal, estoy impresionado por todo lo que abarca este libro. Como editor, estoy impresionado por su redacción clara, concisa y amena. Como marido y padre, estoy impresionado de ver que las autoras explican justamente lo que las futuras madres y sus parejas necesitan saber. Los mejores jueces de este libro, no obstante, han sido las pacientes, que me han hablado maravillas, mis compañeros de trabajo y las otras pacientes del centro.

Si está leyendo este prólogo, es probable que ya esté embarazada o que pronto lo esté. ¡Felicidades! Mi consejo es que se tumbe en el sofá, que se ponga cómoda y que lea este libro; está a punto de embarcarse en ¡la aventura de su vida!

Prólogo a la
edición española

A L PROLOGAR LAS EDICIONES AN-
teriores afirmé que no conocía
ninguna obra de divulgación
médica que expusiera con tanta claridad y profundidad la visión del proceso
maternal desde la vertiente de las pro-
tagonistas, o sea de la embarazada, en
su día parturienta, y después primípara.
El éxito de las ediciones lo ha corrobo-
rado, y presento ahora la nueva edición
de esta obra de dos mujeres inteligen-
tes, Heidi Murkoff y Sharon Mazel.
Perfectamente provistas de información y conscientes de sus propias viven-
cias, explican a las demás mujeres que
afrontan la circunstancia tan trascen-
dente de ser madres todo lo que puede
serles útil y necesario no sólo de la obstetricia contemporánea sino de todas las
circunstancias que puedan afectarles.
Así se ocupan desde cómo prever el parto relámpago en casa o en el coche hasta
concederse un autopermiso para brindar con una copa de vino el día del cumpleaños. El aspecto emocional merece,
como es debido, atención prioritaria y,
como buenas psicólogas, procuran no
angustiar, y tratan con acierto los cambios en la vida sexual durante el embarazo, la cuestión de la permanencia del
niño en la habitación o la postura ante la
anestesia o la lactancia. Asimismo rela-

tivizan muy oportunamente los recortes
que la naturaleza impone al plan ideali-
zado que se trazó la madre en ciernes, o
ante algunas reacciones insólitas de los
maridos.

La encuesta de sugerencias que han
llevado a cabo entre los lectores del libro ha dado sus frutos, lo cual, unido
a los incesantes progresos de la obstetricia, ha aumentado sensiblemente su
tamaño. Resalto especialmente los capítulos referentes a las enfermedades, que
son tratadas con una gran competencia
profesional. En lo referente a esas pato-
logías se recomienda también que sólo lean esos capítulos las afectadas, para
que no se distorsione la tranquilidad con
que pueden y deben vivir el proceso maternal la inmensa mayoría de las mujeres,
dada la alta seguridad de que hoy disponen madre e hijo.

Son declaradamente partidarias de
lo natural y por ello conceden gran atención a la dieta, aportando detalles que
no se encuentran en ningún tratado de
obstetricia. Este amor a lo natural es
en algún párrafo casi pasional y exage-
ran un poco el riesgo de algún cafetito
o de las aspirinas y los insecticidas. En
cambio suscribo sin recortes sus severas
advertencias en contra del tabaco, el alcohol y las drogas.

Reafirman los derechos de la mujer a la más completa información para decidir o cooperar en las decisiones, pero procuran siempre la mejor relación posible con el tocólogo. Por ello, si en algún momento las imagino con cierta aprensión sentadas en mi consulta, cada una con sus listas de preguntas, enseguida me tranquilizo en la seguridad de que nos entenderíamos perfectamente, porque ellas y nosotros buscamos el mismo fin de la atención integral, y por consiguiente humanizada, del proceso maternal.

Quiero señalar también que mi visión de tocólogo veterano se ha ensanchado con las aportaciones personales de las autoras y por ello creo que deberían leerlo quienes dedican su vida a la atención de las gestantes y parturientas, y especialmente los profesionales del sexo masculino que no podemos vivenciar la maternidad.

Dr. José M.ª Dexeus Trías de Bes

Por qué este libro nació una vez... y luego otra, y otra

HACE VEINTICUATRO AÑOS DI A LUZ una hija y concebí un libro en pocas horas de diferencia (fue un día muy ocupado). Cuidar de estos dos bebés, Emma Bing y *Qué se puede esperar cuando se está esperando* (así como de mi segundo hijo, Wyatt, junto con el resto de la serie de *Qué se puede esperar*), mientras crecieron y evolucionaron a lo largo de los años ha sido a la vez una tarea estimulante y extenuante, satisfactoria y frustrante. Y, como cualquier progenitor, no me perdería ni un solo día de este proceso. (Aunque hubo esa semana cuando Emma tenía trece años... está bien, digamos que fue un año. Quizá dos.)

Y ahora tengo la emoción de anunciar que he vuelto a alumbrar. Un nuevo libro que no podría estar más orgullosa de presentar y compartir: la actual edición de *Qué se puede esperar cuando se está esperando*. Una revisión de la cubierta a la contracubierta, de arriba abajo, que se ha vuelto a escribir por completo, de principio a fin: libro nuevo para una nueva generación de futuros padres –(¡ustedes!)– que supone una nueva perspectiva y una voz más amistosa que nunca.

¿Qué hay de nuevo en *Qué se puede esperar*? Tanto, que estoy realmente ilusionada. Actualizaciones semana a semana de la transformación de su pequeño hijo desde un microscópico acúmulo de células hasta un mimoso recién nacido: el increíble desarrollo de su futuro bebé, que hará que hayan valido la pena todos esos ardores de estómago, todos esos viajes al baño, todo ese gas, todos esos dolores y toda la privación de sueño. Y (hablando de ardor de estómago y de gas) se incluyen más síntomas y más soluciones que nunca, se responde a muchas más preguntas (incluso a aquellas que aún no se ha planteado). La sección sobre la madre trabajadora es más extensa (¡como si estar embarazada no fuera ya bastante trabajo!). Y, pasando de las cuestiones prácticas a las más sofisticadas, una nueva sección sobre la belleza de la futura madre: cómo mimar –o al menos intentarlo– la piel de la futura mamá en la que se ha convertido, incluso cuando presente enrojecimientos, manchas, granos, picores, esté demasiado grasa o demasiado seca; qué tratamientos puede seguir para el cutis, el pelo y las uñas y qué cosméticos usar, y de cuáles deberá prescindir hasta el parto. Mucho material sobre el estilo de vida de la mujer gestante (desde el sexo, pasando por los viajes y el ejercicio, hasta la moda), el historial del embarazo (cómo sus antecedentes obstétricos, médicos y ginecológicos pueden –o no– afectar a su gestación), sus relaciones y sus emociones. Un capítulo más realista que nunca sobre la alimentación, que abarca todo tipo de alimentación, desde comer en el despacho hasta comer sobre la marcha, desde la vegetariana a la baja en hidratos de carbono, desde la adicción a la cafeína hasta la dependencia de una alimentación poco sana. Una sección más extensa sobre el período antes de concebir, y un capítulo nuevo para las numerosas mamás de gemelos o más bebés. Mucho más sobre ese compañero tan importante (pero a menudo tan olvidado) en la cría de los hijos, el futuro papá. Y, desde luego, lo último en cuanto al embarazo (novedades que pueden serle útiles, de todos los temas, desde el diagnóstico prenatal hasta la dilatación y el parto y para más adelante).

Y, dado que una revisión de arriba abajo no sería completa sin una nueva cubierta, también ésta lo es. Presentamos a nuestra nueva mamá de la cubierta; sin su balancín (vale... por fin se levantó de la mecedora), abraza su vientre y celebra una de las experiencias más mágicas de su vida (y el hecho de que ahora las mujeres embarazadas tienen que llevar ropa bonita). Está disfrutando plenamente de su embarazo, y yo no podría estar más contenta por ella. Casi me hace salir corriendo para quedarme embarazada otra vez (o casi).

Como siempre, tan importantes como las diferencias de esta nueva edición, son las similitudes. Cuando nació por primera vez *Qué se puede esperar cuando se está esperando*, teníamos una sola misión en mente: ayudar a los futuros padres a preocuparse menos y a disfrutar más del embarazo. Dicha misión ha crecido, pero no ha cambiado. Igual que las ediciones anteriores, ésta fue escrita para responder a sus preguntas, tranquilizarles, relacionarse y empatizar con ustedes, y ayudarles a dormir mejor por las noches (al menos lo mejor posible cuando tiene que correr al cuarto de baño o habérselas con los calambres en las piernas o el dolor de espalda).

Espero que disfruten con mi nuevo bebé tanto como yo disfruté creándolo y que les ayude en la creación de su nuevo bebé. Les deseo el más sano de los embarazos y un período de crianza muy feliz. ¡Que todas sus esperanzas se hagan realidad!

heidi

Sobre la Fundación What to Expect

Todos los padres deberían saber lo que pueden esperar. Por eso creamos la Fundación What to Expect, una organización sin ánimo de lucro que proporciona una ayuda vital respecto a salud prenatal e información para todas aquellas madres que la necesiten, de forma que también ellas puedan tener unos embarazos más saludables, unos partos más seguros, y unos bebés más sanos y felices. Para más información y para saber cómo se puede ayudar, por favor visiten nuestra página web, whattoexpect.org.

PARTE 1

El principio

Antes de concebir

ASÍ QUE HA DECIDIDO FORMAR una familia (o aumentar la familia que ya tenía). Éste es un gran –y también excitante– paso. Pero antes de que el espermatozoide se encuentre con el óvulo para crear al bebé de sus sueños, aproveche la oportunidad de este período anterior a la concepción para prepararse para un embarazo –y un bebé– lo más sano posible. Los pasos que se describen más adelante en este capítulo la ayudarán a usted y al futuro papá a estar en las mejores condiciones posibles antes de dar vida al bebé, les echará una mano con la concepción, y les llevará a la línea de salida del embarazo con todos los sistemas a punto. Si no se queda embarazada enseguida, relájese y sígalo intentando (¡y no se olvide de divertirse mientras lo prueba!). Si ya está embarazada –y no tuvo la oportunidad de seguir estos pasos antes– no se preocupe. Si el test prenatal ya le ha dado la buena nueva, puede empezar este libro por el Capítulo 2, y haga que cada uno de los días de embarazo que le quedan sea lo mejor posible.

Deberes para las mamás antes de concebir

Preparándose para embarcar a este diminuto pasajero en el barco materno. Aquí tenemos unos cuantos pasos que puede dar para que antes de la fecundación ese barco esté en condiciones.

Hágase un chequeo previo. Todavía no es necesario que elija un médico especializado en el período prenatal (aunque éste sería un buen momento para hacerlo; véase la pág. siguiente), pero sería una buena idea que visitara a su ginecólogo o internista para un examen a fondo. Un chequeo pondría al descubierto cualquier problema médico que precisara ser corregido con antelación, o que debiera ser controlado durante el embarazo. Además, el doctor podrá evitar que tome medicamentos que están contraindicados en el embarazo (o la preconcepción), se asegurará de que sus vacunas estén al día, y le hablará de su peso, la dieta, la bebida u otros hábitos de su estilo de vida, y otros temas relevantes.

Empiece a buscar un facultativo prenatal. Es más fácil empezar a buscar a un tocólogo o una comadrona ahora, cuando el cronómetro del embarazo aún no se ha puesto en marcha, que cuando no pueda retrasar más su primera visita prenatal. Empezar a visitar a su tocoginecólogo mejoraría sus posibilidades, ya desde el comienzo. Si no, pregunte a sus conocidos, busque y tómese el tiempo necesario para elegir a un facultativo que le parezca adecuado (véase la pág. 23 para los consejos sobre la elección). Luego pida visita y un examen preconcepción.

Una sonrisa para el dentista. La visita al dentista antes de quedarse embarazada es casi tan importante como la visita al doctor. Ello se debe a que su futuro embarazo puede afectar a su boca, y posiblemente su boca puede afectar a su futuro embarazo. De hecho, las hormonas del embarazo pueden agravar los problemas de dientes y encías, dejando hecha una desgracia una boca que no se ha cuidado desde el principio. Y lo que es más, las investigaciones indican que las gingivitis pueden estar asociadas con algunas complicaciones del embarazo. Así que, antes de que esté muy ocupada dando vida a un bebé, ocúpese de que su boca esté en plena forma. Asegúrese también de recibir todos los cuidados necesarios, incluyendo radiografías, empastes y cirugía dental, de manera que no tenga que hacerse nada durante el embarazo.

Investigue su árbol genealógico. Eche un vistazo a la salud de los miembros de ambas ramas del árbol familiar (la suya y la de su pareja). Es especialmente

---

Uniendo todas las piezas

Al echar un vistazo a esta lista de obligaciones, ¿se ha dado cuenta de que hay mucho que hacer antes de que el espermatozoide se encuentre con el óvulo? ¿Le cuesta decidir por dónde empezar? Para obtener una lista de las preguntas que debe hacer en el momento de elegir un facultativo prenatal, para confeccionar un historial médico y obstétrico completo, una tabla sobre el historial sanitario familiar, y mucha más información útil que la ayudará a organizarse, véase whattoexpect.com.

---

importante descubrir si existe un historial de cualquier defecto genético o cromosómico, como el síndrome de Down, la enfermedad de Tay-Sachs, la anemia falciforme, la talasemia, la hemofilia, la fibrosis quística, la distrofia muscular, o el síndrome del cromosoma X frágil.

Eche un vistazo a su historial de embarazos. Si ha estado embarazada antes y ha tenido cualquier tipo de complicación o una que terminara en un parto prematuro o un aborto tardío, o si ha tenido múltiples abortos, hable con su médico sobre las medidas a tomar para que no se repita.

Sométase a un cribado genético si fuera necesario. Pregúntele también a su doctor si debe pasar el test para alguna enfermedad genética común según su procedencia étnica: fibrosis quística si alguno de los dos es caucásico; enfermedad de Tay-Sachs si uno de los dos es de origen judío askenazí, canadiense francés o descendiente de los cajunes de Luisiana; anemia falciforme si son de ascendencia africana, y algún tipo de talasemia si son de origen griego, italiano, del sudeste asiático o filipino.

Las dificultades obstétricas previas (tales como dos o más abortos, un mortinato, un largo período de infertilidad o un niño con un defecto de nacimiento) o estar casada con un primo u otro pariente son también razones para buscar asesoramiento genético.

Empezando. Mientras está visitando a todos sus médicos y comprobando todos los historiales, pregunte si puede empezar a hacerse algunos tests y chequeos de salud que cualquier mujer embarazada debe realizar. Algunos de ellos son tan fáciles como hacerse un análisis de sangre para saber el estado de:

- Hemoglobina o hematocrito, para detectar la anemia.

- Factor Rh, para saber si es positiva o negativa. Si es usted negativa, su compañero debería hacerse un análisis, para saber si él es positivo. (Si ambos son negativos, no hay que preocuparse más del Rh.)

- Test de la rubéola, para saber si ya está inmunizada.

- Test de la varicela, para saber si está ya inmunizada.

- Tuberculosis (si vive en una zona con una alta incidencia).

- Hepatitis B (si entra en la categoría de alto riesgo, como los trabajadores sanitarios, y no está vacunada).

- Anticuerpos del citomegalovirus (CMV), para determinar si es inmune a esta enfermedad (véase la pág. 541). Si se le ha diagnosticado un CMV, se suele recomendar esperar seis meses a intentar quedar embarazada.

- Toxoplasmosis, si tiene un gato que sale a pasear al aire libre, si suele comer carne cruda o muy poco hecha, o trabaja en el jardín sin guantes. Si el resultado es que es inmune, no deberá preocuparse por la toxoplasmosis nunca más. Si no lo es, empiece ya ahora a tomar las precauciones de la página 89.

- Función tiroidea. Ésta puede afectar al embarazo. Así que si tiene o ha tenido alguna vez problemas tiroideos, o si tiene un historial familiar de enfermedades tiroideas, o si tiene síntomas de éstas (véanse las págs. 196 y 561), este análisis será imprescindible.

- Enfermedades de transmisión sexual (ETS). A todas las embarazadas se les hace un análisis rutinario de todas las ETS, incluyendo la sífilis, la gonorrea, la clamidiasis, el herpes, el virus del papiloma humano (VPH) y el VIH. Hacerse estas pruebas antes de intentar concebir es todavía mejor (o en el caso del VPH, ponerse la vacuna; véase la pág. siguiente). Incluso si está segura de que no puede tener una ETS, pida el análisis, sólo para confirmarlo.

Reciba tratamiento. Si alguno de los análisis da positivo para una enfermedad que requiere tratamiento, asegúrese de tratarla antes de intentar concebir. Considere también la posibilidad de someterse a cirugía menor no médica, y a cualquier operación médica –mayor o menor– que había estado aplazando. Ahora es el momento, también, de tratar cualquier circunstancia ginecológica que pudiera interferir en su fertilidad o embarazo, entre otras:

- Pólipos, fibroides, quistes o tumores benignos uterinos.

- Endometriosis (cuando las células que normalmente forran el útero se extienden a cualquier otra parte del cuerpo).

- Inflamación pélvica.

- Infecciones recurrentes del tracto urinario, u otras infecciones, tal como la vaginitis bacteriana.

- Una ETS.

Ponga al día sus vacunas. Si en los últimos 10 años no la han revacunado del tétanos o la difteria, que lo hagan ahora. Si sabe que nunca ha tenido la rubéola o que nunca le han puesto la vacuna, o si la analítica demuestra que no es inmune a esta enfermedad, póngase ahora la triple vacuna de sarampión, paperas y rubéola (SPR), y espere un mes antes de intentar concebir (pero no se preocupe si accidentalmente se queda embarazada antes). Si los tests demuestran que no ha tenido nunca la varicela, o tiene un alto riesgo de contraer la hepatitis B, también es recomendable inmunizarse ahora, antes de la concepción. Si tiene menos de 26 años, considere también la posibilidad de vacunarse contra el VPH, pero tendrá que organizarse bien, pues deberá recibir una serie de tres vacunas antes de concebir.

Ponga bajo control sus enfermedades crónicas. Si tiene diabetes, asma, una enfermedad cardiaca, epilepsia o cualquier otra enfermedad crónica, asegúrese de que cuenta con la aprobación de su médico antes de concebir, de que su enfermedad está bajo control antes de quedar embarazada, y de empezar a cuidarse de la mejor manera posible (si no lo está haciendo aún). Si nació con fenilcetonuria (FCU), empiece una dieta estricta sin fenilalanina antes de concebir, y siga con ella hasta el final del embarazo. Es una posibilidad muy poco atractiva, pero es esencial para el bienestar de su hijo.

Si necesita inyecciones contra la alergia, empiece ahora mismo. (Si comienza ahora una desensibilización de la alergia, probablemente podrá continuar después de concebir.) Dado que la depresión inmunitaria puede interferir en la concepción –y en un embarazo sano y feliz– es mejor que se ponga manos a la obra antes de empezar la gran aventura.

Prepárese para suprimir los métodos anticonceptivos. Deshágase de esa última caja de condones y del diafragma (de todos modos deberá hacerse uno nuevo tras el embarazo). Si está utilizando pastillas anticonceptivas, un anillo vaginal o un parche, planifique dejarlos con la ayuda de su médico. Algunos recomiendan no intentar concebir hasta varios meses después de dejar el control hormonal, si es posible, para permitir que su sistema reproductivo pase al menos por dos ciclos normales (mientras tanto, utilice preservativos). Otros dicen que ya se puede intentar concebir cuando se quiera. Sin embargo, tenga en cuenta que puede tardar unos meses o incluso más hasta que sus ciclos sean normales, y hasta que vuelva a ovular.

Si utiliza un DIU, hágaselo quitar antes de intentar concebir. Espere de tres a seis meses después de las inyecciones de Depo-Provera. (Muchas mujeres no son fértiles hasta unos 10 meses como promedio después de dejar la Depo-Provera, así que deberá organizarse con antelación.)

Mejore su dieta. Todavía no es cuestión de comer por dos, pero nunca es demasiado pronto para empezar a comer bien para el bebé que está planeando tener. Lo más importante es asegurarse de que está tomando ácido fólico. Parece ser que tomar suficiente ácido fólico no sólo hace aumentar la fertilidad, sino que los estudios demuestran también que incluir suficientes cantidades de esta vitamina en la dieta de una mujer que desea concebir y al princi-

Hacen falta dos, *baby*

Estoy segura de que, ahora que están intentando tener un bebé, están físicamente más cerca que nunca (eso está garantizado cuando uno se esfuerza en concebir); pero ¿qué pasa con su conexión amorosa? Mientras tratan de formar esa perfecta unión (del espermatozoide y el óvulo), ¿están dejando de lado otra unión muy significativa en sus vidas (la de ustedes dos como pareja)?

Cuando aumentar la familia se vuelve la prioridad número uno, cuando el sexo se convierte en funcional en vez de recreativo, cuando es menos importante disfrutarlo que "haberlo hecho" (y cuando los preámbulos consisten en correr al cuarto de baño para comprobar el estado de la mucosa cervical), a veces las relaciones pueden tensarse. Pero la de ustedes no tiene por qué hacerlo; de hecho, pueden ser unas relaciones más gratificantes que nunca. Para seguir conectados emocionalmente mientras están intentando concebir:

- **Salgan.** Las mamás con experiencia le dirán que *ahora* es el momento de que usted y su pareja salgan de la ciudad, al menos salgan de casa. Una vez que el bebé esté "a bordo", sus días (y noches) de salir improvisadamente se podrán contar con los dedos de una mano. Así que tómense esas minivacaciones para las que han estado ahorrando o esa segunda luna de miel (la pueden llamar luna-del-futuro-bebé). ¿No tienen tiempo para vacaciones? Prueben algo nuevo los fines de semana, preferiblemente algo que no podrán hacer cuando usted tenga que adoptar el estilo de vida de una embarazada (montar a caballo o hacer *rafting*, ¿alguien se apunta?). ¿Necesitan algo más tranquilo? Vayan a un museo un fin de semana, vayan a un multicine de noche y vean una película (o dos), o limítense a ir a cenar a su restaurante favorito (aún no necesitan una canguro).

- **Revivan el romance.** Hacer pis en el palito de un test de ovulación y la presión de hacerlo (¡ahora mismo!) pueden hacer que el sexo parezca un trabajo muy duro. Así que haga volver la diversión a su dormitorio. Suba la temperatura –y no sólo la basal– con un pequeño camisón sexy, una película erótica, uno o dos juguetes sexuales, una ronda de *strip poker* u otro juego para desnudarse, una nueva posición (el *Kama sutra* será aún más útil cuando la barriga empiece a crecer), un nuevo lugar (como la mesa del comedor), o una nueva táctica (un dulce fundido y caliente sobre sus cuerpos, en vez de sobre la copa de helado). ¿Y si no se encuentran cómodos en esta zona de aventuras? Estimule el romance a la luz de la luna, cenando a la luz de las velas o haciéndose mimos frente al hogar.

- **Vayan al unísono.** ¿Está preocupada porque su esposo se preocupa más de las gráficas de la bolsa que de su temperatura basal? ¿Tiene la impresión de que él está hastiado de intentar hacer un bebé? Sea benévola. Sólo porque no esté obsesionado por la ovulación o porque no se embobe delante de una boutique para bebés, no significa que no desee tanto como usted al bebé. Quizá sólo esté representando el papel masculino, o se esté guardando para sí mismo todo el estrés de la concepción. Tal vez se esté concentrando en el negocio de tener un hijo (está trabajando más horas porque quiere proporcionarle un nido adecuado). De cualquier forma, recuerde que sumergirse en la paternidad es un enorme paso para ambos, pero que están dando en equipo. Comuníquense mucho mientras intentan procrear. Se sentirán mejor si saben que están juntos en ello.

pio del embarazo, hace descender de forma espectacular el riesgo de tener un bebé con defectos del tubo neural (tales como espina bífida) o un parto a pretérmino. El ácido fólico es un compuesto que se encuentra en los cereales integrales y en los vegetales de hoja verde, y en muchos países se prescribe que se añada a la mayoría de cereales refinados. Pero también recomendamos tomar un suplemento prenatal que contenga al menos 400 mcg de ácido fólico (véase la pág. 116).

También es buena idea ir dejando la comida basura y los alimentos con mucha grasa, y empezar a aumentar el consumo de cereales integrales, fruta, verdura y productos lácteos (que son importantes para los huesos) bajos en grasas. Puede usar como plan básico la dieta del embarazo del Capítulo 5, que es muy equilibrada, pero sólo debe tomar dos raciones de proteínas, tres de calcio, y no más de seis de cereales integrales diarias hasta quedar embarazada; tampoco debe empezar añadiendo esas calorías extra (y si tiene que bajar algo de peso antes de concebir, quizá deba suprimir aún más calorías).

Empiece a modificar su consumo de pescado según las directrices para las futuras mamás (véanse las págs. 129-130). Pero no reduzca su ingesta de pescado, porque es una gran fuente de nutrientes para el desarrollo del bebé.

Si tiene algún hábito dietético que no sería sano durante el embarazo (tal como el ayuno periódico), padece o ha padecido algún trastorno alimentario (tal como la anorexia nerviosa o la bulimia), o está siguiendo una dieta especial (vegetariana, macrobiótica, para diabéticas o cualquier otra), dígaselo a su médico.

Tome vitaminas antes de la concepción. Incluso si está tomando muchos alimentos que contienen gran cantidad de ácido fólico, sigue siendo recomendable tomar un suplemento para embarazadas que contenga 400 mcg de dicha vitamina, empezando preferiblemente dos meses antes de que intente concebir. Otra buena razón para comenzar a tomar el suplemento antes de la concepción: las investigaciones indican que las mujeres que toman un complejo multivitamínico diario que contiene al menos 10 mg de vitamina B_6 antes de quedarse embarazadas o durante las primeras semanas del embarazo experimentan menos episodios de vómitos y náuseas. El suplemento debería contener también 15 mg de zinc, que puede mejorar la fertilidad. No obstante, deje de tomar otros suplementos nutricionales antes de quedarse embarazada, dado que los excesos de ciertos nutrientes pueden ser peligrosos.

Ponga su peso a punto. Tener sobrepeso o un peso inferior al normal no sólo reduce las posibilidades de quedarse embarazada, sino que si concibe, los problemas de peso pueden aumentar los riesgos de tener complicaciones. Así que añada o reste calorías durante el período de preconcepción, según sus necesidades. Si está intentando perder peso, asegúrese de hacerlo despacio y con sensatez, incluso si ello significa retrasar la concepción un par de meses más. Hacer dietas muy estrictas o desequilibradas (incluyendo las bajas en hidratos de carbono y altas en proteínas) puede hacer que sea difícil concebir, y puede tener como resultado un déficit nutricional, que probablemente no es la mejor manera de empezar un embarazo. Si hace poco siguió una dieta muy estricta, empiece a comer de forma normal y concédale a su cuerpo unos pocos meses para volver al equilibrio antes de intentar concebir.

Esté en forma, pero manténgase fresca. Un buen programa de ejercicios

Detectar la ovulación

Saber cuándo tiene lugar la ovulación es clave cuando se está intentando concebir. Aquí les damos algunos consejos para ayudarles a detectar el gran día.

Vigile el calendario. La ovulación a menudo suele darse a mitad de su ciclo menstrual. El ciclo promedio dura 28 días, contando desde el primer día de un período (día 1) hasta el primer día del siguiente. Pero como todo lo relacionado con el embarazo, existe un gran abanico en cuanto a la normalidad de los ciclos menstruales se refiere (pueden durar de 23 a 35 días), y su propio ciclo puede variar ligeramente de un mes a otro. Si lleva un calendario menstrual durante unos pocos meses, tendrá una idea de lo que es normal en usted. Si sus períodos son irregulares, tendrá que estar más alerta ante otros signos de la ovulación (véase más adelante).

Tómese la temperatura. Tomar la temperatura basal corporal o TBC (para ello necesitará un termómetro especial) le puede ayudar a detectar la ovulación. Su TBC es la lectura de base que hará en primer lugar por las mañanas, tras al menos de tres a cinco horas de sueño y antes de salir de la cama, de hablar o incluso de incorporarse. Su TBC cambia a lo largo del ciclo, alcanzando su punto mínimo en la ovulación y subiendo mucho (medio grado) más o menos un día después. Registrar su TBC no le dirá cuándo tiene lugar la ovulación, sino que ésta ha tenido lugar, dos o tres días después de que sucediera. En pocos meses, la ayudará a conocer el patrón de sus ciclos, permitiéndole predecir cuándo tendrá lugar la ovulación en ciclos futuros.

Revise su ropa interior. Otro signo al que puede prestar atención es la aparición, aumento de la cantidad o cambio de la consistencia del mucus cervical (el material que hace que sus braguitas queden pegajosas). Después de acabar su período, no espere mucho, por no decir nada, de mucus cervical. Al ir avanzando el ciclo, notará un aumento de la cantidad de mucus con un aspecto a menudo blanco o nuboso y, si trata de estirarlo entre sus dedos, se romperá. Al irse acercando la ovulación, este mucus se hará más copioso, pero ahora será más delgado, más claro y tendrá una consistencia resbaladiza y parecida a la clara de huevo. Si intenta estirarlo entre sus dedos, se alargará como un cordón de unos pocos centímetros antes de romperse. Éste es otro signo de que se está acercando la ovulación, así como un indicio de que debe salir corriendo del cuarto de baño y ponerse a la labor en el dormitorio. Una vez ha tenido lugar la ovulación, puede que su ropa interior vuelva a estar seca, o que el mucus se haga más grueso. El mucus cervical, combinado con la posición cervical (véase más adelante) y la TBC, puede ser un instrumento extremadamente útil (aunque algo sucio) para detectar el día en que es más probable que

puede ponerla en el buen camino para concebir, y además tonificará y fortalecerá su musculatura, preparándola para las desafiantes tareas de transportar y dar a luz a su futuro bebé. También puede que la ayude a librarse de ese exceso de peso. Sin embargo, no debe pasarse de la raya, dado que un exceso de ejercicio (especialmente si se queda demasiado delgada) puede interferir en la ovulación, y si no ovula, no podrá concebir. ¡Y manténgase fresca!

ovule (y le da mucho tiempo para hacer algo al respecto).

Conozca su cérvix. Dado que su cuerpo siente los cambios hormonales que indican que un óvulo va a ser liberado del ovario, empieza a prepararse para las hordas de espermatozoides que entrarán, para proporcionarle al óvulo las mejores probabilidades de ser fecundado. Un signo detectable de que la ovulación se está preparando es la posición del cérvix. Al empezar el ciclo, el cérvix –el paso en forma de cuello entre la vagina y el útero que tiene que ensancharse durante el parto para dejar paso a la cabeza del bebé– está bajo, duro y cerrado. Al acercarse la ovulación, se retrae, se ablanda un poco, y se abre lo justo para dejar pasar los espermatozoides, que se dirigen hacia la diana. Algunas mujeres pueden notar estos cambios con cierta facilidad, y a otras les es más difícil. Si desea probarlo, investigue su cérvix a diario, utilizando uno o dos dedos, y registre en una gráfica sus observaciones.

Esté atenta. Si es igual que el 20% de las mujeres, su cuerpo le hará saber cuándo está teniendo lugar la ovulación: una punzada de dolor o una serie de calambres en la parte baja de su abdomen (generalmente localizada en un lado, el lado donde está ovulando). Llamado *mittelschmerz* (la palabra alemana para "dolor medio"), este recordatorio mensual de la fertilidad se cree que es el resultado de la maduración y liberación de un óvulo desde un ovario.

Haga pis en un palito. Los equipos de predicción de la ovulación son capaces de detectar la fecha de su ovulación con 12 a 24 horas de adelanto, midiendo los niveles de la hormona luteinizante o LH, que es la última de las hormonas que alcanza su máximo antes de que se dé la ovulación. Haga pis en un palito y espere a que el indicador le diga si está a punto de ovular.

Vigile el reloj. Otra opción en el arsenal de los tests de ovulación es un dispositivo que puede llevar en su muñeca, y que detecta las numerosas sales (cloruro, sodio, potasio) que hay en su sudor, que difieren en los distintos momentos del mes. El llamado aumento de ion cloruro tiene lugar incluso antes del aumento del estrógeno y de la LH, de forma que estos tests de ion cloruro le proporcionan a la mujer un paréntesis de cuatro días para saber cuándo puede estar ovulando, frente al período de 12 a 24 horas del test de la LH. La clave del éxito en el uso de esta tecnología punta está en asegurarse de tener una línea de base muy precisa de sus niveles iónicos (lo que significa que debe llevar el aparato en su muñeca durante al menos seis horas seguidas para tener la línea de base adecuada).

Escupa un poco. El test de la saliva analiza los niveles de estrógeno en su saliva cuando se acerca la ovulación. Cuando está ovulando, una mirada a su saliva bajo el ocular que lleva incorporado el equipo le revelará un patrón microscópico que se parece a las hojas de un helecho o al hielo en el cristal de una ventana. Este test es más barato que los palitos.

Un aumento de la temperatura corporal prolongado puede interferir en la concepción. (Evite los baños calientes, las saunas y la exposición directa a las almohadillas y mantas eléctricas, por las mismas razones.)

Revise su botiquín. Algunos –pero ni muchísimo menos todos– los medicamentos son considerados inseguros durante el embarazo. Si está tomando cualquier medicación ahora (con regularidad o periódicamente, por prescrip-

Conceptos erróneos sobre la concepción

Habrá oído muchos cuentos de abuelas –y de internet– sobre la mejor forma de concebir un bebé. Aquí tenemos algunos que debemos desechar inmediatamente.

Mito: hacer el amor cada día puede hacer disminuir la cantidad de espermatozoides, haciendo más difícil concebir.

Realidad: aunque antes se creía que esto era cierto, las investigaciones más recientes han demostrado que tener relaciones sexuales cada día alrededor de la fecha de la ovulación hace que el embarazo sea ligeramente más probable que si se lleva a cabo día sí día no. ¡Así pues, parece que cuanto más… más!

Mito: llevar calzoncillos tipo bóxer hará aumentar la fertilidad.

Realidad: los científicos deberían pronunciarse ya en el debate bóxers/calzoncillos tradicionales, pero parece que la mayoría de los expertos están de acuerdo en que la ropa interior que lleve el hombre tiene pocas consecuencias en esa carrera para concebir un hijo. Pero sí que hay algo que decir sobre el tema de mantener los testículos frescos y darles un poco de espacio para respirar (véase la pág. 14).

Mito: las relaciones sexuales en la postura del misionero son las que más favorecen la llegada de los espermatozoides a su meta.

Realidad: el mucus cervical, que se vuelve fino y elástico alrededor del momento de la ovulación, es el medio perfecto para los espermatozoides, ya que ayuda a esos chicos a nadar hacia arriba en el tracto vaginal, a atravesar el cérvix y el útero, y a subir por las trompas de Falopio donde les espera el óvulo. A menos que los espermatozoides tengan problemas de motilidad, alcanzarán su meta cualquiera que sea la posición que hayan ustedes adoptado. Sin embargo, no estaría de más quedarse un rato echada después de tener relaciones, de forma que el esperma no se escape de la vagina antes incluso de empezar la carrera.

Mito: un lubricante ayudará al esperma a llegar a la central del óvulo.

Realidad: en realidad, es precisamente lo contrario. Los lubricantes pueden cambiar el pH de la vagina, creando un ambiente inhóspito para los espermatozoides. Así que olvídese de los lubricantes hasta que haya cumplido su misión de concebir.

Mito: el sexo de día ayuda a concebir más deprisa.

Realidad: parece ser que los niveles de espermatozoides son más altos por la mañana, pero no existen evidencias clínicas que confirmen que hacer el amor mientras luce el sol haga aumentar sus posibilidades de concebir. (Pero no se detenga si quiere tener un ratito agradable antes del desayuno.)

ción facultativa o automedicándose), pregúntele a su médico sobre su seguridad durante la preconcepción y el embarazo. Si debe cambiar su medicación habitual, que no es segura, por un sustitutivo, ahora es el momento para hacerlo.

Por otra parte, tampoco las medicaciones a base de hierbas u otro tipo de remedios alternativos deberían convertirse en el centro de su botiquín. Las hierbas son naturales, pero natural no quiere decir automáticamente seguro. Y aún más, algunas hierbas medicinales populares –como la equinácea, *Ginkgo biloba* o el hipérico– pueden interferir en la concepción. No tome ninguno de estos productos o suplementos sin la aprobación de un médico familiarizado con las hierbas medicinales y los medicamentos alternativos, y su posible efecto sobre la concepción y el embarazo.

Tome menos cafeína. No es necesario prescindir de ese café con leche (o pasarse al descafeinado) si está planeando quedarse embarazada, o una vez lo esté. La mayoría de los expertos creen que hasta dos tazas de café con cafeína (o el equivalente en otras bebidas con cafeína) al día son seguras. Si está acostumbrada a tomar más, estaría bien empezar a moderar el consumo. Algunos estudios han relacionado el exceso de cafeína con una fertilidad más baja.

Baje el consumo de alcohol. Piense antes de beber. Aunque una bebida al día no será dañina en esta fase de preparación del embarazo, un consumo alto de alcohol podría interferir en su fertilidad, distorsionando su ciclo menstrual. Además, una vez que esté intentando activamente concebir, siempre existe la posibilidad de que haya tenido éxito, y beber durante el embarazo está contraindicado.

Deje de fumar. ¿Sabía usted que el tabaco no sólo puede interferir en su fertilidad, sino que también hace envejecer los óvulos? Es cierto: los óvulos de una fumadora de 30 años se comportan como si tuvieran 40 años, haciendo la concepción más difícil y el aborto más probable. Dejar ahora este hábito no sólo es el mejor regalo que puede hacerle a su futuro bebé (antes y después de su nacimiento), sino que también puede hacer más probable que conciba a ese futuro bebé. Para algunos consejos prácticos para dejar de fumar, véanse las páginas 82 y 83.

Diga no a las drogas. La marihuana, la cocaína, el crack, la heroína y otras drogas pueden ser peligrosos para su embarazo. Pueden impedir, en diversos grados, que conciba, y luego, si consigue quedarse embarazada, pueden ser potencialmente dañinas para el feto y pueden también elevar los riesgos de aborto, y de tener un bebé prematuro o un mortinato. Si toma drogas, de vez en cuando o con regularidad, deje de hacerlo inmediatamente. Si no lo consigue, busque ayuda antes de intentar concebir.

Evite toda exposición innecesaria a las radiaciones. Si tienen que hacerle una radiografía por razones médicas, asegúrese de que sus órganos reproductivos estén protegidos (a menos que sean éstos el objetivo de la prueba), y de que las dosis de radiación sean lo más bajas posible. Una vez haya empezado con sus intentos de concebir, informe a los técnicos de rayos X de que podría estar embarazada, y pídales que tomen las precauciones necesarias.

Evite los peligros ambientales. Algunos productos químicos –pero ni mucho menos todos, y generalmente a dosis muy altas– pueden ser dañinos para sus óvulos antes de la concepción, y más tarde para el embrión o el feto en desarrollo. Aunque en la mayoría de los casos el riesgo es pequeño o incluso sólo hipotético, manténgase en la zona fuera de peligro, evitando una exposición potencialmente peligrosa en su trabajo. Tenga especial cuidado si trabaja en el campo de la medicina, la odontología, el arte, la fotografía, los transportes, en una granja o en jardinería, la construcción, en peluquería y cosmetología, en una tintorería o en cierto tipo de fábricas. Contacte con el Ministerio de Sanidad o Empleo para estar al día sobre la seguridad de las embarazadas en el trabajo; véase también la página 220. En algunos casos sería aconsejable, antes de concebir, pedir que la transfieran a otro puesto, cambiar de trabajo o tomar precauciones especiales, si le es posible.

Dado que unos niveles de plomo elevados mientras concibe podrían ser problemáticos para su bebé, hágase un análisis para saber si ha estado expuesta al plomo en su lugar de trabajo o en cualquier otro sitio, tal como sucede a veces al beber agua del grifo o en su propia casa (véase la pág. 91). También debe evitar una exposición excesiva a otras toxinas del hogar.

Esté fiscalmente en forma. Tener un bebé es caro. Así que, junto con su pareja, debería revaluar sus presupuestos y establecer un plan financiero sensato. Como parte de su plan, averigüe la cobertura sanitaria de que dispone en cuanto a los cuidados prenatales, el parto y los cuidados del bebé. Si está inscrita en una mutua o aseguradora y su cobertura no empieza hasta una determinada fecha, considere la posibilidad de retrasar su embarazo. Y si desea realizar algún cambio, hágalo antes de concebir, ya que en los seguros suele existir un período de carencia para los embarazos. Y si aún no ha hecho testamento, ahora es el momento de hacerlo.

Infórmese de sus derechos laborales. Averigüe todo lo que pueda sobre los derechos laborales de la embarazada (véase la pág. 212). Si está planeando cambiar de trabajo, quizá debería considerar la posibilidad de ese trabajo perfecto para una madre de familia ahora, para no tener que ir a las entrevistas con una barriga ya crecida.

Empiece a seguir la pista. Familiarícese con su ciclo menstrual y aprenda los signos de la ovulación, de forma que pueda acertar con el momento preciso para tener relaciones (véase el recuadro de la pág. 8). Saber exactamente cuándo hace usted el amor también la ayudará a fijar la fecha de la concepción más tarde, lo que hará más fácil el cálculo de la fecha de salida de cuentas.

Concédase tiempo. Tenga en cuenta que una mujer sana de 25 años tarda de media seis meses en quedar embarazada, y más en el caso de una mujer de más edad. También se puede tardar más si su compañero es mayor. Así que no se estrese si la magia del bebé no aparece de inmediato. Limítese a repetir esos divertidos intentos, y concédase al menos seis meses antes de consultar con su facultativo y, si fuera necesario, con un especialista en fertilidad. Si tiene más de 35 años, quizá debería consultar con el médico a los tres meses de intentar concebir.

Relájese. Éste es, sin ninguna duda, el paso más importante de todos. Desde luego, está muy ilusionada con su futuro embarazo, y es más que probable que esté un poco estresada con el tema. Pero, precisamente, estar ansiosa con respecto a la concepción podría evitar que concibiera. Aprenda ejercicios de relajación y suprima todo el estrés posible de su vida diaria.

Preparación para los futuros papás

Como futuro papá, todavía no tendrá que proporcionarle a su futuro hijo cobijo y comida, pero hará una contribución vital en el proceso de concebir un bebé (mamá no lo podría hacer sin usted). Estos pasos de la preconcepción pueden ayudarle a que la fecundación sea lo más sana posible.

Visite a su médico. Aunque no sea usted el que va a llevar al bebé –al menos no hasta el parto–, también deberá pasar por un chequeo antes de empezar a concebir a su hijo. Después de todo, que el bebé esté sano requiere de la participación de dos cuerpos sanos. Un examen médico minucioso podrá detectar cualquier anomalía médica (como unos testículos que no han descendido, o quistes o tumores testiculares) que pudiera interferir en la concepción o en un embarazo sano para su compañera, así como asegurar que cualquier enfermedad crónica, como la depresión, que pudiera evitar la concepción, esté bajo control. Cuando esté en el despacho del médico, pregunte sobre los efectos que pueda tener sobre el sexo cualquier medicamento que le hayan prescrito, o cualquier otra medicación o hierbas medicinales que esté tomando. Algunos de ellos pueden provocar disfunción eréctil o un recuento bajo de espermatozoides, dos cosas que no desea en absoluto cuando se trata de concebir un hijo.

Si fuera necesario, hágase un cribado genético. Si su esposa va a hacerse un cribado genético, considere la posibilidad de unirse a ella, especialmente si tiene usted un historial familiar con un problema genético, o cualquier otra anomalía.

Mejore su dieta. Cuanto mejor sea su alimentación, más sano será su esperma, y más probable será que su pareja conciba. Su dieta debería ser equilibrada y sana, incluyendo gran cantidad de frutas y verduras frescas, cereales integrales y proteínas magras. Para asegurarse de que obtiene cantidades adecuadas de los nutrientes más importantes (especialmente vitamina C, vitamina E, vitamina D, zinc y calcio, todos los cuales parecen afectar a la fertilidad o a la salud del esperma), tome un suplemento vitamínico-mineral mientras intenta dejar embarazada a su pareja. Dicho suplemento debería contener ácido fólico; una ingesta baja de dicho nutriente en los futuros papás se ha relacionado con una fertilidad escasa, así como con defectos congénitos.

Vigile su estilo de vida. Aún no se tienen todas las respuestas, pero las investigaciones están empezando a demostrar que el consumo de drogas –incluyendo el abuso del alcohol– por parte del hombre antes de la concepción podría impedir el embarazo, o hacer que los resultados del embarazo sean decepcionantes. Los mecanismos aún no están muy claros, pero parece que tomar drogas o beber demasiado a diario puede dañar a los espermatozoides, así como reducir su número y alterar la función testicular y reducir los niveles de testosterona (y ése no es un buen panorama cuando se está intentando concebir). Beber mucho (el equivalente a dos copas diarias o cinco en un solo día) durante el mes anterior a la concepción también podría afectar al peso del bebé al nacer. También debe tener en cuenta que si reduce la cantidad de alcohol o lo suprime por completo, a su pareja le será mucho más fácil hacer lo mismo. Si no se ve capaz de dejar las drogas o reducir su ingesta de alcohol, busque ayuda de inmediato.

Ponga su peso a punto. Los hombres con un IMC muy alto (el índice de masa corporal, una medida de la cantidad de grasa corporal, basada en la altura y el peso) tienen más probabilidades de no ser fértiles que los hombres con un peso normal. Incluso un aumento de unos 8 kg en su peso podría disminuir la fertilidad en un 10%, según los investigadores. Así pues, vigile su peso cuando intente concebir.

Deje de fumar. Nada de si... y... o pero...: fumar reduce el número de espermatozoides y hace más difícil la concepción. Además, dejarlo ahora mejorará la salud de todos sus familiares, dado que ser fumador pasivo es casi tan peligroso para ellos como el hecho de ser fumador activo. De hecho, puede hacer aumentar el riesgo de que su futuro bebé sufra SMSL (síndrome de la muerte súbita del lactante).

No se intoxique. Los niveles altos de plomo, así como los de algunos disolventes orgánicos (tales como los que se hallan en las pinturas, colas, barnices y desengrasantes metálicos), pesticidas u otros productos químicos pueden interferir en la fertilidad masculina, así que evite o limite su exposición en lo posible, como medida de precaución antes de la concepción.

Manténgalos fresquitos. Cuando los testículos están sobrecalentados, se impide la producción de espermatozoides. De hecho, prefieren mantenerse un par de grados más frescos que el resto de su cuerpo, motivo por el cual cuelgan algo alejados de éste. Así que evite los baños y las duchas calientes, las saunas, las mantas eléctricas y las ropas ajustadas, tales como los tejanos apretados. También debería evitar los calzoncillos sintéticos, que pueden sobrecalentarle cuando hace calor. Y no apoye su portátil en su regazo, dado que el calor de éste puede hacer aumentar la temperatura de su escroto y disminuir la cantidad de espermatozoides. Hasta que conciban, deje su portátil sobre la mesa.

Manténgalos seguros. Si practica usted algún deporte rudo (incluyendo el fútbol, el baloncesto, el hockey, el béisbol o montar a caballo), lleve un dispositivo de protección para evitar dañar sus genitales, lo que podría perjudicar a su fertilidad. Incluso montar demasiado en bicicleta podría causar problemas. Según algunos expertos, la presión constante en los genitales por el sillín de la bicicleta podría interferir en la concepción, al dañar las arterias y los nervios. Si siente un adormecimiento y/o hormigueo, y cambiar del sillín o levantarse de él periódicamente mientras monta no lo evitan, sería una buena idea montar menos en bicicleta durante el período de intentar concebir. Los genitales entumecidos no funcionan tan bien como debieran. Si el entumecimiento (y/o hormigueo) no desaparece, consulte con su médico.

Relájese. Seguro que tiene muchas cosas en su cabeza cuando contempla la posibilidad de traer un bebé a sus vidas; y sí, ahora tiene una lista de deberes para la preconcepción para estar lo suficientemente ocupado antes de estar atareado concibiendo el bebé. Pero no se olvide de tomarse un tiempo para relajarse. El estrés no solo afecta a su libido y a su rendimiento sexual, también afecta a sus niveles de testosterona y a su producción de esperma. Cuanto menos se preocupe, más fácil será la fecundación. ¡Así que relájese y disfrute con los intentos!

CAPÍTULO 2

¿Está embarazada?

QUIZÁ SE LE HA RETRASADO LA menstruación un día. O quizá ya hayan pasado tres semanas. También puede ser que aún no le tenga que venir la regla, pero que ya tenga la intuición femenina de que algo le está pasando; aunque no sepa bien el qué. Quizá el único signo de alerta que le ofrece su cuerpo es ese retraso de la menstruación. O tal vez ya haya notado los típicos síntomas del embarazo.

Quizá ya hace medio año o más que está haciendo todo lo posible para quedarse embarazada. O tal vez esa noche de pasión de hace quince días fue su única experiencia sin tomar precauciones. O quizá no tenía ninguna intención de concebir. Sean cuales sean las circunstancias que la han llevado hasta este libro, es posible que le esté inquietando la misma duda: ¿estoy embarazada? Bien, pues siga leyendo para descubrirlo.

Qué puede preocupar

Primeros signos de embarazo

"Una amiga me ha dicho que supo que estaba embarazada antes incluso de hacerse el test. ¿Hay alguna forma de saber si estoy embarazada, tan pronto?"

La única forma de saber con certeza si está embarazada –al menos tan pronto– es hacerse el test del embarazo. Eso no quiere decir que su cuerpo no experi-

mente síntomas de que va a ser mamá. De hecho, puede ser que le esté ofreciendo muchas pistas de que está embarazada. Así, mientras que algunas mujeres no tienen ningún signo de embarazo inicial (o al menos no lo tienen hasta al cabo de algunas semanas de estar embarazadas), otras tienen muchas sospechas de que una criatura se está engendrando en su interior. Experimentar alguno de los síntomas siguientes o percibir algunos de los signos del embarazo que se describen a continuación puede convertirse en la excusa que necesita para ir a la farmacia a comprarse un test de embarazo.

Pechos y pezones sensibles. ¿Conoce la sensación de tener los pechos doloridos y sensibles antes de venirle la regla? Pues eso no es nada comparado con la sensibilidad mamaria que se puede tener una vez se ha concebido. Unos pechos sensibles, tirantes, turgentes, hinchados y doloridos, y que duelen nada más tocarlos son algunos de los primeros signos que sienten muchas mujeres (aunque no todas) una vez que el espermatozoide ha fecundado al óvulo. Esta sensibilidad puede empezar justo unos días después de la concepción (aunque no se suele notar hasta pasadas unas pocas semanas) y, a medida que avanza el embarazo, puede ser aún más pronunciada. Y podría acabar siendo muy acusada.

Aréolas oscurecidas. No sólo puede haber una sensibilidad excesiva en los pechos, sino que además las aréolas (los círculos que rodean a los pezones) pueden cambiar de color. Durante el embarazo, es perfectamente normal que las aréolas adquieran tonalidades más oscuras, y que incluso aumenten un poco de diámetro durante las primeras semanas tras la concepción. Estos cambios de color (que incluso pueden hacerse más conspicuos durante los próximos meses) pueden atribuirse a las hormonas del embarazo, que están en plena efervescencia.

¿Folículos inflamados? Bueno, en realidad no; pero al principio del embarazo puede percibirse un aumento de la cantidad y la medida de los pequeños montículos que se encuentran en la aréola (los llamados tubérculos de Montgomery), unas pequeñas protuberancias que quizá hasta ahora ni siquiera había notado. Pueden parecer folículos inflamados, pero en realidad se trata de glándulas que producen grasas destinadas a lubricar los pezones y las aréolas, una lubricación que será muy necesaria cuando su bebé empiece a mamar, si es que desea amamantarlo. Por lo tanto, se trata de otro síntoma de que su cuerpo está haciendo planes para el futuro.

Pérdidas. Algunas mujeres (pero ni mucho menos todas) tienen pérdidas cuando el embrión se implanta en el útero. Estas hemorragias, llamadas de implantación, suelen presentarse antes de la fecha prevista para la menstruación (normalmente entre cinco y diez días después de la concepción) y es probable que sean de color rosa claro o no excesivamente oscuro (y sólo raramente de color rojo, como en la menstruación).

Frecuencia urinaria. ¿Últimamente el váter se ha convertido en su asiento preferido? De aparición muy temprana en la escena del embarazo (normalmente al cabo de dos o tres semanas desde la concepción), puede ser la necesidad de orinar con una frecuencia sospechosa. ¿Le parece curioso? Pues puede encontrar las causas en la página 153.

Agotamiento. Fatiga extrema. Se sentirá exhausta. Se le acabará la energía. Todo le pesará y sólo tendrá ganas de hacerse la perezosa. Y dado que su cuerpo ha empezado a poner en marcha la maquinaria para fabricar una criatura, se agotará antes de lo normal. Vea las razones en la página 145.

Náuseas. He aquí otra razón por la que se planteará trasladarse a vivir al cuarto de baño, como mínimo hasta finales del primer trimestre. Las náuseas y los vómitos –y los mareos matinales (en caso de que sólo se limiten a la mañana)– pueden afectar a la embarazada tan sólo pasados unos días desde la concepción, aunque es más probable que se presenten hacia la sexta semana del embarazo. Para conocer la multitud de causas de este síntoma, consulte la página 147.

Sensibilidad olfativa. Dado que un sentido del olfato acentuado es uno de los primeros cambios que notan las mujeres embarazadas, puede intuir que está embarazada si de repente su nariz se vuelve más sensible a los olores y los malos olores la molestan con más facilidad.

Entumecimiento. ¿Se siente hinchada como un globo? Esta sensación de hinchazón puede llegarle muy a principios del embarazo, aunque puede que le resulte difícil diferenciar entre el entumecimiento previo a la menstruación y el que es propio del embarazo. Es demasiado pronto para atribuir cualquier tipo de hinchazón al crecimiento del bebé, pero sí que puede atribuirlo otra vez a las hormonas del embarazo.

Aumento de la temperatura. En concreto, aumento de la temperatura corporal basal. Si ha estado controlando su temperatura corporal cada mañana con un termómetro corporal basal especial, podrá comprobar que su temperatura corporal basal ha aumentado aproximadamente en un grado después de la concepción y que continuará aumentando a lo largo del embarazo. Aunque ésta no sea una prueba fehaciente (ya que existen otras razones que pueden explicar un aumento de la temperatura), puede adelantarle la gran noticia de que hay un bebé en camino.

Ausencia de la menstruación. Puede parecer el más obvio de los síntomas, pero recordemos que si no le ha venido la regla (especialmente si su menstruación suele ser puntual como un reloj) también puede sospechar que está embarazada, e incluso antes de que se lo confirme el test del embarazo.

Diagnóstico del embarazo

"¿Cómo puedo saber con seguridad si estoy o no embarazada?"

Aparte de estas herramientas básicas de diagnóstico y de la intuición femenina (algunas mujeres "sienten" que están embarazadas poco después de la concepción), la medicina moderna continúa siendo la mejor respuesta cuando se trata de diagnosticar científicamente un embarazo.

Afortunadamente, hoy en día existen muchas maneras de confirmar si está o no embarazada:

Test del embarazo en casa. Es tan fácil como orinar, y se puede hacer en la intimidad y el confort de su cuarto de baño. Los tests del embarazo caseros (TEC) no sólo son más rápidos y precisos, sino que los de algunas marcas pueden usarse incluso antes de la fecha prevista para el inicio de la menstruación (aunque los resultados serán más exactos a medida que se acerque el día previsto del inicio de la menstruación).

Todos los TEC miden los niveles en orina de la hormona GCh (gonadotropina coriónica humana), una hormona del embarazo producida por la placenta (en desarrollo). La GCh se detecta en el torrente sanguíneo y en la orina casi inmediatamente después de que el embrión se empiece a implantar en el útero, entre los 6 y los 12 días después de la fecundación. Tan pronto como la GCh se detecte en su orina, ya puede (teóricamente) obtenerse un resultado positivo. Pero existe un límite en lo pronto que pueden funcionar estos TEC: son muy sensibles, aunque no siempre lo son tanto. Una semana después de la concepción existe GCh en su orina, pero no la suficiente para que el TEC la detecte, cosa que no significa que si se hace el test 7 días antes de la fecha prevista de la menstruación tenga probabilidades de obtener un falso negativo aunque esté embarazada.

¿No puede esperar ni un segundo más para orinar en el palito? Pues, algunos tests garantizan un 60% de fiabilidad cuatro días antes de la fecha prevista de la menstruación. ¿No le gusta quedarse con la duda? En tal caso, espere hasta la fecha prevista de la menstruación y tendrá cerca de un 90% de posibilidades de obtener un resultado correcto. Y si se hace el test una semana más tarde, los índices de fiabilidad aumentarán hasta el 97%.

Independientemente de cuándo decida hacerse el test del embarazo, la buena noticia es que los falsos positivos son mucho menos habituales que los falsos negativos, lo que significa que si su test da un resultado positivo las posibilidades de estar embarazada son altísimas. Y la otra buena noticia: dado que el TEC ofrece un diagnóstico bastante exacto y muy precoz –más pronto que cuando usted probablemente se plantearía consultarlo con un ginecólogo o una comadrona–, le ofrece la oportunidad de empezarse a cuidar más al cabo de pocos días de haber concebido. De todos modos, son esenciales las pruebas médicas posteriores al test. Si el resultado es positivo, confírmelo mediante un análisis de sangre y con una revisión prenatal completa.

Análisis de sangre. El análisis de sangre puede detectar un embarazo con una exactitud que roza el 100%, justo una semana después de la concepción (a menos que haya un error de laboratorio), utilizando únicamente unas gotitas de sangre. También puede ser útil para datar el embarazo, midiendo la cantidad de GCh en sangre, ya que los valores de GCh cambian conforme avanza el embarazo (véase la pág. 159 para más información sobre los niveles de GCh).

Muchos médicos solicitan tanto un análisis de orina como uno de sangre, para tener una doble certeza en el diagnóstico.

Examen médico. Aunque se puede llevar a cabo un examen médico para confirmar el diagnóstico de embarazo, con los sistemas tan fiables del TEC y el análisis de sangre, hoy en día el examen médico –que busca signos físicos de embarazo, como el crecimiento del útero o los cambios de color en la vagina y el cérvix– casi no vale la pena. Sin embargo, lo que sí vale la pena es complementar este primer examen con las revisiones prenatales regulares (véase la pág. 20).

Una tenue línea

"Cuando me hice el test del embarazo, me salió una línea muy tenue. ¿Estoy embarazada?"

La única forma en que un test de embarazo puede darle un resultado positivo es si por su cuerpo (o, en este caso, en su orina) circula un nivel detectable de GCh. Y la única forma de tener GCh en el cuerpo es estando embarazada. Ello significa que si su test muestra una línea, por tenue que ésta sea, efectivamente está embarazada.

Obtener como resultado una línea tenue en vez de una línea oscura y nítida tiene que ver sobre todo con el tipo de test que haya utilizado (algunos son más sensibles que otros) y en el momento del embarazo en el que esté (los niveles de GCh aumentan un día tras otro, de forma que si se hace la prueba pronto, sólo detectará una pequeña cantidad de GCh en su orina).

Para saber el grado de sensibilidad de su test de embarazo, léase las instrucciones de la caja. Busque la cantidad de

Test para las irregulares

Sus ciclos menstruales no son lo bastante regulares. Pues eso hará que determinar la fecha adecuada para hacerse el test sea aún más complicado. Al fin y al cabo, ¿cómo se puede hacer el test el día previsto para el inicio de la menstruación si nunca está segura de cuándo llegará ese día? La mejor estrategia a seguir si sus períodos son irregulares es esperar el número de días equivalente al ciclo menstrual más largo del último año y medio, y hacerse el test entonces. Si el resultado es negativo y aún no le ha venido la regla, repita el test al cabo de una semana (o al cabo de unos días si no puede esperar toda la semana).

miliunidades internacionales por litro (mUI/l), que le indicarán la sensibilidad del test. Cuanto más baja sea la cifra, mejor (un test con una sensibilidad de 20 mUI/l le indicará más pronto que está embarazada que un test con una sensibilidad de 50 mUI/l). Como es natural, los tests más caros suelen contar con una mayor sensibilidad.

Tampoco debe olvidarse que cuanto más días haga que está embarazada, más altos serán sus niveles de GCh. Si se hace la prueba durante los primeros días del embarazo (aunque sea pocos días antes de la fecha prevista para la menstruación, o incluso unos días después), es posible que no haya suficiente GCh en su cuerpo para generar una línea de positivo en su test. Deje pasar un par de días, vuélvase a hacer el test, y tendrá la certeza de ver una línea que acabará con todas sus dudas de una vez por todas.

Ya no es positivo

"Mi primer test del embarazo dio un resultado positivo, pero unos días después me hice otro y salió negativo. Y luego me ha venido la regla. ¿Qué ha pasado?"

Todo parece indicar que ha tenido un embarazo químico, es decir, un embarazo que acaba prácticamente antes de comenzar. En un embarazo químico, el óvulo es fecundado y empieza a implantarse en el útero, pero por alguna razón no se llega a completar la implantación. En vez de convertirse en un embarazo viable, acaba dando lugar a la menstruación. Aunque los expertos estiman que más de un 70% de todas las concepciones son químicas, la gran mayoría de las mujeres que las experimentan no llegan a darse cuenta de que han concebido (y está claro que en las épocas previas a la existencia de los tests de embarazo, las mujeres no tenían ninguna pista fiable sobre su embarazo hasta mucho más tarde). A menudo, un test del embarazo muy temprano y una menstruación posterior retrasada (con un retraso de entre unos días a una semana) suelen ser los principales síntomas de un embarazo químico, de forma que si existe un cambio en los resultados de un test de embarazo muy temprano, lo más probable es que se trate de esta circunstancia.

Médicamente, un embarazo químico es más asimilable a una menstruación en la que no se ha producido un verdadero embarazo que a un aborto. Emocionalmente, para las mujeres que como usted se hicieron la prueba muy pronto y obtuvieron un resultado positivo, puede tratarse de una historia bien distinta. Aunque técnicamente no se trate de la pérdida de un embarazo, la pérdida de una promesa de embarazo también puede ser decepcionante, tanto para usted como para su pareja. Leer en la página 615 la información de cómo

Si no está embarazada

Si esta vez su test de embarazo es negativo, pero tiene muchas ganas de concebir pronto, haga todo lo que es recomendable para el período de preconcepción, siguiendo los pasos indicados en el Capítulo 1. Una buena preparación durante este período la ayudará a conseguir el mejor embarazo posible cuando conciba.

afrontar una pérdida de embarazo puede ayudarles a controlar sus emociones.

Y recuerde que si la concepción ha tenido lugar una vez por sus propios medios, es más que probable que se vuelva a producir muy pronto, y que esta vez tenga el final feliz de un embarazo saludable.

Un resultado negativo

"Tengo la sensación de estar embarazada, pero los tres tests que me he hecho me dan un resultado negativo. ¿Qué puedo hacer?"

Si experimenta los síntomas tempranos de embarazo, y con test o sin él –o incluso con tres tests– tiene la sensación de estar embarazada, actúe como si lo estuviera (tomándose las vitaminas prenatales, evitando las bebidas alcohólicas, dejando de fumar, alimentándose correctamente, etc.) hasta que tenga la certeza de que no lo está. Los tests de embarazo no son infalibles, especialmente cuando se utilizan muy pronto. Es posible que conozca usted su cuerpo mejor que no un simple test de orina. Para saber si su intuición es más fiable que los tests, espere una semana y vuel-

va a intentarlo: posible que su embarazo esté poco avanzado para detectarlo. O solicite que su médico le haga un análisis de sangre, que es más sensible a la GCh que el simple análisis de orina.

También es posible, naturalmente, experimentar todos los primeros signos y síntomas del embarazo y no estar gestando. Al fin y al cabo, ninguno de estos síntomas por separado –y ni siquiera combinados entre sí– constituyen una prueba absoluta de embarazo seguro. Si el test continúa siendo negativo, pero aún no le ha venido la regla, no dude en consultar con su médico para descubrir otras causas biológicas para sus síntomas. Si no se encuentra ninguna otra causa biológica, es posible que sus síntomas tengan una causa emocional. A veces, la mente puede tener una influencia sorprendentemente poderosa sobre el cuerpo, e incluso puede llegar a generar síntomas de embarazo cuando éste no existe, ya sea por un fuerte deseo de estar embarazada o, por el contrario, por temor a estarlo.

La primera visita al médico

"El test de embarazo que me he hecho en casa ha dado positivo. ¿Cuándo tendría que programar la primera visita con el médico?"

Una buena preparación prenatal es uno de los ingredientes principales para engendrar un bebé sano. Así que no lo deje para más adelante. Tan pronto como sospeche que podría estar embarazada u obtenga un resultado positivo en un test de embarazo, llame a su ginecólogo para programar una visita. La rapidez con la que programen esta primera visita dependerá de la cantidad de trabajo que tenga el médico y de la metodología que siga. Algunos ginecólogos

Hacerse el test correctamente

El test del embarazo es probablemente la prueba más simple que tenga que hacerse nunca (no se precisa ninguna preparación especial para hacérselo, pero es recomendable leerse las instrucciones y seguirlas, con el fin de obtener los resultados más fiables). Los siguientes consejos podrán parecerle obvios, pero con los nervios del momento (¿estaré embarazada?, ¿no lo estaré?) puede olvidarse de las siguientes recomendaciones:

- Dependiendo de la marca, quizá tenga que remojar la barrita del test bajo su chorro de orina durante unos segundos o bien recoger su orina en un recipiente y después sumergir la barrita. La mayoría de los tests recomiendan descartar el primer chorro de orina para reducir las posibilidades de contaminación. Orine durante uno o dos segundos, pare, aguante un momento, y a continuación ponga la barrita o el recipiente en la posición adecuada para aprovechar el resto del chorro.

- Si tiene que esperar un rato para obtener el resultado, coloque el material del test sobre una superficie lisa, en un lugar fresco y seco, y en un lugar al que nadie vaya a tener acceso de forma inmediata. Lea los resultados una vez haya transcurrido el período de espera indicado; no esperar el tiempo suficiente –o esperar demasiado– puede alterar los resultados.

- No hace falta utilizar la orina de la primera hora de la mañana, pero si se lleva a cabo el test de forma precoz (por ejemplo, antes de la fecha prevista para el inicio de la menstruación), es más probable que así obtenga un resultado más exacto si no ha orinado en las cuatro horas anteriores (porque su orina obtendrá niveles de GCh más elevados).

- Observe el indicador de control (que puede ser desde una línea horizontal o vertical hasta un círculo completo, o un símbolo de control intermitente en el caso de los tests digitales), para confirmar que el test funciona correctamente.

- Mire atentamente el test antes de llegar a cualquier conclusión. Cualquier línea que vea (rosa o azul, signo positivo o de lectura digital), independientemente de lo tenue que sea (o de lo tenue que le parezca), significa que por su cuerpo circula GCh y que, en el futuro próximo, se desarrollará un bebé. Felicidades, ¡está embarazada! Si el resultado no es positivo pero aún no le ha venido la regla, vale la pena que espere unos días y vuelva a hacerse el test. Quizá sea demasiado pronto para detectar el embarazo.

la podrán atender enseguida, mientras que otros consultorios muy saturados de trabajo quizá no la puedan recibir hasta al cabo de varias semanas, o incluso más. En los consultorios de algunos ginecólogos, y de forma rutinaria, esperan hasta que la mujer está en su sexta a octava semana de embarazo para la primera visita prenatal oficial, mientras que otros le ofrecerán una visita previa para confirmar el embarazo tan pronto como sospeche que podría estar gestando (o disponga de un resultado positivo del TEC para comprobarlo).

Pero incluso si su primera visita prenatal oficial ha de ser retrasada hasta mediados del primer trimestre, ello no significa que pueda atrasar la fecha de inicio para cuidar de sí misma y de su bebé. Independientemente de cuándo tenga la primera visita con su ginecólogo, empiece a actuar como una embarazada tan pronto como tenga un resultado positivo en el TEC. Probablemente ya debe saber cuáles son las medidas básicas que debe seguir (tomar las vitaminas prenatales, dejar de beber alcohol y de fumar, optar por una nutrición saludable, etc.), pero no dude en llamar a la consulta de su ginecólogo si tiene alguna duda sobre cómo afrontar de la mejor manera posible las primeras semanas del embarazo. Incluso podría pasar a recoger el dossier de la embarazada antes de la primera visita (muchos consultorios facilitan uno, con consejos sobre todos los temas, como por ejemplo la dieta aconsejable, las recomendaciones sobre las vitaminas prenatales o los medicamentos que se pueden tomar durante el embarazo) para ayudarla a resolver algunas de sus dudas.

En un embarazo de bajo riesgo, no se considera médicamente necesario programar la primera visita prenatal muy pronto, aunque la espera puede resultarle difícil. Si dicha espera la hace estar más angustiada de la cuenta, o si cree que el suyo podría ser un embarazo de alto riesgo (por ejemplo, a causa de un historial previo de abortos espontáneos o de embarazos ectópicos), solicite en el consultorio que la reciban antes. (Para más información sobre lo que puede esperar de su primera visita prenatal, consulte la pág. 140.)

Su fecha de salida de cuentas o de término del embarazo

"Mi ginecólogo me ha dicho cuál es mi fecha de salida de cuentas, pero ¿qué fiabilidad tiene?"

Eso explica por qué el término médico para designar la "fecha de salida de cuentas" es FEP, o "fecha estimada del parto". Por lo tanto, la fecha prevista que le indicará su ginecólogo sólo es estimativa. Generalmente, se calcula de la siguiente forma: reste tres meses del primer día de su último período menstrual (UPM), después añada seis días, y ésta será la fecha prevista del parto.

Este sistema de previsión de fechas funciona correctamente en las mujeres que tienen los ciclos menstruales regulares. Pero si su ciclo es irregular, es posible que este sistema no le funcione bien. Pongamos por caso que acostumbra a tener la menstruación cada seis o siete semanas y que no ha tenido ninguna en los últimos tres meses. Al hacerse el test, ha descubierto que estaba embarazada. ¿Cuándo concibió? Dado que contar con una FEP fiable es muy importante, usted y su ginecólogo deberán intentar fijar una. Aunque no pueda concretar la fecha de la concepción o no esté segura de cuándo ovuló por última vez, hay una serie de pistas que podrán serle útiles.

La primera pista importante es el tamaño de su útero, que podrá examinarse durante su primera revisión del embarazo, para poder confirmar la fase del embarazo que se sospechaba. La segunda pista será una primera ecografía, que ayudará a determinar con mayor precisión la fase del embarazo. Más adelante, habrá otras pistas que confirmarán su fecha de salida de cuentas: la primera vez que se escuche el latido cardiaco fetal (hacia la semana 9 a 12, con un aparato Doppler), cuando se percibe la primera palpitación de vida (entre las semanas 16 y 22), y la altura del fundus (la parte superior del útero) en cada visita (así, por ejemplo, llegará al ombligo hacia la semana 20). Estas pistas pueden resultar útiles pero no son concluyentes. Sólo su bebé sabe con exactitud cuál será su fecha de nacimiento... y no se lo va a decir.

Escoger el facultativo (y colaborador)

Todos sabemos que hacen falta dos personas para concebir un hijo, pero se necesitan al menos tres –la madre, el padre y al menos un profesional de la salud– para garantizar una transición segura entre el óvulo fecundado y el nacimiento de un bebé sano. Partiendo de la base de que usted y su pareja ya se han encargado de la concepción, el próximo reto que han de afrontar en común es seleccionar al tercer miembro del equipo del embarazo, y asegurarse de que se trata de una elección acertada y de que se puede contar con él. (Obviamente, pueden hacer esta selección incluso antes de la concepción.)

¿Tocólogo? ¿Médico de familia? ¿Comadrona?

Por dónde debe empezar la búsqueda del especialista médico ideal para guiarlos a lo largo del embarazo y más allá. En primer lugar, debe reflexionar sobre qué tipo de ayuda médica satisfará mejor sus necesidades.

El tocólogo o el ginecólogo. ¿Lo que busca es un especialista preparado para afrontar cualquier aspecto médico del embarazo, el parto y el posparto, desde la cuestión más obvia hasta la complicación más enrevesada? En tal caso, debe buscar un obstetra, un ginecólogo o un tocólogo. Estos especialistas no sólo ofrecen unos cuidados obstétricos completos, sino que también pueden atender todas sus necesidades sanitarias como mujer, aparte del embarazo (citologías, contracepción, revisiones mamarias, etc.). Algunos también ofrecen cuidados médicos en general, de forma que pueden actuar como médicos de cabecera.

Si su embarazo es de alto riesgo, es probable que desee y precise recurrir a un tocólogo o ginecólogo. Es posible que incluso quiera elegir un especialista entre los especialistas, es decir, un médico especializado en embarazos de alto riesgo y titulado en neonatología. Aunque su embarazo parezca muy rutinario, es probable que quiera seleccionar a un obstetra para que le haga el seguimiento del embarazo; de hecho, eso es lo que hacen el 90 %[1] de las mujeres. Si ya se ha visitado previamente en la consulta de un ginecólogo que le gusta, le merece respeto y la hace sentir cómoda, no hay ninguna razón para cambiar de especialista.

El médico de familia. Como el médico de cabecera de hace unos años, el médico de familia actual ofrece un servicio médico general. A diferencia del ginecólogo o el tocólogo, que está especializado en la salud de la mujer y en temas de reproducción femenina, el médico de familia se dedica a la atención primaria, a los cuidados maternales y a los cuidados pediátricos, de acuerdo con su titulación más genérica.[2]

---

[1] En España, la posibilidad de elección es distinta porque la mayoría de la población acude a los centros de la Seguridad Social, con asistencia por equipos de comadronas y médicos. La elección más que de médico y comadrona puede y en algunos casos debe ser entre uno y otro centro o entre renunciar a la medicina pública y acudir a la privada. (*Nota del revisor.*)

[2] El médico de familia es en España el médico general con formación hospitalaria y no un especialista en medicina interna, pero no asiste en los partos. Por su parte, el tocólogo o el pediatra son especialistas con un período de formación de cuatro años dedicados a su especialidad. (*Nota del revisor.*)

Formas alternativas de dar a luz

Desde el principio (¿cuándo concebir?) hasta el final (¿cómo dar a luz?), el embarazo está lleno de decisiones personales. Cuando se trata del método para parir un hijo, el abanico de opciones es enorme, incluso en el interior de las instalaciones hospitalarias. Y fuera de los límites del hospital, aún hay más donde escoger.

Aunque sus preferencias de cara al parto no deberían ser el único criterio a la hora de elegir un especialista, sí que las debe tener muy presentes. A continuación le describimos las opciones de parto que están a su alcance hoy en día. Pregunte a sus posibles candidatos sobre cualquiera de estos métodos –o de otros– que le interesen particularmente (sin olvidar que las decisiones definitivas sobre el parto no se pueden tomar hasta que el embarazo está bien avanzado, o incluso en el mismo momento del parto):

Habitaciones para dar a luz. La disponibilidad de habitaciones para el parto en muchos hospitales hace que sea posible estar en la misma cama desde la dilatación hasta la recuperación (en vez de dilatar en una habitación y ser trasladada posteriormente a la sala de partos, cuando esté a punto de dar a luz), y a veces incluso durante toda su estancia en el hospital, con el fin de que su bebé esté a su lado desde el mismo momento de nacer. Y lo mejor de todo es que las habitaciones para dar a luz son tranquilas y cómodas.

Algunas habitaciones para el parto sólo se usan durante la dilatación, para el parto y para la recuperación (DPR). Si da a luz en una sala de DPR, usted (y su bebé, si permanece en la misma sala) serán trasladados de la sala de partos hasta la de pospartos al cabo aproximadamente de una hora totalmente ininterrumpida de unión familiar. Si tiene la suerte de estar en un hospital que le ofrece salas de DPRP (dilatación, parto, recuperación y posparto), no habrá necesidad de que la trasladen en ningún momento. Usted y su bebé –y, en algunos casos, el padre e incluso los hermanos– podrán permanecer juntos desde el momento de su llegada hasta el momento de irse.

La mayoría de las habitaciones para el parto de los hospitales pretenden ofrecer un ambiente acogedor, con una iluminación tenue, balancines, paredes bien decoradas y cuadros relajantes, cortinas en las ventanas y camas que se parecen más a las que salen en los catálogos de mobiliario para el hogar que a las típicas de los hospitales. Aunque dichas habitaciones están cuidadosamente equipadas para los nacimientos de bajo riesgo e incluso para las emergencias inesperadas, el equipo médico suele mantenerse fuera de la vista, detrás de las puertas, los armarios o cualquier otro tipo de mobiliario. La cabecera de la cama se puede levantar para que se apoye la partera en una posición agachada o semirrecostada (si se quiere, también se puede sujetar a una barra para agacharse) y los pies de la cama se pueden separar para dejar lugar para los asistentes al parto. Después de dar a luz, un cambio de sábanas, unas pocas modificaciones, y a punto para volver a la cama. Algunos hospitales y centros para dar a luz también disponen de duchas o bañeras de tipo jacuzzi en el interior de la habitación o en las salas adyacentes, para aprovechar los beneficios de la hidroterapia durante la dilatación. Algunos hospitales y centros para dar a luz disponen de bañeras especiales para parir en el agua. (Para más información sobre el parto en el agua, véase la pág. 26.) Muchas habitaciones para el parto disponen de sofás para los acompañantes o las visitas y, a veces, incluso de una cama para que el acompañante pueda pasar la noche.

En algunos hospitales, las habitaciones para dar a luz sólo están disponibles para las mujeres que tienen un riesgo muy bajo de complicaciones en el parto; si éste no es su perfil, no tendrá más remedio que ir a una sala de dilatación y de partos tradicional, en la que se dispone de más equipo tecnológico. Y la sala de partos por cesárea siempre se corresponde con un quirófano típico (sin ningún tipo de ambientación casera). Sin embargo, y por suerte, dada la creciente disponibilidad de salas de parto para la mayoría de las mujeres, son muchas las posibilidades de disfrutar de una dilatación y un parto sin prisas, agradable y no intervencionista, dentro del marco de un hospital convencional.

Centros para dar a luz. Los centros para dar a luz generalmente son instalaciones independientes (aunque pueden estar vinculadas a un hospital, o incluso estar ubicados en su interior), ofrecen un espacio de ambientación casera, con poca tecnología y personalizado para dar a luz. En un centro de este tipo también puede recibir todas las atenciones prenatales, desde las visitas del especialista hasta la educación maternal y las clases de lactancia (los centros ubicados dentro de un hospital sólo suelen dedicarse al parto propiamente dicho). En general, la mayoría de los centros para dar a luz ofrecen las máximas comodidades para el parto, desde habitaciones particulares bien decoradas y una iluminación tenue hasta duchas y bañeras tipo jacuzzi. Incluso puede haber una cocina para que la utilice el resto de la familia. Los centros para dar a luz suelen estar regentados por comadronas, auque muchos de ellos cuentan con ginecólogos de guardia; otros están ubicados a pocos minutos de un hospital, por si surge alguna complicación. Y aunque en los centros para dar

a luz no suelen utilizarse equipos de intervención como los monitores fetales, existe en ellos el equipo médico necesario, incluyendo el equipo intravenoso, oxígeno para la madre y el bebé, y sistemas de reanimación infantil, de forma que los cuidados de emergencia puedan iniciarse (en caso de necesidad) mientras se espera el traslado al hospital más próximo. De todas formas, solo las mujeres con un embarazo de bajo riesgo son unas candidatas adecuadas para parir en los centros para dar a luz. Y otro aspecto a tener en cuenta: el objetivo de los centros para dar a luz es el parto sin medicación, y aunque disponen de fármacos suaves para calmar el dolor, no se inyectan epidurales. Si acaba decidiéndose por esta técnica, la tendrán que trasladar al hospital.

Partos Leboyer. Cuando el obstetra francés Frederick Leboyer presentó por primera vez su teoría del parto sin violencia, la comunidad médica lo recibió con escepticismo. Actualmente, sin embargo, muchos de los procedimientos que propuso se han acabado convirtiendo en rutinarios, ya que iban destinados a hacer más tranquila la llegada del recién nacido al mundo. Hoy en día, los bebés suelen nacer en salas de parto sin luces deslumbrantes que antes se consideraban necesarias, basándose en la teoría de que una iluminación más suave puede hacer más gradual y menos impactante la transición desde la oscuridad del útero a la claridad del mundo exterior. Colgar boca abajo al recién nacido y darle golpecitos en las nalgas ya no forma parte de la rutina, ya que se prefieren procedimientos menos agresivos para inducir la respiración, cuando ésta no se inicia por sí sola. En algunos hospitales el cordón umbilical se corta inmediatamente; en otros, en cambio, este último vínculo corporal entre la madre y el bebé se mantiene intacto

(continúa en la pág. siguiente)

(continúa de la pág. anterior)

cuando se ven las caras por primera vez (y hasta que deja de latir). Y aunque el baño de agua tibia recomendado por Leboyer, pensado para suavizar la llegada del bebé y graduar su transición entre un espació húmedo y uno seco, no suele ser habitual, sí que es corriente, en cambio, poner al bebé inmediatamente en los brazos de su madre.

A pesar de la creciente aceptación de muchas de las teorías de Leboyer, el nacimiento completo siguiendo su método –con música suave, luces tenues y un baño tibio para el recién nacido– no se practica mucho. De todas formas, si le interesa seguir este método, consulte a su especialista sobre esta posibilidad.

Parto en casa. A algunas mujeres no les satisface la idea de ser hospitalizadas cuando no están enfermas. Si éste es su caso –o si cree que el mejor lugar para nacer es en casa– quizá debería plantearse dar a luz en casa. Las ventajas son obvias: el recién nacido llega rodeado de familiares y amigos en un ambiente cálido y afectuoso, y usted podrá dilatar y dar a luz en la comodidad y la intimidad de su propio hogar, sin los protocolos ni el personal hospitalarios que interfieran en el proceso. El inconveniente es que si surge algún imprevisto, no tendrá a su alcance el equipo médico necesario para una cesárea de emergencia o para la reanimación del recién nacido.

Según las directrices de muchos colegios de comadronas, si se plantea un parto en casa, debería hallarse dentro de los siguientes parámetros:

- Debe encontrarse dentro de la categoría de embarazo de bajo riesgo –sin complicaciones como la hipertensión, la diabetes u otros problemas médicos crónicos– y no tener en su historial obstétrico ninguna dilatación y/o parto previos complicados.

- Ser atendida por un médico o una comadrona. Si la atiende una comadrona, ha de tener a su disposición un médico de referencia, preferiblemente uno que la haya visitado durante el embarazo y que haya trabajado ya con su comadrona.

Si opta por un médico de familia, éste podrá cumplir las funciones de médico de cabecera, de tocólogo, y cuando llegue el momento, de pediatra. De forma ideal, el médico de familia se pondrá al corriente de todos los aspectos de la salud de toda la familia, y no se ocupará únicamente de temas obstétricos. En caso de complicaciones, el médico de familia la puede derivar a un ginecólogo, pero continuar implicado en su caso, para mantener un vínculo médico reconfortante.

La enfermera comadrona titulada. Si lo que desea es un especialista que la atienda como a una persona más y no como a una paciente, que dedique un tiempo extra a hablar con usted y no sólo sobre su estado físico sino también sobre su bienestar emocional, que la aconseje sobre temas de nutrición y la ayude en la lactancia, y que prefiera las opciones más "naturales" en lo que al parto se refiere, lo que más le conviene es una enfermera comadrona titulada. Una comadrona titulada es una especialista médica, una enfermera que ha seguido una especialización como comadrona y que está titulada por el colegio de enfermería. Esta profesional está muy preparada para atender a las mujeres con un embarazo de alto riesgo y para encargarse de partos sin complicaciones. En algunos casos, la comadrona titulada puede facilitar las atenciones ginecológicas rutinarias, y a veces también la atención al recién nacido.

- Tener un medio de transporte disponible y vivir dentro de un radio de 40 kilómetros de un hospital si las carreteras son buenas y no hay problemas de tráfico, o de 15 kilómetros en caso contrario.

Nacimiento en el agua. El método de dar a luz debajo del agua para simular el medio uterino no suele estar muy extendido entre la comunidad médica, aunque suele estar más aceptado entre las comadronas.

En un parto dentro del agua, el bebé pasa de estar en el cálido y húmedo útero, a otro medio cálido y húmedo, que le ofrece una sensación de confort después del estrés del parto. Se saca al bebé del agua y se le coloca en los brazos de su madre inmediatamente después de nacer. Y dado que la respiración no empieza hasta que el bebé es expuesto al aire, no existe peligro alguno de que se ahogue. Los nacimientos dentro del agua pueden tener lugar en casa, en los centros para dar a luz y en algunos hospitales.

Algunos hombres acompañan a su pareja dentro de la bañera o el jacuzzi, cogiéndola por detrás para ofrecerle un punto de apoyo.

La mayoría de las mujeres con un embarazo de bajo riesgo pueden optar por un parto de este tipo, siempre que encuentren al especialista y el hospital adecuados (en los centros para dar a luz esta opción es más probable). Sin embargo, si su embarazo es de alto riesgo, ésta no sería la opción más aconsejable, y es probable que no encuentre ninguna comadrona dispuesta a dejarla parir dentro del agua.

Incluso si no le atrae la idea de dar a luz dentro del agua –o no tiene opción alguna de materializar esta idea– quizá le interese la opción de dilatar dentro de una bañera o en un jacuzzi. La mayoría de las mujeres opinan que el agua no sólo relaja, les alivia el dolor y las libera del peso de la gravedad, sino que también les facilita el proceso de la dilatación. Algunos hospitales y la mayoría de los centros para dar a luz disponen de bañeras en las salas de parto. Para más información sobre los partos en el agua, pueden consultar las páginas web <bebesymas.com>, <elbebe.com>, <www.ginecologomx.com>.

La mayoría de las comadronas trabajan en hospitales, mientras que otras atienden en centros para da a luz o ayudan en los partos en casa. Aunque en muchos países las comadronas tienen la autorización para aplicar la epidural y otras técnicas de alivio del dolor, así como para prescribir medicamentos de inducción al parto, un parto atendido por una comadrona es menos probable que incluya este tipo de intervenciones. El promedio de partos atendidos por comadronas que han acabado en cesárea es muy inferior al de los partos atendidos por ginecólogos, mientras que estas profesionales acumulan una tasa de éxito más elevada de partos vaginales tras cesárea (PVTC). Ello se debe, en parte, al hecho de que las comadronas sólo atienden a mujeres con un embarazo de bajo riesgo, que tienen menos posibilidades de presentar complicaciones durante el parto o de tener que recurrir a las intervenciones quirúrgicas. Diversos estudios demuestran que en el caso de los embarazos de bajo riesgo, los partos atendidos por una comadrona son igual de seguros que los atendidos por los ginecólogos. Y el coste de las visitas prenatales suele ser inferior en el caso de las comadronas que en el de los médicos.

Si opta por una enfermera comadrona (como hacen prácticamente el 8% de las embarazadas), tenga la precaución de seleccionar una que sea titulada. La mayoría de las comadronas tienen un

División de la atención al parto

Aunque esta práctica todavía no está muy extendida, existe una tendencia que puede darse en el hospital (y en la consulta ginecológica) en que será atendida. Algunos ginecólogos, cansados de ir corriendo desde las largas jornadas en su consultorio hasta las largas noches en el hospital ayudando a nacer a los bebés –y preocupados porque el agotamiento no afecte a su trabajo–, están buscando la mejor solución. Se trata de los tocólogos de hospital, es decir, de los especialistas que trabajan exclusivamente en los hospitales, atendiendo únicamente en las salas de dilatación y las salas de parto. Estos especialistas no tienen consulta externa y no llevan a cabo el seguimiento del embarazo de ninguna paciente.

Si su especialista le explica que en el momento del parto la atenderá un tocólogo de hospital, no se preocupe. Pero tome las medidas necesarias para asegurarse de que la solución la deja tranquila. En primer lugar, pregúntele a su especialista si ha trabajado conjuntamente con ese tocólogo de hospital con anterioridad (y asegúrese de que ambos profesionales tienen unos principios y unos protocolos parecidos).

También le podría interesar llamar al hospital para preguntar si podría conocer al equipo de ginecólogos antes de dar a luz, para evitar ser atendida por un total desconocido en el nacimiento de su bebé.

Asegúrese también de llevarse varias fotocopias de su carnet de embarazo (si es que lo tiene) para dárselo al tocólogo del hospital, de forma que el profesional que la atienda se ponga al corriente de todas sus circunstancias particulares, aunque no la conozca personalmente.

Si este sistema no le gusta, piense en la posibilidad de cambiarse a una consulta ginecológica cuanto antes mejor. De todos modos, recuerde que si opta por una consulta de varios especialistas, también existen muchas posibilidades de que su ginecólogo "habitual" no esté de guardia el día que se ponga de parto.

No olvide que, dado que los tocólogos de hospital se centran exclusivamente en la dilatación y el parto, están mejor preparados para ofrecerle la mejor asistencia posible al dar a luz. Y también más descansados, ya que trabajan por turnos, pero no día y noche.

---

ginecólogo de contacto al que se puede recurrir en caso de complicaciones; algunas trabajan en colaboración con un ginecólogo o en un consultorio con varios ginecólogos. Para más información sobre las enfermeras comadronas tituladas, puede acceder a la página web <comadronas.org>.

Comadronas no enfermeras. Estas comadronas no han cursado primero estudios de enfermería, aunque pueden tener un título en otros campos sanitarios. Se especializan sobre todo en los partos en casa, aunque algunas también trabajan en centros de maternidad.

Tipos de consulta

De momento ya se ha decidido por un ginecólogo, un médico de familia o una comadrona. Ahora deberá decidir en qué tipo de consulta se sentiría más cómoda. Aquí le presentamos los tipos de consulta más habituales y las correspondientes ventajas e inconvenientes de cada uno:

Consulta médica privada. En este tipo de consultorio, el médico trabaja solo, y recurre a otro médico que le sustituya en caso de ausencia o no disponibilidad. Un ginecólogo, un tocólogo o un médico de familia pueden trabajar en una consulta privada; en cambio, las comadronas generalmente trabajan en colaboración con un médico. La principal ventaja de un consultorio privado consiste en que en todas las visitas le atenderá el mismo especialista. De este modo se conocerán, y en teoría, se sentirá más a gusto con esta persona con vistas al parto. El principal inconveniente es que si su especialista no está disponible, es posible que en el momento del parto le ayude a dar a luz un sustituto al que usted no conoce (aunque conocer previamente al médico a o la comadrona sustitutos permite resolver este posible contratiempo). El consultorio privado también puede resultar un problema si a medio embarazo usted se da cuenta de que el médico no se aviene realmente al perfil de especialista que usted buscaba. Si le sucediera esto y decide cambiar de ginecólogo, tendrá que empezar de cero para buscar uno que responda a sus necesidades.

Consulta de varios profesionales médicos. En este tipo de consulta, dos o tres médicos de la misma especialidad trabajan conjuntamente con las pacientes, a menudo visitándolas de forma rotatoria (aunque generalmente podrá escoger su médico preferido para la mayor parte de su embarazo, y únicamente empezarán a rotar los especialistas hacia el final de la gestación, cuando tenga que visitarse cada semana). Este tipo de consultorios pueden ser tanto de médicos de familia como de tocólogos o de ginecólogos. La ventaja de un consultorio múltiple es que al ver a un médico distinto cada vez, acabará conociéndolos a todos, lo que significa que cuando lleguen las contracciones fuertes y fre-

cuentes, tendrá a alguno de estos médicos a su disposición. El inconveniente es que posiblemente no le gusten todos los médicos de la consulta por igual, y es posible que no pueda elegir el que la atenderá en el parto. Además, escuchar los diversos puntos de vista de los distintos especialistas puede considerarse una ventaja o un inconveniente, dependiendo si ello la tranquiliza o la angustia aún más.

Consulta combinada. Se trata de un consultorio que incluye a uno o más ginecólogos, y a una o más comadronas. Las ventajas e inconvenientes son parecidos a los de la consulta de varios profesionales médicos. Se cuenta con la ventaja añadida de disponer, en algunas de las visitas, de una atención o un tiempo extra por parte de la comadrona, y en otras, de los consejos médicos complementarios que nos puede facilitar un médico de familia que tenga mucha experiencia. Puede decidirse por la opción de que en el parto la asista una comadrona, con la tranquilidad de que si surge algún problema, enseguida la atenderá un ginecólogo.

Centro de maternidad. En los centros de maternidad, las enfermeras comadronas tituladas llevan a cabo la mayor parte de las tareas, y disponen de un médico de guardia por si lo necesitan. Algunos de dichos centros están vinculados a hospitales y cuentan con salas de partos especiales, mientras que otros constituyen instalaciones independientes. Todos los centros de maternidad ofrecen sus servicios únicamente a las embarazadas de bajo riesgo.

Obviamente, la ventaja de este tipo de centros es muy grande para las mujeres que prefieren ser atendidas durante el parto por una comadrona titulada. Un posible inconveniente es que si surge cualquier tipo de complicación a lo largo del embarazo quizá deberá ponerse en manos de un médico, con el que deberá establecer una relación a partir de cero. O bien, si aparece alguna complicación durante la dilatación o el parto, quizá deberá dar a luz con ayuda del médico de guardia, al que probablemente será la primera vez que vea. Y finalmente, si quiere dar a luz en un centro de maternidad independiente y se presentan las complicaciones, la tendrán que trasladar al hospital más próximo para que la atiendan de urgencias. Pero existe una gran ventaja que debe tenerse muy en cuenta: las comadronas y los centros de maternidad suelen ser económicamente más asequibles que los ginecólogos y los hospitales, si ha optado usted por tener una asistencia privada.[3]

Consulta de una enfermera comadrona titulada autónoma. En los países en los que se permite que las comadronas trabajen de forma autónoma, estas profesionales ofrecen a las embarazadas de bajo riesgo un seguimiento personalizado de su embarazo y un parto natural sin excesiva tecnología (a veces, en casa, pero más a menudo en centros para dar a luz o en hospitales). Una comadrona autónoma debería tener un ginecólogo de contacto para las consultas, para un caso necesario, y para tenerlo disponible en caso de emergencia: para el embarazo, el parto y el posparto. La mayor parte de las mutuas suelen cubrir los servicios de las comadronas, aunque sólo algunas cubren los partos atendidos por comadronas o los partos en casa o en instalaciones que no sean hospitalarias.

---

[3] En España, la situación es diferente. La asistencia por la Seguridad Social presupone unos médicos para la consulta y otros equipos de comadronas y tocólogos que asisten los partos en los centros de la Seguridad Social. La medicina privada puede ser ejercida por un obstetra aislado, aunque la tendencia es a equipos de tocólogos, que son los mismos que atienden las consultas, y los partos suelen ser ayudados por comadronas. En la medicina natural, la fórmula es similar. (*Nota del revisor.*)

Encontrar un candidato

Cuando tenga una idea clara del tipo de especialista que desea y del tipo de consulta que prefiere, ¿dónde podemos buscar a los posibles candidatos? A continuación, describimos algunas de las principales fuentes de información:

* Su ginecólogo o médico de familia (en caso de que no atienda partos) o su internista, siempre y cuando esté satisfecha con su forma de ejercer. (Los médicos tienden a recomendar otros especialistas con principios similares a los suyos.)

* Amigas que hayan tenido hijos recientemente y que tengan una personalidad y una forma de criarlos parecidos a los suyos.

* Una enfermera obstetra que ejerza en la zona.

* El Colegio de Médicos, que le puede facilitar una lista de nombres de médicos que pueden asistir a los partos, así como información sobre su formación médica, especialidades, intereses especiales y tipo de consulta y titulación disponible.

* El Colegio de Enfermería, si busca a una comadrona titulada. Acceda a él mediante la página web comadronas.org.

* La Liga de la Leche local (‹laligadelaleche.es›), especialmente si está interesada en amamantar a su hijo.

* Un hospital próximo con instalaciones que le interesen –por ejemplo, habitaciones para dar a luz con bañeras jacuzzi, alojamiento para el bebé y el padre, o unidades de cuidados intensivos de neonatología–, un centro de maternidad o un centro para dar a luz. Pídales los nombres de los médicos que atienden los partos.

■ Si todo lo anterior fallara, consulte las páginas amarillas en internet o en la guía de teléfonos. Busque en los apartados de "Médicos", "Ginecología y Obstetricia", "Medicina maternal" y "Medicina de familia".

Si su mutua le facilita una lista de especialistas, contrástela con sus amigos y conocidos o con otro médico, para elegir lo que le parezca más conveniente. Si eso no fuera posible, diríjase a la consulta de varios profesionales para conocerlos personalmente. En la mayoría de los casos, encontrará uno que la satisfaga. En caso contrario –y si su economía se lo permite–, quizá prefiera buscarse alguno que su mutua no le cubra.

Hacer la elección

Tan pronto como haya encontrado el nombre del futuro especialista, llámele para pedir hora de visita. Vaya preparada con preguntas que le permitan saber si sus principios concuerdan y si sus personalidades se avienen. No espere estar de acuerdo en todo: eso no pasa ni en los mejores trabajos en equipo. Esté atenta e intente leer entre líneas a lo largo de la entrevista (¿el médico o la comadrona sabe escuchar?, ¿adaptan sus explicaciones a la paciente?, ¿parece que tienen en cuenta tanto sus problemas emocionales como sus problemas físicos?). Ahora es el momento de descubrir la postura de su candidato en cuanto a los temas que la preocupan especialmente: parto natural frente a parto con epidural, lactancia, parto inducido, uso de monitores fetales o de equipos intravenosos rutinarios, partos por cesárea o cualquier otro tema que sea importante para usted. Saber es poder, y saber cómo trabaja su especialista le permitirá evitarse sorpresas desagradables más adelante.

Es casi tan importante lo que le revelará la entrevista sobre el posible especialista como lo que le revelará sobre usted misma. Hable con confianza y deje aflorar la paciente que lleva dentro. Las respuestas del especialista también le dejarán entrever si se siente a gusto y en buena sintonía con usted, la paciente.

También tendrá curiosidad por conocer el hospital o el centro para dar a luz donde ejerza su ginecólogo. Eso le permitirá recibir información muy importante, como la disposición de las salas de dilatación, parto y posparto, los mecanismos de ayuda de la lactancia, la posibilidad de dilatar en una bañera, la disponibilidad de los equipos de monitorización fetal más avanzados, o de una unidad de cuidados intensivos neonatales. ¿Hay flexibilidad respecto a los procedimientos que usted propone (por ejemplo, equipos intravenosos rutinarios)? ¿Se permite la entrada de los hermanos en las salas de parto? ¿Y la presencia de un acompañante en caso de parto quirúrgico?

Antes de tomar la decisión final, valore si su posible ginecólogo le inspira confianza.

El embarazo es uno de los viajes más importantes que nunca haya emprendido; por lo tanto, es importante que tenga una fe ciega en su copiloto.

Elegir el médico adecuado es sólo el primer paso

El siguiente paso es cultivar una buena relación de trabajo.

■ Dígale siempre la verdad y solo la verdad. Facilítele a su médico un historial ginecológico y obstétrico minucioso y completo. Hágale saber cualquier problema de alimentación que haya tenido, así como sus posibles hábitos alimentarios poco saludables. Explíquele sobre cualquier tipo de fármacos que esté tomando o haya tomado recientemente –ya sea por prescripción facultativa o por automedicación (incluyendo la medicación naturista), así como cualquier sustancia legal o ilegal, ya sea por tratamiento o por voluntad propia, incluyendo el alcohol y el tabaco–, así como todo tipo de enfermedades o intervenciones recientes o pasadas. Recuerde que todo lo que le explique a su médico será confidencial y que nadie más lo sabrá.

■ Si, entre visita y visita, le surge alguna duda o preocupación que no requiere de una respuesta inmediata, tome nota y consúltelo en la siguiente visita. (Puede ser de gran ayuda anotarlo en su móvil o bien en papelitos colgados en lugares bien visibles –la puerta de la nevera, el bolso, el escritorio o la mesilla de noche– de forma que siempre tenga estos espacios para escribir bien a mano.) Así estará segura de no olvidarse de preguntar todas sus dudas y exponer todos sus síntomas (si no se lo apunta, es fácil olvidarlo; como descubrirá bien pronto, las embarazadas están especialmente despistadas). En cada visita, junto con su lista de preguntas, lleve un lápiz y un bloc de notas (o bien su móvil o su diario del embarazo), para poder apuntar las recomendaciones de su médico. Si su médico no le facilita por iniciativa propia toda la información que necesita (efectos secundarios de los tratamientos, número de días que ha de tomar alguna medicación prescrita, término en el que se tenga que resolver algún problema), pregúnteselo antes de irse de la consulta, para evitar que le surjan las dudas al llegar a casa. A ser posible, repase rápidamente con el médico las notas que ha tomado para asegurarse de que ha entendido correctamente lo que el médico (o la comadrona) le ha dicho.

■ En caso de duda, llámele. ¿Algún síntoma la atormenta? ¿Parece que alguna medicación o tratamiento le produce alguna reacción adversa? Pues no pase la angustia sola. Coja el teléfono y llame a su médico (o escríbale un correo electrónico, si el médico prefiere responder por esta vía las consultas no urgentes). Aunque no quiera llamar o escribir un correo cada vez que note algún pequeño pinchazo, no dude en consultar las dudas que no se pueden resolver en los libros como éste, y que crea que no pueden esperar hasta la próxima visita para ser aclaradas. No tema que sus preocupaciones parezcan triviales; si la preocupan, es que no lo son. Además, los médicos y las comadronas ya prevén que las futuras madres van a hacer muchas preguntas, especialmente si son primerizas. Cuando descuelgue el teléfono o se prepare para escribir un correo, intente ser muy específica con sus síntomas. Si tiene dolor, precise la zona, la duración, el tipo (¿es agudo, sordo o causa calambres?) y la intensidad. A ser posible explique qué es lo que mejora o empeora ese dolor (cambiar de posición, por ejemplo). Si tiene pérdidas vaginales o flujo, describa el color (rojo intenso, rojo oscuro, pardo, rosado, amarillento), cuándo empezaron y si son muy fuertes. Hágale saber también los síntomas derivados de ello, como por ejemplo la fiebre, las náuseas, los vómitos, los temblores o la diarrea. (Véase *Cuándo llamar al médico*, en la pág. 156.)

■ Manténgase al día. Lea las revistas especializadas y las páginas web sobre el embarazo que más le interesen. Pero también deberá tener en cuenta que no se puede creer todo lo que lea, especialmente porque los medios de comunicación suelen presentar avances médicos antes de que estén probados mediante estudios que demuestren ser seguros y efectivos, o informan sobre preocupantes advertencias sobre el embarazo basadas en datos preliminares aún por demostrar. Si lee (u oye) alguna información nueva sobre ginecología, consúltela con su especialista –normalmente, su principal fuente de información– para comprobar lo que opina.

■ Si lee u oye alguna información que no se corresponde con lo que su médico le ha dicho, no se quede con la duda. Vuélvale a preguntar sobre el tema, y no en un tono desafiante sino para aclarar mejor las cosas.

■ Si sospecha que su ginecólogo pueda estar equivocado sobre algún tema (por ejemplo, aceptando las relaciones sexuales si tiene un historial de cérvix incompetente), dígaselo claramente. No puede esperar que, ni siquiera con la ficha médica en la mano, el médico recuerde todos los detalles de su historial médico particular. Como colaboradora de su propia atención sanitaria y como especialista que conoce su cuerpo como la palma de la mano, ha de compartir la responsabilidad de asegurarse de que no se cometan errores.

■ Pida explicaciones. Pregunte sobre los posibles efectos secundarios de una medicación prescrita y consulte si existe alguna alternativa no farmacológica para el tratamiento. Asegúrese de saber a la perfección por qué se le solicita cualquier prueba, qué implica ésta, qué riesgos comporta y cómo y cuándo sabrá los resultados.

■ Llévelo por escrito. Si cree que su médico no tiene bastante tiempo para responder a todas sus dudas y preocupaciones, intente llevarlas por escrito en una lista. Si en el transcurso de la visita no tiene oportunidad de ver resueltas todas sus dudas, pregúntele si le puede llamar más tarde, escribirle un correo electrónico o programar una visita posterior con más calma.

■ Siga las recomendaciones de su médico sobre la programación de visitas, el aumento de peso, el descanso nocturno, el ejercicio, la meditación, las vitaminas, etc., a no ser que tenga una razón de peso que le haga creer que no lo debería hacer o no lo puede hacer (en tal caso, coménteselo al médico de entrada, en vez de actuar por su cuenta).

■ Recuerde que cuidar de sí misma es el componente principal de entre todos los cuidados prenatales. Así que cuídese tanto como pueda, descanse lo suficiente y haga ejercicio, coma bien y evite el consumo de alcohol y tabaco, así como de fármacos no prescritos, tan pronto sospeche que podría estar embarazada, o aún mejor, tan pronto como se ponga a intentar concebir.

■ Si alguna cosa la angustia –ya sea tener que esperar demasiado por sistema, o no encontrar respuesta a sus preguntas–, dígalo claramente, pero sin ofender. Dejar que un problema se agrave sin poner remedio puede ir en contra de la relación médico-paciente.

■ Las compañías de seguros suelen actuar como mediadoras cuando surge algún conflicto o queja en la relación médico-paciente. Si tiene algún problema con su médico que no puede resolver hablando, contacte con su mutua de salud para pedir ayuda.

Para que no se olvide

Dado que algunas veces querrá escribir alguna cosa a partir de sus lecturas, anotar algún síntoma para comentarlo con su médico, apuntar el peso de esta semana para compararlo con el de la siguiente, o apuntar todo lo que se tenga que apuntar y así recordar todo lo que se deba recordar, haga un diario del embarazo personal e incluya toda esta información.

Si cree que no puede seguir las instrucciones de su médico o poner en práctica algún tipo de tratamiento recomendado, puede que se deba a que no esté en buena sintonía con el profesional que ha elegido para que la atienda a usted y a su hijo durante el embarazo, el preparto y el parto. En tal caso –o si, por cualquier otra razón, la relación con su médico no acaba de funcionar–, valore la posibilidad de cambiar de médico (partiendo de la base de que sea económicamente factible y que su mutua se lo permita).

El perfil de su embarazo

YA TIENE LOS RESULTADOS DEL TEST; está claro: ¡va a tener un bebé! El nerviosismo va en aumento (lo mismo que su útero), y también crece su lista de preguntas. Sin duda muchas de ellas estarán relacionadas con esos síntomas tan extraños que quizá ya está experimentando (ya hablaremos de ellos más adelante). Pero muchas otras tendrán que ver con el perfil de su embarazo. ¿Qué es el perfil de un embarazo? Es el compendio de sus historiales ginecológico, médico general y obstétrico (si no es primeriza); en otras palabras, los antecedentes de su embarazo. Hablará con su médico de estos antecedentes (que pueden tener un gran impacto sobre el historial ginecológico que está empezando a desplegar) durante su primera visita prenatal. Mientras tanto, este capítulo puede ayudarle a hacer inventario del perfil de su embarazo, y hacerse una idea de cómo éste podría afectar –o no– a los nueve meses que invertirá en concebir a su bebé.

Este libro es para usted

Al ir leyendo *Qué se puede esperar cuando se está esperando*, encontrará muchas referencias a las relaciones familiares tradicionales ("abuelas", "maridos", "esposas"). Con estas referencias no queremos excluir a las futuras mamás (y sus familias) que de algún modo sean "poco tradicionales"; por ejemplo, las madres solteras, las que tienen una pareja del mismo sexo, o las que han elegido no casarse con el compañero de su vida. Por el contrario, estos términos se han usado para evitar frases enrevesadas (por ejemplo, "su marido o su compañero o compañera"), que son más exactas pero más incómodas de leer. Por favor, edite mentalmente cualquier frase que no se ajuste a su caso y reemplácela por la que sí se adapte a usted y a su situación.

Tenga en cuenta que la mayor parte de este capítulo quizá no se aplique a su caso: esto es debido a que el perfil de su embarazo (igual que el del bebé que está esperando) es único. Lea lo que se adapte a su perfil, y sáltese lo que no.

Su historial ginecológico

Control de natalidad durante el embarazo

"Me quedé embarazada mientras estaba tomando la píldora anticonceptiva. La seguí tomando durante un mes porque no tenía ni idea de que estaba embarazada. ¿Afectará eso a mi bebé?"

Lo ideal es dejar pasar al menos un ciclo menstrual después de usar anticonceptivos orales, y antes de intentar quedarse embarazada. Pero la concepción no siempre espera a las condiciones ideales, y a veces una mujer se queda embarazada mientras está tomando la píldora. A pesar de las advertencias del prospecto del medicamento, no existen razones para preocuparse. No hay pruebas de un aumento de riesgo para el bebé cuando la mamá ha concebido mientras tomaba anticonceptivos orales. ¿Necesita que la tranquilicen más? Hable de la situación con su facultativo; seguro que lo hará.

"Me quedé embarazada utilizando un preservativo con espermicidas y seguí utilizando los espermicidas antes de saber que estaba embarazada. ¿Debería preocuparme sobre posibles defectos congénitos?"

No tiene que preocuparse si se quedó embarazada mientras estaba utilizando un condón o diafragma con espermicidas, un preservativo recubierto de espermicidas, o sólo espermicidas. Las noticias tranquilizadoras son que no existe ningún vínculo conocido entre los espermicidas y los defectos congénitos. De hecho, los estudios más recientes y convincentes han demostrado que no aumenta la incidencia de problemas, incluso si se utilizan repetidamente los espermicidas al principio del embarazo. Así que relájese y disfrute de su embarazo, aunque éste haya llegado un poco inesperadamente.

"He estado utilizando un DIU para el control de la natalidad y acabo de descubrir que estoy embarazada. ¿Tendré un embarazo sano?"

Quedarse embarazada mientras se está utilizando un método anticonceptivo siempre es un poco inquietante (¿no lo tomaba precisamente para evitarlo?), pero ya sucedió. Las posibilidades de que esto pase mientras se lleva un DIU son muy bajas –aproximadamente de 1 entre 1.000– dependiendo del tipo de dispositivo, de cuánto tiempo haya estado en su lugar, y de si ha estado bien colocado o no.

Haber sido una de entre un millar y haber conseguido concebir con un DIU en su sitio le deja dos opciones, de las que debería hablar con su médico lo antes posible: dejar el DIU en su lugar o hacérselo quitar. Cuál será la mejor opción en su situación dependerá de si su doctor puede o no –durante el examen– ver el cordón sobresaliendo de su cérvix. Si no se puede ver el cordón, el embarazo tendrá muchas posibilidades de proseguir sin grandes problemas con el DIU en su lugar. Simplemente, será empujado hacia arriba contra la pared del útero por la bolsa amniótica en expansión que rodea al bebé; durante el parto, generalmente saldrá con la placenta. Sin embargo, si el cordón del DIU aún es visible al principio del embarazo, aumentará el riesgo de desarrollar una infección. En tal caso, las posibilidades de tener un embarazo seguro y con éxito son mayores si se extrae el DIU lo más pronto posible, una vez se haya confirmado la concepción. Si no se extrae, existe una probabilidad significativa de que el feto sea abortado espontáneamente; este riesgo desciende a sólo el 20 % cuando se extrae el DIU. Si esto no le parece consolador, tenga en cuenta que se estima que la tasa de abortos espontáneos en todos los embarazos conocidos es de aproximadamente del 15 al 20 %.

Si el DIU se deja en el interior durante el primer trimestre, esté especialmente alerta a cualquier signo de hemorragia, calambres o fiebre, dado que seguir con el DIU dentro del útero la pone en mayor peligro de tener complicaciones al principio del embarazo. Notifíqueselo a su médico inmediatamente.

Fibroides

"He tenido fibroides durante varios años, que nunca me han causado el menor problema. ¿Lo harán ahora que estoy embarazada?"

Lo más probable es que sus fibroides no sean un impedimento para un embarazo sin complicaciones. De hecho, lo más frecuente es que estas pequeñas protrusiones no malignas de sus paredes uterinas no afecten en absoluto a su embarazo.

A veces, una mujer con fibroides nota una presión abdominal o dolor. Si le sucede, informe a su facultativo, aunque lo más normal es que no haya nada de que preocuparse. El descanso en cama durante cuatro o cinco días junto con el uso de analgésicos seguros (dígale a su médico que le recomiende uno) generalmente alivian.

En algunas escasas ocasiones, los fibroides pueden hacer aumentar ligeramente el riesgo de complicaciones tales como la abrupción (separación) de la placenta, el parto prematuro, y el parto de nalgas, pero estos riesgos tan pequeños pueden reducirse todavía más adoptando las precauciones adecuadas. Hable con su médico de sus fibroides, de forma que pueda saber más sobre esta anomalía y sus riesgos, si es que existe alguno, en su caso en particular. Si su médico sospecha que los fibroides podrían interferir en un parto vaginal seguro, quizá opte por practicarle una cesárea. En la mayoría de los casos, no obstante, incluso un fibroide de gran tamaño se apartará del camino del bebé cuando el útero se expanda durante el embarazo.

"Hace un par de años me extrajeron un par de fibroides. ¿Afectará ello a mi embarazo?"

En la mayoría de los casos, la cirugía practicada con el fin de extraer tumores fibroideos uterinos de pequeño tamaño (particularmente si se hizo por laparoscopia) no afecta a un embarazo posterior. Sin embargo, una cirugía más extensa para extraer fibroides más grandes debilita lo suficientemente al útero como para que no pueda llevar a cabo la fase de contracciones y dilatación. Si, tras revisar su historial quirúrgico, su médico decide que esto es lo que le podría suceder a su útero, se planificará una cesárea. Familiarícese con los signos de una dilatación temprana, por si acaso las contracciones empiezan antes de la fecha planificada para la cesárea (véase la pág. 391), y tenga listo un plan para llegar enseguida al hospital, en cuanto empiece la fase de dilatación.

Endometriosis

"Tras años de sufrir de endometriosis, por fin me he quedado embarazada. ¿Tendré algún tipo de problema con mi embarazo?"

La endometriosis se asocia típicamente con dos desafíos: dificultades para concebir y dolor. Quedarse embarazada significa que ha superado el primero de estos dos desafíos (¡felicidades!). Y las buenas nuevas se hacen aún mejores. Estar embarazada ayudará mucho con el segundo desafío.

Los síntomas de la endometriosis, incluyendo el dolor, mejoran durante el embarazo. Se cree que esto se debe a los cambios hormonales. Cuando la ovulación se toma un respiro, generalmente las irregularidades del endometrio se hacen menores y menos sensibles. La mejora es mayor en unas mujeres que en otras. A muchas mujeres les desaparecen los síntomas durante todo el embarazo; otras pueden sentir que su incomodidad aumenta al ir creciendo el feto, y empiezan a sentir fuertes "empujones", especialmente si dichos empujones y patadas del bebé alcanzan las zonas más delicadas.

Sin embargo y por suerte, parece que la endometriosis no contribuye a aumentar los riesgos del embarazo o el parto (aunque si se le ha practicado cirugía uterina, probablemente su médico optará por un parto mediante cesárea).

Las noticias no tan buenas son que el embarazo sólo proporciona un respiro en cuanto a los síntomas de la endometriosis, y no su curación. Después del embarazo y de criar al bebé (y muchas veces antes), los síntomas suelen volver.

Colposcopia

"Un año antes de quedarme embarazada, se me practicó una colposcopia y una biopsia cervical. ¿Está mi embarazo en peligro?"

Generalmente la colposcopia sólo se lleva a cabo tras un test de Papanicolau rutinario, en el que se encuentran algunas células cervicales irregulares. El procedimiento usual implica el uso de un microscopio especial para visualizar mejor la vagina y el cérvix. Si en el test de Papanicolau se han detectado células anormales, como seguramente ocurrió en su caso, su médico le hará una biopsia cervical o en forma de cono (en la que se toman muestras del tejido de la zona cervical sospechosa, para enviarlas al laboratorio para su posterior evaluación), criocirugía (durante la cual se congelan las células anormales), o una electrocauterización de bucle (EC, durante la cual se corta el tejido cervical afectado, utilizando una corriente eléctrica que no produce dolor). Las buenas noticias son que la gran mayoría de mujeres que han sufrido tales procedimientos son capaces de tener embarazos normales. Sin embargo, algunas, y dependiendo de cuánto tejido se les haya extraído, pueden tener un mayor riesgo de algunas complicaciones en la gestación, tales como un cérvix incompetente o un parto prematuro. Asegúrese de que su médico está enterado de su historial cervical, de modo que su embarazo pueda ser monitorizado más estrechamente.

Si se notan células anormales en su primera visita prenatal, quizá su médico opte por llevar a cabo una colposcopia, pero las biopsias u otros procedimientos generalmente se retrasan hasta que el bebé ha nacido.

Virus del papiloma humano (VPH)

"¿Puede el VPH genital afectar a mi embarazo?"

El VPH genital es el virus más común de entre los que se transmiten por vía sexual en muchos países desarrollados, y afecta a más del 75% de las personas sexualmente activas, aunque la mayoría de los portadores del virus nunca llegan a saber que lo son. Ello se debe a que la mayoría de las veces, el VPH no causa síntomas obvios y generalmente desaparece por sí solo en unos seis a diez meses.

No obstante, en algunas ocasiones el VPH da lugar a síntomas. Algunas cepas causan irregularidades de las células cervicales (que se detectan en el test de Papanicolau); otras cepas pueden causar verrugas genitales (su aspecto puede variar desde unas verrugas visibles a simple vista, a elevaciones suaves, "aplanadas" y aterciopeladas, o a excrecencias parecidas a una pequeña coliflor; los colores pueden variar de rosado pálido a oscuro), que pueden aparecer en la vagina, la vulva y el recto. Aunque generalmente son indoloras, las verrugas genitales pueden producir quemazón, picor o incluso sangrar. En la mayoría de los casos, las verrugas desaparecen espontáneamente en un par de meses.

¿Cómo afecta el VPH a su embarazo? Por suerte, es muy probable que no le afecte en absoluto. Sin embargo, en algunas mujeres el embarazo afectará al VPH, haciendo que las verrugas se hagan más activas. Si éste es su caso, y si parece que las verrugas no remitirán espontáneamente, puede que su médico le recomiende un tratamiento durante el embarazo. Las verrugas pueden extirparse con toda seguridad por congelación, calor eléctrico o mediante terapia láser, aunque en algunos casos se decide retrasar este tratamiento hasta después del parto.

Signos y síntomas del herpes genital

Es durante el episodio primario (o primero) del herpes genital cuando es más probable que éste pase al feto, de forma que debe llamar a su médico si tiene los siguientes síntomas: fiebre, dolor de cabeza, malestar y cuerpo dolorido durante dos o más días, acompañados de dolor y picor genital, dolor al orinar, secreción vaginal y uretral, y sensibilidad en la ingle, así como lesiones en forma de ampollas que luego cicatrizan formando una costra.

Las lesiones suelen curarse a las dos o tres semanas, durante las cuales aún puede transmitirse la enfermedad.

Si tiene el VPH, su médico querrá inspeccionar su cérvix para asegurarse de que no existen irregularidades en las células cervicales. Si se encuentran anormalidades, normalmente se pospondrán hasta después del nacimiento del bebé las biopsias cervicales que son necesarias para extirpar las células anormales.

Dado que el VPH es muy contagioso, practicar el sexo seguro y limitarse a tener una sola pareja es la mejor manera de evitar volver a contraerlo. Aunque ahora existe una vacuna para prevenir contraer el VPH para mujeres de menos de 26 años, no es recomendable utilizarla durante el embarazo. Si había empezado la tanda de vacunas (se administra en una serie de tres dosis) y se queda embarazada antes de terminarla, tendrá que esperar a que haya nacido el bebé para poder finalizar este tratamiento preventivo.

Otras ETS y el embarazo

No debería sorprendernos que la mayoría de ETS puedan afectar al embarazo. Por suerte, la mayor parte se diagnostican y tratan con toda seguridad, incluso durante el embarazo. Pero debido a que a menudo las mujeres no son conscientes de que están infectadas, los centros de control y prevención recomiendan que todas las embarazadas se sometan a unos tests al principio de su embarazo al menos para estas ETS: clamidiasis, gonorrea, tricomoniasis, hepatitis B, VIH y sífilis.

Las ETS pueden darse en mujeres (y hombres) de todos los grupos de edad, de cualquier raza o grupo étnico y de cualquier nivel económico. Las principales ETS son entre otras:

Gonorrea. Desde hace mucho se sabe que la gonorrea produce conjuntivitis, ceguera y una infección generalizada grave en un feto que ha nacido atravesando un canal del parto infectado. Por ello se les hace a las mujeres gestantes un test para detectar dicha enfermedad, generalmente en la primera visita prenatal. A veces, cuando la mujer tiene un alto riesgo de contraer una ETS, se repite el test al final del embarazo. Si está infectada de gonorrea, se la tratará inmediatamente con antibióticos. Después se practicará otro cultivo, para asegurar que la mujer se ha liberado de la infección. Como precaución añadida, a cualquier recién nacido se

le administra un colirio antibiótico. (Este tratamiento puede retrasarse hasta una hora –pero no más– si primero desea usted tener un contacto "vis a vis" en el que el bebé no vea borroso.)

Sífilis. Dado que esta enfermedad puede causar diversos defectos de nacimiento o el alumbramiento de un mortinato, también se hace un análisis rutinario para la sífilis en la primera visita prenatal. En las mujeres infectadas, el tratamiento con antibióticos antes del cuarto mes, cuando la infección empieza a atravesar la barrera placentaria, evita casi siempre que el feto sufra daños. La transmisión de la sífilis de madre a hijo ha disminuido mucho.

Clamidiasis. En la mayoría de países occidentales existen más casos de clamidiasis que de gonorrea o sífilis, y dicha enfermedad afecta más a las mujeres sexualmente activas de menos de 26 años. Es la infección más común de las que pasan de la madre al feto, y se considera un riesgo potencial para el feto y un riesgo posible para la madre. Por ello es una buena idea hacer un cribado para la clamidia durante el embarazo, particularmente si ha tenido múltiples compañeros sexuales en el pasado. Muchas mujeres que sufren de clamidiasis no presentan ningún síntoma; por ello queda sin diagnosticar si no se practican los tests pertinentes.

Herpes

"Tengo herpes genital. ¿Puede contagiarse mi bebé?"

Tener herpes genital durante el embarazo es motivo de precaución pero no de alarma. De hecho, existen excelentes posibilidades de que su bebé

llegue completamente libre del herpes, sobre todo si usted y su doctor han dado los debidos pasos para su protección durante el embarazo y el parto.

Un bebé tiene menos del 1% de riesgo de contraer la enfermedad si su madre tiene una infección recurrente durante el embarazo (es decir, si ya tuvo herpes).

Un tratamiento inmediato de la clamidiasis antes o durante el embarazo puede prevenir que las infecciones por clamidia (neumonía, que a menudo y por suerte suele ser benigna, e infección ocular, que a veces es grave) sean transmitidas de la madre al bebé durante el parto. Aunque el mejor momento para el tratamiento es antes de la concepción, la administración de antibióticos (generalmente azitromicina) a la futura madre infectada también puede ser efectiva para prevenir que el niño se infecte. La pomada antibiótica que se usa tras el alumbramiento protege al recién nacido de la infección ocular tanto por clamidia como por gonorrea.

Tricomoniasis. Los síntomas de esta ETS causada por un parásito son un flujo vaginal verdoso y espumoso, con un desagradable olor a pescado, y a menudo, picor. La mitad de las afectadas no presentan ningún síntoma. Aunque generalmente esta enfermedad no suele causar una patología grave ni problemas para el embarazo (ni afectar al bebé cuya mamá está infectada), sus síntomas pueden ser molestos. Generalmente, a las mujeres se las trata durante el embarazo, sólo si presentan síntomas.

Infección por el VIH. De forma rutinaria se hace el análisis a las mujeres embarazadas para saber si son portadoras del VIH (virus de la inmunodeficiencia humana), ya tengan o no un historial previo de conducta de riesgo. La infección durante el embarazo con el VIH, que causa el sida, constituye una amenaza no sólo para la futura madre, sino también para su bebé. El 25% de los bebés nacidos de madres no tratadas desarrollarán la infección (los análisis lo confirmarán durante los primeros seis meses de vida). Por suerte, existen muchas esperanzas con los tratamientos actualmente disponibles. Pero antes de tomar una decisión, cualquiera que tuviera un resultado positivo para el VIH debería hacerse un segundo test (los análisis son muy precisos pero a veces pueden dar falsos positivos). Si el segundo test da positivo, entonces será absolutamente obligatorio contar con asesoramiento sobre el sida y las opciones de tratamiento. Si se trata a una madre seropositiva con AZT (también conocido como zidovudina –ZDV– o retrovir), u otros medicamentos antirretrovirales, se puede reducir espectacularmente el riesgo de que le pase la infección a su hijo, aparentemente sin ninguna contraindicación. Si el parto es por cesárea programada, puede reducirse el riesgo de transmisión al dar a luz.

Si sospecha que puede estar infectada con cualquier ETS, hable con su médico para saber si le ha hecho el análisis; si no es así, pídale que se lo haga. Si resulta que un test da positivo, asegúrese de que usted –y su pareja, si se considera necesario– reciba tratamiento.

En segundo lugar, aunque una infección primaria (que tenga lugar por primera vez) al principio del embarazo aumenta el riesgo de aborto y parto prematuro, este tipo de infección es poco común. Incluso en los bebés de alto riesgo –aquellos cuyas madres tienen su primer episodio de herpes cuando se está acercando el parto (que en sí mismo es raro, dado que se le han hecho los tests rutinarios)– existe hasta un 50% de posibilidades de que escapen a la infección. Finalmente, esta enfermedad, aunque aún es grave, hoy en día parece ser algo más benigna en los recién nacidos que en el pasado.

Así que si ha contraído el herpes antes del embarazo, lo más probable, el riesgo para su bebé es mínimo. Y con unos buenos cuidados médicos se podrá disminuir aún más.

Para proteger a sus bebés, a las mujeres con un historial de herpes que tienen episodios recurrentes durante el embarazo se les suele administrar medicación antivírica. A aquellas que tienen lesiones activas al principio de la dilatación, suele practicárseles la cesárea. En el poco probable caso de que el bebé sea infectado, será tratado con un fármaco antivírico.

Tras el parto, con unas precauciones adecuadas, podrá cuidar de su bebé –y darle el pecho– sin transmitirle el virus, incluso durante una infección activa.

Su historial obstétrico

Fecundación in vitro (FIV)

"Concebí a mi bebé con FIV. ¿Será mi embarazo diferente?"

Mi más cálida felicitación por su éxito en la FIV. Con todo lo que habrá tenido que pasar para llegar a este punto, se ha ganado un poco de tranquilidad y, por suerte, es probable que la tenga. El hecho de que concibiera en un laboratorio en vez de en la cama no debería afectar en absoluto a su embarazo, al menos una vez haya pasado el primer trimestre. Sin embargo, al principio habrá algunas diferencias en su embarazo y en sus cuidados. Dado que un test positivo no significa necesariamente que el embarazo vaya a continuar, y debido a que intentarlo de nuevo puede ser tan duro emocional y económicamente, y dado que no se sabe con certeza cuántos de los embriones del tubo de ensayo se desarrollarán dando lugar a fetos, las primeras seis semanas de un embarazo por FIV generalmente son más tensas que en otros embarazos.

Además, si ha tenido algún aborto en los intentos anteriores, será mejor restringir las relaciones sexuales y otras actividades físicas. Como precaución añadida, es probable que se le prescriba la hormona progesterona, para ayudarla a mantener su embarazo en desarrollo durante los primeros dos meses.

Pero una vez haya pasado este período, podrá esperar que su embarazo sea parecido a todos los de las demás mujeres, a menos que resulte que lleva más de un feto, como sucede en más del 30% de las FIV. Si así fuera, consulte el Capítulo 16.

La segunda vez

"Éste es mi segundo embarazo. ¿Qué diferencias habrá con el primero?"

Dado que dos embarazos nunca son exactamente iguales, no se puede predecir cómo serán de distintos (o parecidos) estos nueve meses. No obstante, existen algunas generalidades en el segundo embarazo y los siguientes que son ciertas, al menos durante parte del tiempo (como todas las generalizaciones, ninguna será cierta al cien por cien):

- Probablemente "se sentirá" embarazada antes. La mayoría de las "segundonas" están mucho más sintonizadas con los primeros síntomas del embarazo, y están más capacitadas para reconocerlos. Los mismos síntomas pueden variar desde la última vez:

puede tener más o menos mareos matinales, indigestión y otras molestias estomacales; puede que se sienta más cansada (especialmente si en su primer embarazo podía hacer la siesta y ahora raras veces tiene la oportunidad de sentarse) o menos (quizá debido a que está demasiado ocupada para notar lo cansada que está, o debido a que está ya muy acostumbrada a estar cansada); y puede que tenga que orinar con mayor frecuencia o menos (aunque esto es más probable que aparezca más pronto).

Algunos de los síntomas que típicamente son menos pronunciados en el segundo embarazo y los siguientes incluyen los antojos y las aversiones a la comida, el aumento de volumen y la sensibilidad de los pechos, y la preocupación (ya que ya ha estado ahí, ya ha hecho eso, y ha sobrevivido para contarlo, es menos probable que el embarazo le produzca pánico).

■ Tendrá aspecto de embarazada más pronto. Gracias a que la musculatura abdominal y uterina están más laxas (no hay una forma más delicada de decirlo), es probable que se "hinche" usted más pronto que la primera vez. O puede que note que está transportando al bebé número dos de forma distinta al bebé número uno. Es probable que el bebé número dos (o tres o cuatro) sea más grande que su hermano mayor, así que tendrá que transportar un mayor peso y volumen. Otro resultado potencial del aflojamiento de sus abdominales: el dolor de espalda y otros dolores del embarazo pueden exacerbarse.

■ Probablemente sentirá los movimientos antes. Otra cosa que debemos agradecerles a esos músculos más laxos: la posibilidad de poder sentir las patadas del bebé mucho antes esta vez, posiblemente ya a la semana 16

(y quizá antes, o después). También es más probable que los reconozca, al haberlos sentido ya. Desde luego, si el último embarazo le ha dejado un acolchado abdominal extra, del que no se ha podido librar, puede que no le sea tan fácil sentir esas primeras patadas.

■ Puede que no esté tan emocionada. Eso no quiere decir que no esté ilusionada por su nuevo embarazo. Pero puede que note que el nivel de emoción (y por lo tanto el impulso de explicarle las buenas nuevas a todo el mundo que pasa por la calle) sea menor. Ésta es una reacción completamente normal (nuevamente, esta situación no es nueva), y de ninguna forma significa que quiera menos a este bebé. También debe tener en cuenta que está preocupada (física y emocionalmente) por el niño que ya está aquí.

■ Probablemente tenga una dilatación y un parto más rápidos. Ésta es la parte que debe agradecerle a esos músculos más relajados. Toda esta laxitud (particularmente en las áreas implicadas en el parto), combinada con la experiencia anterior sobre su propio cuerpo, pueden ayudar a asegurarle una salida más veloz al bebé número dos. Es probable que todas las fases de la dilatación y el parto sean más cortas, con un período de pujos mucho más reducido.

Puede que se pregunte cómo decirle al bebé número uno que existe un bebé número dos en camino. Una preparación realista, empática y apropiada para su edad sobre la transición de hijo único a hermano mayor debería empezar durante el embarazo. Para más consejos, véase *Qué se puede esperar el primer año*, de H. Murkoff, y *Esperar el segundo*, de J. Leonard. Leerle a su hijo libros que estén llenos de imágenes también será de gran ayuda en la preparación del hermano mayor.

"Tuve un primer bebé perfecto. Ahora que estoy embarazada de nuevo, no puedo quitarme el miedo de no tener tanta suerte esta vez."

Sus posibilidades de que le toque el "gordo" una vez más son excelentes; de hecho, es mejor haber vivido la experiencia de un embarazo satisfactorio en sus entrañas, de nuevo en expansión. Además, con cada embarazo tiene aún mayores probabilidades de tener éxito, añadiendo o aumentando todas las claves para un embarazo saludable (buenos cuidados médicos, dieta, ejercicio y estilo de vida).

Su historial obstétrico se repite

"Mi primer embarazo fue muy incómodo; debí de tener todos los síntomas del libro. ¿Tendré esta vez tan mala suerte?"

En general, su primer embarazo suele predecir muy bien cómo serán los embarazos futuros, si las circunstancias son las mismas. Así que es un poco menos probable que pase un embarazo tan cómodo como una mujer que haya tenido una gestación sin inconvenientes. Sin embargo, siempre existe la esperanza de que su suerte mejore. Todos los embarazos, igual que todos los bebés, son distintos. Si, por ejemplo, los mareos matutinos o los antojos la molestaron mucho en su primer embarazo, puede que en el segundo casi no los note (o viceversa). Aunque la suerte, la predisposición genética y el hecho de que ya haya experimentado ciertos síntomas antes tienen mucho que ver con lo cómoda o incómoda que se sienta, otros factores –incluyendo algunos que puede controlar– pueden alterar el pronóstico hasta cierto punto. Estos factores incluyen:

Salud general. Empezar con unas buenas condiciones físicas será una ventaja para tener un embarazo cómodo.

Aumento de peso. Ganar peso a un ritmo constante y mantener dicho aumento dentro de los límites recomendados (véase la pág. 188) puede aumentar sus posibilidades de evitar, o bien hacer disminuir, esas miserias del embarazo, como las hemorroides, las venas varicosas, las estrías, el dolor de espalda, la fatiga, la indigestión y la falta de aliento.

Dieta. No puede ofrecer ninguna garantía, pero comer bien (véase el Capítulo 5) aumenta las posibilidades de todas las mujeres embarazadas de tener una gestación más sana y cómoda. No sólo puede hacer aumentar las posibilidades de evitar o minimizar los inconvenientes de los mareos matutinos y la indigestión, sino que puede ayudar a combatir la fatiga excesiva, el estreñimiento y las hemorroides, y prevenir las infecciones del tracto urinario y la anemia por déficit de hierro, e incluso los dolores de cabeza. Y si de todos modos resulta que su embarazo es incómodo, comiendo bien habrá procurado a su hijo las mejores probabilidades de nacer sano.

Ejercicio. Hacer el ejercicio adecuado y en la cantidad adecuada (véase la pág. 243 para las directrices) puede ayudarla a mejorar su bienestar general. El ejercicio es especialmente importante en el segundo embarazo y los siguientes, dado que los músculos abdominales tienden a estar más laxos, haciéndola susceptible a una serie de dolores y molestias, sobre todo el dolor de espalda.

Ritmo de vida. Llevar una vida frenética (¿y quién no, hoy en día?) puede agravar, o incluso desencadenar, el síntoma más incómodo del embarazo, el mareo matutino, y exacerbar otros, tales como la fatiga, el dolor de cabeza, el dolor de espalda y la indigestión. Contar con ayuda en la casa, tomarse pausas cuando desempeña cualquier actividad que la pone nerviosa, trabajar menos y posponer para después del embarazo cualquier tarea que no sea de primera necesidad, o practicar técnicas de relajación tales como el yoga, pueden ayudarla a calmarse y a sentirse mejor.

Otros niños. Algunas mujeres embarazadas que tienen otros niños en casa encuentran que salir adelante con sus hijos las tiene tan ocupadas que apenas tienen tiempo para notar las incomodidades del embarazo. Para otras, toda la actividad que implica correr tras los niños tiende a agravar los síntomas del embarazo. Por ejemplo, los mareos matutinos pueden aumentar durante los momentos de estrés (por ejemplo, los momentos de ir al colegio o sentarse a la mesa); la fatiga puede aumentar porque parece no haber un solo minuto de descanso; las molestias de espalda pueden constituir un dolor extra si lleva mucho en brazos a los niños; incluso el estreñimiento puede ser más probable si nunca tiene la oportunidad de ir al baño cuando tiene ganas. También es más probable que coja resfriados y otras enfermedades, por cortesía de sus hijos, que son transmisores de gérmenes. (Véase el Capítulo 20 para la prevención y tratamiento de tales enfermedades.)

No siempre es realista hacer de su cuerpo embarazado la prioridad número uno cuando tiene otros hijos que reclaman sus cuidados (los días de mimarse durante el embarazo terminaron con su primera gestación). Pero tomarse más tiempo para cuidar de sí misma –poniendo los pies en alto cuando les cuenta un cuento, haciendo la siesta (en vez de pasar el aspirador) mientras sus hijos duermen, pasarse al hábito de los bocadillos sanos incluso cuando no hay tiempo para sentarse durante las comidas, y dejarse ayudar cuando le sea posible– puede ayudarla a aligerar el peso que está llevando su cuerpo, minimizando las molestias de la gestación.

"Tuve algunas complicaciones en mi primer embarazo. ¿Será esta nueva gestación tan dura?"

Definitivamente, un embarazo complicado no predice que el siguiente también lo sea. Mientras que algunas complicaciones de la gestación pueden repetirse, muchas otras no aparecen necesariamente. Otras pueden haberse desencadenado una sola vez, tales como una infección o un accidente, lo que significa que es muy improbable que se repitan. Sus complicaciones tampoco se repetirán si fueron causadas por unos hábitos que ahora ya ha cambiado (tales como fumar, beber o tomar drogas), por una exposición a un peligro ambiental (tal como el plomo) al que ahora ya no estará expuesta, o por no contar con los cuidados médicos del principio del embarazo (asumiendo que esta vez sí que cuenta con ellos). Si la causa fue una enfermedad crónica, tal como la diabetes o la hipertensión, la corrección o control de dicha enfermedad antes de la concepción o muy al inicio del embarazo puede reducir mucho el riesgo de que las complicaciones se repitan. Tenga también en cuenta que, incluso si las complicaciones que sufrió tienen posibilidades de repetirse, una detección y un tratamiento precoces (dado que usted y su médico estarán atentos por si se vuelven a presentar) pueden hacer que haya una gran diferencia.

Hable con su facultativo de las complicaciones que tuvo la última vez y de lo que se puede hacer para evitar que se repitan. No importa cuál sea el problema o sus causas (incluso si no se hallaron dichas causas), los consejos de la respuesta anterior pueden hacer que su embarazo sea más cómodo y seguro tanto para usted como para su bebé.

Embarazos demasiado seguidos

"Me quedé embarazada inesperadamente a las 10 semanas de haber dado a luz mi primer hijo. ¿Qué efecto tendrá esto en mi salud y en el nuevo bebé?"

Va a aumentar la familia (y su vientre) de nuevo un poco antes de lo esperado. Empezar con otro embarazo antes de que se haya recuperado plenamente del último puede ser ya bastante duro sin añadir el estrés a la mezcla. Así que, primero de todo, relájese. Aunque dos embarazos poco espaciados pueden cobrarse su peaje físico en una futura mamá que acaba de tener un bebé, existen muchas cosas que puede hacer para ayudar a su cuerpo a manejar mejor el desafío de los embarazos demasiado seguidos, incluyendo:

- Conseguir los mejores cuidados prenatales, empezando tan pronto como sospeche que está embarazada.

- Comer lo mejor posible (véase el Capítulo 5). Es posible que su cuerpo no haya tenido la oportunidad de restablecer sus reservas de vitaminas y nutrientes, y eso podría ser una desventaja nutritiva, especialmente si está criando. Puede que necesite sobrecompensar su nutrición para asegurarse de que tanto usted como su bebé no estén en desventaja. Ponga especial atención en las proteínas y el hierro (pregúntele a

su médico si debería tomar un suplemento), y asegúrese de que continúa tomando sus vitaminas prenatales. Intente que no le falten ni el tiempo ni la energía (tendrá poco de ambas cosas, eso seguro) para comer lo suficiente. Comer de forma sana la ayudará a dotar a su nuevo hijo de todos los nutrientes que precisa.

- Ganar bastante peso. A su nuevo feto no le importa si usted ha tenido tiempo o no de librarse de esos kilos de más que le facilitó su hermano anterior. Los dos necesitan el mismo aumento de peso en este embarazo, a menos que su médico le diga lo contrario. Así que por el momento deberá guardar en el armario cualquier plan de pérdida de peso. Un aumento de peso cuidadosamente controlado será relativamente fácil de perder después, particularmente si fue ganado mediante una dieta de calidad y sobre todo una vez que tenga un niño pequeño y un bebé para cuidar. Vigile cuidadosamente su aumento de peso, y si las cifras no empiezan a subir como debieran, controle su ingesta de calorías más de cerca y siga los consejos de la página 204 para aumentar más de peso.

- Alimentación compartida. Si le está dando el pecho a su primer bebé, puede proseguir mientras lo desee. Si está completamente exhausta, quizá desee que su bebé tome un suplemento de leche de farmacia, o considere la posibilidad de destetarlo por completo. Discuta las opciones con su médico. Si decide continuar con la lactancia, asegúrese de que está tomando suficientes calorías extra para alimentar tanto a su bebé como al feto (pregúntele al facultativo lo que debe hacer). También necesitará mucho descanso.

- Descanse. Necesitará más descanso del que es humanamente posible para una nueva mamá. Para conseguirlo, no sólo le hará falta su propia determinación, sino también la ayuda de su pareja y otras personas, que deberían cocinar, limpiar la casa y cuidar al bebé todo lo posible. Establezca prioridades: deje sin hacer las tareas menos prioritarias, y oblíguese a echarse cuando su bebé esté durmiendo. Si no está lactando, deje que papá se ocupe de los biberones nocturnos; y si está dando el pecho, deje al menos que papá cambie los pañales a las dos de la madrugada.

- Haga ejercicio. Pero sólo lo necesario para darle energías, y no lo bastante para dejarla exhausta. Si no encuentra el tiempo para la rutina de ejercicios del embarazo, incluya una actividad física en su día a día con el bebé. Dé un paseo rápido con él en el cochecito. O asista a una clase de ejercicio para embarazadas o nade en un club o centro comunitario que ofrezca servicios de guardería.

- Elimine o minimice todos los demás factores de riesgo del embarazo que pueda controlar, tales como fumar o beber. Ni su cuerpo ni su futuro bebé necesitan ningún extra de estrés.

Tener una gran familia

"Estoy embarazada por sexta vez. ¿Constituye esto un riesgo añadido para mi bebé o para mí?"

Está intentando demostrar la teoría de que una docena sale más barato. Por suerte –para usted y su gran familia–, las mujeres que reciben buenos cuidados prenatales tienen excelentes posibilidades de tener bebés normales y sanos en el sexto embarazo (y posteriores). De hecho, aparte de un pequeño aumento en la incidencia de partos múltiples (mellizos, trillizos, etc.; lo que podría significar que su gran "camada" podría crecer repentinamente mucho más), estos embarazos de "cuanto más mejor" tienen unas probabilidades casi iguales de no tener complicaciones que cualquier primero o segundo embarazo.

Así que disfrute de su gestación y de su gran familia. Pero mientras la está formando:

- Descanse todo lo que pueda. Desde luego, podría llevar su embarazo con los ojos cerrados, pero eso no significa que deba intentarlo. Toda mujer embarazada necesita descanso, pero las mujeres embarazadas que también están cuidando de otros muchos niños (además de la casa que están llenando de alegría), necesitan aún más.

- Consiga toda la ayuda que pueda. Eso hará que pueda disfrutar de ese descanso que necesita (o, por lo menos, hasta cierto punto). Empiece por su pareja, que debería contribuir en lo posible en cuanto al cuidado de los niños y la casa, pero no se pare ahí. Si todavía no lo ha hecho, enseñe a sus hijos mayores a ser autosuficientes, y asígneles tareas apropiadas para su edad. Prescinda por ahora de cualquier tarea que no sea esencial, y que no pueda pasarle a otra persona.

- Aliméntese. Las mamás con muchas bocas que alimentar a menudo descuidan la suya propia. Saltarse alguna comida o tomar alimentos poco adecuados no sólo es nocivo para usted (dejándola con menos energía de la que realmente tiene), sino también para el bebé que lleva a bordo. Así que tómese el tiempo de alimentarse bien. Hacer de los tentempiés sanos un hábito la puede ayudar mucho (acabarse los restos de una hamburguesa con queso y trozos de pollo rebozado a medio comer no va en esa línea).

■ Vigile su peso. No es raro que las mujeres que han tenido varios embarazos añadan unos kilos más con cada bebé. Si éste ha sido su caso, ponga especial atención en comer de forma eficiente y en mantener su peso bajo control (el límite debería ponerlo su médico). Y por el contrario, asegúrese también de no estar tan ocupada que no gane el peso adecuado.

Abortos provocados previos

"He abortado dos veces. ¿Afectará eso a mi embarazo?"

Es poco probable que abortar varias veces durante el primer trimestre tenga consecuencias sobre los futuros embarazos. Así que si le practicaron los abortos antes de la decimocuarta semana, es probable que no tenga de qué preocuparse. Sin embargo, haber abortado varias veces durante el segundo trimestre (entre las semanas 14 y 27) puede hacer aumentar ligeramente el riesgo de un parto prematuro. En cualquier caso, asegúrese de que su médico sabe de sus abortos. Cuanto más familiarizado esté con su historial obstétrico y ginecológico, mejores cuidados recibirá.

Parto prematuro

"Tuve un parto prematuro durante mi primer embarazo. He eliminado todos mis factores de riesgo, pero todavía estoy preocupada por si me vuelve a suceder."

La felicito por estar haciendo todo lo posible para asegurarse de que su embarazo sea lo más sano posible esta vez y por darle a su bebé las mejores probabilidades de quedarse "a bordo" hasta la fecha de salida de cuentas. Éste es un gran primer paso. Junto con su médico, posiblemente podrá dar aún más pasos para minimizar el riesgo de que el parto prematuro se repita.

En primer lugar, pregúntele a su médico acerca de las últimas investigaciones sobre la prevención de partos prematuros. Los investigadores han visto que la hormona progesterona –administrada en inyectables o geles durante las semanas 16 a 36– reduce el riesgo de partos prematuros en las mujeres que ya han tenido uno. Si éste es su caso, pregúntele a su médico si es una buena candidata para este tratamiento.

En segundo lugar, pregúntele si le podría convenir alguno de los dos tests de cribado para predecir si está en peligro de dar a luz prematuramente. En general, estos tests se hacen únicamente a las mujeres con un embarazo de alto riesgo, dado que los resultados

Explíquelo

Ahora no es el momento de esconder cualquier hecho que deba incluirse en su historial obstétrico o ginecológico. Explicarle a su médico todos los hechos de su historial es más importante (y pertinente) de lo que podría creer. Los embarazos anteriores, los abortos espontáneos o los provocados, las cirugías o las infecciones pueden o no pueden tener influencia en lo que sucederá en este embarazo, pero cualquier información que posea –o cualquier aspecto de su historial obstétrico o ginecológico– debería pasar a manos de su facultativo (todo ello será tratado con confidencialidad). Cuanto más sepa sobre usted, mejor cuidada estará.

positivos no son lo suficientemente exactos; pero los negativos pueden evitar practicar intervenciones innecesarias (y una ansiedad innecesaria.) El test de cribado de la fibronectina fetal (FNf) detecta una proteína en la vagina que sólo está presente si hay una separación de la bolsa amniótica de la pared uterina (un primer indicio de que se avecina el parto). Si el resultado de la FNf es negativo, es poco probable que tenga un parto prematuro durante las siguientes semanas al test (así que puede respirar tranquila). Si es positivo, su riesgo de tener un parto prematuro es significativamente más alto, y puede que su médico tome medidas para prolongar su embarazo y para preparar los pulmones de su bebé para un parto prematuro.

El segundo test de cribado está basado en la longitud cervical. Se mide la longitud del cérvix con ultrasonidos, y si existe cualquier indicio de que se está acortando o abriendo, puede que su médico tome algunas medidas para reducir el riesgo de un parto prematuro, como prescribir reposo en cama o quizá cerrar su cuello uterino (si aún no ha llegado a la vigésimo segunda semana).

El saber siempre es bueno, pero en este caso también puede ayudar a prevenir que su segundo bebé nazca demasiado pronto. Y eso es muy bueno.

Cérvix incompetente

"Tuve un aborto espontáneo a los cinco meses de mi primer embarazo. El médico dijo que la causa era un cérvix incompetente. Acabo de hacerme un test de embarazo en casa, y estoy preocupada por si vuelvo a tener el mismo problema."

Las buenas noticias (y las *hay*) son que eso no tiene por qué volver a suceder. Ahora que se ha diagnosticado la incompetencia de su cuello uterino como la causa de la interrupción de su primer embarazo, su tocólogo debería ser capaz de tomar las precauciones necesarias para que no se produzca otra pérdida. Con un tratamiento apropiado y una vigilancia cuidadosa, tendrá muchísimas posibilidades de tener un embarazo sano y un parto seguro esta vez. (Si ahora tiene un médico distinto, asegúrese de compartir con él su historial de cérvix incompetente, de forma que pueda recibir los mejores cuidados posibles.)

Se estima que en 1 o 2 de cada 100 embarazos se da un cérvix incompetente, que se abre prematuramente por la presión del útero y el feto en desarrollo; se cree que es responsable del 10 al 20% de todos los abortos espontáneos del segundo trimestre. Puede ser el resultado de una debilidad genética del cérvix, de un estiramiento exagerado o de laceraciones importantes del cuello uterino durante uno o más de los partos anteriores, de una biopsia cónica muy extensa (como consecuencia de la existencia de células cervicales precancerosas), o de cirugía o terapia de láser cervical. Llevar dos o más fetos también puede ser la causa del cérvix incompetente, pero si así ha sido, no es probable que suceda en embarazos posteriores si son de un solo feto.

Se suele diagnosticar el cérvix incompetente cuando hay un aborto en el segundo trimestre, tras un borrado (acortamiento y adelgazamiento) indoloro y dilatación del cuello uterino, sin contracciones uterinas aparentes y sin sangrado vaginal.

Para ayudar a proteger el embarazo actual, puede que su tocólogo le haga un cerclaje (un procedimiento mediante el cual se sutura el cuello uterino para que no se abra) durante el segundo trimestre (entre las semanas 12 y 22). Aunque las

El perfil de su embarazo y el parto prematuro

Éstas son las buenas noticias: es mucho más probable que su bebé llegue tarde (pasado de cuentas) que pronto. Aproximadamente el 12% de las dilataciones y partos se consideran prematuros o a pretérmino; es decir, se dan antes de la semana 37. Y aproximadamente la mitad de éstos se dan en mujeres que se sabe que corren un alto riesgo de dar a luz prematuramente, incluyendo el porcentaje cada vez mayor de futuras mamás de mellizos o más.

¿Hay algo que pueda hacer para ayudar a prevenir un parto prematuro si su perfil de embarazo así lo indica? En algunos casos, nada puede hacerse, incluso cuando se identifica el factor de riesgo (y no siempre se habrá detectado), que a veces no puede ser controlado. Pero en otros casos, el factor o factores de riesgo que podrían conducir a un parto prematuro pueden ser controlados o al menos minimizados. Elimine todos los que le incumban y hará aumentar las posibilidades de que su hijo esté felizmente dentro del útero hasta la fecha señalada. Aquí le presentamos algunos de los factores de riesgo que pueden dar lugar a un parto prematuro, y que pueden controlarse:

Demasiado o demasiado poco aumento de peso. Ganar poco peso puede aumentar las posibilidades de que su hijo nazca antes de hora, pero lo mismo puede suceder si ha engordado unos kilos de más. Aumentar el número de kilos exactos para su perfil de embarazo puede proporcionarle a su bebé un ambiente uterino más sano, y óptimamente, mayores posibilidades de quedarse en él hasta la fecha de salida de cuentas.

Nutrición inadecuada. Proporcionarle a su bebé el inicio más sano de su vida no es sólo ganar el número adecuado de kilos: hay que ganarlos con los tipos adecuados de comida. Una dieta sin los nutrientes necesarios (especialmente folatos), aumenta el peligro de tener un parto prematuro; una dieta rica en nutrientes hace disminuir el riesgo. De hecho, algunas pruebas indican que comer bien con regularidad puede hacer disminuir el riesgo de un parto prematuro.

Estar mucho tiempo de pie o desempeñar trabajos físicos. Hable con su médico para saber si debería reducir el tiempo que está de pie, especialmente a finales del embarazo. En algunos estudios se ha relacionado estar de pie durante largos períodos de tiempo –especialmente cuando implican un trabajo físico *pesado*, y levantar pesos– con los partos prematuros.

Estrés emocional extremo. Algunos estudios han demostrado que existe un vínculo entre el estrés emocional extremo (no el estrés diario de "tengo demasiadas cosas que hacer y me falta tiempo") y el parto prematuro. A veces la causa de este estrés excesivo puede eliminarse o minimizarse (dejando o asistiendo menos horas a ese trabajo tan insano y con tanta presión, por ejemplo); y a veces es inevitable (como si se queda sin trabajo o ha habido una enfermedad o una muerte en la familia). Sin embargo, muchos tipos de estrés pueden reducirse mediante técnicas de relajación, una buena nutrición, un buen equilibrio entre ejercicio y descanso, y hablando del problema con su pareja y sus amigos, su médico o su terapeuta.

Tomar drogas o alcohol. Las futuras mamás que toman alcohol o drogas hacen aumentar el riesgo de que el parto sea prematuro.

Fumar. Fumar durante el embarazo puede estar relacionado con un aumento del riesgo de parto prematuro. Es mejor abandonar este hábito antes de la concepción o lo antes posible cuando esté embarazada, pero definitivamente, es mejor dejar de fumar en cualquier momento que no hacerlo.

Gingivitis. Algunos estudios han demostrado que las inflamaciones de las encías se han asociado con los partos prematuros. Algunos investigadores sospechan que las bacterias que causan la inflamación pueden llegar al torrente sanguíneo, alcanzar al feto y desencadenar el parto prematuro. Otros investigadores proponen otra posibilidad: las bacterias causantes de las gingivitis también pueden poner en alerta al sistema inmunitario, y producir inflamación en el cérvix y el útero, dando lugar al parto prematuro. Tener una buena higiene oral y acudir al dentista con regularidad puede evitar las infecciones bacterianas, y posiblemente hace disminuir el riesgo de un parto prematuro. Tratar las inflamaciones existentes antes del embarazo –pero no necesariamente durante la gestación– también puede ser de gran ayuda para hacer disminuir las posibilidades de diversas complicaciones, incluyendo el parto prematuro.

Cérvix incompetente. El riesgo de un parto prematuro como resultado de un cérvix incompetente –cuando un cérvix débil se abre demasiado pronto (y eso, desgraciadamente, sólo puede sospecharse cuando una mujer ha tenido un aborto espontáneo tardío o un parto prematuro previos)– puede reducirse cerrando el cérvix mediante una sutura, y/o controlando de cerca la longitud del cuello uterino mediante técnicas de ecografía (véase la pág. 49 para más información).

Historial de partos prematuros. Sus posibilidades de tener un parto prematuro son mayores si ya ha tenido esta experiencia en el pasado. Si ha pasado ya por una dilatación y un parto prematuros, puede que su médico le prescriba progesterona durante el segundo y tercer trimestres de este embarazo, para evitar que se repita el triste suceso.

Los siguientes factores de riesgo no se pueden controlar, pero en algunos casos pueden modificarse de alguna forma. En otros, saber que existen puede ayudarla a usted y a su médico a gestionar mejor los riesgos, así como a mejorar mucho el resultado, si se hace inevitable un parto prematuro.

Parto múltiple. Las mujeres embarazadas de más de un feto dan a luz como promedio tres semanas más pronto (aunque se ha sugerido que el embarazo a término para mellizos realmente es de 37 semanas, lo que podría significar que tres semanas de antelación no es en absoluto un adelanto). Unos buenos cuidados prenatales, una nutrición óptima, y la eliminación de los factores de riesgo, junto con más tiempo de descanso y restricciones de la actividad según sea necesario en el último trimestre, pueden ayudar a que el nacimiento no sea demasiado precoz. Véase el Capítulo 16 para más información.

Borramiento cervical y dilatación prematuros. En algunas mujeres, por razones desconocidas y aparentemente no relacionadas con un cérvix incompetente, el cuello uterino se empieza a adelgazar y a abrirse demasiado pronto. Las investigaciones más recientes sugieren de que al menos algunos de estos borramientos y dilataciones prematuros pueden estar relacionados con el hecho de que el cérvix sea más corto de lo normal. Una ecografía rutinaria del cuello uterino a mediados del embarazo pondrá al descubierto qué mujeres están en peligro.

(continúa en la pág. siguiente)

(continúa de la pág. anterior)

Complicaciones del embarazo. Las complicaciones como la diabetes gestacional, la preeclampsia y un exceso de líquido amniótico, así como los problemas de la placenta, tales como la placenta previa o la abrupción placentaria, pueden hacer que el parto prematuro sea más probable. Gestionar estas situaciones de la mejor forma posible puede prolongar el embarazo hasta la fecha de salida de cuentas.

Enfermedad crónica de la madre. Las enfermedades crónicas, tales como la hipertensión, las enfermedades del corazón, el hígado o los riñones, o la diabetes pueden hacer que aumente el riesgo de un parto prematuro, pero unos buenos cuidados médicos y de la propia embarazada pueden reducir este peligro.

Infecciones generalizadas. Algunas infecciones (algunas enfermedades de transmisión sexual, y las infecciones urinarias, cervicales, vaginales, de riñón y del líquido amniótico) pueden hacer que exista riesgo de parto prematuro. Cuando la infección es del tipo de las que pueden dañar al feto, un parto prematuro puede ser la forma en que el cuerpo intenta rescatar al bebé de un ambiente peligroso. La prevención de la infección o su tratamiento precoz pueden evitar estos nacimientos prematuros.

Ser menor de 17 años. Las futuras mamás adolescentes tienen un mayor riesgo de un parto prematuro. Una buena nutrición y cuidados prenatales adecuados pueden reducir dicho riesgo, ayudando a compensar el hecho de que tanto la madre como el bebé aún están creciendo.

investigaciones más recientes han puesto en entredicho la eficacia del cerclaje (debe estudiarse más el tema), muchos médicos lo siguen llevando a cabo de forma rutinaria. Sin embargo, es más frecuente que los doctores sólo lo practiquen cuando un examen o una ecografía vaginal demuestren que el cérvix se está abriendo o acortando. Este procedimiento tan simple se lleva a cabo por vía vaginal con anestesia local. Doce horas tras la cirugía, será capaz de llevar una vida normal, aunque puede que las relaciones sexuales estén prohibidas durante el resto del embarazo, y tendrá que pasar por exámenes médicos frecuentes. El momento de quitar los puntos de sutura dependerá en parte de las preferencias del médico y en parte de la situación. Generalmente se suelen quitar unas pocas semanas antes de la fecha de salida de cuentas.

En algunos casos, no se eliminará hasta que empiece la dilatación, a menos que haya infección, sangrado o una rotura prematura de las membranas.

La embarazada deberá estar alerta por si hay signos de que se está avecinando un problema en el segundo trimestre o a principios del tercero: presión en el bajo vientre, flujo sanguinoliento, frecuencia urinaria inusual o sensación de llevar una gran protuberancia sobre la vagina. Si nota alguno de ellos, llame al doctor inmediatamente.

Incompatibilidad de Rh

"Mi médico me dijo que en mi análisis de sangre se ha detectado que soy Rh negativa. ¿Qué significa eso para mi bebé?"

Por suerte, ya no significa mucho, al menos si tanto usted como su médico lo saben. Con este conocimiento, pueden tomarse unas medidas muy simples que protegerán efectivamente y por completo a su bebé de la incompatibilidad de Rh.

¿Qué es exactamente la incompatibilidad de Rh, y qué es lo que necesita su bebé para protegerse de ella? Con una corta lección de biología aclararemos los conceptos rápidamente. Cada célula del cuerpo humano tiene numerosos antígenos, o estructuras parecidas a antenas, en su superficie. Uno de esos antígenos es el factor Rh. Cada uno de nosotros hereda células sanguíneas que tienen el factor Rh (lo que convierte a esa persona en Rh positiva) o carecen de él (son entonces Rh negativas). En un embarazo, si las células sanguíneas de la madre no tienen el factor Rh (ella es Rh negativa), mientras que las células del feto sí lo tienen (por herencia del padre, lo que convierte al bebé en Rh positivo), el sistema inmunitario de la madre puede considerar al feto (y a sus células sanguíneas Rh positivas) como a un "extraño".

En una respuesta inmunitaria normal, el sistema de la madre generará ejércitos de anticuerpos para atacar a ese extraño. Esto se denomina incompatibilidad de Rh.

A todas las embarazadas se les hace un análisis para saber si son Rh negativas al principio del embarazo, generalmente en su primera visita prenatal. Si una mujer es Rh positiva, como el 85% de la humanidad, no habrá incompatibilidad, tanto si el feto es Rh positivo como negativo, ya que no existen antígenos en las células sanguíneas del feto que puedan causar que el sistema inmunitario materno se movilice.

Cuando la madre es Rh negativa, como lo es usted, se le hace un análisis al padre del bebé, para determinar si es Rh positivo o negativo. Si resulta que su esposo es Rh negativo, su feto será también Rh negativo (dado que dos progenitores "negativos" no pueden tener un bebé "positivo"), lo que significa que su cuerpo no considerará al feto como a un "extraño". Pero si su esposo es Rh positivo, existen muchas posibilidades de que su hijo herede el factor Rh de él, creándose una incompatibilidad entre usted y su bebé.

Esta incompatibilidad no suele ser un problema en el primer embarazo. Los problemas empiezan a aparecer cuando algo de la sangre del bebé entra en el sistema circulatorio de la madre durante el primer embarazo o parto (o aborto). El cuerpo de la madre, debido a una respuesta inmunitaria natural, produce anticuerpos frente al factor Rh. Los anticuerpos mismos son inocuos (hasta que la madre vuelve a quedar embarazada y el feto vuelve a ser Rh positivo). Durante ese segundo embarazo, esos nuevos anticuerpos podrían cruzar la barrera placentaria hasta el sistema circulatorio del bebé, y atacar a los glóbulos rojos fetales, causando una anemia de muy suave (si los niveles de anticuerpos maternos son bajos) a muy fuerte (si son altos) en el feto.

Es muy raro que dichos anticuerpos se formen durante el primer embarazo, debido a una reacción a la sangre fetal que circula en sentido contrario, atravesando la placenta y llegando al torrente circulatorio de la madre.

La clave para proteger al feto de la incompatibilidad de Rh está en evitar que se desarrollen los anticuerpos. La mayoría de los médicos utilizan un ataque en dos fases. A las 28 semanas, la futura mamá Rh negativa recibe una vacuna de inmunoglobulina Rh, conocida como RhoGAM, para evitar el desarrollo de los anticuerpos. Se le administrará otra dosis 72 horas después del parto, si los análisis de sangre indican que el bebé es Rh positivo. Si el bebé es Rh negativo, no se requiere tratamiento alguno. La RhoGAM también se administra tras un aborto, un embarazo ectópico, una biopsia de las vellosidades coriónicas, una amniocentesis, una hemorragia vaginal o un trauma durante el embarazo. Si se administra RhoGAM en el momento adecuado, se evitarán problemas en futuros embarazos.

Si a una mujer Rh negativa no se le inyectó RhoGAM durante su embarazo anterior y los análisis revelan que ha desarrollado anticuerpos Rh capaces de atacar a un feto Rh positivo, puede utilizarse la amniocentesis para conocer el tipo de sangre que tiene el feto. Si éste es Rh negativo, y por tanto la madre y el bebé tienen tipos de sangre compatibles, no hay motivo de preocupación. Si el bebé es Rh positivo, y por lo tanto es incompatible con el tipo sanguíneo de la madre, deberán monitorizarse con regularidad los niveles de anticuerpos maternos. Si los niveles se vuelven peligrosamente altos, se hacen ecografías para saber en qué condiciones estará el feto. Si en algún momento la seguridad del feto se ve amenazada, debido a que se ha desarrollado una enfermedad hemolítica (también llamada de Rh), podría ser necesaria una transfusión de sangre Rh negativa al feto.

El uso del RhoGAM ha reducido mucho la necesidad de hacer transfusiones en los casos de embarazos con incompatibilidad de Rh, que han bajado a menos de un 1%, y en el futuro puede que esta técnica de salvar la vida del feto se convierta en un milagro del pasado.

Puede darse una incompatibilidad similar en cuanto a otros factores de la sangre, tales como el antígeno de Kell, aunque éstos son menos frecuentes que la incompatibilidad del Rh. Si el padre tiene el antígeno y la madre no, tenemos de nuevo un problema en potencia. El cribado estándar, que forma parte del primer análisis de sangre rutinario, busca los anticuerpos que circulan en el torrente sanguíneo de la madre. Si se hallan dichos anticuerpos, se le hace un test al padre del niño para ver si es positivo, en cuyo caso el tratamiento es el mismo que en la incompatibilidad de Rh.

Su historial médico

Niveles de anticuerpos de la rubéola

"Me vacunaron contra la rubéola cuando era una niña, pero mi análisis de sangre prenatal indica que tengo unos niveles de los anticuerpos de la rubéola bajos. ¿Tengo que preocuparme?"

Hoy en día no debe preocuparse demasiado cuando se trata de la rubéola, al menos en los países occidentales. Y no porque la enfermedad ya no sea dañina para el futuro bebé (aún lo puede ser, sobre todo durante el primer trimestre; véase la pág. 544), sino porque es casi imposible contraerla.

Dado que la mayoría de los niños y adultos han sido –y lo continuarán siendo– vacunados contra la rubéola, las posibilidades de estar expuesto a su sodicha enfermedad son prácticamente nulas en la actualidad.

Aunque no se la inmunice durante el embarazo, se le administrará una nueva vacuna de la rubéola enseguida después del parto, antes incluso de que deje el hospital.

Entonces ésta será segura, incluso si está dando el pecho.

Embarazo tras un bypass gástrico

La felicito doblemente: ha perdido usted mucho peso, ¡y está embarazada! Pero además de darse palmaditas en la espalda (o en la barriga), debe preguntarse qué efecto puede tener el bypass gástrico o la banda gástrica sobre su embarazo. Por suerte, no demasiado. Probablemente la avisaron de que esperara a quedarse embarazada al menos de 12 a 18 meses después de la operación, el período de pérdida de peso más drástica y de una posible mala nutrición. Pero una vez pasado este punto de inflexión, sus posibilidades de tener un embarazo saludable y un bebé sano son mejores que si no se hubiese operado y no hubiese perdido peso. Pero, como probablemente ya sabe, tendrá que esforzarse más para asegurarse de que su hijo sea lo más sano posible:

- Enrole al cirujano que le practicó el bypass en su equipo médico prenatal. Él estará en mejores condiciones para informar a su tocoginecólogo o su comadrona de las necesidades específicas de una mujer que ha sido operada de bypass gástrico.

- Deberá tomarse sus suplementos vitamínicos mientras esté embarazada (ahora no es el momento de estar en desventaja nutricional). Las vitaminas prenatales son adecuadas, pero quizá necesite más hierro, calcio, ácido fólico, vitamina B_{12} y vitamina A, debido a ciertos problemas de mala absorción. Asegúrese de hablar tanto con su tocólogo o comadrona como con su cirujano sobre los suplementos que precisa.

- Vigile de cerca su peso (junto con su médico, desde luego). Ya está acostumbrada a verlo bajar, pero ahora debe empezar a subir. Si no gana suficiente peso durante el embarazo, quizá su bebé no crezca todo lo que debiera. Asegúrese de que sabe cuál es su objetivo en cuanto al aumento de peso (puede ser distinto que el de una premamá promedio), y también de tener un plan de alimentación que la ayude a alcanzar el peso deseado.

- Vigile también lo que come. Como paciente de bypass gástrico que es, la cantidad de alimento que puede ingerir está limitada, así que deberá vigilar la calidad (de todas formas eso no está de más cuando se está esperando). Intente no desperdiciar las calorías, y en vez de ello procure elegir alimentos que contengan de forma eficaz la mayor cantidad posible de nutrientes, en el menor volumen posible.

- Si en algún momento siente dolor abdominal y una hinchazón excesiva, llame a su médico de inmediato.

Obesidad

"Tengo unos 24 kilos de sobrepeso. ¿Constituye esto un riesgo sobreañadido para mí y mi bebé?"

La mayoría de madres con sobrepeso –e incluso aquellas que son obesas (se define como obesa una persona cuyo peso está un 20% o más por encima de su peso ideal)– tienen embarazos completamente seguros y bebés muy sanos. Sin embargo, la obesidad siempre añade riesgos extra para la salud, y durante el embarazo también. Llevar gran cantidad de peso extra, cuando está también transportando un bebé, hace aumentar las posibilidades de que aparezcan ciertas complicaciones del embarazo, incluyendo la hipertensión y la diabetes gestacional. El sobrepeso también supone algunos problemas de orden práctico. Puede que sea más difícil calcular exactamente la fecha de la concepción sin ayuda de una ecografía al principio del embarazo, porque en las mujeres obesas la ovulación a menudo es errática, y porque los patrones que suelen utilizar los médicos para calcular la fecha de salida de cuentas (la altura del fundus o parte superior del útero, el tamaño del útero, y oír el latido cardiaco fetal) pueden ser difíciles de establecer a través de una abundante capa de grasa. Los michelines también pueden impedir que el tocólogo determine el tamaño y la posición del feto (y también será más difícil que note las primeras patraditas). Por último, puede haber dificultades en el parto, ya que el feto puede ser mucho mayor que el promedio, como suele suceder cuando la madre es obesa (incluso cuando la madre no come en exceso durante el embarazo, particularmente en el caso de que sea diabética). Si hay que practicar una cesárea, un abdomen enorme puede complicar tanto la cirugía como la recuperación.

Y luego está el tema de la comodidad durante el embarazo, o mejor dicho la incomodidad; y, por desgracia, al ir multiplicándose los kilos, también se multiplican los síntomas de incomodidad. Los kilos de más (ya sean kilos que ya tenía, o kilos que ha añadido durante el embarazo), pueden traerle un extra de dolores de espalda, venas varicosas, hinchazón, acidez y otras molestias.

¿Se ha desanimado? No se desaliente. Hay muchas cosas que tanto su médico como usted pueden hacer para minimizar los riesgos que corren usted y su bebé, y las incomodidades que puede

---

Vacunas durante el embarazo

Dado que varias infecciones de diversos tipos pueden causar problemas en el embarazo, es una buena idea que le administren todas las vacunas necesarias antes de concebir. La mayoría de las inmunizaciones que utilizan virus vivos no son recomendables durante la gestación, incluyendo las vacunas de SPR (sarampión, paperas y rubéola) y la de la varicela. Según las directrices de los centros de control sanitario estadounidenses, no deben administrarse de forma rutinaria, pero sí en caso de necesidad. Entre ellas se hallan la vacuna de la hepatitis A y la del neumococo. También puede usted vacunarse del tétanos, la difteria y la hepatitis B sin correr ningún riesgo, siempre que las vacunas contengan virus muertos o inactivos. Se recomienda también que todas las mujeres que estén embarazadas durante la época de la gripe (generalmente de octubre a abril) se vacunen contra la misma.

Consulte con su médico sobre qué vacunas son seguras durante el embarazo y sobre cuáles de ellas podría necesitar, si es que precisa alguna (especialmente si va a viajar a algún destino exótico).

---

sufrir; se trata únicamente de esforzarse un poco más. En cuanto a los cuidados médicos, probablemente se le harán más análisis y pruebas que a una embarazada típica de bajo riesgo: una ecografía al principio para calcular la fecha de la concepción con mayor exactitud, y otra más adelante para determinar el tamaño y la posición del bebé; al menos un test de tolerancia a la glucosa, o un cribado para determinar si ha aparecido algún signo de que está desarrollándose una diabetes gestacional; y, al final del embarazo, un test de sufrimiento fetal, entre otros, para determinar si el bebé está en buenas condiciones.

Y por su parte, si se cuida mucho, notará una gran diferencia. Eliminar todos los riesgos del embarazo que estén bajo su control –tales como la bebida y el tabaco– será particularmente importante. Conseguir controlar su peso también sería de gran ayuda, y es posible que los kilos que el médico le haya dicho que puede ganar sean menos que en el caso de una embarazada con un peso adecuado, y que el doctor controle su peso con mayor severidad. Se aconseja que las mujeres con sobrepeso aumenten de 6 a 8 kilos, y las obesas no más de 6 kilos, aunque quizá su tocólogo le recomiende otra cosa.

Incluso cuando su meta esté muy por debajo del promedio, su dieta diaria deberá contener las calorías adecuadas, que deberán ir envueltas en alimentos que sean ricos en vitaminas, minerales y proteínas (véase la dieta del embarazo del Capítulo 5). Elegir la calidad antes que la cantidad y darle la importancia que se merece a cada bocado la ayudará a sumar estas calorías y ayudará a su bebé a extraer la mejor nutrición de las calorías que usted consume. Y para estar aún más segura, deberá tomar fielmente sus vitaminas durante la etapa prenatal. (Pero quite de su menú esos supresores del apetito que venden en las herboristerías y parafarmacias, y que quizá haya estado tomando antes del embarazo; ahora pueden ser peligrosos. Y lo mismo sucede con las bebidas que proclaman que hacen disminuir el apetito.) Si hace ejercicio con regularidad, dentro de los límites recomendados por su médico, podrá comer más de esos alimentos sanos que tanto usted como su bebé necesitan sin añadir demasiados kilos.

Para su siguiente embarazo, si desea tener más hijos, intente mantenerse lo más cerca posible de su peso ideal antes de concebir. Hará que todas las cuestiones del embarazo sean mucho más fáciles y con menos complicaciones.

Peso demasiado bajo

"Siempre he sido muy delgada. ¿Cómo afectará a mi embarazo pesar tan poco?"

Definitivamente, el embarazo es el mejor momento para comer bien y ganar peso, tanto para las delgadas como para las que no lo son tanto. Pero si se ha quedado embarazada siendo demasiado delgada (con un IMC de 18,5 o menor; véase la pág. 188 para saber cómo calcular el suyo), deberá llenar su plato aún más. La razón es que existen algunos riesgos potenciales (tales como tener un bebé demasiado pequeño para su edad gestacional) asociados con el embarazo de una mujer extremadamente delgada, particularmente si ésta no se ha nutrido bien. Pero cualquier riesgo sobreañadido puede eliminarse con una buena dieta (que incluya no sólo calorías extra, sino también frutas y verduras frescas, que proporcionan vitaminas y minerales que a veces son demasiado escasos en las personas muy delgadas), así como con vitaminas prenatales y un aumento de peso adecuado. Dependiendo de cuál fue el punto de inicio, quizá su médico le aconseje ganar algunos kilos más, posiblemente entre 11 y 20 kilos, en vez de entre 10 y 14, como se recomienda en el embarazo promedio. Si ha sido bendecida con un metabolismo rápido que le hace difícil aumentar de peso, consulte la página 204, donde encontrará algunos consejos. Sin embargo, siempre que su peso vaya aumentando según las directrices, no hay motivos para pensar que su embarazo vaya a tropezar con ningún otro bache.

Trastornos alimentarios

"He estado luchando contra la bulimia durante los últimos 10 años. Creí que estando embarazada sería capaz de detener este ciclo de devorar-purgarse, pero parece que no. ¿Perjudicará esto a mi bebé?"

No si consigue la ayuda necesaria inmediatamente. El hecho de que haya sido bulímica (o anoréxica) durante muchos años significa que sus reservas de nutrientes seguramente son bajas, lo que ahora mismo es una desventaja tanto para su bebé como para su cuerpo. Por suerte, al principio del embarazo la necesidad de nutrientes es menor de lo que será más adelante, así que tiene la oportunidad de compensar la escasez de nutrientes de su cuerpo antes de que su bebé se vea perjudicado.

Se ha investigado poco sobre los trastornos alimentarios y el embarazo, en parte debido a que dichos trastornos suelen interrumpir los ciclos menstruales, reduciéndose así el número de embarazadas con estos problemas. Pero los pocos estudios que se han hecho sugieren lo siguiente:

- Si controla su trastorno alimentario, tendrá las mismas posibilidades que cualquier otra mujer de tener un bebé sano, si todos los demás factores están igual.

- Es crítico que el facultativo que esté controlando su embarazo sepa de su trastorno alimentario (así que cuénteselo, incluso si sucedió en el pasado).

- A cualquier persona que sufra de trastornos alimentarios le recomiendo contar con el consejo de un profesional con experiencia en este tipo de trastornos, pero cuando se está embarazada, es esencial. También podrá encontrar útiles los grupos de apoyo (busque en la red, o pregúntelo a su facultativo o terapeuta).

- Continuar tomando laxantes, diuréticos u otro tipo de fármacos de los que toman los bulímicos y anoréxicos puede perjudicar el desarrollo de su bebé. Dichos compuestos eliminan los nutrientes y líquidos de su organismo antes de que puedan utilizarse para nutrir a su bebé (y más tarde, antes de producir la leche), y si se usan con regularidad podrían tener como consecuencia una anormalidad fetal. Estos medicamentos, como todos los demás, no debería tomarlos ninguna mujer embarazada a menos que se los recete un médico que estuviera al corriente de su gestación.

- Se cree que devorar y purgarse durante el embarazo (en otras palabras, sufrir de bulimia) hace aumentar el riesgo de aborto, de parto prematuro y de depresión posparto. Si deja inmediatamente estos hábitos podrá tener una buena nutrición, para usted y para su bebé. Si tiene problemas para abandonar estos hábitos, deberá buscar la ayuda que necesita.

- Si no gana suficiente peso durante el embarazo pueden aparecer diversos problemas, incluyendo el parto prematuro y un bebé que sea demasiado pequeño para su edad gestacional.

El paso más importante es comprometerse a vencer su trastorno alimentario, de forma que pueda empezar a criar a su pequeño y hermoso bebé. También debe entender la dinámica del aumento de peso en el embarazo. Tenga en cuenta lo siguiente:

- La silueta de la madre embarazada se considera bella y saludable en todo el mundo. Su redondez es normal, un signo de que está criando un bebé. ¡Felicítese por esas curvas! ¡Acepte su cuerpo gestante!

- Se supone que debe ganar peso durante el embarazo. Ganar la cantidad adecuada de peso es vital para el desarrollo y bienestar de su bebé, así como para su propia salud.

- El peso ganado gradualmente y con los alimentos adecuados irá a los lugares adecuados (a su bebé y a esos subproductos del bebé que son esenciales). Si sigue las directrices recomendadas (cuyos valores son más altos para aquellas mujeres que empiezan el embarazo pesando demasiado poco), no le será tan difícil perder peso después de la llegada del bebé. Esta estrategia (ganar una pequeña cantidad de peso constantemente a base de alimentos nutritivos) la ayudará a asegurarse una vuelta rápida a su silueta anterior al parto, y también a asegurarse de que el bebé esté sano.

- Cuando usted pasa hambre, su bebé también. Su hijo depende de usted para obtener una ración constante de nutrientes. Si usted no come, tampoco lo hará su bebé. Si los alimentos que usted toma son eliminados artificialmente de su organismo (mediante vómitos, o tomando laxantes o diuréticos), al bebé no le quedará mucho material con el que crecer.

- El ejercicio puede ayudarla mucho a que su peso se mantenga dentro de unos límites razonables, a la vez que conduce a esos kilos de más a los lugares adecuados.

  Pero el programa de ejercicios que elija deberá ser apropiado para una embarazada (consulte primero con su médico), y deberá evitar el ejercicio extenuante (o demasiado ejercicio, que puede quemar demasiadas calorías o hacer aumentar demasiado su temperatura corporal).

- Todo el peso ganado durante el embarazo no desaparecerá durante los primeros días después del parto. Si se alimenta con sensatez, una mujer promedio suele volver aproximadamente –pero no exactamente– a su peso anterior al embarazo al cabo de unas seis semanas. Perder todo el peso y recuperar la silueta (lo que requiere ejercicio) puede tardar mucho más. Por ello, muchas mujeres con trastornos alimentarios tienen esas apreciaciones negativas sobre su imagen corporal, lo que puede hacer que vuelvan a su hábito de atracarse y purgarse durante el posparto.

  Dado que estos hábitos nada sanos podrían interferir en su capacidad para recuperarse del parto, para criar de forma efectiva y para dar el pecho si se decide por la lactancia materna, es importante que continúe bajo la supervisión de un profesional experimentado en el tratamiento de los trastornos alimentarios.

Lo más importante que debe recordar: el bienestar de su bebé depende de su propio bienestar durante el embarazo. Si no está bien nutrida, su bebé tampoco lo estará.

Definitivamente, el refuerzo positivo puede serle de gran ayuda, así que debería poner fotografías de bebés muy monos en la nevera, en la oficina y en el coche, y en cualquier lugar en que necesite un recordatorio de la alimentación sana que debería tomar. Visualice que la comida que ingiere pasa directamente a su bebé (y a su bebé engullendo felizmente la comida).

Si parece que no puede evitar atiborrarse, vomitar y usar laxantes o diuréticos, o someterse a dietas muy estrictas durante el embarazo, hable con su médico sobre la posibilidad de que la hospitalice hasta que su problema esté bajo control.

Tener un bebé después de los 35

"Tengo 38 años y estoy embarazada de mi primer hijo. He leído tanto sobre los peligros del embarazo después de los 35 que me pregunto si no debería estar preocupada."

Quedarse embarazada después de los 35 años significa pertenecer a un grupo cada vez más numeroso. Mientras que la tasa de embarazos en las mujeres de alrededor de veinte años ha disminuido ligeramente en las últimas décadas, ha aumentado casi en un 40% entre las mujeres de más de 35. Y aunque el número de bebés nacidos de madres de más de 40 años sigue siendo relativamente pequeño, sus efectivos también han aumentado en aproximadamente un tercio en los últimos años.

Ha vivido durante más de 35 años, y por lo tanto ya debe saber que nada en esta vida está totalmente ausente de riesgo. En la actualidad, los riesgos del embarazo son muy pequeños, pero aumentan ligera y gradualmente al hacerse mayor la futura madre. No obstante, los numerosos beneficios de empezar a formar una familia en el momento que le conviene compensan con creces los pequeños riesgos (todos los cuales pueden reducirse de uno u otro modo, debido a los avances médicos).

El principal riesgo reproductivo con el que se enfrenta una mujer de su grupo de edad es que no pueda quedarse embarazada, debido al descenso de la fertilidad. Una vez superado esto, y embarazada (¡felicidades!), se enfrentará a unas probabilidades algo mayores de tener un bebé con el síndrome de Down.

La incidencia aumenta con la edad de la madre: 1 de cada 1250 en las madres de 25 años, unos 3 de cada 1000 en las madres de 30, 1 de cada aproximadamente 300 en madres de 35 años y 1 de cada 35 en madres de 45 años (como se ve, el riesgo aumenta gradualmente con la edad, pero no se dispara a partir de los 35). Se especula que esta y otras anormalidades cromosómicas, aunque son relativamente raras, son más comunes en las mujeres mayores debido a que sus óvulos también son más viejos (todas las mujeres nacen con un suministro de óvulos para toda su vida), y han sufrido la exposición a los rayos X, los fármacos, las infecciones, etc. (Ahora se sabe, no obstante, que no siempre es el óvulo el responsable de tales anormalidades cromosómicas. Se estima que un mínimo del 25% de los casos de síndrome de Down pueden relacionarse con un defecto de los espermatozoides en un padre mayor.)

Con la edad, también aumentan ligeramente otros riesgos. Tener más edad, sobre todo más de 40, significa que es más probable padecer de hipertensión (sobre todo si tiene sobrepeso), diabetes o una enfermedad cardiovascular durante el embarazo, pero todas

¿Es 35 el número mágico?

Sólo porque haya cumplido ya los 35 años no significa que necesite más pruebas o unos tests distintos de los de sus compañeras más jóvenes. De hecho, a todas las mujeres se les recomiendan los tests de cribado, sin tener en cuenta cuántos cumpleaños hayan celebrado, y sólo a aquellas en que los cribados señalan un posible riesgo más elevado se las somete a métodos más invasivos.

estas situaciones son más comunes en los grupos de más edad en general, y normalmente se pueden controlar. Las mamás de más edad también pueden tener más abortos (debido a unos óvulos más viejos), preeclampsia y parto prematuro. Como promedio la dilatación y el parto son más largos y es ligeramente más probable que se presenten complicaciones, siendo las cesáreas y otras formas de parto asistido (tales como la ventosa) más comunes. En algunas madres añosas, la disminución del tono muscular y la flexibilidad de las articulaciones pueden hacer que el parto sea algo más duro, pero éste no es el caso de muchas otras, especialmente las que están en excelente forma física gracias al ejercicio regular y a una alimentación sana.

Pero como contrapartida a estos riesgos ligeramente mayores, también existen muchas buenas noticias para las embarazadas de más de 35 años. Las mamás mayores de hoy en día tienen más ventajas que nunca. Así, el síndrome de Down puede prevenirse, al poderse identificar en el útero mediante diversas pruebas y cribados (véase la pág. 64), que se recomiendan a todas las embarazadas cualquiera que sea su edad, y que son mucho más exactos que en el pasado, lo que significa que se criba a las mamás, de manera que no es necesario que se les hagan pruebas de diagnóstico más invasivas (incluso a las de más de 35 años), lo que permite ahorrar dinero y evitar el estrés. Las enfermedades crónicas que son más comunes en las madres mayores pueden controlarse muy bien. Los fármacos y una estrecha vigilancia médica a veces pueden evitar los partos prematuros. Y los avances médicos continúan haciendo disminuir los riesgos en la sala de partos.

Pero por mucho que la ciencia médica pueda hacer para que tenga un embarazo seguro y un bebé sano, no se puede comparar con lo que puede hacer por sí misma mediante el ejercicio, la dieta y unos cuidados prenatales de calidad. Ser mayor no significa necesariamente pertenecer a la categoría de alto riesgo, pero la suma de una serie de riesgos individuales sí que puede hacer que se pase a formar parte de este grupo. Elimine o minimice todos los factores de riesgo que pueda, y será capaz de quitarle años a su perfil de embarazo, haciendo que sus posibilidades de dar a luz a un bebé sano sean prácticamente tan buenas como las de una madre más joven. E incluso mejores.

Así que relájese, disfrute de su embarazo, y esté tranquila. Nunca ha habido un momento mejor para tener más de 35 años y estar esperando un bebé.

La edad del padre

"Sólo tengo 31 años, pero mi marido tiene más de 50. ¿Podría la edad del padre afectar a nuestro bebé?"

A lo largo de toda la historia se ha creído que la responsabilidad del padre en el proceso reproductivo se limitaba a la fecundación. Se tuvo que esperar hasta el siglo XX (demasiado tarde para todas esas reinas que perdieron sus cabezas por no tener un heredero varón) para que se descubriera que los espermatozoides del padre tienen el voto decisorio para determinar el sexo de su hijo. Y hasta las últimas décadas los investigadores no han empezado a sospechar que los espermatozoides del padre podrían contribuir al riesgo de aborto espontáneo o defectos de nacimiento. Al igual que los óvulos de las madres de más edad, los espermatocitos (los espermatozoides sin madurar) de un padre mayor han sufrido una mayor exposición a los peligros ambientales, y pueden contener genes o cromosomas alterados o dañados. De hecho, los investigadores han descubierto que, sea cual sea la edad de la madre, el riesgo de una pareja de sufrir aborto espontáneo aumenta con la edad del padre. También parece ser que existe un aumento en la incidencia del síndrome de Down cuando el padre tiene más de 50 o 55, aunque la asociación es menor que en el caso de la edad de la madre.

Sin embargo, las pruebas no son definitivas, dado que las investigaciones sobre este tema aún están "en pañales". Aunque parece que existen evidencias cada vez más concluyentes que implican a la edad del padre como un factor de defectos congénitos y aborto, los consejeros genéticos no recomiendan la amniocentesis sólo por la edad del padre. A todas las futuras madres se les recomiendan rutinariamente los tests de cribado, sea cual sea su edad; si el suyo da resultados normales, puede relajarse sobre la cuestión de la edad de su pareja, y no tendrá necesidad de sufrir una amniocentesis.

Asesoramiento genético

"Me pregunto si yo podría tener un problema genético sin saberlo. ¿Debería consultar con un consejero genético?"

Casi todo el mundo es portador de al menos un gen de un trastorno genético. Pero afortunadamente, dado que la mayoría de trastornos deben aparecer en un par de genes, uno del padre y otro de la madre, no es probable que se manifiesten en la descendencia. Se puede realizar un test en uno o los dos progenitores antes o durante el embarazo, pero tales análisis sólo tienen sentido si existe una posibilidad mayor que el promedio de que ambos esposos sean portadores de una anomalía en particular. A menudo las pistas nos las dan los factores étnicos o geográficos. Por ejemplo, a los caucásicos se les debería hacer el test de la fibrosis quística (dado que la mutación de la FQ se da en aproximadamente uno de cada 25 caucásicos europeos o de origen europeo). Los ju-

El embarazo de la madre soltera

¿Es una futura madre soltera? Sólo porque no tenga pareja no significa que tenga que pasar su embarazo sola, y no debería intentarlo. El tipo de apoyo que necesita puede venir de otras personas que no sean una pareja. Un buen amigo o un pariente con el que se sienta cómoda y muy vinculada podrá sostener su mano, emocional y físicamente, durante el embarazo. Esta persona podrá representar de muchas formas el papel de la pareja durante los nueve meses y más allá, acompañándola a las visitas prenatales y en las clases de preparación al parto, poniendo sus oídos (y su hombro) cuando necesite hablar sobre sus preocupaciones y miedos, así como su nerviosa anticipación de los acontecimientos, ayudándola a preparar tanto su casa como su vida para la nueva llegada, y actuando de acompañante, apoyo y abogado durante la dilatación y el parto. Y como no hay nadie mejor que otra mamá soltera para saber por lo que está pasando, también podría considerar la posibilidad de unirse (o fundar) un grupo de apoyo para madres solteras, o encontrar por internet un grupo de apoyo (en el tablón de anuncios de <whattoexpect.com> puede encontrar mensajes de otras madres solteras).

díos que provienen de Europa oriental deberían analizarse para descartar las enfermedades de Tay-Sachs[1] y de Canavan, y posiblemente también otras.

[1] Enfermedad de herencia recesiva, o sea que deben llevar el gen padre y madre, siendo sanos. Es rarísima, aunque en la raza judía se ve con algo más de frecuencia. Se trata de un trastorno en el metabolismo de las grasas que afecta a las neuronas centrales con muerte antes de los tres meses. *(Nota del revisor.)*

La enfermedad de Tay-Sachs también ha sido detectada en otros grupos étnicos, incluyendo los cajunes de Luisiana y los canadienses franceses, y por lo tanto debería plantearse hacerse las pruebas si desciende de alguno de estos grupos. Del mismo modo, a las parejas de raza negra se les debería hacer el análisis de la anemia falciforme, y los de origen mediterráneo y asiático, de la talasemia (una forma heredada de anemia). En la mayoría de los casos, se recomienda hacerle las pruebas a uno de los progenitores; sólo se debe analizar al otro si el primero da positivo en los tests.

Las enfermedades que pueden pasar a la descendencia a través de un solo gen de un progenitor portador (por ejemplo, la hemofilia), o de un progenitor que sufre la enfermedad (enfermedad de Huntington), generalmente ya se han presentado antes en la familia, aunque quizá las últimas generaciones no hayan tenido noticias de ello. Por eso es muy importante llevar un registro médico familiar, e intentar investigar lo más posible sobre la salud de sus padres, abuelos y otros parientes cercanos cuando está usted embarazada (o intentando concebir).

Por suerte, la mayoría de los futuros papás tienen unas probabilidades tan bajas de transmitir problemas genéticos que no necesitan acudir a un consejero genético. En muchos casos, su tocólogo o comadrona hablará con la pareja sobre los problemas genéticos más comunes, mandando a un consejero genético o a un especialista en medicina materno-fetal a aquellos que necesitan una mirada más experta, que son:

- Las parejas cuyos análisis de sangre demuestran que son portadoras de un trastorno genético que podrían pasarles a sus hijos.

- Padres que ya han tenido hijos con un defecto de nacimiento.

- Parejas que han tenido tres o más abortos espontáneos.

- Parejas que saben de la existencia de una anomalía genética en alguna de las ramas de su árbol familiar. En algunos casos (como sucede con la fibrosis quística), si los padres se hacen un análisis del ADN antes del embarazo, la interpretación posterior de los análisis del feto será mucho más fácil.

- Parejas en las que una de las partes tiene un defecto genético.

- Mujeres embarazadas que han dado positivo en los tests de cribado para detectar un defecto fetal.

- Parejas estrechamente emparentadas; el riesgo de una enfermedad hereditaria en los descendientes de unos padres que están emparentados es por ejemplo de 1 de cada 9 en los primos hermanos.

El mejor momento de visitar al consejero genético es antes de quedar embarazada. El asesor genético está capacitado para decirles a las parejas qué probabilidades tienen de tener un niño sano, basándose en los perfiles genéticos. También puede guiarlos en la decisión de si deben tener hijos o no. Pero si ya se ha confirmado el embarazo, no se preocupe, tampoco es demasiado tarde. El consejero genético puede sugerirles qué tests prenatales deberían hacerse basándose en el perfil genético de la pareja, y si los análisis ponen de manifiesto que el feto tiene un defecto grave, el consejero genético puede explicarles a los futuros padres todas las opciones de que disponen. El asesoramiento genético ha ayudado a numerosas parejas de alto riesgo a evitar la desgracia de tener niños con problemas graves, ayudándolos a cumplir sus sueños de tener bebés completamente sanos.

Diagnóstico prenatal

Se hace las siguientes preguntas: ¿es niño o niña? ¿Tendrá el pelo castaño o rubio? ¿Los ojos marrones o azules? ¿Tendrá la boca de mamá y los hoyuelos de papá? ¿La voz de papá y la facilidad de mamá para los números (o al revés)?

Definitivamente, los bebés mantienen a sus papás ocupados adivinando (y haciendo apuestas amistosas) mucho antes de su llegada, y a veces antes de concebir. Pero la cuestión que verdaderamente preocupa más a los padres y de la que más hablan es "¿Estará sano mi hijo?".

Hasta hace muy poco, esta pregunta sólo podía responderse después del nacimiento. Hoy en día, la respuesta puede saberse ya durante el primer trimestre del embarazo, mediante los cribados prenatales y los tests diagnósticos.

A la mayoría de las futuras mamás se les hacen varios tests de cribado durante sus primeras 40 semanas, incluso a aquellas que tienen pocas probabilidades de tener un bebé con un defecto (por la edad, la buena nutrición y unos cuidados prenatales excelentes). Ello se debe a que tales tests de cribado (desde los combinados e integrados hasta las ecografías y el cribado cuádruple) no suponen ningún riesgo ni para la mamá ni para el bebé, y pueden proporcionar mucha seguridad.

Sin embargo, ir un paso más allá, hacia los tests de diagnóstico definitivos (el AVC, la amnio o unas ecografías más detalladas), no está indicado para todo el mundo. Muchos padres –particularmente aquellos a los que los tests de cribado les han salido negativos– pueden continuar jugando al juego de la espera, con la feliz seguridad de que sus hijos tienen unas posibilidades arrolladoras de estar completamente sanos. Pero para aquellos cuyas preocupaciones son algo más que las dudas normales de todos los futuros padres, los beneficios del diagnóstico prenatal pueden compensar con creces los riesgos. Las candidatas para tales tests son entre otras:

- Las mayores de 35 (aunque una mamá mayor con unos resultados del cribado tranquilizadores puede decidir, tras consultar con su facultativo, saltarse estas pruebas de diagnóstico).

- Las que desde la concepción han estado expuestas a una sustancia o sustancias que ellas temen que podría haber dañado a su bebé. (Hablar con su médico puede ayudarla a decidir qué diagnóstico prenatal se precisa en ese caso en particular.)

- Las que tienen un historial familiar de enfermedad genética y/o se ha visto que son portadoras de una enfermedad de este tipo.

- Las que tienen una alteración genética ellas mismas (tales como la fibrosis quística o una cardiopatía congénita).

- Las que han estado expuestas a una infección (como la rubéola o la toxoplasmosis) que pudiera causar un defecto de nacimiento.

- Las que previamente han tenido abortos, o han tenido bebés con defectos congénitos.

- Las que han tenido un resultado positivo en algún test de cribado prenatal.

¿Por qué pasar por tests diagnósticos si implican un cierto riesgo? La mejor justificación para el diagnóstico prenatal es la tranquilidad que casi siempre nos da.

La gran mayoría de los bebés cuyas mamás "posiblemente en peligro" se someten a estas pruebas recibirán un informe perfecto sobre su salud, lo que significa que mamá y papá dejarán de preocuparse y empezarán a disfrutar del embarazo.

Primer trimestre

La ecografía del primer trimestre

¿Qué es? Uno de los tests de cribado más sencillos es la ecografía. Se utilizan ondas sonoras de una frecuencia tan alta que no son audibles para las personas, y que permiten la visualización y el "examen" del feto sin necesidad de los rayos X.

Aunque la ecografía tiende a ser bastante exacta para la mayoría de los usos, en el caso de los defectos congénitos puede dar algunos falsos negativos (parece que todo va bien, pero no es así), y algunos falsos positivos (parece que existe algún problema, pero en realidad no hay ninguno).

Se practica la ecografía del primer trimestre (generalmente se trata de una ecografía básica de nivel 1) para:

- Confirmar la viabilidad del embarazo.

- Determinar la edad gestacional.

- Determinar el número de fetos.

- Determinar la causa del sangrado, si es que lo hay.

- Localizar un DIU que estaba en el útero de la madre en el momento de la concepción.

- Localizar el feto antes de un AVC o una amniocentesis.

- Determinar el riesgo de una anormalidad cromosómica como parte de un test de cribado.

¿Cómo se realiza? Aunque la ecografía suele hacerse pasando un transductor sobre el abdomen de la madre (ecografía transabdominal), quizá durante el primer trimestre se prefiera hacer una ecografía transvaginal, especialmente si se hace muy pronto. El procedimiento puede durar de 5 a 30 minutos y es indoloro, si exceptuamos la incomodidad de tener la vejiga llena, que es necesaria para el examen transabdominal del primer trimestre.

Durante cualquiera de los dos exámenes, la futura madre estará tumbada de espaldas. Para la ecografía transabdominal, se untará su abdomen desnudo con una capa de gel que mejora la conducción de los ultrasonidos. Luego se va moviendo lentamente el transductor por encima de su vientre. Para la ecografía transvaginal, el transductor se inserta en su vagina. En ambos casos, los instrumentos registran los ecos de las ondas sonoras que rebotan sobre las partes del cuerpo de su bebé, y las traducen a imágenes que se ven en una pantalla.

¿Cuándo se lleva a cabo? Las ecografías se llevan a cabo en cualquier momento durante el primer trimestre del embarazo, dependiendo de las razones por las que se hagan. La bolsa amniótica puede visualizarse ya a las cuatro semanas y media después de su última regla; el latido del corazón puede detectarse ya a las 5 o 6 semanas (aunque no en todos los casos puede verse tan pronto). Para la información sobre la ecografía del segundo trimestre, véase la página 73.

¿Es segura? Tras muchos años de uso clínico y estudio, no se ha asociado ningún riesgo con las ecografías, y sí gran cantidad de beneficios. Muchos médicos piden los exámenes por ultrasonidos rutinariamente, por lo menos una vez en cada embarazo. Sin embargo, muchos expertos recomiendan que las ecografías durante la gestación sólo se practiquen cuando existan unas indicaciones válidas.

Cribado combinado del primer trimestre

¿Qué es? Este cribado del primer trimestre implica tanto una ecografía como un análisis de sangre. En primer lugar, la ecografía mide la estrecha capa de fluido que se acumula en la nuca del bebé, llamada translucencia nucal (TN). Si existe más cantidad de líquido de la habitual, *podría* existir un mayor riesgo de anormalidades cromosómicas tales como el síndrome de Down, defectos cardiacos congénitos y otros trastornos genéticos.

El análisis de sangre indica si existen altos niveles de la proteína plasmática A (PPA) y GCh, dos hormonas producidas por el feto y que pasan al torrente sanguíneo de la madre. Estos niveles, combinados con las mediciones del grosor del repliegue nucal y la edad de la madre, pueden proporcionar una idea del riesgo de que el bebé padezca el síndrome de Down y la trisomía 18.

Unos pocos centros médicos también buscan la ausencia del hueso nasal del bebé cuando realizan una ecografía. Algunos estudios han demostrado que la falta del hueso nasal durante el primer trimestre podría ser indicadora de un riesgo mayor de síndrome de Down, pero otros estudios no han respaldado estos resultados, lo que hace que esta valoración sea algo controvertida.

Aunque el test combinado del primer trimestre no puede darle el diagnóstico definitivo que podría obtener mediante tests más invasivos, podrá ayudarla a decidir si desea pasar por las pruebas diagnósticas. Si su cribado demuestra que quizá su bebé puede tener un riesgo elevado de padecer de un defecto cromosómico, el médico le planteará someterse a un test de diagnóstico como el análisis de las vellosidades coriónicas (AVC; véase la pág. siguiente) o una amniocentesis (véase la pág. 70). Si su cribado pone de manifiesto que no existe un riesgo mayor, es posible que el doctor le prescriba el cribado cuádruple durante el segundo trimestre (véase la pág. 69) para descartar defectos del tubo neural. Y si los resultados de la TN también son más elevados, dado que son indicadores de defectos en el corazón fetal, puede que su tocólogo le sugiera practicar un ecocardiograma fetal alrededor de las veinte semanas, para detectar defectos cardiacos fetales. Unos resultados de la TN elevados también pueden estar asociados a un riesgo muy ligero de parto prematuro, así que es posible que la controlen respecto a dicho riesgo.

¿Cuándo se lleva a cabo? El cribado combinado del primer trimestre se lleva a cabo entre las semanas 11 y 14 del embarazo.

¿Qué eficacia tiene? Este cribado no investiga directamente los problemas cromosómicos, ni ninguna anomalía en particular. Sus resultados se limitan a proporcionarle las probabilidades estadísticas de que su bebé tenga un problema. Un resultado anormal del cribado combinado no significa que su bebé tenga un problema cromosómico, sino únicamente que el riesgo de padecerlo es mayor. De hecho, la mayoría de las mujeres que tienen un resultado anormal de su test de cribado acaban teniendo un niño perfectamente normal y sano. Y además, que el resultado sea normal no es garantía de que su bebé sea normal, sino que significa que es muy improbable que su hijo tenga un defecto cromosómico. El cribado combinado del primer trimestre puede detectar aproximadamente el 80% de los síndromes de Down y el 80% de las trisomías 18.

¿Es seguro? Tanto las ecografías como las analíticas son indoloras (a menos que cuente como dolor el pinchazo del análisis), y no comportan ningún riesgo para usted ni para el bebé. Pero tienen un inconveniente. Este tipo de tests de cribado requieren una tecnología de ultrasonidos muy sofisticada. Para asegurar la mayor exactitud posible de los resultados, sólo debería hacerse con un equipo específico (un equipo de ultrasonidos de alta calidad) y sólo deberían llevarlo a cabo médicos o técnicos en ecografía que hayan recibido una preparación especializada. También debe tener en cuenta que un inconveniente de esta prueba es que dé un falso positivo, lo que hará que tenga que someterse a otros procedimientos que no son tan seguros. Antes de que decida sobre la base del cribado prenatal, deberá consultar con un médico experimentado o con un consejero genético que puedan evaluar los resultados. Si tiene alguna duda, busque una segunda opinión.

Análisis de las vellosidades coriónicas

¿Qué es? El análisis de las vellosidades coriónicas (AVC) es una prueba de diagnóstico prenatal que implica tomar pequeñas muestras de las proyecciones en forma de dedo de la placenta, que se llaman vellosidades coriónicas, y de analizar dichas muestras para detectar anormalidades cromosómicas. Hoy en día la AVC se utiliza para detectar trastornos tales como el síndrome de Down, la enfermedad de Tay-Sachs, la anemia falciforme y la mayoría de los tipos de fibrosis quística. El AVC no puede detectar los defectos anatómicos, tales como los del tubo neural. Sólo se hacen pruebas para enfermedades específicas (distintas del síndrome de Down) si existe un historial familiar de esta enfermedad o se sabe que los padres son portadores. Se cree que en el futuro el AVC será capaz de detectar más de 1000 trastornos de los cuales son responsables los cromosomas o los genes.

¿Cómo se realiza? El AVC se suele llevar a cabo en el hospital, pero también puede hacerse en la consulta del médico. Dependiendo de la localización de la placenta, la muestra de células se toma a través de la vagina y el cuello uterino (AVC transcervical) o mediante una aguja que se inserta a través de la pared abdominal (AVC transabdominal). Ninguno de los dos métodos está totalmente libre de dolor; la incomodidad puede variar de ligera a moderada.

Es una... ¡sorpresa!

Las pruebas diagnósticas pueden determinar el sexo de su bebé. Pero a menos que sea una parte necesaria del diagnóstico, tendrá la opción de saberlo cuando reciba los resultados del AVC y la amnio (si es que aún no se ha sabido por las ecografías), o ignorarlo, esperando a averiguarlo por el método antiguo, en la sala de partos. Pero deberá asegurarse de que su médico sepa si desea usted saber el sexo de su hijo o no, para que la sorpresa no se eche a perder por un descuido.

Algunas mujeres sufren de calambres (parecidos a los de la menstruación) cuando se toma la muestra. Ambos procedimientos duran unos 30 minutos, de principio a fin, aunque la toma de células en concreto no dura más de un minuto o dos.

En el AVC transcervical, mientras está echada de espaldas, se le inserta un tubo largo y fino a través de la vagina hasta llegar al útero. Guiado por imágenes ecográficas, el doctor sitúa el tubo entre el revestimiento uterino y el corion, la membrana fetal que formará el lado fetal de la placenta. Luego se succiona o se pinza una muestra de las vellosidades coriónicas para su estudio diagnóstico.

En el procedimiento transabdominal, también estará tumbada boca arriba. Se utilizan ultrasonidos para determinar la localización de la placenta y para ver las paredes uterinas. Luego, tomando las imágenes ecográficas como guía, se inserta una aguja a través del abdomen y la pared uterina hasta el borde de la placenta, y a través de la aguja se extraen las células que deben ser estudiadas.

Dado que las vellosidades coriónicas son de origen fetal, si se examinan se obtendrá una clara imagen de la dotación genética del feto que se está desarrollando. Los resultados del test estarán listos una o dos semanas después.

¿Cuándo se lleva a cabo? El AVC tiene lugar entre las semanas 10 y 13 del embarazo. Su ventaja principal es que puede llevarse a cabo durante el primer trimestre y puede dar resultados (y generalmente, seguridad) más pronto que la amniocentesis, que se suele practicar hacia la semana decimosexta.

El diagnóstico a principio del embarazo es particularmente útil para quienes estén considerando la posibilidad de terminar terapéuticamente con un embarazo, si existe un problema realmente serio, dado que el aborto temprano es mucho menos complicado y traumático.

¿Qué eficacia tiene? Muy elevada: el AVC puede detectar con gran precisión el 98% de las anormalidades cromosómicas.

¿Es seguro? El AVC es seguro y fiable, con una tasa de aborto espontáneo de aproximadamente 1 de cada 370. Para reducir los riesgos asociados con este procedimiento, se debería elegir un centro que goce de prestigio debido a su seguridad, y esperar hasta la décima semana.

Tras el análisis, puede haber un cierto sangrado vaginal que no debe ser causa de preocupación, pero del que sí debe informar al médico. También debería llamar a su tocólogo si el sangrado dura tres días o más.

Dado que existe un riesgo muy ligero de infección, informe al facultativo si tiene fiebre durante los días siguientes al análisis.

Primer y segundo trimestres

Cribado integrado

¿Qué es? Igual que el cribado combinado del primer trimestre, el análisis de cribado integrado implica tanto una ecografía como un análisis de sangre, pero en este caso la ecografía (para medir la TN) y el primer análisis de sangre (para medir la concentración de PPA) tienen lugar durante el primer trimestre, y se realiza un segundo análisis de sangre durante el segundo trimestre (para medir los mismos cuatro marcadores sanguíneos que en el cribado cuádruple; véase más adelante). Luego se integran los resultados de los tres tests. Al igual que otros cribados, el integrado no busca directamente problemas cromosómicos, ni intenta diagnosticar una anomalía específica; los resultados simplemente proporcionan una probabilidad estadística de que el bebé tenga un problema. Una vez que tenga esta información, podrá decidir, junto con su médico, si desea pasar por una prueba diagnóstica.

¿Cuándo se lleva a cabo? La ecografía se hace entre las semanas décima y decimocuarta. El primer análisis sanguíneo se realiza el mismo día que la ecografía, mientras que el segundo tiene lugar entre las semanas 16 y 18. A la embarazada se le facilitarán los resultados después del segundo test.

¿Qué eficacia tiene? Un test que recoge e integra información de tanto el primer como el segundo trimestre del embarazo es más efectivo que uno que utilice información únicamente del primer o del segundo trimestre. Con el cribado integrado, se detectan aproximadamente un 90% de los síndromes de Down y un 80 a un 85% de defectos del tubo neural.

¿Es seguro? Tanto la ecografía como los análisis sanguíneos son indoloros y no implican ningún riesgo para la madre ni para el bebé.

Segundo trimestre

Cribado cuádruple

¿Qué es? El cribado cuádruple es un análisis sanguíneo que mide los niveles de cuatro sustancias producidas por el feto, y que pasan al torrente sanguíneo de la madre: la alfa-fetoproteína (AFP), la GCh, el estriol y la inhibina-A. (Algunos médicos sólo miden los niveles de tres de estas sustancias, en un cribado triple.) Los niveles altos de AFP pueden sugerir la posibilidad (pero de ningún modo la probabilidad) de que su bebé tenga un mayor riesgo de sufrir de un defecto del tubo neural. Los niveles más bajos de AFP y los niveles anormales de los otros marcadores indican que el bebé que se está desarrollando tiene un riesgo mayor de sufrir una anormalidad cromosómica, tal como el síndrome de Down. El cribado cuádruple, como todos los tests de cribado, no puede diagnosticar un defecto congénito, sólo es un indicador de un riesgo mayor. Cualquier resultado anormal indica simplemente que se precisará investigar más.

Es curioso que los estudios indican que las mujeres que tienen unos resultados anormales en el cribado cuádruple, pero luego tienen resultados normales en las siguientes pruebas, tales como la amniocentesis, *puede* que aún tengan unos riesgos ligeramente elevados de ciertas complicaciones del embarazo, tales como un bebé demasiado pequeño para su edad gestacional, un parto prematuro o preeclampsia. Si recibe unos resultados de este tipo, pregúntele a su doctor qué medidas puede tomar para reducir las posibilidades de cualquier complicación potencial más adelante, teniendo siempre en cuenta que la asociación entre los resultados anormales y tales complicaciones es siempre muy leve.

¿Cuándo se lleva a cabo? El cribado cuádruple se lleva a cabo entre las semanas 14 y 22.

¿Qué eficacia tiene? El cribado cuádruple puede detectar si el riesgo de aproximadamente el 85% de los defectos del tubo neural, casi el 80% de los casos de síndrome de Down y el 80% de la trisomía 18 es mayor de lo normal. La tasa de falsos positivos del cribado cuádruple independiente es alta. Sólo una o dos de cada 50 mujeres con unos resultados anormalmente altos tienen en realidad un feto afectado. En las otras 48 o 49, los tests posteriores revelan que la razón de que los niveles de las hormonas sean anormales es que hay más de un feto, o que el feto es unas pocas semanas mayor o menor de lo que primero se creía, o simplemente, los resultados del test estaban equivocados.

Si la mujer tiene un solo feto y la ecografía demuestra que las fechas son correctas, se ofrecerá la amniocentesis como paso siguiente.

¿Es seguro? Dado que el cribado cuádruple requiere sólo de una muestra de sangre, es muy seguro. El riesgo principal de este test es que un resultado positivo la obligue a pasar por otros procedimientos que tienen un riesgo mayor. Antes de que decida tomar cualquier decisión, basándose en los resultados del cribado prenatal, consulte con un médico experimentado o con un consultor genético que evalúe sus resultados.

Amniocentesis

¿Qué es? Las células fetales, los productos químicos y los microorganismos que se hallan en el líquido amniótico rodeando al feto proporcionan una amplia gama de información sobre el bebé que está creciendo en su interior, tales como su dotación genética, sus condicio-

Un resultado falso

Las futuras mamás se someten a los cribados por la tranquilidad que éstos pueden proporcionarles, pero por desgracia lo que sucede a menudo es que el resultado (particularmente del cribado triple o cuádruple) es un falso positivo (parece que las cosas no van bien, hasta que finalmente se comprueba que no existe problema alguno). Así desaparece la tranquilidad que esperaba encontrar y se presenta la innecesaria ansiedad y preocupación que tanto quería evitar.

Ésa es la razón de que sea tan importante empezar los procesos de cribado con una discusión abierta con su médico sobre la alta tasa de falsos positivos, y sobre lo que realmente significa si el resultado de su cribado resulta ser uno de ellos. Lo que oirá son estas tranquilizadoras noticias: más del 90% de las mamás que tienen un resultado positivo del cribado tendrán un bebé sano. ¡Sea positiva!

nes y su nivel de madurez. Uno de los avances más importantes en cuanto al diagnóstico fetal ha sido poder extraer y examinar líquido amniótico mediante la amniocentesis. Esta técnica está indicada cuando:

■ Los resultados de un test de cribado (el cribado combinado del primer trimestre, el cribado integrado y el cribado triple o cuádruple, o una ecografía) tienen unos resultados anormales, y se precisa de la evaluación del líquido amniótico para determinar si en realidad existe una anormalidad fetal.

■ La madre es mayor (generalmente de más de 35), sobre todo para determinar si el feto padece síndrome de

Cómo tranquilizar a una embarazada

Por suerte la mayoría de los resultados de las ecografías muestran que todo está yendo bien. Pero para algunas mujeres, la ecografía de nivel 2 puede ir así: durante el primer minuto mira con los ojos como platos a la pantalla, maravillándose de su bebé flotando en el interior de su vientre. Al minuto siguiente, el técnico llama al médico, que la saca de las nubes para sumergirla en un estado de pánico, al pronunciar unas pocas palabras: "Vemos algo –un marcador borroso– que podría indicar que existe un problema."

Pero antes de dejarse llevar por el pánico, es importante tener una perspectiva tranquilizadora. Aunque los "indicadores borrosos" de una ecografía (detectados en el 5 al 10% de las ecografías del segundo trimestre, dependiendo del marcador) son caracteres sutiles que podrían indicar un aumento del riesgo de un problema cromosómico (la mayoría de las veces el síndrome de Down o la trisomía 18), estas características también se encuentran en muchos bebés perfectamente sanos. De hecho, muy pocos de los bebés que presentan estos marcadores borrosos acaban teniendo una anomalidad cromosómica. Lo que significa que en la mayoría de los casos, los denominados hallazgos anormales no indican que haya nada anormal.

Puede que su médico le prescriba que se someta a algunas pruebas más (como la amnio) para estar seguros, pero mientras tanto, respire hondo y recuerde que a veces la tecnología –que nos puede dar tantas alegrías– puede traernos preocupaciones innecesarias.

Down (aunque una mamá mayor con unos resultados tranquilizadores en los cribados puede optar, de acuerdo con su médico, por saltarse la amnio).

- La pareja ya ha tenido un hijo con una anormalidad cromosómica, tal como el síndrome de Down, un trastorno metabólico o una deficiencia enzimática tal como la fibrosis quística (FQ).

- La madre es portadora de un trastorno genético ligado al cromosoma X, tal como la hemofilia (que arroja casi un 50% de posibilidades de pasársela a cualquiera de los hijos que conciba).

- Ambos progenitores son portadores de una anomalía hereditaria autosómica recesiva, tal como la enfermedad de Tay-Sachs o la anemia falciforme, y por lo tanto tienen una posibilidad de cada cuatro de que el bebé esté afectado.

- Se sospecha de una infección fetal por toxoplasmosis, quinta enfermedad o citomegalovirus.

- Es necesario cerciorarse de la madurez de los pulmones fetales al final del embarazo (son los últimos órganos en estar listos para funcionar por sí mismos).

¿Cómo se realiza? Mientras está echada sobre su espalda, se localiza a su bebé y la placenta mediante una ecografía, de forma que el médico pueda evitarlos durante el procedimiento. Es posible que le adormezcan el abdomen mediante una inyección de anestesia local, pero debido a que esta inyección es tan dolorosa como el procedimiento mismo, muchos médicos no la ponen. Se inserta una aguja larga y hueca a través de la pared abdominal hasta su útero, y se extrae una pequeña cantidad de líquido del saco que rodea a su feto. (No se preocupe: el bebé producirá más líquido amniótico para reemplazar el

Cuando se detecta un problema

En la gran mayoría de los casos, el diagnóstico prenatal da los resultados que los padres esperan: que todo va bien con respecto a su futuro hijo. Pero cuando las noticias no son buenas –cuando resulta que algo anda mal–, la información que le ha proporcionado un diagnóstico tan desolador aún puede ser valiosa para los padres. Puede utilizarse para tomar unas decisiones vitales en cuanto a este embarazo y los sucesivos. Las posibles opciones son:

Proseguir con el embarazo. A menudo se elige esta opción cuando el defecto descubierto es tal que la pareja cree que lo puede aceptar y vivir con él, o cuando los padres son contrarios al aborto bajo ninguna circunstancia. Tener una idea de lo que se avecina permite que los padres se preparen (tanto de forma práctica como emocional) para recibir en su familia a un niño con unas necesidades especiales, o para enfrentarse al hecho inevitable de perder a un hijo. Los padres podrán pasar ahora por todas las fases de la reacción (negación, rencor, culpabilidad) que llegarán después de conocer la noticia de que su bebé tiene un problema, en vez de hacerlo después del parto. Podrán informarse del problema en particular con anterioridad, y prepararse para asegurarle a su hijo una vida lo mejor posible. Unirse a un grupo de apoyo –incluso si es por internet– puede ayudarles a enfrentarse a la situación.

Terminar con el embarazo. Si en las pruebas se detecta un defecto que será fatal o muy invalidante, y los nuevos tests y la interpretación por parte de un consejero genético confirman el diagnóstico, algunos padres optan por el aborto terapéutico. Si ésta es su decisión, una autopsia (en la que se examinen cuidadosamente los tejidos fetales después del aborto) podrá serles de gran ayuda para determinar las posibilidades de que la anormalidad

que se ha extraído.) Existe un ligero riesgo de pinchar al feto durante este procedimiento, que se reduce mucho mediante el uso simultáneo de ultrasonidos. Todo el procedimiento –incluyendo el tiempo de preparación y la ecografía– suele durar unos 30 minutos, de principio a fin (aunque la extracción real del líquido amniótico sólo dura uno o dos minutos). Si es Rh negativa, le darán una inyección de globulina Rh-inmune (RhoGAM) tras la amniocentesis, para asegurarse de que el procedimiento no acaba dando problemas de Rh (véase la pág. 52).

¿Cuándo se lleva a cabo? La amniocentesis diagnóstica se suele llevar a cabo entre las semanas 16 y 18 del embarazo, pero a veces se puede hacer a las 13 o 14 semanas, o a las 23 o 24. Los resultados del test están listos al cabo de 10 a 14 días. Algunos laboratorios ofrecen la HFIN –la hibridación fluorescente in situ–, que cuenta rápidamente el número de ciertos cromosomas en el interior de la célula. Se utiliza para tener unos resultados más rápidos, al cabo de uno o dos días (la HFIN flash ofrece los resultados en un par de horas), pero dado que los resultados no son completos, esta técnica siempre va seguida de un test cromosómico en el laboratorio. La amniocentesis también puede practicarse durante el último trimestre para cerciorarse de la madurez de los pulmones fetales.

se repita en los futuros embarazos. La mayoría de las parejas, armadas con esta información y con la guía de un médico o consejero genético, vuelven a intentarlo, con la esperanza de que los tests y el embarazo sean completamente normales la próxima vez. Y la mayoría de las veces lo son.

Tratamiento prenatal del feto. El tratamiento puede consistir en una transfusión sanguínea (como en la incompatibilidad del Rh), unas maniobras o la cirugía (para drenar una vejiga obstruida, por ejemplo) o la administración de enzimas o medicación (tal como los esteroides para acelerar el desarrollo pulmonar, cuando el parto va a ser pronto). Según avanza la tecnología, se hacen más comunes más tipos de cirugía prenatal, más manipulaciones genéticas y otros tratamientos.

Donación de órganos. Si el diagnóstico indica que los defectos fetales no son compatibles con la vida, podría ser posible donar uno o varios de los órganos sanos para un be-

bé que los necesite. Algunos padres encuentran que ello les proporciona algo de consuelo por su propia pérdida. Un especialista materno-fetal o un neonatólogo pueden proporcionarle información útil en una situación de este tipo.

A medida que los métodos de diagnóstico prenatal avanzan, es importante recordar que están lejos de ser infalibles. Existen los errores, incluso en los mejores laboratorios e instituciones, o con el personal más experto y el equipo de más alta tecnología, siendo los falsos positivos mucho más comunes que los falsos negativos. Ésta es la razón por la que siempre se deberían realizar más pruebas y/o consultar con otros profesionales, para confirmar unos resultados que indiquen que algo va mal en el feto.

Es importante tener en cuenta que la mayoría de las parejas nunca tendrán que pasar por este trance. La mayoría de las futuras madres que son sometidas a tests prenatales reciben un diagnóstico favorable.

¿Es segura? La amniocentesis es muy segura; el riesgo de que este procedimiento provoque un aborto es –según se cree– de uno de cada 1600. Tras la amniocentesis, puede que tenga durante unos pocos minutos hasta algunas horas un calambre muy suave. Algunos médicos recomiendan descansar durante el resto del día; otros no.

Raras veces existe un ligero sangrado vaginal o una pérdida de líquido amniótico. Si notase una de las dos cosas, informe a su médico inmediatamente.

Existen muchas posibilidades de que sus pérdidas y el sangrado se detengan tras unos pocos días, pero en gene-

ral se suele recomendar reposo en cama y se la vigilará cuidadosamente hasta entonces.

Ecografía del segundo trimestre

¿Qué es? Aunque le hayan hecho una ecografía durante el primer trimestre para determinar la edad gestacional, como parte de su cribado integrado o combinado, seguramente le harán otra ecografía durante el segundo trimestre. Esta ecografía de nivel 2, o "dirigida", es mucho más detallada, va dirigida a la anatomía del feto, y puede hacerse por diversas razones, como por ejemplo para verificar cómo progresa el embarazo. También puede ser mucho más divertida de observar, dado que proporciona una imagen mucho más clara de su futuro bebé.

Hoy en día, al hacerse las imágenes ecográficas cada vez más nítidas, incluso los no expertos (como los padres) pueden distinguir la cabeza de los pies, y mucho más. Durante su ecografía de nivel 2, y con la ayuda de un técnico o un médico, podrá ver latir el corazón de su hijo, la curvatura de su espina dorsal, la cara, los brazos y las piernas. También puede que vea cómo su hijo se chupa el pulgar. Generalmente pueden verse los genitales y saberse el sexo del bebé, aunque con una probabilidad de menos del cien por cien, y dependiendo de la cooperación del bebé (si desea que el sexo de su hijo sea una sorpresa hasta el parto, asegúrese de decírselo a su médico o al técnico en ecografías con anterioridad). En la mayoría de los casos, podrá llevarse a casa un recuerdo de su examen, una "foto" o una copia en vídeo digital 3-D o 4-D, para enseñárselo a su familia.

¿Cuándo se lleva a cabo? Suele llevarse a cabo entre las semanas 18 y 22.

¿Es segura? Con la ecografía se han asociado muchos beneficios y ningún riesgo. Y muchos médicos prescriben exámenes ultrasónicos al menos una vez en cada embarazo, y a menudo varias veces. Sin embargo, la mayoría de los expertos aconsejan que durante el embarazo se realicen las ecografías sólo si existen unas razones válidas.

CAPÍTULO 4

La vida cotidiana de una embarazada

ES EVIDENTE QUE TENDRÁ previsto introducir algunos cambios en su vida, ahora que está embarazada. Pero probablemente se estará preguntando hasta qué punto debería cambiar su vida diaria, ahora que ha empezado a pensar por dos. ¿Qué me dice del cóctel antes de cenar, deberá esperar hasta después del parto? ¿Y de las sesiones de sauna en el gimnasio, será también mejor que las olvide? ¿Puede seguir limpiando su baño con un desinfectante efectivo pero de olor penetrante? ¿Y qué es lo que ha oído decir sobre tener gatos en casa? ¿Estar embarazada significa pues que se ha de pensar dos veces lo que ahora hacía rutinariamente, desde permitir que su mejor amiga fume en el comedor de casa hasta calentarse la cena en el microondas? En algunos casos es efectivamente así, y la respuesta es un sí rotundo (por ejemplo, en el caso de "vino para mí no, gracias"). Pero en otros, podrá continuar con sus obligaciones –y diversiones– habituales, con algo más de precaución ("amor mío, ahora –y durante los siguientes nueve meses– te toca a ti cambiarle la tierra al gato").

Qué puede preocupar

Deportes y ejercicio

"Ahora que estoy embarazada, ¿puedo seguir con mi programa de ejercicios habitual?"

En la mayoría de los casos, estar embarazada no implica dejar atrás la actividad deportiva; únicamente debe recordar que mientras está engendrando una nueva vida, la clave del éxito es la moderación. Muchos ginecólogos no sólo permiten a las embarazadas sin complicaciones que sigan con sus rutinas deportivas, sino que además las animan a continuar, pero con diversas pausas intermedias. Consúltelo siempre con su ginecólogo antes de continuar o empezar con un programa de ejercicios, y practique algún deporte sin llegar nunca al agotamiento (véase la pág. 243 para más información).

Cafeína

"El café me mantiene activa durante el día. ¿He de dejar de tomar cafeína durante el embarazo?"

No hace falta que se prohíba totalmente los cafés, pero deberá moderar el consumo de cafeína en la medida de lo posible. La mayoría de los estudios aseguran que tomar un máximo de 200 mg diarios de cafeína durante el embarazo no comporta ningún riesgo. Dependiendo de cómo se tome el café (solo, cortado, con leche…), esta cantidad corresponde a unas dos tazas (aproximadamente) diarias. Esto significa que puede continuar haciendo como hasta ahora (y activar así sus mecanismos con cafeína) si su consumo ya era moderado, pero que lo habrá de reducir si estaba más enganchada (limítese a un chorrito de café dos veces al día, ¿de acuerdo?).

¿Y por qué reducir el consumo? Pues bien, por una simple razón: está compartiendo esta cafeína –como todo lo que come o bebe durante el embarazo– con su hijo. La cafeína (que se encuentra principalmente en el café, pero también en otros alimentos y bebidas) atraviesa la placenta, aunque no se ha aclarado aún por completo hasta qué punto (y a partir de qué dosis) afecta al feto. Las últimas informaciones indican que un consumo elevado de cafeína durante los primeros meses del embarazo incrementa ligeramente el riesgo de aborto.

Y aún hay algo más que decir sobre la cafeína. Todos sabemos que tiene propiedades de reactivación, pero también cuenta con considerables propiedades diuréticas, cosa que provoca que el calcio y otros nutrientes esenciales durante el embarazo sean expulsados de nuestro organismo antes de ser absorbidos por completo. Y otro de los inconvenientes deriva precisamente de este efecto diurético: unas ganas de orinar más frecuentes, justamente lo último que necesita una embarazada (a lo largo del embarazo ya orinará bastantes veces por sí sola). ¿Necesita más motivaciones para reducir el consumo de cafeína? Los efectos estimulantes del café pueden agudizar sus cambios de humor, haciéndolos aún más alterables y extremos de lo que ya son (o de lo que serán tan pronto se le revolucionen las hormonas del embarazo). También puede impedirle conciliar el sueño reparador que su cuerpo necesita ahora más que nunca, especialmente si toma la cafeína por la tarde. Además, un exceso de cafeína puede interferir en la absorción de hierro que tanto usted como su hijo necesitan.

Cada ginecólogo da unas recomendaciones distintas sobre el consumo de cafeína, de forma que es mejor que consulte con el suyo cuál es el límite máximo que le aconseja. Para calcular su consumo diario de cafeína, recuerde que no es suficiente contar el número de tazas de café: también existen varios refrescos cafeinados, los helados de café, el té, las barritas y bebidas energéticas y los chocolates (aunque la cantidad varía según el producto). También debe tenerse en cuenta que el café *espresso* servido en las cafeterías contiene mucha más cafeína que el preparado en casa; además, el café de sobre tiene menos cafeína que el de máquina (consulte el recuadro de la pág. 77). ¿Cómo se controla (o se corta en seco) un hábito tan arraigado como el de consumir cafeína? Depende de lo que la cafeína signifique para usted. Si constituye una parte intrínseca de su día a día (o diversas partes: como por ejem-plo un café para llevarse por la mañana, un compañero de trabajo, un elemento decorativo en su mesa de despacho, un motivo de descanso a media tarde...) no se angustie por haber de renunciar a ella, no es necesario que lo haga. Prepárese los cafés de la mañana normales y los de la tarde descafeinados. O tome los cafés con leche descafeinados en vez de normales –o con menos café y más leche (así también tendrá una aportación extra de calcio).

Si no puede pasar sin tomar cafeína –y su cuerpo está acostumbrado– dejarla del todo será demasiado duro (es suficiente con reducir el consumo). Como bien saben todos los amantes de la cafeína, una cosa es reducir la dosis y la otra olvidarse del todo. La cafeína es adictiva (de ahí la habitual afición a consumirla), y renunciar a un hábito –o incluso limitarlo– comporta unos efectos secundarios, como el dolor de cabeza, la irritabilidad, el agotamiento y el adormecimiento. Es por ello por lo que es mejor reducir el consumo de cafeína gradualmente. Intente reducir una tacita cada cierto tiempo, y permítase unos días para adaptarse a la nueva dosis antes de pasar a restar otra tacita. Otro método para reducir el consumo: tome el café medio descafeinado, añadiendo cada vez más café descafeinado y menos con cafeína, con el fin de reducir el consumo total de cafeína hasta el equivalente de dos tacitas al día.

Independientemente de qué la impulsó a empezar a tomar cafeína, reducir su consumo o dejarla del todo puede ser menos complicado si sigue estas indicaciones que le proporcionarán energía:

- Mantenga elevado su nivel de azúcar en sangre (y, de pasada, su nivel energético). Tendrá un impulso normal e irrefrenable de comer y picar entre horas, especialmente de alimentos ricos en carbohidratos y proteínas (una

---

Recuento de cafeína

Cuánta cafeína toma al día. Quizá más –o menos– de la que se imaginaba (y más o menos del límite máximo aproximado de 200 mg diarios). Calcúlelo mediante esta simple lista, para tenerlo claro antes de tomar las medidas convenientes.

- 1 tacita de café de máquina (100 ml) = 135 mg

- 1 tacita de café de sobre = 95 mg

- 1 tacita de café descafeinado = 5 mg

- taza de café con leche o capuchino = 90 mg

- 1 tacita de café *espresso* = 90 mg

- 1 taza de té = entre 40 y 60 mg (el té verde tiene menos cafeína que el negro)

- Una lata de cola (150 ml) = unos 35 mg de cafeína

- Una lata de cola *light* = 45 mg

- 10 gramos de chocolate con leche = 6 mg

- 10 gramos de chocolate negro = 20 mg

- 1 taza de chocolate deshecho = 5 mg

- 100 ml de helado de chocolate = entre 40 y 80 mg

combinación que le proporcionará la energía necesaria para seguir adelante).

- Haga cada día algún tipo de ejercicio adecuado para el embarazo. El ejercicio también hace aumentar los niveles de energía, generando endorfinas que proporcionan una sensación de bienestar. Respirar aire fresco mientras hace ejercicio le supondrá un impulso energético extra.

- Duerma las horas necesarias. Proporcionarle a su cuerpo las horas de descanso necesarias cada noche (lo que probablemente será más fácil de conseguir sin consumir tanta cafeína) la ayudará a sentirse más fresca por las mañanas, incluso antes de prepararse el primer café del día.

Alcohol

"Antes de saber que estaba embarazada, me tomé un par de copas al menos en dos ocasiones. ¿Es posible que el alcohol haya perjudicado a mi hijo?"

Sería fantástico recibir un mensaje instantáneo de nuestro organismo, alertándonos del momento exacto en que el espermatozoide fecundó el óvulo. ("Sólo faltaría saber cuándo hay un bebé en camino, y así ya podríamos ir cambiando de hábitos".) Pero como esta biotecnología no existe (al menos de momento), muchas futuras madres no son conscientes de que están esperando un hijo hasta varias semanas después de quedarse embarazadas. Y mientras tanto es posible que hayan hecho una o dos cosas que no hubieran llevado a cabo si hubiesen sabido que estaban encintas. Como por ejemplo haberse tomado una copita, y a veces más de una. Esta preocupación es una de las más habituales que aparecen en la primera visita prenatal. Por suerte, es una de las preo-

cupaciones que puede borrarse de la lista. No existe ninguna prueba de que un par de copas durante los primeros días del embarazo, cundo ni tan siquiera sabía que estaba encinta, puedan dañar al embrión en formación. Así que tanto usted como cualquier otra madre que tenga la misma duda pueden estar tranquilas.

Dicho esto, no hace falta decir que ahora es el momento de cambiar el tipo de bebidas consumidas. Aunque probablemente habrá oído decir que algunas mujeres beben un poco durante todo el embarazo –por ejemplo, una copita de vino a la hora de cenar– y dan a luz bebés perfectamente sanos, no hay ningún estudio que demuestre que esta práctica sea del todo inocua. De hecho, las organizaciones y autoridades sanitarias advierten que durante el embarazo no existe ningún límite admisible de alcohol que garantice la seguridad del bebé. Esta advertencia –y las investigaciones que la apoyan– también conducen a otra recomendación: aunque no es necesario que se preocupe de lo que ya haya bebido antes de saber que estaba embarazada, lo más prudente sería no beber nada más durante el resto del embarazo. (Si lo prefiere, puede preguntarle a su ginecólogo qué le recomienda a este respecto.)

¿Y por qué una prohibición tan estricta por parte de la comunidad médica? Para mantenerse dentro de una opción segura, la mejor opción que adoptar cuando hay un bebé en camino. Aunque nadie sepa con certeza si existe un límite seguro en relación con el consumo de alcohol durante el embarazo (o si este límite puede ser distinto dependiendo de cada mujer), se tiene constancia de que el alcohol penetra en el riego sanguíneo fetal en casi la misma concentración en que está en la sangre de su madre embarazada. Dicho de otro modo, una mujer embarazada nunca bebe sola: está compartiendo cada copa de vino, cada cerveza y cada cóctel a partes iguales con su hijo. Y dado que el feto tarda el doble de tiempo que su madre en eliminar el alcohol de su organismo, el bebé puede ya estar totalmente ebrio cuando su madre sólo está un poco "alegre".

El alcoholismo (generalmente considerado como el consumo de cinco o seis copas de vino, cerveza o licor al día) puede provocar, a lo largo del embarazo, no sólo graves complicaciones obstétricas, sino también el síndrome alcohólico fetal (SAF). Descrito como la "borrachera que dura toda la vida", este síndrome tiene como resultado niños que nacen por debajo de la talla mínima, normalmente con deficiencias mentales, con múltiples deformidades (especialmente en la cabeza y la cara, las extremidades, el corazón y el sistema nervioso central) y que acumulan unos índices elevados de mortalidad. Más adelante, los que consiguen sobrevivir, tienen problemas visuales, de aprendizaje, conductuales y sociales, y generalmente no son capaces de hacer razonamientos lógicos. También tienen más probabilidades de acabar desarrollando problemas con el alcohol hacia los 21 años. Cuanto antes deje de beber una alcohólica durante el embarazo, menos riesgos comportará para su bebé.

Los riesgos de consumo continuado de alcohol dependen directamente de la dosis consumida: cuanto más beba, más peligro potencial para su hijo. Pero incluso el consumo moderado (una o dos copas diarias, o cinco o seis copas ocasionalmente), si se hace durante el embarazo, puede comportar una gran variedad de problemas graves, incluyendo un mayor riesgo de aborto, complicaciones en el preparto y el parto, un peso insuficiente del bebé al nacer, un parto prematuro, un crecimiento anormal y problemas de desarrollo y de bajo coeficiente intelectual en la infancia. Este tipo de alcoholismo también se ha vinculado a algún tipo de efecto alcohólico fetal (EAF) más sutil, caracterizado por un gran número de problemas de desarrollo y de conducta.

A algunas mujeres les resulta muy fácil no beber absolutamente nada durante todo el embarazo, especialmente a aquellas que desarrollan, durante los primeros meses de la gestación, una aversión al alcohol (a su gusto y su olor), que a veces se prolonga hasta el parto. Para otras, particularmente para las que están acostumbradas a tomar una copita por la noche o a saborear un vaso de vino tinto con la cena, la abstinencia puede suponer un esfuerzo especial y puede incluir una alteración de su vida diaria. Si bebe para relajarse, por ejemplo, busque otro método de relajación: música, baños de agua tibia, masajes, hacer ejercicio o leer. Si beber forma parte de un ritual diario al cual no está dispuesta a renunciar, intente sustituir su bebida preferida por bebidas sin alcohol, ya sea refrescos, zumos de fruta, cerveza sin alcohol o cualquier otra parecida, servida a la hora habitual y en la copa habitual (a no ser que estas bebidas sustitutivas le agudicen aún más el deseo de consumir alcohol). Si su pareja se solidariza con su iniciativa (al menos cuando estén juntos), el camino se le hará mucho menos pesado.

Si tiene problemas para dejar el alcohol, pida ayuda a su ginecólogo, que le podrá sugerir algún programa específico de ayuda para dejarlo.

Fumar cigarrillos

"Hace diez años que fumo cigarrillos. ¿Puede eso perjudicar a mi hijo?"

Por suerte, no existe una evidencia clara de que el hecho de haber fumado antes de quedarse embarazada

–incluso si ha estado fumando 10 años o más– pueda dañar al feto en desarrollo. Sin embargo, se ha demostrado (e incluso se indica en el envoltorio de los paquetes de cigarrillos) que fumar durante el embarazo, especialmente a partir del tercer mes, no sólo es perjudicial para la madre, sino también para su hijo.

De hecho, cuando usted fuma, su hijo se encuentra encerrado en un útero lleno de humo. Sus latidos cardiacos se aceleran, y lo peor de todo es que, a causa de la falta de oxígeno, puede ser que no pueda crecer y desarrollarse como sería de esperar.

Las consecuencias pueden ser catastróficas. Fumar puede aumentar el riesgo de una gran variedad de complicaciones durante el embarazo, incluyendo (entre las más graves) el embarazo ectópico, la implantación placentaria anormal, la rotura placentaria prema-

Cambie de cigarrillos

Su hijo también le agradecerá que no fume puros ni pipas y que evite los lugares donde otros fuman. Al no inhalarse el humo, los puros y las pipas desprenden aún más humo en el ambiente que los cigarrillos, lo cual los hace potencialmente más peligrosos para su bebé. ¿Quiere celebrar su alegría con alguna cosa segura y festiva? Pues cambie los cigarrillos de nicotina por los de chocolate.

tura, y posiblemente, el parto prematuro. También existen pruebas fehacientes de que el desarrollo de un bebé en el

El primer regalo para su hijo

Cuando se trata de engendrar un hijo, no hay nada seguro, pero existen muchas técnicas para incrementar las posibilidades de obtener el mejor resultado posible: un embarazo y un parto sin complicaciones y un bebé perfectamente sano y nacido a término. Y dejar de fumar y beber encabezan definitivamente la lista de estas técnicas.

Está claro que también existe la posibilidad de tener el mismo resultado feliz fumando o bebiendo bastante en diferentes momentos concretos del embarazo (o incluso fumando y bebiendo moderada pero continuadamente); al fin y al cabo, todos hemos oído hablar de mujeres que han bebido y fumado y que después han dado a luz hijos sanos y a término. Pero también existe la posibilidad –y dependiendo de la cantidad de consumo de tabaco y de alcohol, un

riesgo más que significativo– de que usted y su bebé no tengan esa suerte. Tenga en cuenta que cada madre y cada hijo se ven afectados de distinta manera por el tabaco y el alcohol (y no hay manera de predecir cómo la afectarán a usted y a su hijo). Tenga en cuenta, además, que algunas deficiencias físicas e intelectuales derivadas del consumo materno de alcohol y tabaco no siempre se manifiestan al nacer, sino unos años más tarde (un bebé aparentemente sano puede convertirse en un niño enfermizo, hiperactivo o con problemas de aprendizaje).

Dejar los hábitos peligrosos, como fumar o beber, durante el embarazo no siempre es fácil, y a veces constituye toda una odisea. Pero darle a su hijo el máximo de probabilidades de nacer sano es, sin duda, el mejor regalo que le puede hacer.

útero está adversa y directamente relacionado con el consumo de tabaco por parte de la madre. Los riesgos más comunes para los hijos de madres fumadoras son el bajo peso al nacer, ser menos altos, un diámetro craneal menor, el paladar hendido o el labio leporino, y alteraciones cardiacas. Y nacer demasiado pequeño es la principal causa de enfermedades infantiles y también de mortalidad perinatal (la muerte que tiene lugar justo antes, durante o después del nacimiento).

Además, existen otros riesgos potenciales. Los hijos de madres fumadoras también tienen más probabilidades de morir a causa del síndrome de la muerte súbita.

También son más propensos a padecer de apneas (interrupciones transitorias de la respiración) y, en general, no nacen tan sanos como los hijos de madres no fumadoras. De hecho, los hijos de las embarazadas que fuman tres paquetes al día cuadriplican el riesgo de obtener unas puntuaciones bajas en el test de Apgar (el método de evaluación estándar utilizado para valorar el estado del bebé al nacer). Y las pruebas indican que, por regla general, esos niños sufrirán de déficit físicos y mentales a largo plazo, especialmente si sus padres continúan fumando en su presencia. Son especialmente propensos a tener un sistema inmunitario deficiente, problemas respiratorios, otitis, cólicos, tuberculosis, alergias alimentarias, asma, baja estatura y problemas escolares, tales como la hiperactividad y el déficit de atención. Algunos estudios también demuestran que las mujeres embarazadas que fuman tienen más probabilidades de tener hijos que de pequeños sean más agresivos de la cuenta y que, a medida que se hacen mayores, continúen teniendo problemas conductuales. Los hijos de madres que fuman durante el embarazo han de ser hospitalizados más a menudo durante su primer año de vida que los hijos de madres no fumadoras. Estos niños, además, tienen mayores probabilidades de acabar convirtiéndose a la larga en personas fumadoras.

Los efectos del consumo de tabaco, de la misma forma que los del consumo de alcohol, están directamente relacionados con las dosis que se consumen: el consumo de tabaco reduce el peso de la criatura al nacer de forma proporcional al número de cigarrillos fumados, de manera que una fumadora de un paquete al día tiene un 30% más de posibilidades de dar a luz a un bebé con un peso inferior al estándar que una mamá no fumadora. Por lo tanto, reducir un poco el número de cigarrillos fumados puede ser un primer paso. Pero reducir el número de cigarrillos puede resultar engañoso, porque se suele compensar haciendo unas caladas más intensas y frecuentes y apurando más cada cigarrillo.

Algo parecido puede suceder cuando se intenta reducir el riesgo consumiendo cigarrillos de bajo contenido en nicotina o alquitrán.

Pero no todas las noticias son negativas. Algunos estudios demuestran que las mujeres que dejan de fumar durante los primeros meses del embarazo –no más allá del tercer mes– pueden evitar todos los riesgos asociados con el tabaco.

Para algunas mujeres, dejarlo es mucho más fácil los primeros meses, porque desarrollan una repentina aversión a los cigarrillos, que probablemente sea una especie de aviso de la intuición del organismo. Cuanto antes mejor, pero incluso dejarlo el último mes puede ayudar al bebé a aumentar la circulación de oxígeno de cara al parto.

Si lo que le preocupa es que dejando de fumar puede engordar unos kilos de más, es cierto que, aunque no hay pruebas de que fumar mantenga a la per-

Dejar de fumar

Felicidades. Ha decidido ofrecerle a su bebé un ambiente libre de humo, dentro y fuera del útero. Este compromiso es el primer paso, y sin duda el más importante. Pero, si queremos ser realistas –como probablemente ya sabrá si ha intentado dejar de fumar con anterioridad–, ésta no es la parte más difícil. En efecto, el paso más difícil es llevar este compromiso a la práctica. Pero con mucha determinación y con la pequeña ayuda de los siguientes consejos, lo podrá lograr.

Identifique las motivaciones para dejar de fumar. Cuando se está embarazada, eso es bien fácil. Nunca podrá tener una razón tan motivadora.

Elija el método para dejar de fumar. ¿Quiere hacerlo progresivamente o de golpe? Sea como fuere, márquese una fecha límite que no esté demasiado lejana, y planifique para la fecha elegida una agenda llena de actividades y distracciones que no asocie con el hecho de fumar (y que tengan lugar preferiblemente en sitios donde no se permita fumar).

Identifique las motivaciones que tenía para fumar. Por ejemplo, ¿fumaba por placer, estimulación o relajación? ¿Para reducir tensiones o frustraciones? ¿Para tener algo en la mano o en la boca? ¿Para satisfacer un impulso? O quizá sólo fumaba por hábito, encendiendo los cigarrillos casi sin ser ni siquiera consciente. Saber cuáles son estas motivaciones la ayudará a encontrar sustitutivos:

- Si fuma sobre todo para tener las manos ocupadas, intente jugar con un lápiz, un bolígrafo o cualquier objeto similar. Haga media, entreténgase haciendo sudokus, apretando una pelota antiestrés, leyendo su correo electrónico, jugando con videojuegos, pintando, haciendo garabatos o crucigramas, o haciendo cualquier otra cosa que le haga olvidar el cigarrillo.

- Si fuma para tener algo en la boca, pruebe con los siguientes sustitutos: un palillo, un chicle, una zanahoria, palomitas de maíz, piruletas o caramelos.

- Si fuma para estimularse, intente cambiar el tabaco por un paseo rápido, una sesión en el gimnasio, un libro interesante o una larga charla con algún amigo.

- Si fuma para reducir tensiones y para relajarse, intente evitarlo haciendo ejercicio. O mediante técnicas de relajación. O escuchando música tranquila. O dando largos paseos. O con masajes. O haciendo el amor.

- Si fuma por placer, busque el placer en otros ámbitos, preferiblemente en ambientes libres de humo. Vaya al cine, entre a revolver en las tiendas de ropa infantil, visite su museo favorito, asista a algún concierto y obra de teatro, o quede para cenar con alguna amiga no fumadora. U opte por una solución más activa, como una clase de gimnasia prenatal.

sona más delgada (al fin y al cabo, hay muchos fumadores con sobrepeso), algunos fumadores engordan durante el proceso de dejar de fumar. Pero lo más curioso es que los que engordan un poco mientras intentan romper con el hábito de fumar tienen más posibilidades de conseguirlo, y encuentran que les es mucho más fácil deshacerse de estos kilos más adelante.

- Si fuma por hábito, evite ir a los lugares en que habitualmente fuma o fuman sus amigos; intente, en cambio, frecuentar los espacios libres de humo.

- Si asocia fumar con una bebida, un alimento o una colación en particular, evite esta bebida o alimento, o coma en un lugar distinto del habitual. (Digamos que fuma a la hora de desayunar pero nunca fuma en la cama. Pues desayune en la cama durante unos cuantos días. ¿Siempre se fuma un cigarrillo mientras toma un café? Pues tome café en bares de no fumadores.)

- Cuando sienta la necesidad de fumar, respire profundamente unas cuantas veces, haciendo una pausa entre cada respiración. Aguante la respiración mientras enciende una cerilla. Espire lentamente apagando la cerilla. Imagínese que es un cigarrillo y lo enciende.

Si se pasa de la raya y fuma algún cigarrillo, no se obsesione. No le dé más vueltas a ese cigarrillo que se ha fumado y piense, en cambio, en todos los que ha dejado de fumar. Repase su programa de actuación, recordando que cada cigarrillo que ha dejado de fumar será una ayuda para su bebé.

Considere dejar de fumar como no negociable. Cuando era fumadora, no le permitían fumar en los teatros, metros, supermercados, en muchos restaurantes y probablemente tampoco en su lugar de trabajo. Y eso lo tenía que cumplir. Ahora intente convencerse a sí misma de que no puede fumar durante todo el embarazo. Y eso también lo tiene que cumplir.

Deje que su bebé la inspire. Cuelgue copias de las ecografías de su bebé por todas partes donde pueda tener la tentación de fumar (en el salvapantallas del ordenador, en la mesa de la cocina, en el salpicadero del coche, y lleve uno también en el bolso). ¿Aún no se ha hecho ninguna ecografía? Pues sustitúyala por fotografías de preciosos bebés, recortadas de alguna revista.

Busque apoyo. Existen muchas técnicas de ayuda para fumadores que lo quieren dejar. Pruebe técnicas como la hipnosis, la acupuntura y la relajación, que han ayudado a muchos fumadores a dejarlo. Si se siente a gusto en los grupos de ayuda, valore la posibilidad de seguir programas de ayuda para dejar de fumar (los problemas acostumbran a querer compañía y apoyo), como la Asociación contra el Cáncer, que ha ayudado a millones de fumadores a acabar con este hábito. O busque apoyo por internet de otras embarazadas que también quieran dejar de fumar.

Aunque no lo consiga a la primera, vuelva a intentarlo otra vez. La nicotina es una droga muy adictiva y dejarla no es fácil, pero es factible. Muchos fumadores no consiguen dejarla al primer intento, pero lo acaban consiguiendo si no desisten. Por lo tanto, no se deje vencer por la primera tentación: intensifique sus esfuerzos y no desfallezca. ¡Usted puede!

Nota: utilizar parches, pastillas o chicles de nicotina durante el embarazo es peligroso y no recomendable.

Intentar hacer dieta mientras se intenta dejar de fumar acostumbra a llevar los dos intentos al fracaso. Y aún más, hacer dieta mientras se está gestando una criatura nunca es una buena idea.

Así que si deja definitivamente los cigarrillos por su propio bien, no se preocupe si empieza a acumular unos cuantos kilos. No hallará ninguna razón más justificada que ésta para hacerlo.

Dado que la nicotina es una droga adictiva, muchas personas experimentan síntomas de abstinencia cuando dejan de fumar, aunque el tipo de síntomas y su intensidad pueden variar de una persona a otra. Aparte de un irrefrenable impulso de fumar, algunos de los síntomas más habituales son la irritabilidad, la ansiedad, la inquietud, el hormigueo o entumecimiento en manos y pies, el decaimiento, el agotamiento y las alteraciones gastrointestinales o del sueño.

Algunas personas también afirman que al principio rinden menos, tanto física como mentalmente. Muchas también explican que inicialmente tosen más y ello se debe al hecho de que, repentinamente, su cuerpo empieza a ser capaz de expectorar todas las secreciones que tenía acumuladas en los pulmones.

Para intentar hacer más lenta la liberación de la nicotina y paliar el desasosiego que le puede generar, evite el consumo de cafeína, que no hará más que acabarla de angustiar. Descanse bien (para superar el agotamiento) y haga ejercicio (como sustitutivo de la inyección energética que le daba la nicotina). Evite las actividades que comporten una concentración excesiva si se siente un poco confusa, pero manténgase ocupada llevando a cabo actividades que no impliquen un desgaste mental. También puede ayudar ir únicamente a lugares donde esté prohibido fumar. Si experimenta una crisis de abstinencia mientras intenta dejar de fumar, comuníqueselo inmediatamente a su ginecólogo.

Los peores efectos de la abstinencia sólo duran unos días, o unas semanas a lo sumo. Los beneficios, en cambio, durarán toda la vida, para usted y su bebé. Consulte el recuadro de la página 82 para obtener más consejos sobre cómo dejar de fumar.

Fumadora pasiva

"Yo no fumo, pero mi marido sí. ¿Puede eso perjudicar a nuestro hijo?"

Fumar no sólo perjudica al propio fumador. También afecta a todos los que le rodean, incluyendo al feto que se está desarrollando, si la madre está cerca del fumador. Así pues, si su pareja (o cualquier otra persona con la que pase parte del día) fuma, el cuerpo de su bebé quedará prácticamente tan contaminado por el humo del tabaco como si fumase usted misma.

Si su pareja argumenta que no puede dejar de fumar, pídale que, como mínimo, lo haga fuera de casa, lejos de usted y de su bebé (aunque debe recordar que el humo y sus componentes contaminantes quedarán impregnados en su ropa y su piel, de forma que, de algún modo, seguirá estando expuesta). Dejar de fumar, evidentemente, sería la mejor opción, no sólo para su propia salud, sino también para el bienestar de la criatura a largo plazo. Con unos padres –padre o madre– fumadores aumenta el riesgo del síndrome de la muerte súbita en la infancia, problemas respiratorios a cualquier edad, y de daños pulmonares incluso en la edad adulta. También aumentan las posibilidades de que su hijo sea fumador algún día.

Probablemente, no conseguirá que los amigos o los parientes dejen de fumar, pero sí que se puede exigir que fumen menos cuando estén en su presencia (en caso contrario, intente pasar menos tiempo a su lado). Mantener a sus compañeros de trabajo fumadores lejos de su ambiente de trabajo será más fácil si se aplica la ley antitabaco en su lugar de trabajo (la mayoría de los países ya aplican este tipo de leyes). Si la ley no está de su parte, intente convencerlos con tacto y, si fuera necesario, enseñándoles este apartado sobre los peligros para el feto de la madre fumadora pasiva. Si eso tampoco funciona, intente conseguir una regulación en su lugar de trabajo que limite el humo a determinadas zonas, como por ejemplo a una sala especial, y que prohíba fumar delante de los no fumadores. Si esta iniciativa también fracasa, intente trasladar su lugar de trabajo durante los meses que dura el embarazo.

Marihuana

"Durante muchos años he sido fumadora social de marihuana. ¿Es posible que eso le haya afectado al hijo que estoy esperando? ¿Y es peligroso fumar hachís durante el embarazo?"

No se preocupe ahora por el hachís que haya podido consumir en el pasado. Aunque se tiende a recomendar que las parejas que buscan tener un hijo no consuman marihuana porque puede interferir en la concepción, usted ya está embarazada, así que eso ya no será ningún problema. Y de momento no existen pruebas de que la marihuana consumida antes de la concepción pueda perjudicar al feto.

Pero ahora que ya está embarazada, es el momento de dejar de consumir esta sustancia. Aún no se han hecho todos los estudios necesarios, y los que se han realizado no son demasiado útiles. Y ello se debe al hecho de que resulta difícil estudiar por separado el consumo de marihuana, como sucede con muchas otras adiciones. Normalmente, las mujeres que fuman hachís durante el embarazo también beben alcohol y fuman tabaco o toman otras drogas, de forma que se hace difícil llegar a resultados concluyentes (¿es el hachís, la cerveza o el tabaco, el que provoca un desarrollo fetal insuficiente?). Otras veces, las mujeres embarazadas que fuman marihuana tam-

bién reciben unos cuidados prenatales óptimos, de manera que es difícil saber si las complicaciones se deben al hachís o a la falta de seguimiento médico prenatal. Lo que de momento se sabe sobre el consumo de marihuana durante el embarazo es que esta droga atraviesa la placenta, lo que implica que cuando fuma hachís, lo está compartiendo con su hijo que aún ha de nacer. Algunos estudios demuestran que el consumo de marihuana está asociado con un crecimiento fetal deficiente, y que los bebés crecen menos de lo que correspondería por su edad gestacional; otros estudios demuestran que este tipo de relación no existe. Y finalmente, otros estudios han demostrado unos efectos aún más negativos, como llantos y temblores similares a los de un síndrome de abstinencia durante los primeros días de vida, hasta problemas de atención de aprendizaje y de conducta más adelante, durante la infancia.

Dado que no existen suficientes pruebas que demuestren que sea inocuo fumar hachís durante el embarazo –y en cambio, sí que hay otras que sugieren que puede ser muy peligroso–, lo más inteligente es actuar con la marihuana como se haría con cualquier otra droga a lo largo del embarazo: diga siempre que no.

Si ha fumado durante los primeros meses del embarazo, no se asuste. Pero si tiene la tentación de continuar fumando marihuana, intente evitarlo aplicando alguna de las recomendaciones que hemos dado para dejar de fumar (y de beber), ya que dejar esta adición es parecido a dejar cualquiera de las otras. Céntrese especialmente en formas saludables de relajación que le reportarán sensaciones similares (yoga, meditación, masajes o incluso ejercicios liberadores de endorfinas). Si no se ve capaz de dejar el hachís, coménteselo a su médico o busque ayuda profesional cuanto antes.

Cocaína y otras drogas

"La semana anterior a saber que estaba embarazada tomé cocaína. Ahora me preocupa que eso haya podido afectar a mi hijo."

No se preocupe por su consumo de cocaína en el pasado; sin embargo, debe tener claro que no debe volver a tomarla. La cara: un consumo aislado de cocaína antes de saber que estaba embarazada es poco probable que tenga efectos adversos. La cruz: seguir consumiéndola a lo largo del embarazo podría ser peligroso. Cuán peligroso, no se sabe con seguridad. Los estudios sobre el consumo de cocaína durante el embarazo no son fáciles de interpretar, principalmente porque los consumidores de cocaína también suelen ser fumadores, lo que significa que es difícil separar los probables efectos secundarios de la cocaína de los efectos secundarios ya documentados del consumo de tabaco. Lo que han demostrado numerosos estudios es que la cocaína no sólo atraviesa la barrera placentaria mientras el feto se está desarrollando, sino que además lo puede dañar, reduciendo el flujo sanguíneo del feto y restringiendo el desarrollo fetal, particularmente de la cabeza del bebé. También se cree que puede comportar defectos congénitos, abortos, partos prematuros y bajo peso al nacer, además de los llantos y angustias parecidos a los del síndrome de abstinencia del neonato, así como un gran número de problemas a largo plazo, incluyendo alteraciones neurológicas y conductuales (como la dificultad para controlar los impulsos, para prestar atención y para relacionarse con otras personas), déficit del desarrollo motriz, y posibles números bajos en su coeficiente intelectual en la infancia. Lo que está claro es que cuanta más cocaína consuma una embarazada, más riesgos correrá su futuro hijo.

Explique a su médico que ha consumido cocaína antes de la concepción. Como sucede con cualquier otro aspecto de su historial médico, cuanto más sepa su médico o comadrona, mejor podrá atenderles a usted y a su hijo.

Si le resulta difícil renunciar del todo a la cocaína, busque ayuda profesional de inmediato.

Las mujeres embarazadas que toman fármacos de cualquier tipo –a excepción, claro está, de los prescritos por un médico que sepa que está en estado– supondrán un riesgo para su hijo. Todas las drogas ilegales (incluyendo la heroína, la metadona, el crack, el éxtasis, el *ice*, el LSD y el PCP) y muchos fármacos que requieren receta médica y de los cuales se abusa (incluyendo los narcóticos, los tranquilizantes, los sedantes y las pastillas para adelgazar) pueden provocar, si se consumen habitualmente, graves daños en la mujer embarazada y/o en el feto en desarrollo. Coméntele a su ginecólogo o a cualquier otro médico de referencia sobre cualquier droga o fármaco que haya tomado durante el embarazo.

A continuación, si no puede evitar seguir tomando estas sustancias, busque apoyo profesional (un psicólogo especializado en adicciones o un centro de terapia antiadicción) para que la ayuden a dejar el consumo. Seguir un programa del embarazo libre de drogas puede suponer una enorme diferencia en las condiciones de su gestación.

Teléfonos móviles

"Cada día me paso horas hablando por el móvil. ¿Puede ser perjudicial para mi bebé?

Observe quién habla por teléfono móvil hoy en día: casi todo el mundo. Y por suerte, no hace falta que desconecte su móvil ahora que habla por dos. Nunca se ha sugerido la existencia de riesgos para el embarazo derivados del uso de teléfonos móviles. Y existen muchas razones para que mantenga conectado su móvil: le permite estar localizable para alguna llamada de su médico o su comadrona si no puede esperar en casa a que la llamen, para concertar la primera visita mientras espera en la consulta del ginecólogo, o para avisar a su pareja cuando sienta los primeros síntomas del parto esté donde esté, con la única condición de que esté en una zona con cobertura.

El móvil también le permite más flexibilidad en su horario de trabajo y en la cantidad de horas que ha de pasar clavada en la silla de su despacho (lo que puede reportarle más tiempo para la relajación y el descanso necesarios, o para los preparativos para el bebé).

Dicho todo esto, los teléfonos móviles no están del todo libres de posibles riesgos.

Conducir mientras se habla por el móvil puede ser peligroso –a cualquier velocidad y en ninguna circunstancia (y, de hecho, es ilegal en países como España)– particularmente cuando, a causa del atontamiento causado por las hormonas del embarazo, está más distraída de lo normal. Incluso una conversación con el "manos libres" puede ser arriesgada si desvía su atención de la carretera. Sea inteligente y aparque en una zona segura antes de responder a las llamadas.

Microondas

"Utilizo el microondas casi cada día, para calentar la comida o incluso para cocinar. ¿Es segura la exposición a las microondas durante el embarazo?"

El microondas puede convertirse en el mejor amigo de una futura ma-

má, ya que la ayudará a preparar comidas saludables en un tiempo récord, con un mínimo de esfuerzo y un mínimo de olores. Por suerte, todas las investigaciones indican que el uso de microondas es totalmente seguro durante el embarazo (y en cualquier otra etapa de la vida). Sólo un par de precauciones: utilice sólo utensilios de cocina fabricados especialmente para ser introducidos en el microondas y no se olvide de quitar las envolturas de plástico de los alimentos cuando los vaya a calentar.

Baños muy calientes y saunas

"Tenemos una sauna en casa. ¿Es segura durante el embarazo?"

No hace falta que se pase a las duchas frías, pero probablemente sería una buena idea no meterse en baños de agua demasiado caliente.

Cualquier actividad que suba su temperatura corporal por encima de los 39 °C mantenida durante un rato –tanto si se trata de una sesión de sauna, de una baño excesivamente caliente, o la práctica de ejercicios agotadores en días calurosos– es potencialmente peligrosa para el embrión o el feto en desarrollo, particularmente durante los primeros meses del embarazo.

Algunos estudios han demostrado que un baño de agua muy caliente no eleva la temperatura corporal de la mujer a niveles peligrosos inmediatamente, sino que tarda al menos 10 minutos (o aún más si los hombros y los brazos no están sumergidos, o si el agua está a 39 °C o menos).

Pero dado que las reacciones de cada persona y las circunstancias varían, opte por la seguridad manteniendo su vientre fuera de las bañeras de agua caliente. No hay ningún problema, sin

No tiene bastante con la ropa de invierno

Está pensando en dormir envuelta en una manta eléctrica cuando lleguen los rigores del invierno. O en quitarse el frío de los riñones, que se le han quedado helados, con una esterilla eléctrica. Un calor excesivo no es aconsejable durante el embarazo, porque podría elevar excesivamente su temperatura corporal. Así que arrímese mucho a su pareja en vez de hacerlo a la manta eléctrica (o si él tiene los pies tan helados como usted, invierta en una calefacción radiante, suba el termostato o caliente la cama con una manta eléctrica y quítela cuando tenga que entrar. ¿Aún tiembla de frío? Recuerde que, a medida que vayan pasando los meses, ya tendrá tanto calor por sí misma (gracias a los cambios metabólicos del embarazo) que le acabarán sobrando todas las mantas.

Y en lo que se refiere a la esterilla eléctrica, envuélvala en una toalla antes de aplicársela a los riñones, el vientre o los hombros, para reducir la cantidad de calor transmitido (si la usa en el tobillo o la rodilla no hace falta ponerse ninguna toalla); manténgala a la temperatura mínima, limite las aplicaciones a 15 minutos, y no se duerma con la esterilla encendida. ¿Ya ha pasado ratos con la manta o la esterilla eléctricas conectadas? No se preocupe: no se ha demostrado que comporten ningún riesgo.

embargo, si se da baños de pies con agua caliente.

Si ya ha tenido algunas sesiones breves de baños de agua caliente durante el embarazo, probablemente no habrá motivo de preocupación. La mayoría de las mujeres salen espontáneamente de esas bañeras antes de que el cuerpo llegue a los 39 °C, porque se sienten incómodas. Probablemente usted también lo hizo. Sin embargo, si esto la preocupa, consulte con su ginecólogo la posibilidad de hacerse una ecografía o cualquier otra prueba prenatal que la ayude a recuperar la tranquilidad.

Las estancias prolongadas en la sauna tampoco son una opción demasiado sensata. Una mujer embarazada tiene más riesgos de deshidratación, decaimiento y bajada de la presión arterial en general, y estos síntomas pueden agudizarse con este calor extremo. Y, como en el caso de las bañeras de agua demasiado caliente, las embarazadas deberían evitar cualquier práctica que les pudiera elevar excesivamente la temperatura corporal.

Encontrará más información sobre la seguridad en otros tipos de tratamientos spa (masaje, aromaterapia, etc.) en la página 167.

El gato de la familia

"En casa tengo dos gatos. He oído decir que los gatos transmiten una enfermedad que puede dañar al feto. ¿He de deshacerme de mis mascotas?"

No hace falta que se deshaga de sus amigos felinos. Dado que ha vivido con ellos hasta ahora, lo más probable es que ya haya contraído la enfermedad relacionada con los gatos, la toxoplasmosis, y que ya esté inmunizada. Se calcula que más del 40% de la población ha estado infectada, y los índices de exposición son mucho mayores entre las personas que tienen gatos que salen a la calle, así como entre las personas que acostumbran a tomar carne cruda o leche sin pasteurizar, ya que estos dos alimentos pueden incubar la enfermedad y transmitirla.

Si no se le hizo ninguna prueba prenatal para saber si estaba inmunizada, no es probable que se la hagan más adelante, a no ser que presente los síntomas propios de la enfermedad (mientras que unos ginecólogos prescriben esta prueba a todas las embarazadas, otros sólo se la hacen a las que tienen gatos en casa). Si le hicieron la prueba prenatal y no era inmune, o si no está segura de si está inmunizada o no, tome estas precauciones:

- Lleve a sus gatos al veterinario para que les hagan la prueba para saber si tienen una infección activa. Si uno o los dos la tienen, llévelos a una residencia o pídale a un amigo que se los cuide como mínimo durante seis meses, el período durante el cual la infección es transmisible. Si están libres de infecciones, téngalos en casa pero no les deje comer carne cruda, salir al exterior, o cazar ratones o pájaros (que pueden transmitirle la toxoplasmosis a los gatos), ni estar en contacto con otros gatos.

- Haga que otra persona les cambie la tierra. Si lo tiene que hacer usted, póngase guantes y lávese las manos al acabar; hágalo también cada vez que haya tocado a los gatos. La tierra de los gatos debería cambiarse cada día.

- Póngase guantes si limpia el jardín. No toque la tierra de los espacios donde podrían haber defecado los gatos. Si tiene otros hijos, no les deje que toquen la tierra donde podrían haber hecho sus necesidades los gatos u otros animales.

- Lave bien la fruta y la verdura, especialmente la cultivada en los huertos particulares, enjuagándola escrupulosamente, y/o pélela o cuézala.

- No tome carne cruda o poco hecha ni leche sin pasteurizar. En los restaurantes, pida la carne muy hecha.

- Lávese las manos cuidadosamente después de tocar carne cruda.

Algunos ginecólogos piden pruebas rutinarias antes de concebir o al principio del embarazo a todas sus pacientes, de forma que las que dan positivo pueden relajarse, sabiendo que son inmunes, mientras que las que dan negativo habrán de tomar las precauciones necesarias para prevenir la infección. Sin embargo, los responsables de la sanidad pública consideran que el coste económico de estas pruebas supera a los beneficios que pudieran reportar. Consulte con su ginecólogo para saber qué le recomienda.

Peligros domésticos

"¿Hasta qué punto deben preocuparme los peligros domésticos relacionados con los productos de limpieza o los insecticidas? ¿Es seguro beber agua del grifo durante el embarazo?"

Cuando se está embarazada, es mejor mirarse las cosas con perspectiva. Seguro que alguna vez ha leído u oído que los productos de limpieza, los insecticidas, el agua del grifo y otras sustancias del hogar pueden resultar peligrosos para la salud, especialmente cuando se trata de la salud de dos.

Pero la verdad es que probablemente su casa es un lugar muy seguro para usted y su hijo, especialmente si combina un poco de precaución con mucho sentido común. Esto es lo que necesita saber sobre los llamados peligros domésticos:

Productos de limpieza del hogar. Fregar el suelo de la cocina o quitar el polvo de la mesa del comedor puede ser duro para su espalda, pero no para su embarazo. Sin embargo, vale la pena limpiar con cuidado cuando se está embarazada. Guíese por su sentido común y los siguientes consejos:

- Si el producto desprende un olor muy intenso o humo, evite respirarlo directamente. Utilícelo únicamente en una zona bien ventilada o no lo use en absoluto (¿tiene una excusa mejor para que su pareja sea quien desinfecte el váter?).

- Nunca debe mezclar (tampoco cuando no esté embarazada) el amoníaco con productos a base de cloro, ya que esta mezcla despide unos humos letales.

- Intente evitar el uso de productos como los limpiadores de hornos y los productos de limpieza en seco que contengan etiquetas con advertencias sobre su toxicidad.

- Póngase guantes de plástico cuando esté utilizando un producto de limpieza realmente fuerte. Así no sólo no se estropeará las manos, sino que, además, evitará la absorción de productos químicos por la vía cutánea.

Plomo. La exposición al plomo no es solo potencialmente perjudicial para los niños pequeños, sino también para las embarazadas y sus fetos. Por suerte, es muy fácil de evitar. Veamos cómo:

- Dado que el agua del grifo es una fuente habitual de plomo, asegúrese de que la de su casa no contiene (véase más adelante).

- La pintura antigua es la principal fuente de plomo. Si su casa es del año 1955 o anterior, y si se ha de rascar la pintura por algún motivo, manténgase alejada del edificio mientras se hacen las obras. Si vive en un edificio antiguo y la pintura empieza a saltar, o si tiene algún mueble antiguo y la pintura también salta, intente que alguien repinte las capas de pintura levantadas o que

elimine toda la pintura antigua; también en este caso, manténgase alejada del lugar mientras se hacen las obras.

- ¿Frecuenta los mercadillos de antigüedades? Pues ha de saber que el plomo también se puede desprender de la cerámica, los cacharros de barro y la porcelana antiguos. Si tiene vajillas o jarras hechas a mano, importados o antiguos, o simplemente de hace algunos años (en EE.UU. no se estableció una normativa respecto al plomo hasta el año 1971), no los utilice para servir alimentos ni bebidas, especialmente si son de tipo ácido (como por ejemplo cítricos, vinagres, tomates, vino o bebidas refrescantes).

Agua del grifo. Sigue siendo la mejor bebida de la casa. En muchos hogares, el agua es completamente segura y se puede beber directamente del grifo. Para estar segura de que no perjudica su salud cuando llena un vaso de agua para usted –y su bebé–, haga lo siguiente:

- Pregunte a la Agencia de Medio Ambiente o al Departamento de Salud sobre la pureza del agua de boca de su ciudad, y sobre la procedencia del agua de su grifo (también encontrará información en la Organización de Consumidores y Usuarios, OCU, y en el Departamento de Salud). Si existe la posibilidad de que la calidad del agua que llega a su casa sea diferente de la del resto de la comunidad (por mal estado de las cañerías, por la proximidad de su casa a un vertedero o por un gusto o color extraños), llévela a analizar. Consulte con la delegación del Departamento de Salud de su provincia cómo puede hacerlo.

- Si el análisis de su agua sale negativo, adquiera un filtro (existen de diferentes tipos, dependiendo de las deficiencias del agua), o utilice agua embotellada para beber y cocinar. Tenga cuidado, no obstante, porque no todas las aguas embotelladas están sistemáticamente libres de impurezas: algunas contienen más que el agua del grifo y otras están embotelladas directamente del grifo (vaya, que sería como tirar el dinero a la basura). Además, algunas aguas embotelladas no contienen flúor, un mineral importante, especialmente para los dientes en crecimiento (los de su bebé). Para conocer el grado de pureza de una marca determinada, mire en la etiqueta de la botella la composición química del agua. Evite las aguas destiladas (de las cuales se han eliminado minerales).

- Si sospecha que hay plomo en su agua, o si los análisis revelan que lo hay en niveles elevados, la solución ideal sería cambiar las cañerías de su casa, pero eso no siempre es factible. Para reducir los niveles de plomo en el agua de boca, utilice sólo agua fría para beber y cocinar (ya que las cañerías desprenden más plomo cuando pasa por ellas agua caliente), y deje abierto el grifo unos cinco minutos cada mañana (y cada vez que haga seis o más horas que no lo haya abierto) antes de recoger el agua. En términos generales, el agua de boca de las cañerías de la calle llega a nuestro grifo cuando el agua ha pasado de fría a tibia y de tibia a fría otra vez.

- Si su agua huele a cloro o tiene gusto a cloro, hiérvala o déjela reposar unas 24 horas sin tapar, con el fin de que se evapore la mayor parte de sus componentes químicos.

Pesticidas. ¿No puede vivir con escarabajos, hormigas u otros insectos por el estilo? Tenerlos en casa, por supuesto, también suele significar eliminarlos mediante el uso de pesticidas químicos. Por suerte, el control de las plagas y el embarazo pueden ser completamente compatibles, con unas pocas precauciones. Si acaban de fumigar en los alrededores de su casa, evite estar fuera hasta que se disipen los olores químicos, normalmente al cabo de dos o tres días. Dentro de casa, mantenga las ventanas cerradas. Si usa el pulverizador contra los escarabajos u otros insectos en su casa, asegúrese de tener cerrados todos los cajones y armarios de la cocina (para que los componentes químicos no se incrusten en la vajilla o en la comida), y de tener tapadas todas las superficies sobre las cuales se preparan las comidas. Ventile con las ventanas abiertas hasta que hayan desaparecido los olores. Después de haber pulverizado, asegúrese de que alguien limpia a fondo las superficies de contacto con los alimentos de la zona fumigada o de zonas próximas.

De ser posible, opte por una solución natural para controlar eficazmente las plagas. Arranque las malas hierbas en vez de pulverizarlas. Elimine las plagas de las plantas de jardín o del interior regándolas con la manguera a toda presión o con una mezcla de insecticida biodegradable (tendrá que repetir este procedimiento varias veces para que resulte totalmente efectivo). También puede optar por comprar un ejército de mariquitas o de otros depredadores beneficiosos (disponibles en algunos comercios especializados en jardinería) para que combatan a las plagas que tanto la atormentan.

En el interior de casa, utilice la trampa para escarabajos, situándola estratégicamente en las zonas con más movimiento de escarabajos o de hormigas; en los armarios de la ropa utilice barritas de cedro en vez de bolas de naftalina; e infórmese en las tiendas especializadas o en los catálogos sobre otros pesticidas no tóxicos. Si tiene hijos pequeños o animales domésticos, mantenga todos los productos plaguicidas fuera de su alcance. Incluso los pesticidas llamados naturales, a base de ácido bórico, pueden ser tóxicos si se ingieren o se inhalan, además de provocar irritación ocular. Para más información sobre el control natural de las plagas, contacte con el Departamento de Agricultura de su provincia o con un grupo ecologista de su ciudad. Es posible que incluso viva algún ecologista en su vecindario que le pueda orientar sobre las plagas.

Recuerde también que una exposición breve e indirecta a los insecticidas o herbicidas no tiene por qué ser perjudicial. Lo que incrementa el riesgo es la exposición frecuente y de larga duración, como la derivada de trabajar cada día en contacto con este tipo de productos (por ejemplo, en una fábrica o en una zona fumigada a fondo).

Emanaciones de pintura. En todo el reino animal, el período previo al parto (o a la puesta de huevos) se caracteriza por una preparación a conciencia para la llegada del recién nacido. Las aves recubren de plumas sus nidos, las ardillas forran el interior de sus nidos con hojas y ramas, y los padres y madres se aficionan especialmente por los catálogos de decoración. Y, casi en todos los casos, optan por pintar la habitación del recién nacido (eso sí, cuando consiguen decidir el color).

Afortunadamente, las pinturas de hoy en día no contienen plomo ni mercurio, y su uso es seguro durante el embarazo. Sin embargo, existen muchas razones por las cuales debería dejarle el pincel a otro, incluso si siente una imperiosa necesidad de estar ocupada durante las últimas semanas del embarazo. Los movimientos repetitivos de pintar pueden dañar los músculos de la parte baja de la espalda, que ya soportan suficiente presión debido al peso extra del embarazo. Además, subirse a las escaleras es arriesgado, y los

olores de la pintura (aunque no sean peligrosos) pueden causar molestias a la embarazada y provocarle náuseas.

Mientras estén pintando su casa, organícese para estar fuera. Y tanto si se va como si se queda, mantenga las ventanas abiertas para ventilar. Evite por completo la exposición a los disolventes de pintura, porque son muy tóxicos, y salga de casa cuando se rasque la pintura de las paredes (ya sea con disolventes químicos o con lija), especialmente si la pintura que se rasca es de hace años y pudiera contener mercurio o plomo.

Contaminación atmosférica

"¿Puede la contaminación atmosférica perjudicar a mi bebé?"

Respire profundamente. Por regla general, respirar en una gran ciudad es mucho más seguro de lo que se podría imaginar. Al fin y al cabo, millones de mujeres viven y respiran en ciudades grandes, y dan a luz bebés sanos.

La solución verde

Busque la forma de respirar un aire más puro en su casa. Opte por el verde y llene su casa de plantas naturales. Las plantas tienen la capacidad de absorber los componentes contaminantes del aire y de devolver oxígeno al medio. Sin embargo, cuando seleccione las plantas, tenga cuidado de no comprar plantas que sean tóxicas si se ingieren, como el filodendro o la hiedra. No es probable que le entren ganas de chuparlas, pero no podemos decir lo mismo de su hijo, cuando empiece a gatear por la casa.

Violencia doméstica

Proteger a su bebé de los posibles daños es el instinto más básico de cualquier mujer embarazada. Pero por desgracia, algunas mujeres no pueden protegerse ni a sí mismas durante el embarazo. Éste es el caso de las víctimas de la violencia doméstica.

La violencia doméstica puede darse en cualquier momento, pero es especialmente común durante el embarazo. Mientras que esperar un hijo dota a algunas relaciones con un nuevo (o renovado) afecto, otras relaciones empeoran, y a veces incluso generan inesperadas emociones negativas en la pareja de la embarazada (desde rabia o celos hasta un sentimiento de sentirse engañado), especialmente si el embarazo no era deseado. En algunos casos, desgraciadamente, estas emociones se manifiestan en forma de violencia, tanto contra la madre como contra el hijo que espera.

Sorprendentemente, la violencia doméstica es la primera causa de muerte entre las embarazadas, y por lo tanto más frecuente que las complicaciones del embarazo o los accidentes de tráfico. Dejando de lado los casos de homicidio, las estadísticas continúan siendo alarmantes: casi el 20% de las mujeres ha sido víctima de reacciones violentas a manos de sus parejas a lo largo del embarazo. Ello significa, estadísticamente, que las embarazadas tienen el doble de posibilidades de sufrir agresiones físicas durante los nueve meses de gestación que de padecer de preeclampsia o un parto prematuro.

Las agresiones domésticas (físicas o emocionales) a las embarazadas implican más perjuicios que el simple riesgo inmediato de dañar a la futura mamá y a su hijo (mediante la rotura del útero o hemorragias). Ser agredida durante el embarazo puede comportar un gran número de consecuencias negativas para la salud de la futura madre, incluyendo una nutrición deficiente, controles prenatales insuficientes, abuso de sustancias tóxicas, etc. Sus efectos sobre el embarazo también pueden incluir aborto, parto prematuro, rotura prematura de las membranas o tener un bebé con peso bajo al nacer. Y, una vez ha nacido la criatura en un ambiente familiar de agresiones físicas, es posible que también se convierta en víctima directa de dichas agresiones.

Las mujeres maltratadas proceden de todo tipo de sectores profesionales y socioeconómicos, de cualquier franja de edad, de cualquier raza o etnia, y de cualquier nivel educativo. Si es víctima de violencia doméstica, recuerde que no tiene la culpa. No ha hecho nada mal. Si su pareja la maltrata, no espere más: salga a buscar ayuda ahora mismo. Si no pone remedio, la violencia no hará sino empeorar. Recuerde que si no está segura en su casa, su hijo tampoco lo estará.

Coméntelo con su médico, con sus amigos de confianza o con la familia, o llame a un teléfono de atención a las mujeres maltratadas. Muchos países tienen programas de acogida para ayudarla con el alojamiento, la ropa y los cuidados prenatales. Busque información en la página web del Ministerio de Justicia para encontrar las direcciones de los Servicios de Atención a la Mujer (SAM) y a la Familia (SAF) y los Equipos de Mujeres y Menores (EMUMES).

Si se halla en una situación de peligro inminente, llame al teléfono de emergencias (112), a la policía nacional (091), a la policía municipal (092) o a la guardia civil (062). Existe también un teléfono de información a la mujer, gratuito y las 24 horas del día (900 19 10 10).

De todos modos, siempre es prudente evitar dosis muy altas de ciertos contaminantes atmosféricos. Veamos cómo:

- Evite entrar en habitaciones llenas de humo. Dado que el humo de tabaco es uno de los contaminantes que se ha demostrado que dañan al feto, pídales a sus familiares, a las visitas o a sus compañeros de trabajo que no fumen en su presencia. Eso también es válido para las pipas y los puros, ya que desprenden aún más humo que los cigarrillos.

- Hágale una revisión al coche, para asegurarse de que no desprende emanaciones de componentes nocivos, y revise también el tubo de escape, para comprobar que no tiene fugas. No ponga nunca el motor en marcha dentro del garaje con las puertas del local cerradas; mantenga cerrada la puerta de detrás de una furgoneta mientras el motor esté encendido; apague la ventilación del coche cuando conduzca en zonas de tráfico denso.

- Si se produjese una alerta de contaminación en su ciudad, quédese en casa tanto tiempo como le sea posible, con las ventanas cerradas y con el aire acondicionado –si es que lo tiene– en marcha. Siga cualquier otra instrucción que faciliten los responsables de la salud pública para las personas de alto riesgo. Si quiere salir, vaya al gimnasio o a dar una vuelta por el interior de un gran centro comercial.

- No vaya a andar ni a correr, ni tampoco en bicicleta, por calles con mucho tráfico, independientemente del tiempo que haga, porque mientras hace ejercicio inspira una mayor cantidad de aire y también de contaminación. Opte, en cambio, por un camino dentro de un parque o por una zona residencial con poco tráfico y mucha vegetación. Los árboles, igual que las plantas de interior, ayudan a mantener el aire limpio.

- Asegúrese de que el hogar y las estufas de gas y de leña de su casa ardan correctamente. Antes de encender el hogar, abra la salida de humos.

- Pruebe la solución verde (que encontrará en el recuadro de la pág. 92). Las plantas, con sus propiedades de purificación del aire, la ayudarán a respirar mejor dentro y fuera de casa.

QUÉ ES IMPORTANTE SABER

Medicina complementaria y alternativa

Ya ha quedado atrás la época en la que la medicina alternativa era considerada por la práctica médica tradicional como una especie de cuento chino (y se le otorgaba la misma credibilidad). Hoy en día, estas ramas aparentemente independientes del arte de curar ya no se consideran incompatibles; de hecho, cada vez más especialistas de las dos ramas las consideran complementarias. Ello se debe al hecho que la medicina complementaria y alternativa (MCA) parece que está encontrando cada vez más su propio lugar –de alguna forma– en nuestras vidas y las de nuestras familias.

Los profesionales que practican la medicina complementaria tienen un punto de vista más amplio de la salud y el bienestar, examinando e integrando los aspectos nutricionales, emocionales y espirituales con los aspectos físicos.

La MCA también enfatiza la capacidad del cuerpo para curarse por sí mismo, con una pequeña ayuda de los aliados naturales, como por ejemplo las hierbas, el contacto físico, el espíritu y la mente.

Dado que el embarazo no es una enfermedad, sino más bien un ciclo vital normal, parece que la MCA podría ser un complemento natural de los cuidados obstétricos tradicionales. Y para un número cada vez mayor de mujeres y sus médicos, definitivamente lo es. Actualmente se utiliza una amplia variedad de MCA durante el embarazo, la dilatación y el parto, con diversos grados de éxito. Entre otras, figuran las siguientes técnicas:

Acupuntura. Desde hace miles de años, los chinos utilizan la acupuntura para aliviar gran número de síntomas del embarazo, pero hasta hace poco la comunidad obstétrica convencional no la ha empezado a adoptar. Los estudios científicos actuales están investigando conocimientos procedentes de la Antigüedad; los científicos han comprobado que la acupuntura estimula la liberación de varios componentes químicos del cerebro, incluyendo las endorfinas, que bloquean la percepción del dolor. ¿Cómo funciona? El acupunturista inserta decenas de agujas muy finas en los puntos prescritos a lo largo de unos recorridos invisibles (o meridianos) por todo el cuerpo. Según la tradición antigua, estos recorridos son los canales a través de los cuales fluye el *chi*, la fuerza vital del cuerpo. Los investigadores han comprobado que estos puntos se corresponden con nervios profundos, de forma que cuando se presiona sobre las agujas (o se estimulan eléctricamente, mediante un procedimiento conocido como electropuntura) se activan estos nervios, dando lugar a una liberación de endorfinas, lo que alivia los dolores de espalda, las náuseas y otros síntomas, e incluso el agotamiento derivado del embarazo. La acupuntura también puede utilizarse durante la dilatación, para aliviar el dolor, o también para acelerar este proceso. Para las mujeres que tienen dificultades para quedarse embarazadas, la acupuntura también puede ser útil en temas de fertilidad.

Acupresión. La acupresión –o *shiatsu*– se basa en el mismo principio que la acupuntura, pero en vez de trabajar con agujas, el especialista utiliza sus dedos para presionar, o aplica una fuerte presión con pequeñas bolitas para estimular los puntos. Presionar en un punto concreto justo por encima de la parte interior de la muñeca puede eliminar las náuseas (por eso mismo también pueden ir bien los parches contra el mareo; véase la pág. 152). Se cree que la acupresión en el centro del puente del pie ayuda en el proceso de dilatación. También se cree que diversos puntos de acupresión (por ejemplo los tobillos) inducen las contracciones, y por ello se ha de evitar la acupresión en esta zona hasta que se salga de cuentas (aunque las futuras madres impacientes quizá quieran saber antes lo que se siente, siempre en manos de un profesional, naturalmente).

Biofeedback. El *biofeedback* es un método que ayuda a las pacientes a aprender cómo controlar sus respuestas biológicas frente al dolor físico o al estrés emocional, y se puede utilizar con seguridad para aliviar gran número de síntomas del embarazo, incluyendo el dolor de cabeza, el dolor de espalda y otros dolores, aparte del insomnio y los mareos matutinos. El *biofeedback* también se puede utilizar para hacer bajar la presión arterial y para combatir la depresión, la ansiedad y el estrés.

Medicina quiropráctica. Esta terapia utiliza la manipulación física en la columna vertebral y otras articulaciones, con el fin de permitir que los impulsos nerviosos pasen libremente a través del cuerpo alineado, potenciando la capacidad natural del cuerpo para curarse. La medicina quiropráctica puede ayudar a las mujeres embarazadas a superar las náuseas, el dolor de espalda, de cervicales o de articulaciones, y la ciática (así como otros tipos de dolores), además de aliviar los dolores del posparto. Asegúrese de que el especialista en quiropraxis que la visite durante su gestación esté habituado a tratar mujeres en estado, de que disponga de camillas adaptables al cuerpo de una mujer embarazada, y de que utilice técnicas que eviten presionar el área abdominal.

Masaje. El masaje puede ayudar a aliviar algunos problemas del embarazo, como la pirosis, las náuseas (aunque sólo funciona en algunas mujeres, mientras que otras aún se marean más con el masaje), el dolor de cabeza, el dolor de espalda y la ciática, además de preparar la musculatura para el parto. También se puede utilizar durante la dilatación y el parto, para relajar los músculos entre una contracción y la otra, para reducir los dolores durante la dilatación. Y, todavía mejor, es una forma fantástica de reducir el estrés y relajarse. Únicamente deberá asegurarse de que su masajista ha recibido formación en técnicas de masaje prenatal (ya que no todos los masajistas las han estudiado); véase la página 167 para más información.

Reflexología. Parecida a la acupresión, la reflexología es una terapia en la cual se aplica presión en puntos específicos de los pies, las manos y las orejas para aliviar gran número de trastornos y dolores, así como para estimular la dilatación y reducir los dolores de las contracciones. Dado que presionar determinadas áreas de los pies y las manos puede provocar contracciones, es muy importante que el especialista que la vaya a atender haya recibido una buena formación y sepa que está encinta, para que evite trabajar en estas áreas antes de la fecha de salida de cuentas (de todos modos, también puede ser de ayuda en los casos de dilataciones demasiado lentas).

Hidroterapia. Este uso terapéutico del agua caliente (generalmente en un jacuzzi) se utiliza en varios hospitales y centros para dar a luz, con el fin de ayudar a la mujer que está dilatando a relajarse, así como para reducirle el malestar. Algunas embarazadas optan por dar a luz dentro del agua; véase la página 27.

Aromaterapia. Se utilizan aceites perfumados para curar el cuerpo, la mente y el espíritu, y algunos médicos los usan durante el embarazo; sin embargo, varios expertos aconsejan precaución, ya que determinados aromas (en esta forma concentrada) pueden suponer un riesgo para las embarazadas; véase la página 168.

Meditación, visualización y técnicas de relajación. Todas estas técnicas pueden ser de gran ayuda para las embarazadas, sin comportar ningún riesgo, en gran variedad de problemas físicos y emocionales, desde los mareos matutinos hasta los dolores del preparto y el parto. También pueden funcionar de maravilla para atenuar la ansiedad de la futura madre. En el recuadro de la página 160 encontrará un ejercicio de relajación que puede poner en práctica.

Hipnosis. La hipnosis puede ser útil para aliviar diversos síntomas del embarazo (desde las náuseas hasta las jaquecas), para reducir el estrés y eliminar el insomnio, para hacer girar un bebé que viene de nalgas (hasta la presentación cefálica externa, la más tradicional), para frenar la dilatación prematura y para ayudar a controlar el dolor durante la dilatación y el parto (hipnoparto). Se basa en conducir a la mujer a un estado de relajación profunda y, en el caso del control del dolor, a una relajación tan profunda que no tenga conciencia de ningún dolor. Recuerde que la hipnosis no es apta para todo el mundo; un 25 por ciento de la población es muy reticente a la sugestión hipnótica, y un porcentaje aún más elevado no es capaz de conseguir un alivio eficaz del dolor. Asegúrese de que el hipnotizador al cual va a recurrir posea una titulación y tenga experiencia en terapias para el embarazo. Para más información sobre la hipnosis, véase la página 338.

Moxibustión. Esta técnica de la medicina alternativa combina la acupuntura con el calor (quemando *Artemisia vulgaris* o hierba de San Juan, una planta medicinal) para que el bebé que viene de nalgas se vaya colocando cabeza abajo. Si está interesada en probar la moxibustión para hacer girar a su bebé, busque a un especialista con experiencia en esta técnica (ya que no todos los acupuntores están preparados para ella).

Hierbas medicinales. Las plantas se han estado utilizando desde que la humanidad empezó a buscar formas de curar los trastornos, y hoy en día las utilizan algunos médicos para aliviar los síntomas del embarazo. Sin embargo, muchos expertos no están de acuerdo con el uso de las hierbas medicinales por parte de las embarazadas, porque aún no se han llevado a cabo los estudios de seguridad pertinentes.

No hay duda que la MCA está causando un gran impacto en el ámbito ginecológico. Incluso los obstetras más

tradicionales se han dado cuenta de que existe una fuerza holística que debe reconocerse, y están empezando a incorporarla en el sector ginecológico de forma habitual. Si quiere incorporar la MCA como parte de su embarazo, sería prudente tener cuidado y no perder de vista los siguientes consejos:

- Asegúrese de que su ginecólogo o comadrona de referencia sea consciente de que está interesada en un tratamiento de MCA, de forma que ambas medicinas sean realmente complementarias. Es importante mantener a todo su equipo prenatal al corriente de sus intenciones, por su seguridad y la de su hijo.

- Las medicaciones complementarias (como por ejemplo los preparados homeopáticos y los de la herboristería) no están evaluadas ni probadas oficialmente. Y dado que no han sido suficientemente evaluadas –a diferencia de los fármacos convencionales– no se ha podido establecer clínicamente su seguridad. Eso no quiere decir que no haya medicamentos complementarios que sean seguros de usar durante el embarazo y que posiblemente sean muy beneficiosos, sino que simplemente hoy en día no existe un sistema oficial que determine cuáles son seguros y cuáles no. Hasta que no se tenga un conocimiento más exhaustivo, vale la pena evitar seguir cualquier tratamiento homeopático, tomar cualquier medicación a base de hierbas medicinales, suplementos dietéticos, o seguir un tratamiento de aromaterapia, a no ser que se lo haya prescrito específicamente un médico convencional buen conocedor de la MCA y que sepa de su embarazo. (Y el mismo consejo es válido una vez que haya nacido el bebé, si le da el pecho.)

- Las técnicas de la medicina complementaria que suelen ser benignas –o incluso beneficiosas– para las no embarazadas, pueden, sin embargo, no serlo durante la gestación. Desde el masaje terapéutico hasta las maniobras quiroprácticas, hay que tener en cuenta precauciones especiales cuando la paciente está embarazada.

- La MCA también puede ser una medicina potente. Y, dependiendo de cómo se aplica, este potencial puede ser terapéutico o arriesgado. Recuerde que "natural" no es sinónimo de "seguro", de la misma forma que "químico" tampoco ha de ser necesariamente "peligroso". Deje que su ginecólogo la ayude a navegar entre los posibles escollos y la oriente únicamente hacia las prácticas de la MCA que la puedan ayudar –y no perjudicar– mientras esté en estado de buena esperanza.

CAPÍTULO 5

Nueve meses de buena alimentación

AHORA HAY UN PEQUEÑO SER DEsarrollándose en su interior, un bebé en construcción. Están brotando unos dedos de pies y manos adorables, se están formando ojos y oídos, y las células cerebrales están creciendo a gran velocidad. Y antes de que se dé cuenta, el punto que era el feto acabará pareciéndose al bebé de sus sueños: completamente equipado y preparado para que le abracen.

No es sorprendente, pues, que concebir un bebé requiera de muchas condiciones. Por suerte para los bebés y sus padres que tanto les aman, la naturaleza es muy sabia. Lo que significa que las probabilidades de que su bebé nazca no sólo muy hermoso, sino también muy sano, son excelentes. Y lo que es más, hay muchas cosas que puede hacer para ayudar a mejorar estas expectativas, ya de por sí excelentes, mientras que también contribuirá a tener un embarazo más cómodo y sano también pa-

ra usted. Hay algo que es relativamente fácil de hacer (a excepción quizá de si siente náuseas), que es algo que ya hace tres veces al día. Sí, lo ha adivinado: comer. Pero durante el embarazo no se trata únicamente de comer (aunque quizá eso ya sea un esfuerzo suficiente durante esos primeros meses), se trata de comer lo mejor posible. Considérelo de esta forma: comer bien cuando está esperando es uno de los primeros y mejores regalos que puede hacerle a su futuro hijo, y es un regalo que seguirá dándole, ya que no sólo le proporcionará un inicio de su vida más sano, sino que toda su vida será más sana.

La dieta del embarazo es un plan de alimentación dedicado a la buena salud de su bebé (y también a la suya). ¿Qué ventajas tiene para su bebé? Entre muchos otros impresionantes beneficios, unas mayores probabilidades de tener un buen peso al nacer, un mayor desarrollo cerebral y un riesgo menor de sufrir ciertos defectos congénitos, y además, lo crea o no, unos hábitos alimentarios mejores cuando el bebé crezca hasta convertirse en un preescolar potencialmente difícil (una ventaja que apreciará mucho cuando haya brócoli en el menú). Y también es posible que sea más probable que su hijo crezca siendo un adulto más sano.

Y su bebé no será el único que probablemente se beneficie. La dieta del embarazo también puede hacer aumentar las probabilidades de que su gestación sea segura (algunas complicaciones, tales como la anemia, la diabetes gestacional y la preeclampsia son menos comunes entre las mujeres que comen bien) y cómoda (una dieta sensata y selecta puede minimizar las náuseas matutinas, la fatiga, el estreñimiento y toda una serie de síntomas del embarazo), de un estado emocional equilibrado (una buena nutrición puede ayudar a moderar esos cambios de humor), de un parto a su debido tiempo (en general, las mujeres que comen con regularidad y adecuadamente tienen menos posibilidades de un parto prematuro) y de una recuperación más rápida durante el posparto (un cuerpo bien nutrido puede volver más deprisa y con mayor facilidad a su estado inicial, y el peso que se ha ganado a un ritmo sensato puede perderse más deprisa). Para saber más sobre una dieta sana durante el embarazo véase *Comer bien cuando se está esperando*.

Por suerte, alcanzar estos beneficios es pan comido, especialmente si ya se alimentaba bien, o incluso si no lo hacía (sólo tendrá que ser un poco más selectiva antes de llevarse el tenedor a la boca). Es por ello por lo que la dieta del embarazo no es tan distinta de una dieta sana promedio. Aunque se han hecho algunas modificaciones para la pareja madre-hijo (no debe extrañarnos que gestar un bebé requiera de más calorías y más de ciertos nutrientes), los fundamentos

---

Hágalo a su manera

Tiene dudas sobre las dietas. No es una fan de los planes alimentarios. O simplemente no le gusta que le digan lo que tiene que comer (o cuánto). Sin problemas. La dieta del embarazo es una forma de alimentarse usted y a su bebé de forma adecuada, pero desde luego no es la única. Una dieta sana y equilibrada que incluya muchas proteínas, cereales integrales, fruta y verdura, y unas 300 calorías diarias más también será suficiente. Así que si no desea seguir la dieta del embarazo, no lo haga. ¡Coma bien a su manera!

---

son los mismos: una buena mezcla bien equilibrada de proteínas magras y calcio, cereales integrales, un arco iris completo de fruta y verduras frescas, y grasas sanas. ¿Le suena familiar? Debería, ya que es lo que los especialistas en nutrición han estado predicando durante años.

Además, aquí tenemos más buenas noticias. Incluso si ha llegado al embarazo (y se está inclinando hacia la mesa) con unos hábitos alimentarios menos que ideales, cambiarlos para seguir la dieta del embarazo no será tan duro, especialmente si está decidida a hacer los cambios. Existen alternativas sanas para casi todos los alimentos y bebidas menos sanos que se haya podido llevar a la boca (véase el recuadro de la pág. siguiente), lo que significa que existen formas nutritivas de preparar un pastel (y galletas, y patatas fritas, e incluso comidas rápidas) y también de comérselo. Y también existen incontables formas de hacerse con las vitaminas y minerales cruciales, introduciéndolos en sus recetas y platos favoritos, lo que significa que puede comer bien cuando está es-

Pruebe alternativas

Si busca alternativas sanas para sus alimentos favoritos y no tan sanos, aquí tiene algunas ideas para empezar.

En vez de . . .	Pruebe . . .
Patatas chips	Chips de soja
Una bolsita de M&M	Frutos secos (con unos pocos M&M)
Galletitas saladas de aperitivo	Edamame antes de comer
Pollo frito	Pollo asado o a la parrilla
Helado con frutas y nueces y salsa caliente	Yogur helado con frutas y granola
Tacos con salsa de queso	Verdura con salsa de queso
Patatas fritas	Chips de boniato asado
Cualquier cosa con pan blanco	Cualquier cosa con pan integral
Una bebida sin alcohol	Zumo de frutas
Galletas azucaradas	Galletas integrales con higos

perando, sin dejar de complacer a sus papilas gustativas.

Existe un punto muy importante que debe tener en cuenta cuando se embarque en un cambio de dieta para mejorarla: lo que presentamos en este capítulo es el plan ideal y el mejor posible para comer bien cuando se está esperando. Algo por lo que debería esforzarse, desde luego, pero no estresarse (especialmente al principio del embarazo, cuando su apetito por las comidas sanas deba enfrentarse con todo un buffet de síntomas que lo suprimen, desde las náuseas a las aversiones por ciertos alimentos). Quizá haya elegido seguir la dieta de forma muy estricta, al menos durante la mayor parte del tiempo. O la seguirá de una forma más laxa, pero siempre. Pero incluso si sigue comiendo hamburguesas con patatas fritas, por lo menos podrá extraer de las páginas siguientes unos pocos consejos que la ayuden a alimentar a su bebé y a usted misma mejor durante los siguientes nueve meses (¿quizá una ensalada con esa hamburguesa?).

Nueve principios básicos para comer saludablemente durante nueve meses

Cada bocado cuenta. Medite esto: tiene por delante nueve meses de comidas y tentempiés, siendo cada uno de ellos una oportunidad de alimentar bien a su hijo antes de nacer. Así que abra bien la boca, pero piense antes. Haga que todos los bocados de su embarazo cuenten, eligiéndolos (al menos la mayor parte del tiempo) teniendo en mente a su bebé. Recuerde que cada bocado durante el día es una oportunidad de alimentar a su hijo que está creciendo mediante nutrientes saludables.

No todas las calorías fueron creadas igual. Elija las calorías con cuidado, priorizando la calidad sobre la cantidad, cuando pueda. Puede parecer obvio –y por lo tanto injusto–, pero estas 200 calorías de un buñuelo frito no son iguales que 200 calorías de una magdalena integral con pasas. Ni las 100 calorías de diez patatas chips son iguales a 100 calorías de patata asada con piel. Su hijo se beneficiará mucho más de 2000 calorías diarias ricas en nutrientes que de 2000 calorías casi vacías. Y su cuerpo también notará los beneficios durante el posparto.

Si pasa hambre la madre, pasa hambre el hijo. Igual que a nunca se le ocurriría hacerle pasar hambre a su bebé después de que haya nacido, no debe permitir que pase hambre cuando esté en el interior de su útero. Un feto no puede sobrevivir de la carne de su madre, por mucha que ésta tenga. Necesita una nutrición regular a intervalos regulares; y, como es usted el único catéter de su restaurante uterino, sólo usted puede proporcionársela. Aunque no tenga usted hambre, su hijo sí. Así que trate de no saltarse las comidas. De hecho, comer frecuentemente es la mejor forma de nutrir bien al feto.

Las investigaciones demuestran que es menos probable que las madres que comen al menos cinco veces al día (tres comidas principales más dos tentempiés, o seis minicomidas, por ejemplo) tengan un parto prematuro. Desde luego, esto es más fácil de decir que de hacer, especialmente si ha estado más ocupada yendo al lavabo a vomitar que pensando en comer. ¿Y si su ardor de estómago ha convertido comer en algo doloroso (literalmente)? Encontrará muchos consejos de cómo evitar estos inconvenientes del embarazo para alimentarse adecuadamente en las páginas 147 y 173.

La eficacia es efectiva. ¿Cree que es imposible ingerir cada uno de los doce puntos diarios de la dieta (véase la pág. 105) cada día (veamos, seis raciones de cereales integrales significa una cada cuatro horas…)? ¿Está preocupada porque si consigue comérselos, parecerá un dirigible embarazado? Piense y no se preocupe más. En vez de eso, conviértase en una experta. Consiga un mayor valor nutritivo por cada alimento eligiendo comidas que sean ligeras en calorías y cargadas de nutrientes. ¿Necesita un ejemplo? Comerse una taza de pistachos, lo que son 715 calorías (aproximadamente el 25 % de las calorías diarias totales) es una forma considerablemente menos eficaz de ingerir una ración de 25 gramos de proteínas que comerse una hamburguesa de pavo de 120 gramos, que contiene 250 calorías. Otro caso de eficacia: comer una taza y media de helado (unas 500 calo-

La solución de las seis comidas

Demasiado estreñimiento, náuseas y ardor de estómago, o simplemente está demasiado hinchada (o las cuatro cosas a la vez) para poder tomar una comida completa. No importa cuáles sean los problemas de barriga que la estén asediando (o que están impidiendo que la comida le entre), le será más fácil repartir sus doce puntos diarios de la dieta (véase la pág. 105) en cinco o seis minicomidas en vez de en tres grandes. Si se dedica a picar, también mantendrá equilibrados los niveles de azúcar en sangre, así que también tendrá una inyección de energía (¿y quién no querría usarla?). Y tendrá menos jaquecas (y menos cambios de humor).

No se sienta culpable

Se precisa mucha fuerza de voluntad, especialmente cuando está intentando comer bien para dos. Además, todo el mundo necesita caer en la tentación de vez en cuando sin sentirse culpable. Así que libérese de ese sentimiento de culpabilidad, levante la prohibición y permítase un pequeño festín de vez en cuando con un alimento que no sea demasiado aconsejable desde el punto de vista nutricional, pero que le dé una alegría. Podría ser, por ejemplo, una magdalena con arándanos, que probablemente contendrá más azúcar que arándanos, pero que estará para chuparse los dedos, una doble ración de galletas con nata (cuando no le apetezca el yogur helado), o una hamburguesa en un local de comida rápida que ha estado deseando como loca. Y cuando le diga "sí" a ese *brownie* glaseado o esa barra de caramelo que tomará de vez en cuando, sírvaselos sin una pizca de remordimiento.

No obstante, cuando se interne por el camino de lo menos nutritivo, intente compensarlo.

Algunas sugerencias pueden ser: añada una rodaja de plátano y algunas nueces a su helado, elija una barra de caramelo que contenga almendras, o pida una hamburguesa con queso y tomate (y quizá acompañada de una ensalada). Otra buena estrategia es tomar pequeñas porciones de estos alimentos: comparta esa ración de aros de cebolla, y tome una rebanada muy fina de ese pastel que tanto le gusta en vez de una porción enorme. Y acuérdese de parar antes de perder el control; si no, después de todo acabaría sintiéndose culpable.

rías; y más si es de los buenos) es una forma divertida pero menos eficaz de conseguir la ración de 300 mg de calcio que tomarse una taza de yogur descremado helado (también le gustará, pero contiene sólo 300 calorías). Dado que las grasas tienen más del doble de calorías por gramo que las proteínas o los carbohidratos, si opta por los alimentos con un contenido bajo en grasas mejorará su eficacia nutricional. Elija las carnes magras en lugar de las grasas, la leche y los productos lácteos descremados o semidescremados en lugar de las versiones enteras, y los alimentos asados o a la parrilla en vez de los fritos. Sea tacaña con la mantequilla; utilice una cucharada de aceite de oliva para los salteados, no una cuarta parte de una taza. Otro truco para comer con eficacia: seleccione alimentos que sean ricos en más de una de las categorías de los doce puntos diarios, para cumplir con dos o más requerimientos a la vez.

La eficacia también es importante si tiene problemas para ganar suficiente peso. Para empezar a ganar peso de una forma saludable, elija alimentos que sean densos en nutrientes y calorías: aguacates, nueces y otros frutos secos, por ejemplo, que pueden satisfacerla a usted y a su bebé, sin llenarla demasiado.

Los hidratos de carbono son un tema complejo. Algunas mujeres, preocupadas por ganar demasiado peso durante el embarazo, caen en el error de desterrar a los hidratos de carbono de sus dietas, como por ejemplo tomando menos patatas asadas. No hay duda que los hidratos de carbono refinados (como el pan blanco, las galletas y las tostadas con sal, el arroz blanco, los cereales refinados, los pasteles y las galletas) son unos tramposos nutricionales. Pero los hidratos de carbono no refinados (complejos, como los cereales y panes integrales, el arroz integral, la fruta y las verduras frescas, los guisantes y las judías secas y, desde luego, las patatas asadas con su piel) suministran vitaminas del grupo B, minerales traza y proteínas que son esenciales, y fibra, que es importante.

No sólo son buenos para su bebé, sino también para usted (mantendrán a raya las náuseas y el estreñimiento). Y dado que la satisfacen y son ricos en fibra, pero no engordan, la ayudarán también a controlar su peso. Las investigaciones más recientes sugieren que además existe otra ventaja para las consumidoras de hidratos de carbono: comer mucha fibra puede reducir el riesgo de desarrollar una diabetes gestacional. Pase despacio de una dieta baja en fibras a una rica en fibra para evitar molestias estomacales (demasiada fibra demasiado deprisa le podrían provocar muchos gases).

Las naderías dulces son exactamente eso, naderías. No hay una forma más suave de decirlo: por desgracia, las calorías del azúcar son calorías vacías. Y aunque las calorías vacías están bien de vez en cuando –incluso cuando se está embarazada–, tienden a añadirse mucho más deprisa de lo que piensa, dejando menos espacio en su dieta para las calorías portadoras de nutrientes. Además, los investigadores están comprobando que el azúcar no sólo está exento de valor, sino que tomarlo en exceso podría ser dañino. Los estudios han sugerido que además de contribuir a la obesidad, consumir mucho azúcar puede provocar caries, diabetes, enfermedades cardiacas y cáncer de colon. No obstante, quizá el mayor inconveniente del azúcar es que a menudo se encuentran grandes cantidades de él en alimentos y bebidas que son totalmente insolventes desde el punto de vista de la nutrición (nos vienen a la mente, por ejemplo, los caramelos y las bebidas refrescantes).

El azúcar refinado aparece bajo muchos nombres en los estantes del supermercado, por ejemplo en muchos jarabes o zumos. La miel, un azúcar no refinado, tiene una ventaja nutricional, dado que contiene antioxidantes, que combaten las enfermedades. Además es más probable que los azúcares no refinados aparezcan en alimentos más nutritivos, particularmente en los cereales integrales que se venden en tiendas de dietética o en las secciones especiales de los supermercados. No obstante, debe intentar limitar su ingesta de todas las formas de azúcar, dado que las calorías ahorradas pueden invertirse en opciones mucho más interesantes.

Para endulzar de forma nutritiva y exquisita, sustituya el azúcar por fruta, fruta seca y zumos de fruta concentrados siempre que pueda. Además de ser dulces, contienen vitaminas, elementos traza y valiosas sustancias fotoquímicas (productos químicos vegetales que pueden ayudar a su cuerpo a defenderse contra las enfermedades y el envejecimiento), ninguno de los cuales se halla en el azúcar.

También puede tomarse su dulce venganza con los sustitutos acalóricos del azúcar, que parece que son seguros en el embarazo (véase la pág. 126).

Los buenos alimentos recuerdan aún de dónde proceden. La naturaleza sabe un par de cosas sobre la nutrición. Por lo tanto no debe sorprendernos que la mayoría de alimentos nutritivos sean los que no se han alejado mucho de su estado natural.

Elija verduras y frutas frescas cuando sea su estación o congeladas o enlatadas cuando no tenga tiempo para cocinar, o no se encuentren frescas en el mercado (pero asegúrese de que no contienen azúcar, sal o grasas). Y hablando de la forma de prepararlas, menos es más en cuanto a los nutrientes. Intente comer algunas verduras y frutas crudas cada día, y cuando decida cocinarlas, opte por guisarlas al vapor o salteándolas ligeramente, de forma que retengan la mayor parte de vitaminas y minerales.

Y la naturaleza aún tiene más cosas que enseñarnos en cuanto a la nutrición. Evite los alimentos procesados; no solo se les han añadido muchos productos químicos, grasas, azúcar y sal en la cadena de producción, sino que también tienen un valor alimentario escaso. Elija una pechuga fresca de pollo o pavo en vez de sus versiones ahumadas, macarrones integrales con queso en vez de la variedad de pasta de color naranja, y copos de avena frescos en lugar de las variedades instantáneas que contienen muy poca fibra y mucho azúcar.

La comida sana es un asunto de familia. Veamos: no es fácil estar mordisqueando fruta fresca mientras su querida pareja se tira de cabeza sobre un helado gigante justo a su lado, en el sofá. O limitarse a comer chips de soja mientras él se está atracando de esas bolitas de queso anaranjadas que la vuelven loca. Así que lo mejor será reclutarlo –a él y a los demás miembros de la familia– para hacer de su casa un lugar de comida sana. Haga que el pan de su casa sea integral, llene su congelador de yogur congelado y prohíba esos irresistibles bocados a los que no se puede resistir cuando los tiene a mano. Y prosiga después del parto. Los investigadores han asociado una buena dieta no sólo con un bebé y un embarazo más sanos, sino también con un menor riesgo de contraer muchas enfermedades, incluyendo el cáncer y la diabetes. Esto significa que la familia que come bien estando unida es más probable que esté sana estando unida.

Los malos hábitos pueden sabotear una buena dieta. Comer bien es sólo una parte del plan para un embarazo

Cuéntelas una vez, cuéntelas dos

Muchos de sus alimentos favoritos contribuyen a más de uno de los doce puntos diarios de la dieta en cada ración, dándole dos al precio calórico de uno. Un ejemplo: una rodaja de melón cantalupo contiene una ración de "frutos amarillos" y otra de vitamina C, todo en un mismo delicioso embalaje. Una taza de yogur contiene una ración de calcio y media de proteínas. Utilice estos solapamientos tan a menudo como pueda, para ahorrar calorías ingeridas y espacio en su estómago.

sano. La mejor dieta prenatal del mundo puede ser socavada por el alcohol, el tabaco y otras drogas o fármacos que no son seguros. Si todavía no lo ha hecho, cambie sus hábitos de vida para que concuerden con su dieta.

Los doce puntos diarios de la dieta

Calorías. Técnicamente, una mujer embarazada come para dos (alégrense las amantes de la comida). Pero es importante recordar que uno de los dos es un diminuto feto en desarrollo cuyas necesidades calóricas son significativamente menores que las de mamá: sólo unas 300 diarias como promedio, o aún menos (lo siento, amantes de la comida). Así que, si tiene un peso estándar, sólo precisará 300 calorías más de las que solía ingerir antes del embarazo: el equivalente a dos vasos de leche descremada y un bol de copos de avena (no exactamente la barra de helado con frutas y nueces que estaba imaginando). Muy fáciles de consumir (o de sobrepasar), dados los requerimientos alimentarios extra del embarazo. Además, durante el primer trimestre probablemente no necesitará ningún extra de calorías (el bebé que está creciendo en su interior es tan diminuto como un guisante), a menos que esté usted intentando compensar por haber empezado el embarazo pesando menos de lo debido. Cuando su metabolismo se acelere durante el segundo trimestre, podrá ingerir de 300 a 350 calorías extra. Más adelante (cuando su bebé haya aumentado mucho de tamaño), quizá necesite aún más, quizá hasta 500 calorías extra.

Ingerir más calorías de las que usted y su bebé precisan no sólo es innecesario, sino que no es inteligente y puede hacer que gane usted demasiado peso. Por otra parte, tomar demasiado pocas calorías, no sólo es desaconsejable, sino también potencialmente peligroso al ir avanzando el embarazo; una mujer que no toma suficientes calorías durante el segundo y tercer trimestre puede retrasar gravemente el desarrollo de su bebé.

Existen cuatro excepciones a esta norma básica; si alguna de ellas se la puede aplicar, es muy importante que hable con su médico sobre sus necesidades calóricas. Si tiene sobrepeso, posiblemente necesitará menos calorías, siempre que cuente con una guía adecuada en cuanto a la nutrición. Si su peso está muy por debajo del normal, precisará más calorías, de forma que tendrá que ponerse al día. Si la futura mamá es una adolescente, ella misma también estará creciendo, lo que significa que tendrá necesidades nutricionales especiales. Y si su embarazo es múltiple, deberá añadir 300 calorías más por cada bebé.

Aunque las calorías cuenten durante el embarazo, no deben ser contadas en el sentido literal. En vez de preocuparse con complicados cómputos en cada comida, es mejor pesarse en una báscula de confianza con regularidad (una vez por semana si tiene mucha curiosidad, o una vez cada dos o tres semanas si no le gusta pesarse), para controlar sus progresos. Pésese siempre a la misma hora del día, ya sea desnuda o llevando siempre la misma ropa (o una ropa que pese aproximadamente lo mismo), de manera que sus cálculos no se vean saboteados por una comida pesada una semana, o por unos tejanos que pesan mucho la semana siguiente. Si su aumento de peso va de acuerdo con el programa (un promedio de unos 400 gramos semanales en el segundo y tercer trimestres), eso significa que está tomando el número adecuado de calorías. Si el peso aumenta menos, es que está tomando demasiado pocas calorías, y si aumenta más, está tomando demasiadas. Mantenga o ajuste su ingesta de alimentos, de acuerdo con sus necesidades, pero tenga cuidado de no suprimir nutrientes necesarios junto con las calorías.

Proteínas: tres raciones diarias. ¿Cómo está creciendo su bebé? Utilizando, entre otros nutrientes, los aminoácidos (los bloques con los que se construyen las células humanas) a partir de las proteínas que ingiere cada día. Dado que las células de su bebé se están multiplicando muy deprisa, las proteínas son un componente crucial de la dieta del embarazo. Intente ingerir aproximadamente 75 gramos de proteínas al día. Si esto le parece mucho, tenga en cuenta que la mayoría de los habitantes de los países desarrollados (y seguramente también usted) consumen por lo menos esta cantidad diariamente sin ni siquiera proponérselo, y las dietas ricas en proteínas incluyen aún más. Para obtener sus raciones de proteínas, todo lo que tiene que hacer es ingerir a diario un total de tres raciones de alimentos ricos en proteínas, y no olvide tener en cuenta que las proteínas se encuentran en muchos alimentos ricos en calcio: un vaso de leche y treinta gramos de queso proporcionan cada uno una tercera parte de una ración de proteínas. Los cereales integrales y las legumbres también contribuirán a su recuento de proteínas.

Tómese cada día tres de lo siguiente (teniendo en cuenta que cada uno constituye una ración, o 25 gramos de proteínas), o una combinación equivalente a tres raciones. Tenga en cuenta que la mayoría de las opciones lácteas también satisfacen las necesidades de calcio, lo que las convierte en opciones especialmente eficaces.

3 vasos de leche descremada o semidescremada

1 taza de requesón o bien cuajada o queso de Burgos

2 tazas de yogur

90 gramos (¾ de taza) de queso rallado

4 huevos grandes enteros

7 claras de huevos grandes

100 gramos de atún o sardinas en lata (peso escurrido)

120 gramos de salmón de lata (peso escurrido)

120 gramos de marisco congelado, como por ejemplo langosta, gambas, almejas o mejillones, todos ellos sin cáscara o caparazón

120 gramos de pescado fresco (pesado antes de cocinarlo)

120 gramos de pollo, pavo, pato u otra ave de corral (pesados antes de cocinarlos), sin piel

120 gramos de buey, cordero, ternera o cerdo magro (pesados antes de cocinarlos)

Alimentos con calcio: cuatro raciones diarias. Cuando iba al colegio probablemente aprendió que los niños que están creciendo necesitan mucho calcio para tener los huesos y los dientes fuertes. Lo mismo sucede con los fetos que van camino de convertirse en niños. El calcio es también vital para el desarrollo de los músculos, el corazón y los nervios, la coagulación de la sangre y la actividad enzimática. Pero no sólo es su bebé el que sale perdiendo si no toma usted suficiente calcio. Si los suministros de calcio no son suficientes, el bebé extraerá el calcio de sus propios huesos, condenándola a sufrir osteoporosis más adelante. Así que esfuércese en tomar las cuatro raciones diarias de alimentos ricos en calcio.

¿No puede soportar la idea –o el gusto– de cuatro vasos de leche cada día? Por suerte el calcio no tiene necesariamente que servirse en vasos. Puede servirse en una taza de yogur o en un trozo de queso. Puede disfrutarse tomando sopas, cereales, salsas, guisos, dulces, postres y otros alimentos.

Para todas aquellas que no pueden tolerar o no comen ningún producto lácteo, el calcio también puede obtenerse a partir de otros alimentos. Un vaso de zumo de naranja enriquecido con calcio, por ejemplo, proporciona una ración de calcio y una de vitamina C; 120 gramos de salmón de lata con sus espinas proporciona tanto una ración de calcio como de proteínas; una ración de vegetales verdes cocidos no sólo nos proporciona una ración de hortalizas verdes y una de vitamina C, sino también mucho calcio. Para las mujeres vegetarianas o que sufren de intoleracia a la lactosa, o que por cualquier otra razón no pueden estar seguras de estar tomando bastante calcio en sus dietas, se les puede recomendar un suplemento de calcio que contenga también vitamina D.

Intente tomar cuatro raciones de alimentos ricos en calcio cada día, o cualquier combinación de ellos que

Proteínas para las vegetarianas

Buenas noticias para las vegetarianas: no tiene que combinar distintos tipos de vegetales, siempre que tome alguno de cada tipo cada día (legumbres, cereales, y semillas y frutos secos). Para estar segura de que está ingiriendo una ración de proteínas completa con cada comida, duplique o elija dos medias raciones de la lista siguiente. Y tenga en cuenta que muchos de estos alimentos satisfacen los requerimientos de cereales integrales y legumbres, además de los de proteínas.

En la lista siguiente se encuentran alimentos nutritivos para toda mujer embarazada; no ha de ser necesariamente vegetariana para tomarlos y cuentan para su dieta diaria. De hecho, muchos de ellos serán sustitutivos de las proteínas, cuando las náuseas y las aversiones del primer trimestre la obliguen a eliminar la carne de su menú.

Legumbres
(media ración de proteínas)

¾ de taza de garbanzos, lentejas, guisantes triturados o alubias hervidas

½ taza de edamame hervido

¾ de taza de guisantes hervidos

45 gramos de cacahuetes

3 cucharadas soperas de mantequilla de cacahuete

¼ de taza de miso

120 gramos de tofu

90 gramos de tempeh

1½ tazas de leche de soja*

90 gramos de queso de soja*

½ taza de carne vegetariana picada*

1 salchicha o una hamburguesa vegetariana grande

30 gramos de pasta de soja o de alto contenido en proteínas (antes de hervirla)

Cereales (media ración de proteínas)

90 gramos (antes de hervirlos) de pasta de trigo integral

⅓ de taza de germen de trigo

¾ de taza de salvado de avena

1 taza de avena sin cocer (2 tazas si está cocida)

2 tazas (aproximadamente) de cereales integrales listos para comer*

½ taza de cuscús, bulgur o alforfón crudos (1½ tazas si están cocidos)

½ taza de quinoa cruda

4 rebanadas de pan integral

2 pitas o magdalenas de trigo integrales

Nueces y otras semillas
(media ración de proteínas)

90 gramos de frutos secos tales como almendras, nueces o pacanas

60 gramos de semillas de sésamo, girasol o calabaza

½ taza de semillas de lino

*El contenido proteínico varía mucho, así que deberá comprobar las etiquetas para obtener de 12 a 15 gramos de proteínas por ración.

equivalga a las cuatro raciones (así que no olvide contar esa media taza de yogur o ese trocito de queso). Cada una de las raciones de la lista que se da a continuación contiene unos 300 mg de calcio (usted necesita un total de 1200 mg diarios), y muchas también satisfacen los requisitos de proteínas:

¼ de taza de queso rallado

30 g de queso curado

½ taza de requesón pasteurizado

1 taza de leche entera o semidescremada

150 gramos de leche enriquecida con calcio (agítese bien antes de servir)

⅓ de taza de leche descremada deshidratada (suficiente para una taza de líquido)

1 taza de yogur

1 ½ tazas de yogur helado

1 taza de zumo enriquecido con calcio (agítese bien antes de servir)

120 gramos de salmón enlatado con sus espinas

90 gramos de sardinas enlatadas con sus espinas

3 cucharadas soperas de semillas de sésamo

1 taza de vegetales verdes cocidos (por ejemplo nabos o coles rizadas)

1½ tazas de col china hervida

1 ½ tazas de edamame (una variedad de la soja) cocido

1 ¾ de cucharadas soperas de melaza oscura

También obtendrá un extra de calcio tomando requesón o queso de Burgos, tofu, higos secos, almendras, brócoli, espinacas, judías secas y semillas de lino.

Alimentos ricos en vitamina C: tres raciones diarias. Tanto usted como su bebé necesitan vitamina C para la reparación de los tejidos, la curación de las heridas y otros diversos procesos metabólicos (que utilizan los nutrientes).

Su bebé también la precisa para crecer suficientemente y para el desarrollo de unos huesos y dientes fuertes. La vitamina C es un nutriente que el cuerpo no puede almacenar, así que cada día se necesita un nuevo suministro. Por suerte, la vitamina C suele provenir de alimentos que por su naturaleza ya saben bien. Como puede ver en la lista de más adelante de los alimentos ricos en vitamina C, el sempiterno zumo de naranja (bueno como él solo) está lejos de ser el único, o ni siquiera el mejor, suministrador de esta vitamina esencial.

Deberá tomar al menos 3 raciones de vitamina C cada día. (¿Es una fanática de la fruta? Pues tome más.) Su cuerpo no puede almacenar esta vitamina, así que intente no saltarse ni un día. Tenga en cuenta que muchos alimentos ricos en vitamina C contribuyen también al consumo necesario de hortalizas y frutas verdes y amarillas.

½ racimo de uva de tamaño mediano

½ taza de zumo de uva

½ naranja mediana

½ taza de zumo de naranja

2 cucharadas de concentrado enriquecido de zumo de naranja, uva blanca o de otra fruta

¼ de taza de zumo de limón

½ mango de tamaño mediano

¼ de papaya mediana

⅛ de un melón cantalupo o un melón dulce (o ½ taza de dados)

⅓ de taza de fresas

⅔ de taza de zarzamoras o frambuesas

½ kiwi mediano

½ taza de piña fresca a dados

2 tazas de sandía a dados

¼ de un pimiento rojo, amarillo o naranja de tamaño mediano

½ pimiento verde mediano

½ taza de brócoli hervido o crudo

1 tomate mediano

¾ de taza de zumo de tomate

½ taza de zumo vegetal

½ taza de coliflor cruda o hervida

½ taza de col rizada

1 taza de espinacas crudas bien apretadas, o ½ taza de cocidas

¾ de taza de hojas de col holandesa, mostaza o nabo hervidas

2 tazas de lechuga romana

¾ de taza de col roja a tiras

1 boniato o patata asados con su piel

1 taza de edamame cocido

Hortalizas de hoja verde y frutas amarillas: 3 a 4 raciones diarias. Estos alimentos preferidos por los conejos suministran vitamina A en forma de betacaroteno, que es vital para el crecimiento de las células (las células de su bebé se están multiplicando a una velocidad asombrosa), así como para una piel, unos ojos y unos huesos sanos. Estos alimentos también contienen carotenoides y vitaminas esenciales (vitamina E, riboflavina, ácido fólico y vitaminas del grupo B), numerosos minerales (muchos de ellos proporcionan gran cantidad de calcio, así como elementos traza), productos fitoquímicos que protegen de las enfermedades, y fibra, que combate el estreñimiento. En la siguiente lista podrá hallar una bonita selección de verduras verdes y amarillas, y frutas amarillas.

Todas aquellas que sean antiverduras quedarán gratamente sorprendidas al descubrir que el brócoli y las espinacas no son las únicas fuentes de vitamina A, y que, de hecho, esta vitamina se encuentra embalada en la mayoría de las tentadoras y dulces ofertas de la naturaleza; albaricoques secos, melocotones amarillos, melones cantalupos y mangos, por ejemplo. Y una buena noticia para todas aquellas a las que les gusta beberse las verduras, ya que pueden contar un vaso de zumo de verduras, un bol de sopa de zanahoria, o un batido de mango como parte de su dieta de hortalizas.

Ingiera al menos tres o cuatro raciones diarias. Si es posible, tome algo verde y algo amarillo cada día (y para añadir algo de fibra extra a su dieta, que una parte sea en crudo).

Recuerde que muchos de estos alimentos también satisfacen los requerimientos de vitamina C.

⅛ de melón cantalupo (½ taza si está cortado a dados)

2 albaricoques grandes frescos o 6 mitades de albaricoques secos

½ mango mediano

¼ de papaya mediana

1 nectarina o un melocotón mediano

1 caqui pequeño

¾ de taza de sanguina

1 sanguina

1 clementina

½ zanahoria (¼ de taza de zanahoria rallada)

½ taza de brócoli hervido o crudo, cortado en trocitos

1 taza de ensalada mixta de col

¿Su alimento preferido no sale en las listas?

Es posible que no encuentre su fruta, su cereal o su fuente de proteínas preferidos en estas listas. Eso no quiere decir que no tenga una buena aportación nutricional. Por razones de espacio, sólo hemos mencionado los alimentos más habituales. Encontrara listas más extensas de alimentos en *Comer bien cuando se está esperando*.

¼ de taza de col rizada, espinacas o col holandesa

1 taza de hojas verdes de lechuga bien apretadas, ya sea lechuga romana, roble o escarola

1 taza de espinacas crudas bien apretadas o ½ taza de espinacas cocidas

¼ de taza de calabaza hervida

½ ñame o boniato pequeño

2 tomates medianos

½ pimiento morrón mediano

¼ de taza de perejil picado

Otras frutas y hortalizas: 1 o 2 raciones diarias. Además de tomar alimentos ricos en vitamina C y beta-caroteno (vitamina A) intente comer a diario al menos uno o dos de los "otros" tipos de frutas y hortalizas. Aunque antes se consideraba a esos "otros" como alimentos de la serie B, ahora se está reconsiderando su valor nutritivo. Parece ser que no sólo son ricos en minerales, tales como el potasio y el magnesio, que son vitales para la buena salud de la embarazada, sino que contienen excelentes cantidades de otros prometedores elementos traza. Y muchos de ellos también aportan elementos fitoquímicos y antioxidantes en abundancia (particularmente aquellos que tienen los colores del arco iris). Desde la manzana diaria hasta esos arándanos y granadas que últimamente ocupan los titulares de la prensa, definitivamente vale la pena incluir alguno de estos "otros" en su dieta diaria.

Seguro que hallará muchos de esos "otros" entre sus verduras y frutas preferidas. Redondee cada día su dieta con uno o dos elementos de la lista:

1 manzana de tamaño mediano

½ taza de manzana a dados

½ taza de zumo de granada

2 cucharadas soperas de concentrado de zumo de manzana

1 plátano mediano

½ taza de cerezas frescas deshuesadas

¼ de taza de arándanos cocidos

1 melocotón mediano

1 pera mediana o 2 mitades secas

½ taza de zumo de piña no azucarado

2 ciruelas pequeñas

½ taza de arándanos

½ aguacate mediano

½ taza de judías verdes hervidas

½ taza de setas frescas y crudas

1 gomba hervida

½ taza de aros de cebolla

½ taza de chirivías hervidas

½ taza de calabacines hervidos

1 mazorca de maíz pequeña hervida

1 taza de lechuga iceberg en tiras

½ taza de guisantes de primavera o de invierno

Cereales integrales y legumbres: 6 o más raciones diarias. Existen numerosas razones para tomar cereales. Los cereales integrales (trigo, avena, centeno, cebada, arroz, mijo, maíz, quinoa, bulgur, etc.) y las legumbres (guisantes, judías y cacahuetes) están repletos de nutrientes, particularmente de vitaminas del grupo B (exceptuando la vitamina B_{12}, que sólo se encuentra en alimentos procedentes del reino animal), que se precisan para todas y cada una de las partes de su bebé. Estos hidratos de carbono complejos concentrados son también ricos en hierro y minerales traza, tales como el zinc, el selenio y el magnesio, que son muy importantes para el embarazo. Un extra más: los alimentos ricos en almidón también pueden ayudar a reducir las náuseas matutinas. Aunque estos alimentos que hemos seleccionado tienen muchos nutrientes en común, cada uno posee sus propias ventajas particulares. Para conseguir los máximos

Trigo integral blanco

Si no es una fanática seguidora del trigo integral –o le gusta picar pan blanco cuando siente náuseas–, ahora se hace un nuevo tipo de pan que sería justo el adecuado para usted. El pan de "trigo blanco" está hecho de trigo blanco tratado naturalmente, que tiene un gusto más suave y dulce que el trigo rojo, del que se hace la harina integral. ¿Es el pan de trigo blanco integral lo mejor aparte del pan integral? Bueno, quizá no exactamente. Sin duda es más sano que el pan blanco, pero debido a que ha sido procesado, también ha perdido algunos de los nutrientes en la cadena de producción, lo que significa que el pan integral es aún la mejor opción desde el punto de vista nutricional. Sin embargo, si sus antojos –o sus náuseas– la impulsan a tomar pan blanco, el integral blanco es definitivamente la mejor opción. Además, si se hace su propio pan, use harina integral de trigo blanco para que el pan sea menos denso que en el caso del pan de trigo rojo integral.

beneficios, incluya diversos cereales integrales y legumbres en su dieta. Sea audaz: cubra el pescado o el pollo con pan de trigo integral rallado con finas hierbas y queso parmesano. Pruebe la quinoa (un sabroso cereal de alto valor proteínico) como acompañamiento, o añada bulgur al pilaf de arroz salvaje. Utilice harina de avena para su receta favorita de galletas. Sustituya las alubias de la sopa por frijoles. Y aunque algunas veces le gustaría tomarlos, recuerde que los cereales refinados no cumplen estos requisitos nutricionales. Incluso si están "enriquecidos", todavía carecen de fibra, proteínas y más

de una docena de vitaminas y elementos traza que se encuentran en sus cereales integrales originales.

Tome seis o más de los elementos de esta lista cada día. No olvide que muchos de ellos contribuyen también al consumo necesario de proteínas.

1 rebanada de pan integral de trigo, centeno u otro tipo de cereal, o pan de soja

½ pita, un panecillo, un bagel, un rollo de 25 cm, una tortilla o una magdalena de trigo integral

1 taza de cereales integrales, tales como harina de avena

1 taza de cereales integrales listos para comer (el tamaño de las raciones varía, así que deberá leer las etiquetas)

½ taza de granola

2 cucharadas soperas de germen de trigo

½ taza de arroz silvestre o integral

½ taza de mijo, bulgur, cuscús, kasha (alforfón descascarillado), cebada o quinoa hervidos

30 gramos de pasta de cereales integrales o de soja (pesada en crudo)

½ taza de habas, lentejas, guisantes o edamame cocidos

2 tazas de palomitas hechas en el microondas

30 gramos de galletas crujientes de cereales integrales o chips de soja

¼ de taza de harina de cereales integrales o de soja

Alimentos ricos en hierro: algunos cada día. Dado que se precisan grandes cantidades de hierro para la formación de la sangre del feto, y para su propio sistema circulatorio, que está en expansión, tendrá que aumentar al máximo su ingesta de hierro durante los nueve meses. Tome las mayores cantidades posibles de hierro a partir de los alimentos ingeridos (vea la lista siguiente). Si toma alimentos ricos en vitamina C a la vez que alimentos ricos en hierro, la absorción de este mineral será mayor.

Dado que a veces es difícil completar los requerimientos de hierro durante el embarazo únicamente con la dieta, puede que su médico le recomiende tomar un suplemento diario de hierro, además de sus vitaminas prenatales a partir de la vigésima semana, o cuando los análisis de rutina pongan de manifiesto que le falta hierro. Para mejorar la absorción del hierro de su suplemento, tómelo entre las comidas con un zumo de frutas rico en vitamina C (las bebidas con cafeína, los antiácidos, y los alimentos ricos en fibra o en calcio pueden interferir en la absorción de hierro).

En la mayoría de frutas, verduras, cereales y carnes de los que toma a diario existen pequeñas cantidades de hierro. Pero debe intentar tomar cada día algunos de los siguientes alimentos más ricos en hierro, además del suplemento recetado por su médico. Y nuevamente, muchos alimentos ricos en hierro también cumplen al mismo tiempo con otros requerimientos.

Buey, pato, pavo

Ostras, mejillones, almejas y gambas cocidos

Sardinas

Patata asada con su piel

Espinacas, col, col rizada y hojas de nabo

Algas

Semillas de calabaza

Salvado de avena

Cebada, bulgur, quinoa

Habas y guisantes

Edamame y productos de la soja

Melaza oscura

Frutas secas

Un poco de grasa hace mucho

Intenta mantener a raya las calorías tomándose la ensalada sin aliño o prescindiendo del aceite en su salteado. Tendrá un 10 en cuanto a fuerza de voluntad, pero estará tomando menos vitamina A con los vegetales. Las investigaciones han demostrado que muchos de los nutrientes que se encuentran en las verduras no se absorben bien si no van acompañados de cierta cantidad de grasa. Por lo tanto deberá incluir un poco de grasa (tenga en cuenta que un poco hace mucho) con sus hortalizas: disfrute del aceite en su salteado, espolvoree con trocitos de nuez su brócoli, y aliñe su ensalada.

Grasas y alimentos ricos en grasas: aproximadamente 4 raciones diarias (dependiendo de su aumento de peso). Como probablemente ya sabe, los requerimientos de grasas no sólo son los más fáciles de cumplir, sino que son también los más fáciles de exceder. Y aunque no existe ningún perjuicio –y probablemente sí algún beneficio– en tomar un par de raciones extra de alimentos ricos en vitamina C o de hojas verdes, el exceso de raciones de grasa podría conllevar unos kilos de más. Además, aunque ser moderada en la ingesta de grasas es una buena idea, eliminarlas del todo de su dieta es peligroso. La grasa es vital para el desarrollo de su bebé; los ácidos grasos esenciales que contiene son justo eso: esenciales. Los ácidos grasos omega-3 son especialmente beneficiosos a lo largo del tercer trimestre (véase el recuadro de la pág. 114).

Controle su ingesta de grasas; tome su cuota diaria pero evite sobrepasarla.

La verdad sobre las grasas buenas

Les tiene manía a las grasas (especialmente desde que su embarazo ha disparado su aumento de peso). No les tenga miedo: sólo tiene que elegir las que son adecuadas. Después de todo, no todas las grasas han sido creadas del mismo modo. Algunas grasas son buenas: especialmente cuando se está esperando. Los ácidos grasos omega-3, y sobre todo el ácido docosahexaenoico (DHA), constituyen el mejor aditivo que puede incluir en su dieta cuando está comiendo para dos. Eso se debe a que el DHA es esencial para un desarrollo adecuado del cerebro y los ojos de los fetos y los bebés. De hecho, los investigadores han descubierto que los niños pequeños cuyas mamás habían consumido gran cantidad de DHA durante el embarazo tenían una coordinación mano-ojo mejor que los demás. Tomar suficiente cantidad de este combustible vital para el desarrollo del cerebro de su bebé es especialmente importante durante los últimos tres meses (cuando el cerebro de su bebé está creciendo a un ritmo fenomenal) y durante la lactancia (el contenido de DHA del cerebro de su bebé se triplica durante sus tres primeros meses de vida).

Y lo que es bueno para el "esperado" también lo es para la que espera. Para usted, tomar suficientes cantidades de DHA puede significar que sus cambios de humor serán más moderados, y que el riesgo de un parto prematuro y una depresión posparto serán menores. ¿Otro motivo de alegría para el posparto? Si toma suficiente DHA cuando está esperando es más probable que tenga un bebé con unos hábitos de sueño mejores. Por suerte, el DHA se encuentra en muchos alimentos que probablemente ya consume y que le gusta tomar: salmón (que sea fresco, siempre que pueda) y otros pescados azules, tales como las sardinas, las nueces, los huevos ricos en DHA (a veces llamados huevos omega-3), la rúcula, las gambas y cangrejos, las semillas de lino, e incluso el pollo. También puede preguntar a su médico los suplementos de DHA que son seguros en el embarazo. Algunos de los suplementos prenatales contienen algo de DHA.

Y para llevar a cabo un buen control, no olvide que las grasas utilizadas para cocinar y preparar los alimentos también cuentan. Si ha frito unos huevos en ½ cucharada sopera de aceite (una ración) y ha aliñado su ensalada de col con una cucharada sopera de mayonesa (una ración), incluya estas dos raciones en su cuenta diaria.

Si no está ganando suficiente peso, y aumentar las cantidades de otros nutrientes no ha podido solucionarlo, intente añadir una ración de grasas extra cada día; las calorías concentradas que proporciona la ayudarán a conseguir su peso óptimo. Si está engordando demasiado deprisa, puede frenar la subida de peso renunciando a una o dos raciones.

Los alimentos de la siguiente lista están compuestos completamente de grasas (o casi). Por supuesto no serán las únicas fuentes de grasa de su dieta (los alimentos tales como las salsas con crema de leche, los quesos y yogures no desnatados, las nueces y las semillas tienen un alto contenido en grasas), pero son los únicos que debe controlar. Si su ganancia de peso es la adecuada, tome cuatro raciones completas (unos 14 gramos cada una) u ocho medias raciones (unos 7 gramos) de grasas a diario. Si no, aumente o disminuya su consumo de grasas.

1 cucharada sopera de aceite, como los vegetales, de oliva y sésamo

1 cucharada sopera de mantequilla o margarina

1 cucharada sopera de mayonesa

2 cucharadas soperas de aliño para ensaladas

2 cucharadas soperas de crema de leche o nata de montar

¼ de taza mitad leche y mitad crema de leche

¼ de taza de nata montada

¼ de taza de crema de leche agria

2 cucharadas soperas de queso cremoso

2 cucharadas soperas de mantequilla de cacahuete o almendras

Alimentos salados: con moderación. Hace ya tiempo, la medicina prescribía restringir la sal durante el embarazo, dado que contribuía a la retención de líquidos y a la hinchazón. Ahora se cree que durante el embarazo es necesario y normal cierto aumento de los fluidos corporales, y que se precisa una cantidad moderada de sodio para mantener el nivel adecuado de fluidos. En realidad, la carencia de sodio puede ser dañina para el feto. Pero las grandes cantidades de sal o los alimentos muy salados, especialmente si se consumen con frecuencia, no son buenos para nadie, esté la persona embarazada o no. Tomar grandes cantidades de sodio está relacionado con la hipertensión, una anomalía que puede causar complicaciones durante el embarazo, la dilatación y el parto. Como regla general, sale los alimentos muy ligeramente –o no les añada sal alguna– cuando los cocine; en vez de ello, sale la comida a su gusto ya en la mesa. Picotee alimentos salados cuando tenga un antojo, pero intente tomar sólo uno o dos, en vez de la mitad del envase. Y, a menos que su médico le recomiende lo contrario (porque tenga hipertiroidismo, por ejemplo), use sal yodada, para asegurarse de que satisface sus mayores necesidades de yodo durante el embarazo.

Líquidos: al menos ocho vasos grandes al día. Usted no solo está comiendo por dos, también está bebiendo por dos. El cuerpo de su bebé, igual que el suyo, está compuesto en su mayor parte de líquidos. Mientras esa pequeña personita está creciendo, también crecerá su demanda de líquidos. Además, el cuerpo de la embarazada necesita más líquidos que nunca, dado que la gestación hace aumentar mucho el volumen de fluidos. Si siempre ha sido de esas personas que pasan el día sin tomar apenas un sorbo de líquido, ahora ha llegado el momento de cambiar. El agua la ayudará a mantener su piel suave, evita el estreñimiento, libera su cuerpo de toxinas y productos de desecho (y el del bebé también), y reduce la hinchazón excesiva y el riesgo de una infección del tracto urinario y del parto prematuro. Asegúrese de tomar al menos ocho vasos diarios, y más si está reteniendo muchos líquidos (paradójicamente, tomar muchos líquidos hace que se evacuen los que sobran), si hace mucho ejercicio o si hace mucho calor. Intente no beber antes de las comidas, o estará demasiado saturada para alimentarse.

Y por supuesto, no todos los líquidos que tome deben provenir del grifo (o de la botella que guarda en la nevera). Puede contabilizar la leche (que tiene dos tercios de agua), los zumos de fruta o verduras, las sopas, los tés o cafés descafeinados (calientes o con hielo), y las aguas minerales con o sin gas. Si mezcla el zumo de frutas con agua con gas (mi-

¿Qué hay en un comprimido de suplemento prenatal?

Eso depende del comprimido que esté tomando. Dado que no se ha establecido ningún estándar respecto a los suplementos prenatales, las fórmulas varían. Lo más probable es que su médico le prescriba o recomiende un suplemento en concreto, lo que le evitará tener que hacer conjeturas para elegirlo por sí misma. Si tiene que enfrentarse a las estanterías de la farmacia sin una recomendación de su doctor, busque una fórmula que contenga lo siguiente:

- No más de 4000 UI (800 mcg) de vitamina A; las cantidades superiores a 10000 UI podrían ser tóxicas. Muchos fabricantes han reducido las cantidades de vitamina A de sus suplementos, o la han reemplazado por beta-caroteno, una fuente de vitamina A mucho más segura.

- Al menos de 400 a 600 mcg de ácido fólico (folato).

- 250 mg de calcio. Si no toma suficiente calcio durante la dieta, precisará un suplemento adicional para llegar a los 1200 mg necesarios durante el embarazo. No tome más de 250 mg de calcio al mismo tiempo que el suplemento de hierro, dado que este mineral interfiere en la absorción de hierro. Tome cualquier dosis de calcio que sea mayor que ésta al menos dos horas antes o después de su suplemento de hierro.

- 30 mg de hierro.

- 50 a 80 mg de vitamina C.

- 15 mg de zinc.

- 2 mg de cobre.

- 2 mg de vitamina B_6.

- No más de 500 mcg de vitamina D.

- Aproximadamente la cantidad diaria recomendada de vitamina E (15 mg), tiamina (1,4 mg), riboflavina (1,4 mg), niacina (18 mg) y vitamina B_{12} (2,6 mg). La mayoría de suplementos prenatales contienen dos o tres veces la dosis diaria recomendada. No se sabe que estas dosis tengan ninguna contraindicación.

- Algunos preparados también contienen magnesio, fluoruro, biotina, fósforo, ácido pantoténico, una cantidad extra de vitamina B_6 (para combatir las náuseas), jengibre, y/o el más beneficioso para el cerebro del bebé, el DHA.

También es importante que busque en la fórmula de la píldora ingredientes que no deberían estar en un suplemento prenatal, tales como las hierbas medicinales. Si tiene dudas, hable con su médico.

---

tad y mitad) evitará tomar demasiadas calorías. Las frutas y verduras también cuentan (cinco raciones producen dos raciones de líquido).

Suplementos vitamínicos prenatales: una fórmula para embarazadas que se toma a diario. Con todos los nutrientes ya preempaquetados en los doce pun-

tos de la dieta (o en cualquier dieta sana), ¿por qué debería añadir las vitaminas prenatales a la mezcla? ¿No puede cumplir con todos sus requerimientos tomando los alimentos adecuados? Bueno, probablemente sí; es decir, si viviese en un laboratorio donde la comida fuese preparada y medida con precisión para calcular una ingesta diaria adecuada, si nunca comiese fuera, no tuviese que trabajar durante la hora de la comida, o si nunca tuviese demasiadas náuseas a la hora de comer. En el mundo real –en el que es más probable que esté viviendo– el suplemento prenatal le suministrará el seguro de salud extra para usted y su bebé, cubriendo esas necesidades nutricionales que su dieta no puede suministrarle. Y es por eso por lo que se aconseja tomar un suplemento diario.

Sin embargo, un suplemento es solo un suplemento. Ninguna píldora, sin importar lo completa que ésta sea, puede reemplazar a una buena dieta. Es mejor que la mayor parte de sus vitaminas y minerales provengan de los alimentos, porque es así como los nutrientes pueden utilizarse con mayor eficacia. Los alimentos frescos contienen no sólo los nutrientes que nosotros conocemos y podemos sintetizar en una píldora, sino probablemente grandes cantidades de otros que aún no se han descubierto.

Los alimentos también suministran fibra y agua (las frutas y verduras contienen ambos), además de importantes calorías y proteínas, ninguno de los cuales puede suministrar una píldora.

Pero no piense que porque un poco es bueno, mucho es mejor. Las vitaminas y minerales a grandes dosis actúan como fármacos para el cuerpo y deberían ser tratados como tales, especialmente por las futuras mamás; unas pocas, como las vitaminas A y D, son tóxicas a niveles que no están muy lejos de las cantidades diarias recomendadas (las cantidades diarias recomendadas se denominan ahora tomas de referencia dietéticas o valores diarios). Cualquier suplemento que vaya más allá de los valores diarios sólo debería tomarse bajo prescripción facultativa. Y lo mismo reza para las hierbas medicinales y otros suplementos.

Como sucede con las vitaminas y minerales que puede conseguir mediante la dieta, no estará tomando demasiados nutrientes al llenar el plato en un buffet de ensaladas, así que no tiene por qué renunciar cuando le atraen las zanahorias o le llama la atención el brócoli.

Qué puede preocupar

Una mamá que no bebe leche

"No puedo tolerar la leche, y beberme cuatro tazas diarias me crearía un gran malestar. Pero los bebés necesitan leche, ¿no es cierto?"

No es la leche lo que su bebé necesita, es el calcio. Dado que la leche es una de las mejores y más convenientes fuentes de calcio naturales que se consumen en los países desarrollados, es una de las más recomendadas para compensar la demanda creciente de calcio durante el embarazo. Pero si la leche le deja algo más que un sabor agrio en la boca y un "bigote" encima del labio superior, probablemente se lo pensará dos veces antes de coger ese vaso lleno del elemento blanco.

Por suerte, no tendrá que sufrir por si a su bebé no le crecen unos huesos y dientes sanos. Si padece de intolerancia a la lactosa o simplemente no le gusta la leche, existen numerosos sustitutivos que cumplirán con su débito nutricional.

Incluso si la leche le revuelve el estómago, quizá pueda tolerar algunos ti-

Pasteurizada, por favor

Cuando el científico francés Luis Pasteur la inventó a mediados del siglo XIX, la pasteurización fue lo mejor que le pudo suceder a los productos lácteos desde que las vacas existen. Y todavía lo es, particularmente en lo que respecta a las embarazadas. Para protegerse usted y a su bebé de las peligrosas infecciones bacterianas, tales como la listeriasis, asegúrese de que toda la leche que toma está pasteurizada, y que todo el queso y otros productos lácteos que consuma están hechos con leche pasteurizada (los quesos hechos con "leche cruda" no lo están). Los zumos, que pueden contener *E. coli* y otras bacterias peligrosas cuando están crudos, también deben estar pasteurizados. Hoy en día, incluso los huevos pueden adquirirse pasteurizados (lo que elimina el riesgo de una salmonelosis, sin cambiarles el gusto ni el valor nutritivo). No está del todo claro si la pasteurización instantánea, un método más rápido, es lo bastante segura cuando está esperando, así que hasta que no se sepa con seguridad, limítese a los productos que han sido sometidos a una pasteurización convencional.

lactosa: algunos están enriquecidos con calcio. Lea las etiquetas y elija uno de ellos. Si toma una tableta de lactasa antes de beber la leche o los productos lácteos, o si añade una tableta o unas gotas de lactosa a la leche que va a beber, también podrá minimizar o eliminar esos problemas digestivos que le producen los productos lácteos.

Incluso si ha sufrido de intolerancia a la lactosa durante años, puede que descubra que es capaz de asimilar algunos productos lácteos durante el segundo y tercer trimestre, cuando las necesidades de calcio del feto son mayores. Si eso sucede, no se exceda; intente tomar sólo aquellos productos que es menos probable que le puedan provocar una reacción.

Si no puede digerir ningún producto lácteo o es alérgica a ellos, aún puede ingerir todo el calcio que su bebé requiere, tomando zumos enriquecidos con calcio y comiendo los alimentos no lácteos que se hallan en la lista de la página 107, de productos ricos en calcio.

Si su problema con la leche no es fisiológico, sino un simple tema de gusto, intente con algunas de las alternativas lácteas y no lácteas ricas en calcio. Debe haber muchísimas que le sean agradables a sus papilas gustativas. O disfrace la leche con cereales, en las sopas y los batidos.

Si le parece que no obtiene suficiente calcio de su dieta, pídale a su médico que le recomiende un suplemento de calcio (existen muchas variedades masticables que son una dulce venganza para aquellas que tienen dificultades en tragarse una pastilla).

También deberá asegurarse de que está tomando suficiente vitamina D (que se añade a la leche de vaca). Muchos suplementos de calcio incluyen vitamina D (que mejora la absorción del calcio), y su suplemento vitamínico prenatal también contendrá algo de calcio.

pos de productos lácteos, tales como los quesos no cremosos, los yogures totalmente procesados (elija aquellos que tengan bacterias vivas, que la ayudarán a hacer la digestión), y la leche sin lactosa, en la que toda la lactosa se ha convertido en una forma mucho más digestiva. Otra ventaja de utilizar productos lácteos sin

Una dieta sin carnes rojas

"Yo como pollo y pescado, pero nada de carnes rojas. ¿Tendrá mi bebé todos los nutrientes que necesita si no tomo carnes rojas?"

Su bebé no tomará buey si sigue una dieta libre de carnes rojas. Pero, de hecho, el pescado y las carnes magras de aves de corral le proporcionarán más proteínas beneficiosas para la formación del bebé y menos grasas por las mismas calorías que el buey, el cerdo, el cordero y los despojos, convirtiéndolos en opciones más eficaces para las embarazadas. Y, al igual que las carnes rojas, también son fuentes ricas en muchas de las vitaminas del grupo B, que su bebé necesita. El único nutriente no tan abundante en las aves de corral y el pescado es el hierro (son excepciones ricas en hierro el pato, el pavo y el marisco), pero existe gran cantidad de alimentos que contienen este mineral esencial, que también puede ingerirse en forma de suplemento.

La dieta vegetariana

"Soy vegetariana y mi estado de salud es perfecto. Pero todo el mundo me dice que tengo que comer productos de origen animal para tener un bebé sano. ¿Es verdad?"

Las vegetarianas de cualquier tipo pueden tener bebés sanos sin comprometer sus principios dietéticos, sólo tienen que tener un poco más de cuidado al planificar sus dietas que las futuras mamás que toman carne. Al elegir sus menús, asegúrese de que contienen todo lo siguiente:

Suficientes proteínas. Para las mujeres ovolacto-vegetarianas, que comen huevos y productos lácteos, ingerir suficientes proteínas es tan fácil como tomar una cantidad suficiente de sus productos lácteos favoritos. Si es vegetariana estricta (es decir, no toma ni productos lácteos ni huevos), verá que tiene que trabajar un poco más en la sección de proteínas, decantándose por tomar grandes cantidades de alubias, guisantes y lentejas secas, tofu y otros productos derivados de la soja (véase la pág. 108, para informarse más sobre las proteínas vegetarianas).

Suficiente calcio. Ésta es una directriz fácil de seguir para todas aquellas que toman productos lácteos, pero puede ser más difícil para las que no. Por suerte, los productos lácteos son la fuente de calcio más conocida, pero no la única. Los zumos enriquecidos con calcio nos ofrecen tanto calcio como la leche (pero asegúrese de agitarlos bien antes de servirlos). Otras fuentes de calcio no lácteas son: verduras de hojas color verde oscuro, semillas de sésamo, almendras y muchos productos de la soja (tales como la leche de soja, el queso de soja, el tofu y el tempeh). Probablemente, y para estar más segura, las vegetarianas estrictas deberían tomar también un suplemento de calcio; pídale a su médico que le recomiende uno.

Vitamina B$_{12}$. A pesar de que es raro tener déficit de vitamina B$_{12}$, las vegetarianas, y particularmente las vegetarianas estrictas, a menudo no ingieren suficiente de esta vitamina, dado que únicamente se encuentra en alimentos de origen animal. Así que asegúrese de tomar un suplemento de vitamina B$_{12}$, además de ácido fólico y hierro (pregúntele a su médico si necesitará más vitamina B$_{12}$ de la que hay en su suplemento vitamínico prenatal). En algunos alimentos también podemos encontrar un buen suministro de esta vitamina, como por ejemplo la leche de soja, los cereales, la levadura y los sustitutivos de la carne enriquecidos con vitamina B$_{12}$.

Vitamina D. Esta importante vitamina la produce la piel cuando está expuesta a la luz del sol. Pero dado que pasar mucho tiempo al sol ya no se considera beneficioso para la salud ni está de moda estar muy morena, no podemos confiar en obtener la vitamina D de esta forma (especialmente las mujeres de piel oscura, que de todos modos tampoco pueden obtener mucha a partir de la luz del sol). Para asegurarse de que toma una cantidad adecuada de vitamina D, en algunos países está legislada la cantidad de ella que debe contener la leche, que está enriquecida con hasta 400 mg de vitamina D por litro. Si no bebe leche de vaca, asegúrese de que la leche de soja que bebe o el suplemento prenatal que toma tengan suficiente vitamina D. Existen panes y cereales que también están enriquecidos.

Dietas bajas en hidratos de carbono

"He estado haciendo una dieta de muchas proteínas y pocos hidratos de carbono para poder perder peso. ¿Puedo continuar con esta dieta estando embarazada?"

Aquí está el inconveniente de la dieta baja en hidratos de carbono: cuando está embarazada, las palabras "bajo en" deberían desaparecer de su vocabulario. Tomar demasiado poco de cualquier nutriente esencial, de ningún modo es adecuado para una mujer embarazada. Su mayor prioridad durante el embarazo: conseguir un equilibrio de los mejores ingredientes para gestar un bebé, incluyendo los hidratos de carbono. En estas dietas tan populares, que limitan los hidratos de carbono (incluyendo fruta, verdura y cereales), se limitan los nutrientes –especialmente el ácido fólico– que tanto precisa el

feto que está creciendo. Y estos perjuicios para el bebé también pueden serlo para la madre: escatime los hidratos de carbono complejos y estará escatimando la fibra que le ayuda a combatir el estreñimiento, y las vitaminas del grupo B, que ayudan a combatir las náuseas matinales y los problemas de la piel de las embarazadas.

Otro punto importante: el embarazo es un período para comer de forma sana, no para hacer dieta. Así que devuelva a la estantería esos manuales para perder peso (al menos hasta el parto) y coma equilibradamente, para tener un bebé bien alimentado.

La preocupación del colesterol

"Mi marido y yo somos muy cuidadosos con nuestras dietas, y limitamos la cantidad de colesterol. ¿Debo continuar haciéndolo durante el embarazo?"

Está cansada de oír qué cosas no debe tomar, qué está prohibido, o qué comer en menor cantidad cuando está embarazada. En tal caso este artículo le subirá la moral: no debe suprimir el colesterol de su mesa cuando está esperando. Las mujeres embarazadas, y en menor medida las que no lo están pero tienen edad de concebir, están protegidas hasta cierto punto contra los efectos obstructores de las arterias del colesterol, situándolas en una posición envidiable si son amantes de los huevos fritos, el tocino frito y las hamburguesas. De hecho, el colesterol es necesario para el desarrollo fetal, de forma que el cuerpo de la madre aumenta automáticamente su producción, haciendo subir los niveles de colesterol en sangre en un 25-40%. Y aunque no debe tomar una dieta rica en colesterol para ayudar a su cuerpo a aumentar la producción, puede permitirse ciertas libertades (a menos que su médico le diga lo contrario). Hágase unos huevos revueltos cuando le apetezca (para que la grasas sean más beneficiosas, elija huevos ricos en omega-3), tome queso para cumplir con sus requerimientos de calcio, y coma carne, y todo ello sin sentirse culpable.

Comida basura

"Soy adicta a la comida basura como las rosquillas, las patatas chips y la comida rápida. Sé que debería comer de forma más sana –y realmente lo deseo– pero no estoy segura de poder cambiar mis hábitos."

Prepárese para tirar la comida basura. El primer paso, y el más importante es estar motivada para cambiar sus hábitos de alimentación, así que felicítese, porque, ya lo ha conseguido. Es cierto que llevar a cabo el cambio le requerirá no pocos esfuerzos, pero estos esfuerzos valen mucho la pena. Aquí le damos algunas directrices para que dejar su hábito le resulte tan poco doloroso como sea posible:

Traslade sus comidas. Si le gusta tomar café con mucha crema cuando desayuna en su mesa de despacho, tómese un desayuno de mejor calidad en casa (uno que conlleve la estabilización de sus niveles de azúcar en sangre, como una mezcla de carbohidratos complejos y proteínas, tales como los copos de avena, la ayudará a luchar contra esos deseos de picar alimentos poco sanos que la atacarán más tarde). Si sabe que no puede resistirse a las patatas fritas cuando pasa por delante de un lugar donde las sirven, no vaya allí. Pida un bocadillo sano en la charcutería, o vaya a ese puesto de comida callejera donde no fríen los alimentos.

Planifique, planifique y planifique algo más. Planificar las comidas y los tentempiés con anticipación (en vez de coger lo que es más fácil o lo que está más cerca, como ese paquete de galletas crujientes con queso de la máquina expendedora) hará que coma bien durante todo el embarazo. Así que póngase manos a la obra. Asegúrese de tener a mano folletos de menús para llevar de un restaurante que ofrezca opciones sanas, de forma que pueda disponer de una comida sana con sólo una llamada telefónica (y pida su comida antes de que la asalte el hambre). Aprovisione su casa, su lugar de trabajo, su bolso y su coche con tentempiés sanos pero saciantes: fruta fresca, chips de soja, barritas y galletas de cereales integrales, yogures o batidos de tamaño individual, palitos o porciones de queso. Y para que no le entren ganas de tomar un refresco la próxima vez que tenga sed, tome agua en abundancia.

No ponga a prueba su fuerza de voluntad. Mantenga los caramelos, las patatas chips, las galletas y las bebidas azucaradas alejadas de casa, de forma que estén fuera de su alcance. Aléjese de la pastelería antes de entrar en contacto con esa tarta Sacher. Dé un rodeo con el coche al volver a casa, si con ello evita pasar por algún lugar potencialmente peligroso.

Haga sustituciones. ¿Le gusta tomarse una rosquilla de crema con su café de la mañana? Sustitúyalo por una magdalena de salvado. ¿Le apetecen los Doritos a media noche? Tómese unos chips de tortilla asada (aquellos que fue tan inteligente de comprar en el mercado la última vez), untándolos en una salsa para que sean más sabrosos y sanos, al suministrarle vitamina C. ¿Le vuelven loca

Atajos para una dieta sana

La comida sana también puede ser comida rápida. Aquí le explicamos cómo:

- Si siempre va con prisas, recuerde que no se tarda más en hacer un bocadillo de pavo asado, queso, lechuga y tomate para llevar al trabajo (o en pedir uno en la charcutería) que estar en la cola de la hamburguesería.

- Si la perspectiva de preparar una cena de verdad cada noche le parece abrumadora, cocine para dos o tres cenas a la vez, y concédase noches alternativas de fiesta.

- Cuando esté cocinando de forma sana, simplifíquese. Para preparar una comida rápida, ase a la parrilla un filete de pescado y cúbralo con su salsa enlatada favorita, un poco de aguaca-

te troceado, y el zumo fresco de una lima o limón. O bien cubra con una capa de salsa de tomate y mozzarella una pechuga de pollo deshuesada, y póngala al horno. O prepare unos huevos revueltos y envuélvalos en una oblea de maíz, junto con queso cheddar rallado y algunas verduras cocidas al vapor en el microondas.

- Cuando no tenga tiempo para empezar pelando o rascando las hortalizas (¿lo ha tenido alguna vez?) pásese a las judías y las sopas enlatadas, los entrantes congelados o empaquetados y listos para comer, o las verduras frescas prelavadas que se venden en los supermercados (son especialmente recomendables aquellos que se pueden cocer en el microondas en su misma bolsa).

los helados? Deténgase en un bar donde sirvan zumos y tómese un batido de frutas dulce, espeso y cremoso.

Tenga a su hijo en mente. El bebé come lo mismo que la mamá, pero a veces cuesta tenerlo presente (especialmente cuando el olor de un rollo de canela intenta seducirla en el centro comercial). Si ve que la ayuda mucho estar concienciada de que está alimentando a su bebé, ponga fotografías de bebés bien alimentados y guapos dondequiera que necesite un poco de inspiración (y muchísima fuerza de voluntad). Tenga una en la oficina, en su cartera y en el coche (así que cuando esté tentada de pararse en algún lugar con alimentos peligrosos, pasará de largo).

Conozca sus límites. Algunas mujeres habituadas a la comida basura pueden permitirse tomar de vez en cuando

alguno de sus alimentos favoritos, dejándose llevar por la tentación; otras no (y usted sabe a qué tipo pertenece). Si el capricho que se permite nunca es suficiente –si una barra de caramelo de tamaño normal se convierte en una de tamaño gigante, si una rosquilla se convierte en una docena, si se acaba una bolsa entera de patatas fritas una vez la ha abierto–, le será más fácil dejar definitivamente su hábito que intentar moderarlo.

Recuerde que los buenos hábitos también pueden durar toda la vida. Una vez haya hecho el esfuerzo de desarrollar unos hábitos de alimentación más sanos, quizá quiera considerar la posibilidad de mantenerlos. Si continúa comiendo bien después del parto, eso le dará más de la energía que precisará para su nuevo estilo de vida, el de la nueva mamá. Y además será más probable que su bebé crezca con el gusto por las cosas sanas de la vida.

Comer fuera

"Estoy esforzándome mucho por mantener una dieta sana, pero como tantas veces fuera de casa que me parece imposible."

Para muchas mujeres embarazadas, no es precisamente sustituir los martinis por agua mineral lo que supone un desafío en la mesa del restaurante; es intentar combinar una comida que sea adecuada para su bebé y no haga desbordar su recuento de calorías. Con estas metas en mente, y las siguientes sugerencias, es fácil extrapolar los doce puntos diarios de la dieta para comer o cenar fuera.

■ Piense en los cereales integrales antes de saltar sobre la cesta del pan. Si no los hay en la cesta, pregúntele al camarero si tienen en la cocina. Si no, intente no abusar del pan blanco. No sea muy generosa con la mantequilla que extiende sobre el pan, y tampoco con el aceite de oliva. Seguramente habrá gran cantidad de otras formas de grasa en su comida del restaurante –el aliño de la ensalada, mantequilla o aceite de oliva con la verdura– y, como siempre, las grasas hacen subir mucho el contador de calorías.

■ Pida una ensalada verde como primer plato. Otras alternativas para el primer plato incluyen el cóctel de gambas, el pescado al vapor, las verduras a la plancha o la sopa.

■ Y hablando de sopas, busque las que tengan una base vegetal (particularmente de batata, zanahoria, calabaza o tomate). Las sopas de lentejas o judías tienen también gran cantidad de proteínas. De hecho, un plato sopero grande puede contar como una comida completa, especialmente si se espolvorea con queso rallado. Generalmente es preferible evitar sopas a base de crema o nata; en cambio son muy adecuadas las sopas de pescado.

■ Sáquele el mejor partido posible al segundo plato. Procure que las proteínas que tome –pescado, marisco, pechuga de pollo o bistec de buey– sean magras (busque las palabras: al carbón, a la plancha, al vapor y hervido). Si cualquiera de los platos viene presentado con gran cantidad de salsa, pida que se la sirvan por separado. Y no sea tímida para pedir platos especiales (los chefs están acostumbrados a ellos; además, es difícil no querer complacer a una mujer embarazada). Pregunte si esa pechuga de pollo puede ser hervida en vez de rebozada, o si el pescado puede ser asado en vez de frito. Si es vegetariana, revise el menú en busca de tofu, judías y guisantes, quesos o combinaciones de ellos. Una lasaña vegetal, por ejemplo, podría ser una buena elección si está comiendo en un restaurante italiano, y si está en un restaurante chino, una cuajada de alubias con verdura.

■ Sea selectiva con los acompañamientos, eligiendo patatas o boniatos al horno, arroz integral o salvaje, legumbres (judías o guisantes) y verdura fresca.

■ Tome un postre a base de frutas de los que ofrece el restaurante (las bayas frescas pueden ser sorprendentemente saciantes). Si la fruta sola no le parece suficiente (al menos no siempre), añada nata batida, un sorbete o un helado. ¿Tiene fuertes impulsos de tomar dulces? Apúntese al club de "las dos cucharas" y comparta un postre decadente con otra persona de la mesa.

Leer las etiquetas

"Estoy deseosa de comer bien, pero es difícil hacerse una idea de lo que contienen los productos que compro, porque no entiendo las etiquetas."

Las etiquetas no se han diseñado para ayudarla, sino para vender el producto. Tenga esto muy en cuenta cuando esté llenando el carrito de la compra, y aprenda a leer la letra pequeña, especialmente la lista de ingredientes y la etiqueta del valor nutricional (que *sí* se ha diseñado para ayudarla).

La lista de ingredientes le dirá, en orden de predominancia (siendo los primeros ingredientes los más abundantes y los últimos los menos), exactamente lo que contiene un producto. Un vistazo rápido le dirá si el ingrediente principal en unos cereales es un cereal refinado o uno integral. También le dirá cuándo un producto contiene

---

La piel no indica el valor nutritivo de la fruta

En cuanto a nutrición, cuanto más oscuro es el color de la mayoría de las frutas y verduras, más vitaminas y minerales (sobre todo vitamina A) podrá cosechar a partir de ellas. Pero es el color del interior –y no del exterior– lo que caracteriza a los buenos nutrientes. Así, mientras los pepinos (oscuros por fuera, pálidos en su interior) son pesos ligeros en este departamento, los melones cantalupos (pálidos por fuera y oscuros por dentro) son pesos pesados.

---

mucho azúcar, sal, grasas o aditivos. Por ejemplo, cuando el azúcar se halla en la parte de arriba de la lista de ingredientes, o cuando aparece de varias formas distintas (jarabe de maíz, miel y azúcar), sabrá que el producto está sobresaturado de azúcar.

Comprobar los gramos de azúcar en la etiqueta no le será de gran ayuda, ya que puede que los gramos de "azúcar añadido" vayan por separado de los gramos de "azúcar natural" (esos que se encuentran en las pasas de los cereales con pasas que está pensando en comprar, por ejemplo). Y a pesar de que el número de gramos de azúcar de una etiqueta de un envase de zumo de naranja sea idéntico que el de una bebida a base de fruta, no son equivalentes. Es como comparar las naranjas con el jarabe de maíz. En el zumo de naranja natural el azúcar proviene de la fruta; la bebida a base de fruta contiene azúcar añadido.

Las etiquetas de valor nutricional, que aparecen en todos los productos envasados de las estanterías de su colmado o supermercado, pueden ser particularmente valiosas para una mujer embarazada que está contando las proteínas y vigilando sus calorías, ya que dichas etiquetas proporcionan tanto los gramos totales o por ración de todos los nutrientes, así como el número de éstos cada cien gramos. Sin embargo, la lista de porcentajes de las cantidades diarias recomendadas es menos útil, porque las cantidades recomendadas para una embarazada no son las mismas que para el resto de las personas. No obstante, un alimento que tenga un alto valor en diversos nutrientes es un buen producto para meter en su carrito de la compra.

Al mismo tiempo que es importante leer la letra pequeña, a veces es igual de importante ignorar la letra grande. Cuando una caja de magdalenas anuncia "Hecho con trigo integral, salvado y miel", leer la letra pequeña puede revelarnos que el ingrediente principal (el primero de la lista) es la harina de trigo refinado, y no de trigo integral, y que las magdalenas apenas contienen salvado (está casi al final de la lista de ingredientes), y que contienen mucho más azúcar blanco (está arriba en la lista) que miel (está abajo).

"Enriquecido" es también una palabra con la que hay que tener cautela. Añadirle unas pocas vitaminas a un alimento no tan bueno, no lo convierte en bueno. Es mejor que tome una taza de copos de avena, que aporta sus nutrientes de forma natural, que un cereal refinado que contenga 12 gramos de azúcar añadido y un valor muy escaso de vitaminas y minerales sobreañadidos.

Sushi seguro

"El sushi es mi alimento favorito, pero he oído que no debe tomarse mientras se está embarazada. ¿Es cierto?"

Siento tener que decirlo, pero tanto el sushi como el sashimi tendrán que seguir el mismo camino que el sake (el licor japonés que a menudo se sirve con ellos) durante el embarazo: hay que mantenerlos fuera de la mesa. Lo mismo vale para las ostras y almejas crudas, el ceviche, los tartares o los carpaccios de pescado y otros mariscos y pescados que se sirven crudos o apenas cocidos. Ello se debe a que cuando dichos alimentos no están cocidos, existe una pequeña probabilidad de que puedan enfermarla (algo que definitivamente no desea cuando está embarazada). Pero eso no significa que tenga que renunciar a sus restaurantes japoneses favoritos. Allí existe gran cantidad de opciones, y también en el sushi bar. De hecho, los rollitos que contienen pescado o marisco cocidos y/o verdura son opciones muy sanas. (Pero no se preocupe por el pescado crudo que haya comido hasta este momento.)

Comida picante

"Me encanta la comida picante; cuanto más picante, mejor. ¿Es seguro tomarla durante el embarazo?"

Las futuras mamás "picantes" pueden continuar desafiando a sus papilas gustativas con chiles, salsas y salteados picantes en cuarto grado, siempre y cuando puedan tolerar el casi inevitable ardor de estómago e indigestión que les siguen. La comida picante no entraña ningún riesgo durante el embarazo y, de hecho, y dado que los pimientos de todo tipo (incluyendo los picantes) contienen mucha vitamina C, muchos de estos alimentos son muy nutritivos. Así que disfrútelo, pero asegúrese de dejar sitio para los antiácidos.

Alimentos caducados

"Esta mañana me he tomado un yogur sin darme cuenta de que había caducado hace una semana. Su sabor era bueno, pero ¿tengo que preocuparme?"

No llore por una leche caducada... o un yogur. A pesar de que nunca es una idea particularmente buena tomar un producto lácteo que ha "caducado" hace poco, raras veces es peligroso. Si no ha notado ninguna molestia después de tomar ese tentempié (los síntomas de intoxicación alimentaria suelen aparecer dentro de las siguientes ocho horas), es obvio que no le ha hecho daño. Además, la intoxicación alimentaria es una posibilidad muy remota si el yogur había estado continuamente refrigerado. No obstante, y de cara al futuro, compruebe más cuidadosamente las fechas de caducidad antes de tomar alimentos perecederos, y por supuesto, nunca tome productos en los que haya aparecido moho. Para más información sobre la seguridad de los alimentos, consulte la página 132.

"He sufrido una intoxicación alimentaria debido a algo que tomé anoche, y he estado vomitando, ¿le hará daño a mi bebé?"

Es más probable que sea la mamá la que sufra por una intoxicación alimentaria que su bebé. El riesgo principal –para ambos– es que usted se deshidratará debido a los vómitos y la diarrea. Así que asegúrese de tomar muchos líquidos (que a corto plazo son más importantes que los sólidos) para reemplazar los que ha estado perdiendo. Y hable con su médico si la diarrea es fuerte y/o si las deposiciones contienen sangre o mucosidad. Para más información sobre los trastornos estomacales, véase la página 539.

Sustitutivos del azúcar

"Estoy intentando no ganar demasiado peso, pero me encantan los dulces. ¿Puedo utilizar sustitutivos del azúcar?"

Parece una dulce elección, pero la verdad es que los sustitutivos del azúcar pueden ser inocuos o perjudiciales para las futuras mamás. Aunque probablemente la mayoría de ellos son seguros, algunas investigaciones lo ponen en duda. Aquí tenemos lo que se sabe hoy en día de los sustitutivos del azúcar:

Sucralosa. Hecha a base de azúcar, pero convertida químicamente en una forma que no es absorbida por el cuerpo, hoy en día parece que la sucralosa es la mejor opción para las embarazadas que gustan del dulce, ya que no contiene ninguna caloría y no deja regusto. Puede endulzar su café o té con sucralosa, y utilizarla para cocinar y hacer pasteles (a diferencia de otros sustitutivos del azúcar, no pierde su dulzor cuando se calienta), o comprar productos que han sido endulzados con ella (incluyendo bebidas, yogures, caramelos y helados). Tenga en cuenta que probablemente es mejor ser moderada. A pesar de que parece ser un producto seguro, es relativamente nuevo, y no existen estudios a largo plazo para confirmar su inocuidad.

Aspartamo. El aspartamo se utiliza en bebidas, yogures y postres helados, pero no en productos cocinados (el sabor dulce no sobrevive si se calienta el aspartamo durante largos períodos de tiempo). El jurado aún no se ha pronunciado sobre la seguridad de este sustitutivo del azúcar tan ampliamente utilizado. Muchos médicos lo consideran inocuo, y le dejarán que tome todo el que quiera o le permitirán un uso moderado durante el embarazo. Otros están menos convencidos de su seguridad y sugieren que, hasta que no se sepa más, las mujeres embarazadas deben ser precavidas en el uso de este producto. Pregúntele a su facultativo su opinión. (Las mujeres con fenilcetonuria deberían limitar su ingesta de fenilalanina, y por lo tanto tienen terminantemente prohibido utilizar el aspartamo.)

Sacarina. No se han llevado a cabo muchas investigaciones sobre el uso de la sacarina durante el embarazo, pero los estudios animales demuestran que existe un aumento de cáncer en la descendencia de las hembras embarazadas que toman grandes cantidades de este producto químico. No está claro si la descendencia humana tendría los mismos riesgos (especialmente debido a que los estudios con animales no se correlacionan bien con la realidad humana; después de todo, no está embarazada de una rata bebé). Sin embargo, si combinamos este hecho con el de que este producto atraviesa la barrera placentaria en los seres humanos y se elimina muy despacio de los tejidos fetales, la mayoría de los médicos aconsejan minimizar el uso de la sacarina durante el embarazo. No obstante, no se preocupe sobre la sacarina que ya haya tomado antes de saber que estaba embarazada, ya que, de nuevo, los riesgos no están documentados.

Acesulfamo de potasio. Este edulcorante, que es 200 veces más dulce que el azúcar, está aprobado para su uso en bollería, postres a base de gelatina, chicles y refrescos. La FDA (la agencia alimentaria norteamericana) proclama que el consumo moderado de este producto es seguro durante el embarazo, pero dado que se han hecho pocos estudios para demostrar su seguridad, pregúntele a su médico su opinión, antes de tomar este producto.

Sorbitol. Es un pariente del azúcar que se encuentra de forma natural en muchos frutos y bayas. Con un poder edulcorante equivalente a la mitad del azúcar, se utiliza en una gran variedad de alimentos y bebidas, y su uso moderado durante el embarazo es seguro. Pero a grandes dosis tiene un problema: si se toma en exceso puede causar hinchazón, dolor debido a los gases y diarrea, un trío que ninguna gestante necesita.

Manitol. Menos dulce que el azúcar, el cuerpo lo absorbe poco y por lo tanto proporciona menos calorías que el azúcar (pero más que otros sustitutivos del azúcar). Al igual que el sorbitol, es seguro en cantidades moderadas, pero si se toman grandes cantidades puede provocar trastornos gastrointestinales.

Xilitol. Este polialcohol, que es producido a partir de plantas (pero que también se da de forma natural en muchos frutos y verduras, e incluso es creado por el cuerpo durante el metabolismo normal) se encuentra en los chicles, la pasta de dientes, los caramelos y algunos alimentos. Uno de sus beneficios es que puede prevenir la caries dental (razón por la cual el chicle que contiene xilitol puede ser algo positivo). El xilitol tiene un 40% menos de calorías que el azúcar, y se considera seguro durante el embarazo si se consume con moderación (en otras palabras, puede mascar un paquete diario de chicles con xilitol, pero no cinco paquetes).

Estevia. Derivada de un arbusto sudamericano, la estevia ha sido aprobada por la Unión Europea para su uso como edulcorante. No existen investigaciones determinantes que demuestren que la estevia es segura durante el embarazo, así que antes de decidirse por utilizar este edulcorante, pregúntele a su médico si se la recomienda.

Lactosa. Este azúcar contenido en la leche es seis veces menos dulce que el azúcar común, y por lo tanto su poder edulcorante es bajo. Además, a todas aquellas que sufren de intolerancia a la lactosa puede provocarles síntomas muy incómodos; por lo demás, es segura.

Miel. Hoy en día, todo el mundo conoce las propiedades de la miel, debido a su alto contenido en antioxidantes (las variedades más oscuras, como por ejemplo la miel de trigo sarraceno, son las más ricas en antioxidantes). Pero no todas las novedades son tan dulces. Aunque es un buen sustitutivo del azúcar, definitivamente la miel no tiene pocas calorías.

Tiene 19 calorías más por cucharada sopera que el azúcar. ¿Qué le parece aficionarse a ella?

Concentrados de zumo de fruta. Incuestionablemente nutritivos, estos zumos de fruta concentrados, tales como el de uva o manzana, son edulcorantes seguros (si bien no son bajos en calorías) durante el embarazo. Son sorprendentemente versátiles en la cocina (puede sustituir el azúcar por ellos en muchas recetas) y se encuentran congelados en el supermercado, una forma muy cómoda de usarlos. Búsquelos también en muchos productos preparados comerciales, desde las mermeladas y gelatinas, pasando por las galletas, las magdalenas, los cereales y las barritas de cereales integrales, hasta las pastas, los yogures y los burbujeantes refrescos. A diferencia de los productos endulzados con azúcar u otros sustitutivos del azúcar, la mayoría de los productos endulzados con zumos de fruta están hechos a base de ingredientes nutritivos, tales como la harina de cereales integrales y las grasas sanas. Qué dulce es eso.

Infusiones

"Tomo muchas infusiones. ¿Es seguro seguirlas tomando mientras estoy embarazada?"

Se pregunta si debe de tomar infusiones para dos. Por desgracia, y dado que los efectos de las hierbas medicinales durante el embarazo no se han investigado a fondo, aún no existe ninguna respuesta definitiva a esta pregunta. Posiblemente algunas infusiones son seguras, pero algunas probablemente no y otras definitivamente no son inocuas, como la de hojas de frambueso, que tomada en grandes cantidades (más de cuatro tazas de 250 gramos al día), se cree que

desencadena las contracciones (eso es bueno si está embarazada de 40 semanas y está impaciente, y desaconsejable si todavía no ha llegado a la fecha de salida de cuentas).

La FDA americana aconseja precaución hasta que no se tengan más conocimientos sobre el uso de las infusiones durante el embarazo y la lactancia. Y aunque muchas mujeres han estado bebiendo grandes cantidades de infusiones durante todo el embarazo sin ningún problema, probablemente es más seguro abstenerse de ellas, o al menos limitarlas mientras está esperando, a menos que se las recomiende específicamente su médico. Pídale a su médico una lista de hierbas medicinales que crea que son seguras durante el embarazo.

Para estar segura de que no está causándose problemas (tomando hierbas medicinales que su médico no le haya autorizado), lea cuidadosamente las etiquetas; algunas infusiones que nos hacen creer con su nombre que están elaboradas únicamente con fruta contienen también otras hierbas medicinales. Limítese al té normal (el negro), que puede estar aromatizado, o prepárese sus propias mezclas añadiendo al agua hirviendo o a su té normal uno de los siguientes: zumo de naranja, manzana, piña u otra fruta; rodajas de limón, lima, naranja, manzana, pera u otra fruta; u hojas de menta, canela, nuez moscada, clavo de olor o jengibre (un gran remedio contra las náuseas). La camomila en pequeñas cantidades también se considera segura durante el embarazo, y puede calmar su estómago revuelto. Todavía no existe un veredicto sobre el té verde, que puede disminuir los efectos del ácido fólico, una vitamina que es vital durante el embarazo; así que, si es aficionada al té verde, bébalo con moderación. Y no se prepare nunca una infusión casera con una planta de las que crecen en su jardín, a menos que esté completamente segura de lo que es y de que es beneficiosa durante el embarazo.

Productos químicos en los alimentos

"Con los aditivos que llevan los alimentos envasados, los pesticidas de las verduras, los bifenilos policlorados y el mercurio en el pescado, los antibióticos de la carne y los nitratos de las salchichas de Frankfurt, ¿hay algo seguro que yo pueda comer durante el embarazo?"

Tenga ánimo y tómeselo con calma. No debe desconcertarse ni pasar hambre para proteger a su bebé de los peligros de los alimentos. A pesar de todo lo que puede haber leído u oído, muy pocas de las sustancias que se encuentran en los alimentos han sido estudiadas y probadas como dañinas para el feto.

Sin embargo, es bueno reducir los riesgos siempre que pueda, particularmente cuando está reduciendo los peligros para dos. Y eso no es tan difícil, especialmente hoy en día. Para alimentarse usted y a su bebé de la forma más segura posible, utilice el texto siguiente como guía para ayudarle a decidir qué debe poner en el carrito de la compra, y qué debe dejar de lado:

- Elija los alimentos de los doce puntos de la dieta del embarazo. Dado que evitan los alimentos procesados, le evitarán muchas sustancias cuestionables e inseguras. También incluyen vegetales de hojas verdes y amarillos, ricos en beta-carotenos, que son protectores, además de otras frutas y hortalizas ricas en sustancias fitoquímicas, que pueden contrarrestar los efectos de las toxinas que contienen los alimentos.

- Siempre que le sea posible, cocine en el momento ingredientes frescos o utilice las variedades congeladas o envasadas orgánicas, listas para usar. Evitará muchos aditivos que son cuestionables y que se encuentran en los alimentos procesados, y además sus comidas serán más nutritivas.

- Sea lo más natural posible. Siempre que pueda elegir (y eso no siempre le será posible), elija alimentos que no tengan aditivos artificiales (colorantes, aromatizantes y conservantes). Lea las etiquetas en busca de alimentos que estén libres de aditivos (una galleta de queso cheddar que haya obtenido su color anaranjado de los carotenoides de la semilla del achiote –un árbol tropical–, en vez del tinte rojo número 40, y su aroma del queso, en vez de un aromatizante sintético de queso). Tenga en cuenta que, a pesar de que algunos aditivos alimentarios artificiales se consideran seguros, otros son bastante cuestionables, y muchos de ellos se utilizan para potenciar el valor de alimentos en sí ya no muy nutritivos. (Puede obtenerse una lista de los aditivos seguros y cuestionables en ‹cspinet.org/reports/chemcuisine.htm› –en inglés– o en ‹afca-aditivos.org›.)

- Intente no ingerir alimentos conservados con nitratos o nitritos (o nitratos de sodio), incluyendo las salchichas de Frankfurt, el salami y otros embutidos y fiambres, y los pescados y carnes ahumados. Busque las marcas que no incluyan conservantes (hoy en día se encuentran muchas en el mercado).

- El pescado es una excelente fuente de proteínas magras, así como los ácidos grasos omega-3, beneficiosas para el desarrollo del cerebro de su bebé; ésas son dos buenas razones para incluirlo en su dieta del embarazo, o incluso para pensar en añadirlo definitivamente a su dieta (si las aversiones se lo permiten) si nunca antes ha sido una consumidora de pescado. Y de hecho, las investigaciones han demostrado los beneficios que obtiene el cerebro de los bebés cuyas mamás comieron grandes cantidades de pescado cuando estaban esperando. Así que tome pescado por todos los medios, pero pesque selectivamente, limitándose a las variedades que se consideran seguras. Según fuentes especializadas y otros expertos, es mejor evitar el tiburón, el pez espada, la caballa real, el blanquillo y las rodajas de atún. Estos peces de gran tamaño pueden contener altos niveles de metilmercurio, un producto químico que en grandes dosis acumuladas podría ser dañino para el sistema nervioso que se está desarrollando en el feto. No se preocupe si ya se ha tomado una o dos raciones de pez espada –los peligros sólo son aplicables al consumo regular–; limítese a no consumirlo más de ahora en adelante. También deberá limitar el consumo de atún enlatado (el atún contiene menos mercurio que la albacora) y de peces de agua dulce que han sido capturados por pescadores deportivos, a 170 gramos (peso cocido) semanales; los peces capturados comercialmente

Recetas aconsejables

Podrá encontrar recetas que tengan en cuenta todos estos consejos en el libro *Comer bien cuando se está esperando*.

suelen tener niveles más bajos de contaminantes, así que podrá comer una cantidad mayor. Absténgase de tomar pescados procedentes de aguas contaminadas (por aguas del alcantarillado o residuos industriales, por ejemplo), o peces de aguas tropicales, tales como las especies de meros tropicales, la serviola y el mahi-mahi (que a veces contienen toxinas). Por suerte, aún quedan muchos peces en el mar, que puede degustar con seguridad y tan a menudo como quiera (se considera segura una media de 350 gramos semanales de pescado cocido). Se puede elegir entre salmón (el salvaje es el mejor), el lenguado, el róbalo, el rodaballo, la merluza, la platija, la perca, el bacalao y la trucha, así como otros peces oceánicos de menor tamaño (anchoas, sardinas y arenques no sólo son seguros, sino que contienen ácidos grasos omega-3) y marisco de todo tipo. Todos los pescados y mariscos siempre deben estar bien cocidos. Para obtener la más reciente información sobre el pescado que es seguro durante el embarazo, consulte la Agencia Española de Seguridad Alimentaria y Nutrición (AESAN), <www.aesan.msc.es/AESAN/>.

■ Elija carnes magras y quíteles la grasa que esté visible antes de cocinarlas, dado que los productos químicos que ingiere el ganado tienden a concentrarse en la grasa del animal. En cuanto a las aves de corral, deshágase tanto de la grasa como de la piel, para minimizar la ingesta de productos químicos. Y no tome vísceras (riñones o hígado) muy a menudo, por la misma razón.

■ Cuando pueda, y su presupuesto se lo permita, compre carne y aves de corral criadas orgánicamente (o que se hayan alimentado con hierba), sin hormonas ni antibióticos (recuerde, está comiendo lo que su comida comió). Elija también productos lácteos y huevos orgánicos. Las gallinas (y sus huevos) criados en semilibertad no sólo están menos contaminados con productos químicos, sino que también es menos probable que hayan sufrido de infecciones tales como la salmonelosis, dado que estas aves no se han criado en condiciones de hacinamiento. Y aún existe otro extra cuando se trata del ganado alimentado con hierba: es posible que contenga menos calorías y grasas, y tenga un contenido proteínico mayor, y gran cantidad de ácidos grasos omega-3, muy favorables para su bebé.

- Compre productos orgánicos siempre que le sea posible. Los productos dotados de un certificado que acredita que son orgánicos generalmente están lo más cerca posible de estar libres de todo residuo químico. Los productos intermedios pueden contener aún algunos residuos de la contaminación del suelo, pero deberían ser más seguros que los productos convencionales. Debe tener en cuenta que los productos orgánicos no se pueden almacenar durante tanto tiempo (y lo mismo vale para las aves de corral y las carnes de origen orgánico). Si el inconveniente es el precio, elija alimentos orgánicos selectivamente (véase el recuadro).

- Como medida de precaución, lave todas las verduras y frutas. Lavarlas concienzudamente es importante sea cual sea su origen (incluso los productos orgánicos pueden llevar un recubrimiento de bacterias), pero es clave para deshacerse de los pesticidas químicos que verduras y frutas pueden haber adquirido en el campo. El agua eliminará algunos, pero rociarlos con

Elija lo orgánico

Gastar mucho dinero en productos orgánicos no siempre vale la pena. Aquí mostramos cuándo hay que ceñirse a lo orgánico y cuándo es seguro continuar con los alimentos convencionales.

Es mejor comprar orgánicos (incluso después de lavarlos, estos alimentos aún llevan mayores cantidades de residuos de pesticidas que otros): manzanas, cerezas, uva, melocotón, nectarinas, peras, frambuesas, fresas, pimientos morrones, apio, patatas y espinacas.

No es necesario comprar orgánicos (dado que estos productos no contienen en su superficie residuos de pesticidas): plátanos, kiwis, mangos, papayas, piñas, espárragos, aguacates, brócolis, coliflores, mazorcas de maíz, cebollas y guisantes.

Considere la posibilidad de comprar orgánicos en el caso de la leche, la carne y las aves de corral, porque no contendrán ni antibióticos ni hormonas, aunque su precio sea más caro. No se preocupe del denominado pescado orgánico. No existe ningún estándar de certificación para productos orgánicos en el caso del pescado y el marisco (lo que significa que son los productores mismos los que afirman que sus productos son orgánicos).

un espray especial para ello hará desaparecer muchos más (después, aclare concienzudamente). Cuando sea posible, pele estos alimentos, ya que se librará de todos los residuos químicos de su superficie, especialmente cuando una hortaliza tenga una cubierta cérea (como sucede a veces con los pe-

Una alimentación segura para dos

Está preocupada por los pesticidas que lleva la fruta recogida en el extranjero. Eso es muy sensato, especialmente porque está intentando comer de forma segura por dos. Pero ¿qué pasa con la esponja con la que va a lavar esa fruta (la que ha estado colgando sobre su fregadero durante las tres últimas semanas)? ¿Ha pensado en qué microbios puede haber cogido últimamente? Y la tabla de cortar de madera donde está pensando en cortar la fruta ¿no es la misma en la que anoche cortó el pollo crudo para hacer un salteado? Vamos a darle un consejo sobre la seguridad en la alimentación: una amenaza más inmediata –y demostrada– que los productos químicos que pueda haber en sus alimentos son los microorganismos, bacterias y parásitos que pueden contaminarlos. No se trata de un panorama muy halagador (o un panorama que no puede verse sin la ayuda de un microscopio), pero esos asquerosos bichos pueden causar de todo, desde un ligero dolor de estómago hasta una grave enfermedad. Para asegurarse de que lo peor que puede contraer en su próxima comida es un poco de ardor de estómago (lo que menos necesita una futura mamá es otra razón para un trastorno intestinal), compre, prepare y coma con cuidado:

- Si tiene dudas, tírelo. Haga de esta frase su mantra para una alimentación segura. Se aplica incluso a cualquier alimento que esté bajo sospecha de estar caducado. Lea las fechas de caducidad en los envoltorios.

- Cuando compre los alimentos, evite el pescado, la carne y los huevos que no estén bien refrigerados o guardados con hielo. Deshágase de los recipientes que pierden o que no hacen ruido alguno al abrirlos, y de las latas que tengan herrumbre o parezcan hinchadas o tengan mal aspecto. Limpie la parte superior de las latas antes de abrirlas (y limpie frecuentemente su abrelatas con agua jabonosa caliente o en el lavavajillas).

- Lávese las manos antes de manipular alimentos y después de tocar carne, pescado o huevos crudos. Si tiene un corte en la mano, lleve guantes de plástico o de caucho mientras prepara la comida, y recuerde, a menos de que sean desechables, los guantes deben lavarse tan a menudo como sus manos desnudas.

- Tenga las encimeras de la cocina y el fregadero siempre limpios. Y lo mismo reza para las tablas de cortar de madera (límpielas con jabón y agua caliente o en el lavaplatos). Lave a menudo los trapos de cocina y mantenga limpios esponjas y estropajos (reemplácelos a menudo, y lávelos en el lavavajillas cada noche, o póngalos húmedos en el microondas de vez en cuando, durante un par de minutos); pueden albergar bacterias.

- Sirva calientes las comidas calientes, y frías las comidas frías. Los restos deberían refrigerarse enseguida y calentarse hasta que salga vapor antes de volverlos a servir. (Tire los alimentos perecederos que se han quedado fuera durante más de dos horas.) No coma alimentos congelados que se han descongelado y vuelto a congelar.

- Mida la temperatura interior de su nevera con un termómetro especial, para asegurarse de que esté por debajo de los 5 °C o menos. Sería ideal que el congelador estuviera a −18 °C, aunque éstos no han sido diseñados para tan bajas temperaturas; no se preocupe si el suyo es uno de ellos.

- Descongele los alimentos dentro de la nevera si tiene tiempo. Si tiene prisa, descongélelos dentro de una bolsa de plástico impermeable, sumergiéndolos en agua fría (y cámbiela cada 30 minutos). Nunca descongele los alimentos a temperatura ambiente.

- La carne, el pescado o las aves de corral deben marinarse en la nevera, nunca en la encimera. Tire la marinada después de usarla, dado que contiene bacterias peligrosas. Si desea utilizarla como salsa, o para rociar la comida, reserve una parte a tal efecto antes de añadir la carne, las aves o el pescado. Use cada vez una cuchara limpia cuando rocíe el guiso, para evitar recontaminar la marinada, o simplemente mantenga el guiso en el fuego unos minutos más después de rociar por última vez.

- No coma carnes, aves, pescado o marisco crudos o poco cocinados mientras esté embarazada. Cueza las carnes y pescados a una temperatura media (70 °C) y las aves de corral, más concienzudamente (74 °C). En general, sitúe el termómetro en la parte más gruesa del alimento, lejos del hueso, la grasa o el cartílago. En las aves de corral, póngalas en la parte más oscura de la carne.

- No consuma huevos que estén blandos (prefiéralos revueltos o bien fritos), y si está mezclando unos ingredientes entre los cuales se halle el huevo crudo, resístase a lamer la cuchara. La excepción a esta regla: los huevos que han sido pasteurizados, dado que este proceso elimina totalmente el riesgo de salmonelosis.

- Lave los vegetales crudos concienzudamente (especialmente si no los va a cocer antes de consumirlos). Puede que los arándanos frescos del granjero del mercado hayan sido cultivados orgánicamente, pero eso no significa que no sean portadores de una capa de bacterias.

- Evite la alfalfa y otros brotes, que están contaminados con bacterias.

- Limítese a tomar productos lácteos que estén pasteurizados, y asegúrese de que los que consume han estado refrigerados continuamente. Los quesos blandos importados, tales como el feta, el brie, los quesos azules y los quesos blandos al estilo mexicano, que no estén hechos con leche pasteurizada pueden contener listeria (véase la pág. 539) y debería evitarlos, a menos que se calienten hasta que hagan burbujas. Los quesos nacionales suelen estar pasteurizados, a excepción de aquellos hechos con "leche cruda".

- Las salchichas de Frankfurt, las carnes de los restaurantes orientales y los pescados y mariscos ahumados en frío también pueden estar contaminados. Como medida de precaución, incluso las carnes y el pescado ahumado recién cocinados deberían calentarse hasta que desprendieran vapor antes de consumirlos (cuézalos en cacerolas).

- Los zumos también deberían estar completamente pasteurizados. Evite los zumos que no estén pasteurizados o que hayan pasado por una pasteurización instantánea, ya procedan de una tienda especializada en alimentación sana, ya de una parada al lado de la carretera. Si no está segura de que un zumo está pasteurizado, no se lo beba.

- Cuando coma fuera de casa, evite los establecimientos que parezcan ignorar las normas básicas de higiene. Algunos signos son muy obvios: los alimentos perecederos se mantienen a temperatura ambiente, los baños están sucios, vuelan las moscas, etc.

pinos, los tomates, las manzanas, los pimientos y las berenjenas). Pele aquellas pieles que parecen "abrillantadas" aun después de lavarlas.

- Elija productos nacionales o de países desarrollados. Los importados (y los alimentos hechos a base de ellos) a menudo contienen unos mayores niveles de pesticidas que los permitidos en nuestro país, dado que las normativas en otros países en cuanto a pesticidas pueden ser laxas o inexistentes.

- Consuma productos locales. Es más probable que contengan más nutrientes (acaban de llegar del campo) y posiblemente llevan consigo menos pesticidas. Puede que muchos de los granjeros del mercado de su localidad prescindan de los pesticidas (o usen muy pocos), a pesar de que sus productos no estén etiquetados como "orgánicos". Ello se debe a que la adquisición de los certificados puede ser demasiado cara para algunos granjeros cuyo cultivo es limitado.

- Varíe su dieta. La variedad asegura no sólo una experiencia gastronómica más interesante y una alimentación mejor, sino que proporciona también unas posibilidades mayores de evitar una exposición excesiva a un producto químico en concreto. Por ejemplo, puede hacer las siguientes variaciones: brócoli, zanahorias o col rizada; melón, melocotón y fresas; salmón, halibut y lenguado; cereales integrales de trigo, maíz o avena.

- Apúntese a la dieta sana, pero no sea una fanática. Está bien intentar evitar ciertos peligros teóricos de los alimentos, pero no hay que complicarse demasiado la vida en busca de una alimentación natural. Haga lo que pueda y luego siéntese, coma bien y relájese.

PARTE 2

Nueve meses y contando

De la concepción al parto

El primer mes

Semanas 1 a 4 aproximadamente

ENHORABUENA Y BIENVENIDA AL mundo del embarazo. Aunque lo más probable es que todavía no tenga aspecto de embarazada, también es posible que ya empiece a sentirse como tal. Quizá lo único que nota sean los pechos más sensibles y un poco de cansancio, o quizá ya percibe todos los síntomas de los primeros meses de gestación, que se describen en este libro (y quizá también otros síntomas); el caso es que su cuerpo se está preparando para los próximos meses de gestación.

A medida que vayan pasando las semanas, irá notando más cambios, tanto en partes de su cuerpo que ya se esperaba (por ejemplo el vientre) como en otras que jamás se hubiera imaginado (como los pies o los ojos). También habrá cambios en su forma de vivir y de plantearse la vida. Pero intente no ponerse nerviosa pensando (o leyendo) con demasiado adelanto. De momento, siéntese, relájese y disfrute de los primeros momentos de una de las aventuras más emocionantes y satisfactorias de su vida.

Su bebé este mes

Semana 1 La cuenta atrás para el bebé empieza esta semana. Pero todavía no hay bebé a la vista, ni siquiera en su interior. Entonces, ¿por qué la llamamos semana 1 del embarazo? Es extremadamente difícil fijar el momento preciso en que el espermatozoide fecunda el óvulo (el esperma de su pareja puede haber estado dentro de su cuerpo varios días antes de que su óvulo decidiese acogerlo, y el óvulo puede estar aguardando todo un día hasta que los espermatozoides hagan acto de presencia).

Lo que no es difícil de fijar, en cambio, es el primer día de su último período menstrual (UPM, que es justamente ahora, así que márquelo en el calendario); al facultativo le servirá como punto de partida para sus 40 semanas de embarazo. La contrapartida de este sistema de datación (además de

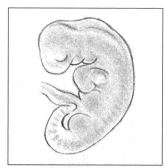

Su bebé, el primer mes

muchas otras confusiones) es que debe esperar un par de semanas de las 40 del embarazo antes de estar realmente embarazada (un hecho que no deja de sorprendernos).

Semana 2 Todo sigue igual, aún no hay bebé. Pero esta semana su cuerpo no descansará. De hecho, está trabajando a toda potencia para prepararse para la gran O (ovulación). Su tejido uterino se está haciendo más grueso (preparando el nidito para la llegada del óvulo fecundado), y sus folículos ováricos están madurando –unos más deprisa que otros– hasta que uno se convierte en el dominante y se destine a la ovulación. Y esperando dentro de este folículo dominante se esconde un óvulo ansioso (o dos, si está a punto de concebir gemelos) con el nombre de su bebé, preparándose para estallar y empezar su recorrido desde ser una simple célula única hasta convertirse en un niño lleno de vitalidad. Pero el primer recorrido que habrá de hacer es bajar por las trompas de Falopio en busca del único espermatozoide afortunado, con el que cerrará el trato.

Semana 3 ¡Enhorabuena, ya ha concebido! Eso no significa que su futuro bebé haya empezado la milagrosa transformación desde una célula simple a un niño completamente formado y preparado para recibir besos y abrazos. Al ca-

bo de unas horas de que el espermatozoide ha fecundado el óvulo, la célula fecundada (que ahora se llama zigoto) se divide, y después se continúa dividiendo una vez y otra. En cuestión de muy pocos días, su futuro bebé se ha convertido en una microscópica bola de células, creciendo al ritmo de casi una quinta parte en el tiempo que tardamos en leer esta frase. El blastocito –tal como se le llama ahora (aunque probablemente pronto le habrá buscado otro nombre mucho más bonito)– comienza su recorrido desde la trompa de Falopio hasta el útero, que lo está esperando. ¡Tardará ni más ni menos que ocho meses y medio más en completar su recorrido!

Semana 4 ¡Es el momento de la implantación! La bola de células que pronto llamarán bebé –aunque ahora su nombre

---

Conéctese a la web del embarazo

R egístrese en <whattoexpect. com> –su compañero interactivo durante el embarzo. Únicamente deberá llenar la casilla con su fecha prevista para el parto, e inmediatamente recibirá informes sobre el desarrollo de su bebé; además, tendrá acceso a herramientas tan útiles como el Planificador del embarazo (*Pregnancy Planner*) y el Buscador de nombres de bebé (*Baby Name Finder*). ¡Conecte con otras futuras mamás en el tablón de anuncios, cree sus propios *blogs* o perfiles y haga nuevas amigas!

correcto sea el de embrión) ha llegado a su útero y busca protección dentro del tejido uterino, donde permanecerá hasta el momento del parto. Una vez establecida, la bola celular empieza la gran división separándose en dos grupos. Uno de los grupos se convertirá en su hijo, y el otro dará lugar a la placenta, la protección vital de su bebé durante su estancia en el útero. Y aunque continúa siendo únicamente una bola de células (de hecho, no mayor que la semilla de una flor, pero mucho más entrañable), no infravalore a su pequeño embrión: ya ha hecho un largo camino desde que era un blastocito. La bolsa amniótica –también

denominada bolsa de aguas– ya se está formando, como también se forma el saco vitelino, que más tarde se incorporará al tracto digestivo de su bebé en desarrollo. Cada capa del embrión –y ahora tiene tres– empieza a crecer, constituyendo partes especializadas del cuerpo. La capa interior, llamada endodermo, se convertirá en el sistema digestivo, el hígado y los pulmones de su hijo. La capa media, el mesodermo, pronto dará lugar al corazón, los órganos sexuales, los huesos, los riñones y los músculos de su bebé. La capa externa, o ectodermo, acabará formando el sistema nervioso, el cabello, la piel y los ojos de su hijo.

Calendario del embarazo

Aunque la mayoría de las mujeres cuentan su embarazo por meses, su médico o comadrona harán los cálculos en semanas. Y eso hace que las cosas sean algo más complicadas. Un embarazo dura una media de 40 semanas, pero dado que las cuentas empiezan el primer día de su último período menstrual (UPM) –mientras que la ovulación y la concepción no tienen lugar hasta al cabo de dos semanas (si sus períodos son regulares)–, no está realmente embarazada hasta la semana 3 de gestación. Dicho de otro modo, aún tendrá que esperar dos semanas hasta que el espermatozoide fecunde al óvulo. Puede parecer muy confuso, pero a medida que el embarazo avance y se encuentre con hitos claves del embarazo

tradicionalmente fijados por semanas (el latido cardiaco fetal se puede detectar con un dispositivo Doppler hacia la semana 10; la parte superior del útero llega al ombligo materno hacia la semana 20), empezará a encontrarle sentido al calendario semanal.

Aunque este libro se organiza en capítulos por meses, también se facilita la equivalencia en semanas. Las semanas 1 a 13 (aproximadamente) comprenden el segundo trimestre e incluyen del primer al tercer mes; las semanas 14 a 27 (aproximadamente) forman el segundo trimestre e incluyen los meses del cuarto al sexto; finalmente, las semanas 28 a 40 (aproximadamente) conforman el tercer trimestre, que incluye del séptimo al noveno mes.

Qué se puede sentir

Aunque es cierto que el embarazo tiene su dosis de momentos fantásticos y de experiencias para disfrutar, también

presenta numerosos síntomas mucho menos maravillosos. Probablemente ya esperaba tener algunos de estos síntomas

¿Síntomas? Empiezan pronto

La mayoría de los primeros síntomas empieza a aparecer hacia la semana 6, pero cada mujer –y cada embarazo– son distintos, de manera que muchas empiezan a notarlos antes o después (o no los llegan a notar nunca, si tienen suerte). Si experimenta algún síntoma que no figuran en la lista ni en todo el capítulo, búsquelo en los capítulos siguientes o bien en el índice.

(como las náuseas que quizá ya empieza a sentir). Otros quizá la han sorprendido (como la salivación excesiva; ¿quién se lo iba a esperar?). Es probable que no hable en público de muchos de ellos (y quizá también intentará que no se le noten, como el aumento de gases) y puede ser que otros prefiera olvidarlos (cosa que, por cierto, le resultará muy fácil, porque la distracción es otro de los síntomas del embarazo).

Hay un par de cosas que debe recordar sobre estos y otros síntomas del embarazo: la primera es que cada mujer y cada gestación son distintos, y pocos de los síntomas del embarazo son universales. Por lo tanto, por mucho que su hermana o su mejor amiga hayan superado todo el embarazo sin una sola náusea, puede ser que se pase todas las mañanas (e incluso todas las tardes y todas las noches) haciendo viajes al cuarto de baño. La segunda cosa es recordar que los síntomas que vamos a describir a continuación son una buena muestra de lo que se puede esperar experimentar (aunque lo más probable es que, por suerte, no los experimente todos, al menos no todos de golpe), pero también pueden existir otros.

Un vistazo al interior

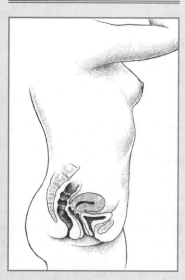

De momento, aún no existen cambios perceptibles a primera vista. A pesar de que podría reconocer algunos de los cambios físicos de su cuerpo –como tener los pechos un poco más llenos o el vientre un poco más redondeado (por la hinchazón, no por el bebé)–, no es probable que nadie más se dé cuenta. Asegúrese de mirarse bien la cintura; es posible que sea la última vez que lo pueda hacer hasta dentro de muchos meses.

Lo más seguro es que todas las sensaciones extrañas y desconocidas que experimente a lo largo de los nueve meses (tanto físicas como emocionales) sean normales para el embarazo y para usted. Pero si existe algún síntoma que la haga dudar (¿es esto realmente normal?), consúltelo con su facultativo, para quedarse más tranquila.

Aunque es probable que este mes ni siquiera sepa que está en estado (o que, como mínimo, no lo sepa hasta el final de este mes), puede que empiece a notar que algo le está pasando, por muy pronto que le parezca. Esto es lo que puede experimentar durante este mes:

Físicamente

- Es posible que manche o pierda un poco de sangre cuando el óvulo fecundado se implante en su útero, entre cinco y diez días después de la concepción (menos de un 30% de las mujeres experimentan el llamado sangrado de implantación).

- Cambios en los pechos (posiblemente más pronunciados si ya suele notar los cambios en las mamas antes de la menstruación), que pueden ser un poco menos pronunciados si ya ha tenido otros hijos: tirantez, pesadez, sensibilidad, hormigueo, oscurecimiento de la aréola (es decir, la zona pigmentada que rodea al pezón).

- Hinchazón y flatulencia.

- Fatiga, falta de energía y somnolencia.

- Necesidad de orinar más frecuente de lo habitual.

- Principio de las náuseas, con o sin vómitos (aunque la mayoría de las mujeres no empiezan a tenerlas hasta la sexta semana de embarazo), y/o salivación excesiva.

- Una mayor sensibilidad olfativa.

Emocionalmente

- Inestabilidad emocional (parecida a la del período premenstrual), que puede incluir cambios de humor, irritabilidad, irracionalidad y ganas de llorar sin motivos.

- Angustia mientras espera el momento adecuado para hacerse la prueba del embarazo en casa.

Qué se puede esperar en la primera visita prenatal

La primera visita prenatal seguramente será la más larga –y sin duda la más completa– de todo el embarazo. No sólo le harán más pruebas y tests (algunos de los cuales sólo se le practicarán en esta primera visita), sino que también le harán un historial médico completo; además, se dedicará más tiempo a plantear preguntas (las que usted le haga al facultativo, y las que éste le hará a usted) y a las correspondientes respuestas. También será el momento de recibir consejos: sobre lo que debería comer (y no comer), qué suplementos habría de tomar (o dejar de tomar), y si debería hacer ejercicio o no, y en caso afirmativo, qué tipo de ejercicio. Así que recuerde ir preparada con una lista de todas las preguntas y dudas que ya le hayan surgido, así como con un bolígrafo y un bloc de notas (o con el diario del embarazo).

Las rutinas de cada médico pueden variar ligeramente, pero en general el reconocimiento incluirá:

Confirmación del embarazo. El facultativo comprobará lo siguiente: los síntomas de gestación que experimente; la fecha de su último período menstrual (UPM) para determinar la fecha estimada del parto (FEP) o de salida de cuentas (véase la pág. 22); los signos de el cérvix y el útero y la edad gestacional aproximada. Lo más probable es que le hagan un test del embarazo (de orina y de sangre). Algunos facultativos también practican la primera ecogra-

Un embarazo completamente sano

No es de extrañar que seguir unos cuidados médicos regulares en forma de visitas prenatales acabe marcando la diferencia en la evolución de su embarazo.

Las mujeres que visitan a un médico con regularidad a lo largo del embarazo tienen bebés más sanos y es menos probable que tengan un parto prematuro y otros problemas graves relacionados con el embarazo.

Pero aunque durante el embarazo sus cuidados habrían de empezar por su vientre, no deberán acabar aquí. Probablemente le será fácil acordarse de visitar regularmente a su facultativo prenatal (vale la pena hacerlo ni que sea sólo para oír el latido cardiaco de su hijo), pero ¿también se acordará de cuidar del resto de su cuerpo, incluso de partes aparentemente menos relacionadas con el embarazo?

Para mantenerse completamente sana a lo largo de los nueve meses, haga todo lo que pueda para cuidar de su salud. Vaya al dentista para una revisión y una limpieza de boca; la mayoría de las intervenciones dentales, particular-

mente las de tipo preventivo, pueden hacerse con seguridad durante el embarazo, y de hecho pueden prevenir complicaciones de la gestación. Visite a su internista, al médico de familia o al especialista si tiene alguna enfermedad crónica u otros problemas de salud que deban controlarse (y asegúrese de que el facultativo que atiende su embarazo esté al corriente de todos los tratamientos que pueda recibir). Si fuera necesario, visite también al alergólogo. No es probable que justamente ahora se le manifieste una alergia latente, pero sí que es posible que si ya es alérgica, tenga que modificar el tratamiento, ahora que tiene que respirar por dos.

Si mientras está en estado le aparecen otros problemas médicos, no los ignore, aunque ya esté desbordada por los síntomas relacionados con el embarazo. Consulte cualquier problema (incluso los que le parezcan relativamente inocuos, como un dolor de garganta persistente o una jaqueca crónica) con el especialista correspondientes. Su bebé necesita una madre completamente sana.

---

fía, que es la forma más precisa de datar el embarazo.

Historial completo. Con el fin de poderla atender lo mejor posible, su médico querrá saberlo todo sobre usted. Prepárese con anterioridad comprobando los informes que tenga en casa o llamando a su médico de cabecera para refrescarse la memoria sobre los siguientes aspectos: historial médico personal (enfermedades crónicas, enfermedades graves o intervenciones quirúrgicas previas y alergias conocidas, incluyendo las alergias a los medicamentos); suple-

mentos nutritivos (vitaminas, minerales, hierbas, etc.) o medicamentos (prescritos por médicos o tomados por su cuenta) que esté tomando actualmente o haya estado tomando hasta el momento de la concepción; historial médico familiar (alteraciones genéticas, enfermedades crónicas, problemas graves en los embarazos); su historial ginecológico (edad de la primera regla, duración media de los ciclos, duración y regularidad de los períodos); historial obstétrico (partos anteriores, abortos espontáneos o quirúrgicos), así como la evolución de anteriores embarazos, dilataciones y partos.

Su facultativo también podría hacerle preguntas sobre su historia social (como por ejemplo su edad y el trabajo que desempeña) y sobre sus hábitos diarios (qué suele comer, o si practica algún deporte, bebe, fuma o toma drogas) y otros factores de su vida personal que podrían afectar a su embarazo (información sobre el padre del bebé y sobre la procedencia étnica de los dos).

Examen físico completo. Este reconocimiento incluirá una valoración de su estado general de salud a través de un examen del corazón, los pulmones, los pechos y el abdomen; la determinación de la presión arterial, que servirá de referencia para compararla con los resultados que se obtendrán en visitas posteriores; altura y peso (indicando el previo al embarazo y el actual, si es que ya son distintos); comprobación de la existencia en brazos o piernas de varices y edemas, como base de comparación para futuras visitas; examen de los genitales externos, la vagina y el cuello uterino (con el espéculo insertado en el interior, como si le tuvieran que hacer el test de Papanicolau); examen bimanual de los órganos pélvicos (con una mano en la vaína y otra sobre el abdomen) y posiblemente también a través del recto y la vagina; determinación de la medida y la forma de los huesos pélvicos (a través de los cuales deberá pasar el bebé).

Una batería de pruebas. Algunas pruebas se les practican rutinariamente a todas las embarazadas; otras sólo son rutinarias en determinados países o para ciertos facultativos; y otras se llevan a cabo cuando las circunstancias así lo aconsejan.

Los tests prenatales más comunes en la primera visita incluyen:

■ Una analítica para determinar su grupo sanguíneo, el factor Rh y los niveles de gonadotropina coriónica humana (GCh), así como para comprobar la existencia de anemia.

■ Un análisis de orina para determinar si hay glucosa (azúcar), albúmina, glóbulos blancos, sangre o bacterias.

■ Pruebas sanguíneas para determinar los niveles de anticuerpos, así como la inmunidad a enfermedades como la rubéola.

■ Pruebas para descartar la presencia de infecciones como la sífilis, la gonorrea, la hepatitis B, la clamidiasis y, muy a menudo, el VIH.

■ Un test de Papanicolau para detectar la presencia de células cervicales anormales.

Dependiendo de su situación particular, y si se considera conveniente, también se le pueden practicar:

■ Tests genéticos para detectar la fibrosis quística, la anemia falciforme, la enfermedad de Tay-Sachs u otras alteraciones genéticas.

■ Un control del nivel de azúcar en sangre para determinar si es posible que desarrolle una diabetes gestacional, especialmente si cuenta con un historial familiar de diabetes, tiene la tensión alta, previamente ha dado a luz a un bebé muy grande o con defectos congénitos, o si ha ganado demasiado peso durante los primeros meses de embarazo.

A todas las mujeres se les hace un análisis de la glucosa para descartar una posible diabetes gestacional hacia la semana 28 del embarazo; véase la página 329.

Una oportunidad de diálogo. Éste es el mejor momento para encontrar respuesta a la primera lista de todas sus preguntas y dudas.

Qué puede preocupar

Dar la noticia

"¿Cuándo deberíamos hacerle saber a la familia y a los amigos que esperamos un hijo?"

Esta pregunta sólo la pueden contestar ustedes mismos. Algunas parejas que esperan un hijo no son capaces de esperar para anunciar la buena nueva a todo el mundo (incluso a un buen número de desconocidos). Otras parejas son más selectivas al principio, y sólo se lo dicen a las personas más cercanas y queridas (parientes cercanos y amigos, por ejemplo) y esperan hasta que el embarazo sea más obvio para comunicárselo a todo el mundo. Finalmente, hay otras que lo mantienen en secreto hasta el final del primer trimestre o hasta que la madre ha de hacerse las primeras pruebas prenatales.

Por lo tanto, los futuros papás se tendrán que poner de acuerdo y hacer lo que crean más conveniente. Pero recuerden este consejo: antes de dar la noticia, no se olviden de tomarse ustedes dos un tiempo para saborearla previamente como pareja.

Para encontrar consejos de cuándo dar la noticia en el trabajo, véase la página 213.

Para la otra mitad embarazada

Todas las páginas de este libro están destinadas tanto a las futuras mamás como a los futuros papás. Como futuro padre, comprenderá mucho mejor la experiencia del embarazo (y encontrará un poco más de sentido a los extraños síntomas de los que se queja su pareja) si lee este libro a su lado, mes tras mes.

Pero como es bastante probable que haya algunas dudas y preocupaciones que sólo le afecten a usted, le hemos dedicado un capítulo entero, ya que es la otra mitad embarazada. Consulte el Capítulo 19: "Los padres también están esperando."

Suplementos vitamínicos

"¿Debería tomar vitaminas?"

Casi ninguna mujer ingiere una dieta nutricionalmente perfecta cada día, y aún menos al principio del embarazo, cuando las náuseas matinales suelen hacer disminuir el apetito y cuando los pocos alimentos que la embarazada es capaz de hacer llegar hasta el estómago vuelven a subir por sí solos (¿sabe ya de qué le estamos hablando?).

Aunque un suplemento vitamínico diario no puede sustituir a una buena dieta prenatal, puede funcionar como una especie de seguro dietético que garantice que su bebé no se resentirá aunque usted no llegue a los hitos nutricionales que se plantee, especialmente durante los primeros meses de la gestación, cruciales para la formación de su futuro hijo.

También existen otras buenas razones para tomar vitaminas. Por una parte, varios estudios muestran que las mujeres que toman un suplemento vitamínico que contenga ácido fólico durante los primeros meses del embarazo (e incluso después de la concepción) reducen significativamente el riesgo de defectos del tubo neural del bebé (como por ejemplo la espina bífida) y ayudan a prevenir los partos prematuros. Por otra parte, las investigaciones han demostrado que tomar un suplemento que contenga como mínimo 10 mg de vitamina B_6 antes del embarazo y durante los primeros meses, minimiza los mareos matutinos (¿es posible tener una razón mejor que ésta?).

Los suplementos idóneos formulados especialmente para las mujeres embarazadas están disponibles por prescripción facultativa o sin receta. (Pídale a su facultativo que le recete alguno y consulte la pág. 116 para más detalles sobre lo que debería contener dicho suplemento.) No tome cualquier otro tipo de suplemento dietético aparte de las fórmulas prenatales sin contar con el consentimiento médico.

A algunas mujeres, la ingesta del suplemento prenatal les hace venir aún más náuseas, especialmente al principio del embarazo. La podría ayudar que el médico le cambiase la fórmula vitamínica o el tipo de preparado, o bien tomarlo con las comidas (a no ser que acostumbre a vomitar después de comer), o en el momento del día en que tenga menos náuseas. Las cápsulas suelen ser las más fáciles de tolerar y tragar. Si continúa teniendo molestias, piense en la posibilidad de tomar un suplemento masticable o uno de lenta absorción. Si sus náuseas son especialmente intensas, busque una fórmula que contenga más vitamina B_6 (el jengibre es también un buen aditivo para combatir las náuseas). Pero asegúrese de que cualquier fórmula seleccionada tenga más o menos los mismos elementos que los suplementos preparados para el embarazo, y que no contiene ningún componente extra (como por ejemplo las hierbas) que pudiera resultar perjudicial. Si su médico le prescribe un suplemento determinado, deberá consultarle antes de cambiarlo.

A algunas mujeres, el hierro de las vitaminas prenatales les provoca estreñimiento o diarrea. También en este caso podría aliviarle las molestias cambiar de fórmula. Los síntomas también se pueden mitigar tomando un suplemento del embarazo sin hierro y un preparado con hierro por separado (su médico le puede recomendar alguno que se disuelva en los intestinos en vez de en el estómago, que ahora está más sensible, o bien algún otro de absorción lenta).

"Como mucho pan y muchos cereales enriquecidos, y también me tomo un suplemento prenatal. ¿Puede ser que me esté tomando demasiadas vitaminas y minerales?"

De las cosas saludables tampoco se ha de abusar, pero éste no es su caso. Tomar una vitamina prenatal junto con una dieta equilibrada, aunque ésta tenga muchos productos enriquecidos, no puede conducir a una ingesta excesiva de vitaminas y minerales. Para excederse con los nutrientes, se tendría que estar tomando otros suplementos además de los prenatales, cosa que una embarazada nunca debería hacer sin consultarlo con algún médico que sepa que está en estado. Sin embargo, no está de más ser prudente con los alimentos (y bebidas) que están enriquecidos con más vitaminas A, D, E y K de las recomendadas diariamente, porque éstas sí que pueden ser tóxicas en grandes cantidades. La mayoría de las otras vitaminas y minerales son solubles en agua, es decir, que los excesos que el cuerpo no puede aprovechar se excretan simplemente a través de la orina. Es por ello por lo que se dice que las personas obsesionadas con los suplementos tienen "la orina más cara del mundo".

Fatiga

"Desde que estoy embarazada, siempre estoy cansada. ¡A veces me levanto pensando que no podré resistir todo el día!"

No puede levantar la cabeza de la almohada por las mañanas. Arrastra los pies durante todo el día. Por las tardes, cuando entra en casa, no puede esperar ni un minuto para irse a la cama. Si parece que su energía diaria se ha agotado –y no tiene visos de que vaya a volver precisamente pronto–, no se sorprenda. Al fin y al cabo está embarazada. Y aunque posiblemente aún no haya ninguna evidencia externa de que esté gestando un bebé, en su interior se está llevando a cabo un trabajo agotador. En cierta forma, su cuerpo de embarazada realiza más esfuerzo cuando duerme que el cuerpo de una mujer no embarazada cuando corre una maratón, aunque no sea consciente del esfuerzo.

Por lo tanto, ¿qué está haciendo exactamente su cuerpo? Por una parte, está fabricando el sistema de soporte vital para su bebé, la placenta, y este proceso no acabará hasta el final del primer trimestre. Por otra, los niveles hormonales de su cuerpo han aumentado considerablemente, está produciendo más sangre, el trabajo cardiaco aumenta, el azúcar en sangre disminuye, su metabolismo está consumiendo energía continuamente (incluso cuando está echada) y quema más nutrientes y utiliza más agua. Y si no hubiera bastante con eso para agotarla, piense en el resto de exigencias agotadoras que su cuerpo ha de suplir para dar respuesta a todas las demandas físicas y emocionales del embarazo. Súmelo todo y no se extrañará de sentirse como si estuviese compitiendo cada día en un triatlón (y que acabe muerta; al menos, muerta de cansancio).

Afortunadamente, más adelante se sentirá un poco menos extenuada. Una vez haya finalizado la hercúlea tarea de formar la placenta (hacia el cuarto mes) y su cuerpo se haya adaptado a los cambios hormonales y emocionales derivados del embarazo, se sentirá un poco más enérgica.

Mientras tanto, recuerde que la fatiga es una señal que su cuerpo le transmite para que estos días se tome las cosas con más calma. Así que escuche a su cuerpo y descanse tanto como precise. También será capaz de recuperarse parcialmente para realizar sus quehaceres diarios si sigue los siguientes consejos:

Cuídese. Si está esperando su primer hijo, procure disfrutar de la que probablemente será la última oportunidad en mucho tiempo de dedicarse a cuidar de sí misma sin tener que sentirse culpable. Si ya tiene uno o más hijos pequeños, tendrá que dividir las atenciones (véase la pág. siguiente). Pero sea como fuere, éste no es el momento de intentar conseguir el estatus de superpadre. Descansar lo suficiente es más importante que tener la casa impecable o que preparar una cena digna del mejor chef. Deje que los platos esperen hasta más tarde y mire hacia otro lado si la borra empieza a rodar por debajo de su mesa del comedor. Haga la compra (y cualquier otra tarea que pueda) por internet en vez de ir cargada personalmente a la tienda. Procure que le lleven las cosas a casa. No se encargue de actividades ni de tareas que no sean imprescindibles. ¿No ha sido nunca indolente? ¡Pues no habrá un momento mejor para serlo por su propio bien!

Deje que los demás la cuiden. Estos días ya se está esforzando demasiado, así que pídale a su pareja que asuma su parte de las tareas domésticas (especialmente ahora, que tendría que colaborar más que nunca) y que se encargue, entre otras cosas, de la colada y de la compra. Deje que su suegra pase el aspirador y limpie el polvo de la casa cuando vaya de visita. Pídale a alguna amiga que aproveche para llevarle algunas cosas que le falten cuando salga a hacer la compra. Así, le quedarán suficientes energías para salir a pasear un rato, aunque sea arrastrando los pies (antes de acabar arrastrándose hasta la cama).

Relájese más. ¿Está exhausta al final del día? Dedique las tardes a relajarse (preferiblemente con los pies levantados) en vez de ir arriba y abajo. Y no espere hasta última hora para empezar a tomárselo con calma. Si puede hacer la siesta, no se lo piense dos veces. Si no puede dormir, échese un rato para leer tranquilamente.

Si es una futura mamá que trabaja, no tendrá la opción de dar ninguna cabezadita durante la jornada laboral, a no ser que tenga un horario flexible y disponga de un sofá cómodo en su lugar de trabajo, pero quizá sí pueda poner los pies encima de la mesa de su despacho o sobre una silla del comedor durante los descansos y a la hora de comer. (Si descansa a la hora de comer, asegúrese de tener también bastante tiempo para alimentarse.)

No sea una madre tan "sufridora". ¿Tiene otros hijos? Entonces la fatiga puede ser aún más pronunciada por razones obvias (tiene menos tiempo para descansar y más obligaciones que cumplir). O quizá no sea una fatiga tan exagerada, ya sea porque ya se ha acostumbrado al cansancio, o porque está demasiado ocupada para hacer caso de éste. Sea como fuere, no es fácil cuidar de sí misma cuando se tienen otros niños que reclaman su atención. Pero deberá intentarlo. Explíqueles que gestar un bebé es muy duro, y que la deja ago-

tada. Pida su colaboración en las tareas del hogar y su comprensión para dejarla descansar más. En vez de ir a correr por el parque durante el día y jugar a perseguirlos por las tardes, dedique más tiempo a los juegos tranquilos: leer, hacer rompecabezas, hacer el papel del paciente simulando que está en un hospital (así podrá estar echada) o ver algún DVD. Hacer la siesta si hace de madre a jornada completa también es difícil, pero si puede haga la siesta al mismo tiempo que sus hijos (si es que aún la hacen).

Duerma un poco más. Puede parecerle obvio, pero por si acaso: dormir una hora más cada noche la puede ayudar a empezar la mañana con más energía. Vea la televisión más pronto y olvídese de la programación nocturna; pídale a su marido que prepare los desayunos para poder quedarse un ratito más en la cama. Pero no se pase; dormir demasiado también puede hacer aumentar la sensación de estar exhausta.

Aliméntese adecuadamente. Para reavivar su energía, necesitará llenar su depósito con combustible de primera calidad. Asegúrese de tomar las calorías necesarias cada día (cosa que le puede resultar más fácil de decir que de hacer si se levanta con náuseas matutinas, pero vale la pena hacer un esfuerzo) y céntrese en las aportaciones energéticas de larga duración, como por ejemplo las proteínas, los carbohidratos complejos y los alimentos ricos en hierro. La cafeína o el azúcar (o los dos a la vez) podrían parecer la fórmula perfecta para una inyección de energía, pero no lo son. Los dulces o las bebidas energéticas pueden reanimarla, pero esta subida del azúcar en sangre irá seguida de una caída espectacular, y quedará más chafada que nunca. (Algunas bebidas energéticas pueden contener suplementos dietéticos que no son seguros durante el embarazo.)

Coma a menudo. Igual que para otros síntomas del embarazo, para la fatiga es muy bueno aplicar la solución de las seis colaciones al día (véase la pág. 102). Mantener su nivel de azúcar en la sangre siempre dentro de los mismos límites la ayudará a tener más energía, así que no se salte las comidas y opte por ir picando o degustando pequeños refrigerios con frecuencia (y con los nutrientes adecuados, incluyendo las proteínas y los hidratos de carbono complejos).

Vaya a pasear. O salga a caminar tranquilamente. O vaya a pie al supermercado. O haga gimnasia para embarazadas o yoga. Seguramente el sillón nunca antes le había parecido tan tentador, pero descansar demasiado y no practicar ninguna actividad también hacen aumentar la fatiga. Un poco de ejercicio la puede reanimar incluso más que estar un rato tumbada en el sofá. Pero no se exceda –ha de acabar el ejercicio sintiéndose llena de energía y no de agujetas– y asegúrese de seguir las directrices de la página 246.

Aunque es probable que la fatiga remita a partir del cuarto mes, es normal que reaparezca en el último trimestre (¿se trata quizá de la forma que tiene la naturaleza de prepararla para las largas noches en blanco que la esperan tan pronto nazca su hijo?).

Mareos matutinos

"No he tenido náuseas ningún día. ¿Es posible que esté embarazada?"

Los mareos matutinos, al igual que los antojos de conservas en escabeche o de helados, son uno de aquellos axiomas sobre el embarazo que no se han de cumplir necesariamente. Los estudios demuestran que casi tres cuartas partes de todas las embarazadas experimentan las náuseas y vómitos asociados con los mareos matutinos, lo que significa que un 25 % de las futuras mamás no los sufren. Si se encuentra entre la minoría de mujeres que no han tenido nunca ninguna náusea, que sólo las tienen muy de vez en cuando o que sólo tienen un poco, ya puede decir que no sólo está embarazada, sino que además es afortunada.

"Los mareos me duran todo el día. Me da miedo no aguantar bastante alimento en el estómago para nutrir adecuadamente a mi hijo."

Bienvenida al club de las náuseas, un club al cual pertenecen casi un 75 % de las embarazadas. Por suerte, aunque las desafortunadas componentes del club sientan completamente los efectos de los mareos –mal llamados matutinos, porque tal como ha dicho pueden presentarse por la mañana, por la tarde o por la noche, o bien a todas horas–, su bebé no los tendrá que sufrir.

Eso se explica por el hecho de que las necesidades nutricionales de su bebé en este momento son minúsculas, como también lo es él mismo (que aún no llega al tamaño de un guisante). Ni siquiera las mujeres que tienen tantas dificultades para ingerir los alimentos que pierden peso durante el primer trimestre pueden dañar a sus bebés, siempre que recuperen el peso perdido durante los siguientes meses, algo que es muy fácil de lograr porque las náuseas y los vómitos matutinos no se suelen prolongar más allá de la semana 12 a la 14. (Alguna futura mamá continúa experimentando los síntomas durante el segundo trimestre, y muy pocas, especialmente las mujeres con embarazos múltiples, también pueden tenerlos el tercer trimestre.)

¿Qué provoca los mareos matutinos? No se sabe con certeza, aunque teorías no faltan. Entre otras, se alegan los niveles altos de la GCh en la sangre

Su olfato se agudiza

Se ha dado cuenta de que ahora que está embarazada puede oler lo que hay de menú en un restaurante antes de poner los pies en él. Este olfato tan agudizado de hecho es una consecuencia directa del embarazo, causada por las hormonas (en este caso los estrógenos), que magnifican cualquier pequeño aroma que se cruce en su camino. Lo peor es que este "síndrome del olfato canino" puede hacer empeorar los síntomas de los mareos matutinos. ¿Tiene problemas olfativos? He aquí algunas estrategias que puede poner en práctica para darle un poco de descanso a su pobre nariz:

- Si no puede soportar el olor, salga de la cocina. O del restaurante. O de la sección de perfumería del supermercado. O de cualquier lugar en el que los olores la molesten.

- Abra las ventanas siempre que sea posible, para que se ventilen los olores de la cocina. O ponga al máximo el extractor de humos de la cocina.

- Lave su ropa más a menudo de lo normal, ya que las fibras tienden a retener los olores. Utilice detergente y suavizante no perfumados si su olor la molesta (y lo mismo podríamos decir de todos los productos de limpieza).

- Pásese a los productos de higiene íntima no perfumados o sólo ligeramente perfumados.

- Pídales a todos aquellos que estén al alcance de su olfato (si tiene bastante confianza para pedírselo) que sean especialmente considerados con su sensibilidad olfativa. Pídale a su pareja que se duche, se cambie de ropa y se lave los dientes si viene del bar. Pídales a los amigos y compañeros de trabajo que no se pasen con la colonia cuando estén en su presencia. Y claro está, evite a las personas que fuman.

- Intente rodearse de los aromas que la hacen sentir mejor (si es que hay alguno). Es probable que le gusten los olores de menta, limón, jengibre y canela, especialmente si tiene náuseas, aunque a algunas embarazadas repentinamente les empiezan a gustar los olores que recuerdan a los lactantes, como los polvos de talco.

durante el primer trimestre del embarazo, los niveles altos de estrógenos, el reflujo gastroesofágico (RGE), la relativa relajación del tejido muscular del tracto digestivo (que dificulta la digestión), y el agudizado sentido del olfato que desarrollan las embarazadas.

No todas las embarazadas experimentan los mareos matutinos de la misma forma: algunas tienen náuseas de vez en cuando, otras tienen náuseas a todas horas pero no llegan a vomitar, otras vomitan una vez al día y otras vomitan cada dos por tres. Probablemente, existen diversas razones que explican estas variaciones; entre ellas figuran:

Los niveles hormonales. Unos niveles hormonales superiores a la media (como en el caso de los embarazos con más de un feto) pueden aumentar los mareos matutinos; unos niveles bajos pueden minimizarlos o eliminarlos (aunque las mujeres con unos niveles hormonales normales también pueden experimentar un poco de mareo o no tenerlo en absoluto).

La sensibilidad. Algunos cerebros tienen un sistema regulador de las náuseas más sensible que otros, por lo cual es más probable que les afecten las hormonas y otros cambios relacionados con las náuseas del embarazo. Si tiene un centro de mando sensible (si, por ejemplo, siempre se marea cuando viaja en coche o en barco), tiene más probabilidades de tener náuseas y vómitos durante el embarazo. ¿Normalmente no se marea nunca? Pues también tendrá menos posibilidades de marearse cuando esté en estado.

El estrés. Es bien sabido que el estrés emocional puede desencadenar problemas gastrointestinales, así que no debe sorprendernos que los síntomas empeoren en épocas de mucho estrés.

El agotamiento. La fatiga física o mental también puede agudizar los síntomas de los mareos matutinos (y a la inversa, un mareo intenso puede incrementar la fatiga).

El primer embarazo. Los mareos matutinos son más comunes y tienden a ser más graves en los primeros embarazos, hecho que refuerza la hipótesis que dependen tanto de factores físicos como emocionales. Físicamente, el cuerpo de la embarazada primeriza está menos preparado para la violenta reacción de las hormonas y otros cambios por los cuales una mujer con hijos ya ha pasado anteriormente. Emocionalmente, las primíparas tienen más posibilidades de sufrir el tipo de angustias y miedos que pueden hacer revolver el estómago, mientras que en embarazos posteriores las mujeres se distraen de las náuseas atendiendo las necesidades de sus propios hijos. (Sin embargo, las generalizaciones no funcionan nunca con las embarazadas, de forma que hay algunas que se marean más en el segundo embarazo que en el primero.)

No importa cuál sea la causa (¿realmente le continúa interesando después de haber vomitado por tercera vez en un solo día?), ya que el efecto de los mareos matutinos es el mismo: ¡encontrarse mal! Aunque no existe ningún otro remedio infalible para las náuseas que esperar a que pase el tiempo, sí hay formas de minimizar sus efectos, de forma que pase el día con un poco menos de molestias:

■ Coma a primera hora. Los mareos matutinos no se esperan hasta que usted se levanta por las mañanas. De hecho, es más probable que aparezcan las náuseas si empieza el día en ayunas, después de largas horas de sueño. Esto se debe al hecho de que ha estado muchas horas sin comer nada, y los ácidos del estómago vacío no tienen nada más que digerir que la pared del propio estómago, cosa que no es de extrañar que haga aumentar los mareos. Para evitarlo, no salga de la cama por las mañanas hasta que haya picado alguna cosa (alguna galleta, un poco de cereales o cuatro frutos secos) que se habrá dejado preparada en la mesilla la noche anterior. Tener algún refrigerio cerca de la cama también significa que no se tendrá que levantar a buscarlo si a media noche se le despierta el apetito. También es una buena idea aprovechar para comer alguna cosa cuando se haya de levantar corriendo para ir al lavabo a media noche, y así no tendrá el estómago vacío toda la noche.

■ Coma a última hora. Tomar algún pequeño refrigerio con un alto contenido de proteínas y carbohidratos complejos (un vaso de leche con una magdalena, un poco de queso y algunos frutos secos) justo antes de irse a la cama la ayudará a tener el estómago en mejores condiciones a la mañana siguiente.

- Coma cosas ligeras. Un estómago lleno a rebosar en tan susceptible al mareo como uno vacío. Comer en exceso –aunque tenga hambre– puede provocarle vómitos.

- Coma a menudo. Una de las mejores formas de evitar las náuseas es mantener los niveles de azúcar en sangre estables –y su estómago un poco lleno– a todas horas. Para no tener náuseas, coma como un sibarita: poco y a menudo. Una buena idea sería tomar seis colaciones diarias poco copiosas, en vez de tres mucho más abundantes. No salga de casa sin algún refrigerio que su estómago tolere bien (frutos secos, galletas saladas o pastas integrales).

- Coma bien. Una dieta rica en proteínas e hidratos de carbono complejos puede ayudarla a combatir las náuseas. Una nutrición globalmente adecuada también puede ayudarla, así que coma lo que pueda (ya que, dadas las circunstancias, no siempre le resultará fácil).

- Coma lo que pueda. ¿Comer bien tampoco le funciona? Pues ahora, tener alguna cosa en el estómago –y mantenerla en él– ha de ser su prioridad. Y ya tendrá ocasión de seguir una dieta equilibrada durante el resto del embarazo. En los momentos de mareo, coma lo que pueda hacer bajar al estómago durante el día (o la noche), aunque sólo sean helados o galletas. Y si los helados pueden ser de fruta natural y las galletas integrales, aún mejor. Y si no puede ser, tampoco pasa nada.

- Beba mucho. A corto plazo, tener bastantes líquidos en el cuerpo es más importante que tener muchos sólidos, sobre todo si pierde muchos fluidos vomitando.[1] Si cuando está mareada le resulta más fácil ingerir líquidos que sólidos, aproveche para alimentarse con líquidos. Tome las vitaminas y los minerales en forma de batidos, sopas y zumos. Si los líquidos la marean aún más, tome sólidos con un contenido líquido elevado, como por ejemplo frutas y verduras, sobre todo lechuga, melón y cítricos. Algunas mujeres encuentran que comer y beber a la vez supone demasiadas exigencias para su tracto digestivo; si éste es su caso, intente beber líquidos entre las comidas.

- Refrésquese. Experimente también con la temperatura. Muchas mujeres encuentran que las bebidas y comidas frías son más fáciles de digerir. Otras, en cambio, las prefieren calientes (por ejemplo, bocadillos con queso fundido en vez de bocadillos fríos).

- Cambie de alimentos. A menudo, lo que empieza siendo la comida que mejor aceptamos (la única que se puede tragar y la que toma a todas horas los siete días de la semana) se acaba asociando con las náuseas. Si está tan harta de las galletas integrales que ya la marean, cambie de alimento rico en hidratos de carbono (ya sean cereales o tostaditas).

- No se fuerce a tomar alimentos que no le apetezcan o, aún peor, que la mareen. En vez de ello, déjese guiar por sus papilas gustativas (y también por sus antojos y aversiones). Elija alimentos dulces sólo si los tolera bien (para cenar, puede obtener la vitamina A y las proteínas de los melocotones y del yogur, en vez de sacarlos del brócoli y el pollo). O seleccione alimentos salados si no le revolucionan tanto el estómago (para desayunar, acábese una pizza recalentada en vez de tomarse los cereales).

[1] El líquido se beberá mucho mejor si es frío. (*Nota del revisor.*)

- Aparte de su olfato (y de su vista) todo lo que la moleste. A causa de un sentido del olfato mucho más sensible, las embarazadas suelen encontrar que olores que antes les gustaban ahora las molestan, y de las molestias al mareo no hay más que un paso. Así que evite acercarse a los olores que le provoquen náuseas, ya sean los huevos con tocino que su marido prepara los fines de semana o la loción para después del afeitado que hasta ahora le encantaba y que ahora la marea. Manténgase también alejada de los alimentos que no pueda ni ver (el pollo crudo acostumbra a ser uno de los ejemplos típicos de aversión).

- Vitaminícese. Tómese un suplemento vitamínico prenatal para compensar el posible déficit de nutrientes. ¿Teme no poder tragarse la píldora o que la vuelva a sacar? De hecho, una píldora diaria puede hacer disminuir los síntomas asociados con las náuseas (especialmente si se toma una vitamina de disolución lenta con un elevado contenido en vitamina B_6, que combate los mareos). Pero tómesela en el momento del día en que sea menos probable que vomite, posiblemente con un refrigerio copioso antes de irse a dormir. Si sus síntomas son especialmente graves, consulte con su facultativo si debería tomar más vitamina B_6, que a algunas mujeres las ayuda a aliviar las náuseas.

- Utilice el jengibre. Es cierto lo que las abuelas (y las comadronas) llevan diciendo durante siglos: el jengibre va bien para las mujeres embarazadas que tienen mareos. Utilícelo para cocinar (en sopas, en magdalenas), póngase en el té, cómprese galletas con jengibre o chupe algún caramelo que lo lleve. Una bebida a base de jengibre natural (la mayoría están aromatizadas artificialmente) también la puede ayudar. Incluso el olor del jengibre fresco (corte una ramita y huélala a fondo) puede aliviar el mareo. O pruebe otra solución para los mareos: el limón. A muchas mujeres les va bien el olor –y el gusto– del limón (cuando se levanta mareada, ¿se toma una limonada?). A otras mujeres les va mejor dejar que un caramelo ácido se les vaya deshaciendo en la boca.

- Descanse. Duerma y relájese un poco más. Tanto el cansancio físico como el psicológico pueden agravar las náuseas.

- Comience el día a cámara lenta. En vez de levantarse de golpe de la cama y salir de la habitación en un abrir y cerrar de ojos –las prisas tienden a agravar las náuseas–, quédese unos minutos más en la cama, digiriendo el refrigerio, y después levántese pausadamente y desayune con tranquilidad. Esto puede parecerle imposible si tiene otros hijos, pero intente levantarse antes que ellos para permitirse un poco de tranquilidad, o pídale a su marido que se encargue de las obligaciones de primera hora de la mañana.

- Minimice el estrés. Si éste disminuye, probablemente también lo harán los mareos. Consulte la página 160 para saber cómo combatir el estrés durante el embarazo.

- Cuide su boca. Lávese los dientes (con una pasta de dientes que no la maree aún más) o enjuáguese después de vomitar y después de cada comida. (Pídale a su dentista que le recomiende un buen colutorio.) Eso la ayudará a mantener la boca fresca y a reducir las náuseas, además de disminuir el riesgo de daños en dientes y encías cuando las bacterias de los residuos regurgitados que le quedan en la boca entran en acción.

- Pruebe los parches contra el mareo. Estos parches elásticos, de unos 2 cm de ancho, se colocan en las dos muñecas para presionar en los puntos de acupresión, situados en la cara interna, con el fin de reducir las náuseas. No tienen efectos secundarios y se encuentran fácilmente en farmacias o en tiendas de productos naturales. Su médico también le podría recomendar una forma más sofisticada de acupresión: una muñequera con pilas, que se basa en la estimulación eléctrica.

- Recurra a la medicina alternativa y complementaria. Existe una gran variedad de técnicas médicas complementarias, como la acupuntura, la acupresión, el *biofeedback* o la hipnosis, que pueden ayudarla a reducir los síntomas de los mareos matutinos, y no pierde nada probándolos (véanse las págs. 95-96). La meditación y la visualización también pueden servirle de ayuda.

Aunque existen medicaciones que pueden aliviar los mareos matutinos (a menudo una combinación de doxilamina –un antihistamínico– y la vitamina B_6), sólo se suelen recomendar o recetar cuando el mareo es muy agudo. Recuerde también que el componente antihistamínico de esta medicación le provocará somnolencia, que ya va bien si está a punto de meterse en la cama, pero que no es tan bueno si ha de ir al trabajo conduciendo. No se tome ningún fármaco (ni tradicional ni a base de hierbas) para el mareo, a menos que se lo haya recetado su médico.

En menos de un 5% de las embarazadas, las náuseas y los vómitos son tan insoportables que puede resultar necesaria la intervención médica. Si cree que éste podría ser su caso, consulte la página 584.

Exceso de saliva

"Parece como si todo el rato tuviese la boca llena de saliva, y si me la trago, me provoca náuseas. ¿Qué me pasa?"

Quizá no resulta demasiado estético babear (especialmente en público), pero muchas embarazadas no lo pueden evitar, sobre todo durante el primer mes. La producción excesiva de saliva es un síntoma común –y desagradable– del embarazo, especialmente entre las mujeres que también padecen de mareos matutinos. Y aunque toda la saliva extra que está navegando por su boca pueda hacerle sentir aún más náuseas –y puede causarle una molesta sensación a la hora de comer– es completamente inocua y, por suerte, dura poco, ya que suele desaparecer durante los primeros meses de embarazo.

¿Está harta de tanta salivación? Pues le podría ir bien lavarse los dientes a menudo con una pasta de dientes mentolada, enjuagarse la boca con un colutorio de menta o masticar chicles sin azúcar.

Gusto metálico

"A todas horas tengo un gusto metálico en la boca. ¿Se debe al embarazo o me lo provoca algún alimento?"

Parece que su boca no distingue los gustos. Se lo crea o no, este gusto metálico de su boca es un efecto secundario muy común del embarazo –aunque no se suele hablar de él– y se puede atribuir a las hormonas. Una de las funciones de las hormonas es controlar su sentido del gusto. Cuando las tiene revolucionadas (como por ejemplo cuando tiene la regla o, aún más, cuando está embarazada) su sentido del gusto se resiente. Igual que sucede con los mareos matutinos, este regusto puede disminuir –o, si está de suerte, desaparecer del todo– durante el segundo trimestre, cuando las hormonas se empiezan a calmar.

Hasta entonces, puede intentar combatir el gusto metálico mediante los sabores ácidos. Pruébelo con zumos de cítricos, limonada, caramelos ácidos, y –siempre que su estómago lo soporte– aliñe los alimentos con vinagre. Estos productos ácidos tienen la capacidad de alterar el gusto metálico, e incrementar la producción de saliva para ayudar a limpiar la boca de gustos indeseables (aunque quizá esto no la convenza si ya tiene la boca a rebosar de saliva sin tomar ácidos). Otros trucos que puede probar: lávese también la lengua cada vez que se lave los dientes, o enjuáguese con una solución salina (una cucharadita de sal disuelta en un vasito de agua) o de bicarbonato (¼ de cucharada de bicarbonato en un vasito de agua) varias veces al día, con el fin de neutralizar los niveles de pH de su boca y eliminar el mal gusto de boca. También puede consultar con su médico si le convendría cambiar la vitamina prenatal, ya que parece ser que algunas provocan más gusto metálico que otras.

Micción frecuente

"Cada media hora tengo que ir al cuarto de baño. ¿Es normal orinar tan a menudo?"

Quizá no sea el asiento más cómodo de la casa, pero para la mayoría de las embarazadas, sí que es el más frecuentado. Váyase acostumbrando: cuando se ha de ir, se va y ya está, y durante estos días (y estas noches) tendrá que ir innumerables veces. Y aunque pueda ser molesto tener que ir al baño tan a menudo, es completamente normal.

¿Qué es lo que provoca esas ganas de orinar? En primer lugar, las hormonas estimulan no sólo el aumento de los fluidos sanguíneos, sino también el fluido urinario. En segundo lugar, durante el embarazo mejora la eficacia de los riñones, ayudando a su cuerpo a eliminar con mayor rapidez los productos sobrantes (incluyendo los del bebé, con lo cual orinará por dos). Finalmente, su útero en desarrollo le presiona la vejiga, que tendrá menos espacio de almacenamiento para la orina, provocando esta sensación de "ay, que se me va a escapar".

Esta presión suele remitir tan pronto como el útero llega a la cavidad abdominal, durante el segundo trimestre, y no suele reaparecer hasta el tercer trimestre, o cuando la cabeza del bebé se encaja en la pelvis, hacia el último mes. Pero dado que la disposición de los órganos internos varía ligeramente dependiendo de las mujeres, la intensidad de la frecuencia urinaria también puede variar. Algunas mujeres casi no notan cambio alguno, mientras que otras tienen más ganas de orinar a lo largo de los nueve meses de gestación.

Inclinarse hacia delante mientras orina le permitirá vaciar por completo la vejiga, eliminando hasta la última gota con un doble vaciado (orine, y al acabar, apriete un poco más). Estas tácticas pueden reducir el número de viajes al baño, pero en realidad, no demasiado.

No reduzca la ingesta de líquidos creyendo que la ayudará a ir menos al baño. Su cuerpo y el de su bebé necesitan un buen suministro de líquidos; además, la deshidratación puede comportar infecciones del tracto urinario. Pero consuma menos cafeína, que aumenta la necesidad de orinar. Si también ha de ir al baño con mucha frecuencia por la noche, intente limitar la ingesta de líquidos un rato antes de irse a la cama.

Si continúa teniendo ganas de orinar (incluso cuando acaba de hacerlo), coménteselo a su médico, que quizá le haga una prueba para detectar una posible infección de orina.

"¿Por qué no orino más a menudo que antes?"

Un incremento inapreciable de su frecuencia urinaria puede ser perfectamente normal en su caso, sobre todo si ya orinaba a menudo. Asegúrese de tomar bastantes líquidos (al menos ocho vasos diarios, y aún más si pierde líquidos vomitando). Una ingesta insuficiente de líquidos puede reducir la frecuencia de la micción, pero también puede comportar deshidratación e infecciones del tracto urinario.

Cambios en los pechos

"Casi ni me reconozco los pechos, de tan enormes que se han hecho. Y además los tengo sensibles. ¿Continuarán así todo el embarazo y se me quedarán caídos después de dar a luz?"

Parece que ya ha descubierto el primer gran cambio del embarazo, el de sus pechos. Mientras que el vientre no suele crecer mucho hasta el segundo trimestre, los pechos suelen hacerlo al cabo de unas pocas semanas después de concebir, avanzando gradualmente en la numeración de tallas de los sujetadores (puede acabar necesitando tres tallas más que antes de quedarse en estado). Detrás de este desarrollo están las hormonas exaltadas, las mismas que le hinchaban los pechos antes de la menstruación, pero que ahora trabajan a marchas forzadas. En los pechos también se acumula grasa, y aumenta la circulación sanguínea de la zona. Y existe una razón de peso para todo este peso extra en sus pechos: se están preparando para alimentar a su bebé.

Además de este incremento de la talla, es más probable que note otros cambios en las mamas. La aréola (el área pigmentada que rodea al pezón) se oscurecerá, se hará mayor y puede presentar manchitas aún más oscuras. Este oscurecimiento se puede aclarar un poco, pero no desaparecerá por completo hasta después del parto. Los montículos que aparecen en la aréola son glándulas de lubricación, que se vuelven más prominentes durante el embarazo, y recuperan su medida normal después del parto. El complejo mapa de recorridos marcados por las venas azules que atraviesan los pechos –muy claras en las mujeres de piel clara, pero también visibles en las más morenas– representa el sistema de aprovisionamiento de nutrientes y líquidos de la madre al hijo. Hasta después del parto –o si le da de mamar a su bebé, quizá cuando deje la lactancia– el aspecto de su pecho no volverá a ser el habitual.

Afortunadamente, el dolor (o la sensibilidad extrema) de los pechos no aumentará tanto como el tamaño. Aunque probablemente las mamas le continuarán creciendo a lo largo de los nueve meses de gestación, es probable que no las tenga tan sensibles al tacto a partir del tercer o cuarto mes. A algunas mujeres la sensibilidad de los pechos no les remite hasta más adelante. Para aliviarlo, utilice compresas de agua fresca o tibia (como mejor le vaya).

Y en cuanto a la caída del pecho, depende en gran parte de la genética (si a su madre le cuelgan, a usted también le pueden colgar), aunque también puede poner su granito de arena. Que sus pechos queden caídos no depende únicamente del embarazo propiamente dicho, sino de la falta de una sujeción adecuada durante los meses de gestación. Independientemente de lo turgentes que ahora estén, protéjalos de cara al futuro utilizando un sostén que los sujete bien (aunque si durante el primer trimestre los tiene muy sensibles, es recomendable que evite usar sostenes con aros que los compriman). Si sus pechos son especialmente grandes o tienen tendencia a caerse, es aconsejable llevar sostenes también de noche. Es probable que opte por unos sujetadores deportivos de algodón, más cómodos para dormir.

Algunas mujeres no notan ningún cambio brusco en el tamaño de sus pechos al principio del embarazo, y otras consideran que el aumento de talla es tan gradual que ni siquiera se dan cuenta. Como sucede con todos los síntomas del embarazo, lo normal para unas mujeres no lo es para otras. Pero no se preocupe: aunque le crezcan tan poco –o casi nada– que no necesite cambiar de sujetador, eso no tiene por qué afectar a su capacidad de lactar.

"Los pechos se me hincharon mucho en el primer embarazo, pero en el segundo no he notado ningún cambio. ¿Es normal?"

La primera vez sus pechos eran novatos, pero ahora afrontan un nuevo embarazo con experiencia previa. Por lo tanto, es posible que no necesiten tanta preparación –ni reaccionen tan drásticamente a causa de las hormonas revolucionadas– como en el primer embarazo. Es posible que los pechos le vayan creciendo gradualmente, a medida que avance la gestación, o quizá ni siquiera note que le crecen hasta después del parto, cuando empieza la producción de leche. Tanto en un caso como en el otro, este desarrollo más lento es completamente normal, y un primer indicio de cómo pueden ser de distintos dos embarazos en la misma mujer.

Presión en el bajo vientre

"Tengo una molesta sensación de presión en el bajo vientre. ¿Me debería preocupar?"

Parece que está muy sintonizada con su cuerpo, lo que puede ser bueno (como cuando le permite reconocer cuándo está ovulando) o no tan bueno (cuando la hace sufrir todas las pequeñas molestias derivadas del embarazo).

No se preocupe. Una sensación de presión o incluso algo de calambres sin sangrado es muy habitual, especialmente durante el primer mes del embarazo, y normalmente indica que las cosas van bien, y no que vayan mal. Es más probable que el sensible radar de su cuerpo detecte algunos de los muchos cambios que están teniendo lugar dentro de su vientre, donde se halla el útero. Lo que puede estar sintiendo podría tratarse de la sensación de la implantación, del incremento de la circulación sanguínea, de la formación de la capa uterina o simplemente de que su útero está empezando a crecer; en otras palabras, sus primeros dolores de la gestación (y seguro que no serán los últimos). También podrían ser problemas de gases o espasmos intestinales provocados por el estreñimiento (otro efecto secundario muy común del embarazo).

Si quiere quedarse más tranquila, descríbale a su médico la sensación que tiene (si es que la continúa teniendo) durante su próxima visita.

Pérdidas

"He ido al lavabo y al limpiarme, me he dado cuenta de que había un poco de sangre. ¿Estoy en peligro de aborto?"

Es lógico que la haya asustado mucho ver que pierde sangre durante el embarazo. Pero sangrar un poco no significa necesariamente que haya un problema grande en su gestación. Muchas mujeres –de hecho, casi una de cada cinco– pierden algo de sangre en algún momento del embarazo, y la gran mayoría acaban teniendo un embarazo

Cuándo avisar al médico

Es aconsejable que establezca junto con su médico un protocolo para las emergencias, antes de que se presente alguna. Si no hay ningún protocolo preestablecido, y experimenta algún síntoma que requiera atención médica inmediata, intente lo siguiente: en primer lugar, llame a la consulta del médico. Si no contesta nadie, deje su mensaje en el contestador detallando los síntomas. Si no recibe ninguna respuesta en cuestión de minutos, vuelva a llamar o telefonee al centro de emergencias más próximo, informando al personal de enfermería de lo que está pasando. Si ésta le aconseja ir al centro, vaya a urgencias y déjelo grabado en el contestador de su médico. Llame al 112 si nadie puede llevarla a urgencias.

Cuando informe de su problema al médico o al personal de enfermería, recuerde señalar cualquier otro síntoma secundario que pueda tener, aunque le parezca que no tiene relación con el problema principal. Intente ser específica, indicando cuándo notó cada síntoma por primera vez, y con qué frecuencia se repite, qué lo alivia o qué lo empeora, y con qué intensidad se le manifiesta.

Llame inmediatamente en los siguientes casos:

- Sangrado abundante, sangrado con contracciones o con dolor intenso en la zona del bajo vientre.

- Dolor intenso y que no remite en el bajo vientre, en la parte central, a un lado o en los dos, aunque no vaya acompañado de sangrado.

- Aumento súbito de la sensación sed, acompañado de una disminución de la micción, o sin haber orinado en todo un día.

- Dolor o picor al orinar, acompañados de temblores y fiebre de más de 39 °C y/o dolor de espalda.

- Fiebre de más de 39 °C.

- Hinchazón o embotamiento súbito y grave de las manos, la cara y los ojos, acompañados de dolor de cabeza, problemas de la vista o aumento súbito de peso no relacionado con un exceso en la alimentación.

- Trastorno de la vista (visión borrosa, poco nítida o doble) que persiste durante varios minutos.

y un bebé perfectamente sanos. Por lo tanto, si el sangrado es ligero –parecido al que se puede tener al principio o al final de la menstruación– respire profundamente y siga leyendo para encontrar una explicación probable (y esperemos que tranquilizadora). Este sangrado leve suele deberse a alguna de las siguientes causas:

Implantación del embrión en la pared uterina. Este sangrado (llamado "de la implantación" en el ámbito obstétri-co) afecta a entre un 20 y un 30% de las embarazadas, y se suele dar antes de la fecha (o en algunos casos, aproximadamente ese mismo día) en que le habría venido la regla, entre cinco y diez días después de concebir. El sangrado de implantación es un sangrado más escaso que el de la regla (y puede durar entre unas pocas horas y unos cuantos días) y suele ser de color rosado más o menos claro, o marrón claro, y está formado por manchitas. Se da cuando la pequeña bola de células que un día se

- Un dolor de cabeza muy fuerte o que persista durante dos o tres horas.

- Diarrea con sangre.

Llame al médico el mismo día (o al día siguiente por la mañana, si es de noche) en los casos siguientes:

- Presencia de sangre en la orina.

- Hinchazón en las manos, la cara o los ojos.

- Aumento acusado y súbito de peso no relacionado con comer en exceso.

- Dolor o picor al orinar.

- Mareos o náuseas.

- Escalofríos y fiebre superior a los 38 °C (sin otros síntomas de constipado o gripe). Haga bajar la fiebre superior a 38 °C tomando paracetamol.

- Náuseas y vómitos abundantes: vomitar más de dos o tres veces al día durante el primer trimestre, o vomitar cuando está más avanzado el embarazo si no lo había hecho nunca antes.

- Picor generalizado, con o sin orina oscura, heces claras o ictericia (piel y blanco de los ojos que adquieren un tono amarillento).

- Diarrea frecuente (más de tres veces al día), especialmente si es de textura mucosa (si está ensangrentada, llame de inmediato).

Es posible que su médico le pida que le llame por distintas razones, o basándose en diferentes parámetros, así que asegúrese de preguntarle qué protocolo debería seguir si experimenta algunos de estos síntomas.

Recuerde, también, que puede haber momentos en que no tenga ninguno de los síntomas aquí enumerados, pero puede sentirse exhausta, con malestar y no del todo bien. Si el descanso nocturno y un poco más de relajación no la ayudan a sentirse mejor en uno o dos días, también deberá consultar con su médico. Lo más probable es que lo que está sintiendo sea normal, provocado por el propio embarazo; pero también es posible que esté anémica o que tenga que combatir algún tipo de infección. Algunas enfermedades, como por ejemplo las enfermedades del tracto urinario, pueden evolucionar sin manifestar ningún síntoma evidente. Así que, en caso de duda, coménteselo a su médico.

convertirá en su hijo excava su "guarida" en la pared uterina. El sangrado de implantación no es signo de que algo vaya mal.

Relación sexual, examen pélvico interno o test de Papanicolau. Durante el embarazo, su cérvix se vuelve más sensible y se llena de vasos sanguíneos, por lo cual es posible que se irrite como resultado de las relaciones sexuales o de las revisiones internas, y acabe produciéndose un leve sangrado. Este tipo de sangrado es común y puede darse en cualquier momento del embarazo, y no suele ser indicativo de ningún problema, pero para quedarse más tranquila, coménteselo a su médico si sangra después de mantener relaciones o de someterse a algún examen interno.

Infección de la vagina o el cérvix. Un cérvix o una vagina irritadas pueden causar pérdidas leves (aunque dichas pérdidas deberían desaparecer después de que le hayan tratado la infección).

Síntomas no preocupantes

Algunas futuras mamás (nadie mejor que usted sabrá si éste es su caso) siempre se preocupan por algo, durante el primer trimestre y sobre todo en los primeros embarazos. Incomprensiblemente, el miedo a abortar encabeza la lista de las preocupaciones más habituales.

Por suerte, la mayoría de las madres sufridoras acaban padeciendo innecesariamente. La mayoría de los embarazos evolucionan sin incidentes, y acaban, por suerte, con unos partos a término. Casi todos los embarazos normales incluyen algunos calambres, algún dolor abdominal o algo de pérdidas –o las tres cosas juntas. Mientras que es comprensible que alguno de estos síntomas cause cierta inquietud (y cuando se trata de esas manchas en las braguitas, angustia y todo), la mayoría no deberían inquietarla, porque son completamente inocuos y no indican que su embarazo vaya mal. Los siguientes síntomas debería comentárselos a su médico en la próxima visita (o quizá antes, si necesita que un profesional la tranquilice), aunque no la han de preocupar. Así que no se ponga nerviosa si presenta:

* Calambres leves, presión o dolor en el bajo vientre, o en uno de los dos lados del abdomen. Probablemente se debe al estiramiento de los ligamentos que aguantan el útero. A no ser que los calambres sean constantes, o vayan acompañados de un sangrado copioso, no tiene de qué preocuparse.

* Pérdidas leves que no van acompañadas de calambres ni de dolor en el bajo vientre. Hay muchas razones por las cuales una embarazada puede tener pérdidas, y normalmente no tiene nada que ver con un aborto. Véase la página 155 para más información sobre las pérdidas.

Además, al principio del embarazo, las mujeres no sólo se preocupan por la existencia de síntomas, sino también por la falta de ellos. En efecto, no "sentirse embarazada" es una de las preocupaciones que más a menudo aparecen durante el primer trimestre. Y no debe sorprendernos: es difícil sentirse embarazada tan pronto, incluso si se tienen todos los síntomas que se describen en este libro, pero aún lo será más si no se tiene ninguno. Sin pruebas tangibles de que su futuro hijo está creciendo en su interior (un vientre prominente, los primeros indicios de movimiento), es muy comprensible empezar a pensar si el embarazo va bien o incluso si se está realmente embarazada.

Se lo volvemos a repetir: no se preocupe. Una falta de síntomas –ya sea los mareos matutinos o la sensibilidad mamaria– no indica que algo vaya mal. Considérese afortunada si no tiene que sufrir éstos ni otros molestos síntomas del principio del embarazo y piense también que quizá sufrirá otros tan pronto como esté más avanzada la gestación. Al fin y al cabo, dado que toda embarazada experimenta los síntomas de distinta forma y en momentos diferentes, es posible que usted los acabe experimentando antes de lo que espera.

Sangrado subcoriónico. El sangrado subcoriónico se da cuando hay una acumulación de sangre bajo el corion (la membrana fetal externa, cercana a la placenta) o entre el útero y la propia placenta. Puede causar un sangrado débil o abundante, pero no siempre (a veces sólo se detecta en una ecografía rutinaria). La mayor parte de esos casos de sangrado subcoriónico se resuelven espontáneamente y no acaban suponiendo un problema para el embarazo (véase la pág. 583 para más información).

Las pérdidas son tan variables como comunes en los embarazos normales. Algunas mujeres pierden intermitentemente a lo largo de todo el embarazo. Otras sólo pierden uno o dos días, y otras durante varias semanas. Algunas pierden sangre rosada o pardusca y de textura mucosa; otras pierden sangre de color rojo vivo. Pero, por suerte, la mayoría de las mujeres que experimentan estos diversos tipos de pérdidas siguen teniendo embarazos completamente normales y sanos, y acaban dando a luz a bebés perfectamente sanos.

Eso significa que lo más probable es que no se tenga que preocupar de nada (aunque, para ser realistas, tampoco se debería despreocupar).

Para una mayor tranquilidad, llame a su médico, que es probable que le haga una ecografía. No hace falta que le llame inmediatamente o fuera de horas de visita, a no ser que las pérdidas vayan acompañadas de contracciones, de sangre roja brillante o de un sangrado copioso. Si ya pasa de las seis semanas de embarazo, probablemente podrá oír el latido cardiaco fetal, lo que le dará la tranquilidad de saber que su embarazo evoluciona correctamente, a pesar de las pérdidas.

¿Qué pasa si las pérdidas se vuelven más intensas y se sangra de forma parecida a cuando se tiene la regla? Aunque esta situación ya sea más preocupante (especialmente si las pérdidas van acompañadas de contracciones o dolor en el bajo vientre), y es conveniente que llame a su médico, no indica necesariamente que vaya a abortar. Algunas mujeres sangran con abundancia por razones desconocidas durante el embarazo, y sin embargo dan a luz bebés sanos y a término.

Si finalmente tuviera un aborto espontáneo, consulte la página 574.

Niveles de GCh

"El médico me dio los resultados de la analítica y me dijo que mi nivel de GCh se sitúa en 412 mUI/l. ¿Qué significa esta cifra?"

Significa que indudablemente está embarazada. La gonadotropina coriónica humana (GCh) es producida por las células de la nueva placenta en desarrollo al cabo de unos días de que el óvulo fecundado se haya implantado en su cavidad uterina. La GCh se en-

Niveles de GCh

Si realmente quiere jugar al juego de las cifras de la GCh, los siguientes parámetros son los niveles de GCh "estándar", basados en datos reales. Recuerde que cualquier nivel situado dentro de este amplio abanico entra dentro de la normalidad –y no hace falta que su bebé dibuje una gráfica de evolución perfecta para que su embarazo evolucione correctamente– y recuerde también que un ligero error de cálculo en su fecha prevista para el parto puede alterar completamente estas cifras.

Semanas de embarazo	Cantidades de GCh en mUI/l
3 semanas	5 a 50
4 semanas	5 a 426
5 semanas	19 a 7.340
6 semanas	1.080 a 56.500
7 a 8 semanas	7.650 a 229.000
9 a 12 semanas	25.700 a 288.000

cuentra en su orina (de hecho es éste el componente de la orina que determina su estado de buena esperanza al utilizar el test del embarazo casero) y en su sangre, hecho que explica que su médico le haya pedido un análisis de sangre para confirmar su condición de embarazada.

Al principio del embarazo (como en su caso), los niveles de GCh son muy bajos (justo ahora se empiezan a manifestar en su organismo). Pero al cabo de unos días, se empiezan a elevar, duplicándose cada 48 horas (más o menos). Este rápido incremento alcanza la máxima intensidad al cabo de 7 a 12 días, y después vuelve a disminuir.

Pero no empiece a contrastar sus cifras con las de su mejor amiga en estado. Del mismo modo que dos embarazos nunca son iguales, los niveles de GCh de dos embarazadas tampoco lo serán. Varían enormemente de un día para otro y de una persona a otra, tanto el primer día de la falta de la menstruación como a lo largo de todo el embarazo.

Estrés

"Mi trabajo es muy estresante. No tenía ninguna intención de quedarme embarazada ahora, pero estoy en estado. ¿Debería dejar el trabajo?"

Dependiendo de cómo lo afronte y de cómo la afecte, el estrés puede ser positivo (si la anima a trabajar bien y a desenvolverse de forma más efectiva) o negativo (si la hace perder el control, la hunde y la sobrepasa). Las investigaciones demuestran que el embarazo no se ve afectado por los niveles estándar de estrés; siempre que sea capaz de afrontar adecuadamente su estrés laboral (incluso si es superior al estrés que la mayoría de personas son capaces de soportar), su hijo también lo podrá afrontar. Pero si el estrés le provoca angustia, insomnio o depresión,

Relájese fácilmente

Si la felicidad inicial de la gestación está convirtiéndose en un cúmulo de constante nerviosismo, ahora ha llegado el momento de aprender algunas tranquilizadoras técnicas de relajación que no sólo le servirán para afrontar sus preocupaciones durante el embarazo, sino también su atareada vida de futura mamá novata. El yoga es fantástico para acabar con el estrés, tanto si lo practica en un curso prenatal como si lo hace en casa con un DVD. Si no puede, pruebe la siguiente técnica de relajación, fácil de aprender y fácil de practicar en todas partes y en cualquier momento.

Si le va bien, la puede poner en práctica cuando se sienta más angustiada y/o varias veces al día para tratar de evitar la angustia.

Siéntese con los ojos cerrados e imagine un escenario hermoso y tranquilo (una puesta de sol en su playa preferida, olas que bañan pausadamente la costa, un plácido paisaje de montaña atravesado por un riachuelo), o incluso imagínese a su futuro bebé, acurrucado en sus brazos, disfrutando juntos de un día soleado en el parque. A continuación, vaya relajando todos los músculos, empezando por los pies y acabando por la cara, concentrándose en ir relajando todos y cada uno de los músculos. Tome aire, suave y profundamente, a través de la nariz (a no ser que esté congestionada) y elija una palabra sencilla (como por ejemplo "sí" o "no") para repetirla en voz alta cada vez que saque el aire.

Lo ideal sería poder hacerlo durante 10 o 20 minutos, aunque es mejor hacerlo uno o dos minutos que no hacerlo.

si le genera síntomas físicos (como dolor de cabeza, dolor de espalda o pérdida de apetito), si la empuja a seguir conductas perjudiciales (como por ejemplo fumar), o si la deja exhausta, entonces sí que podría acabar convirtiéndose en un problema.

Dado que las reacciones negativas ante el estrés podrían implicar consecuencias negativas, especialmente si se prolongan durante el segundo y el tercer trimestre, su prioridad actual debería ser aprender a afrontar el estrés de forma constructiva o reducirlo al máximo. Los siguientes consejos la podrían ayudar:

Desahóguese. Exteriorizar su angustia es la mejor forma de evitar que la acabe hundiendo. Asegúrese de tener alguien con quien hablar y un ratito para hacerlo. Mantenga abiertas las vías de comunicación con su pareja, dedicando un rato de la tarde (preferiblemente no muy cerca de la hora de ir a dormir, para evitar irse a la cama estresados) a compartir las preocupaciones y las frustraciones. Los dos juntos encontrarán más fácilmente la tranquilidad y las soluciones, y, en el mejor de los casos, acabarán riendo. ¿Está su pareja demasiado estresada como para cargarla también con su estrés? Encuentre a otra persona dispuesta a escucharla: una amiga, un familiar, un compañero de trabajo (que entenderá mejor que nadie su estrés laboral) o su médico (especialmente si le preocupan los efectos físicos de su estrés). La empatía también ayuda, así que busque a otras futuras mamás con quien hablar, en un grupo de embarazadas o por internet. Si necesita algo más que alguien que la escuche, considere la posibilidad de recurrir a la ayuda profesional, para que le enseñen a desarrollar estrategias para afrontar mejor el estrés.

No se quede de brazos cruzados. Identifique el origen de su estrés, y decida

Sea optimista

Hace tiempo que se especula que las personas optimistas viven más años y tienen más salud. Ahora se sugiere que una futura madre que considera las cosas desde una perspectiva optimista puede mejorar las perspectivas de cara al futuro de su hijo. Los investigadores han descubierto que ver el vaso medio lleno reduce las posibilidades de que una mujer con un embarazo de alto riesgo tenga un parto prematuro y dé a luz un bebé de bajo peso.

Los niveles bajos de estrés que caracterizan a las mujeres optimistas tienen un papel muy importante en este descenso del riesgo; al fin y al cabo, los niveles de estrés están relacionados con una gran variedad de problemas de salud, tanto dentro como fuera del embarazo. Pero parece que el estrés es sólo responsable de una parte de estos problemas. Lo más probable es que las mujeres optimistas cuiden más de sí mismas: comiendo bien, haciendo un poco de ejercicio, siguiendo los cuidados prenatales con regularidad, y no fumando ni tomando alcohol o drogas. Y estas conductas positivas –impulsadas por el poder del pensamiento positivo– pueden tener, sin duda, un efecto muy positivo sobre el embarazo y el bienestar del feto.

Los investigadores enfatizan que nunca es demasiado tarde para aprovechar los beneficios del optimismo, aunque ya esté embarazada. Aprender a esperar siempre lo mejor –en vez de lo peor– puede, de hecho, ayudar a que estas buenas expectativas se cumplan; una buena razón para empezar a ver el vaso medio lleno en vez de medio vacío.

cómo lo podría modificar. Si es evidente que intenta hacer más de lo que puede, deje de lado las tareas que no sean altamente prioritarias (tal como lo tendrá que hacer muy a menudo, cuando tenga a su principal prioridad –a su hijo– en la agenda del día). Si está asumiendo demasiadas responsabilidades en casa o en el trabajo, decida cuáles puede retrasar o delegar. Aprenda a decir que no a nuevos proyectos o actividades en vez de sobrecargarse (otra habilidad que le valdrá la pena empezar a practicar antes de que nazca su hijo).

A veces puede ayudarla a tener la sensación de que controla más el caos de su vida si se sienta con un bloc de notas o una agenda y hace una lista de los cientos de cosas que debería hacer (en casa o en el trabajo), indicando el orden en que tiene planificado hacerlas. Vaya tachando las tareas anotadas a medida que las realice, con el fin de sentirse más satisfecha.

Consúltelo con la almohada. Dormir es la mejor forma de regenerar cuerpo y mente. A veces, la tensión y la angustia son provocadas por la propia falta de sueño, y a la inversa, tener demasiado estrés y angustia puede dificultarle conciliar el sueño. Si tiene problemas para dormir, consulte los consejos de la página 295.

Aliméntese correctamente. Las vidas frenéticas pueden comportar formas de alimentarse también frenéticas. Alimentarse inadecuadamente durante el embarazo puede ser doblemente perjudicial: puede hacer disminuir su capacidad de afrontar el estrés y puede acabar afectando al bienestar de su bebé. Así que asegúrese de comer bien y regularmente (seis colaciones poco abundantes la ayudarán a estar mejor cuando las cosas se le pongan difíciles). Céntrese en los carbohidratos complejos y las proteínas, y evite los excesos de cafeína y azú-car, dos tópicos de la vida estresante que, efectivamente, pueden dificultarle enfrentarse a su propio estrés.

Dese un buen baño. Un baño de agua tibia es una forma excelente de aligerar tensiones. Dese un baño después de un día de prisas, ya que también la ayudará a dormir mejor.

Vaya a andar. O a nadar. O practique yoga prenatal. Aunque le parezca que la última cosa que necesita su vida es más actividad, el ejercicio es uno de los mejores desestresantes y mejora el estado anímico. Ponga un poco de deporte en su atareada vida.

Recurra a la medicina alternativa y complementaria. Investigue qué terapias complementarias y alternativas pueden proporcionarle una mayor paz interior, ya sea el *biofeedback*, la acupuntura, la hipnoterapia, el masaje (pídale a su pareja que le dé masaje en la espalda o los hombros, o recurra al masaje profesional para embarazadas). La meditación y la visualización también pueden acabar con el estrés (sólo tiene que cerrar los ojos e imaginar una escena bucólica, o si lo prefiere, manténgalos abiertos observando una tranquilizadora imagen o fotografía colocada estratégicamente en su despacho).

Practique técnicas de relajación (consulte el recuadro de la pág. 160), no sólo porque le serán útiles de cara al parto, sino también porque la pueden ayudar a reducir tensiones en cualquier momento. Para más información sobre las técnicas de la medicina alternativa y complementaria, véanse las páginas 95-96.

Desconecte un rato. Combata el estrés con alguna actividad que considere relajante: leer, ver una buena película, escuchar música (lleve el iPod en los descansos o a la hora de comer, o escúchelo en horas de trabajo si eso es posible); haga punto (se puede relajar mientras empieza a preparar la ropita de su hijo); visite tiendas de ropa para bebés; quede para comer con algún amigo divertido; escriba un diario personal (otra buena forma de exteriorizar sus sentimientos); navegue por las páginas de internet que tratan sobre bebés; o prepare un álbum para su futuro hijo. O salga a andar (un paseo a paso ligero también puede ser relajante y rejuvenecedor).

Desconéctese del todo. Quizá lo que le produce el estrés tampoco valga tanto la pena. Si es el trabajo lo que la estresa, considere la posibilidad de coger la baja o de trabajar sólo media jornada (si alguna de estas dos opciones es económicamente factible) o, como mínimo, delegue una parte de su carga laboral para reducir el estrés a un límite razonable y que no la acabe hundiendo. Un cambio de trabajo o de profesión sería prácticamente imposible ahora que está en estado, pero quizá se lo podría plantear una vez haya nacido su hijo.

Recuerde que su nivel de estrés no hará sino crecer tan pronto como su hijo haya nacido; así que lo mejor es intentar encontrar ahora la forma de afrontarlo (o de reducirlo hasta un nivel aceptable).

QUÉ ES IMPORTANTE SABER

Cuídese mucho

Ahora vamos a hablar sobre los cuidados especializados durante el embarazo. El embarazo es una época de transformación radical en todo su cuerpo, que la puede hacer sentir más guapa (hoy estoy radiante), menos atractiva (¡qué granos y qué pelos en el bigote!) o un rato de cada manera. Pero también es el momento en que sus cuidados de belleza habituales necesitan un extra. Lo que necesita saber es cuáles son los tratamientos de belleza adecuados –y los inadecuados– durante el embarazo antes de ir al neceser a buscar la crema antiacné que utilizaba cuando era una adolescente o pedir hora en su centro de estética favorito para que le depilen las ingles y el bigote. A continuación, le damos algunos consejos que puede poner en práctica para cuidarse de la cabeza (haciéndose mechas) a los pies (con una pedicura) durante el embarazo, para conseguir potenciar su belleza sin olvidarse de la seguridad.

El pelo

Durante el embarazo, el pelo puede adquirir mejor aspecto (si lo tenía apagado puede volverse brillante), o peor (si un pelo fino se queda sin volumen). Pero hay algo seguro: gracias a las hormonas, tendrá más pelo que nunca (y, por desgracia, no sólo en la cabeza). Veamos algunos consejos para los tratamientos capilares:

Teñirse. El problema principal está en teñirse las raíces durante el embarazo. Aunque todavía no existen pruebas que demuestren que la pequeña cantidad de productos químicos absorbidos por la piel durante el teñido capilar sea perjudicial durante la gestación, algunos expertos continúan aconsejando esperar hasta el final del primer trimestre antes de hacerse este tipo de retoques en la peluquería. Otros mantienen que durante todo el embarazo es inocuo teñirse.

Consúltelo con su facultativo, que le dará su opinión sobre los tintes del cabello. Si no se queda tranquila tiñéndose todo el pelo, considere la posibilidad de hacerse mechas. Así los productos químicos no estarán en contacto con su cuero cabelludo, y además las mechas suelen durar más que el teñido uniforme, lo que le permitirá visitar la peluquería con menor frecuencia durante el embarazo. También puede preguntarle a la peluquera si practica algún tipo de teñido menos nocivo (con un tinte sin amoniaco o con un tinte vegetal, por ejemplo). Además, debe recordar que los cambios hormonales pueden hacer que su cabello reaccione de forma extraña; así es posible que no obtenga los resultados esperados, ni siquiera usando los productos habituales. Antes de teñirse toda la cabeza, hágase una prueba con un mechón, para evitar acabar con la cabeza de color morado en vez de caoba intenso, como habría querido.

Tratamientos para alisar el cabello. ¿Está pensando en hacerse alisar el cabello para olvidarse por una temporada de tantos rizos? Aunque no existen pruebas de que los productos para alisar el pelo sean nocivos durante el embarazo (la cantidad de componentes químicos que penetran en el organismo a través del cuero cabelludo probablemente es mínima), tampoco existen evidencias que demuestren que sean totalmente inocuos. Por lo tanto, consúltelo con su facultativo: es probable que le diga que es más seguro dejarse el cabello natural, sobre todo durante el primer trimestre. Si decide alisárselo, recuerde que existe la posibilidad de que sus hormonas reaccionen de forma rara ante los productos químicos (puede acabar con el pelo encrespado en vez de perfectamente liso). Además, el pelo le crecerá más deprisa durante el embarazo, haciendo que los rizos reaparezcan sobre su cabeza antes de lo previsto. Los procesos de alisamiento por calor, que se basan en el uso de productos distintos –a menudo más suaves– para alisar las ondulaciones del pelo, pueden ser una opción más segura (como siempre, pregunte primero). O simplemente, cómprese una plancha para el cabello y alíseselo en casa.

Permanentes u ondulaciones. ¿Su cuerpo está aumentando de volumen, pero a su pelo le falta? Normalmente, la permanente o las ondulaciones pueden ser la solución de un pelo sin cuerpo, pero probablemente no lo sea durante la gestación. Y no porque no sea seguro (probablemente lo es, aunque debería consultar con su facultativo), sino porque el cabello reacciona de forma imprevisible por la influencia de las hormonas del embarazo. Puede ser que la permanente no le coja y acabe con un pelo encrespado en lugar de rizado.

Depilaciones o decoloraciones. Si el embarazo causa que su cuerpo se parezca al del peluche que le ha comprado a su futuro hijo, no pierda la calma: esta abundancia de pelo es temporal. Puede que tenga las axilas, las ingles, el labio superior e incluso el vientre con más vello de lo habitual debido a las hormonas en erupción. Pero piénseselo dos veces y consulte con su médico antes de hacerse la depilación láser o eléctrica, o de usar productos depilatorios o decolorantes. No se han hecho estudios lo bastante fiables para determinar con exactitud si estos tratamientos de depilación tan populares y la decoloración del pelo son completamente seguros, pero es probable que sea mejor dejarlos para después del parto (aunque algunos médicos dan permiso pasado el primer trimestre). No se preocupe si ya se ha hecho algún tratamiento de depilación eléctrica o con láser, porque los riesgos son puramente hipotéticos.

Hacer desaparecer el pelo cortándolo, arrancándolo o con cera depilatoria. Durante el embarazo, el pelo no deseado puede aparecer casi en cualquier rincón del cuerpo. Ésta es la cruz de la moneda. La cara es que durante estos meses puede deshacerse del pelo cortándolo, arrancándolo o depilándolo con cera. Incluso la depilación de las ingles (la tradicional o la completa) es totalmente inocua, pero tendrá que realizarse con precaución: la piel de las embarazadas puede estar más sensible e irritarse con mayor facilidad. Si se depila en un centro de estética, explíquele a la esteticista que está embarazada, para que la trate con más precaución.

La cara

Es posible que el embarazo aún no sea perceptible en su vientre, pero sí en su rostro. A continuación le explicamos las consecuencias buenas, no tan buenas y nefastas del embarazo en relación con los cuidados faciales:

Tratamientos faciales. Las verdades sobre la cara: no todas las embarazadas presentan la belleza radiante de la cual tanto se ha oído hablar. Si no está tan resplandeciente como quisiera, una buena ayuda podría ser un tratamiento facial, ideal para limpiar los poros taponados por un exceso de grasa (debido a las hormonas del embarazo). La mayoría de los tratamientos faciales son inocuos durante el embarazo, aunque algunos de ellos, especialmente abrasivos (como la microdermoabrasión o los peelings glicólicos), pueden perjudicarla más que ayudarla, ya que podrían resultar especialmente irritantes para una piel extremadamente sensible debido a las hormonas del embarazo. Los tratamien-

tos faciales que utilizan microcorrientes eléctricas tampoco son recomendables durante la gestación. Pregúntele a su esteticista qué fórmulas podrían ser más suaves para su piel para evitar que le provoquen una reacción dérmica. Si tiene dudas sobre la seguridad de algún tratamiento en particular, consúltelo con su médico.

Tratamientos antiarrugas. Las arrugas de los bebés son graciosas; las de sus mamás no tanto. Pero antes de recurrir al dermatólogo para tratarse estas finas líneas de expresión (o antes de ponerse unos labios más abultados), tenga en cuenta lo siguiente: la seguridad de los rellenadores inyectables (como el colágeno o el ácido hialurónico, por ejemplo) durante el embarazo todavía no está garantizada, dado que no se han realizado suficientes estudios. Lo mismo sucede con el Bótox, por lo cual de momento es mejor evitar el colágeno y el Bótox. Por lo que respecta a las cremas antiarrugas, es mejor leerse la letra pequeña (y consultar sobre su uso con su médico). Le aconsejará que no use productos que contienen vitamina A (en cualquiera de sus formas de retinoide), vitamina K o ABH (ácido beta-hidróxido, o ácido salicílico). Consúltele también si tiene dudas sobre la seguridad de otros ingredientes. La mayoría de los facultativos darán luz verde a los productos que contengan AAH (ácido alfa-hidróxido), o ácidos de la fruta, pero es mejor que consulte antes de utilizarlos. O puede encontrarse con que la retención de líquidos normal durante el embarazo le pone la piel de la cara más tensa, haciendo que las arrugas sean menos visibles sin la ayuda de ningún procedimiento cosmético.

Tratamientos antiacné. ¿Hay más marcas en su cara que hoyos en un campo de golf? Écheles la culpa a las hormonas del embarazo. Pero antes de presentarse en

Maquillaje de la embarazada

Entre las erupciones cutáneas, las despigmentaciones y la hinchazón propia del embarazo, su cara se enfrentará a diversos retos a lo largo de los próximos nueve meses. Por suerte, podrá disimular las imperfecciones con el uso del maquillaje adecuado:

- Oculte las marcas. Una crema correctora y una buena base pueden cubrir la mayoría de los defectos cutáneos del embarazo, incluyendo el cloasma y otras decoloraciones (véase la pág. 270). En el caso de las manchas oscuras, infórmese sobre los productos especializados para hiperpigmentaciones, pero asegúrese de que el maquillaje sea no comedogénico e hipoalergénico. Busque productos de una tonalidad similar a la de su piel, pero tenga cuidado de elegir un corrector algo más claro que su piel. Aplíquese el corrector únicamente en las manchas oscuras, teniendo cuidado de que no se note demasiado el contraste con el resto de la piel. Luego reparta un poco de base de maquillaje sobre la zona. No conviene abusar de los productos de maquillaje demasiado fuertes, así que utilice la mínima cantidad de maquillaje posible (o no lo use). También puede optar por el maquillaje en polvo.
  Cúbrase las erupciones cutáneas provocadas por el embarazo con un maquillaje algo más claro, para evitar que aún resalten más (ya llamarán bastante la atención por sí mismas).

Empiece con la base de maquillaje, después aplique el corrector directamente sobre los granos –para unificar el tono de la piel– extendiéndolo bien con los dedos. Si quiere taparse las manchas antes de maquillarse, utilice un producto tópico apto para embrazadas, y de un tono más claro.

- Juegue con los colores. Disimule las mejillas que se le están poniendo abultadas; después de aplicar una base de maquillaje por toda la cara, aplíquese colorete (de una tonalidad más clara) en la frente, bajo los ojos, en la zona exterior de las mejillas y en la punta de la barbilla. Después pase el pincel con un colorete un poco más subido de tono por los laterales de la cara, empezando por las sienes. Unifíquelos bien y listos, ¡pómulos prominentes!

- Frene la expansión. Seguro que ya se esperaba que le creciese la barriga, y quizá también las caderas, ¿pero y la nariz? No se preocupe: si su nariz parece más ancha, eso será sólo temporalmente, como resultado de la hinchazón de las embarazadas. Disimúlelo aplicándose colorete en la nariz (de una tonalidad más clara que la base de maquillaje) en su parte central; luego deberá seguir el contorno de los laterales de la nariz con un colorete más oscuro. Asegúrese de repartirlo bien.

su centro de estética para seguir un tratamiento contra las marcas provocadas por las erupciones cutáneas, pregúnteselo a su médico. El Accutane (que causa graves problemas congénitos) está totalmente desaconsejado. Lo mismo sucede con el Retin-A (pregúntele a su médico o a su dermatólogo sobre la conveniencia de utilizar productos que contienen retinol). Los tratamientos con láser y los peelings químicos antiacné también deberían esperar hasta después del parto. Los efectos de dos de los componentes habituales antiacné por vía tópica, el ácido beta-hidróxido (BHA) y el ácido salicílico aún no han sido investigados en las mujeres embarazadas, y podrían ser absorbidos por vía cutánea.

Consulte con su médico sobre la seguridad de los productos que contengan este tipo de componentes, y también sobre los que contienen peróxido de benzoilo, otro ingrediente que no suele ser aconsejable.

El ácido glicólico y las cremas exfoliantes, así como los antibióticos con ácido azaleico y por vía tópica como la eritromicina, probablemente son seguros (pregúntelo primero), aunque deberá tener cuidado con la irritación. También puede intentar desinflamar las erupciones cutáneas mediante métodos naturales: bebiendo mucha agua, comiendo bien y lavándose bien la cara. ¡Y no se rasque ni se reviente las erupciones!

Los dientes

Ahora que está esperando, tiene muchos motivos para sonreír, pero ¿pueden permitírselo sus dientes? Los productos para la boca son muy populares, pero no siempre son adecuados durante la gestación.

Productos blanqueadores. ¿Tiene ganas de lucir unos dientes blancos como perlas? Aunque no existen riesgos demostrados en relación con el blanqueo dental durante el embarazo, es un procedimiento que se enmarca en la premisa "más vale prevenir que curar" (por lo tanto, lo más prudente sería esperar unos meses para conseguir una sonrisa de anuncio). De todos modos, lávese bien los dientes y utilice el hilo dental.

Las encías, más sensibles durante el embarazo, le agradecerán sus atenciones.

Empastes dentales. En este caso también "vale más prevenir que curar", aunque no se haya demostrado que exista peligro alguno en aplicar empastes dentales durante la gestación. Pero existe otra razón por la que debería plantearse esperar hasta el posparto para que se los hagan: sus encías están más sensibles que nunca durante el embarazo, y cualquier tratamiento dental –incluyendo los empastes y las técnicas de blanqueo– será más molesto de lo habitual.

El cuerpo

El privilegio del embarazo, sin duda, le pasará factura a su cuerpo de una forma que quizá no se habría imaginado nunca. Así que su cuerpo se merece, más que cualquier otra cosa, unas atenciones especiales.

Compruebe cómo mimarlo de una forma segura:

Masajes. ¿Busca alguna solución para ese molesto dolor de espalda, o para el molesto insomnio que le hace pasar las noches en blanco? No hay nada como un buen masaje para acabar tanto con las molestias y los dolores del embarazo como con el estrés y las tensiones. Pero aunque el médico le recomiende un masaje para encontrarse mejor, habría de seguir las siguientes directrices para asegurarse de que sus masajes no sean solamente relajantes, sino también mucho más seguros:

- Póngase en buenas manos. Asegúrese de que su masajista es diplomado en fisioterapia y domina los procedimientos de un masaje prenatal, y lo que debe evitarse.

- Espere a empezar con los masajes. Evite hacérselos durante los tres

Un día en el spa

Oh, un spa. Nadie se merece más –ni precisa más– un día de atenciones extra como una embarazada. Por suerte, cada vez existen más spas que ofrecen tratamientos específicos para las futuras mamás. Pero antes de dirigirse al spa, acabe de leer este capítulo y pregúntele a su médico si ve algún inconveniente específico en su situación concreta. Además, cuando llame para pedir hora, dígale a la recepcionista que está embarazada. Explique todas las restricciones que puede tener, para que le puedan preparar un tratamiento a la medida de sus necesidades. Recuerde hacerles saber a todas las esteticistas o terapeutas que la atiendan que está en estado.

primeros meses, porque pueden hacerle aumentar las náuseas y los mareos matutinos. Pero no se preocupe si ya le han hecho masajes durante el primer trimestre. No es peligroso, pero es posible que le provoquen molestias.

■ Relájese en la posición correcta. A partir del cuarto mes es aconsejable evitar tumbarse boca abajo, así que pídale a su masajista que utilice una camilla de masajes equipada con un agujero para dejar pasar su vientre, con cojines especiales para embarazadas, o con una faja almohadillada que se adapte a su cuerpo, o bien túmbese de lado.

■ Pruebe los productos no perfumados. Pida una loción o un aceite no aromático, no sólo porque unas fragancias demasiado fuertes pueden molestar a su olfato, que está agudizado por el embarazo, sino porque algunos aceites de aromaterapia pueden provocar las contracciones; véase más adelante.

■ Hágase el masaje en los puntos adecuados (y pase por alto los demás). La presión directa en el área comprendida entre los tobillos y el talón podría provocar contracciones, así que asegúrese de que su terapeuta se mantiene alejado de esa zona (otra razón para buscar un masajista especializado en tratamientos prenatales). Lo más probable es que tampoco le toquen la zona del abdomen para evitarle molestias. Y si su terapeuta le hace los masajes con demasiada fuerza e intensidad, hágaselo saber. Al fin y al cabo, le hacen los masajes para que se encuentre mejor.

Aromaterapia. Por lo que respecta al uso de aromas durante el embarazo, es recomendable utilizar el sentido común. Dado que se desconocen los efectos de muchos aceites vegetales durante el embarazo, y algunos podrían ser perjudiciales, sea prudente con cualquier tratamiento de aromaterapia. Los siguientes aceites esenciales se consideran seguros para el masaje prenatal (aunque algunos expertos recomiendan que dichos aceites se mezclen en una concentración reducida a la mitad de lo habitual): rosa, lavanda, manzanilla, jazmín, mandarina, hoja de naranjo amargo e ylang-ylang. Las embarazadas deberían evitar sobre todo los siguientes aceites, porque algunos de ellos podrían provocarles contracciones uterinas: albahaca, enebro, romero, salvia, menta, poleo, orégano y tomillo. (Las comadronas suelen usar estos aceites durante la dilatación, precisamente porque hacen aumentar las contracciones.) Si ya le han practicado algún masaje de aromaterapia con alguno de estos aceites (o los ha utilizado en algún tratamiento o baño de aromaterapia en casa), no se preocupe. La absorción del aceite es muy lenta, sobre todo si se aplica en la espalda, porque la piel de esta parte del cuerpo es muy gruesa. Únicamente debe evitar los futuros tratamientos. Las lociones perfumadas o los productos de belleza de las tiendas especializadas (como las cremas a base de menta para los pies, por ejemplo) son inocuos siempre que sus aromas no estén concentrados.

Tratamientos, cremas y parches corporales e hidroterapia. Las cremas corporales suelen ser seguras, siempre y cuando sean suaves (algunas cremas pueden ser demasiado fuertes para la sensible piel de las embarazadas). Algunos parches a base de hierbas pueden ser seguros, pero no se suelen aconsejar porque podrían hacer aumentar excesivamente su temperatura corporal. Un breve baño de agua caliente (no superior a 37,5 °C) a modo de hidroterapia es seguro y relajante, pero evite las saunas, los jacuzzis y los baños turcos.

Sesiones de rayos UVA y pulverizadores y lociones bronceadoras. ¿Busca la forma de no verse tan pálida durante el embarazo? Lo sentimos, pero las sesiones de rayos UVA no son recomendables. No sólo son perjudiciales para su salud, sino que incrementan las posibilidades de sufrir de cloasma (la decoloración cutánea conocida como "las manchas del embarazo"). Y aún peor, los aparatos de rayos UVA pueden hacer subir la temperatura corporal hasta un nivel perjudicial para su futuro hijo. ¿Continúa queriendo ponerse morena? Antes de untarse con lociones y pulverizadores para broncearse sin sol, consúltelo con su médico. E incluso si se acaba untando, piense que sus hormonas pueden alterar el color previsto para su piel (y podría adquirir tonalidades nada deseables). Además, a medida que le vaya creciendo el vientre, tendrá dificultades para aplicarse este tipo de cremas (sobre todo cuando la barriga no le deje verse las piernas, y aunque sustituya las cremas por pulverizadores).

Para más información sobre la seguridad sobre los tatuajes definitivos y la mujer embarazada, o los de henna, y sobre los *piercings* durante el embarazo, consulte las páginas 180 y 203.

Manos y pies

Efectivamente. Incluso sus manos y pies mostrarán los efectos del embarazo (aunque es posible que ya tenga dificultades en verse los pies a partir del segundo trimestre). Pero aunque se sienta hinchada –y tenga los dedos y los tobillos embotados por la retención de líquidos– los siguientes consejos la ayudarán a mantener un buen aspecto de manos y pies.

Manicura y pedicura. Es totalmente seguro pintarse las uñas durante el embarazo (y aproveche ahora porque probablemente le estarán creciendo más fuertes y más deprisa que nunca). Si se arregla las uñas en un centro de estética, asegúrese de que el local esté bien ventilado. Inhalar estos productos químicos tan fuertes nunca es una buena idea, pero aún lo es menos ahora que respira por dos (además, los olores fuertes pueden acabar mareándola). Asegúrese de que la esteticista no la masajee en la zona comprendida entre el tobillo y el talón mientras se hace la pedicura (ya que, en teoría, eso podría provocarle contracciones). Por lo que respecta a las uñas postizas, no existen pruebas de que sus componentes químicos sean perjudiciales, pero es mejor optar por lo seguro y olvidarse de su uso hasta después del parto, no solo porque durante la aplicación se pueden producir olores muy fuertes, sino también porque pueden convertirse en un nido de infecciones, cosa que querrá evitar a toda costa ahora que está embarazada. Recuerde que no tendrá que alargarse las uñas mediante postizos, porque, de forma natural, ya le crecerán a marchas forzadas.

El segundo mes

Semanas 5 a 8 aproximadamente

INCLUSO SI AÚN NO LE HA EXPLICAdo a nadie que está embarazada y nadie de su alrededor se ha dado cuenta (a no ser que les haya notificado personalmente la buena nueva), su bebé ya se está empezando a hacer notar. No de puertas hacia fuera, pero sí a través de numerosos síntomas, como por ejemplo esas molestas náuseas que no la dejan tranquila ni un momento, o el exceso de saliva que flota por su boca (¿se le cae la baba?), o las ganas de orinar que tiene durante todo el día (y toda la noche), y la sensación de hinchazón que la acompaña durante las 24 horas, todos los días de la semana. A pesar de estas pruebas de que está embarazada, probablemente aún se estará haciendo a la idea de que una nueva vida se está desarrollando en su interior (al fin y al cabo, no hace tanto que ha descubierto que lleva en su seno una criatura). También es probable que aún se deba acostumbrar a las nuevas exigencias del embarazo, tanto físicas (¿por qué estoy tan cansada?) como prácticas (el camino más corto para llegar al lavabo…) o dietéticas (vigilar lo que como y lo que bebo). Se trata de un largo camino, que justo ahora acaba de comenzar. ¡Tómeselo con calma!

Su bebé este mes

Semana 5 Su pequeño embrión, que en este momento se parece más a un renacuajo (también con una pequeña cola) que a un bebé, está creciendo a gran velocidad y ahora tiene el tamaño aproximado de una semilla de naranja: aún pequeño, pero mayor de lo que había sido. Esta semana, su corazón empezará a tomar forma. En efecto, el aparato circulatorio, incluyendo el corazón, es el primer sistema del organismo que entrará en funcionamiento. El corazón de su bebé (del tamaño aproximado de la semilla de una flor) está formado por dos canales diminutos llamados tubos cardiacos, y aunque está lejos de funcionar por completo, ya late,

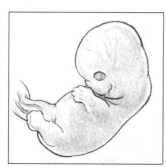

Su bebé, el segundo mes

como podrá comprobar en la próxima ecografía. También se está formando el tubo neural, que se acabará convirtiendo en el cerebro y la médula espinal de su hijo.

En este momento, el tubo neural aún está abierto, pero se cerrará la próxima semana.

Semana 6 Mientras los bebés están dentro del útero, su medida de referencia se toma entre la coronilla y la rabadilla, ya que tienen las piernas –muy pequeñitas y aún en formación– dobladas, con lo cual es muy difícil medir la longitud total del cuerpo. ¿Cuánto mide su hijo este mes? La longitud entre la coronilla y la rabadilla es de 5-6 mm (no mayor que la cabeza de un alfiler). Esta semana también se le empiezan a desarrollar la mandíbula, las mejillas y la barbilla. Unos pequeños entrantes en los laterales de la cabeza se convertirán en sus canales auditivos. Dos puntitos negros en la cara se transformarán en los ojos, y una pequeña protuberancia en la parte delantera de la cabeza adquirirá la forma de la nariz en cuestión de semanas. Esta semana también se irán formando los riñones, el hígado y los pulmones de su bebé. El minúsculo corazón de su hijo late a un ritmo de 80 pulsaciones por minuto y lo hará más deprisa cada día. Oír este latido probablemente le llegará al corazón.

Semana 7 Una sorprendente afirmación sobre su bebé en este momento: ya es 10.000 veces mayor que en el momento de la concepción, más o menos del tamaño del hueso de una aceituna. Gran parte de este desarrollo se concentra en la zona de la cabeza (allí se generan nuevas células cerebrales, a un ritmo de cien por minuto). Esta semana se le formarán la boca y la lengua, y también unos esbozos de los brazos y las piernas, que empiezan a salir como unos apéndices en forma de palas y se van dividiendo: los superiores en manos, brazos y hombros, y los inferiores en pies, rodillas y piernas.

Sus riñones también están formados y preparados para empezar su importante tarea de la gestión de los residuos (con la producción y excreción de la orina). Como mínimo, ¡de momento no hace falta que se preocupe de los pañales sucios!

Semana 8 Su bebé crece a la velocidad de la luz, y esta semana ya mide aproximadamente unos 12 mm de largo, y tiene el tamaño de una cereza. Y, por suerte, esta dulce cereza ya tiene un aspecto más parecido a un humano y menos a un reptil. Los labios, la nariz, los párpados, las piernas y la espalda continúan adquiriendo forma.

Y aunque es demasiado pronto para oírlo desde fuera, el corazón de su bebé late a la increíble velocidad de 150 pulsaciones por minuto (el doble de rápido que el corazón de un adulto).

La gran novedad de la semana: su bebé hace movimientos espontáneos (agita el tronco y las incipientes extremidades, pero aún demasiado débilmente para poderse notar).

Qué se puede sentir

Nunca debemos olvidar que cada embarazo y cada mujer son distintos. Puede que en un momento u otro experimente todos los síntomas que se describen a continuación, o quizá sólo note uno o dos. Algunos de ellos puede que ya los haya tenido el mes pasado, y otros pueden ser nuevos. También podría experimentar otros síntomas, menos comunes. No se sorprenda si, a pesar de los síntomas (o de la falta de ellos), aún no se "siente" embarazada. Esto es lo que puede sucederle este mes:

Físicamente

- Agotamiento, falta de energía, somnolencia.

- Micción frecuente.

- Náuseas, con o sin vómitos.

- Exceso de saliva.

- Estreñimiento.

- Acidez de estómago, indigestión, flatulencia, hinchazón.

- Aversiones y antojos por ciertos alimentos.

- Cambios en los pechos: más llenos, pesados, sensibles y con hormigueos; oscurecimiento de las aréolas (la zona pigmentada que rodea los pezones), las glándulas de lubricación de las aréolas se vuelven prominentes, con aspecto de piel de gallina; aparece una red de líneas azuladas bajo la piel de los pechos, a medida que aumenta su irrigación sanguínea.

- Incremento del flujo vaginal, de color blancuzco.

- Dolor de cabeza ocasional.

- Mareos y desmayos ocasionales.

- Vientre ligeramente redondeado; la ropa puede empezarle a apretar.

Emocionalmente

- Inestabilidad emocional (similar a la premenstrual), que puede incluir cambios de humor, irritabilidad, irracionalidad o llanto injustificado.

- Dudas, temores, alegría: sólo uno de estos sentimientos o uno tras otros.

- Sensación de incredulidad sobre el propio embarazo ("¿Realmente está mi hijo aquí dentro?").

Un vistazo al interior

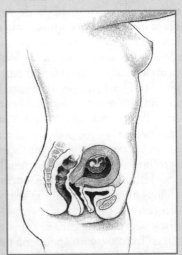

Aunque los que la rodean aún no se hayan dado cuenta de que está embarazada, usted podría ya notar que la ropa le aprieta un poco por la cintura. Y quizá necesite una talla más de sujetador. Al final de este mes, su útero, que normalmente tiene la medida de un puño cerrado, habrá crecido hasta alcanzar el tamaño de un pomelo.

Qué se puede esperar en la visita de este mes

Si ésta es su primera visita prenatal, consulte la página 140. Si ésta es su segunda revisión, encontrará que esta visita es mucho más corta. Y si ya le hicieron los análisis iniciales, en esta segunda visita probablemente no le harán muchas pruebas. Es probable que su facultativo le controle los siguientes aspectos, aunque puede haber variaciones dependiendo de sus necesidades particulares o de las prácticas habituales de su médico:

▪ Peso y presión arterial.

▪ Análisis de orina para controlar el azúcar y la albúmina.

▪ Observación de manos y pies para detectar hinchazones y observación de las piernas para controlar la existencia de varices.

▪ Exposición de los síntomas que haya experimentado, especialmente de los inusuales.

▪ Preguntas y preocupaciones que quiera aclarar. Lleve preparada una lista.

Qué puede preocupar

Acidez de estómago e indigestión

"¿Por qué tengo acidez de estómago e indigestión cada día? ¿Cómo puedo evitarlas?"

Nadie suele tener tanta acidez de estómago como una mujer embarazada. Y no solo eso, sino que lo más probable es que la siga sufriendo a lo largo de todo el embarazo (a diferencia de muchos de los síntomas tempranos del embarazo, éste se mantiene hasta el final).

¿Por qué siente como si tuviese un lanzallamas disparando dentro de su caja torácica? Al principio del embarazo, su organismo genera grandes cantidades de progesterona y relaxina, dos hormonas que tienden a relajar el tejido muscular de todo el cuerpo, incluyendo el tracto gastrointestinal. Como consecuencia de ello, a veces la comida circula más lentamente por su cuerpo, lo que provoca una indigestión (una sensación de plenitud e hinchazón en la parte superior del abdomen y en la caja torácica), y la acidez es también un síntoma de indigestión. Esto puede ser muy molesto, pero de hecho es beneficioso para su bebé. La lentitud del tránsito de los alimentos permite una mejor absorción de los nutrientes hacia su flujo

Empeoramiento del reflujo

Si ya tenía problemas de reflujo gastroesofágico, la acidez de estómago no será ninguna novedad, pero ésta podrá tratarse durante el embarazo.

Pregúntele a su médico si, ahora que está embarazada, puede seguir tomando los mismos medicamentos que antes. Algunos no son recomendables durante el embarazo, pero la mayoría son inocuos. Muchos de los consejos para combatir la acidez también pueden ayudarla con el reflujo.

sanguíneo y, por lo tanto, hacia la placenta y hacia su futuro hijo.

La acidez se produce cuando el esfínter que separa el esófago del estómago se relaja (al igual que el resto de músculos del tracto gastrointestinal), y permite que los alimentos y los jugos gástricos vuelvan al esófago desde el estómago. Los ácidos gástricos irritan la sensible piel del esófago, causando en toda la zona una sensación de ardor llamada acidez. Durante los dos últimos trimestres, este problema puede agravarse por culpa del útero en expansión, que presiona su estómago.

Es casi imposible pasar los nueve meses de gestación sin problemas de indigestión; es uno de los síntomas del embarazo más desagradables. De todos modos, existen formas eficaces de evitar la acidez y la indigestión, con el fin de minimizar sus molestias:

■ No se lo provoque. Si un alimento o una bebida le provocan acidez (u otros problemas estomacales), elimínelos temporalmente de su menú. Los principales causantes (ya se dará cuenta de cuáles la afectan más) son los alimentos muy picantes y condimentados, los alimentos fritos o con un alto contenido graso, los alimentos precocinados, el chocolate, el café, las bebidas con gas y la menta.

■ Coma poco cada vez. Para evitar una sobrecarga del aparato digestivo (y un reflujo de los jugos gástricos), opte por sustituir las habituales tres grandes colaciones por varias de ellas frecuentes y poco abundantes. La solución de comer seis veces al día es ideal para la acidez y la indigestión (véase la pág. 102).

■ Coma despacio. Si come demasiado deprisa, tenderá a tragar aire, lo que puede producir que se acumulen gases en el estómago. Y comer deprisa significa no masticar bien los alimentos, lo que genera más trabajo para que su estómago pueda digerirlos y hace más probable la aparición de acidez. Así pues, aunque se muera de hambre o tenga mucha prisa, haga el esfuerzo de comer despacio, introduciéndose trozos pequeños en la boca y masticándolos bien.

■ No beba con las comidas. Demasiados líquidos mezclados con los alimentos distienden el estómago y empeoran la digestión. Así pues, intente tomar la mayor parte de los líquidos entre una comida y otra.

■ Coma bien sentada. A los jugos gástricos les resulta más difícil subir cuando está en posición vertical que cuando está en horizontal. Para mantenerlos en su lugar (en la parte baja del estómago), evite comer tumbada, así como echarse justo después de haber comido, o coma mucho antes de irse a la cama. Duerma con la cabeza y los hombros algo más elevados de lo

---

Acidez para la madre, ¿más pelo para el hijo?

Creía que la acidez era perjudicial. Pues ya puede ir comprando champús infantiles. Las últimas investigaciones han confirmado lo que tantas abuelas han estado proclamando una generación tras otra: cuanta más acidez tenga la madre durante la gestación, más probable es que su hijo nazca con una buena mata de pelo. Aunque suene poco creíble, parece ser que las hormonas que causan acidez son las mismas que hacen que crezca el pelo del bebé. Así que, cuantos más antiácidos compre ahora, más champús tendrá que comprar después.

normal, a unos 15 cm, lo que también podrá ayudarla a combatir el reflujo gástrico gracias a la fuerza de la gravedad. Otro consejo: agáchese doblando las rodillas y no la cintura. Cuantas más veces baje la cabeza, más probabilidades tendrá de tener ardor.

- Controle su peso. Sin duda su peso aumentará. Pero un aumento gradual y moderado minimizará la cantidad de presión ejercida sobre su tracto digestivo.

- Vístase con comodidad. No se ponga ropa demasiado ajustada en la zona del vientre o de la cintura. Un estómago comprimido puede aumentar la presión y la acidez.

- Pruebe con los antiácidos. Tenga siempre a punto algún antiácido específico para el embarazo (que además de reducirle la acidez, le proporcionará una saludable dosis de calcio), pero evite otras medicinas contra la acidez a no ser que se las recete el médico. ¿Está cansada de los antiácidos? Pruebe los siguientes remedios populares: un vaso de leche tibia con una cucharadita de miel, un puñado de almendras, o papaya fresca o seca.

- Mastique chicle. Masticar chicles sin azúcar durante media hora después de cada comida puede reducir el exceso de ácidos (ya que el aumento de saliva neutraliza el ácido de su esófago). Pero algunas personas consideran que los chicles de menta les provocan aún más acidez; si éste es su caso, opte por cualquier otro sabor.

- No fume (otra razón para dejar de fumar, si es que aún no lo ha hecho).

- Relájese. El estrés aumenta el reflujo gástrico, así que deberá aprender a relajarse (véase la pág. 160). También podría probar algún tratamiento de medicina alternativa y complementaria como la meditación, la visualización, el *biofeedback* o la hipnosis (véanse las págs. 95-96).

Aversiones y antojos de ciertos alimentos

"Ahora que estoy embarazada encuentro un gusto raro a ciertos alimentos que antes me encantaban. Y por el contrario, tengo antojos por ciertos tipos de comida que nunca me habían gustado. ¿Qué me está pasando?"

El tópico sobre el embarazo, de un marido que sale disparado a media noche, con el abrigo sobre el pijama, para ir en busca de un helado o de un bol de fresas con nata para satisfacer los antojos de su esposa es más una parte del argumento de las típicas telenovelas que de la vida real. La mayoría de los antojos de las embarazadas no llegan tan lejos, o no hacen llegar tan lejos a sus parejas.

De todos modos, la mayoría de las embarazadas encuentran que sus gustos cambian un poco durante el embarazo. Gran parte experimenta algún antojo, como mínimo por un alimento (que a menudo es algo dulce), y más de la mitad sufren alguna aversión alimentaria (el pollo, en muchas ocasiones, o todo tipo de verduras). Hasta cierto punto, estos hábitos alimentarios que de repente se han vuelto excéntricos (y que a veces rayan con la extravagancia) pueden deberse a cambios hormonales, lo que probablemente también explica que sean más habituales durante el primer trimestre de los primeros embarazos, cuando las hormonas hacen más estragos.

Las hormonas, sin embargo, no tienen la culpa de todo. Parece ser que también tiene parte de razón la teoría, largamente defendida, de que las aversiones y los antojos son señales sensibles de nuestro cuerpo, y que por lo tanto, cuando desarrollamos una aversión por alguna cosa, suele ser porque no nos conviene, mientras que cuando nos apetece otra, suele suceder que nuestro cuerpo la necesita. Es como cuando, repentinamente, una embarazada no puede soportar el olor de café de las mañanas, cuando hasta ahora no podía pasar sin él. O cuando encuentra que su vino preferido tiene gusto a vinagre. O cuando aborrece los cítricos. En cambio, si no puede ni ver el pollo, o el brócoli que antes le encantaba ahora le parece picante, o si sus antojos la hacen inclinarse por extravagancias culinarias, no lo atribuya a las señales que pueda estarle enviando su cuerpo.

El problema es que las señales corporales relacionadas con la alimentación son siempre difíciles de interpretar cuando están implicadas las hormonas, y todavía más ahora que los seres humanos nos hemos alejado por completo de la cadena alimentaria natural (y que existen tantas cadenas que incluyen la comida basura). Antes de que se inventasen los caramelos, por ejemplo, una embarazada con un antojo por algo dulce probablemente se debía entusiasmar por alguna pieza de fruta bien madura. Ahora es más probable que se lance sobre una caja de bombones.

¿Debería ignorar sus antojos y aversiones en pro de una alimentación saludable durante el embarazo? Aunque fuera posible, no sería fácil, porque los delirios alimentarios provocados por las hormonas constituyen una fuerza muy poderosa. De todos modos, es posible dejarse guiar por los antojos y aversiones sin perder de vista las necesidades nutritivas de su bebé. Si desea comer un cierto alimento saludable –un trozo de queso o un melocotón bien dulce–, no hace falta que se reprima. Dese algún capricho, aunque su dieta de las primeras semanas esté un poco desequilibrada (ya buscará la variedad cuando

la gestación esté más avanzada, cuando los antojos ya no sean tan acusados). Si le apetece alguna cosa que sabe que sería mejor no tomar, intente buscar algún sustitutivo que satisfaga su deseo (como mínimo parcialmente), pero que también satisfaga sus necesidades nutritivas (y que no le aporte un exceso de calorías): un yogur helado de chocolate en vez de un helado de chocolate normal; una mezcla de frutos secos tostados en vez de fritos; patatas fritas en casa en vez de patatas de bolsa con colorantes y conservantes. Si estos sustitutivos no la acaban de satisfacer, puede complementar sus deseos alimentarios con la satisfacción de otros deseos no alimentarios, que, además, la distraerán: dé un agradable paseo, chatee con otras embarazadas por el *whatsapp* o salga a comprarse ropa de premamá.

Y, evidentemente, de vez en cuando puede dejarse tentar por un capricho menos nutritivo (y disfrutar de él sin ningún sentimiento de culpabilidad), mientras no incluya ningún ingrediente perjudicial (por ejemplo las bebidas alcohólicas) y siempre que los caprichos poco nutritivos no acaben quitándoles el protagonismo a los nutritivos de forma regular.

La mayoría de los deseos o aversiones desaparecen o disminuyen hacia el cuarto mes de gestación. Los caprichos que se alargan más allá de este mes pueden deberse a posibles deficiencias emocionales, como por ejemplo la necesidad de un poco más de atención. Si tanto usted como su pareja son conscientes de esta necesidad, ¡pueden satisfacerla fácilmente! En vez de pedir un alimento exótico en mitad de la noche, se podría conformar con un capricho menos corriente, complementándolo con unos cuantos abrazos bien tiernos o con un baño romántico.

Algunas mujeres tienen deseos de comer (y, a veces, lo hacen) sustancias que no son alimentos, como arcilla, cenizas o papel. Dado que este hábito puede ser peligroso, y podría ser un indicio de déficits nutritivos, particularmente de hierro, informe de ello a su médico. Tener una excesiva afición por el hielo también puede querer decir que le falta hierro, así que deberá informar a su facultativo de cualquier compulsión por morder hielo.

Venas visibles

"Por debajo de la piel de los pechos y del vientre se me ven unas líneas azuladas muy antiestéticas. ¿Es normal?"

Se trata de venas (que pueden cubrirle toda la zona del pecho y del vientre); es normal que aparezcan y no hay que preocuparse, ya que son un signo de que su organismo está haciendo lo que debe. Forman parte de una red de venas que se expande en las mujeres embarazadas, para transportar el aumento de volumen sanguíneo que alimentará a su hijo. Pueden aparecer muy pronto y son más evidentes en las mujeres muy delgadas o de piel muy clara. En otras mujeres, especialmente en las más gruesas y las más morenas, estas venas son menos visibles o no se ven en absoluto, o pueden no hacer su aparición hasta el final del embarazo.

Venas "en telaraña"

"Desde que me he quedado embarazada, en las piernas me han salido unas feísimas líneas de color rojo púrpura y con aspecto de telaraña. ¿Son varices?"

No son nada favorecedoras, pero no son venas varicosas. Probablemente son telangiectasias, conocidas como "venas en telaraña" por razones obvias. Existen diversas razones que explican por qué estas venas eligen tejer su red en las piernas de las embarazadas. En primer lugar, el aumento del volumen sanguíneo que transportan puede crear una fuerte presión en los vasos sanguíneos, haciendo que algunas venitas se hinchen y se hagan visibles. En segundo lugar, las hormonas del embarazo pueden afectar a todos los vasos sanguíneos, grandes y pequeños. Y finalmente, la genética también la puede predisponer a tener venas "en telaraña" (así que ya puede ir "agradeciéndoselo" a su madre).

Si está destinada a tener telangiectasias, no podrá hacer gran cosa para evitarlas, aunque, evidentemente existen formas de minimizar su expansión. Partiendo de la base de que su dieta es sana, sus venas también lo serán. Intente tomar suficientes alimentos ricos en vitamina C (el cuerpo los utiliza para elaborar colágeno y elastina, dos importantes tejidos conectivos que ayudan a reparar y mantener los vasos sanguíneos). Hacer ejercicio con regularidad (para mejorar la circulación y la fuerza de las piernas) y evitar la costumbre tan habitual de cruzar las piernas (una postura en la que se restringe la circulación sanguínea) también la ayudarán a mantener sus venas "en telaraña" bajo control.

¿No tiene suficiente con la prevención? Pues piense que algunas de estas venas, y no todas, se disimularán o desaparecerán después del parto; si no es así, las podrá tratar un dermatólogo, ya sea mediante inyecciones salinas (talasoterapia) o de glicerina, o bien utilizando rayos láser. Estos tratamientos destruyen los vasos sanguíneos, provocando que se colapsen y acaben por desaparecer, pero ninguno de estos tratamientos es recomendable durante el embarazo. Entretanto, puede intentar camuflar estas venas mediante el uso de cremas correctoras elaboradas específicamente con este propósito.

Venas varicosas (varices)

"Tanto a mi madre como a mi abuela les salieron varices durante el embarazo. ¿Puedo hacer algo para evitar tenerlas?"

Tener o no varices es algo que va por familias, y parece que tiene todos los números de acabar padeciendo este trastorno. Pero estar genéticamente predispuesta a las varices no significa que se tenga que resignar a ellas, sino que debe tener la precaución de pensar cómo romper con esta tradición familiar mediante la prevención.

Las venas varicosas suelen aflorar por primera vez durante el primer embarazo y tienden a empeorar en los embarazos posteriores. Ello se debe a que el volumen extra de sangre que produce durante el embarazo añade más presión a los vasos sanguíneos, especialmente a las venas de las piernas, que han de trabajar contra la fuerza de la gravedad para devolver toda esta sangre extra al corazón. También hay que tener en cuenta la presión de su útero en crecimiento, que se añade a los vasos sanguíneos de su pelvis, y los efectos vasodilatadores de las hormonas extra que produce su organismo.

Los síntomas de las venas varicosas no son difíciles de reconocer, pero su intensidad puede variar. Pueden provocar una pequeña molestia, o bien un dolor intenso en las piernas, o causar una sensación de pesadez o hinchazón, o incluso nada de todo esto. Simplemente puede limitarse a una sutil red de venas azuladas o ser unas protuberantes venas que se extienden desde el tobillo hasta la parte superior de la pierna. En los casos más graves, la piel que recubre las venas se hincha y se reseca (pídale al médico que le recomiende algún producto hidratante específico). Algunas veces, se puede desarrollar una tromboflebitis (la inflamación de una vena superficial debida a un coágulo sanguíneo) en la zona de las varices, de manera que debería consultar siempre con su médico sobre los síntomas de las venas varicosas.

Para evitar al máximo la aparición de nuevas varices, o el empeoramiento de las que ya tiene:

- Mantenga una buena circulación sanguínea. Estar mucho rato de pie o sentada puede empeorar dicha circulación, así que, si le es posible, evite estar en la misma postura demasiado rato y, si no puede evitarlo, flexione periódicamente los tobillos. Cuando esté sentada evite cruzar las piernas y, si es posible, elévelas. Cuando esté tumbada, mantenga las piernas elevadas colocándose un almohadón debajo de los pies. Para descansar o dormir, intente tumbarse sobre el lado izquierdo, el mejor para una óptima circulación sanguínea.

- Controle su peso. Un exceso de peso aumenta las demandas de su sistema circulatorio ya sobrecargado de trabajo, así que debería aumentar de peso dentro de los parámetros fijados por su médico.

- Evite levantar pesos, porque podría hacer sobresalir estas venas aún más.

- No haga demasiados esfuerzos cuando vaya de vientre. Empujar demasiado puede hacer empeorar las varices. Ir al baño con regularidad la ayudará a mantener un buen tránsito intestinal (véase la pág. 195).

- Lleve medias o calcetines elásticos (un ligero soporte que no llegue a resultar incómodo parece que es lo ideal), que debería ponerse cada mañana antes de salir de la cama (cuando la sangre aún no se le ha acumulado en las venas) y que no debería quitarse hasta la noche, antes de meterse en la cama. Aunque no contribuirán a hacer más atractivo su aspecto de embarazada, pueden ayudarla a contrarrestar la presión hacia abajo que ejerce su vientre, y darles a las venas de sus piernas un poco de impulso para el retroceso de la sangre hacia el corazón.

■ Evite llevar ropa que pueda dificultar la circulación sanguínea: cinturones o pantalones estrechos, medias o calcetines con gomas que presionen demasiado, o zapatos estrechos. Olvídese también de los zapatos de tacón alto y sustitúyalos por zapato plano o con un tacón ancho y de poca altura.

■ Haga un poco de ejercicio cada día, como un paseo de 20 a 30 minutos o natación. Pero si las varices le duelen, evite practicar ejercicios aeróbicos demasiado agotadores, correr, ir en bicicleta o levantar pesos.

■ Asegúrese de incluir en su dieta muchos alimentos ricos en vitamina C, que ayuda a mantener los vasos sanguíneos sanos y elásticos.

La extirpación quirúrgica de las venas varicosas no está recomendada durante el embarazo, aunque sí puede ser practicada unos meses después del parto. Sin embargo, en la mayoría de los casos, el problema deaparecerá o disminuirá de forma espontánea después del parto, aproximadamente en la misma época en que se llegue de nuevo al peso anterior al embarazo.

Dolor e hinchazón pélvica

"Tengo toda la zona de la pelvis dolorida e hinchada, y me molesta mucho, creo que incluso me ha salido una protuberancia en la vulva. ¿Qué me está pasando?"

Las piernas son las que acumulan la mayoría de las consecuencias derivadas de las venas varicosas, pero no tienen el monopolio. Las varices también pueden aparecer en el área genital (y en el recto, y en tal caso se denominan hemorroides), por la misma razón que pueden aparecer en las piernas, y parece que es precisamente esto lo que le está pasando. Conocidos en su conjunto como síndrome de congestión pélvica (SCP), estos síntomas (además de la protuberancia de la vulva) incluyen dolor pélvico crónico y/o dolor abdominal, una sensación molesta, de hinchazón y tirantez en el área pélvica y en los genitales, y a veces dolor durante las relaciones sexuales. Los consejos para minimizar las venas varicosas en las piernas también le serán de gran ayuda (véase la pregunta anterior), pero asegúrese de comprobar con su médico tanto el diagnóstico como las posibles opciones de tratamiento (normalmente aplazable hasta después del parto).

Erupciones cutáneas

"La piel se me está llenando de granos como cuando era una adolescente."

El resplandor del embarazo que algunas mujeres tienen la suerte de irradiar no se debe sólo a su estado de felicidad, sino al aumento de la secreción de aceites a causa de los cambios hormonales. Y, por desgracia, ésta es también la causa de las poco favorecedoras erupciones cutáneas del embarazo, que se presentan en algunas mujeres no tan afortunadas (y especialmente en las que ya se llenan de granitos poco antes de que les venga la regla). Aunque dichos granos son difíciles de eliminar por completo, las siguientes sugerencias podrán reducirlos al mínimo y evitar así que la cara le quede como un mapa.

■ Lávese la cara dos o tres veces al día con un jabón neutro, pero sin friccionar

Un *piercing* en el ombligo

El *piercing* está de moda, marca estilo, es sexy, y es una de las mejores formas de lucir un vientre plano y bien tonificado. Pero cuando el vientre le empiece a crecer, ¿tendrá que renunciar a su *piercing* en el ombligo? No será necesario, siempre que esté bien cicatrizado (dicho de otro modo, si no se lo pusieron justo el mes antes de concebir) y que no le provoque problemas de salud (es decir, que no esté inflamado ni le supure). Recuerde que su ombligo marca el lugar por donde estuvo conectada con su madre cuando estaba en el útero, pero no por donde está conectada con su hijo, por lo cual un *piercing* no señaliza camino alguno para que los agentes patogénicos lleguen hasta su bebé. Tampoco deberá preocuparse de que un *piercing* en la barriga pueda interferir en un parto vaginal, y ni siquiera en una cesárea.

Evidentemente, a medida que su embarazo vaya progresando y su vientre se ponga a crecer más deprisa, puede suceder que el *piercing* le empiece a resultar incómodo, debido a la piel tirante y estirada hasta el límite. También es posible que el *piercing* empiece a enganchársele con la ropa, especialmente hacia el final del embarazo, cuando el ombligo suele sobresalir; y si se le engancha, le puede producir mucho dolor.

Si decide quitarse el *piercing* durante todo el embarazo, póngaselo de vez en cuando para mantener abierto el agujero (a no ser que haga muchos años que lo lleva y no sea probable que se le llegue a cerrar). O considere la posibilidad de sustituirlo por uno de material flexible, como el teflón o el PTFE (politetrafluoroetileno).

Por lo que se refiere a ponerse un *piercing* en el vientre (o en cualquier otro lugar del cuerpo) durante el embarazo, es mejor a esperar a después del parto. No es aconsejable punzar la piel durante la gestación, porque se incrementan las posibilidades de sufrir una infección.

---

con demasiado ímpetu: no sólo porque su cutis está ahora más sensible, sino porque la piel más debilitada tiene la tendencia a producir más erupciones.

- Infórmese sobre cualquier tratamiento antiacné (tanto por vía tópica como por vía oral) antes de utilizarlo. Algunos se consideran seguros; otros no. Pregúnteselo a su médico y consulte la página 165.

- Utilice crema hidratante para la piel que no contenga sustancias grasas. En algunas ocasiones, la piel excesivamente reseca por el uso de jabones agresivos contra el acné y otros productos tiene más tendencia a llenarse de granos.

- Elija productos cosméticos y para la piel libres de grasas y que estén etiquetados como "no comedogénicos", es decir, productos faciales que no obstruyan los poros.

- Mantenga bien limpio todo lo que esté en contacto con su cara, incluyendo los pinceles de maquillaje.

- No se toque los granos ni se los reviente. Tal como siempre le había dicho su madre, tocarse o reventarse los granos no los hace desaparecer, sino que, de hecho, los puede empeorar, introduciendo bacterias en su interior; y una mujer gestante tiene más facilidad para contraer infecciones. Además, si se toca los granos, pueden acabar quedándole marcas en la cara.

- Coma adecuadamente siguiendo la dieta del embarazo que se describe en las páginas de este libro. Es bueno para su piel y bueno para su bebé.

- Tenga siempre un vaso lleno a su alcance. Beber mucha agua mantendrá su piel limpia e hidratada.

Piel seca

"Tengo la piel muy seca. ¿Esto también puede ser culpa del embarazo?"

Tiene la piel más áspera que un reptil. Pues también puede culpar a sus hormonas de tener la piel seca y con mucho picor. Los cambios hormonales eliminan la grasa y la elasticidad de su piel, dejándola con un tacto extremadamente seco. Para mantener su piel tan suave como la del culito de su futuro bebé, debería:

- Utilizar una loción limpiadora sin jabón, y utilizarla sólo una vez al día (de noche, si se ha de quitar el maquillaje). El resto de las veces, lávese sólo con agua.

- Póngase la crema hidratante cuando aún tenga la piel húmeda (después de ducharse o de bañarse) y úntesela de crema tantas veces como pueda (y, sin falta, antes de irse a dormir).

- Bañarse o ducharse menos rato (unos 5 minutos en vez de 15). Pasar demasiado rato en remojo puede secarle aún más la piel. Asegúrese también de utilizar agua tibia y no demasiado caliente. El agua caliente elimina la grasa natural de la piel, provocando más sequedad y picores.

- Utilice aceites de baño no perfumados, pero deberá tener cuidado de no resbalar, porque la bañera estará más resbaladiza. (Sobre todo debe tener cuidado cuando le haya crecido el vientre y vaya perdiendo el equilibrio.)

- Beba muchos líquidos a lo largo del día para mantenerse hidratada, y asegúrese de incluir grasas insaturadas en su dieta (las grasas omega-3 son beneficiosas tanto para su bebé como para su propia piel).

- Mantenga las habitaciones de su casa bien humidificadas.

- Utilice una crema solar con un factor de protección de al menos 15 (y, preferiblemente, 30) cada día.

Eccema

"Siempre he tenido problemas de eccema, pero ahora que estoy embarazada han empeorado mucho. ¿Qué puede hacerse?"

Por desgracia, el embarazo (o más concretamente sus hormonas) suele hacer empeorar los síntomas del eccema, y por lo tanto, en las mujeres que ya lo tienen, los picores y las escamas pueden hacerse insoportables. (Algunas mujeres afortunadas que tienen eccema ven que el embarazo, contrariamente a lo que cabría esperar, les alivia los síntomas.)

Afortunadamente, las cremas y pomadas con una pequeña dosis de hidrocortisona son seguras durante el embarazo si se utilizan en cantidades moderadas. Pregúntele a su médico o dermatólogo cuáles le recomienda. Los antihistamínicos también pueden ser útiles para calmar los picores, pero también en este caso deberá consultarlo primero con su facultativo. La ciclosporina, que hace tiempo que se utiliza en los casos graves y que no responden favorablemente a cualquier otro tratamiento, no es aconsejable durante la gestación. Algunos antibióticos tópicos o sistémicos podrían no ser seguros durante el embarazo, de forma que consulte primero con su médico. Los tratamientos no esteroides más nuevos tampoco son recomendables, porque no se ha estudiado aún su inocuidad durante la gestación, y no se puede garantizar su seguridad.

Si sufre de eccema, ya sabrá que la prevención es muy importante para evitar los picores. Intente los consejos siguientes:

- Utilice una compresa fría, y no las uñas, para calmar los picores. Arañarse empeora la situación y puede desgarrar la piel, provocando que entren las bacterias y causen una infección. Mantenga sus uñas cortas y redondeadas, para hacer disminuir las probabilidades de pincharse la piel, cuando no pueda evitar rascarse.

- Intente no entrar en contacto con productos potencialmente irritantes, como pueden ser, por ejemplo: los detergentes de la ropa, los productos limpiadores del hogar, los jabones, los baños de espuma, los perfumes, los cosméticos, la lana, los animales domésticos, las plantas, las joyas y los jugos tanto de carnes guisadas como de frutas.

- Hidrátese con frecuencia (mientras la piel aún esté húmeda, justo después de salir de la ducha) para mantener la propia hidratación de la piel y evitar la sequedad cutánea y la aparición de escamas.

- No pase demasiado rato en remojo (en duchas, bañeras o piscinas), sobre todo si son de agua caliente.

- Intente no acalorarse demasiado ni sudar (dos de los principales impulsores del eccema). Evidentemente, esto es más fácil de decir que de hacer, para una mujer embarazada o para cualquier nueva mamá, acalorada y sudada. Manténgase fresca vistiendo ropa amplia y de algodón, y evitando los tejidos sintéticos, la lana o cualquier material de tacto áspero. Evite coger demasiado calor y vístase con varias capas de ropa, de forma que se las pueda ir quitando a medida que suba la temperatura.

- Intente mantener la calma, también, cuando tenga que enfrentarse al estrés, un causante habitual del eccema. Si se siente angustiada, intente practicar ejercicios de respiración para relajarse (véase la pág. 259).

Y no se olvide de esto: aunque la tendencia a tener eccema es hereditaria (con lo cual, su bebé también tiene posibilidades de sufrirlo), los investigadores han demostrado que darle el pecho a su hijo le puede evitar que también lo acabe teniendo. Otra buena razón para amamantar a su hijo, si tiene la posibilidad de hacerlo.

Una barriga que va y viene

"Me pasa algo muy raro: un día tengo el vientre muy protuberante y al día siguiente lo vuelvo a tener plano. ¿Cómo se explica eso?"

El vientre no se le hincha debido al embarazo, sino a causa de los intestinos. La distensión intestinal (el resultado del estreñimiento y una acumulación de gases, uno de los compañeros inseparables de la embarazada de los primeros meses) pueden hacer que se redondee un vientre que hasta ahora había sido totalmente plano. Por ello, su barriga tan pronto puede aparecer como desaparecer; de hecho, tan pronto como tenga algún movimiento intestinal. Un poco desconcertante, sí ("¡Ayer tenía aspecto de embarazada y hoy no!"), pero absolutamente normal.

No se preocupe. Pronto tendrá un vientre que no aparecerá y desaparecerá; esta vez se deberá al bebé y no a los intestinos.

Mientras tanto, consulte la página 195 para los consejos sobre cómo combatir el estreñimiento.

Perder la silueta

"¿Volveré a recuperar la silueta después de que haya nacido mi hijo?"

Bueno, la respuesta depende principalmente de usted. Los aproximadamente 2 kilos que de media acumulan la mayoría de las mujeres con cada embarazo, y la correspondiente flaccidez no son inevitables. De hecho, si gana la cantidad adecuada de peso en la proporción pertinente y mediante los alimentos adecuados, las posibilidades de recuperar la forma que tenía antes del embarazo son muy elevadas, particularmente si complementa una correcta nutrición con un ejercicio adecuado para las embarazadas y mantiene los hábitos saludables una vez haya llegado el bebé. De todas formas, recuerde que la recuperación no se produce de un día para otro (se precisa una media de entre tres y seis meses como mínimo).

Pero no tema el aumento de peso durante el embarazo. Recuerde que lo acumula por una buena razón, para la nutrición de su hijo durante la gestación y también a continuación, si decide amamantarlo.

Un útero demasiado pequeño

"Durante la última visita prenatal, la comadrona me dijo que tenía el útero un poco pequeño. ¿Quiere eso decir que mi hijo no crece lo suficiente?"

Normalmente, los padres se suelen preocupar por el tamaño de sus hijos antes de que éstos nazcan. Pero –igual que sucede cuando ya han nacido– habitualmente no existe un motivo real de preocupación. Al fin y al cabo, intentar medir su útero desde el exterior no es una ciencia exacta en ningún momento del embarazo, y mucho menos durante los primeros meses de gestación.

Calcular qué medida debería tener tampoco es fácil (a no ser que se sepa con exactitud qué día se concibió), ya que la fecha de su embarazo puede adelantarse o atrasarse en más de una semana. Lo más probable es que su comadrona le programe una ecografía para determinar con mayor exactitud la medida de su útero y la fecha prevista para el parto, para comprobar si existe alguna discrepancia, y lo más seguro es que no haya ninguna.

Un útero demasiado grande

"Me han dicho que mi útero tiene el tamaño de una gestación de diez semanas, pero según mis cálculos sólo hace ocho semanas que estoy embarazada. ¿Tengo el útero demasiado grande?"

Existen muchas posibilidades de que su útero sea más grande de lo que se esperaba, porque su embarazo esté más avanzado de lo que se creía. Es tan probable que se haya equivocado con las fechas del embarazo como que haya habido algún error en la medición del útero, ambos casos muy comunes. Probablemente su médico le prescribirá una ecografía para comprobar eso, u otras explicaciones menos probables (como que lleve gemelos, aunque no es probable que los embarazos múltiples provoquen tan pronto una diferencia en el tamaño del útero).

Dificultades de micción

"Estos últimos días me cuesta mucho orinar, a pesar de tener la sensación de que la vejiga está muy llena."

Es posible que su útero esté tozudamente inclinado (aproximadamente una de cada cinco mujeres tienen el útero inclinado hacia atrás, en vez de hacia delante), y no se quiera poner en el lugar que le correspondería, y que esté presionando la uretra, el tubo que cuelga de la vejiga. La presión de esta carga cada vez mayor puede dificultar la micción. También pueden darse pequeñas pérdidas de orina cuando la vejiga está muy sobrecargada.

En casi todos los casos, el útero por sí mismo adopta la posición correcta hacia finales del primer trimestre, sin precisarse ninguna intervención médica. Pero si la molesta especialmente –o tiene dificultades para orinar– llame a su médico. Éste podría intentar manipular su útero manualmente apartándolo de la uretra, para que pueda volver a orinar sin problemas. Esta técnica suele funcionar casi siempre. En el improbable caso de que no funcionase, podría ser necesaria la cateterización (eliminar la orina a través de un tubo).

Otra posibilidad si tiene problemas para orinar (y otra buena razón para llamar a su médico): una infección del tracto urinario. Véase la página 536 para más información.

Inestabilidad emocional

"Ya sé que tendría que estar feliz con mi nuevo embarazo, y generalmente lo estoy. Pero a veces me pongo triste y sólo tengo ganas de llorar."

Esto es propio de la inestabilidad emocional. Los cambios de humor son muy normales durante la gestación, y pueden llevarla a extremos hasta ahora desconocidos, desde estar exultante de felicidad hasta estar profundamente deprimida. Estos cambios de humor la pueden hacer subir hasta las nubes, y a continuación hacerla sentir la mujer más desgraciada del mundo, que llora incluso mientras lee los folletos de las ofertas del supermercado. ¿Tienen la culpa las hormonas? En buena parte, sí. Estos cambios de humor pueden ser más pronunciados durante el primer trimestre (cuando se concentra el mayor desconcierto hormonal) y, en general, en mujeres que ya manifestaban inestabilidad emocional durante los días anteriores a la regla (se trata de una especie de síntoma premenstrual elevado a la máxima potencia). Los sentimientos de ambivalencia sobre el embarazo, tan pronto como éste se confirma, normales incluso cuando el hijo ha sido muy buscado, pueden agudizar aún más la inestabilidad emocional. También están implicados todos los cambios que está experimentando (los físicos, los psicológicos, los sentimentales y los logísticos, y todos a la vez pueden acabar abrumándola).

Los cambios de humor tienden a moderarse un poco después del primer trimestre, cuando los niveles hormonales se empiezan a equilibrar y ya se ha habituado a algunos de los cambios causados por la gestación (aunque nunca se acabará de acostumbrar del todo). Mientras tanto, a pesar de que no existe ningún método infalible para frenar estos altibajos emocionales, existen diversas formas de minimizar los cambios de humor:

* Mantenga elevados sus niveles de azúcar en sangre. ¿Qué tiene que ver la glucosa con el humor? Mucho. Las

bajadas de azúcar –provocadas por largos períodos de tiempo sin comer nada– pueden provocar inestabilidad emocional. Otra buena razón para sustituir su rutina dietética de tres comidas diarias por la solución de seis colaciones al día (véase la pág. 102). Asegúrese de tomar suficientes hidratos de carbono complejos y proteínas en estos refrigerios, para alargar durante más rato la presencia de azúcar en la sangre (y, de paso, el buen humor).

* Reduzca el consumo de azúcar y cafeína. Con un caramelo, un pastel o una bebida a base de cola hará subir momentáneamente la glucosa en sangre, pero ésta pronto caerá en picado, al igual que su humor. La cafeína puede tener el mismo efecto, incrementando la inestabilidad emocional. Así que limite el consumo de estos alimentos para obtener unos resultados mejores.

* Coma bien. En general, comer adecuadamente la ayudará a estar mejor emocionalmente (además de físicamente), así que siga la dieta del embarazo siempre que pueda. Si incluye ácidos omega-3 en su dieta (con las nueces, el pescado y los huevos enriquecidos, para dar algunos ejemplos) podría estabilizar su estado anímico (y el omega-3 también es muy importante para el desarrollo cerebral de su bebé).

* Muévase. Cuanto más se mueva, de mejor humor estará. Ello se debe al hecho de que el ejercicio hace liberar endorfinas, que provocan una sensación de bienestar. Con la guía de su médico, practique algún tipo de deporte cada día.

* Haga el amor. Si no está de buen humor, hacer el amor con su pareja puede animarla, dado que con las relaciones sexuales se liberan hormonas que provocan la sensación de felicidad. Hacer el amor también la ayudará a sentirse más cerca de su pareja, en un momento en el que su relación puede estar afrontando nuevos retos. Si no tiene ganas de sexo, dedique tiempo a la intimidad de alguna otra forma (acariciándose, hablándose al oído, estando tumbados en la cama, o dándose la mano sentados en el sofá) y también se sentirá más animada.

* Ilumine su vida. Las investigaciones han demostrado que la luz solar puede mejorar su estado de ánimo. Cuando brille el sol, intente salir un rato a la calle (sin olvidar ponerse primero la crema de protección solar).

* Exprese sus sentimientos. ¿Preocupada? ¿Angustiada? ¿Desanimada? ¿Con inseguridades? El embarazo es un momento en el que se mezclan muchas emociones, lo que provoca la inestabilidad emocional. Exteriorizar estos sentimientos –a su pareja (al que probablemente le está pasando algo parecido), a los amigos de confianza o a otras mujeres embarazadas del chat (consulte los tableros de anuncios de las páginas web sobre el embarazo, o <whattoexpect.com>)– la puede ayudar a sentirse mejor o, como mínimo, a darse cuenta de que lo que le pasa es normal.

* Descanse. El agotamiento puede agudizar los cambios de humor normales del embarazo, así que asegúrese de dormir bastante (pero tampoco demasiado, ya que dormir en exceso también incrementa la fatiga y la inestabilidad emocional).

* Aprenda a relajarse. Sin duda alguna, el estrés puede desanimarla, así que deberá buscar formas de reducirlo o afrontarlo mejor. Consulte la página 160 para más consejos.

Si hay alguien más afectado –y preocupado– por sus cambios de humor será su pareja. A ésta le ayudará poder comprender por qué actúa de esta manera, ahora que está embarazada (y que las hormonas del embarazo la dominan), pero también la ayudará saber cómo la puede ayudar de la mejor manera posible. Así que dígale lo que necesita para sentirse mejor (¿más ayuda con las tareas del hogar? ¿Salir a cenar a su restaurante favorito?) y qué es lo que no necesita (que le diga que está engordando demasiado o encontrarse su ropa interior por el suelo). Y sea concreta: ni siquiera la pareja más comprensiva puede leerle la mente. Consulte el Capítulo 19 para más información sobre las estrategias de pareja para los futuros papás.

Depresión

"Me esperaba cambios de humor durante el embarazo, pero yo no estoy deprimida de vez en cuando; ¡lo estoy continuamente!"

Todas las embarazadas tienen altos y bajos, y es normal. Pero si su desánimo es intenso o frecuente, podría encontrarse entre el 10 o 15% de las gestantes que han de combatir con una depresión durante los meses de embarazo. A continuación, le exponemos algunos de los hechos que pueden agravar el riesgo de que una futura mamá caiga en la depresión:

- Historial personal o familiar de inestabilidad emocional.

- Problemas sentimentales o económicos.

- Falta de apoyo emocional y de comunicación con el padre del bebé.

- Hospitalización o reposo absoluto a causa de complicaciones del embarazo.

- Angustia por el propio estado de salud, especialmente si tiene alguna enfermedad crónica o ha experimentado

previamente complicaciones o enfermedades durante el embarazo.

- Angustia por la salud del bebé, especialmente si cuenta con un historial familiar o personal de abortos, defectos congénitos u otros problemas.

Los síntomas más comunes de una auténtica depresión –aparte de sentirse triste, vacía y emocionalmente letárgica– incluyen: problemas para dormir (duerme demasiado o no puede dormir en absoluto); cambios de los hábitos alimentarios (comer demasiado poco o comer continuamente); cansancio prolongado o inusual y/o una actividad o inactividad excesiva; pérdida generalizada del interés por el trabajo, las aficiones y otras actividades habituales o de ocio; una menor capacidad de concentración; cambios de humor exagerados, e incluso pensamientos autodestructivos. También pueden aparecer molestias y dolores inexplicables. Si eso es lo que está experimentando, empiece a poner en práctica los consejos de la pregunta anterior para afrontar la inestabilidad emocional.

Si los síntomas se alargan durante más de dos semanas, hable sobre su depresión con su facultativo, que quizá le haga unas pruebas de tiroides, que puede provocar la depresión, o le recomendará algún terapeuta que le pueda ofrecer apoyo psicológico. Obtener la ayuda adecuada es muy importante. La depresión puede provocar que no cuide bastante de sí misma ni de su hijo, ni ahora ni después del parto. Efectivamente, la depresión durante el embarazo puede hacer aumentar el riesgo de complicaciones, de la misma forma que la depresión puede afectar negativamente a su salud incluso si no estuviera embarazada. La decisión sobre si precisa tomar medicación antidepresiva requiere la valoración previa de un especialista que sopese los posibles

Ataques de pánico

El embarazo puede ser un período de mucha angustia para las mujeres que gestan por primera vez (y que, por lo tanto, no saben lo que les espera). Una cierta preocupación es normal y probablemente inevitable. ¿Pero qué sucede si la preocupación se convierte en pánico?

Si ya ha tenido ataques de pánico antes, probablemente ya conoce sus síntomas (de hecho, la mayoría de las mujeres que tienen ataques de pánico durante la gestación ya los habían tenido antes). Se caracterizan por un temor o malestar intensos, acompañados por una aceleración del latido cardiaco, sudores, temblores, falta de aire, sensación de ahogo, dolor en el pecho, náuseas o dolor abdominal, desmayos, estremecimientos o escalofríos, y repentinos ataques de frío o de calor. Los ataques de pánico puede ser increíblemente desagradables, y especialmente cuando se manifiestan por primera vez. Pero, por suerte, aunque la afecten, no existe ninguna razón para creer que vayan a afectar al desarrollo de su bebé en ningún sentido.

De todos modos, si padece este tipo de ataques, coménteselo a su médico. La terapia es siempre la primera opción durante el embarazo (y fuera del embarazo, también). Pero si precisa medicación para asegurar su bienestar (y el de su futuro hijo; cuando la angustia no la deja comer, dormir ni cuidar de su futuro hijo), su médico, junto con algún terapeuta especializado, le podría recetar la mejor medicación y con el menor riesgo (así como la dosis requerida). Incluso en el caso en que se haya tenido que medicar para los ataques de pánico, angustia o depresión antes del embarazo, podría ser necesario cambiar de medicación o modificar la dosis.

Aunque la medicación es una solución a la ansiedad extrema, obviamente no es la única. Existen muchas alternativas no farmacológicas que se pueden utilizar en sustitución de la terapia tradicional o de forma simultánea. Entre otras, figuran comer bien y regularmente (incluir muchos ácidos grasos omega-3 en su dieta puede ser especialmente útil); evitar el consumo de azúcar y cafeína (la cafeína, en particular, puede provocarle ansiedad); practicar ejercicio con regularidad, y aprender meditación y otras técnicas de relajación (el yoga prenatal puede resultar increíblemente relajante). Hablar de sus angustias con otras mujeres embarazadas también puede ser muy reconfortante.

riesgos y los posibles beneficios (véase la pág. 557 para más información sobre el uso de antidepresivos durante el embarazo).

Consúltelo también con su médico antes de optar por tratamientos alternativos. Los suplementos sin prescripción facultativa, como algunos preparados de hierbas conocidos por sus propiedades de potenciadores anímicos, no han sido suficientemente estudiados como para considerarlos seguros durante el embarazo. Pero otras terapias de medicina alternativa y complementaria (véanse las págs. 95-96) podrían ayudarla, y la terapia con luz solar (que hace aumentar los niveles de serotonina, la hormona cerebral reguladora del estado anímico) reduce a la mitad los síntomas de depresión en el embarazo. Comer alimentos ricos en ácidos grasos omega-3 reduce el riesgo de depresión en el embarazo y quizá también en el posparto. También puede consultar con su médico la posibilidad de tomar suplementos de omega-3 inocuos para el embarazo.

Sufrir depresión durante el embarazo hace aumentar el riesgo de sufrir también depresión posparto. La buena noticia es que seguir el tratamiento adecuado durante el embarazo –y/o justo después del parto– puede ayudar a prevenir la depresión posparto. Consúltelo con su médico.

Aumento de peso durante el embarazo

Cuando dos embarazadas coinciden –ya sea en la sala de espera del ginecólogo, en un ascensor o en una reunión laboral– empiezan a surgir las preguntas: "¿Cuándo te toca?", "¿Notas ya cómo se mueve?", "¿Has tenido náuseas y vómitos?". Y la pregunta que probablemente se plantea con mayor frecuencia: "¿Cuántos kilos has ganado?"

Todo el mundo espera ganar peso durante el embarazo (y después de pasarse media vida haciendo régimen, muchas mujeres esperan con ilusión este aumento de peso). Y, de hecho, ganar el peso justo es vital cuando se está esperando un bebé. Pero ¿cuál es el peso ideal?, ¿cuál es excesivo?, y ¿cuál insuficiente? ¿Cómo debe progresar el aumento? ¿Perderé todo el peso después de dar a luz? (La respuesta: sí, siempre que gane la cantidad de kilos adecuada, en la proporción adecuada, y a base de los alimentos adecuados.)

¿Cuántos kilos debería ganar?

Si existe una razón legítima para acumular kilos, ésta es el embarazo. Al fin y al cabo, si está haciendo que se desarrolle un hijo, usted también se estará desarrollando un poco. Pero acumular demasiados kilos puede suponer un problema para usted, para su hijo y para su embarazo. Lo mismo podríamos decir si se acumulan demasiado pocos.

¿Cuál es la fórmula ideal de aumento de peso durante el embarazo?

De hecho, dado que cada embarazada –y cada cuerpo embarazado– es distinta, esta fórmula puede ser muy variable. La cantidad de kilos que debería engordar durante las 40 semanas de gestación también va en función de la cantidad de kilos que pesaba antes de concebir.

Su médico le aconsejará sobre el aumento de peso recomendable para su situación particular (y su recomendación es la que ha de seguir, independientemente de lo que se explique aquí). Generalmente, las recomendaciones de aumento de peso se basan en su IMC (el cálculo del índice de masa corporal resulta de dividir la masa en kilos por el cuadrado de la estatura expresada en metros; véase *Comer bien cuando se está esperando*). Si su IMC se encuentra dentro de la media (entre 18,5 y 25), probablemente le recomendarán que gane entre 12 y 16 kilos, la recomendación estándar para las mujeres embarazadas de peso medio. Si empieza el embarazo con un exceso de peso (con un IMC de entre 25 y 30), su aumento de peso ideal será inferior, entre 7 y 12 kilos. Si es obesa (con un IMC superior a 30), le pedirán que suba un máximo de entre 7 y 9 kilos, o incluso menos. ¿Y qué pasa con las mujeres extremadamente delgadas (con un IMC inferior a 18,5)? Lo más probable es que le pongan el listón más alto que a la media, entre 14 y 20 kilos. Las futuras mamás con más de un feto en el vientre, por cada criatura de más necesitarán un aumento de peso extra (véase la pág. 441).

Por qué más (o menos) aumento de peso no aporta más

Qué puede perder si gana demasiado peso durante el embarazo. Acumular demasiados kilos puede provocar una serie de problemas en la gestación. Cuanto más grasa acumule, más difícil será examinar y medir al bebé, y un exceso de peso puede provocarle más molestias del embarazo (desde el dolor de espalda y las varices, hasta la fatiga y la acidez). Ganar demasiado peso también puede incrementar las posibilidades de tener un parto prematuro, de desarrollar diabetes gestacional o hipertensión, o de que se desarrolle un bebé demasiado grande para poder dar a luz por vía vaginal, además de las complicaciones que se pueden presentar después de practicarle una cesárea o problemas para su bebé y más dificultades con la lactancia. Evidentemente, esos kilos de más también serán más difíciles de perder después del parto.

En efecto, muchas mujeres que ganan demasiado peso durante el embarazo nunca llegan a deshacerse de él por completo.

Aumentar demasiado poco durante el embarazo tampoco es aconsejable, y en algunos casos incluso puede ser más peligroso que aumentar demasiado. Los bebés de madres que ganan menos de 10 kilos tienen más posibilidades de ser prematuros o demasiado pequeños para la edad gestacional, y de padecer restricciones del crecimiento dentro del útero.

La excepción: las mujeres con mucho sobrepeso, que pueden ganar sin riesgos menos de 10 kilos bajo una constante supervisión médica.

Pero una cosa es marcarse un objetivo de aumento de peso ideal, y otra bien distinta es cumplirlo al pie de la letra. De hecho, los ideales nunca son completamente compatibles con la realidad. Acumular la cantidad adecuada de kilos no sólo es aumentar la cantidad de alimentos de su plato. También hay otros factores en juego. Existen muchos elementos que la ayudarán (o le dificultarán) en el aumento de peso ideal: su metabolismo, sus genes, su nivel de actividad, los síntomas de embarazo que tenga (la acidez o las náuseas, que hacen que coma menos; los antojos por alimentos hipercalóricos, que la hacen aumentar de peso demasiado deprisa). Sin perder esto de vista, échele un vistazo a la báscula regularmente, para asegurarse de que está ganando el peso adecuado.

¿A qué ritmo debería engordar?

Aumentar de peso de forma lenta y equilibrada es siempre un buen consejo, y también durante el embarazo. Un aumento de peso gradual es mejor para su cuerpo y para el de su bebé. De hecho, la proporción del incremento de peso es tan importante como el propio incremento de peso global. Ello se explica porque su bebé necesita un suministro equilibrado de nutrientes y calorías a lo largo de toda su estancia en el útero, especialmente cuando empieza a crecer de forma significativa (durante el segundo y el tercer trimestre). Un aumento de peso bien pautado también beneficiará a su propio organismo, que se podrá ajustar gradualmente al incremento de kilos (y

Desglose del aumento de peso

(Los pesos son aproximados)

Feto	3.500 gramos
Placenta	700 gramos
Líquido amniótico	900 gramos
Aumento del útero	900 gramos
Tejido mamario materno	900 gramos
Volumen sanguíneo materno	1.800 gramos
Líquido de los tejidos maternos	1.800 gramos
Reservas de grasa maternas	3.200 gramos
Promedio general	**13.700 gramos de aumento general de peso**

a las consecuencias físicas que este aumento comporta). Un aumento gradual también permite que la piel se le vaya estirando progresivamente (y le provoque menos celulitis). ¿Necesita más argumentos? Los kilos que se acumulan poco a poco y de forma equilibrada también se perderán con mayor facilidad en su momento (una vez haya dado a luz y tenga ganas de recuperar la silueta que tenía antes del embarazo).

Un aumento de peso equilibrado, ¿significa aumentar lo mismo cada una de las 40 semanas del embarazo? No; aunque éste sería un plan posible, no es el mejor. Durante el primer trimestre, su bebé sólo tiene el tamaño de la cabeza de un alfiler, y por lo tanto en este momento comer para dos no supone comer más, y sólo se precisa un aumento mínimo de peso. Un buen objetivo para el primer trimestre es un aumento de 1 o 2 kilos, aunque muchas mujeres no aumentan ni

un gramo, o incluso pierden un poco de peso (por culpa de las náuseas y los vómitos), y otras ganan un poco más de lo que conviene (porque sólo se les pasa el mareo con alimentos hipercalóricos y de tipo capricho) y tampoco les pasa nada.

Las que hayan empezado a engordar paulatinamente lo tendrán más fácil para poderse conceder algún capricho durante los próximos seis meses (especialmente a partir del momento en que tienen el olfato menos sensible y suele apetecerles más); sin embargo, para las que han empezado sumando más kilos, controlar la báscula más de cerca durante el segundo y el tercer trimestre las ayudará a no excederse en el aumento global de peso.

Durante el segundo trimestre, su bebé empezará a ganar peso notablemente, por lo que usted también lo debería hacer. Su aumento de peso medio habría de ser de entre medio kilo y tres cuartos por semana durante los meses cuarto a sexto (con un total de entre 6 y 7 kilos).

En el último trimestre, el aumento de peso del bebé llegará a su máximo, pero el suyo se debería limitar a medio

Señales de alerta del aumento de peso

Si gana más de 1,5 kilos durante una sola semana en el segundo trimestre, o más de 1 kilo en una sola semana durante el tercer trimestre, especialmente si ello no parece tener relación con una ingesta excesiva de calorías o de sodio, consulte con su médico. Consúltele también si no gana nada de peso durante más de quince días entre los meses cuarto y octavo de gestación.

kilo semanal (con un aumento global de entre 4 y 5 kilos). Algunas mujeres estabilizan su peso –e incluso pierden medio kilo o un kilo– durante el noveno mes del embarazo, cuando el feto ya ejerce presión sobre el estómago y resulta más difícil encontrar sitio para la comida.

¿Será capaz de seguir esta fórmula de aumento de peso al pie de la letra? Siendo realistas, seguramente no. Habrá semanas en las que tendrá más apetito y no se podrá controlar tanto, y aumentará más peso del previsto. Otras semanas, en cambio, alimentarse se convertirá en un esfuerzo (especialmente si todo lo que le entra por la boca vuelve a salir por el mismo camino). No se preocupe ni se obsesione con la báscula. Mientras su aumento de peso global sea razonable, y el promedio se aproxime al deseado (un cuarto de kilo una semana, un kilo la siguiente, medio kilo la otra, y así sucesivamente), estará yendo por el buen camino.

Así que, para mejorar su aumento de peso, échele un vistazo a la báscula a menudo, y no pierda de vista su objetivo final. Pésese (a la misma hora del día, con la misma ropa y en la misma báscula) una vez por semana (si se pesa más a menudo se volverá loca por las fluctuaciones diarias de líquido). Si pesarse una vez por semana es excesivo (porque les tiene fobia a las básculas), déjelo en dos veces por mes.

Si lo prefiere, espere a pesarse en las visitas prenatales mensuales, aunque debe recordar que en un mes pueden acumularse muchos kilos (¡hasta 5!) o no acumular ninguno, con lo cual será muy difícil rectificar al cabo de tantos días.

Si ve que su peso varía mucho de lo que estaba previsto (si por ejemplo gana 7 kilos durante el primer trimestre, en vez de 1 o 2, o si suma 10 en el segundo trimestre, en vez de 6), intente frenar el incremento de kilos pero no pararlo por completo. Hacer régimen para perder peso durante el embarazo no es recomendable, y nunca se debe recurrir a las bebidas ni las píldoras que sacian engañosamente el apetito (ya que podrían resultar muy peligrosas). En vez de ello, y con la ayuda de su médico, reajuste su objetivo final para incluir el exceso de peso que ya ha acumulado y para determinar la tasa de aumento de peso que debería seguir a partir de ahora.

El tercer mes

Semanas 9 a 13 aproximadamente

D ADO QUE ESTÁ ENTRANDO EN EL último mes del primer trimestre (¡bien!), probablemente aún la estarán molestando algunos de esos síntomas de principios del embarazo (ya no tan bien…). Eso significa que le será difícil saber si está exhausta debido a la fatiga del primer trimestre, o porque anoche se tuvo que levantar tres veces para ir al baño (probablemente un poco de cada cosa). Pero levante el ánimo, si tiene fuerzas para levantarlo. Tiene mejores días por delante. Si las náuseas matutinas la han mantenido a usted –y a su apetito– bajo mínimos, pronto sus despertares serán más agradables. Pronto, cuando se eleven sus niveles de energía, podrá "ponerse en pie y en marcha" y, dado que ya no tendrá esas urgencias urinarias, se levantará menos veces durante la noche. ¡Y lo mejor de todo! En la visita de control de este mes podrá oír el sorprendente sonido del latido cardiaco de su bebé, que hará que piense que todos esos síntomas tan incómodos valen la pena.

Su bebé este mes

Semana 9 Su bebé (que se ha pasado oficialmente de la categoría de embrión a la de feto) ha crecido hasta medir aproximadamente 2,5 cm, más o menos el tamaño de una aceituna. Su cabeza seguirá desarrollándose y va a tener unas proporciones más parecidas a las de un bebé. Esta semana, se estarán empezando a formar unos músculos diminutos. Eso permitirá que el feto mueva los brazos y las piernas, aunque aún falta un mes para que pueda notar esos pequeños puñetazos y patadas. A pesar de que es demasiado pronto para oír nada, no lo es para oír ciertas cosas (posiblemente). El glorioso sonido del latido cardiaco de su bebé quizá pueda oírse a través del dispositivo Doppler de la consulta de su médico. Escuche, y su propio corazón latirá más deprisa.

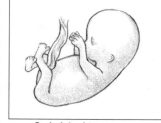

Su bebé, el tercer mes

Semana 10 Con más de 3 cm de longitud (aproximadamente el tamaño de una ciruela pasa), su bebé está creciendo a saltos. Y para poder ajustarse a estos saltos y rebotes (a pasitos de bebé), se estarán formando los huesos y cartílagos, y unas pequeñas muescas en las piernas se convertirán en las rodillas y los tobillos. Y todavía más increíble para alguien que tenga el tamaño de una ciruela pasa, los codos de los bracitos de su bebé ya están en funcionamiento. Bajo las encías se están formando diminutos esbozos de los dientes. Y más abajo, el estómago está segregando jugos digestivos, los riñones están produciendo mayores cantidades de orina, y, si su bebé es un niño, sus testículos estarán empezando a producir testosterona (¡los chicos ya serán chicos, incluso a esta edad!).

Semana 11 Su bebé mide ahora poco más de 5 cm y pesa unos 10 gramos. Su cuerpo se está enderezando y el torso se está alargando. Se están formando los folículos pilosos, y están empezando a formarse los lechos de las uñas de manos y pies (las uñas empezaran a crecer dentro de pocas semanas). Dichas uñas aparecerán en las puntas de unos dedos individuales, que se habrán separado hace poco, a partir de las manos y los pies dotados de membranas interdigitales que eran hace unas pocas semanas. Y aunque todavía no se puede saber si es niño o niña (ni siquiera en la ecografía), si es una niña, se estarán desarrollando los ovarios. Lo que sí podrá ver, si le hacen una ecografía y el feto está bien posicionado, es que su feto tiene unas características humanas distintivas, con manos y pies en la parte frontal del cuerpo, unas orejas casi en un extremo (que no será su localización final), unas aberturas nasales abiertas en la punta de la nariz, una lengua y un paladar en la boca, y unos pezones visibles.

Semana 12 El tamaño de su bebé se ha duplicado o más durante las últimas tres semanas, y pesa ahora aproximadamente 45 gramos y mide (de la coronilla a la rabadilla) unos 6,5 cm. Con un tamaño parecido al de una ciruela fresca grande, el cuerpo de su bebé está produciendo mucho en el departamento de desarrollo. Aunque la mayoría de sus sistemas ya están completamente formados, aún tienen que madurar mucho. El sistema digestivo está empezando a practicar los movimientos de contracción (para que su bebé sea capaz de comer), la médula ósea está empezando a producir glóbulos blancos (para que su bebé pueda luchar contra esos gérmenes con los que inevitablemente entrará en contacto), y la hipófisis, en la base del cerebro, ha empezado a producir hormonas (por lo que su hijo algún día será capaz de producir sus propios bebés).

Semana 13 Dado que se acerca el momento de cerrar el tercer trimestre, su feto (que parece que está trabajando en el departamento de producción) ha alcanzado el tamaño de un melocotón, unos 7,5 cm de largo. Su cabeza supone ahora la mitad de la longitud total de coronilla a rabadilla, pero este pequeño y delicado cuerpo continuará trabajando en horas extras (al nacer, su bebé estará formado por un cuarto de cabeza y tres cuartos de cuerpo). Mientras tanto, sus intestinos, que han estado creciendo por dentro del cordón umbilical, están empezando a tomar su verdadera posición, en el abdomen fetal. Esta semana también se estarán desarrollando las cuerdas vocales (con ellas llorará... ¡pronto!).

Qué se puede sentir

Como siempre, recuerde que cada embarazo y cada mujer son distintos. Puede tener todos estos síntomas una vez u otra, o sólo sentir alguno de ellos. Puede que aún note algunos síntomas del mes pasado; otros serán nuevos. Y puede que otros casi no se noten porque se ha acostumbrado a ellos. También puede sufrir otros síntomas menos comunes. Aquí tenemos lo que puede sentir este mes:

Un vistazo al interior

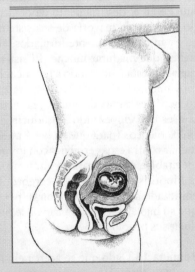

Este mes, su útero es algo mayor que un racimo de uva, y puede que su cintura empiece a ensancharse. A finales del mes, se podrá sentir su útero justo por encima de su hueso púbico, en la parte inferior del abdomen.

Físicamente

- Fatiga, falta de energía, somnolencia.

- Necesidad de orinar con frecuencia.

- Náuseas, con o sin vómitos.

- Salivación excesiva.

- Estreñimiento.

- Ardor de estómago, indigestión, flatulencia, hinchazón.

- Aversiones a determinados alimentos, antojos.

- Incremento del apetito, especialmente si las náuseas matutinas están mejorando.

- Cambios corporales: sentirse llena, pesadez, sensibilidad exagerada, hormigueos; oscurecimiento de las aréolas (la zona pigmentada que rodea los pezones); las glándulas lubricantes de las aréolas se hacen mucho más prominentes, como grandes protuberancias de piel de gallina; aparece bajo su piel una red en expansión de líneas azuladas.

- Venas visibles en el abdomen, en las piernas y en otros lugares, al aumentar la cantidad de sangre.

- Un ligero aumento del flujo vaginal.

- Jaquecas ocasionales.

- Mareos y vértigos ocasionales.

- Su vientre se redondea un poco más; la ropa le aprieta un poco.

Emocionalmente

- Continuas subidas y bajadas del estado de ánimo, que pueden incluir cambios de humor, irritabilidad, irracionalidad y llantinas.
- Inquietudes, miedos, alegría, júbilo (todos ellos o sólo algunos).

- Una nueva percepción de tranquilidad y calma.
- Todavía, un cierto sentido de irrealidad sobre el embarazo (se pregunta constantemente: "¿De verdad hay un bebé ahí dentro?").

Qué se puede esperar en la visita de este mes

Este mes, puede esperar que su médico o comadrona comprueben lo siguiente, aunque puede haber variaciones dependiendo de las necesidades de su facultativo o el estilo de práctica de éste:

- Peso, presión arterial.
- Análisis de orina, para el nivel de azúcar y proteínas.
- Latido cardiaco fetal.

- Tamaño del útero, por palpación externa (desde el exterior), para ver si está en consonancia con la fecha de salida de cuentas.
- Altura del fundus (la parte superior del útero).
- Manos y pies, por si existe hinchazón, y piernas, para las venas varicosas.
- Preguntas o problemas que desee aclarar. Tenga preparada una lista.

Qué puede preocupar

Estreñimiento

"He tenido un estreñimiento terrible durante las últimas semanas. ¿Es eso normal?"

La irregularidad –esta sensación de estar llena, con gases y de atasco– aparece con cierta regularidad en los embarazos. Y existen buenas razones para ello. Por una parte, los altos niveles de progesterona que circulan por su sistema sanguíneo son la causa de que sus músculos se aflojen y que su intestino grueso se relaje, lo que permite que el alimento esté durante más tiempo dentro del sistema digestivo. La ventaja: hay más tiempo para que los nutrientes sean absorbidos por el torrente circulatorio, permitiendo que una mayor cantidad de ellos lleguen a su bebé. La desventaja: usted conserva en su interior grandes cantidades de productos de desecho, sin que nada vaya a ninguna parte en ningún momento lo suficientemente deprisa. Otra razón para el atasco: el útero en desarrollo presiona a los intestinos, obstaculizando su actividad normal. Demasiados inconvenientes para el proceso de eliminación, al menos en comparación a lo que estaba acostumbrada.

Pero no debe aceptar el estreñimiento como algo inevitable, sólo por el hecho de estar embarazada. Pruebe estas medidas para combatir la obstrucción de su colon (y prevenga las hemorroides, un acompañante muy común del estreñimiento):

Una razón para estar más cansada, voluble y estreñida

Si ha estado cansada, voluble y estreñida últimamente, bienvenida al club de las embarazadas. Las hormonas de la gestación, que están aumentando, son por supuesto las desencadenantes de estos malditos síntomas que sufren la mayoría de las embarazadas. Sin embargo, la disminución de otra hormona, la tiroxina, puede remedar estos síntomas tan comunes en el embarazo, así como muchos otros –aumento de peso, problemas de piel de todos los tipos, dolores y calambres musculares, descenso de la libido, pérdidas de memoria e hinchazón– especialmente de manos y pies. (Otro síntoma común, el aumento de la sensibilidad al frío, no se nota tanto durante el embarazo, dado que las futuras mamás tienden a tener más calor que a estar heladas.) Por lo tanto, el hipotiroidismo (una deficiencia de la hormona tiroidea debida a una actividad baja de la glándula tiroides) puede ser fácilmente pasado por alto por los médicos en las embarazadas. Y esta enfermedad, que afecta a una de cada cincuenta mujeres, puede tener efectos adversos en el embarazo (y también puede hacer estragos durante el posparto, véase la pág. 497), así que un diagnóstico y un tratamiento adecuados son de vital importancia.

El hipertiroidismo (cuando se produce demasiada hormona tiroidea, debido a una glándula demasiado activa) aparece pocas veces en el embarazo, pero también puede causar complicaciones si no se trata. Los síntomas del hipertiroidismo –muchos de los cuales también son difíciles de distinguir de los del embarazo– incluyen la fatiga, el insomnio, la irritabilidad, la piel caliente y la sensibilidad al calor, un latido cardiaco rápido y la pérdida de peso (o problemas para ganar peso).

Si en el pasado se le diagnosticó cualquier problema (aunque desde entonces no haya reaparecido) o si suele tomar medicación para ese problema tiroideo, asegúrese de explicárselo a su médico. Dado que las necesidades de hormona tiroidea del cuerpo de la embarazada fluctúan durante la gestación, es posible que necesite medicarse otra vez, o que se ajusten las dosis de los fármacos que ya toma (véase la pág. 561).

Si nunca se le ha diagnosticado una enfermedad tiroidea, pero está sufriendo alguno o todos estos síntomas de hipotiroidismo o hipertiroidismo (y especialmente si tiene un historial familiar de enfermedades tiroideas), hable con su médico. Un simple análisis de sangre puede determinar si tiene un problema tiroideo.

Defiéndase con la fibra. Usted –y su colon– necesitan de 25 a 35 gramos de fibra cada día. No necesita contarlos exactamente. Limítese a seleccionar alimentos ricos en fibra, tales como la fruta y las verduras frescas (crudas o ligeramente cocidas, ingiriendo también la piel, cuando sea posible); cereales y pan integrales; legumbres (judías y guisantes); y frutos secos. Pasarse al verde también puede ayudar a que las cosas "circulen"; no busque productos verdes sólo en forma de verduras verdes, sino también en el jugoso y dulce kiwi, una pequeña fruta que tiene un potente efecto laxante. Si no ha sido nunca una gran entusiasta de la fibra, añada estos alimentos a su dieta gradualmente, o puede que su sistema digestivo proteste sonoramente. (Pero dado que la flatulencia es un síntoma común del embarazo, así como un efecto secundario frecuente pero generalmente temporal de las dietas en que se ha introducido hace poco la fibra, quizá su sistema digestivo proteste durante un tiempo de todas formas.)

¿Está realmente atascada? Puede probar a añadir algo de salvado de trigo o psyllium *(Plantago psyllium)* a su dieta, empezando con una pizca y añadiéndolo progresivamente, según sea necesario. Pero no se pase con estos alimentos ricos en fibra; dado que se desplazan rápidamente por su sistema digestivo, pueden hacer que se pierdan importantes nutrientes antes de que tengan la oportunidad de ser absorbidos.

Resistirse a los refinados. Mientras que los alimentos ricos en fibra pueden desencadenar el movimiento, los alimentos refinados pueden provocar el atasco. Así que aléjese de las cosas refinadas de la vida, tales como el pan (y otros productos de bollería) y el arroz blancos.

Ahogue a su enemigo. El estreñimiento no tiene ninguna probabilidad de ganar si se enfrenta a una gran ingesta de líquidos. La mayoría de ellos –sobre todo el agua y los zumos de frutas y verduras– son muy efectivos para ablandar las heces y hacer que los alimentos se desplacen por el tracto digestivo. Otro método a largo plazo de hacer que las cosas se muevan: pásese a los líquidos calientes, incluyendo el más clásico de los balnearios: agua caliente con limón. La ayudarán a estimular el peristaltismo, esas contracciones intestinales que la ayudan a defecar. Y los casos verdaderamente difíciles pueden beneficiarse del favorito geriátrico, el zumo de ciruela.

Cuando tenga que ir, vaya. Si se retienen a menudo los movimientos de los intestinos, pueden debilitarse los músculos que los controlan y producirse el estreñimiento. Una buena programación puede ayudar a evitar este fenómeno. Por ejemplo, tome su desayuno rico en fibra un poco antes de lo acostumbrado, de forma que tenga ocasión de "sacarlo" antes de irse de casa, en vez de tener ganas cuando se encuentre dentro del coche en mitad de un embotellamiento.

No se pase a la hora de la comida. Las comidas copiosas pueden exigir demasiado a su tracto digestivo, consiguiendo que se congestione más. Opte por tomar seis minicolaciones al día en vez de tres comidas grandes y tendrá menos gases e hinchazón.

Compruebe sus suplementos y fármacos. Irónicamente, muchos de los suplementos que son beneficiosos para un cuerpo embarazado (vitaminas prenatales, y suplementos de calcio y de hierro) pueden también contribuir al estreñimiento. E igualmente el mejor aliado de cualquier embarazada, los antiácidos. Así pues, hable con su facultativo sobre las posibles alternativas o un reajuste de las dosis o, en el caso de los suplementos, de cambiar a una fórmula de liberación lenta. Pregúntele también a su médico sobre los suplementos de magnesio, que le podrían ayudar a luchar contra el estreñimiento.

Hágase con algunas bacterias. Los prebióticos (es decir, los alimentos que contienen "bacterias buenas") pueden estimular a las bacterias intestinales a descomponer mejor los alimentos, ayudando al tracto digestivo en sus esfuerzos para que las cosas se continúen moviendo. Disfrute de los prebióticos tomando yogures y bebidas de yogur que contengan cultivos activos. También puede pedirle a su médico que le recomiende un suplemento de prebióticos en forma de polvos, que puedan añadirse fácilmente a los batidos (ya que es en sí insípido).

Haga algo de ejercicio. Un cuerpo activo fomenta unos intestinos activos, así que incluya un paseo a paso rápido de aproximadamente media hora en su rutina diaria (para algunas personas son suficientes 10 minutos); compleméntelo con cualquier ejercicio que le guste, y que sea seguro durante el embarazo (véase la pág. 253).

Si al parecer sus esfuerzos no son productivos, consulte con su facultativo. Puede que éste le prescriba un laxante del tipo que hace engrosar el volumen de las heces y ablandarlas, para que lo tome ocasionalmente. No use cualquier tipo de laxante (incluyendo los remedios a base de hierbas medicinales o el aceite de castor) a menos que su médico se lo recomiende específicamente.

Falta de estreñimiento

"Parece ser que todas mis amigas embarazadas tienen problemas de estreñimiento. Yo no; de hecho, sigo siendo muy regular. ¿Está trabajando mi sistema digestivo bien?"

Según las apariencias, parece que su sistema digestivo no podría funcionar mejor. Es muy probable que su eficacia digestiva se deba a su estilo de vida (el que ha estado llevando desde hace mucho tiempo o el que ha adoptado desde que supo que estaba embarazada). Un consumo gradualmente mayor de alimentos ricos en fibra y de líquidos, junto con el ejercicio regular, están indicados para contrarrestar el enlentecimiento natural que tiene lugar durante el embarazo, y para que las cosas sigan moviéndose "suavemente". Si este estilo de dieta es nuevo para usted, puede que la productividad de su tracto digestivo disminuya un poco (y puede que la flatulencia, que a menudo acompaña temporalmente tales cambios de dieta, disminuya) cuando su sistema digestivo se acostumbre a los materiales no refinados, pero probablemente continuará siendo "regular".

Diarrea

"No tengo estreñimiento en absoluto. De hecho, durante las últimas dos semanas tengo las heces sueltas, casi en forma de diarrea. ¿Es eso normal?"

Cuando se trata de los síntomas de embarazo, lo normal a menudo es lo que es normal para usted. Y en su caso, el de una mayor asiduidad, las heces sueltas deben ser sólo eso. Cada cuerpo reacciona de forma distinta a las hormonas del embarazo, y puede que el suyo esté reaccionando con un acelerón, y no con un frenazo, en cuanto a los movimientos intestinales. También es posible que esta mayor actividad de los intestinos se deba a un cambio positivo en sus hábitos de dieta y ejercicio.

Puede intentar reducir la ingesta de aquellos alimentos que estimulan los movimientos intestinales, tales como los frutos secos, y aumentar la de alimentos que producen un aumento de volumen de las heces (tales como los plátanos), hasta que sus deposiciones se hagan más sólidas. Para compensar los líquidos que está perdiendo debido a las heces blandas, asegúrese de beber lo suficiente.

Si sus deposiciones son muy frecuentes (más de tres al día) o acuosas, sanguinolentas o van acompañadas de mucosidad, hable con su médico; este tipo de diarrea podría requerir una intervención inmediata durante el embarazo.

Flatulencia

"Me siento muy hinchada y tengo muchas ventosidades. ¿Va a pasarme esto durante todo el embarazo?"

¿Qué es un quiste del cuerpo lúteo?

Si su médico le ha explicado que tiene un quiste del cuerpo lúteo, probablemente su primera pregunta sea: ¿qué es eso? Bien, aquí le informaremos de todo lo que debe saber. Cada mes, durante su vida reproductiva, se forma un pequeño acúmulo amarillento de células después de la ovulación. Llamado cuerpo lúteo (literalmente "cuerpo amarillo"), ocupa el espacio del interior del folículo que anteriormente ocupaba el óvulo. El cuerpo lúteo produce progesterona y algo de estrógenos, y está programado por la naturaleza para desintegrarse en unas dos semanas. Cuando eso sucede, la disminución de los niveles hormonales desencadena el período. Cuando se queda embarazada, el cuerpo lúteo permanece en lugar de desintegrarse, y continúa creciendo y produciendo suficientes hormonas para alimentar y mantener a su futuro bebé hasta que la placenta empieza a funcionar. En la mayoría de los embarazos, el cuerpo lúteo empieza a encogerse aproximadamente a las seis o siete semanas de la última menstruación, y deja de funcionar del todo a las 10 semanas más o menos, cuando su función de alimentar al bebé ha terminado. Pero en aproximadamente el 10% de los embarazos el cuerpo lúteo no entra en regresión cuando debería hacerlo. En vez de ello, se desarrolla formando un quiste del cuerpo lúteo.

Pues bien, ahora que ya sabe lo que es un quiste del cuerpo lúteo, probablemente se estará preguntando: ¿cómo afectará a mi embarazo? La respuesta es: probablemente no le afectará en absoluto. Generalmente el quiste no constituye motivo de preocupación, ni deberá hacerse nada al respecto. Lo más probable es que desaparezca por sí mismo durante el segundo trimestre. Pero para estar más seguro, su médico comprobará el tamaño y la situación de su quiste regularmente por medio de ecografías (lo que significa que podrá atisbar a su bebé más veces).

Está dejando ir tantas ventosidades como un chico en un internado (o *más* que un chico en un internado). Lo siento, chicos, pero nadie fabrica tantos gases como una mujer embarazada. Por suerte, y aunque no pueda decirse lo mismo de los que trabajan y viven cerca de usted, a una distancia que les permite oír y oler, su bebé ignorará totalmente sus trastornos digestivos. Cómodo y seguro en su capullo uterino, que está protegido por todas partes por el líquido amniótico, que es absorbente de impactos, él o ella probablemente estará complacido por el burbujeo y borboteo de su concierto gástrico.

Sin embargo, el bebé no estará feliz si la hinchazón –que a menudo empeora al final del día, y sí, generalmente persiste durante todo el embarazo– evita que usted se alimente bien y con regularidad. Para hacer disminuir los sonidos y olores de ahí abajo, y para asegurarse de que su ingesta de nutrientes no sufra por cuenta de sus trastornos intestinales, tome las siguientes medidas:

Sea regular. El estreñimiento es una causa frecuente de los gases y la hinchazón. Lea los consejos de la página 195.

Mordisquee, no se atiborre. Las comidas copiosas harán que se sienta aún más hinchada. Y también sobrecargan su sistema digestivo, que de todos modos no está en su mejor forma durante el embarazo. En vez de esas dos o tres colaciones de tamaño gigantesco, mordisquee seis minicomidas.

No engulla. Cuando come deprisa o come por el camino, probablemente ingerirá tanto aire como comida. Este aire capturado forma dolorosas bolsas de gas en su intestino, que se liberarán de la única forma que saben hacerlo.

Esté tranquila. Particularmente durante las comidas. La tensión y la ansiedad pueden ser la causa de que engulla aire, lo que le llenará el "tanque" de gas. Respirar profundamente unas cuantas veces antes de las comidas puede ayudarla a relajarse.

Aléjese de los productores de gas. Su barriga le dirá cuáles son; varían de una persona a la otra. Los culpables más comunes son las cebollas, las coles, los alimentos fritos, las salsas con mucha materia grasa, los dulces azucarados, las bebidas carbonatadas y, desde luego, las famosas judías.

No tome fármacos indiscriminadamente. Pregúntele a su médico, antes de tomarse su medicación usual antigás (algunos fármacos son seguros, otros no son recomendables), o cualquier otro remedio de parafarmacia o a base de hierbas medicinales. Sin embargo, una infusión ligera de manzanilla puede aliviarle de forma segura cualquiera de los trastornos digestivos inducidos por el embarazo. Y lo mismo sucede en el caso del agua caliente con limón, que puede acabar con los gases tan bien como cualquier medicación.

Jaquecas

"He comprobado que tengo muchas más jaquecas que antes. ¿Puedo tomarme algo para aliviarlas?"

Una de las ironías del embarazo es que las mujeres que son más susceptibles a las jaquecas durante este período son las que se supone que deben mantenerse más alejadas de ciertos calmantes. Es una ironía con la cual tendrá que convivir, pero no necesariamente la tendrá que sufrir; al menos, no demasiado. La prevención, junto con los remedios adecuados (medicinales o no), pueden ofrecerle un gran alivio contra las jaquecas normalmente recurrentes del embarazo.

La mejor forma de conseguir un alivio de las jaquecas depende de su causa. Las jaquecas durante el embarazo generalmente son el resultado de los cambios hormonales (que son los responsables de la mayor frecuencia y agudeza de muchos tipos de jaquecas, incluyendo las que tienen su origen en las sinusitis), la fatiga, la tensión, el mayor apetito, el estrés emocional o físico, o cualquier combinación de estos factores.

Existen muchas formas de combatir una jaqueca (y muchas de ellas, que son sorprendentemente efectivas, no se encuentran en forma de cápsulas). En muchos casos, podrá combatir la causa probable con el remedio adecuado:

Relájese. El embarazo puede ser un período de gran ansiedad, siendo las jaquecas debidas a la tensión una consecuencia común. Algunas mujeres encuentran alivio en la meditación y el yoga (que también es un ejercicio fabuloso para el embarazo). Puede asistir a clases, encontrar ayuda en un DVD o CD, leer un libro sobre ésta u otras técnicas de relajación, o probar con los consejos de la página 160.

Por supuesto, los ejercicios de relajación no funcionan con todo el mundo; algunas mujeres ven aumentar la tensión en vez de disminuirla. Si esto es lo que le sucede, será mejor que permanezca echada en una habitación silenciosa y oscura, o que se tumbe en el sofá o con los pies sobre su mesa de trabajo durante 10 o 15 minutos, lo que constituirá un remedio mejor para la tensión y las jaquecas producidas por ésta.

Descanse lo suficiente. El embarazo puede ser también un período de fatiga extrema, particularmente durante el primer y el último semestre, y a menudo durante los nueve meses, para aquellas mujeres que trabajan durante una larga jornada y/o tienen que cuidar de otros niños. Puede ser difícil conciliar el sueño una vez que la barriga empieza a aumentar de volumen ("¿Cómo voy a estar cómoda?") y la mente empieza a acelerarse ("¿Cómo voy a tenerlo todo listo antes de que llegue el bebé?"), lo que agrava la fatiga. Hacer un esfuerzo consciente para descansar más, de día y de noche, podrá ayudarla a mantener a raya las jaquecas. Pero tenga cuidado de no dormir demasiado: un exceso de sueño también puede producir una jaqueca, igual que dormir con las sábanas tapándole la cabeza.

Coma con regularidad. Para evitar las jaquecas desencadenadas por el hambre, debidas a los niveles bajos de azúcar en sangre, asegúrese de no estar con el estómago vacío. Lleve en el bolso tentempiés muy energéticos (tales como chips de soja, barritas de cereales, frutas secas y nueces), téngalos a punto en la guantera del coche, y también en el cajón de su despacho, y tenga siempre un suministro de ellos a mano en casa.

Busque algo de paz y tranquilidad. El ruido puede desencadenarle una jaqueca, especialmente si es especialmente sensible a los ruidos. Oblíguese a evitar los locales ruidosos (las grandes superficies, las fiestas ruidosas, los restaurantes con mala acústica). Si su trabajo es muy ruidoso, hable con su jefe sobre la posibilidad de tomar medidas para reducir el exceso de ruido, o incluso puede pedir que la transfieran a una zona más tranquila, si ello es posible. En casa, baje el volumen del timbre del teléfono, de la televisión y de la radio.

No se congestione. Una habitación sobrecalentada o un espacio mal ventilado pueden causarle una jaqueca a cualquiera, pero especialmente a una futura mamá, que para empezar ya está sobrecalentada. Por lo tanto, deberá intentar no congestionarse, pero cuando no lo pueda evitar (faltan dos días para Navidad y tiene que lanzarse al interior de unos grandes almacenes atiborrados de gente, o trabaja en ellos), haga una pausa cada vez que pueda y respire algo de aire fresco. Vístase por capas cuando sepa que va a estar en algún lugar congestionado, y manténgase cómoda (y esperemos que libre de la jaqueca) quitándose las capas según lo vaya necesitando. ¿El interior está congestionado? Trate al menos, si puede ser, de abrir una ventana.

Cambie la iluminación. Tómese el tiempo necesario para examinar su medio ambiente, particularmente la iluminación que la rodea, bajo una nueva... luz. Algunas mujeres comprueban que un lugar de trabajo sin ventanas, con iluminación fluorescente, puede desencadenarles las jaquecas. Puede ser muy útil cambiar a una iluminación a base de bombillas incandescentes y/o a una habitación con una ventana. Si ello no fuera posible, haga pausas yéndose al exterior, siempre que pueda.

Intente las alternativas. Algunos tipos de medicina complementaria y alternativa –incluyendo la acupuntura, la acupresión, el *biofeedback* y el masaje– pueden producir cierto alivio de las jaquecas (véanse las págs. 95-96).

Caliéntese y enfríese. Para el alivio de las jaquecas debidas a los senos nasales, aplíquese compresas frías y calientes en la zona dolorida, alternando 30 segundos de cada una hasta un total de 10 minutos, cuatro veces al día. Para las jaquecas causadas por la tensión, pruebe a ponerse hielo en la nuca durante 20 minutos, mientras cierra los ojos y se relaja. (Utilice una bolsa de hielo convencional o una almohadilla especial para la nuca, en cuyo interior se encuentra una gelatina para enfriar.)

Póngase derecha. Doblar el cuello o mirar hacia abajo para leer o llevar a cabo cualquier otra tarea que requiera acercar la cara (¿está tejiendo unos peúcos para el bebé?) durante largos períodos de tiempo puede también desencadenar dolores de cabeza; por lo tanto, vigile su postura.

Tome para dos. ¿No tiene tiempo para atender el dolor? Generalmente el paracetamol produce un rápido alivio y se considera seguro durante el embarazo (no tome ni ibuprofeno ni aspirina). Pregúntele a su médico la dosificación adecuada en el caso de las jaquecas. Y no tome ningún otro fármaco analgésico (de parafarmacia, recetado o a base de hierbas medicinales) sin la aprobación de su médico.

Si una jaqueca inexplicable persiste durante más de unas pocas horas, vuelve muy a menudo, es el resultado de la fiebre, o va acompañada de trastornos de la visión o hinchazón de las manos y la cara, notifíqueselo a su médico.

"Sufro de migrañas. He oído que son más comunes durante el embarazo. ¿Es verdad?"

Durante el embarazo, a algunas mujeres las migrañas las atacan más a menudo; las que tienen más suerte, las sufren con menor frecuencia que antes. No se sabe por qué sucede esto, o por qué algunas personas tienen migrañas recurrentes y otras no tienen ninguna.

Si ha tenido migrañas en el pasado, hable con su médico sobre qué medicación para las migrañas es segura durante el embarazo, de manera que esté preparada para enfrentarse a estas terribles dolencias si se le presentaran mientras espera. Piense también en la prevención. Si sabe lo que le provoca un ataque, intente evitar al culpable. El estrés es una de las causas más comunes, al igual que el chocolate, el queso y el café. Intente determinar qué es lo que puede evitarle, si es que existe algo, un ataque fuerte, una vez que han aparecido los signos de alarma. Puede que una o varias de las medidas siguientes la ayuden: salpicarse la cara con agua fría o aplicándose una compresa fría o una bolsa de hielo; evite el ruido, la luz o los olores, echándose en una habitación oscura durante dos o tres horas, con los ojos cubiertos (dormitando, meditando o escuchando música, pero no leyendo o viendo la televisión); o intente técnicas de la medicina complementaria o alternativa tales como el *biofeedback* o la acupuntura (véanse las págs. 95-96).

Estrías

"Tengo miedo de que me salgan estrías. ¿Pueden evitarse?"

A nadie le gustan las estrías, especialmente cuando se acerca el calor y se va a lucir la piel. Sin embargo, no es fácil escapar de ellas cuando se está esperando. La mayoría de las mujeres embarazadas ven surgir estas marcas rosadas o rojizas (a veces de color púrpura), ligeramente hundidas, que a veces pican, en sus pechos, caderas y/o abdomen en algún momento de su embarazo.

Estas marcas son en realidad diminutos desgarros de las capas de soporte de los tejidos que se hallan bajo su piel, cuando ésta se estira más allá de sus límites. Las futuras mamás que tienen una piel con un buen tono de elasticidad (debida a la herencia genética y/o adquirida mediante años de una excelente nutrición acompañada de ejercicio físico) pueden pasar por varios embarazos sin ninguna marca delatora. Y en realidad, su madre puede ser su bola de cristal cuando de lo que se trata es de predecir si tendrá usted estrías o no; si ella pasó por sus embarazos con una piel intacta, lo más probable es que a usted le suceda lo mismo. Si su madre tiene estrías, lo más probable es que usted también las tenga.

Puede minimizar, si no prevenir, las estrías haciendo que su aumento de peso sea constante, gradual y moderado (cuanto más deprisa se estire la piel, más posibilidades habrá de que aparezcan las marcas). También puede ser de gran ayuda estimular la elasticidad de la piel alimentándola con una buena dieta (especialmente con alimentos con un alto contenido en vitamina C). Y aunque no se ha demostrado que ningún producto tópico sea capaz de prevenir que las estrías acaben zigzagueando por su piel, no le hará ningún daño aplicarse productos hidratantes, tales como la manteca de cacao. Aunque no existe ninguna prueba científica que lo apoye, muchas mujeres juran que eso funciona y por lo menos

¿Tatuajes para dos?

Si se dirige a un estudio para que le hagan un tatuaje y ser una mamá más moderna, piénselo dos veces. Aunque la tinta que se usa en el *body art* no penetra en el torrente circulatorio, existe un riesgo de infección cada vez que se le pincha con la aguja, y ¿para qué arriesgarse cuando lleva un bebé a bordo?

Y hay algo más en que pensar antes de hacerse un tatuaje para dos. Lo que en su piel de mujer embarazada parece simétrico, puede quedar distorsionado o torcido cuando haya vuelto a su peso normal, tras el parto. Así que será mejor que por el momento deje su piel libre de nuevos dibujos, y espere a que haya destetado a su bebé, para expresarse mediante el *body art*.

Si ya tiene algún tatuaje, no hay problema: relájese y véalo estirarse. Y no se preocupe por ese tatuaje de la parte baja de la espalda y de cómo afectará a la epidural que espera que le apliquen en el parto. Siempre que la tinta del tatuaje esté completamente seca y la herida sana, seguramente no habrá ningún riesgo en el pinchazo de la aguja de la epidural, pero coméntelo con el médico.

¿Qué le parece pasarse a la henna para decorar su cuerpo durante el embarazo? Dado que la henna tiene una base vegetal –y es temporal– probablemente su uso es completamente seguro durante el embarazo. No obstante, siga las siguientes advertencias: asegúrese de que se le aplica henna natural (tiñe la piel de un color pardo rojizo), y no la que contiene parafenilendiamina, que puede irritar la piel (y que tiñe de negro), y compruebe las referencias del artesano (léase: no se le ocurra teñirse con henna en un puesto de una feria callejera). Para ser más cauta todavía (que siempre es lo mejor), pregúntele a su médico si puede teñirse con henna.

Tenga en cuenta, también, que la piel de una mujer embarazada a menudo es hipersensible, de forma que es posible que desarrolle una reacción alérgica a la henna, incluso si se la ha puesto antes sin problemas. Para comprobar su reacción ante la henna, póngase una pequeña cantidad sobre la piel y espere 24 horas para asegurarse de que no aparecen signos de irritación.

evitan la sequedad y el picor que aparecen cuando la piel se está estirando durante el embarazo. Y un beneficio más: puede que su pareja se divierta aplicando el remedio en la piel de su vientre (y el bebé también disfrutará del masaje).

Si le salen estrías (que a menudo se denominan "las medallas del embarazo"), puede consolarse sabiendo que algunos meses después del parto empalidecerán gradualmente hasta adquirir un viso plateado. También puede consultar con un dermatólogo para reducir la visibilidad de las estrías tras el parto, mediante una terapia láser o Retin-A. Mientras tanto, lúzcalas con orgullo.

Aumento de peso del primer trimestre

"Estoy llegando al final del primer trimestre y estoy sorprendida, porque todavía no he aumentado de peso."

Muchas mujeres tienen problemas para aumentar un solo gramo durante las primeras semanas –e incluso pueden perder algún kilo, por cortesía de las náuseas matutinas–, mientras que otras, debido a que empezaron su embarazo con sobrepeso, no precisan aumentar de peso todavía. Por suerte, la naturaleza se encarga de su bebé, brindándole protección incluso si está demasiado mareada para comer o si tiene aversión a la comida. Los fetos de tamaño diminuto tienen unas necesidades nutricionales también diminutas, lo que significa que, en este momento, su falta de aumento de peso no tendrá ningún efecto sobre el bebé. No sucede así, sin embargo, una vez haya entrado en el segundo trimestre. Al ir creciendo su bebé, y conforme la fábrica del bebé esté acelerando su producción, habrá una demanda cada vez mayor de calorías y nutrientes, y tendrá que empezar a ganar peso, añadiendo los kilos a un ritmo constante.

Así que no se preocupe, pero empiece a comer (por suerte, casi con toda seguridad pronto desaparecerán las náuseas matutinas). Y a partir del cuarto mes, empiece a vigilar su peso, para asegurarse de que empieza a aumentar al ritmo conveniente (véase la pág. 189). Si continúa teniendo problemas para aumentar de peso, intente sobrecargar las calorías que ya toma con un valor nutricional adicional, mediante una dieta eficiente (véase la pág. 102). También puede intentar ingerir un poco más de comida cada día, evitando saltarse comidas y añadiendo tentempiés con una mayor frecuencia. Si no puede comer mucho de una sola vez (que de todas formas no es bueno para la digestión durante el embarazo), tome seis pequeñas colaciones diarias, en vez de tres grandes. Deje las ensaladas, las sopas y las bebidas que la puedan llenar para después del plato principal, para evitar frenar su apetito. Disfrute de los alimentos ricos en grasas buenas (nueces, semillas, aguacates, aceite de oliva). Pero no intente añadir kilos añadiendo mucha comida basura a su dieta. Es probable que este tipo de aumento de peso vaya a parar alrededor de sus caderas y muslos, en vez de dirigirse hacia el bebé.

"Estoy embarazada de doce semanas, y tuve la sorpresa de que he ganado ya cuatro kilos. ¿Y ahora qué hago?"

En primer lugar, no se asuste. Muchas mujeres tienen este momento de "ooooh" cuando se suben a la báscula al final del primer trimestre y descubren que han ganado 3, 4 o 5 kilos, o más, en sólo tres cortos meses. A veces se debe a que han estado "comiendo para dos" un poco demasiado literalmente (está comiendo para dos, pero uno de esos dos es muy, muy pequeño), dejándose llevar tras un largo tiempo haciendo régimen. A veces se debe a que encuentra alivio para sus náuseas mediante alimentos de muchas calorías (helados, pasta, hamburguesas, o simplemente una barra de pan).

De cualquier forma, no se ha perdido todo si ha ganado un poco demasiado durante el primer trimestre. En realidad, no puede hacer retroceder el fiel de la balanza o dejar de ganar durante los próximos seis meses lo que pesa ahora en exceso. Su bebé necesita un suministro de nutrientes constante (especialmente durante los trimestres segundo y tercero, período durante el cual estará creciendo a pasos agigantados), así que recortar las calorías no es un plan acertado. Pero puede mantener a raya su aumento de peso durante el resto del embarazo –haciéndolo más lento, sin frenarlo por completo– vigilando la báscula (y lo que come) más cuidadosamente.

Hable con su médico y planifique un aumento de peso seguro y sensato para los próximos dos trimestres. Aunque gane los 400 gramos semanales recomendados hasta el octavo mes (la mayoría de las mujeres dejan de aumentar de peso, o lo ganan más despacio, durante el noveno mes), acabará su embarazo con sólo un kilo de más por encima de los 14 kilos, el límite máximo de aumento de peso recomendado. Consulte el Capítulo 5, que trata sobre la dieta del embarazo, para saber cómo comer de forma sana para dos sin llegar a tener el aspecto de ser dos (como usted de grandes). Aumentar de peso de forma eficaz, mediante los alimentos de la mejor calidad posible, no sólo hará posible que consiga este reto, sino que también hará que el peso ganado sea más fácil de perder durante el posparto.

El embarazo se nota enseguida

"¿Por qué se me nota que estoy embarazada si aún estoy en el primer trimestre?"

Tiene más cosas que enseñar de lo que pensaba este primer trimestre. Dado que todos los vientres son distintos, algunos se mantienen planos hasta bien entrado el segundo trimestre, mientras que otros parecen dispararse antes de que se haya secado la varita del test del embarazo casero. Una barriga grande puede ser desconcertante ("si *ahora* estoy así de gorda, ¿qué aspecto tendré dentro de unos meses?"), pero también puede ser bienvenida, como prueba tangible de que en realidad ahí dentro se está formando un bebé.

Existen varias explicaciones posibles para que su embarazo se note tan pronto:

Los chicos son chicos

Tiene mucha hambre. Al irse acercando al segundo trimestre, es probable que note que su apetito (que puede que haya disminuido alrededor de la sexta semana, más o menos) está haciendo una reaparición. Pero si se lanza hacia la nevera con la asiduidad de un chico en plena adolescencia, puede que esté esperando un chico (o, por lo menos, un feto masculino que va en camino de convertirse en un adolescente). Las investigaciones han demostrado que las futuras mamás que están esperando chicos comen más que las que están esperando niñas, lo que podría explicar por qué en el momento de nacer los niños pesan más que las niñas. ¡Comida (y más comida) por consideración!

- Es usted de constitución pequeña. Si al empezar es delgada, su útero, que está creciendo, no tendrá dónde esconderse, formándose un bulto que se notará aunque sea relativamente pequeño.

- Tiene un tono muscular bajo. Es más probable que una mujer embarazada con los músculos abdominales laxos tenga un vientre pronunciado antes que una futura mamá que tenga un torso tonificado y tenso. Es por ello por lo que el segundo embarazo se nota antes (los músculos abdominales ya se han estirado una vez).

- Come demasiado. Si desde la concepción ha estado comiendo para dos (y olvidando que uno de esos dos por ahora sólo tiene el tamaño de una ciruela pasa), puede que su vientre esté almacenando más grasa que bebé. Si ha ganado más de 1,5 o 2 kilos hasta ahora, ésta podría ser la explicación de que su barriga sobresalga tan pronto.

- Fechas equivocadas. Que la barriga se note antes de lo esperado puede ser el resultado de haber calculado mal la fecha de la concepción.

- Hinchazón. La hinchazón y el exceso de gas pueden estar tras ese estómago suyo, de tamaño superior al normal. Lo mismo puede suceder si los intestinos están distendidos, si no va al lavabo con la frecuencia normal.

- Más de uno a bordo. Algunas mujeres, que lucen un vientre impresionante durante el primer trimestre, descubrirán más tarde que están esperando mellizos. Pero antes de empezar a duplicar la canastilla, tenga en cuenta que la mayoría de mujeres a las que les crece mucho la barriga al principio, tienen sólo un bebé. Una barriga relativamente redondeada durante el primer trimestre no suele considerarse un signo fiable de que la futura mamá esté esperando más de un hijo (véase más información sobre gemelos en la siguiente pregunta).

¿Gemelos o más?

"¿Cómo sabrá mi médico si estoy esperando mellizos o no?"

Tiene el presentimiento de que lleva más de un bebé a bordo. Existen muchas pistas que puede buscar para intentar deducir si está esperando gemelos o no:

Un útero demasiado grande para su edad gestacional. El tamaño del útero, y no el del abdomen, es lo que cuenta en el diagnóstico de los embarazos múltiples. Si parece que su útero ha crecido más deprisa de lo que se esperaba, según la fecha de salida de cuentas, hay motivos para sospechar que existe un embarazo múltiple. Una barriga grande por sí sola no cuenta.

Síntomas del embarazo exagerados. Cuando se esperan gemelos, las molestias típicas del embarazo (náuseas matutinas, indigestión, etc.) pueden presentarse por duplicado, o al menos parecerlo. Pero todos ellos pueden ser exagerados también en un embarazo simple.

Predisposición. Existen varios factores que hacen más probable que una mujer tenga gemelos no idénticos o fraternos. Entre ellos se encuentran: tener en la familia materna mellizos no idénticos, tener una edad avanzada (las mujeres de más de 35 años suelen liberar con más frecuencia más de un óvulo a la vez), el uso de fármacos para estimular la ovulación, y la fecundación in vitro. Algunas pruebas indican que el hecho de tener gemelos no idénticos puede estar influenciado genéticamente (algo

Doppler en casa

Se siente tentada de comprar uno de esos "escuchadores del corazón" prenatales, que no son nada caros, de forma que pueda estar sintonizada con el latido cardiaco de su bebé entre las visitas del médico. Poder controlar el ritmo del latido cardiaco de su bebé puede ser muy divertido, y la hará dormir mejor de noche si es una persona que se preocupa con facilidad. Pero a pesar de que el uso de estos dispositivos se considera seguro, no son tan sofisticados como el que utiliza su médico y muchos de ellos no son lo bastante sensibles para captar los tonos del latido fetal hasta después del quinto mes de embarazo. Si usa uno antes de tiempo, es probable que se encuentre con un largo silencio, en vez del latido del corazón de su bebé, lo que haría surgir unas preocupaciones innecesarias en vez de tranquilizarla. Incluso más tarde durante el embarazo, estos dispositivos Doppler caseros no siempre pueden encontrar lo que está buscando (la posición del bebé o un ángulo equivocado de colocación del dispositivo pueden hacer que éste no sea útil algunas veces). Y las lecturas pueden no ser lo suficientemente precisas, o pueden ser tan distintas de las que está acostumbrada a obtener en los chequeos que pueden producir preocupaciones innecesarias. Así que pruebe este dispositivo casero, si así lo desea (aunque debería contar con la aprobación de su médico antes de comprarlo). Pero tenga en cuenta que se obtiene según lo que se paga, y que puede conseguir algo menos de lo que esperaba.

en su óvulo o en los espermatozoides de su pareja podrían hacer que el óvulo fecundado se dividiese en dos).

En cuanto a su médico, intentará escuchar dos (o más) latidos cardiacos diferenciados netamente, pero esto no es una ciencia exacta (el latido cardiaco de un solo feto puede oírse en varios lugares distintos), de forma que la existencia de gemelos no suele diagnosticarse así. La mejor herramienta diagnóstica para detectar un embarazo múltiple es una ecografía temprana. En prácticamente todos los casos (exceptuando el raro caso en que uno de los fetos, tímido ante la cámara, se quede tozudamente escondido detrás de su hermano), esta técnica diagnostica con gran exactitud un embarazo múltiple. Si está esperando gemelos (o más), consulte el Capítulo 16.

El latido cardiaco del bebé

"Una amiga mía ha oído el latido cardiaco de su bebé a las diez semanas. Yo estoy embarazada de una semana más, y mi médico aún no ha podido localizar el latido de mi bebé."

Definitivamente, el primer latido del corazón del bebé es música celestial para los oídos de la futura mamá (y el futuro papá). Incluso si ha visto el persistente movimiento de bombeo de su diminuto hijo en una ecografía temprana, no hay nada como oír el latido cardiaco mediante un dispositivo Doppler (un aparato de ultrasonidos manual que amplifica el sonido con la ayuda de una gelatina especial que le untarán sobre su vientre) en la consulta de su ginecólogo.

El corazón es la cuestión

No sé si es niño o niña. ¿Puede el latido cardiaco fetal darme una pista? Aunque las abuelas –y algunos médicos– llevan contándonos cuentos años y años (más de 140 promete una niña, y menos de 140, un niño), las investigaciones han demostrado que no existe correlación alguna entre la tasa del latido cardiaco fetal y el sexo del bebé. Puede ser divertido hacer predicciones basadas en la tasa del latido cardiaco de su feto (después de todo acertará el 50% de las veces), pero es mejor que no elija los colores de la canastilla de su bebé basándose en él.

Aunque el latido cardiaco puede oírse ya durante la décima a la duodécima semana mediante un dispositivo Doppler, no todas las futuras mamás pueden satisfacer sus oídos tan pronto mediante esta sinfonía fetal. La posición de su bebé puede ser la causa de que el latido cardiaco sea inaudible, o quizá la localización de la placenta (o la almohadilla extra de grasa que tiene en el vientre) estén amortiguando el sonido. Otra explicación de que no pueda oír a su bebé puede ser que la fecha de salida de cuentas tenga un ligero error de cálculo. Cuando esté de catorce semanas, el milagroso sonido del latido cardiaco fetal estará disponible con toda seguridad, para que se deleite escuchándolo. Si no fuera así, o si está muy ansiosa, es posible que su médico le practique una ecografía, que hará visible un latido cardiaco que, por alguna razón, era difícil de oír mediante un dispositivo Doppler.

Cuando consiga oír el latido cardiaco, escuche con atención. La tasa normal de una persona adulta suele ser de 100 latidos por minuto, pero los de su bebé serán de 110 a 160 latidos por minuto a principios del embarazo, y un promedio de entre 120 y 160 latidos por minuto a mediados del embarazo. No obstante, le aconsejamos que no compare los latidos del corazón de su feto con los de otras amigas embarazadas: cada bebé "toca el tambor cardiaco" a su propio ritmo, y las tasas del latido cardiaco fetal varían mucho.

Aproximadamente a las 18 a 20 semanas, el latido cardiaco puede ya oírse sin el amplificador Doppler, utilizando un estetoscopio normal.

Deseo sexual

"Todas mis amigas embarazadas dicen que experimentan un aumento del deseo sexual a principios del embarazo. ¿Cómo puedo yo estar tan mal dispuesta al sexo?"

El embarazo es un momento de cambios en muchos aspectos de su vida, y también en cuanto al tema sexual. Las hormonas, como seguro que habrá ya notado, juegan un papel muy importante en cada una de las subidas y bajadas físicas y emocionales, y por lo tanto también desempeñan un papel esencial en la sexualidad. Pero esas hormonas afectan a las mujeres de formas distintas, encendiendo la calefacción en unas y echándoles un jarro de agua fría a otras. Algunas mujeres, que posiblemente nunca han tenido un orgasmo o no han sido unas entusiastas del sexo, repentinamente experimentan ambos fenómenos por primera vez cuando están esperando. Otras mujeres, acostumbradas a tener un apetito sexual voraz y que tienen facilidad para alcanzar el orgasmo, pierden repentinamente el deseo y son difíciles de excitar. Y aunque sus hormonas hayan apretado el acelerador de su pasión, los síntomas del embarazo (esas náuseas, esa fatiga, esos pechos tan dolorosamente sensibles) pueden interponerse entre usted y el placer. Estos cambios de la sexualidad pueden ser desconcertantes, provocar culpabilidad o ser maravillosos, o una confusa combinación de los tres. Y todo ello es perfectamente normal.

Lo más importante es reconocer que sus sentimientos sexuales durante el embarazo –y también los de su pareja– pueden ser más erráticos que eróticos; puede sentirse sexy un día y al día siguiente no. La comprensión mutua y una comunicación abierta les ayudarán mucho, así como el sentido del humor. Y recuerde (y recuérdele a su pareja) que muchas mujeres que han perdido ese amoroso sentimiento durante el primer trimestre lo recuperan durante el segundo, y con creces, así que no se sorprenda si pronto aparece en su dormitorio un frente muy cálido. Hasta entonces, quizá desee poner en práctica los consejos de las páginas siguientes, que la ayudarán a calentar las cosas.

"Desde que me quedé embarazada, estoy siempre excitada, y sexualmente hablando, nunca me doy por satisfecha. ¿Es eso normal?"

Está un poco acalorada de cintura para abajo (y bajo esos pantalones tejanos que le van tan apretados). ¿Está su botón de puesta en marcha siempre pulsado? ¡Qué suerte tiene! Mientras que algunas mujeres ven cómo su vida sexual se detiene con un chirriante frenazo durante el primer trimestre (debido a todos esos síntomas tempranos del embarazo, que mantienen a raya a su libido, a la puerta de su dormitorio), otras –como usted– se dan cuenta de que nunca tienen bastante de esa "cosa buena". Puede darles las gracias a esas hormonas extra que circulan por su cuerpo estos días, así como al aumento del flujo sanguíneo por su zona pélvica (que puede hacer que sus genitales se sientan maravillosamente congestionados y siempre hormigueantes), que han hecho subir su termostato sexual. Además de todo ello están las nuevas curvas que están apareciendo, y esos pechos, más grandes que nunca, que probablemente está luciendo ahora, lo que probablemente la hará sentir una mamá sexy. Además, podría ser la primera vez en toda su vida sexual que puede hacer el amor cada vez que le apetezca, sin tener que estropear el momento por esa carrera al cuarto de baño para ir a buscar el diafragma o por calcular su fertilidad mediante un predictor de la ovulación. Este feliz estado de sensualidad puede ser más pronunciado durante el primer trimestre, cuando los estragos hormonales están en su momento álgido, o puede continuar igual hasta el mismo día del parto.

Dado que el aumento de su apetito sexual es perfectamente normal (tal como lo es también la falta de deseo), no se preocupe o se sienta culpable por él. Y no se sorprenda ni se preocupe si sus orgasmos son más frecuentes o más intensos que nunca (y si está teniendo orgasmos por primera vez, ésta es una razón para celebrarlo aún más). Mientras que el médico le dé luz verde para practicar el sexo en todas sus formas (y generalmente es así), busque el momento y a su compañero. Explore distintas posiciones antes que la barriga haga que muchas posturas se hagan físicamente imposibles. Y sobre todo, disfrute de esta intimidad tan confortable mientras pueda (y antes de que su libido tenga su más que probable descenso en picado del posparto).

"Estoy siempre interesada en el sexo, pero parece que mi marido no está de humor estos días. Estoy empezando a tomármelo como algo personal."

No entiende que su pareja no desee su menú favorito, ahora que está el horno encendido. Existen diversas explicaciones posibles. Una podría ser el miedo de hacerle daño a usted o al bebé (aunque ello no sea posible). Otra podría ser el misterioso factor de hacer el amor "delante" del bebé o por el conducto a través del cual el bebé podría ver o sentir su pene cuando éste esté dentro de usted. Quizá le esté costando acostumbrarse a los cambios en su cuerpo o a la idea de que va a convertirse en la mamá de alguien. O quizá esté tan concentrado en convertirse en padre que ser un amante ha podido pasar a un segundo plano. También puede haber un desencadenante físico: los futuros y nuevos papás a menudo experimentan un descenso de la testosterona y un aumento de las hormonas femeninas, que pueden ser una ducha fría para sus libidos.

No importa cuál sea la razón de que su pareja no corra hacia usted cada vez que note que está con "esa mirada"; no lo tome como algo personal. Pero tampoco se resigne a nueve meses de sequía. En vez de ello, inicie una conversación sobre los temas "de cama". Dígale cómo se siente y averigüe lo que está pasando por su cabeza. Hágale leer la sección dedicada al sexo de la página 284, así como el Capítulo 19, que le darán la confianza de que el sexo es perfectamente seguro y normal durante el embarazo, y que los bebés ignoran por completo las "idas y venidas" de su padres. Sea comprensiva y paciente si necesita hablar del tema antes de acostarse. Una comunicación abierta y honesta les permitirá unir sus mentes y, esperemos, también sus cuerpos.

Y no se limite a esperar pasivamente a que el amor (y él) aterricen en su regazo. Levántele el ánimo con ropa interior sexy que acentúe todas sus nuevas (y peligrosas) curvas, ponga luz y música ambiente y ofrézcale un masaje (completo, y con aceites perfumados). Si esto le hace sentir menos cómodo (y más presionado para cumplir su papel), adopte la estrategia opuesta.

Un calambre después del orgasmo

"Después del orgasmo tengo un calambre en el abdomen. ¿Es eso normal o significa que algo va mal?"

No hay nada de que preocuparse ni por qué dejar de disfrutar del sexo. Los calambres (a veces acompañados por dolor en la parte baja de la espalda) –tanto durante como después del orgasmo– son comunes e inocuos durante un embarazo de bajo riesgo. Sus causas pueden ser físicas: una combinación del aumento normal del flujo sanguíneo hacia el área pélvica durante el embarazo, la congestión igualmente normal de los órganos sexuales durante la excitación y el orgasmo, y las contracciones uterinas normales que siguen al orgasmo. O también pueden ser psicológicas: el resultado de un miedo muy común pero infundado de herir al bebé mientras se tienen relaciones sexuales. O puede tratarse de una combinación de factores tanto físicos como psicológicos.

En otras palabras, este calambre no es un signo de que esté hiriendo a su bebé mientras usted misma está disfrutando. De hecho, a menos que su médico le haya dicho lo contrario, es perfectamente seguro mezclar el placer del sexo con el trabajo de hacer un bebé. Si los calambres le molestan mucho, pídale a su compañero que le dé un suave masaje en la parte baja de la espalda. Puede que le alivie los calambres, y la tensión. Algunas mujeres también tienen calambres en las piernas después del sexo; véase la página 301 para saber cómo aliviarlos.

La embarazada en el lugar de trabajo

Si está embarazada, ya ha encontrado el trabajo más adecuado. Añada una jornada completa al trabajo a tiempo total de gestar un bebé, y su carga se habrá duplicado. Hacer juegos malabares con todo ello –visitas al médico y a los clientes, viajes al baño con viajes al cuarto de telecomunicaciones, mareos matutinos con comidas de trabajo, explicándoselo a su mejor amiga (que se alegrará por usted) y a su jefe (que quizá no esté tan satisfecho), estar sana y cómoda, y estar motivada y tener éxito, preparar la llegada del bebé y prepararse para la baja por maternidad– puede tener como resultado que acabe trabajando demasiado. Aquí ofrecemos algunos consejos para las embarazadas y empleadas.

Cuándo avisar a la empresa

Se pregunta cuándo dirigirse hacia el despacho de su jefe para dar la noticia de su embarazo. No existe un momento perfecto universal (pero es seguro que lo hará antes de que se le note mucho la barriga). Todo dependerá de los amigable (u hostil) que sea su ambiente de trabajo. Y también dependerá mucho de sus condiciones (tanto físicas como emocionales). He aquí algunos factores que debe tener en cuenta:

Cómo se siente y si se le nota. Si los mareos matutinos le hacen pasar más tiempo con la cabeza inclinada sobre la taza del váter que sentada a la mesa de su despacho, si la fatiga del primer trimestre apenas le deja levantar la cabeza de la almohada por la mañana, o si ya exhibe una barriga que es demasiado grande para achacársela al desayuno, lo más probable es que no desee mantener el secreto durante mucho tiempo. En tal caso, decirlo más pronto tiene más sentido que esperar a que su jefe (y todo el mundo en la oficina) haya llegado a sus propias conclusiones. Si, por otra parte, se encuentra bien y puede abrocharse la cremallera de los pantalones sin problemas, podrá aplazar el anuncio para más tarde.

El tipo de trabajo que realiza. Si trabaja en condiciones o con sustancias que podrían ser dañinas para su embarazo o su bebé, deberá anunciarlo lo antes posible, y pedir que la transfieran a otro lugar o la cambien de puesto, si ello es posible.

Cómo va su trabajo. Desgraciadamente, y también injustamente, una mujer que anuncia en el trabajo que está embarazada puede encontrarse con muchos prejuicios, incluyendo: "¿Tendrá suficientes energías para mantener su productividad mientras esté embarazada? ¿Estará su mente en su bebé o en su trabajo?". Y "¿Nos dejará en la estacada?" Podrá enfrentarse a algunas de estas suspicacias anunciando su estado justo después de acabar un informe, ganar un caso, tener una gran idea o demostrar de cualquier otra forma que puede estar embarazada y a la vez ser productiva.

Si está esperando una promoción. Si teme que su anuncio pueda perjudicar unas expectativas de promoción o un aumento de salario, espere hasta que éstos lleguen antes de compartir la buena nueva. Tenga en cuenta que si se la ha dejado de promocionar o no se le ha

Los derechos de la mujer trabajadora

Según la legislación española (artículo 48 del Estatuto de Trabajadores), toda embarazada tiene derecho a un descanso ininterrumpido de dieciséis semanas, que en el parto múltiple se amplía en dos semanas por cada hijo a partir del segundo. Es la propia interesada la que podrá decidir la distribución de esta baja, antes y después del parto, siempre que seis semanas sean inmediatamente posteriores al mismo. La prestación económica durante este período es un subsidio equivalente al cien por cien de la base reguladora, y en ningún caso se reducirá el permiso por maternidad, aunque se haya producido una baja médica por riesgo o alteración de la salud durante la gestación. Además, si falleciera el recién nacido, la madre tiene derecho a completar el período de baja por maternidad.

■ Por opción de la madre, y siempre que tanto ésta como el padre trabajen, será este último el que podrá tomarse las diez últimas semanas del descanso, de forma simultánea o sucesiva a la madre. Esta opción deberá comunicarse al INSS al inicio del período de descanso. Además, en caso de fallecimiento de la madre, el padre podrá hacer uso de la totalidad, o en su caso, de la parte que reste del período de suspensión.

Para tener derecho a la prestación por maternidad, la mujer tiene que haber cotizado como mínimo 180 días durante los cinco años inmediatamente anteriores al parto, pero se le exigirá que la afiliación a la Seguridad Social haya tenido lugar como mínimo nueve meses antes de la fecha prevista para el alumbramiento. Por otra parte, la situación de embarazo no puede ser utilizada para proceder a un despido, y si es despedida, podrá presentar una demanda ante la Magistratura del Trabajo.

■ Según el Real Decreto 1/2000 del 14 de enero, se han creado dos nuevas prestaciones de protección a la familia, por nacimiento de un hijo a partir

---

aumentado el sueldo sólo basándose en el hecho de que está embarazada puede ser difícil de demostrar (y que pronto será a la vez una trabajadora y una madre, no necesariamente en este orden).

Si en su lugar de trabajo se practica mucho el cotilleo. Si uno de los principales productos de su compañía son los cotilleos, deberá tener mucho cuidado. Si una sola palabra sobre su embarazo alcanza los oídos de su jefe antes de que se lo anuncie personalmente, además de ocuparse de los inconvenientes del embarazo, tendrá que vérselas con los de la desconfianza. Que su jefe sea el primero en saberlo o, al menos, que aquellos a quienes se lo diga primero sean personas de plena confianza.

Si existe una política de apoyo a la familia. Intente calibrar la actitud de su jefe respecto al embarazo y la familia, si es que no está segura de cuál es. Pregúnteles a otras mujeres que ya hayan hecho antes este camino de "hinchados pasos" de premamá antes, si es que hay alguna (pero pregunte con discreción).

Entérese de las condiciones de la baja por embarazo y maternidad, y de si en su empresa podría disfrutar de alguna ventaja más. O tenga un encuentro

del tercero y por parto múltiple, que consistirán en un pago único que variará entre 450 euros y doce veces el importe del salario mínimo mensual interprofesional. A partir de febrero de 2003, las madres trabajadoras con hijos menores de tres años tienen derecho a una deducción del IRPF de hasta 1.200 euros anuales por cada hijo.

Durante la lactancia (art. 37.4 ET), que incluye hasta que el recién nacido cuente nueve meses de edad, la madre podrá ausentarse durante una hora diaria dentro de la jornada laboral, que podrá dividirse en dos períodos de media hora. Dicha ausencia de una hora podrá sustituirse por una reducción de media hora en la jornada normal (entrar media hora más tarde, o salir media hora antes). Este permiso podrá ser disfrutado indistintamente por la madre o el padre.

Según el Estatuto de Trabajadores (art. 37.5), tanto el padre como la madre pueden solicitar una reducción de la jornada laboral de cómo mínimo un tercio y como máximo la mitad, para cuidar de un hijo menor de seis años o de un disminuido psíquico, siempre que éste no realice una actividad remunerada. El salario disminuirá proporcionalmente a la reducción de la jornada laboral.

Además (art. 46.3), se podrá solicitar una excedencia cuya duración no podrá superar los tres años desde el nacimiento del bebé. El período de excedencia será computable a efectos de antigüedad, y en el primer año se tendrá derecho a la reserva del puesto de trabajo.

La legislación española también regula los casos de ausencia del trabajo para cuidar de un hijo enfermo (2 a 4 días según los casos) y del nacimiento de bebés prematuros o que requieren hospitalización tras el nacimiento (el padre o la madre pueden aplazar las últimas diez semanas del permiso por maternidad hasta que el bebé salga del hospital, y entretanto gozar de una reducción de jornada laboral).

Los riesgos laborales para las embarazadas pueden también ser causa de un cambio de puesto de trabajo, siempre que exista un lugar alternativo, o de una baja que se equipara a la de enfermedad.

---

confidencial con alguien del departamento de recursos humanos o con la persona que se encargue de estas cuestiones. Si la empresa ya ha dado claras muestras de apoyo a otras madres o futuras madres, podría ser una buena idea dar la noticia antes. De cualquier forma, tendrá una idea más clara de con qué deberá enfrentarse.

Dar la noticia

Una vez haya decidido cuándo debe dar la noticia, podrá tomar algunas medidas para asegurarse de que ésta sea bien recibida:

Conozca sus derechos. La legislación vigente ampara a las mujeres embarazadas y a los progenitores en general (véase el recuadro de arriba). Además, algunas empresas hacen voluntariamente algunos esfuerzos adicionales para mejorar su política de apoyo a la familia. Familiarícese con todos los derechos que le otorgan las leyes, para saber qué puede pedir.

Trace un plan. En el trabajo siempre se aprecia la eficacia, y estar bien preparada siempre causa una impresión favorable en la gente. Por lo tanto, antes de anunciar la noticia debería trazar un plan detallado que incluya cuánto

Hacer juegos malabares

Aunque no tenga aún otros niños en casa, continuar trabajando mientras se está embarazada requiere que practique el delicado arte de hacer juegos malabares con el trabajo y la familia (o, al menos, la futura familia). Especialmente durante los trimestres primero y último, cuando pueden estar asaltándola los síntomas del embarazo y las preocupaciones de la gestación pueden estar compitiendo para llamar su atención, estos juegos malabares la dejarán exhausta, y algunas veces la sobrepasarán; en otras palabras, un buen entrenamiento para los años que le esperan de trabajar como profesional y como madre. Estos consejos no le harán más fácil tener que trabajar simultáneamente en esos dos puestos, pero quizá la ayuden a que su vida de trabajadora pueda compaginarse más suavemente con su vida de "creadora" de un bebé:

- Planifíquese bien los horarios. Pida las citas para los chequeos, las eco-

grafías, los análisis de sangre, los tests de tolerancia a la glucosa y otras pruebas antes de su jornada laboral (quizá luego esté demasiado cansada) o durante la pausa para comer. Si tiene que dejar el trabajo a la mitad del día, explíquele a su jefe que tiene cita con el médico, y pida un comprobante de esas visitas (sólo por si a alguien se le ocurre acusarla de disminuir su rendimiento). Si fuera necesario, pídale a su médico que le escriba una nota para demostrar la visita, y hágasela llegar a su jefe o a alguien del departamento de recursos humanos.

- Recuerde no olvidar. Si le parece que sus células cerebrales están cayendo como moscas, puede culpar a sus hormonas, y empiece a tomar precauciones para que su memoria algo débil debido al embarazo no la meta en ningún atolladero en el trabajo. Para asegurarse de que no olvida ninguna cita, ninguna comida de

tiempo va a quedarse en el trabajo (teniendo en cuenta los problemas médicos imprevistos), cuánto tiempo se tomará de permiso por maternidad, cómo tiene planeado terminar su trabajo antes de la baja, y cómo propone que sus trabajos no finalizados sean terminados por otras personas. Si después de nacer el bebé desea trabajar a tiempo parcial, ahora es cuando debería proponerlo. Si escribe su plan minuciosamente se asegurará de no descuidar ningún detalle, y además dará una impresión de mayor eficacia.

Destine el tiempo necesario. No intente darle la noticia a su jefe cuando se halle en un taxi de camino a una

reunión o cuando tenga ya un pie fuera de la oficina el viernes por la noche. Pídale una reunión, para que ninguno de los dos tenga prisa ni distracciones. Intente programarla para un día o una hora en que su oficina esté generalmente más tranquila. Retrase la reunión si de repente los acontecimientos toman un giro hacia el nerviosismo.

Ponga su acento en los aspectos positivos. No empiece a dar la noticia pidiendo disculpas o dudando. En vez de ello, hágale saber a su jefe que no solo está feliz con su embarazo, sino que también está completamente segura de su capacidad y compromiso para compaginar trabajo y familia.

negocios, ninguna llamada telefónica de las que deben hacerse a mediodía: haga listas, escríbase recordatorios (los *Post-its* son, sin duda, los mejores amigos de las mujeres embarazadas), y tenga a mano su agenda (si es que puede acordarse de dónde la puso).

- Conozca sus límites y pare antes de sobrepasarlos. Ahora no es el momento de ejercer como voluntaria o de asumir proyectos adicionales o de hacer horas extra a menos que sea absolutamente imprescindible. Concéntrese en lo que es necesario hacer –y que pueda hacerse, siendo muy realista– sin agotarse. Para evitar sentirse sobrepasada, complete las tareas de una en una.

- Diga que "sí". Si sus colegas le ofrecen su ayuda cuando no se encuentre bien, no dude en aceptar su gentileza (quizá algún día pueda devolverles el favor). Y pongan atención todas las microgestoras que están esperando: si hay un momento para aprender a delegar es precisamente ahora.

- Concédase un respiro cuando lo necesite. Cuando se sienta sobrecargada emocionalmente, y lo estará (una grapadora encallada puede hacer que las lágrimas empiecen a bajar por sus mejillas cuando está embarazada), dé un breve paseo, vaya al baño o realice algunas respiraciones muy relajadas. O concédase un momento privado de locura premamá; se lo merece.

- Dígalo en voz alta. No solo es un ser humano, es un ser humano embarazado. Eso significa que no puede hacerlo todo y hacerlo todo bien, especialmente si se siente agotada, como sin duda a veces se siente. Si casi no puede levantar la cabeza de la almohada (o dejar el baño no más de cinco minutos) y tiene un montón de papeles sobre su mesa de despacho o un plazo límite cerniéndose sobre usted, no se aterrorice. Dígale a su jefe que necesita tiempo extra o ayuda extra. Y no se culpabilice ni deje que nadie le eche las culpas. No es ni una vaga ni una incompetente, es una mujer embarazada.

Sea flexible (pero no débil). Exponga su plan y esté abierta a discutirlo. Esté preparada para hacer concesiones (asegúrese de que en su plan hay sitio para la negociación), pero no para echarse atrás por completo. Proponga unas directrices realistas y manténgase fiel a ellas.

Póngalo por escrito. Una vez haya tratado todos los detalles de su protocolo para el embarazo y la baja por maternidad, una recomendación: confírmelos por escrito, para que no haya confusiones o malentendidos más adelante (tales como "Yo nunca le dije nada parecido…").

Nunca subestime el poder de los padres. Si la política de apoyo a la familia de su empresa no es la que les gustaría, considere la posibilidad de unir fuerzas con otros padres para pedir unas condiciones mejores. Sin embargo, debe tener en cuenta que tanto usted como otros padres pueden encontrarse con la hostilidad de los empleados que no tienen hijos; cuando las políticas de apoyo a la familia se hacen más generosas, suelen surgir resentimientos entre aquellos que no pueden disfrutar de esas ventajas. Asegúrese de que se obtienen ayudas similares para aquellos empleados que tienen que tomarse tiempo libre para cuidar de consortes o padres enfermos; ello ayudará a unir a los empleados, en lugar de dividirlos.

Estar cómoda en el trabajo

Entre las náuseas y la fatiga, los dolores de espalda y las jaquecas, los tobillos hinchados y la vejiga goteante, a cualquier futura madre le es muy difícil tener un día entero completamente cómodo. Si está sentada en un despacho, de pie sobre sus hinchados pies o en un trabajo que requiera doblar el torso o levantar algún peso, tendrá la receta perfecta para tener aún más molestias durante el embarazo. Para estar lo más cómoda posible en el trabajo, pruebe con estos consejos:

■ Vístase para triunfar y estar cómoda. Evite las ropas apretadas y que restrinjan sus movimientos, los calcetines o medias que corten la circulación, y los tacones demasiado altos o demasiado bajos (lo mejor son los tacones anchos de unos 5 cm). Llevar medias o calcetines diseñados para el embarazo la ayudará a evitar o a minimizar toda una serie de síntomas, desde la hinchazón hasta las venas varicosas, y puede ser especialmente importante si pasa gran parte del día de pie.

■ Vigile el tiempo –el que sienta–. Sea cual sea el clima de su ciudad (o de

El síndrome del túnel carpiano

Si se pasa el día (y quizá también la noche) tecleando en el ordenador, quizá ya esté familiarizada con los síntomas del síndrome del túnel carpiano (STC). Se trata de un trastorno muy conocido en el mundo laboral, y causa dolor, hormigueo y entumecimiento en las manos, y suele presentarse más a menudo en aquellas personas que pasan mucho tiempo realizando tareas muy repetitivas (tecleando, troquelando o utilizando una PDA). Lo que es posible que ignore, no obstante, es que el STC afecta a la mayoría de las embarazadas. Incluso las futuras mamás que nunca han tocado el teclado de un ordenador son propensas a sufrirlo, debido a los tejidos corporales hinchados que presionan los nervios. Las buenas noticias son que el STC no es peligroso, sólo incómodo. Y lo que es aún mejor, puede probar con algunos de estos remedios hasta que vea la luz al final del túnel carpiano:

■ Levante la silla de su oficina de forma que, mientras teclee, sus muñecas estén rectas y sus manos, más bajas que los codos.

■ Cambie su teclado por uno ergonómico que proteja las muñecas (que tenga un reposador para éstas), así como un ratón que tenga un soporte para la muñeca.

■ Póngase una muñequera mientras teclea.

■ Haga pausas frecuentes cuando trabaje con el ordenador.

■ Si está mucho rato al teléfono, utilice uno que tenga unos auriculares y un micrófono de los que se acoplan sobre la cabeza o un teléfono manos libres.

■ Por las noches, introduzca las manos en agua fría para reducir la hinchazón.

■ Pregúntele a su médico sobre otros posibles remedios, incluyendo los suplementos de vitamina B_6, la acupuntura o los analgésicos.

su oficina), cuando está embarazada, la predicción es que tendrá una temperatura corporal con muchos altos y bajos. Sudará un momento y al momento siguiente estará helada, por lo que preferirá vestirse a capas (y tener una capa disponible para cualquier condición posible). ¿Está pensando en embutirse en un jersey de lana de cuello de cisne para enfrentarse a una temperatura de –10 °C? No lo haga si es que no lleva debajo una capa más ligera, de manera que pueda quitarse el jersey tan pronto como la ola de calor provocada por las hormonas empiece a quemarla por dentro. E incluso si antes se encontraba calentita llevando únicamente una camiseta, tenga preparado un jersey en su cajón o su taquilla. Durante estos días, su temperatura corporal oscilará en ambos sentidos, y muy deprisa.

- No esté de pie, al menos en lo posible. Si su trabajo precisa que esté de pie durante largos períodos de tiempo, tómese pausas para estar sentada o para pasear. Si es posible, mantenga uno de sus pies sobre un taburete bajo, con la rodilla doblada, mientras está de pie, para aliviar algo la presión sobre su espalda. Cambie de pie con frecuencia. Flexione los pies de vez en cuando.

- Ponga los pies en alto. Encuentre una caja, una papelera o cualquier otro objeto firme para descansar discretamente sus cansados pies bajo la mesa.

- Haga una pausa. Levántese y paséese por la oficina si ha estado sentada; siéntese con los pies en alto si ha estado de pie. Si hay un sofá disponible y un lapso de tiempo libre, échese durante unos minutos. Haga algunos ejercicios de estiramiento, especialmente para la espalda, las piernas y el cuello. Realice este estiramiento de 30 segundos al menos una vez (o incluso dos veces) cada hora: levante los brazos por encima de la cabeza, agárrese los dedos, ponga las palmas hacia arriba y estire hacia arriba. Luego, ponga las manos sobre la mesa, sepárese un poco de ella hacia atrás y estire la espalda. Siéntese y haga rotar los pies en ambas direcciones. Si puede bajar los brazos hasta tocarse los pies –incluso estando sentada–, hágalo para rebajar la tensión del cuello y los hombros.

- Ajuste su silla. ¿Le duele la espalda? Utilice un cojín lumbar para tenerla mejor apoyada. ¿Nalgas doloridas? Siéntese sobre una almohada blanda. Si su silla es reclinable, considere la posibilidad de desplazar el respaldo hacia atrás algunos puntos, para crear más (¡y más!) espacio entre su vientre y su mesa de despacho.

- Frecuente la máquina expendedora de agua mineral. Y no para enterarse del último chisme (aunque ése también puede ser un aliciente) sino para rellenar su vaso con la debida frecuencia. O tenga en su mesa una botella de agua de litro. Beber al menos dos litros diarios de agua puede evitar muchos síntomas del embarazo muy molestos, incluyendo una hinchazón excesiva, y ayuda a prevenir las infecciones del tracto urinario (ITU).

- No se contenga. Vaciar la vejiga tantas veces como lo requiera (pero al menos cada dos horas) también ayuda a prevenir las ITU. Aquí tiene una buena estrategia: planifique ir al baño cada hora aproximadamente, tanto si lo necesita como si no. Se sentirá mucho mejor en conjunto si no llega al punto de emergencia. (Ahora no es el momento de salir hacia el baño haciendo una carrera.)

- Concédase tiempo para su vientre. Las obligaciones de toda futura mamá incluyen alimentar a su bebé con regularidad, no importa lo llena que esté su agenda. Así que planifíquese y deje un hueco incluso en sus días más ocupados para tomar las tres colaciones diarias, más al menos dos tentempiés (o cinco o seis minicomidas). Convertir las citas de trabajo en comidas de trabajo (y asegurarse de que puede dar su opinión sobre lo que se va a servir) puede ser de gran ayuda. También lo será tener una reserva de tentempiés nutritivos en su mesa de despacho y en su bolso, así como en la nevera de la oficina, si es que la hay. Redescubra las fiambreras:

Silencio, por favor

Alrededor de la semana 24 su bebé tendrá bien desarrollado su oído interno, externo y medio. A las 27-30 semanas, ya estará lo suficiente maduro para empezar a responder a los sonidos que se filtran hasta él. Estos sonidos están amortiguados, y no sólo por la barrera física que suponen el líquido amniótico y la grasa que acumula usted en su cuerpo. En su hogar, lleno de fluidos, el tímpano del bebé y el oído medio no pueden realizar su función normal de amplificar los sonidos. Por lo tanto, incluso los ruidos que sean muy fuertes para usted, no lo serán para él.

Sin embargo, dado que el ruido es uno de los riesgos laborales más predominantes, y se sabe que es la causa de la pérdida auditiva de aquellos (adultos) que generalmente están expuestos a él, quizá quiera estar más segura durante el embarazo. Y la causa es que los estudios sugieren que una exposición *prolongada* y *repetitiva* a ruidos muy fuertes hace aumentar las posibilidades de que el bebé sufra de alguna pérdida auditiva, especialmente si los sonidos están dentro de la gama de las bajas frecuencias. Tales exposiciones prolongadas a los ruidos –es decir, una jornada laboral en un puesto de trabajo en la industria, donde los niveles de sonidos sean superiores a los 90 o 100 decibelios (más o menos lo mismo que permanecer cerca de una segadora de césped muy sonora o a una sierra de cadena)– pueden también incrementar los riesgos de tener un parto prematuro y bebés de bajo peso al nacer. Los sonidos extremadamente fuertes, de 150 o 155 decibelios (¿está alguna vez junto a los motores de un jet en funcionamiento?), pueden causar en el bebé unos problemas similares. Es más seguro evitar más de ocho horas de exposición continuada a ruidos más altos de 85 o 90 decibelios (el ruido que hace una cortadora de césped o del tráfico de camiones) y más de dos horas diarias de exposición a sonidos de más de 100 decibelios (el ruido de una sierra de cadena, una taladradora neumática o unas obras).

Aunque esta cuestión debe aún investigarse más, si trabaja en un lugar extremadamente ruidoso –tal como un club donde el volumen de la música es muy alto, en el metro o en una fábrica en la que sea preciso llevar auriculares protectores (no puede ponérselos al feto)– o está expuesta a muchas vibraciones, debería pedir el cambio a otro lugar más seguro, o buscar otro trabajo. Y trate de evitar estar expuesta mucho tiempo a ruidos muy altos en su vida diaria: si va a un concierto, elija una localidad en el centro del anfiteatro, o aún mejor, en la parte de atrás de la platea; baje el volumen del equipo de su coche, y póngase auriculares en lugar de subir mucho el volumen de su estéreo mientras pasa el aspirador.

no son particularmente glamurosas, pero pueden mantenerles a usted y a su bebé bien alimentados cuando le falte tiempo.

- Vigile la báscula. Asegúrese de que el estrés del trabajo –o comer de forma errática– no evita que gane suficiente peso, o no contribuya a un aumento de peso excesivo (tal como sucede con las personas que comen mucho cuando están estresadas, especialmente si trabajan junto a una expendedora automática u otro cualquier lugar de venta de comida basura).

- Lleve siempre consigo un cepillo de dientes. Si sufre náuseas matutinas, cepillarse los dientes puede protegerlos entre los ataques de vómitos y también ayudará a refrescar su aliento cuando más preciso es. Enjuagarse la dentadura también puede ayudar a refrescar el aliento, y puede ayudar a secar una boca que está excesivamente llena de saliva (lo cual es bastante común durante el primer trimestre, y puede ser muy embarazoso en el trabajo).

- Levante los objetos con cuidado. Si es necesario levantar algún peso, hágalo de la forma apropiada, para evitar sobrecargar la espalda (véase la pág. 266).

- Vigile lo que respira. Manténgase alejada de las zonas llenas de humo; éste no sólo es malo para usted y su bebé, también puede hacer aumentar la fatiga.

- De vez en cuando, concédase un descanso. El estrés excesivo no es bueno ni para usted ni para su bebé. Así que intente hacer pausas para relajarse tanto como pueda: llévese un iPod para poder escuchar música; cierre los ojos y medite, o sueñe despierta; haga algunos estiramientos sedantes, o dé un paseo de cinco minutos alrededor del edificio.

- Haga caso a su cuerpo. Baje el ritmo si se encuentra cansada; váyase pronto a casa si está exhausta (y puede permitírselo).

Estar segura en el lugar de trabajo

La mayoría de los trabajos son completamente compatibles con la labor de alimentar y cuidar de un bebé que aún no ha nacido, una excelente noticia para millones de futuras mamás que tienen que arreglárselas para trabajar a jornada completa en ambos puestos. Sin embargo, obviamente algunos trabajos son más seguros y adecuados que otros para las mujeres gestantes. La mayoría de problemas laborales pueden evitarse tomando unas precauciones adecuadas o cambiando las funciones (hable con su médico para que le dé más consejos en el caso de su trabajo en particular).

Trabajo en la oficina. Todos los que trabajan en una mesa de despacho saben lo que duelen unas cervicales rígidas, una espalda dolorida y las jaquecas; todos estos síntomas pueden hacer que una mujer embarazada esté más incómoda de lo que ya estaba. No le producirá ningún daño a su bebé, pero sí gran cantidad de molestias a su dolorido cuerpo de mujer embarazada. Si pasa mucho tiempo sentada, asegúrese de ponerse de pie, estirarse y andar con frecuencia.

Estire los brazos, el cuello y los hombros mientras esté sentada en su silla, ponga los pies en alto para reducir la hinchazón (seguramente a su jefe no le gustará que ponga los pies sobre la mesa, así que será mejor que los ponga sobre un taburete bajo, o si no lo tiene, de una caja), y coloque un cojín a su espalda, a modo de soporte.

¿Y en cuanto a la seguridad del ordenador? Por suerte, los monitores de los ordenadores no constituyen un

Controlarlo todo

Según la ley, tiene derecho a estar informada sobre si los productos químicos con los que trabaja podrían ser perjudiciales para su bebé o su embarazo. Para ello debería consultar al INSHT (Instituto Nacional de Seguridad e Higiene en el Trabajo, insht.es y mtas.es/insht teléfono 91 363 41 00), o bien las normativas de seguridad en el trabajo recomendadas por los sindicatos de trabajadores. También deben leerse las etiquetas de dichos productos químicos, poniendo especial atención en las frases R (sobre los riesgos) y las frases S (sobre las medidas de precaución).

Son especialmente peligrosos durante el embarazo el arsénico, el benceno, los bifenilos policlorados, el captán, el carbarilo, los compuestos de mercurio orgánico, el DFP, el dietilestilbestrerol, la dioxina, los gases anestésicos, los hidrocarburos clorados, el monóxido de carbono, la parationa, los plaguicidas organofosforados, el sulfóxido de dimetilo y el theram. Asimismo existen también agentes químicos que representan un peligro para la función reproductora de hombres y mujeres, y que impiden que tengan hijos saludables.

Si su trabajo la expone a peligros de este tipo, tiene por ley el derecho de ser transferida temporalmente a un puesto más seguro, y si ello no fuera posible, a recibir una prestación económica por desempleo por riesgo durante el embarazo, que se extingue en el momento en que se inicia la supresión del contrato de trabajo por maternidad, o cuando se reincorpora a su puesto.

riesgo para las mujeres embarazadas, ni tampoco los que son portátiles. Más preocupante es la multitud de incomodidades físicas, incluyendo la tensión en muñecas y brazos, los mareos y las jaquecas, que son el resultado de pasar demasiado tiempo delante del ordenador. Para hacer disminuir las molestias, utilice una silla de altura regulable, con un respaldo que aguante la parte baja de su espalda. Ajuste el monitor a una altura que le sea cómoda. La parte superior debería estar al nivel de sus ojos, y aproximadamente a la distancia de un brazo suyo. Utilice un teclado ergonómico, diseñado para reducir en lo posible el riesgo del síndrome del túnel carpiano (véase recuadro de la pág. 216) o un reposador para las muñecas. Cuando pone las manos sobre el teclado, deben estar más bajas que los codos, y los antebrazos deberían estar paralelos al suelo.

Personal sanitario. Estar sano es la prioridad suprema de todos los profesionales de la sanidad, pero esto es aún más importante cuando se trata de estar sana para dos. Entre los riesgos potenciales ante los que debe protegerse, y proteger a su bebé, está la exposición a productos químicos (tales como el óxido de etileno y el formaldehído) usados para la esterilización de equipos, a algunos fármacos anticancerosos, a las infecciones tales como la hepatitis B y el sida, y a la radiación ionizante (como la que se usa en el diagnóstico o tratamiento de las enfermedades). La mayoría de los técnicos que trabajan con dosis bajas de rayos X no están expuestos a niveles peligrosos de radiación. Sin embargo, es recomendable que las mujeres en edad de concebir y que trabajan con dosis más altas de radiación lleven un dispositivo especial que registre la radiación recibida a diario, para asegurarse de que la cantidad acumulada anualmente no exceda el nivel de seguridad.

Dependiendo de los riesgos particulares a los que esté expuesta, podrá o bien tomar las debidas precauciones, recomendadas por los organismos estatales, o bien cambiar a un trabajo más seguro mientras dure el embarazo.

Trabajo en la industria. Si trabaja en una fábrica, y su labor requiere que opere con maquinaria pesada o peligrosa, hable con su jefe sobre la posibilidad de cambiar de puesto mientras esté embarazada. También puede contactar con el fabricante de la maquinaria (pregúntele al director médico corporativo) para tener más información sobre la seguridad de ésta.

La seguridad del trabajo en una fábrica depende de lo que se fabrique en ella, y hasta cierto punto, de la responsabilidad y los principios de los que la gestionan. En algunos países hay publicadas listas de aquellas sustancias que toda mujer embarazada debería evitar en el trabajo (véase recuadro de la pág. 220). En aquellos lugares en que se cumplen los protocolos de seguridad, puede evitar la exposición a dichas toxinas. El sindicato u otra organización laboral pueden ayudar a determinar si está adecuadamente protegida, y asimismo los organismos oficiales deben proporcionar la información adecuada.

Trabajo físico fatigoso. El trabajo que implique levantar mucho peso, ejercicio físico, trabajar muchas horas seguidas, turnos rotatorios o estar continuamente de pie puede aumentar algo el riesgo de parto prematuro. Si realiza un trabajo de este tipo, debería pedir que la trasladen hacia las semanas 20 a 28 a un puesto de trabajo que no sea tan extenuante hasta después del parto y hasta recuperarse del posparto. (Véase la pág. 222 para las recomendaciones de hasta cuándo es seguro realizar distintos trabajos cansados durante el embarazo.)

Trabajo emocionalmente estresante. El estrés extremo en algunos lugares de trabajo parece influir en los trabajadores en general, y en las embarazadas en particular. Así que lo más sensato sería hacer disminuir el estrés de su vida en lo posible. Una forma obvia de hacerlo es cambiar a un trabajo que sea menos estresante o pedir antes la baja por maternidad. No obstante, no todo el mundo puede hacerlo; si el trabajo es crítico para la economía o la carrera profesional, quizá esté más estresada si lo deja.

En lugar de ello, puede considerar otras formas de reducir el estrés, incluyendo la meditación y la respiración profunda, el ejercicio regular (para liberar esas endorfinas, que la harán sentir tan bien) y divertirse más (viendo una película en vez de trabajar hasta las 10 de la noche). También puede ser de ayuda hablar con su jefe y explicarle que el exceso de trabajo o de horas, y el estrés en general, podrían afectar a su embarazo.

Explíquele que si le permiten ir a su propio ritmo en el trabajo, su embarazo sería más cómodo (parece que este tipo de estrés aumenta el riesgo de tener dolores de espalda y otros efectos secundarios del embarazo dolorosos) y su trabajo, de mayor calidad. Si trabaja por cuenta propia puede resultar más difícil reducir las obligaciones (quizá sea una jefa muy exigente consigo misma), pero es algo que debería considerar.

Otros trabajos. Las maestras y asistentas sociales que tratan con niños pequeños podrían entrar en contacto con infecciones potencialmente peligrosas para el embarazo, tales como la rubéola, el eritema infeccioso agudo o quinta enfermedad y el CMV. Las que manipulan animales, despiezan la carne o la inspeccionan pueden verse expuestas a la toxoplasmosis (pero puede ser que muchas de ellas ya hayan quedado inmunizadas, y por lo tanto sus bebés no corren ningún riesgo). Si trabaja donde hay riesgo de infección, asegúrese de que ha recibido las vacunas necesarias y de tomar las precauciones adecuadas, tales como lavarse las manos con frecuencia y a conciencia, llevar guantes protectores y máscara, etc.

Las azafatas o pilotos pueden tener un riesgo ligeramente mayor de sufrir un aborto espontáneo (aunque los estudios realizados aún no han llegado a conclusiones definitivas) debido a la exposición a las radiaciones solares durante los vuelos a altitud media, y quizá deberían considerar la posibilidad de pasarse a rutas más cortas (en las que generalmente se vuela a menor altura y los períodos de estar de pie son más cortos) o de trabajar en tierra mientras dure el embarazo.

Las artistas, las fotógrafas, las químicas, las que trabajan con cosméticos, en las tintorerías, en la agricultura y la horticultura, etc., pueden entrar en contacto con diversos productos químicos potencialmente peligrosos durante su jornada laboral, así que deberán asegurarse de llevar guantes y tomar otras medidas de protección. Si trabaja con alguna sustancia sospechosa, deberá tomar las precauciones pertinentes, lo que en algunos casos podría significar evitar la parte del trabajo que implique el uso de esos productos químicos.

Continuar trabajando

Tiene pensado trabajar hasta que note las primeras contracciones. Muchas mujeres pueden combinar muy satisfactoriamente el trabajo con el embarazo hasta el noveno mes, sin comprometer ninguna de las dos actividades. Sin embargo, algunos trabajos son más adecuados para las embarazadas durante todo el trayecto (por así decirlo) que otros. Y seguramente, la decisión de si va a continuar en el trabajo hasta el parto tendrá al menos algo que ver con el tipo de trabajo que está desempeñando. Si trabaja sentada a una mesa de despacho, probablemente podrá planear ir directamente de la oficina a la sala de partos. Tal vez un trabajo sedentario que sea poco estresante será menos pesado para usted y su bebé que quedarse en casa con el aspirador y la fregona, intentando arreglar el nido para el que pronto llegará. Y andar bastante –una o dos horas diarias, en el trabajo o fuera de él– no sólo será inocuo sino también beneficioso (asumiendo que no esté llevando pesos mientras pasea).

Sin embargo, los trabajos que son cansados, muy estresantes y/o implican estar de pie mucho rato ya son un tema más discutido. En un estudio se averiguó que parecía que las mujeres que estaban de pie 65 horas semanales no tenían más complicaciones que las que trabajaban muchas menos horas, y en ocupaciones menos estresantes. Sin embargo, otras investigaciones sugieren que una actividad cansada o estresante prolongada, o estar muchas horas de pie después de la semana 28 –especialmente si la futura mamá tiene que cuidar de otros niños en casa– puede aumentar el riesgo de ciertas complicaciones, incluyendo el parto prematuro, la hipertensión y un bebé de bajo peso al nacer.

¿Deben trabajar más allá de la semana 28 las mujeres que han de estar mucho tiempo de pie: vendedoras, chefs u empleadas culinarias de otro tipo, oficiales de policía, médicos, enfermeras, etc.? La mayoría de facultativos dan luz verde para trabajar durante más tiempo si parece que la mujer está bien y que su embarazo progresa con normalidad. No obstante, puede que estar de pie en el trabajo hasta la fecha de salida de cuentas no sea una buena idea, no tanto por el riesgo teórico para el embarazo, sino por el peligro de que se agraven las incomodidades tales como el dolor de espalda, las venas varicosas y las hemorroides.

Probablemente sea una buena idea coger pronto la baja si se desempeña un trabajo que implique frecuentes cambios de turnos (que pueden afectar a las rutinas del apetito y el sueño, y empeorar la fatiga), o que haga exacerbar cualquier problema del embarazo, como las jaquecas, el dolor de espalda o la fatiga, o que tenga un alto riesgo de caídas u otro tipo de accidentes. Pero el titular es: cada mujer, cada embarazo y cada trabajo son distintos. En el momento que lo crea conveniente, puede tomar la decisión correcta con la ayuda de su médico.

Cambiar de trabajo

Con todos los cambios que están llegando a su vida (como el desarrollo de su barriga y las responsabilidades cada vez mayores que la acompañan), podría parecer contradictorio querer añadir otro cambio a la lista. Pero existen docenas de razones válidas por las que una futura mamá debería considerar la posibilidad de cambiar de trabajo. Quizá su jefe no tenga una política de ayuda a las familias y esté preocupada por poder compaginar su carrera con la maternidad cuando se reincorpore después de la baja por maternidad. Quizá la jornada sea demasiado larga, el horario inflexible o el esfuerzo requerido sea muy grande. También puede ser que esté aburrida o no se sienta realizada (y, oiga, de todas formas es época de cambios, así que ¿por qué no sacar el mayor partido posible?). O quizá esté preocupada porque su actual puesto de trabajo puede ser peligroso

para usted y el bebé que se está desarrollando. Cualquiera que sea la razón, aquí le incluimos algunos aspectos que debe tener en cuenta antes de cambiar de trabajo:

- Buscar trabajo requiere tiempo, energía y atención, tres cosas que quizá no tenga en estos momentos, ya que está concentrada en tener un embarazo sano. Normalmente, será sometida a varias entrevistas y reuniones antes de que le hagan la oferta (y si ahora ya está sufriendo los despistes del embarazo, puede ser un desafío decir aquellas frases que crean una buena impresión). Empezar un nuevo trabajo también requiere, sin duda alguna, una gran concentración (todos los ojos estarán puestos en usted, así que tendrá que tener mucho cuidado en no cometer errores), y deberá estar segura de tener la energía y el interés suficientes para llevarlo a cabo.

Un trato injusto en el trabajo

Cree que la están tratando injustamente en el trabajo porque está embarazada. No se limite a estar sentada, haga algo. Explíquele a alguien de su confianza –su supervisor, alguien de recursos humanos– cómo se siente. Si eso no soluciona el problema, contacte con el Ministerio de Sanidad, Servicios Sociales e Igualdad o con los sindicatos. La ayudarán a determinar si sus quejas son legítimas.

Recuerde guardarse pruebas de todo lo que la pueda ayudar a reclamar (copias de correos electrónicos, cartas, un diario de acontecimientos). Todas estas pistas le serán de gran ayuda si tiene que contratar a un abogado.

- Antes de cambiar de puesto, tendrá que asegurarse de que el nuevo trabajo que está buscando es todo lo bueno que se supone que es (al menos en su mente). ¿Permiten que la gente trabaje desde casa, pero esperan poder llamarla por la mañana, al mediodía y por la noche? ¿Es el salario mucho mejor, pero al mismo tiempo, más exigente en cuanto a los viajes? Tenga en cuenta que lo que parece un gran trabajo ahora no puede serlo tanto cuando esté combinándolo con los cuidados al bebé (su vida doméstica será mucho más complicada, así que no querrá que su puesto de trabajo también lo sea). Tenga también en cuenta que con bastante frecuencia las empresas dan pocas facilidades para el período de después de la baja maternal.

- Según la ley, la empresa que la va a emplear no tiene ningún derecho a preguntarle si está embarazada (si es que ya no es obvio), ni puede negarle el puesto de trabajo a la luz de su respuesta afirmativa. Sin embargo, algunas compañías no siguen estas directrices. Y no todos los altos cargos de la empresa apreciarán lo que según ellos sería una estrategia para llegar y coger la baja (usted les dice que quiere trabajar para ellos, luego, después de empezar, les dice que va a coger la baja por maternidad). Así que aunque a corto plazo podría ir bien mantener en secreto su embarazo cuando la entrevisten, a la larga puede ser perjudicial para sus relaciones con la empresa. Por otra parte, a veces es mejor asegurarse primero el lugar de trabajo y luego discutir el futuro, una vez que sepa seguro que la empresa quiere sus servicios; pero antes de aceptar el puesto.

¿Y si aceptó un nuevo empleo antes de darse cuenta de que estaba embarazada? Haga frente a lo que ha sucedido, y luego dedíquese al trabajo de desempeñar su empleo lo mejor que pueda en su situación. Y asegúrese de conocer sus derechos sobre la seguridad en el trabajo, por si la situación diese un giro negativo.

CAPÍTULO 9

El cuarto mes

Semanas 14 a 17 aproximadamente

LEGA FINALMENTE EL INICIO DEL segundo trimestre de embarazo, que para la mayoría de mujeres es el más cómodo de los tres. Y con la llegada de este momento crucial (¡ya ha pasado uno y sólo quedan dos!) llegan también algunos bienvenidos cambios. Para empezar, algunos de los síntomas más molestos del principio del embarazo seguramente irán remitiendo poco a poco o incluso desaparecerán por completo. Los mareos pueden cesar (lo cual significa que la comida olerá y le sabrá bien por primera vez en mucho tiempo). Su nivel de energía remontará (lo cual significa que finalmente se verá capaz de levantarse del sofá), y sus visitas al baño también es posible que se vayan espaciando. Y aunque el tamaño de las mamas siga siendo mayúsculo, es probable que ya no las tenga tan extremadamente sensibles. Otro cambio para mejor: al final de este mes, el abultamiento de la parte baja de su abdomen dejará de parecer el resultado de un atracón y comenzará a identificarse más como una barriga de embarazada.

Su bebé este mes

Semana 14 Al principio del segundo trimestre, los fetos (de la misma forma que las criaturas en que algún día se convertirán) empiezan a crecer a ritmos diferentes, algunos más rápidamente que otros. Pese a estas diferencias del ritmo de crecimiento, todos los bebés siguen los mismos procesos evolutivos en el interior del útero. Esta semana, el bebé –del tamaño de un puño cerrado–

adquirirá una postura más recta porque el cuello se alarga y la cabeza se yergue. Y en lo alto de su graciosa cabecita es posible que crezca algo de pelo. El pelo de las cejas también crece ahora, como el vello corporal, llamado lanugo.

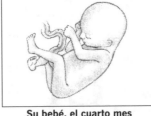

Su bebé, el cuarto mes

No se preocupe, no es permanente. Este vello lanoso mantendrá al bebé calentito –como si se tratase de una manta–. A medida que el bebé acumula grasa durante el embarazo, gran parte de este vello caerá, aunque algunos bebés, especialmente los que se adelantan, siguen presentando una capa de vello al nacer.

Semana 15 Su bebé mide 11,25 cm y pesa entre 60 y 90 gramos; es del tamaño aproximado de una naranja. Cada vez se parece más al bebé que se imagina: las orejas ya se han colocado una a cada lado de la cabeza (estaban en el cuello), y los ojos, que estaban a los lados de la cabeza, pasan delante de la cara. Ahora el bebé dispone de la coordinación, fuerza y viveza suficientes para mover los dedos de manos y pies e incluso chuparse el pulgar. Pero esto no es todo lo que es capaz de hacer. También sabe respirar (o al menos realizar movimientos de respiración), succionar y tragar: se prepara para su gran debut y para la vida fuera del útero. Y si bien es poco probable que le note moverse esta semana, el pequeño está ejercitándose (dando patadas, flexionándose y moviendo brazos y piernas).

Semana 16 Con un peso de entre 90 y 150 gramos y un tamaño (de vértex a rabadilla) de entre 10 y 12,5 cm, el bebé crece deprisa. Sus músculos se están fortaleciendo (empezará a notar cómo se mueve en unas semanas), especialmente

los de la espalda, lo cual le permite estirarse aún más. El futuro bebé tiene un aspecto cada vez más adorable, con ojos en la cara (con sus cejas y pestañas) y las orejas en su lugar. Es más: ¡los ojos ya funcionan! Sí, es así: el bebé los mueve de un lado a otro y percibe la luz, aunque los párpados siguen sellados. El bebé también es más sensible al tacto. De hecho, se estremece si se golpea usted la barriga (aunque es probable que no note usted todavía sus movimientos).

Semana 17 Mírese la mano. El bebé es ahora del tamaño de la palma de su mano, mide unos 12,5 cm de vértex a rabadilla y pesa aproximadamente 150 gramos (o más). Empieza a acumular grasa corporal (el bebé la acumula aunque seguramente usted también), pero el pequeño es todavía muy delgado y su piel es casi translúcida. Esta semana, el bebé no deja de practicar, practicar y practicar con vistas al parto. Una destreza importante que ahora está perfeccionando es la de succionar y tragar para estar preparado cuando llegue la primera (segunda… y tercera) toma de leche. El ritmo cardiaco del bebé lo regula su cerebro (ya no se trata de latidos espontáneos) y el corazón late entre 140 y 150 veces por minuto (más o menos el doble de rápido que el de mamá).

Más bebés

Encontrará más imágenes del sorprendente desarrollo del bebé en <www.whattoexpect.com>.

Qué se puede sentir

Como ya hemos dicho antes, recuerde que cada embarazo y cada mujer son distintos. Puede experimentar todos estos síntomas en un momento u otro, o sólo alguno de ellos. Puede que aún note algunos síntomas del mes pasado; otros serán nuevos. Y puede que otros casi no los note porque se ha acostumbrado a ellos. También puede tener otros síntomas menos comunes. He aquí lo que puede sentir este mes:

Físicamente

- Fatiga.
- Una disminución de la frecuencia urinaria.
- Disminución o desaparición de las náuseas y vómitos (en algunas mujeres, los mareos matutinos continuarán en el cuarto mes, y para un número muy reducido de ellas, empezarán ahora).
- Estreñimiento.
- Acidez de estómago, indigestión, flatulencia e hinchazón.
- Los pechos siguen aumentado algo de tamaño, pero disminuye la hipersensibilidad.
- Dolores de cabeza ocasionales.
- Desfallecimientos o mareos ocasionales, en particular al cambiar bruscamente de posición.
- Congestión nasal y hemorragias nasales ocasionales; embotamiento de los oídos.
- Encías sensibles que pueden sangrar al cepillarse los dientes.
- Aumento del apetito.

- Ligera hinchazón de los tobillos y los pies, y ocasionalmente, de las manos y el rostro.
- Venas varicosas en las piernas y/o hemorroides.
- Ligero aumento del flujo vaginal.
- Movimientos fetales hacia el final del mes (pero por lo general todavía no se notan, a menos que se trate del segundo embarazo o siguientes).

Un vistazo al interior

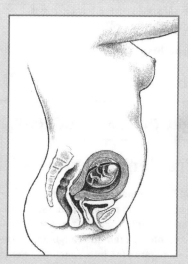

Su útero, ahora del tamaño de un melón pequeño, ha crecido lo bastante como para salir de la cavidad pélvica y a finales de mes ya lo podrá notar si se palpa el vientre a unos 4 cm por debajo del ombligo (si no sabe qué busca, pida al médico que se lo muestre en la próxima visita). Si todavía no le ha sucedido, a partir de ahora empezará a apretarle la ropa.

Emocionalmente

- Cambios de humor, que pueden incluir irritabilidad, irracionalidad, ganas inexplicables de llorar.

- Alegría y/o aprensión, si ya se siente y se ve embarazada.

- Frustración, si aún no se siente embarazada pero se ve muy gorda para su ropa habitual y muy delgada para las prendas de premamá.

- Sensación de no ser una misma: se olvidan cosas, se le caen objetos de las manos y le resulta difícil concentrarse.

Qué se puede esperar en la visita de este mes

Este mes, puede esperar que su médico compruebe lo siguiente, aunque puede haber variaciones dependiendo de sus necesidades o el estilo de práctica del facultativo:

- Peso, presión arterial.

- Análisis de orina, para el nivel de azúcar y proteínas.

- Latido cardiaco fetal.

- Tamaño del útero, por palpación externa (desde el exterior).

- Altura del fundus (la parte superior del útero).

- Manos y pies, por si existe hinchazón, y piernas, por si hay venas varicosas.

- Síntomas que haya experimentado, especialmente los poco habituales.

- Preguntas o problemas que desee aclarar: tenga preparada una lista.

Qué puede preocupar

Problemas dentales

"Mi boca se ha convertido de repente en una zona catastrófica. Me sangran las encías cada vez que me cepillo los dientes y creo que tengo una caries. ¿Son seguras las intervenciones dentales durante el embarazo?"

Sonría, ¡está embarazada! Pero en su estado centra tanta atención en su barriga que puede pasar por alto lo que sucede en su boca hasta que ésta exige más cuidados, cosa que hace a menudo en caso de embarazo. Para empezar, las hormonas del embarazo no tratan bien a las encías, que, como otras membranas mucosas, se inflaman y tienden a sangrar con facilidad. Estas hormonas

también hacen que las encías sean más propensas a acumular sarro y bacterias, lo que pronto puede empeorar las cosas y derivar a gingivitis (inflamación de las encías) e incluso caries dental.

Para tener a la boca contenta –y una sonrisa sana– durante el embarazo:

- Cepíllese los dientes y utilice el hilo dental con regularidad, y use un dentífrico con flúor para protegerlos contra la caries. Cepillarse la lengua también ayuda a combatir las bacterias a la vez que mantiene el aliento fresco.

- Pida al dentista que le recomiende un enjuague bucal para reducir las bacterias y el sarro y proteger encías y dientes.

Alerta de las encías

Durante el embarazo, cuando no es una cosa, es otra. Si aprecia un nódulo junto a las encías que sangra cuando se cepilla los dientes, acuda al dentista. Lo más probable es que se trate de un afta o un granuloma piogénico (conocido también con el inquietante nombre de "tumor del embarazo", a pesar de su naturaleza benigna). Provoca más que nada molestias y suele remitir por sí solo tras el parto, pero si es muy molesto el médico o el dentista pueden extraerlo.

- Si no puede cepillarse los dientes después de comer, mastique un chicle sin azúcar (así aumenta la secreción de saliva, que limpia los dientes; si el chicle está edulcorado con xilitol, masticarlo puede incluso ayudar a prevenir la caries).

- Vigile lo que come, sobre todo entre comidas. Deje los dulces (sobre todo los pegajosos) para cuando pueda cepillarse luego los dientes. Consuma muchos alimentos ricos en vitamina C, que refuerza las encías y reduce las posibilidades de que sangren. Cerciórese de ingerir cada día la cantidad apropiada de calcio. El calcio es necesario durante toda la vida para mantener fuertes y sanos los dientes y huesos.

Blancos como perlas

Le preocupa saber si puede utilizar productos blanqueadores para los dientes durante el embarazo. En la página 167 se detallan los últimos descubrimientos.

- Tanto si experimenta molestias como si no, es aconsejable concertar una cita con el dentista al menos una vez a lo largo de los nueve meses, mejor hacia el principio que hacia el final, para una revisión y limpieza. La limpieza es importante para quitar el sarro, que no sólo puede incrementar el riesgo de que se formen caries, sino también empeorar los problemas de encías. Si ha tenido problemas con sus encías en el pasado, deberá hacer también una visita al periodontólogo.

Si cree que puede tener una caries u otro problema dental o gingival, concierte una cita con el dentista o periodontólogo enseguida. La gingivitis no tratada puede derivar en un problema más grave, la periodontitis, que se ha asociado con diversas complicaciones del embarazo. Una caries u otras afecciones dentales no tratadas también pueden convertirse en un foco de infección (y la infección no es buena para la madre ni para el bebé).

¿Qué ocurre si es necesaria una intervención dental importante durante el embarazo? Afortunadamente, en la mayoría de intervenciones, basta con aplicar anestesia local, que es segura. Una pequeña dosis de óxido nitroso (el gas de la risa) también puede utilizarse pasado el primer trimestre, pero la sedación más fuerte debería evitarse. En algunos casos, puede ser necesario tomar antibióticos antes o después de la intervención; consulte con el médico.

Quedarse sin aliento

"A veces me quedo sin aliento. ¿Es normal?"

Respire profundamente (¡si le es posible!) y relájese. Un leve jadeo es normal y muchas embarazadas lo empiezan a experimentar durante el

¿Tienen que hacerle radiografías?

Las radiografías para el dentista (o las que son para otros especialistas, igual que las tomografías) suelen posponerse para después del parto, para no correr riesgos. Pero si posponerlas no es buena idea (el riesgo de hacerlas es menor que el riesgo de no hacerlas), la mayoría de facultativos las llevan a cabo. Esto se debe a que el riesgo que supone la exposición a rayos X en el embarazo es muy bajo y puede incluso disminuirse. Los rayos X para el dentista se dirigen a la boca, lo cual significa que se aplican lejos del útero. Es más, una radiografía típica rara vez administra más radiación de la que recibiría el organismo si se tumbara unos días al sol. Los daños al feto sólo son posibles cuando las dosis son elevadas, dosis a las que muy probablemente no se expondrá. Aun así, si tienen que hacerle una radiografía durante el embarazo, siga las siguientes directrices:

- Informe siempre de su embarazo al médico que se las pida y al técnico que las administre, aunque esté bastante segura de que ya lo saben.

- Acuda siempre a centros autorizados que cuenten con personal cualificado.

- El equipo de rayos X debería, si es posible, dirigirse sólo a la zona estrictamente necesaria. Debería emplear un delantal plomado para proteger su útero y un collar protector de tiroides para el cuello.

- Siga exactamente las instrucciones del técnico y tenga cuidado de no moverse mientras tome la imagen para evitar repeticiones.

Lo más importante es no preocuparse si se hizo una radiografía antes de saber que estaba embarazada.

---

segundo trimestre. Nuevamente, se puede culpar a las hormonas del embarazo. Dichas hormonas estimulan el centro respiratorio para aumentar la frecuencia y la profundidad de las respiraciones, dando la impresión de "respiración pesada" tras algo en principio tan poco agotador como un viaje al baño. También producen la hinchazón de los capilares del tracto respiratorio y de otras partes del cuerpo, y la relajación de los músculos de los pulmones y de los bronquios, dificultando la respiración. El útero también contribuirá a obstaculizar la respiración a medida que avanza el embarazo, empujando hacia arriba el diafragma y dificultando la completa expansión de los pulmones.

Afortunadamente, pese a la incomodidad provocada por un cierto jadeo, su pérdida de aliento no afecta al bebé, que tiene un buen suministro de oxígeno a través de la placenta. Pero si experimenta graves dificultades para respirar, si los labios o la punta de los dedos adoptan una tonalidad azulada o si existe dolor torácico y el pulso se acelera, llame al médico enseguida.

Hemorragia y congestión nasal

"Se me congestiona mucho la nariz y a veces incluso tengo hemorragias nasales sin motivo aparente. ¿Tiene algo que ver con el embarazo?"

La barriga no es lo único que se le está hinchando últimamente. Gracias a los elevados niveles de estrógeno y progesterona que circulan por su organismo, que aumentan el flujo sanguíneo, las membranas mucosas de la nariz también se hinchan y se ablandan (igual que el cuello de la matriz cuando empieza a prepararse para el parto). Las membranas, además, producen ahora más mucosidad con la intención de mantener las infecciones y gérmenes a raya. Todo ello conlleva congestión y posibles hemorragias nasales. Es probable que la congestión empeore a medida que avanza el embarazo. Y también es posible que se desarrolle una congestión posnasal, que ocasionalmente provocará tos o náuseas nocturnas.

Puede probar los aerosoles salinos o las tiras nasales para aliviarse, ambos completamente seguros, especialmente si la congestión es verdaderamente incómoda. La utilización de un humidificador ambiental puede ser de gran ayuda para evitar la sequedad asociada con toda congestión. Durante el embarazo no suelen recetarse medicamentos ni aerosoles nasales antihistamínicos, pero puede preguntar al médico qué le recomienda (algunos aprueban el uso de descongestionantes o aerosoles nasales de esteroides pasado el primer trimestre).

La administración de 250 miligramos adicionales de vitamina C (con el consentimiento del médico), además de los alimentos ricos en vitamina C habituales de la dieta, ayudarán a reforzar los capilares y por tanto a reducir las probabilidades de una hemorragia. A veces la nariz sangra después de sonarse con fuerza, por lo que en estos casos la hemorragia puede evitarse.

Para contener una hemorragia nasal, lo mejor es ponerse de pie o sentada inclinándose ligeramente hacia delante, en vez de echarse o inclinarse hacia atrás. Presione los orificios nasales contra el tabique nasal entre el pulgar y el índice, y manténgalos así durante cinco minutos; repita la operación si la hemorragia prosigue. Si después de tres intentos ésta no ha sido controlada, o si la hemorragia es frecuente o cuantiosa, llame al médico.

Ronquidos

"Mi marido me ha dicho que últimamente ronco. ¿A qué se debe?"

Los ronquidos pueden ser un inconveniente para dormir a pierna suelta, tanto para el roncador cono para su compañero de cama, pero no suele ser algo que deba preocuparle durante el embarazo. La sinfonía nocturna nasal puede ser el resultado de la congestión habitual en el embarazo, en cuyo caso, dormir con un humidificador ambiental (o una tira nasal) y con la cabeza bien elevada puede solucionar el problema. El exceso de peso puede contribuir a los ronquidos, de modo que conviene mantenerlo a raya.

¿Insomnio?

Las hormonas del embarazo –o la creciente barriga– le impiden conciliar el sueño. Los problemas para dormir son frecuentes durante el embarazo, y si bien el insomnio puede ser un entrenamiento para las noches en vilo que se avecinan una vez haya nacido el bebé, seguramente ahora deseará poder descansar bien. Antes de optar por medicarse, hable con el médico. Es posible que le ofrezca algunos consejos útiles para conseguir dormir. Lea también los consejos de la página 295 para ayudar a combatir el insomnio.

En contadas ocasiones, los ronquidos pueden ser un síntoma de que se padezcan apneas, una situación en que la respiración se detiene durante cortos períodos de tiempo mientras se duerme. Como respira por dos, es buena idea mencionar sus ronquidos al médico en la próxima visita.

Alergias

"Me parece que las alergias que sufro han empeorado desde que empezó el embarazo. La nariz me gotea constantemente."

Es posible que la embarazada confunda la congestión nasal habitual (aunque molesta) del embarazo con una alergia. Pero también es posible que el embarazo haya agravado las alergias. Aunque algunas embarazadas alérgicas (alrededor de un tercio) son afortunadas porque el embarazo supone un respiro de los síntomas de sus alergias, las menos afortunadas (también alrededor de un tercio) ven cómo sus síntomas empeoran, y el resto (el otro tercio) no experimentan cambio alguno en su sintomatología. Por su comentario, parece que se cuenta entre las menos afortunadas, y querrá alivio para los síntomas: una nariz que gotea, ojos irritados y estornudos. Pero antes de recurrir a los antihistamínicos, consulte con el facultativo para comprobar que los que suele utilizar son seguros durante el embarazo. Algunos lo son, pero otros pueden no serlo (pero no se preocupe por lo que tomara antes de saber que estaba embarazada).

Las inyecciones contra las alergias se consideran seguras para las embarazadas que las han recibido durante algún tiempo antes de quedar encintas. Pero la mayoría de alergólogos afirman que no es aconsejable empezar un tratamiento

---

¿Ni un cacahuete para el pequeñín?

Hace ya tiempo que se sabe que los padres que tienen o han tenido alergias pueden pasarle al bebé que aún no ha nacido sus tendencias alérgicas, aunque no necesariamente sus alergias específicas. Según algunas investigaciones, las madres *alérgicas* que toman alimentos que son fuertes alergenos (tales como los cacahuetes y los productos lácteos) durante la lactancia, es más probable que induzcan en sus bebés una alergia a dichos alimentos.

La buena noticia para las amantes de dichos alimentos es que las investigaciones al respecto en mujeres embarazadas no son concluyentes hasta el momento. Aun así, si ha sido alguna vez alérgica, hable con su médico y con un alergólogo sobre la posibilidad de restringir su dieta durante el embarazo y/o la lactancia.

---

durante el embarazo porque puede provocar reacciones inesperadas.

No obstante, en general, lo mejor para enfrentarse a las alergias durante el embarazo es la prevención, –que le puede valer un montón de pañuelos esta temporada–. Mantenerse alejada de los factores que causan la alergia también puede reducir el riesgo de que el bebé desarrolle las mismas alergias.

Para minimizar los síntomas, siga estas indicaciones:

- Si el polen u otros alergenos del exterior la molestan, quédese en el interior, en un ambiente con aire acondicionado y filtrado tanto como le sea posible durante la época de mayor incidencia de la alergia. Cuando entre en casa, lávese las manos y la cara y cámbiese de ropa para deshacerse del polen. En el exterior, póngase gafas grandes que cubran bien los laterales de los ojos para evitar que el polen entre en ellos.

- Si el culpable es el polvo, procure que una tercera persona se ocupe de la limpieza del hogar (¿qué le parece como excusa para librarse de la limpieza doméstica?). Una aspiradora (especialmente con filtro antipolvo), un paño humedecido o una escoba cubierta con un paño húmedo levantan menos polvo que una escoba corriente, y un paño absorbente da mejores resultados que un plumero. Debería mantenerse alejada en la medida de lo posible de los lugares mohosos y llenos de polvo, como las buhardillas y las bibliotecas llenas de libros viejos.

- Si tiene alergia a determinados alimentos, deberá prescindir de ellos aunque se trate de alimentos apropiados para el embarazo; consulte la dieta del embarazo (Capítulo 5) para encontrar alimentos sustitutivos.

- Si la presencia de animales provoca un ataque de alergia, informe a sus amistades del problema, para que puedan alejar al gato, al perro o al canario cuando vayan a recibir su visita. Y, evidentemente, si su propio animal de compañía desencadena súbitamente una respuesta alérgica, intente mantener una o más zonas de la casa (particularmente su dormitorio) libres de éste.

- La alergia al humo del tabaco resulta más fácil de controlar en la actualidad, ya que hay menos fumadores y menos lugares donde se permite fumar. Para controlar la alergia, y también en beneficio del futuro bebé, evite exponerse al humo de cigarrillos, pipas y puros.

Pérdidas vaginales

"Tengo algo de flujo claro y blanquecino. ¿Significa que padezco alguna infección?"

Las pérdidas de flujo claro y lechoso de olor más bien neutro (denominadas leucorrea) son normales durante todo el embarazo. Su propósito es noble: proteger el canal de parto de posibles infecciones y mantener un equilibrio sano de bacterias en la vagina. Por desgracia, para conseguir su noble propósito, la leucorrea ensuciará su ropa interior. Como el flujo aumenta hasta el momento del parto y puede ser abundante, algunas mujeres se sienten más cómodas usando un protector o compresa higiénica durante los últimos meses de gestación. No use tampones, ya que con ello se pueden introducir gérmenes indeseados en el interior de la vagina.

Aunque puede ser estéticamente molesto (posiblemente también para su pareja al practicar sexo oral) e incómodo, este tipo de pérdidas no debe ser motivo de preocupación. Es importante mantener la zona limpia y seca, pero no se haga irrigaciones vaginales, ya que alteran el equilibrio normal de los microorganismos en la vagina y pueden producir vaginitis bacteriana (véase la pág. 538). Para más información sobre las infecciones vaginales y sus síntomas, véase la página 537.

Presión arterial elevada

"Durante mi última visita, el médico dijo que mi presión arterial estaba un poco alta. ¿Debo preocuparme?"

Relájese. Preocuparse por la presión arterial sólo sirve para que los valores aumenten aún más, y un ligero incremento en una visita probablemente no signifique mucho. Es posible que estuviera nerviosa por los problemas de tráfico o por un informe que debía terminar en la oficina. Tal vez tan sólo estaba nerviosa: tenía miedo de haber engordado demasiado o no lo suficiente, tenía algunos síntomas que comunicar o estaba ansiosa por oír el latido cardiaco del bebé. O quizá las visitas médicas la angustian y provocan lo que se conoce como "hipertensión de la bata blanca". Es posible que una hora más tarde su presión fuera normal. Para asegurarse de que su ansiedad no altera los resultados la próxima vez, intente realizar algunos ejercicios de relajación (véase la pág. 160) mientras aguarda en la sala de espera, especialmente mientras le tomen la presión (piense cosas agradables sobre el bebé).

Si la presión arterial sigue ligeramente alta la próxima vez, es posible que forme parte del 1 o 2% de embarazadas que muestran una elevación transitoria de la presión durante el embarazo. Este tipo de hipertensión es inofensivo y desaparece tras el parto (por tanto, relájese).

Son más las madres que experimentarán un ligero descenso de la presión durante el segundo trimestre a medida que aumenta el volumen de sangre en el organismo y su cuerpo trabaja duro para conseguir un buen ritmo de formación del bebé. Pero al llegar al tercer trimestre, normalmente sube un poco. Si sube demasiado (si la presión sistólica –el número superior– es de 140 o más, o la diastólica –el número inferior– es superior a 90) y permanece en estos valores en dos lecturas como mínimo, el médico realizará un seguimiento más estricto. Porque si esta presión elevada va acompañada de proteínas en la orina, hinchazón de las manos, tobillos y rostro, y/o un brusco aumento de peso, el problema puede ser la preeclampsia; véase la página 586.

Vacúnese contra la gripe

Los Centros de Prevención Sanitaria recomiendan que las mujeres que vayan a pasar su segundo o tercer trimestre de embarazo durante la época de la gripe (de octubre a abril) reciban la vacuna correspondiente. La vacuna no afectará al feto, y los efectos secundarios son prácticamente inexistentes para la madre. (Lo peor que puede pasar es que la mujer tenga algo de fiebre y se sienta más cansada de lo normal durante unos días.) Pregunte si pueden administrarle la vacuna sin timerosal. Debería evitar la vacuna con atomizador intranasal FluMist (EE. UU.) o Fluenz (Europa). A diferencia de la vacuna inyectada, está formulada con virus vivo atenuado y podría provocar una gripe leve.

Azúcar en la orina

"En la última visita, el médico me dijo que tenía azúcar en la orina. Me aconsejó que no me preocupara, pero ¿no es una señal de diabetes?"

Siga el consejo de su médico y no se estrese. Su organismo probablemente está haciendo lo debido: cerciorarse de que el feto, que depende de usted para alimentarse, reciba suficiente glucosa (azúcar).

La hormona insulina regula el nivel de glucosa en la sangre y garantiza que las células del organismo se nutran adecuadamente de ella. El embarazo desencadena mecanismos antiinsulina para que siga circulando suficiente glucosa por el torrente sanguíneo con el fin de nutrir también al feto. Es una idea perfecta que no siempre funciona a la perfección. En ocasiones, el efecto antiinsulina es tan intenso que la sangre llega a contener más azúcar del necesario para satisfacer las necesidades de la madre y del hijo (más azúcar del que pueden manejar los riñones). El exceso es "desperdiciado" y pasa a la orina. Y de ahí proviene el "azúcar en la orina" que se presenta a menudo durante el embarazo, en especial durante el segundo trimestre, cuando aumenta el efecto antiinsulina. De hecho, aproximadamente la mitad de las mujeres embarazadas presentan azúcar en la orina en algún momento de la gestación.

En la mayoría de las mujeres, el cuerpo responde al aumento de los niveles de azúcar en sangre mediante un aumento de la producción de insulina, lo cual devolverá los valores del análisis de orina a la normalidad antes de la siguiente visita al médico. Éste puede ser su caso. Pero algunas mujeres, en especial las que son diabéticas o presentan una tendencia a la diabetes (por su historial familiar o a causa de su edad o su peso), pueden ser incapaces de producir cantidades suficientes de insulina para hacer frente al aumento de azúcar en la sangre, o bien pueden ser incapaces de usar con eficacia la insulina que producen. En cualquier caso, continuarán presentando niveles altos de azúcar en la sangre y la orina. En las mujeres que no eran diabéticas antes del embarazo, este proceso se llama diabetes gestacional (véase la pág. 585).

Usted –igual que todas las mujeres embarazadas– pasará por un análisis de criba de glucosa en la semana 28 para comprobar la posible presencia de diabetes gestacional (las de alto riesgo realizarán la prueba antes). Hasta entonces, no se preocupe más del azúcar en su orina.

Anemia

"Una amiga mía tuvo anemia durante el embarazo. ¿Se trata de algo común?"

La anemia por déficit de hierro es común durante el embarazo, pero es algo increíblemente fácil de prevenir. Y cuando se trata de prevención, el médico es su gran aliado. Ya le hicieron una prueba para detectar una posible anemia en la primera visita prenatal, aunque es

Síntomas de anemia

Las embarazadas con un leve déficit de hierro rara vez presentan síntomas. Pero si se reducen más los glóbulos rojos, encargados de transportar el oxígeno, la futura madre empieza a presentar síntomas tales como palidez, fatiga extrema, debilidad, palpitaciones, falta de aliento e incluso desmayos. Éste puede que sea uno de los pocos casos en los que las necesidades alimentarias del feto se suplen antes que las de la madre, ya que el bebé de una madre anémica raras veces sufre un déficit de hierro al nacer.

Aunque todas las embarazadas son susceptibles de sufrir una anemia por déficit de hierro, ciertos grupos de mujeres tienen en este respecto un riesgo más elevado: las que han tenido varios hijos seguidos, las que vomitan mucho o comen mal debido a los mareos matutinos y las que quedaron embarazadas estando mal nutridas (tal vez debido a un trastorno alimentario) y/o han estado alimentándose mal desde la concepción. Un suplemento diario de hierro, recetado por el médico, evitará (o solucionará) la anemia.

poco probable que su nivel de hierro fuera bajo entonces. Esto se debe a que las reservas de hierro se recuperan rápidamente cuando se deja de tener la menstruación.

A medida que el embarazo avanza y llega hacia la mitad (alrededor de las 20 semanas), aumenta el volumen de sangre significativamente y la cantidad de hierro necesaria para producir glóbulos rojos aumenta espectacularmente, y acaba con las reservas de nuevo. Afortunadamente, sustituirlas –y prevenir la anemia– es tan fácil como tomar un suplemento diario de hierro (además de las vitaminas prenatales), que el médico puede recetarle a partir del inicio de la segunda mitad de la gestación. También debería potenciar el consumo de alimentos ricos en hierro (aunque el aporte dietético por sí solo puede no bastar, sí proporciona una gran ayuda al suplemento; véase la pág. 112). Para mejorar la absorción del hierro, conviene consumirlo en combinación con alimentos ricos en vitamina C.

Movimiento fetal

"Aún no he notado que mi bebé se mueva; ¿es posible que algo vaya mal? ¿O es posible que no haya reconocido los movimientos?"

Más que una prueba de embarazo positiva, más que una barriga que se hincha o incluso más que el sonido del latido cardiaco del feto, los movimientos fetales confirman a la mujer que existe una nueva vida en su interior.

Claro está, cuando se notan y se está segura de haberlo notado. No obstante, pocas madres en estado, sobre todo las primerizas, ya sienten las primeras patadas en el cuarto mes. Aunque el embrión empieza a realizar movimientos espontáneos hacia las siete semanas, estos movimientos de diminutos brazos y piernas no son percibidos por la madre hasta mucho más tarde. La primera sensación de vida, las primeras "patadas", se pueden producir en cualquier momento entre las 14 y las 26 semanas, aunque el promedio se sitúa entre las 18 y las 22 semanas. Las variaciones con respecto al promedio son frecuentes. La mujer que ya ha estado embarazada con anterioridad es más probable que reconozca antes los movimientos del feto (porque ya sabe cómo son y porque sus músculos uterinos y abdominales están más laxos, haciendo más fácil que sienta las patadas) que una mujer que está esperando su primer hijo. Una mujer muy delgada puede percibir movimientos débiles muy pronto, mientras que una mujer más llenita puede no notar los movimientos hasta mucho más tarde, cuando se vuelven más vigorosos. La posición de la placenta también puede tener importancia: si mira hacia delante (placenta anterior) puede amortiguar los movimientos y alargar la espera.

En ocasiones, los movimientos fetales no se perciben cuando se espera a causa de un error en el cálculo de la fecha de salida de cuentas. En otras ocasiones, la madre no reconoce el movimiento al sentirlo o lo confunde con gases o movimientos intestinales.

¿Qué se nota cuando el feto realiza los primeros movimientos? Son casi tan difíciles de describir como de reconocer. Puede que parezcan un revoloteo (parecido al que se nota cuando se está nervioso). O una punzada. O un golpecito. O retortijones de hambre. Puede que el movimiento se asimile a una burbuja que estalla o a la sensación que se experimenta al subir a las montañas rusas. Se perciban como se perciban, seguro que dibujarán una sonrisa en su cara, al menos cuando esté segura de saber de qué se tratan.

Silueta de embarazada

Si últimamente ha estado evitando las cámaras ("no hay necesidad de parecer 5 kilos más gorda"), considere la posibilidad de descubrir su silueta de embarazada. Aunque quizá prefiera olvidar el aspecto que tiene ahora que está embarazada, seguro que algún día su futuro hijo disfrutará viendo sus primeras fotografías de "bebé", y seguramente también las querrá ver usted. Para guardar para la posteridad los progresos de su embarazo, pida que le hagan una fotografía de perfil cada mes. Vístase con leotardos o con la barriga al desnudo para que el testimonio de su silueta sea más impactante, y pegue las fotos en un álbum del embarazo o publíquelas en un sitio privado de internet para compartirlas con familiares y amigos, junto con las ecografías, si se las han hecho.

Aspecto

"Siempre he controlado mi peso, y ahora, cuando me miro al espejo o me subo a la báscula, me deprimo. Estoy gordísima."

Si siempre ha controlado su peso, ver aumentar la cifra que marca la báscula puede resultar algo incómodo y tal vez algo deprimente, también. Pero no debería. Se supone que una mujer embarazada debe aumentar de peso. Y existe una diferencia importante entre los kilos que se acumulan sin ninguna razón (salvo la falta de fuerza de voluntad) y los kilos que se ganan por la mejor y más maravillosa de las razones: el bebé que crece dentro de su madre.

A los ojos de muchas personas, una mujer embarazada no es sólo bella por dentro, sino también por fuera. Muchas mujeres y sus parejas consideran que la nueva imagen de formas más redondeadas es la más deliciosa –y sensual– de las figuras femeninas. De modo que en lugar de suspirar por la cintura perdida (pronto regresará), aprenda a recrearse en su cuerpo gestante. Dé la bienvenida a estas nuevas curvas (que irán en aumento). Celebre su nueva figura. Alégrese de su aspecto redondeado. Disfrute de los kilos que irá acumulando en lugar de temerlos. Siempre y cuando se alimente debidamente y no sobrepase el peso recomendado para el embarazo, no debe sentirse "gorda" sino simplemente embarazada. Todos los centímetros de más que observa son producto legítimo de la gestación y desaparecerán rápidamente una vez nazca el bebé.

Pero si está aumentando más de lo debido, deprimirse y darse por vencida no la ayudará a no seguir engordando (y si es usted una típica productora de estrógeno, incluso puede incrementar su apetito); en cambio, sí le servirá de mucho estudiar y revisar sus hábitos alimentarios. No obstante, hay que recordar que la idea no consiste en dejar de ganar peso (es peligroso durante el embarazo), sino aumentar a un ritmo adecuado. En lugar de dejar de cubrir los requerimientos de la dieta de embarazo, lo que hay que hacer es cubrirlos con mayor eficacia (un batido de yogur como ración de calcio en lugar de un helado).

Vigilar el aumento de peso no es la única forma de tener un buen aspecto. Hacer ejercicio ayudará a colocar en su sitio el peso que vaya ganando (más barriga, menos cadera y muslos). Otra ventaja del ejercicio es que le levantará el ánimo (resulta difícil estar deprimida cuando las endorfinas realizan su trabajo).

También será de gran ayuda llevar ropa que favorezca su figura. En vez de intentar entrar en las prendas del vestuario anterior al embarazo (no es agradable que se ponga una camisa y empiecen a saltarle los botones),

Parecer delgada cuando le está creciendo la barriga

Una gran barriga es bella en una madre gestante, pero esto no significa que no pueda recurrir a algunos trucos para parecer más esbelta. Con la elección de las prendas adecuadas, puede resaltar su barriga a la vez que estilizar el aspecto de su figura.

Apueste por el negro. Y el azul marino, el marrón chocolate o el gris pizarra. Los colores oscuros estilizan y otorgan una imagen general más esbelta, aunque se trate de una camiseta y unos pantalones de yoga.

Un solo color. Vestirse toda del mismo color también estiliza la figura. Vestida de pies a cabeza de un solo color, o con diversos tonos del mismo color, parecerá más alta y delgada. Si se viste combinando dos colores, sin embargo, fragmentará su figura y hará que las miradas se dirijan justo donde cambia el color (posiblemente en el punto en que se le ensanchan las caderas).

Rayas verticales. Es el truco más viejo del manual de la moda, pero por un buen motivo: funciona. Al ensancharse su figura, opte por estampados de rayas vertica-les (que proporcionan altura y un aspecto más esbelto) en lugar de horizontales (que ensancharán aún más su silueta). Elija prendas con rayas verticales, cremalleras verticales y botonaduras verticales.

Destaque sus nuevos atractivos. Como unos pechos más grandes de lo habitual (ahora es el mejor momento para lucir escote). Y minimice la atención hacia los puntos que desea mostrar menos, como unos tobillos hinchados (cúbralos con los pantalones o con unas botas cómodas, o póngase medias negras).

Ropa ajustada. Lo mejor es optar por prendas que sigan adaptándose a su cuerpo a medida que vaya aumentando su barriga, pero busque camisetas, camisas, sudaderas, chaquetas y vestidos que ajusten bien en los hombros (tal vez la única parte del cuerpo que no se ensanchará). Las prendas con hombros caídos confieren un aspecto dejado (y abultado). Y aunque las prendas ajustadas estilizan, no deben apretar demasiado o parecerá que le han quedado pequeñas (cosa que probablemente sea así). El aspecto de salchicha embutida nunca está de moda.

---

opte por prendas de vestir premamá que acentúen su nueva figura en lugar de intentar esconderla. También le gustará más la imagen que devuelve el espejo si lleva un estilo de peinado que le estilice el rostro, si se cuida el cutis y si prueba nuevas técnicas de maquillaje (las hay que corrigen la redondez de su cara de embarazada; véase la pág. 166).

Prendas de premamá

"Ya no quepo en mis pantalones tejanos, pero no me hace ninguna gracia comprarme ropa de premamá."

Nunca antes las embarazadas han podido ir tan a la moda. Ya pasaron los días en que el vestuario de las premamás se limitaba a batas cortas poco elegantes y blusones diseñados para ocultar la barriga. La ropa de premamá actual no sólo es mucho más bonita y práctica de llevar, sino que, además, está diseñada para destacar el embarazo. Visite una tienda (o navegue por internet) y verá cómo se entusiasmará con las opciones.

He aquí algunos consejos para realizar sus compras:

■ Aún deberá engordar bastante más. No hay que salir como un torbellino a comprar ropa de premamá sin control el primer día que no pueda abrocharse los tejanos. Las prendas de embarazada pueden ser caras, especialmente si se considera el período de tiempo relativamente corto que se van a usar. Lo mejor es ir comprando a medida que engorde, y sólo lo que necesite (una vez haya comprobado qué es lo que puede usar de lo que hay en su armario, puede que necesite mucho menos de lo que se había figurado). Aunque las almohadillas que existen en los probadores de las tiendas para premamá pueden dar una buena idea de cómo sentará la ropa más adelante, no se puede predecir qué forma tendrá el vientre (estará alto, bajo, será grande o pequeño) y qué prendas acabarán siendo las más cómodas cuando se necesite el máximo confort.

- No se limite a las prendas premamá. Si algo le sienta bien, cómprelo, aunque no provenga de la sección para embarazadas. Comprar ropa que no sea para embarazada (o usar prendas que ya se tengan) es, desde luego, la mejor forma de sacarle provecho al dinero. Y dependiendo de lo que los diseñadores presenten en una temporada determinada, algunos o muchos de los modelos que cuelgan de las perchas de los departamentos de señora pueden ser adecuados para la silueta de las embarazadas (aunque tal vez precise alguna talla más grande de lo habitual). No obstante, hay que ser precavida y no gastar mucho. Aunque ahora le gusten las prendas, quizá dejarán de hacerlo cuando las haya llevado durante todo el embarazo. Además, es posible que ya no le vayan tan bien después del parto y una vez se deshaga de los kilos acumulados durante la gestación.

- Ya que tiene barriga, lúzcala. Las barrigas han salido del armario –y de los viejos y enormes vestidos de premamá sintéticos–. Muchas prendas premamá pretenden destacar la barriga con telas y patrones ajustados. Y es algo que nos encanta, porque este tipo de prendas de hecho estilizan la figura de la gestante. Otra buena opción: los vaqueros de cintura baja, que también estilizan (¿qué embarazada no agradece verse algo más esbelta?).

- No olvide los accesorios que la gente nunca ve. Un sostén que se adapte y sostenga bien es vital durante el embarazo, cuando la hinchazón de los senos generalmente deja inservibles los antiguos sujetadores. Pase de largo las secciones de rebajas y póngase en manos de una corsetera experimentada de una tienda de ropa interior bien surtida. Con un poco de suerte, ella podrá decirle aproximadamente cuánto más espacio y sujeción precisará y qué tipo de sostén se los proporcionará. No hace falta comprar demasiados. Compre dos (uno para llevar y otro para lavar) hasta que se le queden pequeños y se tenga que comprar una talla más.

Las braguitas especiales para embarazadas no suelen ser necesarias, pero si decide adquirirlas, probablemente la alegrará saber que son mucho más sexies que antes (nada de enormes bragas de abuela, ahora encontrará braguitas tipo tanga y bikini). También puede optar por braguitas tipo bikini normales –de talla mayor que la habitual si la precisa– que quedan por debajo de la barriga. Cómprelas en sus colores favoritos y/o en tejidos sexies para levantar un poco el ánimo (pero asegúrese de que la entrepierna sea de algodón).

- Aproveche el armario de su pareja. Todo lo que encuentre allí se puede usar (aunque seguramente sea buena idea preguntar antes): camisetas grandes y camisas que quedarán fantásticas por encima de los pantalones o debajo de los jerséis (intente ponerse el cinturón por debajo del vientre para lucir una silueta más interesante), pantalones de chándal más anchos que los propios, pantalones cortos de deporte que se adaptarán a la cintura durante al menos dos meses más, cinturones con los agujeros adicionales que la embarazada precisa. Pero recuerde que llegado el sexto mes (posiblemente incluso antes), por grande que sea su pareja, seguramente su ropa le quedará pequeña.

- Sea primero prestataria y luego prestamista. Acepte todas las ofertas de ropa de premamá usada, aunque no sean de su estilo. Para un apuro, servirá cualquier vestido, jersey o pantalón extra; y puede hacer más "suya" la ropa prestada mediante los accesorios. Cuando haya finalizado el embarazo, ofrezca a las amigas embarazadas toda la ropa premamá que no desee o no pueda llevar durante el posparto; de esta manera tan sencilla, entre usted y sus amigas habrán amortizado la compra de la ropa premamá.

- Lo fresco está de moda. Los materiales calurosos (los tejidos que no dejan respirar la piel, tales como el nailon y otros sintéticos) no son tan adecuados cuando la mujer está embarazada. Dado que su tasa metabólica es más alta que de costumbre, aumentando su calor corporal, se encontrará más cómoda vistiendo prendas de algodón, que además reduce las probabilidades de sarpullidos debidos al calor (comunes entre las embarazadas). Los calcetines hasta la rodilla y las medias son más cómodos que los *pantys*, pero evite los que tienen un elástico en la parte superior, ya que son perjudiciales para la circulación. Los colores claros, los tejidos de malla fina y las ropas holgadas también ayudarán a mantenerla fresca.

Cuando llegue el tiempo frío, es ideal vestirse por capas, ya que una puede irse quitando prendas al ir entrando en calor o al entrar en un local.

Realidad del embarazo

"Ahora que se me está hinchando la barriga, me doy cuenta de que realmente estoy embarazada. Aunque se trata de un embarazo planificado, de repente nos sentimos atemorizados."

Incluso las parejas más impacientes por tener un hijo pueden sentirse sorprendidas por estos temores en algún momento del embarazo. Incluso las parejas más ilusionadas pueden pensar que se arrepienten de su decisión cuando el embarazo se convierte en una realidad palpable; algo que, bien mirado, no resulta tan sorprendente. Después de todo, un pequeño intruso invisible se interpone de repente entre los dos, cambiando su vida, privándoles de unas libertades que siempre habían considerado evidentes, exigiéndoles más –tanto física como emocionalmente– que cualquier otra persona en el pasado. Aun antes de nacer, este hijo está alterando todos los aspectos de la vida a la que se habían acostumbrado, desde el modo en que pasan las tardes a cómo gastan el dinero, desde lo que comen y beben hasta la frecuencia (y el modo) de hacer el amor. Y la perspectiva de que estos cambios serán todavía más acusados después del parto agrava aún más sus sentimientos ambiguos y aumenta sus temores.

Esta ambivalencia prenatal que sienten no sólo es algo completamente comprensible y extremadamente común, sino que además resulta sana. Enfrentarse ahora a la nueva situación permite trabajar estos sentimientos –y adaptarse a estos grandes cambios que se avecinan– antes de la llegada del bebé. El mejor modo de hacerlo es hablar de ello, tanto en pareja como con los amigos que ya han realizado la transición hacia la paternidad (capaces de ofrecerles una perspectiva tranquilizadora).

Sin duda, convertirse en padres es una experiencia que cambia la vida; en otras palabras, su vida no volverá a ser igual. Pero como les dirán otros padres –y como pronto descubrirán ustedes mismos– este cambio de vida es para mejor.

Consejos no deseados

"Ahora que el embarazo es evidente, todo el mundo –desde mi suegra hasta los desconocidos que encuentro en el ascensor– me da consejos. Me están volviendo loca."

Una barriga de embarazada hace salir al "experto" que todos llevamos dentro. Cuando salga a hacer su ejercicio diario al parque, seguro que alguien exclamará: "¡En tu estado no deberías estar corriendo así!" Si lleva dos bolsas con la compra del supermercado, siempre habrá quien le diga: "¿Crees que es bueno que lleves tanto peso?" Y si se toma un helado en la cafetería, un dedo amenazador se dirigirá a usted advirtiendo: "No te resultará nada fácil deshacerte del peso que ganes ahora, cariño."

Ante los agentes policiales del embarazo, los consejos gratuitos y las inevitables predicciones acerca del sexo del futuro hijo, ¿qué debe hacer la mujer embarazada? En primer lugar, recordar siempre que la mayoría de las cosas que oye probablemente carecen de sentido. Los mitos populares que sí tienen fundamento han sido demostrados científicamente y han pasado a formar parte de la práctica médica. Los que carecen de razón, si bien

están aún profundamente arraigados en la tradición popular, pueden ser despreciados sin ningún temor. Cuando estos consejos le dejen una sensación de duda –"¿y si fuera cierto?"–, lo mejor es hablar de ellos con el médico o la comadrona.

Sin embargo, tanto si son plausibles como si son ridículos, es muy importante que la futura madre no se deje irritar por estos consejos no solicitados. Ni ella ni su bebé se beneficiarán de esta tensión adicional. En vez de ello, debe conservar su sentido del humor y elegir uno de estos dos caminos. O bien informar educadamente al desconocido, amigo o pariente bienintencionado de que se halla en manos de un buen médico en el que confía y que sólo acepta sugerencias de él y de nadie más. O bien, con igual educación, sonreír amablemente, agradecer el interés y continuar su camino dejando que el consejo le entre por un oído y le salga por el otro, sin darle la más mínima importancia.

Ahora bien, aparte del modo en que decida reaccionar, es bueno que empiece a acostumbrarse a estos consejos no deseados. Si hay alguien que atraiga los consejos con más rapidez que una mujer embarazada es una mujer con un hijo recién nacido.

Caricias en la barriga no deseadas

"Ahora que comienza a ser evidente mi barriga de embarazada, los amigos, los colegas de trabajo e incluso algunos desconocidos me la tocan, sin ni siquiera pedirme permiso. Es algo que me incomoda."

Las barrigas de las embarazadas son redondeadas y bonitas, y llevan dentro algo aún más bonito; hay que admitir que resultan irresistibles. No obstante, aunque tocarlas puede ser un impulso irresistible, también resulta inadecuado, sobre todo sin el permiso de las propietarias.

A algunas embarazadas no les importa ser el centro de toda esta atención y otras incluso disfrutan con ello. Pero si estas caricias molestan a la futura madre, no debe dudar en decirlo. Dígalo con firmeza (si bien con educación): "Ya veo que te apetecería tocarme la barriga, pero prefiero que no lo hagas." O dígalo medio en broma: "No tocar, por favor. El bebé está durmiendo." Puede optar por contraatacar y tocar la barriga del otro (esta reacción hará que él o ella se lo piensen dos veces antes de volver a tocar un vientre de embarazada sin permiso). O actúe sin mediar palabra: cruce los brazos sobre la barriga, o coja la mano de la persona que quiere tocarla y póngala en otro sitio (sobre su propia barriga, por ejemplo).

Despistes

"La semana pasada salí de casa sin el billetero; esta mañana me he olvidado totalmente de una importante cita de negocios. No logro concentrarme en nada, empiezo a pensar que estoy perdiendo la cabeza."

No es la única. Muchas embarazadas se sienten como si a medida que van ganando kilos, fueran perdiendo neuronas. Incluso aquellas mujeres que están orgullosas de sus dotes organizativas, de su eficacia para enfrentarse a retos complicados y de su capacidad de mantener la serenidad, comienzan repentinamente a olvidar sus citas, a tener problemas de concentración y a perder la calma (además del móvil y el monedero). Pero no es que estén perdiendo la cabeza, sino el cerebro. Las investigaciones demuestran que el volumen de neuronas de la mujer realmente disminuye durante la gesta-

ción (cosa que explicaría por qué no se acuerda de lo que acaba de leer). Y, por motivos que se desconocen, las mujeres que esperan niñas se vuelven más despistadas que las que esperan varones (¿quién iba a imaginarlo?). Por suerte, el síndrome de la cabeza de chorlito (parecido, pero más intenso, al que muchas mujeres experimentan durante el período premenstrual) es temporal. El cerebro recuperará su volumen normal unos meses después del parto.

Al igual que muchos otros síntomas, los despistes son debidos a los cambios hormonales del embarazo. La falta de sueño también puede jugar su papel, además del hecho de verse privada de energía constantemente. También contribuye a sus distracciones la sobrecarga del cerebro de la futura madre, que ocupa todos los circuitos mentales contemplando colores para la habitación del bebé y negociando nombres para él.

Ponerse tensa por esta confusión intelectual sólo servirá para agravarla. Será más útil reconocer que se trata de un fenómeno normal (y no de "imaginaciones suyas") e incluso aceptarlo con sentido del humor. También será de gran utilidad reducir en lo posible las preocupaciones de su vida. Quizá no le sea posible ser tan eficaz como antes de dedicarse a la labor de fabricar un bebé. Hacer listas de las tareas que debe realizar en casa o en la oficina la ayudará a mantener a raya el caos mental. Igual que programar alertas en el móvil o en la agenda electrónica (para no saltarse la reunión ni olvidarse de llamar a su padre el día de su cumpleaños), siempre y cuando no olvide dónde los ha puesto. Una nota en un lugar estratégico (en la puerta de casa recordándole que debe coger las llaves para no quedarse encerrada fuera, por ejemplo) también será útil.

A pesar de que el *Ginkgo biloba* es una planta famosa por sus propiedades para potenciar la memoria, no se considera seguro ingerirla durante el embarazo.

El ejercicio durante el embarazo

L e duele todo y le cuesta dormir, le duele la espalda y tiene los tobillos hinchados, está estreñida, tiene gases y se siente hinchada. En otras palabras, está embarazada. Si hubiera algo que pudiera hacer que minimizara las molestias y los efectos desagradables de la gestación…

Pues de hecho sí hay algo que puede hacer: dedicar algunos minutos (pongamos 30) al día al ejercicio físico. ¿Pensaba que el embarazo la libraría de ello? Pues ya no. Siéntase afortunada (o poco afortunada si le gusta echarse en el sofá sin dar golpe) de que las recomendaciones oficiales del Colegio Americano de Obstetricia y Ginecología sean éstas: las mujeres con un embarazo normal deberían realizar 30 minutos o más de ejercicio moderado diario o casi diario.

Cada vez más mujeres siguen este consejo e incluyen el ejercicio físico en

Planifique su entrenamiento

S u objetivo durante el embarazo, en cuanto a ejercicio se refiere, debería consistir, si decide hacer deporte (y tiene muchas razones para decidirse por ello), en entrenar 30 minutos al día. Y si esto le parece demasiado, recuerde que tres caminatas de 10 minutos realizadas a lo largo del día son tan beneficiosas como 30 minutos de rutina gimnástica. Incluso las actividades no deportivas –como 15 minutos pasando el aspirador y 15 minutos de trabajo ligero en el jardín– cuentan. (¿Lo ve? No es tan difícil como parecía.)

¿Sigue pensando que no dispone del tiempo necesario? Intente convertir el ejercicio en parte de su rutina diaria, como cepillarse los dientes o ir al trabajo.

Si no tiene tiempo para dedicar un rato al ejercicio, incorpore el ejercicio a sus actividades diarias: bájese del autobús dos paradas antes de llegar a la oficina y haga el resto del recorrido andando. Aparque el coche en un lugar lejano a la entrada del centro comercial en lugar de buscar un aparcamiento justo delante (y ya en el centro comercial, dé un par de vueltas adicionales, también contarán). Salga a comprar en lugar de encargar el bocadillo del almuerzo. Use las escaleras en lugar del ascensor. Suba los peldaños de la escalera mecánica en vez de quedarse parada hasta llegar arriba. Vaya al servicio más alejado de su despacho en lugar del más cercano.

¿Tiene tiempo pero lo que le falta es motivación? Busque una clase de gimnasia para embarazadas (el compañerismo la ayudará a animarse), o haga ejercicio con una amiga (formen un club de caminatas a la hora del almuerzo o salgan de excursión los sábados antes de comer juntas). ¿La aburren los ejercicios? Cambie de actividad: pruebe yoga para embarazadas si está cansada (literalmente) de correr, o natación (o aeróbic acuático). Adquiera un DVD de ejercicio para embarazadas y úselo.

Claro que habrá días (especialmente durante el primer y el tercer trimestre) en los que estará demasiado agotada para levantar las piernas de la mesita de centro, por no decir hacer elevaciones de piernas. Pero es mejor momento que nunca, y tiene mejores motivos que nunca, para ponerse en marcha.

su rutina diaria –o casi diaria–. Y si el médico no tiene objeciones, usted puede hacer lo mismo. No importa si empieza como una mujer deportista en plenas facultades físicas o como una negada para el ejercicio físico que se ató unas zapatillas deportivas por última vez cuando hizo la última clase de gimnasia en el instituto (atarse las zapatillas de moda no cuenta). El ejercicio ofrece numerosos beneficios para la futura madre y el bebé.

Beneficios del deporte

El ejercicio, si lo realiza regularmente, le proporcionará:

- Más resistencia. A veces descansar demasiado puede provocar más cansancio. Un poco de ejercicio puede potenciar el nivel de energía.

- Más descanso. Muchas mujeres embarazadas tienen problemas para dormirse (y seguir durmiendo toda la noche), pero las que hacen ejercicio regularmente suelen dormir mejor y despertarse más descansadas.

- Más salud. El ejercicio puede evitar la diabetes gestacional, un problema creciente entre la embarazadas.

- Mejor humor. El ejercicio hace que el cerebro libere endorfinas, hormonas que propician el buen humor de forma natural y reducen el estrés y la ansiedad.

- Mejor para la espalda. Una buena tanda de abdominales es la mejor defensa contra el dolor de espalda. Pero incluso los ejercicios que no son específicos para trabajar la musculatura abdominal pueden aliviar el dolor y la presión de la espalda.

- Mejor para la musculatura. Los estiramientos son muy buenos para el

¿Ejercicios de Kegel?

Si sólo pudiera hacer un ejercicio durante el embarazo, debería ser éste. Los ejercicios de Kegel ayudan a fortalecer la musculatura del suelo pélvico (el grupo muscular que controla el flujo de orina y la contracción de los esfínteres vaginal y anal). Uno de los múltiples beneficios de estos ejercicios es que previenen la incontinencia urinaria, una afección común hacia el final del embarazo y durante el posparto, además de la incontinencia fecal, que, si bien es menos común, puede ser incluso más incómoda y aparatosa. También tonifican la musculatura pélvica en preparación para el parto y posiblemente ayuden a evitar una episiotomía o un desgarro. Finalmente, la flexión de la musculatura pélvica con los ejercicios de Kegel puede aumentar la satisfacción sexual posparto, cuando los músculos necesitan volver a su tersura habitual. Para más información sobre estos ejercicios y sobre cómo llevarlos a cabo, véase la página 327.

cuerpo, especialmente para el cuerpo embarazado, más propenso a los calambres en las piernas (y otros músculos). Los estiramientos pueden ayudarla a deshacer pequeñas acumulaciones de tensión y evitar dolores musculares. Y puede realizarlos en cualquier parte y en cualquier momento –aunque se pase gran parte del día sentada– y ni siquiera tiene que sudar.

- Mejor para los intestinos. Un cuerpo activo fomenta la actividad de los intestinos. Incluso un paseo de 10 minutos activa el movimiento intestinal.

- Mejor para el parto. Aunque hacer ejercicio durante el embarazo no garantiza un parto rápido, las madres que lo hacen tienden a pasar menos horas dando a luz y presentan menos probabilidades de necesitar intervenciones durante el parto (incluida la cesárea).

■ Mejor para la recuperación posparto. Cuanto más en forma esté durante el embarazo, más rápidamente se recuperará físicamente del parto (y antes entrará en los vaqueros que solía ponerse antes de quedar en estado).

¿Cómo se beneficia el bebé del ejercicio? De diversas formas. Los investigadores sostienen que los cambios del ritmo cardiaco y de los niveles de oxígeno en la embarazada estimulan a los bebés. Los bebés también reciben estimulación del sonido y las vibraciones que experimentan en el útero durante el ejercicio. Si se entrena regularmente durante el embarazo, es posible que su bebé salga:

■ Más en forma. Los bebés de las madres que hacen ejercicio durante el embarazo nacen con mejor peso, resisten mejor los trabajos del parto (se estresan menos), y se recuperan del estrés del parto más rápidamente.

■ Más listo. Lo crea o no, las investigaciones demuestran que los bebés de las madres que hacían ejercicios durante el embarazo obtienen puntuaciones más elevadas, de promedio, en los tests de inteligencia a la edad de 5 años (esto significa que el ejercicio que realice ahora potenciará su fuerza muscular y la capacidad cerebral de su hijo).

■ Más bueno. Los bebés de las embarazadas que hacen ejercicio tienden a dormir toda la noche antes, son menos propensos a los cólicos y suelen tener más facilidad para calmarse solos.

Hacer ejercicio correctamente cuando se está embarazada

Su cuerpo no sólo no se adapta ya a sus antiguas prendas deportivas, sino que puede no adaptarse a su antigua rutina de ejercicio. Ahora que hace ejercicio por dos, deberá asegurarse doblemente de que lo hace correctamente. He aquí algunas sugerencias:

El punto de partida es la consulta del facultativo. Antes de atarse las zapatillas y lanzarse con la clase de aeróbic, haga una visita al médico para que le dé su consentimiento. Es muy probable que se lo dé, como a la mayoría de las mujeres. Pero si ha tenido algún tipo de complicaciones médicas o del embarazo, el

¿Más de treinta minutos?

Hacer más ejercicio, ¿es mejor o peor? Si está realmente motivada (o en muy buena forma), y su médico le ha dado el visto bueno, puede entrenar hasta una hora al día, incluso más, siempre y cuando escuche lo que le dice el cuerpo. Las futuras madres tienden a cansarse antes, y un cuerpo cansado tiene más posibilidades de lesionarse. Además, un esfuerzo excesivo puede conllevar otros problemas (deshidratación, por ejemplo, si no se ingieren bastantes líquidos; falta de oxígeno para el bebé si la madre se queda sin aliento durante largos ratos). Quemar más calorías durante sesiones maratonianas también significa que deberá ingerir más alimentos, de modo que debe asegurarse de que lo hace (¿no cree que es la mejor parte del entreno?).

Consejos para hacer ejercicio

Si entrena con un bebé a bordo, recuerde estos consejos:

- Beba antes. Para evitar la deshidratación, beba antes de empezar a entrenar aunque no tenga sed (esperar a tener sed es esperar demasiado). Beba también al finalizar su entreno, para restituir los líquidos perdidos al sudar.

- Tome un tentempié. Tome algo ligero antes de entrenar para que no le falte energía. Al terminar, tome otro, especialmente si ha quemado muchas calorías.

- No se acalore. Cualquier ejercicio o ambiente que eleve la temperatura corporal de la mujer embarazada más de 1,5 grados debe evitarse (hace que la sangre se dirija a los terminales de la piel en lugar del útero, porque el organismo activa su sistema de refrigeración). Nada de saunas, baños de vapor ni baños calientes, y no haga ejercicio en el exterior si hace mucho calor o mucha humedad, ni en el interior en una sala poco ventilada y sobrecalentada (nada de yoga Bikram). Si suele pasear, hágalo por el interior de un centro comercial con aire acondicionado cuando las temperaturas sean elevadas.

- Vístase adecuadamente. Use prendas holgadas y elásticas, de tejidos que transpiren. Elija un sujetador que sujete bien pero que no apriete (un sujetador deportivo es una buena prenda para añadir a su armario premamá).

- Dé importancia a los pies. Si sus zapatillas de deporte están ya muy usadas, ahora es el momento de sustituirlas para evitar posibles lesiones o caídas. Elija el calzado deportivo adecuado al tipo de ejercicio que practique.

- Elija bien la superficie. En el interior, un suelo de madera o enmoquetado es mejor que uno de baldosas o cemento. (Si el suelo es resbaladizo, no haga ejercicios con calcetines ni medias.) En el exterior, son más recomendables las pistas para correr

médico puede limitar su programa de ejercicio, prohibírselo por completo o –si tiene diabetes gestacional– aconsejarle que sea más activa. Cerciórese de estar bien informada de los ejercicios que son adecuados en su caso y de si es totalmente seguro seguir con su rutina habitual de ejercicio (si es que la tiene) mientras dure el embarazo.

Si está sana, el médico seguramente la animará a seguir con su entreno habitual mientras le siga apeteciendo, con algunas modificaciones (especialmente si su rutina habitual incluye deportes no permitidos a las embarazadas, como el hockey).

Respetar los cambios de su cuerpo. Deberá ir cambiando de rutinas a medida que su cuerpo cambie. Deberá modificar los ejercicios a medida que varíe su sentido del equilibrio, y probablemente deberá tomárselo con más calma para evitar caídas (sobre todo cuando ya no se vea los pies). Prepárese para que los entrenos le parezcan distintos, aunque haya estado siguiendo la misma rutina durante años. Si camina, por ejemplo, sentirá más presión en las caderas y rodillas a medida que el embarazo avanza y a medida que las articulaciones y ligamentos se relajen. También tendrá que evitar los ejercicios que impliquen tumbarse de espaldas o quedarse de pie inde arena o tapizadas de hierba que las calzadas o aceras de superficie dura; las superficies niveladas son más aconsejables que las desiguales.

■ Evite las pendientes. Como su creciente barriga afectará a su sentido del equilibrio, es recomendable que a finales del embarazo evite la práctica de deportes que impliquen un elevado riesgo de caídas o lesiones abdominales. Entre ellos, la gimnasia, el esquí alpino, el patinaje sobre hielo, deportes intensos de raqueta (juegue a dobles en lugar de individuales), o montar a caballo, además de ir en bicicleta o practicar deportes de contacto como el hockey sobre hielo, el fútbol o el baloncesto (véase la pág. 253 para más información).

■ No suba a más altitud. A menos que viva a grandes altitudes, evite las actividades que impliquen subir a más de 1800 m de altitud. Y bajo el agua, recuerde que el buceo implica un riesgo de enfermedad de descompresión para el bebé, de modo que también está desaconsejado, por lo que deberá esperar hasta que no lleve a un pasajero consigo antes de volver a practicar la inmersión.

■ No se tumbe de espaldas. Pasado el cuarto mes, no haga ejercicios tumbada de espaldas. El peso de su creciente útero podría comprimir vasos sanguíneos importantes y dificultar la circulación.

■ Evite movimietos arriesgados. Extender o estirar los dedos de los pies –en cualquier momento del embarazo– puede provocar calambres en las pantorrillas. En su lugar, flexione los pies, dirigiéndolos hacia su cara. Los abdominales o las elevaciones dobles de piernas ejercen tensión en el abdomen, por lo que no es buena idea que los realice la gestante. Evite también cualquier actividad que implique hacer "el puente" (doblarse hacia atrás) u otras contorsiones, o que implique flexionar o extender al máximo las articulaciones (como las rodillas), los saltos, los cambios súbitos de dirección y los movimientos espasmódicos.

móvil (como algunas posturas de yoga o taichi) pasado el primer trimestre, porque dificultan la circulación sanguínea.

Empezar despacio. Si es nueva en este terreno, empiece despacio. Resulta tentador comenzar con fuerza, corriendo 5 kilómetros el primer día o entrenando dos veces al día la primera semana. Pero estos inicios tan entusiastas normalmente no conducen a la buena forma física sino a los dolores musculares y abandonos repentinos. Empiece el primer día con 10 minutos de ejercicios de calentamiento seguidos de 5 minutos de ejercicio más intenso (pero deténgase si empieza a cansarse) y 5 minutos de ejercicios de enfriamiento. Al cabo de unos días, si su cuerpo se ha habituado bien, aumente el tiempo de actividad intensa con 5 minutos más hasta llegar a los 30 minutos o más, si se siente cómoda.

Si ya está acostumbrada a pasar horas en el gimnasio, recuerde que si bien durante el embarazo es posible mantener la forma física, no es buen momento para aumentarla (aplace los objetivos para superarse cuando el bebé ya haya nacido).

Empezar despacio cada vez que se comienza. Los ejercicios de calentamiento pueden resultar tediosos si se está impaciente por empezar (y terminar)

Estiramientos de hombros y piernas

▲ **Estiramiento de hombros.** Sirve para relajar la tensión acumulada en los hombros (especialmente indicado si pasa mucho tiempo ante el ordenador). Colóquese de pie, con los pies separados a la altura de los hombros y con las rodillas ligeramente flexionadas. Con una mano, cójase el brazo opuesto, cruzado por encima del pecho y ligeramente flexionado, justo por debajo del codo. Tire de ese codo hacia el hombro opuesto mientras espira. Intente mantener el estiramiento de 5 a 10 segundos. Luego cambie de brazo.

▲ **Estiramiento de piernas, de pie.** Dele a sus piernas un merecido descanso con este sencillo estiramiento. Colóquese de pie y apóyese en una encimera, en el respaldo de una silla pesada u otro objeto estable. Cójase un pie por detrás con la mano del mismo lado. Acerque el talón hacia las nalgas mientras extiende el muslo hacia atrás a partir de la articulación de la cadera. Mantenga la espalda recta. Repita el estiramiento con el otro lado; cada ejercicio debe durar de 10 a 30 segundos.

los ejercicios de entrenamiento más activos. No obstante, como bien sabe cualquier deportista, estos ejercicios de calentamiento constituyen una parte esencial de todo programa de ejercicio. Aseguran que el corazón y la circulación no sufrirán una sobrecarga brusca y que los músculos y articulaciones, que son más vulnerables cuando están "fríos" –y particularmente vulnerables durante el embarazo–, no correrán el riesgo de sufrir lesiones. Camine un rato antes de correr y nade lentamente antes de hacer piscinas a buena velocidad.

Terminar tan despacio como se ha comenzado. Detenerse bruscamente y descansar parece algo así como la conclusión lógica de un entrenamiento, pero no es sano desde el punto de vista fisiológico. Al detener bruscamente la actividad, la sangre queda atrapada en los músculos, lo que reduce la irrigación de otras partes del cuerpo de la futura madre y también del feto. A consecuencia de ello se pueden producir vahídos, desmayos, taquicardia o náuseas. Por lo tanto, el ejercicio deberá terminar con ejercicio: unos 5 minutos de andar después de correr, unos movimientos lentos de natación después del entrenamiento intenso, unos ejercicios suaves de elasticidad después de cualquier actividad.

Esta última fase del programa de ejercicios terminará con unos pocos minutos de relajación. Se pueden evitar los mareos (y una posible caída) levantándose despacio después de haber hecho gimnasia tumbada en el suelo.

Vigilar el reloj. Muy poco ejercicio no es eficaz, pero demasiado ejercicio puede ser debilitante. Un programa completo, desde el calentamiento hasta la fase de relajación, puede durar entre media hora y una hora. Pero el nivel de ejercicio debe ser siempre de suave a moderado.

Dividir para perseverar. ¿No tiene tiempo para dedicar 30 minutos seguidos al ejercicio diario? Divida las sesiones en dos, tres o incluso cuatro. No sólo logrará los mismos beneficios sino que es posible que tonifique los músculos más efectivamente.

Joroba de dromedario

Un buen ejercicio para aliviar la presión en la espalda (algo que la acompañará constantemente). Adopte la posición a gatas y relaje la espalda, manteniendo la cabeza recta y asegurándose de que el cuello está alineado con la columna. Arquee la espalda; notará que los abdominales y los glúteos se contraen. Deje caer suavemente la cabeza. Vuelva a la posición original lentamente. Repita el ejercicio varias veces y realícelo varias veces al día, si puede, especialmente si está mucho rato de pie o sentada en el trabajo.

Relajación de cuello

Este ejercicio liberará la tensión acumulada en el cuello. Siéntese recta en una silla de respaldo recto. Cierre los ojos y respire profundamente, luego incline suavemente la cabeza hacia un lado dejando que caiga sobre el hombro. No eleve el hombro para tocar la cabeza, y no fuerce la cabeza para que baje más. Mantenga la posición durante 3 a 6 segundos, luego cambie de lado. Repita tres o cuatro veces. Incline suavemente la cabeza hacia delante, dejando que el mentón se apoye sobre el pecho. Gire la mejilla hacia la derecha, en dirección al hombro (de nuevo, no fuerce el movimiento, y no mueva el hombro hacia la cabeza) y mantenga la posición durante 3 a 6 segundos. Repita hacia el otro lado. Realice tres o cuatro series cada día.

Perseverar. Hacer ejercicio de un modo errático (cuatro veces la primera semana y ninguna vez la siguiente) no ayuda a estar en buena forma física. Es necesaria la regularidad (tres o cuatro veces por semana, cada semana). Si se siente demasiado cansada para realizar todo el programa, no es necesario que se fuerce, pero intente realizar los ejercicios de calentamiento para que sus músculos se mantengan flexibles y para que su voluntad no se desvanezca. Muchas mujeres se sienten mejor si hacen algo de ejercicio cada día, aunque no realicen el programa completo.

Compensar las calorías que se queman. Es probable que la mejor parte del programa de ejercicios consista en los alimentos adicionales que se deben ingerir. Debe consumir entre 150 y 200 calorías adicionales por cada media hora de ejercicio intenso. Si cree que está consumiendo suficientes calorías pero no gana peso, podría ser que estuviera haciendo demasiado ejercicio.

Reemplazar los líquidos perdidos. Por cada media hora de ejercicio vigoroso, precisará al menos un vaso de líquido extra para compensar los líquidos perdidos por la transpiración. En días calurosos, o si suda mucho, deberá beber en más abundancia: lo mejor es beber antes, durante y después del ejercicio, pero no más de dos vasos cada vez. Es recomendable beber entre 30 y 45 minutos antes de iniciar el entrenamiento.

Elegir el grupo adecuado. Si prefiere hacer ejercicio en grupo, acuda a unas clases pensadas específicamente para mujeres embarazadas (hará bien en informarse sobre los títulos y experiencia del instructor). Para algunas mujeres (sobre todo si no tienen mucha voluntad), las clases son más eficaces que los ejercicios en solitario, ya que proporcionan apoyo y aliento. Los mejores programas ofrecen un ejercicio de intensidad moderada; presentan sesiones por lo menos tres veces por semana; ofrecen una atención individualizada, y disponen de una red de especialistas médicos para responder a las preguntas.

Convertirlo en una diversión. Cualquier tipo de ejercicio físico, ya sea en grupo o en solitario, debería ser vivido como algo divertido, no como una tortura o algo que temer. Si elige una actividad que le guste, será más fácil seguir con ella, en particular aquellos días en que no se sienta con fuerzas, se sienta como pesada, o ambas cosas. Algunas mujeres encuentran útil elegir un tipo de ejercicio con un componente social, ya sean clases de yoga prenatal o un paseo romántico después de cenar. Hacer ejercicio en compañía, además, mejora las posibilidades de seguir con el programa. En lugar de encontrarse con una amiga para ir a merendar, es mejor pasear con ella.

Hacerlo todo con moderación. Nunca haga ejercicio hasta el agotamiento, especialmente estando embarazada. (Aunque sea una atleta bien entrenada, no se ejercite al máximo de su potencial, tanto si se agota como si no.) Hay diversas formas de comprobar si se está excediendo. En primer lugar, si se siente cómoda, probablemente no pase nada. Si nota dolor o agotamiento, no es bueno seguir. Sudar un poco está bien; una sudoración abundante es una señal para tomárselo con más calma. También lo es ser incapaz de hablar mientras hace ejercicio. Esfuércese lo bastante para notar que respira con mayor pesadez, pero nunca hasta el punto de ser incapaz de hablar, cantar o silbar mientras entrena. Si necesita dormir una buena siesta después del entreno significa que se ha esforzado demasiado. Debería sentirse tonificada, no exhausta, después del ejercicio.

Saber cuándo detenerse. El cuerpo de la futura madre le indicará cuándo debe parar: "Estoy cansado." Escúchele y tire la toalla enseguida. Cuando las señales son más serias, conviene llamar al

Balanceo pélvico

Este sencillo ejercicio puede ayudarla a mejorar la postura, fortalecer los abdominales, reducir el dolor de espalda y prepararla para los trabajos de parto. Para realizarlo, póngase de pie con la espalda contra la pared y relaje la columna. Al inhalar, presione la región lumbar contra la pared. Exhale; luego repita el ejercicio varias veces. Existe una variación del ejercicio que además es útil para disminuir el dolor de ciática: intente balancear la pelvis hacia delante y hacia atrás –manteniendo la espalda recta– a gatas o de pie. Realice el balanceo pélvico con regularidad (haga pausas de 5 minutos para hacer este ejercicio varias veces a lo largo de la jornada laboral).

Curl de bíceps

Empiece con unas mancuernas ligeras (de entre 1,5 y 2,5 kg si es principiante, y nunca de más de 6 kg). Póngase de pie, con los pies separados a la altura de los hombros, con las rodillas ligeramente flexionadas. Los codos deben estar cerca del cuerpo y el pecho recto. Lentamente, eleve las pesas hacia los hombros doblando los codos y manteniendo los brazos delante del cuerpo (acuérdese de respirar), y deténgase cuando los antebrazos queden paralelos al suelo y las pesas queden encaradas al techo. Baje los brazos lentamente y repita el ejercicio. Realice entre 8 y 10 repeticiones, pero haga pausas si lo necesita y no se exceda. Notará una quemazón en los músculos, pero no debe notar dolor ni aguantar la respiración.

médico: dolor de cualquier tipo (caderas, espalda, pelvis, pecho, cabeza, etc.); un calambre o punzada que no cesa al dejar de entrenar; contracciones uterinas y dolor pectoral; vahídos o mareos; ritmo cardiaco acelerado; falta de aliento muy acusada; dificultades para andar o pérdida del control muscular; jaqueca repentina; hinchazón en aumento de manos, pies, tobillos o cara; salida de líquido amniótico o hemorragia vaginal; o después de la vigésimo octava semana, un descenso o cese de los movimientos fetales. En el segundo y tercer trimestre, es bastante probable que la embarazada perciba una disminución de su rendimiento físico: en tal caso lo mejor será que acepte el consejo de su cuerpo y baje el ritmo del ejercicio.

Reducir gradualmente en el tercer trimestre. La mayoría de las mujeres necesitan reducir el nivel de actividad en el tercer trimestre, en particular durante el noveno mes, cuando los estiramientos y los paseos a paso ligero constituirán ya una actividad física suficiente. Si desea seguir con su programa de ejercicio más intenso (y está en excelente forma física), el médico le dará el visto bueno para seguir con su rutina de entrenamiento habitual prácticamente hasta el momento del parto, pero en todo caso, pregunte antes.

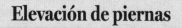

Elevación de piernas

Este ejercicio aprovecha el propio peso del cuerpo para tonificar la musculatura de los muslos (sin necesidad de accesorios). Simplemente, échese sobre el lateral izquierdo, con los hombros, las caderas y las rodillas en línea recta. Para sujetarse, coloque la mano derecha sobre el suelo por delante del pecho y sosténgase la cabeza con la izquierda. Luego eleve lentamente la pierna derecha tan alto como se sienta cómoda (acuérdese de respirar). Realice 10 repeticiones, luego cambie de lado y repita el ejercicio.

Y aunque no sea la hora del entreno... no permanecer inactiva. Estar sentada durante mucho rato sin levantarse hace que la sangre se acumule en las venas de las piernas, lo que puede producir hinchazón de los pies y conducir a otros problemas. Si en el trabajo debe permanecer sentada muchas horas, o si ve la televisión mucho rato seguido o viaja largas distancias en coche con frecuencia, lo mejor es hacer una pausa cada hora, dedicando 5 o 10 minutos a andar y estirar las piernas. Mientras esté sentada, de vez en cuando haga ejercicios para mejorar la circulación, por ejemplo, hacer algunas inspiraciones profundas, extender las pantorrillas, flexionar los pies o mover los dedos de los pies. También hay que intentar contraer los músculos del abdomen y nalgas (una especie de balanceo pélvico en posición sentada). Si las manos tienden a hincharse, elevar periódicamente los brazos por encima de la cabeza, abriendo y cerrando varias veces los puños.

Elegir el tipo de ejercicio adecuado durante el embarazo

Si bien es cierto que el embarazo no es momento para empezar a practicar el esquí acuático o participar en una competición de salto hípico, se puede seguir disfrutando de muchas actividades deportivas y utilizar muchas de las máquinas del gimnasio (con alguna salvedad). También puede elegir entre los cada vez más abundantes programas diseñados específicamente para futuras madres (aeróbic acuático prenatal, yoga prenatal). Pero cerciórese de preguntar al médico qué le conviene y qué no antes de decidirse por un deporte o programa de ejercicio. Comprobará que las actividades no permitidas durante el embarazo son seguramente las que de todas maneras no iba a poder practicar bien con una barriga del tamaño de un balón (como el baloncesto, el fútbol, el buceo, el esquí alpino o la bicicleta de montaña). He aquí las recomendaciones para elegir la forma de ejercicio durante el embarazo:

Caminar. Prácticamente todo el mundo puede hacerlo y se puede hacer en casi todas partes, en cualquier momento. No hay ejercicio más sencillo de incorporar en su rutina (no olvide que todo lo que camine cuenta, aunque sea ir andando a la tienda de ultramarinos de la esquina o pasear 10 minutos para que el perro haga sus necesidades). Y puede seguir practicándolo hasta el día del parto (incluso el mismo día del parto, si está ansiosa porque se empiecen las contracciones). Lo mejor de todo es que no precisa ningún tipo de equipo ni apuntarse al gimnasio ni pagar clases. Todo lo que necesita es un buen par de zapatillas y ropa cómoda y transpirable. Si empieza la actividad, al principio tómeselo con calma (empiece andando despacio antes de ir a paso ligero). ¿Quiere tiempo para usted? Caminar sola le proporcionará los momentos de tranquilidad que desee. Pero si prefiere disfrutar de

Estiramientos con las piernas cruzadas

Estar sentada con las piernas cruzadas la ayudará a relajarse y entrar en contacto con su cuerpo (cuanto más cómoda se sienta en él al aproximarse el parto, mejor). Experimente diferentes estiramientos de brazos sentada así: ponga las manos en los hombros y luego levante ambos brazos por encima de la cabeza; estire un brazo más que el otro, como si quisiera llegar al techo, y luego relájese y repita con el otro brazo. También puede doblarse hacia un lado mientras estira el brazo y luego volverse a situar con la espalda recta. (No haga rebotes al realizar los estiramientos.)

compañía, camine con su pareja, amigos o colegas. Puede incluso formar un club de caminatas (salir por la mañana con las vecinas o a la hora de comer con los compañeros de trabajo). ¿El tiempo no acompaña? Camine por el interior del centro comercial.

Correr. Las corredoras experimentadas pueden seguir corriendo durante el embarazo, pero tal vez convenga acortar los recorridos y correr por superficies bien niveladas o correr en la cinta del gimnasio (si no corría antes del embarazo, por ahora, limítese a caminar). Tenga en cuenta que los ligamentos y articulaciones se aflojan durante el emba-razo, cosa que puede cargar las rodillas y propiciar lesiones, otro motivo para no excederse.

Máquinas de ejercicio. Las cintas para correr, las elípticas y *steppers* pueden utilizarse durante el embarazo. Ajuste le velocidad, inclinación y resistencia de la máquina a un nivel con el que se sienta cómoda (empiece despacio si es principiante). Durante el tercer trimestre, no obstante, el entreno con máquinas puede resultar demasiado intenso. Debe, además, vigilar más para evitar tropezones cuando ya no se vea los pies.

Aeróbic. Las atletas experimentadas y en buena forma física pueden seguir con

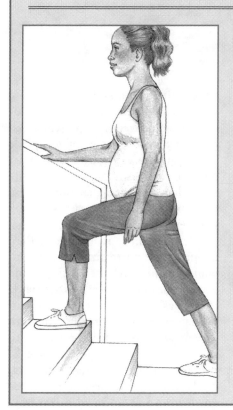

Flexiones de cadera

Los músculos de la cadera son los que permiten elevar las rodillas y doblar la cintura. Estirarlos periódicamente ayuda a mantenerse ágil y favorece la abertura de las piernas cuando llega el momento de la salida del bebé (por no hablar del sexo). Para flexionar los músculos, póngase de pie ante una escalera como si fuera a subirla. (Cójase a la barandilla si es necesario.) Coloque un pie en el primer o segundo escalón (el que alcance con comodidad) y doble la rodilla. Mantenga la otra pierna detrás del cuerpo, con la rodilla recta y el pie plano sobre el suelo. Apóyese sobre la pierna doblada, con la espalda recta. Notará el estiramiento en la pierna recta. Cambie de piernas y repita.

Cuclillas

Este ejercicio fortalece y tonifica los muslos y resulta especialmente indicado para mujeres que tienen pensado dar a luz en esta posición. Para empezar, póngase de pie, con los pies separados a la altura de los hombros. Con la espalda recta, flexione las rodillas y agáchese lentamente tanto como le sea posible, manteniendo los pies planos sobre el suelo. Si no puede, intente separarlos un poco. Mantenga la posición durante 10 a 30 segundos, luego vuelva despacio a ponerse de pie. Repita 5 veces. (Nota: este ejercicio es seguro, pero evite flexionar demasiado las rodillas para no dañar las articulaciones.)

las sesiones de baile y aeróbic durante la gestación. Disminuya la intensidad de la actividad y nunca entrene hasta quedar exhausta. Si es principiante, elija actividades aeróbicas de bajo impacto o plantéese la versión acuática de este deporte, especialmente adecuada para embarazadas.

Ejercicios con *steps*. Siempre y cuando ya goce de buena forma física y sea experta en este tipo de ejercicios, no tendría por qué dejar de hacerlos durante gran parte del embarazo pero recuerde que sus articulaciones son más propensas a las lesiones debido a su estado, por lo que conviene que realice a conciencia los estiramientos previos al ejercicio y no se agote. Y, por supuesto, no use *steps* muy altos. A medida que le crezca la barriga, evite las actividades que requieran un buen equilibrio.

Kickboxing. Esta actividad requiere mucha habilidad y velocidad, dos cosas que las embarazadas no presentan habitualmente. Muchas gestantes que la practican observan que no pueden dar patadas tan altas ni moverse con tanta velocidad, pero si siguen sintiéndose cómodas con ella y son practicantes experimentadas (nada de principiantes), pueden continuar realizándola. Pero asegúrese de no realizar ningún movimiento que le resulte difícil para no lesionarse. Manténgase a distancia de los demás participantes (podrían darle una patada en la barriga sin querer). Asegúrese también de informar a todos de su embarazo, o busque una clase específica para embarazadas (donde todas las participantes sean gestantes y se encuentren a distancia unas de otras).

Giros de cintura

Si ha permanecido sentada mucho rato o simplemente se nota tensa o incómoda, pruebe este sencillo ejercicio que favorece la circulación. Póngase de pie, con los pies separados a la altura de los hombros. Gire suavemente la cintura de un lado a otro. Mantenga la espalda recta y deje que los brazos se muevan libremente. ¿Incapaz de levantarse? Puede hacer este ejercicio incluso sentada.

Natación y ejercicios en el agua. Es posible que no le apetezca ponerse un bikini ahora mismo, pero piense que en el agua su peso es una décima parte del que es en tierra (¿cuántas ocasiones tiene diariamente de sentirse ingrávida?), por lo que el ejercicio acuático es la elección perfecta para el embarazada. Entrenar en el agua potencia la fuerza y flexibilidad sin castigar las articulaciones; además, el riesgo de sobrecalentamiento es mucho menor (a menos que la piscina esté demasiado caliente). Es más, muchas embarazadas afirman que este tipo de ejercicio hace disminuir la hinchazón de piernas y pies y alivia el dolor de ciática. La mayoría de gimnasios que cuentan con piscina ofrecen aeróbic acuático, y muchos ofrecen clases específicamente diseñadas para futuras madres. Pero tenga cuidado al caminar por las superficies mojadas, y no bucee. Y cerciórese de que la piscina está clorada.

Deportes de exterior (excursiones, patinaje, ciclismo, esquí). El embarazo no es buen momento para empezar a practicar un deporte nuevo –especialmente si éste requiere equilibrio–, pero

Ejercicios en la cama

Si está guardando cama, seguir flexionando los músculos (con modificaciones) no sólo es posible, sino que además resulta más importante. Véase la página 610.

las atletas experimentadas pueden seguir realizando estas actividades (con el visto bueno del médico y tomando ciertas precauciones). Cuando salga de excursión, evite los terrenos desnivelados (especialmente hacia el final del embarazo cuando no le será fácil ver una piedra en el camino), las grandes alturas y las superficies resbaladizas (por supuesto, la escalada está prohibida). Si sale en bicicleta, tenga más cuidado del habitual: póngase un casco; no vaya por terrenos mojados, senderos con muchas curvas ni caminos llenos de baches (caerse nunca es bueno, pero lo es menos cuando se está embarazada), y no se incline hacia delante (puede dañar la región lumbar). En cuanto al patinaje sobre hielo, puede practicarlo al principio del embarazo si es una patinadora experimentada y cuidadosa; más adelante, probablemente le resultará más difícil mantener el equilibrio, de modo que conviene dejar de patinar cuando sea más barrigona que grácil. Lo mismo puede decirse en relación con el patinaje sobre ruedas y la hípica. Evite el esquí alpino y el *snowboard*, aunque lleve años practicándolo y sea toda una experta; el riesgo de una caída grave es demasiado elevado (al fin y al cabo, incluso los profesionales se dan algún revolcón en la nieve de vez en cuando). El esquí nórdico y con raquetas no representa ningún peligro para la practicante experimentada durante el embarazo, pero deberá tener especial cuidado de no caerse. Y, por supuesto, haga lo que haga en el exterior, no entrene hasta el punto de agotarse.

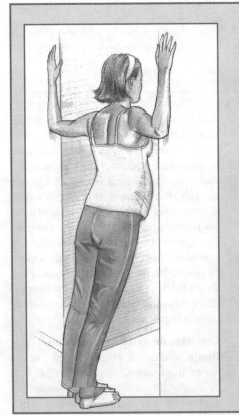

Estiramientos pectorales

El embarazo varía la postura de la mujer y su centro de gravedad, y obliga al organismo a llevar a cabo una serie de ajustes, muchos de los cuales pueden provocar molestias y dolores. Estirar suavemente los músculos pectorales la ayudará a sentirse más cómoda a la vez que mejorará su circulación. Hágalo así: con los brazos doblados y a la altura de los hombros, apóyese en el marco de una puerta. Inclínese hacia delante, notando el estiramiento muscular. Aguante esta postura entre 10 y 20 segundos y relájese; realice 5 repeticiones.

Ejercicios con pesas. Este tipo de ejercicios puede tonificar la musculatura, pero es importante evitar el uso de grandes pesas, o ejercicios que requieran resoplidos o aguantar el aliento, lo cual podría comprometer el flujo de sangre hacia el útero. Use pesas ligeras y realice más repeticiones en su lugar.

Yoga. El yoga favorece la relajación, la concentración y la atención en la respiración, por lo que resulta ideal durante el embarazo (y es una gran preparación para el parto, además de para la paternidad). También aumenta la oxigenación (el bebé recibe más oxígeno) y aumenta la flexibilidad, lo cual facilita el embarazo y el parto. Elija una clase específicamente para embarazadas o pida al instructor que le indique cómo modificar ciertas posturas para que sean seguras para usted. Por ejemplo, no podrá hacer ejercicios echada boca arriba pasado el cuarto mes, y su centro de gravedad cambiará a lo largo del embarazo, de modo que deberá ir adaptando sus posturas favoritas. Importante: evite el yoga Bikram, que se realiza en una sala caldeada (entre 32 y 37 °C), y no realice ejercicios que calienten demasiado su organismo.

Pilates. Es similar al yoga en cuanto a que se trata de una disciplina de poco o nulo impacto que mejora la flexibilidad, la fuerza y la tonificación muscular. El objetivo es mejorar la postura y minimizar los dolores de espalda. Busque una clase específica para embarazadas, o informe al instructor de su estado para evitar movimientos inadecuados (como los estiramientos excesivos).

Taichi. Se trata de una antigua práctica de ejercicios de meditación. Los movimientos lentos de taichi ofrecen a la persona más rígida la oportunidad de relajarse y fortalecer el cuerpo sin riesgo de lesiones. Si se siente cómoda realizando estos ejercicios y tiene práctica, puede seguir con ellos durante el embarazo. Busque una clase para embarazadas, o realice sólo los movimientos que pueda completar con facilidad. Cuidado con las posturas de equilibrio.

Respiraciones. Lo crea o no, la respiración también cuenta como ejercicio; al menos, si se hace bien. Las respiraciones profundas son relajantes, mejoran la conciencia del propio cuerpo y permiten una mayor inhalación de oxígeno que las respiraciones superficiales. Hágalas así: siéntese con la espalda recta y colóquese las manos sobre el vientre. Note cómo sube y baja mientras inhala (por la nariz si no está demasiado congestionada) y exhala (por la boca). Concéntrese en la respiración y cuente: al inhalar, cuente hasta 4; al exhalar, cuente hasta 6. Intente tomarse unos minutos cada día para concentrarse y realizar respiraciones profundas.

Si no se hace ejercicio

Es evidente que, durante el embarazo, el ejercicio físico puede ser muy beneficioso. Pero renunciar al ejercicio (ya sea por elección propia o por prescripción del médico) y reducir la actividad física a abrir y cerrar la puerta del automóvil no perjudicará ni a la madre ni a su futuro hijo. De hecho, si la embarazada se abstiene de hacer ejercicio por orden del médico, puede tener la seguridad de que no está dañando, sino ayudando, a su bebé y también a ella misma. Es casi seguro que el médico restringirá el ejercicio si la embarazada tiene un historial de varios abortos espontáneos o partos prematuros, o si tiene un cérvix incompetente, hemorragias o manchas de sangre persistentes en el segundo o tercer trimestre, un diagnóstico de placenta previa, preeclampsia o una cardiopatía. Su actividad también puede verse limitada si espera más de un bebé; si tiene la presión elevada, enfermedad de tiroides, anemia u otro trastorno sanguíneo, o si el feto tiene dificultades; si presenta un gran sobrepeso o está muy por debajo de su peso; o si su estilo de vida ha sido extremadamente sedentario hasta ahora.

Un historial de partos precipitados (muy breves) o de un feto con dificultades en un embarazo previo también pueden ser motivos para prohibir (o al menos limitar) el ejercicio. En algunos casos, los ejercicios sólo de brazos o el entreno acuático diseñados para embarazadas pueden ser viables cuando no se puede realizar otro tipo de ejercicio. Pregunte a su médico sobre su caso.

CAPÍTULO 10

El quinto mes

Semanas 18 a 22 aproximadamente

LO QUE EMPEZÓ SIENDO ALGO COMpletamente abstracto se está convirtiendo con rapidez en algo literalmente palpable. Lo más probable es que a lo largo de este mes o a principios del próximo note por primera vez los movimientos del bebé. Esta milagrosa sensación, junto con la mayor redondez del abdomen, hace que el embarazo sea por fin una realidad. Aunque el bebé aún no está ni mucho menos preparado para vivir fuera de la madre, es muy hermoso saber que hay alguien allí dentro.

Su bebé este mes

Semana 18 Con unos 14 cm y unos 150 gramos (como la pechuga de pollo que tomará hoy para cenar, pero mucho más bello), el bebé va creciendo, de modo que es posible que note ya sus giros, volteretas, patadas y puñetazos que va perfeccionando. También aprende otras actividades como bostezar y tener hipo (incluso puede que pronto lo note). Y su bebé, único, es ahora verdaderamente único, ya dispone de huellas dactilares propias en manos y pies.

Semana 19 Esta semana, el bebé alcanzará los 15 cm y los 200 gramos. ¿Con qué fruta se le puede comparar esta semana? Con un mango grande. Un mango untado con queso mantecoso, en realidad. La vérnix caseosa –una sustancia protectora blanca y grasienta (parecida al queso)– cubre ahora la sensible piel del bebé y la protege del líquido amniótico que le rodea. Sin esta protección, el bebé saldría muy arrugado al nacer. La capa de vérnix desaparece a medida que se acerca el momento del parto, pero algunos bebés nacen todavía recubiertos de vérnix.

Semana 20 El bebé es del tamaño de un melón cantalupo en el interior de su vientre amelonado; mide unos 16 cm y pesa unos 300 gramos (de vértex a rabadilla).

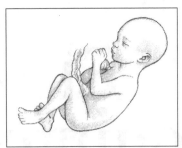

Su bebé el quinto mes

La ecografía de este mes debería revelar –si desean saberlo– el sexo del bebé.

Si es una niña, su útero estará completamente formado, sus ovarios contienen unos 7 millones de óvulos primitivos (aunque en el momento del alumbramiento el número de óvulos será más cercano a los 2 millones), y su canal vaginal se empieza a formar.

Si es un niño, sus testículos habrán empezado a descender desde el abdomen. En unos meses, estarán en el escroto (que todavía se está formando). Afortunadamente para el bebé, todavía cabe holgadamente en su vientre, lo cual significa que tiene mucho espacio para girarse, dar patadas y puñetazos y alguna que otra voltereta. Si todavía no ha notado estas acrobacias, es casi seguro que las notará a lo largo de las próximas semanas.

Semana 21 ¿Qué tamaño tiene el bebé esta semana? Unos 18 cm (como un plátano) y casi 330 gramos de peso. Y, hablando de plátanos, si quiere que a su bebé le gusten, coma algunos esta semana, y zanahorias. Esto es debido a que el líquido amniótico es diferente de un día a otro según lo que la madre ha comido (salsa picante un día, plátano dulce el siguiente), y ahora que el bebé se traga el líquido amniótico cada día

(para hidratarse, nutrirse y también para practicar la acción de tragar y digerir), notará los sabores que la madre incluye en su menú. Otro dato nuevo: los brazos y piernas por fin son proporcionados, las neuronas conectan ahora el cerebro con los músculos, y los cartílagos se están convirtiendo en huesos.

Esto significa que cuando el bebé se mueva (seguramente ya lo empezará a notar), los movimientos serán más coordinados, ya no son espasmódicos.

Semana 22 Esta semana el bebé alcanza los 400 gramos y los 20 cm; es como una muñequita. Pero su muñeca está viva: sus sentidos se están desarrollando, incluido el tacto, la vista, el oído y el gusto.

¿Qué toca el bebé? Puede asirse al cordón umbilical (no hay mucho más que tocar allí dentro) y practicar el gesto que pronto usará para coger el dedo (y tirar de los pelos) de mamá.

¿Qué ve? Aunque el interior del útero es oscuro –e incluso con los párpados sellados–, los fetos de esta edad ya perciben la luz y la oscuridad. Si enfoca una linterna hacia su barriga, es posible que note la reacción del bebé, tal vez en un intento de alejarse de la luz.

¿Qué oye? Prácticamente todo: el sonido de su voz y la voz de su pareja, su corazón, el flujo del torrente sanguíneo, los movimientos intestinales de la madre, un perro que ladra, una sirena, el televisor.

¿Y qué sabores prueba? En gran medida, todo lo que la madre prueba (adelante con la ensalada).

Qué se puede sentir

Como siempre, recuerde que cada embarazo y cada mujer son distintos. Puede experimentar todos estos síntomas alguna que otra vez, o sólo alguno de ellos. Puede que aún note algunos síntomas del mes pasado; otros serán nuevos. Y puede que otros casi no los note porque se ha acostumbrado a ellos. También puede tener otros síntomas menos comunes. He aquí lo que puede sentir este mes:

Físicamente

- Más energía.
- Movimientos fetales (probablemente hacia el final del mes).
- Aumento del flujo vaginal.
- Dolores en la parte baja del abdomen y en los lados (debidos al estiramiento de los ligamentos que sujetan el útero).
- Estreñimiento.
- Acidez de estómago, indigestión, flatulencia e hinchazón.
- Dolores de cabeza, desfallecimientos o mareos ocasionales.
- Dolor de espalda.
- Congestión y hemorragias nasales ocasionales; embotamiento de los oídos.
- Encías sensibles que pueden sangrar al cepillarse los dientes.
- Buen apetito.
- Calambres en las piernas.
- Cambios de la coloración en la piel del abdomen y/o el rostro.
- Ligera hinchazón de tobillos y pies, y a veces, de manos y rostro.
- Venas varicosas en las piernas y/o hemorroides.

- Ombligo protruido.
- Pulso más acelerado.
- Orgasmos más fáciles (o más difíciles).

Emocionalmente

- Sensación creciente de que el embarazo es una realidad.
- Menos cambios de humor, aunque puede seguir sintiendo irritabilidad y ganas inexplicables de llorar ocasionalmente.
- Más despiste.

Un vistazo al interior

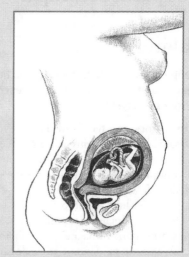

Está a la mitad de su embarazo y su útero empezará a empujar contra su ombligo aproximadamente hacia la vigésima semana. Al final de este mes, el útero estará alrededor de un par de centímetros por encima de su ombligo. En este momento, ya no puede esconder el hecho de que está embarazada.

Qué se puede esperar en la visita de este mes

Una visita más, y ahora probablemente ya conocerá la rutina. Este mes, puede esperar que su médico compruebe lo siguiente, aunque puede haber variaciones dependiendo de sus necesidades o el estilo de práctica del facultativo:

- Peso, presión arterial.

- Análisis de orina, para el nivel de azúcar y proteínas.

- Latido cardiaco fetal.

- Tamaño y forma del útero, por palpación externa (desde el exterior).

- Altura del fundus (la parte superior del útero).

- Manos y pies, por si existe hinchazón, y piernas, por si hay venas varicosas.

- Síntomas que haya experimentado, especialmente los poco habituales.

- Preguntas o problemas que desee aclarar: tenga preparada una lista.

Qué puede preocupar

Calores

"Tengo calor y sudo a todas horas, incluso cuando los demás tienen fresco. ¿A qué se debe?"

Se acalora con facilidad. De nuevo, las causas son hormonales; también se debe al aumento del flujo sanguíneo hacia la piel y a los cambios del metabolismo de la embarazada. Si vive en una zona de clima cálido o si resulta ser un verano especialmente caluroso (o si es invierno pero trabaja en una oficina excesivamente caldeada), se acalorará con facilidad. Afortunadamente, existen muchas formas de mantener el confort cuando la temperatura –exterior, interior o corporal– vaya en aumento. Algunos consejos para mantenerse fresca:

- Vista con prendas amplias, ligeras, de materiales transpirables, como el algodón, y vístase en capas para poder quitarse la ropa cuando empiece a tener calor.

- Evite hacer ejercicio en el exterior en las horas centrales del día; salga a pasear antes del desayuno o después de la cena, o entrene en un gimnasio que disponga de aire acondicionado. Deténgase siempre antes de llegar a sobrecalentarse.

- No se exponga al sol, especialmente en días de calor.

- Tome un baño o ducha tibio para refrescarse. O nade un rato, si le resulta práctico; es el tipo de ejercicio que menos la acalorará.

- Elija lugares con aire acondicionado. Los ventiladores no son suficientes cuando la temperatura sube más de 32°, de modo que si no tiene aire acondicionado en casa, puede ir al cine, a un museo, a casa de una amiga o al centro comercial.

- Sea en casa la responsable del termostato para estar siempre cómoda. Su pareja puede ponerse un jersey si tiene frío.

- Beba, beba, beba. Mantenerse hidratada evitará que se sienta débil o que se maree cuando se acalore. Tome al menos 8 vasos de agua al día, más si hace ejercicio o si suda mucho.

- Utilice polvos absorbentes para no sentirse sudorosa (y para evitar sarpullidos por calor).

En contrapartida, aunque sude más, el sudor olerá menos. Esto es debido a que la producción de transpiración apocrina (la que huele mal, producida por las glándulas situadas en las axilas, los pechos y la zona genital) disminuye durante la gestación.

Vahídos y desvanecimientos

"Siento vahídos cuando me levanto después de estar sentada o tendida. Y ayer casi me desmayé cuando estaba comprando. ¿Estoy bien?"

Marearse puede ser un síntoma desconcertante para una mujer embarazada (especialmente porque es posible que ya le resulte suficientemente difícil mantenerse de pie), pero no es peligroso. De hecho, es un síntoma bastante común –y casi siempre normal– durante el embarazo. He aquí los motivos:

- Durante el primer trimestre, los mareos pueden estar relacionados con el hecho de que el suministro de sangre sea insuficiente para abastecer el sistema circulatorio que se está expandiendo rápidamente; durante el segundo, pueden ser causados por la presión del útero que se está dilatando sobre los vasos sanguíneos de la madre.

- A lo largo de todo el embarazo, los elevados niveles de progesterona hacen que los vasos sanguíneos se relajen y se ensanchen, para aumentar el flujo

de sangre hacia el bebé (bueno para él), pero el retorno de la sangre hacia la madre se produce más lentamente (no tan bueno para la madre). Recibir menos flujo sanguíneo significa que baja la presión arterial y disminuye el flujo hacia el cerebro, lo cual puede contribuir a los mareos y vahídos.

- Levantarse rápidamente, lo cual provoca una caída súbita de la presión arterial, puede producir un mareo instantáneo. La cura para este tipo de mareo es sencilla: levantarse gradualmente. Si se pone de pie de un salto para responder al teléfono, es posible que vuelva a caer sentada en el sofá.

- Puede marearse a causa de un descenso del azúcar en sangre, algo a lo que las embarazadas son propensas. Para evitarlo, ingiera en cada comida algo de proteína e hidratos de carbono

Cuando excederse es excesivo

Le falta el aliento o se agota cuando sale a correr. Cuando hace la limpieza, ¿de repente le parece que el aspirador pesa una tonelada? Deténgase antes de caer desmayada. Esforzarse hasta el extremo de agotarse no es nunca una buena idea. Durante el embarazo es incluso peor, porque cansarse en exceso afecta no sólo a la madre sino también al bebé. En lugar de realizar sesiones maratonianas de ejercicio, baje el ritmo. Entrene un poco y descanse otro poco. Al final, realizará el mismo ejercicio y no se sentirá exhausta. Si de vez en cuando queda algo por hacer, considérelo un entreno para los días en que las exigencias de la paternidad a menudo le impedirán terminar lo que empiece.

complejos (combinación que ayuda a mantener los niveles de azúcar en sangre), y tome comidas menos copiosas y más frecuentes, o bien tome un tentempié entre horas. Lleve en el bolso una cajita con pasas, una fruta, y algunas galletas de trigo integral para estos casos.

- Los mareos pueden ser una señal de deshidratación, de modo que conviene que tome todo el líquido recomendado durante el día (al menos 8 vasos, más si suda mucho).

- Un ambiente cargado también puede propiciar un vahído –en una tienda, oficina o autobús muy lleno o muy caldeado (lo cual explicaría su casi desmayo mientras estaba de compras)–, especialmente si va demasiado abrigada. En tal caso, salir a tomar aire fresco o abrir una ventana la aliviará. Quitarse el abrigo y aflojarse la ropa –especialmente alrededor del cuello y la cintura– también ayuda.

Si se siente mareada, túmbese sobre el costado izquierdo –con las piernas elevadas, si puede– o siéntese y coloque la cabeza entre las piernas. Respire hondo y aflójese las prendas de ropa que la aprieten (como el botón de los vaqueros que tanto le costó abrochar). En cuanto se sienta mejor, coma y beba algo.

Informe al médico de los mareos. Los desmayos son raros, pero si se desmaya, no se preocupe: no afectará al bebé. Pero llame enseguida al médico (cuando se recupere, claro).

Dolor de espalda

"Tengo mucho dolor de espalda. Me temo que no podré ni tan siquiera levantarme cuando esté de nueve meses."

Las molestias e incomodidades del embarazo no están destinadas a amargar la vida de la futura madre, aunque lo hagan. Son los efectos secundarios de la preparación del cuerpo para el grandioso momento del nacimiento del hijo. El dolor de espalda no es una excepción. Durante el embarazo, las articulaciones de la pelvis, que suelen ser estables, empiezan a relajarse para permitir el paso del bebé durante el parto. Esto, junto con el tamaño inhabitual del abdomen, perturba el equilibrio del cuerpo de la embarazada. Para compensar este desequilibrio, la futura madre tiende a echar los hombros hacia atrás y a arquear el cuello. Al estar de pie, con la barriga hacia delante –para asegurarse de que todo el mundo se da cuenta de que está embarazada–, el problema se complica aún más. El resultado de todo ello es que la parte inferior de la espalda se curva, los músculos de la espalda quedan en tensión, y surge el dolor.

Incluso cuando tiene una finalidad, el dolor siempre duele. Pero, sin renunciar a la finalidad, es posible combatir o aliviar el dolor. Los siguientes consejos la ayudarán a hacerlo:

- Sentarse bien. Estar sentada ejerce más tensión sobre la columna vertebral que casi cualquier otra actividad, y por lo tanto vale la pena hacerlo de la forma apropiada. En casa o en el trabajo, debería sentarse en una silla que le ofrezca el soporte adecuado, preferiblemente con el respaldo recto, brazos y un cojín firme que no se hunda. Si el respaldo de la silla se reclina, puede servir para aliviar la tensión de la espalda. Utilice un reposapiés para elevar las piernas (véase la ilustración de la pág. 268), y no cruce las piernas, porque puede hacer que bascule la pelvis demasiado hacia delante, lo que agravaría el dolor de espalda.

- Estar sentada demasiado tiempo puede ser tan malo como sentarse mal. Debe intentar no permanecer sentada durante más de una hora sin tomarse un respiro para tumbarse o pasear. Lo mejor es establecer un límite de media hora para estar sentada.

■ Tampoco debe permanecer de pie demasiado rato. Si es imprescindible, coloque un pie sobre un taburete, con la rodilla doblada. Esto aliviará la tensión de la zona lumbar. Si está de pie en un suelo duro, como al cocinar o al lavar platos, lo mejor será disponer de una alfombrita antideslizante debajo de los pies.

■ Evite levantar cargas pesadas. Pero si debe hacerlo, hágalo despacio. Estabilice primero el cuerpo, colocando los pies algo separados; doble las rodillas, no la cintura; y levante el peso haciendo la fuerza con los brazos y las piernas más que con la espalda (véase la ilustración). Si se ve obligada a car-

gar unas compras que pesan mucho, divida el peso en dos bolsas y lleve una en cada mano, en vez de llevar todo el peso delante con las dos manos.

■ No aumentar más peso del recomendado (véase la pág. 188). Unos kilos de más aumentarán la carga que la espalda debe soportar.

■ Lleve los zapatos adecuados. Los de tacón muy alto o muy bajo no son buenos para la espalda. Los expertos recomiendan los tacones anchos de cinco centímetros para mantener la estabilidad del cuerpo. Existen zapatos y plantillas especialmente diseñados para ayudar a aliviar los problemas de las piernas y la espalda durante el embarazo; pregúnteselo a su médico.

■ Dormir adoptando una postura cómoda con la ayuda de una buena almohada (de al menos 1 metro de longitud)

Doblar las rodillas al levantar un objeto

la ayudará a minimizar las incomodidades a la mañana siguiente. Al salir de la cama por la mañana, balancee las piernas por encima del borde de la cama hasta depositarlas sobre el suelo, en vez de girarse para levantarse.

- Tal vez un cabestrillo cruzado para sujetar el vientre de la embarazada alivie la tensión de la parte baja de la espalda.

- No estirar el cuerpo para llegar a la caja de galletas que guarda en el estante más alto. Use un taburete bajo y estable para alcanzar objetos colocados en lugares elevados, así evitará más tensión.

- Alternar frío y calor para aliviar temporalmente el dolor muscular. Utilice una bolsa de hielo durante quince minutos, seguida de una almohadilla caliente durante otros quince minutos y después un baño tibio (pero no caliente). Envuelva la bolsa de hielo y la almohadilla en una toalla o paño.

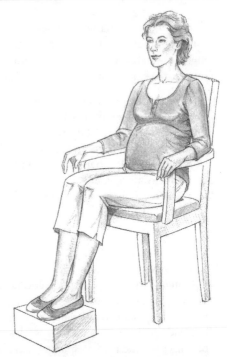

Sentarse cómodamente

- Darse un baño tibio (pero no caliente). O utilizar la opción de masaje de la ducha para darse un masaje en la espalda.

- Tratar bien la espalda. Regálese un masaje (acuda a un masajista que sepa que está embarazada y que conozca la técnica del masaje prenatal).

- Aprender a relajarse. Muchos problemas de la espalda se agravan con el estrés. Si cree que éste podría ser su caso, realice algunos ejercicios de relajación cuando se presente el dolor. Siga las instrucciones que empiezan en la página 160 para enfrentarse a las tensiones de la vida diaria.

- Realizar algunos ejercicios sencillos que ayuden a fortalecer los músculos abdominales, tales como la postura del dromedario (véase la pág. 249) y bascular la pelvis (véase la pág. 251). O sentarse sobre una pelota de ejer-

cicios y mecerse hacia delante y hacia atrás (o tumbarse de espaldas sobre ella para aliviar las molestias de espalda y caderas). Apúntese a una clase de yoga para embarazadas o considere la posibilidad de hacer gimnasia terapéutica en el agua si hay un terapeuta especializado en la zona.

- Si el dolor es significativo, pida al médico que le recomiende un fisioterapeuta o un especialista en medicina alternativa (acupuntura o *biofeedback*), que pueda ayudarla.

Dolores abdominales

"Estoy muy preocupada por los dolores que he venido sintiendo en los lados de la pelvis."

Lo que ocurre probablemente es que los músculos y ligamentos que soportan el útero se están estirando, y eso el algo que experimentan la mayoría de las mujeres embarazadas. Se conoce técnicamente como la alteración del ligamento redondo (aunque cuando nota que algo tira en sus costados, no le importe cómo lo llamen los expertos), y la mayoría de las gestantes lo experimentan. Pero hay diversidad de formas de experimentarlo. El dolor puede ser como un calambre, una punzada o un dolor, y puede notarse al levantarse de la cama o de una silla, o al toser. Puede ser breve o durar varias horas. Y es completamente normal. Siempre y cuando sea ocasional y pasajero y no se acompañe de otros síntomas (como fiebre, escalofríos, hemorragias o mareos), este tipo de dolor no debe preocupar. Elevar los pies y descansar adoptando una postura cómoda debería aliviarla. Como en el caso de cualquier otro dolor, menciónelo en la próxima visita a su médico para que pueda tranquilizarla verificando que se trata de otro achaque normal, si bien molesto, del embarazo.

Problemas en los pies

"Parece que los zapatos me aprieten demasiado. ¿Puede ser que me estén creciendo los pies?"

El vientre no es la única parte del cuerpo de la embarazada que tiende a expandirse. Muchas gestantes observan que les crecen los pies. Son buenas noticias si pensaba renovar su colección de zapatos, pero malas si acaba de comprarse uno o dos pares caros.

¿Qué hace que los pies aumenten de tamaño? Mientras que hasta cierto punto este efecto esté relacionado con la retención normal de líquidos y la hinchazón del embarazo (o a la acumulación de grasa en los pies si el aumento de peso ha sido sensible o rápido), también hay otro motivo. La relaxina, la hormona del embarazo que se ocupa de relajar los ligamentos y articulaciones de la pelvis para que el bebé pueda pasar, no discrimina entre los ligamentos que se desea aflojar (como los de la pelvis) y los que no (como los de los pies). Resultado: cuando los ligamentos de los pies se relajan, los huesos que están debajo de ellos se ensanchan ligeramente, lo cual significa para muchas mujeres, medio número o un número más. Aunque las articulaciones volverán a su forma después del parto, es posible que los pies le queden más grandes permanentemente.

Mientras tanto, tome nota de los consejos para reducir una hinchazón excesiva (véase la pág. 318). Si parece que éste es su problema, procúrese dos pares de zapatos que le resulten cómodos y que se adapten a sus "crecientes" necesidades (para no terminar embarazada y descalza). Cuando se compre unos zapatos, dé prioridad a la comodidad por encima del estilo, aunque sólo sea por una vez. Los zapatos deben tener un tacón de menos de 5 cm, suelas antideslizantes y mucho espacio para que los pies puedan extenderse con toda libertad (pruébeselos al final del día, cuando los pies estén hinchados al máximo). Ambos pares deben ser de material natural para que los pies puedan respirar (nada sintético).

¿Le duelen los pies y las piernas al final del día? Los zapatos o complementos ortopédicos diseñados para corregir el desplazamiento del centro de gravedad que se produce durante el embarazo no sólo pueden suponer una mayor comodidad para los pies, sino también reducir los dolores de espalda y de las piernas. Descansar periódicamente durante el día puede (evidentemente) aliviar el dolor y la hinchazón, igual que elevar (y flexionar periódicamente) los pies. Llevar zapatillas flexibles mientras se esté en casa también es útil para reducir la fatiga y el dolor de los pies.

Su nueva piel

Por si todavía no lo ha notado, los efectos del embarazo llegan a cada centímetro de su cuerpo: de la cabeza (despistes) a los pies (que se hinchan), y todo lo demás (pechos, barriga). De modo que no resulta sorprendente que la piel también experimente cambios. He aquí algunos de los que cabe esperar:

Linia nigra. ¿Una cremallera que recorre el abdomen en vertical? Del mismo modo que las hormonas del embarazo provocan la hiperpigmentación, u oscurecimiento, de las aréolas, ahora son también las responsables del oscurecimiento de la línea alba, una línea blanca que probablemente no se ha visto nunca, que recorre el abdomen desde el ombligo hasta la parte superior del pubis. Durante el embarazo recibe el nombre de *linia nigra* y puede notarse más en mujeres de piel oscura que en las de piel clara. Suele empezar a aparecer durante el segundo trimestre y con frecuencia empieza a desaparecer unos meses después del parto (aunque puede no desaparecer nunca por completo). ¿Le interesa la interpretación tradicional de la *linia nigra* para revelar el sexo del bebé? Se dice que si la línea llega solo hasta el ombligo, es niña; si sigue subiendo más arriba del ombligo, es niño.

Máscara del embarazo (cloasma). Entre un 50 y un 75% de las gestantes, especialmente las de piel oscura, presentan decoloraciones en forma de una máscara o confeti en la frente, nariz y mejillas. Las manchas son oscuras en las mujeres de piel clara y son claras en las mujeres de piel oscura. Si no le gusta el aspecto que le confiere esta decoloración, no se preocupe, el cloasma desaparecerá unos meses después del parto; si no lo hace (o si desea acelerar el proceso), el dermatólogo puede recetarle alguna crema decolorante (si no amamanta al bebé) o recomendar otro tratamiento (como sesiones de láser o peeling). Estos tratamientos no deben realizarse durante el embarazo, por lo que de momento puede usar un maquillaje opaco (véase la pág. 166).

Más hiperpigmentación. Muchas mujeres también descubren que las pecas y lunares se vuelven más visibles y que el oscurecimiento de la piel se intensifica en zonas de mucha fricción, como entre los muslos. Toda esta hiperpigmentación desaparece después del embarazo. El sol puede intensificar esta pigmentación, por lo que se usará un protector solar con un factor de 50 cuando se deba permanecer en el exterior en tiempo soleado, y se evitará pasar muchas horas al sol (aunque se use la protección). Lleve también un sombrero que tape por completo el rostro y manga larga para proteger los brazos (si aguanta el calor).

Palmas de manos y pies enrojecidas. De nuevo, se trata del trabajo de las hormonas (además de un aumento del flujo sanguíneo), que provocan el enrojecimiento, acompañado de picor, de las palmas de las manos (y a veces, de los pies), en dos tercios de las gestantes blancas y un tercio de las de otras

Rápido crecimiento del cabello y las uñas

"Me parece que el cabello y las uñas nunca me habían crecido tan deprisa."

Aunque podría parecer que las hormonas del embarazo sólo se dedican a abatir a la madre durante nueve meses (estreñimiento, acidez de estómago y náuseas, por ejemplo), las mis-

razas. No existe un tratamiento específico, pero algunas mujeres encuentran alivio sumergiendo las manos y/o pies en agua fría o aplicando una bolsa de hielo durante unos minutos un par de veces al día. Evite cualquier cosa que transmita calor a las manos y pies (como baños calientes, lavar los platos, llevar guantes de lana), porque pueden empeorar. Evite también el contacto con sustancias potencialmente irritantes, como jabones agresivos o lociones perfumadas. Esta afección desaparecerá pronto después del parto.

Piernas azuladas y con manchas. Debido al aumento de la producción de estrógenos, muchas mujeres experimentan este tipo de tinción a manchas transitoria en las piernas (y a veces en los brazos) cuando tienen frío. No tiene ninguna importancia y desaparecerá después del parto

Excrecencias cutáneas. Una excrecencia, que es esencialmente un diminuto exceso de piel, es otro problema cutáneo benigno común en las mujeres embarazadas. Normalmente se localiza en zonas de mucha fricción, como debajo de los brazos. Se suelen desarrollar durante el segundo y tercer trimestre, y suele entrar en regresión tras el parto. Si no fuera así, el médico puede extirparlo fácilmente.

Sarpullidos. Aunque suelen relacionarse con los bebés, las embarazadas también pueden padecerlos. El sarpullido sale como resultado de la combinación de un organismo embarazado, sobrecalentado de por sí, y la humedad provocada por una transpiración más abundante, con la fricción de la piel contra sí misma o con la ropa. Puede ser bastante molesto. Donde aparece con mayor frecuencia es debajo de los pechos, allá donde el vientre roza con la zona púbica, y en la parte interna de las piernas. (Los efectos embellecedores del embarazo no dejan de acumularse.) Aplicando una compresa húmeda y fría puede aliviar la sensación de calor del sarpullido. Aplicarse polvos de talco después de la ducha e intentar mantenerse lo más fresca posible ayudará a minimizar las incomodidades del sarpullido y también a prevenirlo en el futuro. La loción de calamina también proporciona alivio y su uso es seguro, pero antes de aplicarse una loción medicada, pregunte al médico. Si el sarpullido o irritación dura más de dos días, pregunte al médico cómo proceder.

Irritaciones de la piel. A menudo, las irritaciones son la reacción de una piel más sensible durante el embarazo a cremas que, utilizadas antes del embarazo, no provocaban reacción cutánea alguna. Cambiar a un producto más suave suele aliviar estas irritaciones por contacto, pero informe al médico de los sarpullidos o irritaciones persistentes.

Espere, todavía hay más. Lo crea o no, existen más síntomas cutáneos que se pueden experimentar.

Para más información sobre las estrías, véase la página 202; sobre los granitos que escuecen, véase la página 320; sobre los problemas de pieles secas o grasas, véanse las páginas 179-181; sobre las arañas vasculares, véase la página 177.

---

mas hormonas son responsables de un notable beneficio que llega con el embarazo: uñas que crecen con tal rapidez que no se da abasto con las manicuras y cabellos que crecen sin dar tiempo a pedir hora en la peluquería (y si es realmente afortunada, lucirá un cabello con más cuerpo y brillo). Las hormonas del embarazo desencadenan una mejora de la circulación sanguínea y potencian el metabolismo que nutre las células de uñas y cabello, y los vuelve más sanos que nunca.

Claro que cada ventaja tiene una contrapartida. La nutrición adicional puede, desgraciadamente, tener efectos menos deseables: puede crecerle en lugares donde no sería de esperar en una mujer.

El área facial (labios, mentón y mejillas) es la que se ve más afectada por este hirsutismo inducido por el embarazo, pero los brazos, piernas, espalda y vientre también pueden verse afectados (encontrará información acerca de los métodos de depilación seguros durante el embarazo en la pág. 164). Y aunque las uñas pueden ser más largas, también pueden volverse más frágiles.

Recuerde que estos cambios son temporales.

Tras el parto, se reanudará el proceso de pérdida capilar diaria habitual que se interrumpe durante el embarazo. Y las uñas probablemente también recuperarán su ritmo más lento de crecimiento (tal vez no sea algo tan malo: querrá tener las uñas cortas para manipular sin riesgo al bebé).

La vista

"Parece que se me está deteriorando la vista desde que estoy embarazada. Y parece que las lentes de contacto ya no me ajustan bien. ¿Son imaginaciones mías?"

No, existen posibilidades de que realmente no vea tan bien como antes de quedar en estado. Los ojos son una de esas partes del cuerpo aparentemente no relacionadas con el embarazo que pueden caer presa de las hormonas. No sólo la visión puede hacerse menos aguda, sino que súbitamente las lentes de contacto duras pueden dejar de ser cómodas.

La sequedad ocular, causada por un descenso en la producción de lágrimas de tipo hormonal, también puede contribuir a la irritación y malestar.

Y por si esto fuera poco, el aumento de fluidos puede cambiar la forma de la córnea y por eso algunas embarazadas se vuelven más miopes o présbitas.

Tras el parto, la vista debería aclararse y los ojos volver a la normalidad de antes del embarazo (por ello no se moleste en hacerse unas gafas o unas lentes de contacto duras nuevas durante el embarazo a menos que considere que realmente lo necesita).

Por otra parte, ahora no es el momento de pensar en operarse la vista con láser. Aunque el proceso no dañe al bebé, puede corregir excesivamente la visión y tardar más en curarse, lo que implica seguramente una segunda intervención posterior (además el colirio empleado no es aconsejable en mujeres embarazadas).

Los oftalmólogos aconsejan evitar las intervenciones quirúrgicas durante el embarazo, en los seis meses anteriores a la concepción y como mínimo en los seis meses posteriores al parto (y si amamanta al bebé, en los seis meses posteriores al destete).

Aunque no es raro que se deteriore ligeramente la agudeza visual durante el embarazo, la presencia de otros síntomas podría señalar la existencia de un problema.

Si la visión es borrosa, nublada o se ven manchas o imágenes dobles durante más de dos o tres horas, no espere a que se le pase, llame al médico de inmediato.

Ver manchas brevemente al cabo de un rato de estar de pie o al levantarse repentinamente de una posición sentada es bastante común y no hay motivo para preocuparse; de todas maneras, debería informar de ello al médico en la próxima visita.

Pautas de movimientos fetales

"Todos los días de la semana pasada sentí pequeños movimientos, pero hoy no he sentido nada de nada. ¿Qué es lo que va mal?"

Notar los giros, movimientos, puñetazos, patadas e hipo del bebé es una de las mayores emociones del embarazo (supera con creces la acidez de estómago y los pies hinchados). Es la mejor prueba de que una vida nueva –y tremendamente activa– se desarrolla en el interior de la madre. Pero los movimientos fetales también pueden provocar dudas y preguntas: ¿Se mueve lo bastante mi bebé? ¿Demasiado? ¿En absoluto? Tan pronto se está segura de que se notan patadas como se está preguntando si se trataría de gases. Un día notará que el bebé no deja de moverse, y al siguiente el pequeño atleta parece estar en el banquillo.

No se preocupe. En esta fase del embarazo, las preocupaciones sobre los movimientos del bebé –si bien son comprensibles– suelen ser innecesarias. La frecuencia de los movimientos varía ahora mucho y las pautas son irregulares. Aunque seguramente el bebé se mueve gran parte del tiempo, es probable que no note que lo hace hasta que el pequeño tenga más fuerza. Algunos movimientos se pueden pasar por alto a causa de la posición del feto (está encarado hacia el interior, por ejemplo). O a causa de la actividad de la madre: cuando camina o se mueve mucho, es posible que acune al bebé y éste se duerma; o puede estar despierto y la madre demasiado distraída para notar los movimientos. También es posible que duerma usted durante el período de más actividad del feto; para muchos bebés, en plena noche. (Ya en esta fase, los bebés se muestran más activos cuando la madre intenta descansar.)

Una forma de provocar movimientos fetales si todavía no se han notado consiste en echarse una o dos horas por la tarde, preferiblemente después de tomar un vaso de leche, un zumo de naranja u otro tentempié. La combinación de su inactividad y el aporte de energía del alimento pueden poner en marcha al feto. Si esto no funciona, inténtelo de nuevo al cabo de unas horas, pero no se preocupe. Muchas gestantes no notan movimientos durante uno o dos días seguidos, incluso tres o cuatro días, en esta fase. Si sigue preocupada, llame al médico para que la tranquilice.

Pasada la semana 28, los movimientos del feto se vuelven más constantes y es buena idea adoptar el hábito de comprobar la actividad diaria del bebé (véase la pág. 321).

Ecografía del segundo trimestre

"Mi embarazo es perfectamente normal, sin ninguna clase de problemas. Pero mi médico me recomienda que me haga una ecografía este mes. ¿Es realmente necesaria?"

Hoy en día, los ultrasonidos no están reservados a los embarazos problemáticos. De hecho, la mayoría de los médicos prescriben una ecografía detallada (de nivel 2) rutinariamente durante la vigésima a vigésimo segunda semana, principalmente para asegurarse de que todo está yendo exactamente como debiera. Como ventaja adicional para los padres, es divertido poder echar un vistazo al bebé y llevarse a casa una fotografía de recuerdo para empezar a llenar el álbum con ella, y para que usted y su pareja empiecen a formar el vínculo con su futuro bebé. También puede confirmar el sexo del bebé (suponiendo que los padres deseen saberlo, claro; véase la siguiente pregunta).

Una foto que dure toda la vida

Ahora que tienen la primera fotografía del bebé, por cortesía de la ecografía del segundo trimestre, querrán que dure para siempre. Para que no se dañe (ni se desvanezca la imagen), escanéenla en el ordenador y guárdenla en el disco duro o en un CD. O escanéenla y pidan una copia en papel fotográfico, sin ácido. De este modo sus recuerdos no se desvanecerán con su memoria.

Aunque le hicieran un sonograma (de nivel 1) durante el primer trimestre para confirmar o poner fecha al embarazo, o como parte de las pruebas de cribado del primer trimestre, las pruebas de nivel 2 proporcionan información más detallada. Típicamente se llevan a cabo entre las semanas 18 y 22, y aportan información adicional muy valiosa al médico acerca de lo que va aconteciendo en su interior. Por ejemplo, pueden medir el tamaño del bebé y examinar los principales órganos vitales. Pueden determinar la cantidad de líquido amniótico para cerciorarse de que es adecuada, y evaluar la localización de la placenta. En resumen, la ecografía del segundo trimestre –además de ser una diversión para los padres– facilita información acerca del estado general de salud del bebé y del embarazo.

Si la preocupa lo que puedan revelar estas imágenes, hable con el médico y pregúntele qué busca exactamente; lo más probable es que salga de la visita más informada (y aliviada).

"Me van a hacer la ecografía de las veinte semanas y no estoy segura de si quiero saber o no el sexo del bebé."

Esta decisión del embarazo sólo concierne a los padres. Y no existen decisiones correctas o incorrectas. Algunos padres optan por saberlo, por razones prácticas: hace mucho más fáciles las compras de la canastilla, la decoración de la habitación y la elección del nombre (¡sólo hay que elegir uno!). Otros deciden saberlo simplemente porque no pueden aguantar el suspense. Pero muchos padres aún prefieren el juego de los acertijos y deciden averiguar el sexo de su hijo de la forma tradicional, cuando finalmente la mitad inferior de éste salga al mundo exterior. La elección es suya.

Si decide saberlo ahora, tenga en cuenta que determinar el sexo de un bebé mediante los ultrasonidos no es una ciencia exacta (a diferencia de la amniocentesis, que determina el sexo del bebé mediante un análisis cromosómico). Muchos padres que habían recibido durante la ecografía la noticia de que se trataba de una niña han tenido que oír del ginecólogo o la comadrona "¡es un niño!" tras el parto (o viceversa). Así que si elige saber si es niño o niña cuando vaya a hacerse la ecografía, recuerde que se trata sólo de una probabilidad, por muy afinada que ésta sea.

Posición de la placenta

"El médico me ha dicho que en la ecografía se ha visto que tengo la placenta baja, cerca del cuello uterino. Dijo que era demasiado pronto para preocuparse. ¿Cuándo tengo que empezar a preocuparme?"

Al igual que un feto, la placenta puede desplazarse mucho durante el embarazo. En realidad no se mueve de sitio, sino que parece que migra hacia arriba cuando se alarga y crece la parte inferior del útero. Aunque se estima que el 10% de las placentas se encuentran en la parte inferior durante el segundo trimestre (y un porcentaje aún mayor antes de las 14 semanas), la gran mayoría se desplaza hacia la parte superior al irse acercando la fecha del parto. Si ello no sucede y la placenta permanece en la parte inferior del útero, tapando parcial o completamente el cérvix (la boca del útero) se diagnostica una "placenta previa". Esta complicación se produce en muy pocos embarazos a término (alrededor de 1 de cada 200). En otras palabras, su médico tiene razón. Es demasiado pronto para preocuparse y, en términos estadísticos, las probabilidades de que deba preocuparse más adelante son pocas.

"Mientras me hacía la ecografía, el técnico de ultrasonidos me dijo que tengo una placenta anterior. ¿Qué significa?"

Significa que el bebé está detrás de la placenta. Normalmente, el óvulo fecundado se sitúa en la parte posterior del útero –la parte más cercana a la columna de la madre–, que es donde más tarde la placenta se desarrolla. Pero a veces el óvulo se implanta en el lado opuesto del útero, más cerca del ombligo de la madre. Cuando la placenta se desarrolla, crece en la parte frontal (o anterior) del útero y el bebé queda detrás. Y éste parece ser su caso.

Afortunadamente, al bebé no le importa en qué lado del útero se encuentra, y la localización de la placenta no marca ninguna diferencia en su desarrollo. La desventaja para usted es que seguramente le costará más notar (y más adelante ver) los primeros movimientos del bebé porque la placenta es como un cojín que se interpone entre el bebé y el vientre de la madre (lo cual podría provocar preocupaciones innecesarias). Por el mismo motivo, el médico o comadrona pueden tener dificultades para oír los latidos del

corazón del feto (cosa que dificultaría un poco el proceso de la amniocentesis). Pero a pesar de estos pequeños inconvenientes –que no deben preocuparla–, la placenta anterior no conlleva más consecuencias. Es más, probablemente se desplazará a una posición posterior más adelante (como suelen hacer las placentas anteriores).

Posición para dormir

"Siempre he dormido boca abajo. Pero ahora no me atrevo a hacerlo y no consigo encontrar ninguna postura que me resulte cómoda para dormir."

Por desgracia, dos de las posiciones favoritas para dormir –boca abajo y boca arriba– no son las más adecuadas (ni mucho menos las más cómodas) durante el embarazo. Por motivos evidentes, no conviene dormir boca abajo: a medida que la barriga crece, se parece cada vez más a intentar dormir sobre una sandía. Dormir boca arriba, si bien es más cómodo, no conviene porque

Dormir de lado

Modos de llevar al bebé, quinto mes

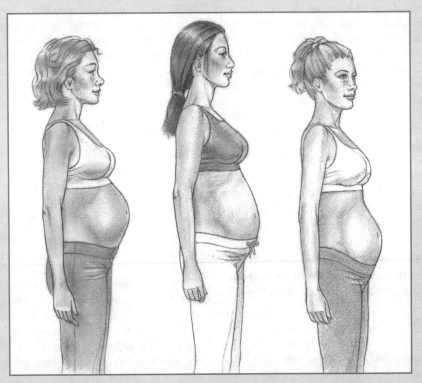

Aquí se muestran sólo tres de los muchos modos en que una mujer puede llevar a su feto al final del quinto mes. Las variaciones a este respecto son infinitas. Según la altura, la forma del cuerpo, el peso que haya aumentado la madre y la posición de su útero, la barriga será más alta o más baja, más ancha o más comprimida, más grande o más pequeña.

todo el peso del útero recae sobre la espalda, los intestinos y los principales vasos sanguíneos; ejerce presión y puede agravar los dolores de espalda y los problemas de hemorroides, inhibir la función digestiva, interferir en la buena circulación de la sangre y posiblemente provocar hipotensión, que puede causar vahídos.

Pero esto no significa que deba dormir de pie. Tendida sobre un costado, preferiblemente el izquierdo, con una pierna cruzada sobre la otra y con una almohada entre las dos, es la mejor posición tanto para la madre como para el feto. No sólo permite un suministro máximo de sangre y nutrientes a la placenta, sino que además favorece la función renal, lo que significa una mejor eliminación de los productos residuales y de líquido, y menos edema (hinchazón) de los tobillos, los pies y las manos.

Sin embargo, hay pocas personas que consigan permanecer en la misma postura toda la noche. No se alarme si se despierta por la noche y se encuentra tendida boca abajo o boca arriba. No hay problema: basta con que vuelva a colocarse sobre el costado. Y tampoco debe preocuparse si se siente incómoda durante unas noches. Su cuerpo se adaptará pronto a la nueva postura. Una almohada, de cómo mínimo un metro y medio de largo, o una almohada en forma de cuña, pueden ofrecer un buen apoyo, haciendo que dormir de lado sea mucho más cómodo y más fácil. Si no tiene ninguna de ellas puede improvisar con varias almohadas, colocándolas contra el cuerpo en diferentes posiciones hasta que encuentre la más adecuada.

¿Clases de feto?

"Tengo una amiga que insiste en que llevar a su bebé aún no nacido a los conciertos hará de éste un aficionado a la música, y otra cuyo marido le lee a su vientre cada noche para que el bebé sea un amante de la literatura. ¿Debería intentar yo también estimular a mi bebé?"

Todos los padres quieren lo mejor para sus hijos; en este caso, para sus futuros hijos. Pero conviene detenerse y reflexionar antes de poner a Beethoven y recitar Shakespeare.

Si bien es cierto que la capacidad auditiva del feto está bastante bien desarrollada a finales del segundo trimestre, no existen pruebas que demuestren que escuchar conciertos desde el útero o recibir lecciones sobre los clásicos de la literatura proporcione al bebé ninguna ventaja en el momento de iniciar su educación (ni que suponga el inicio de una carrera musical o literaria). Programar actividades culturales o educativas tan pronto puede ser perjudicial, especialmente si los padres van a seguir presionando al bebé y van a dar demasiada importancia a los logros a una edad demasiado prematura

(y antes de nacer es una edad demasiado prematura). Los fetos (como los bebés y niños en que se convierten antes de que uno se dé cuenta) se desarrollan –y más adelante, aprenden– a su ritmo, sin necesidad de presionarles. También existe el riesgo teórico de que cuando los padres intentan convertir el claustro materno en un aula de aprendizaje pueden estar alterando los ritmos naturales de sueño y vigilia del bebé. Estas interrupciones pueden incluso llegar a frenar el desarrollo en lugar de fomentarlo (como lo haría despertar a un recién nacido de la siesta para hacerle jugar con tarjetas dibujadas).

Esto no quiere decir que intentar ponerse en contacto con el bebé, e incluso proporcionarle un entorno uterino rico en lenguaje y música sea perjudicial. Hablar, cantar o leer al feto (sin necesidad de amplificar los sonidos) no garantiza una beca para la mejor universidad, pero sí garantiza que el bebé reconozca su voz al nacer y hará que sus primeros días sean más fáciles.

Ponerle música clásica ahora puede aumentar las posibilidades de que el recién nacido aprecie e incluso se tranquilice con estos sonidos más adelante (aunque se ha demostrado que exponer a un bebé a una buena música es mucho más significativo que hacer lo mismo con un feto). Y no subestime el sentido del tacto. Dado que este sentido también empieza a desarrollarse en el útero, acariciarse ahora la barriga puede ayudar a fortalecer el vínculo entre usted y el bebé más adelante.

De modo que, ponga a Mozart y a Bach, saque los sonetos de Shakespeare y léaselos a su barriga si le apetece (y si consigue hacerlo sin reírse). Hágalo si cree que ello favorecerá su relación con el bebé, no pensando que el bebé será un mejor estudiante por ello.

Por supuesto, si se siente ridícula hablándole a su barriga, no se preocupe de que el bebé no vaya a reconocerla más adelante. El feto ya se está acostumbrando al sonido de su voz –y la de su esposo– cada vez que hablan. Por lo tanto, disfrute de las tomas de contacto con su bebé ahora, pero sin preocuparse por enseñarle cosas. Como pronto descubrirá, de todos modos los niños crecen demasiado deprisa. No hay necesidad de acelerar el proceso, particularmente antes del nacimiento.

Llevar en brazos a otros niños

"Tengo una niña de tres años y medio que siempre quiere que la lleve en brazos. ¿Es seguro hacerlo durante el embarazo? Mi espalda parece romperse cuando la cojo."

Llevar pesos moderadamente pesados (incluso hasta los 18-20 kilos que puede pesar un niño en edad preescolar) es seguro a lo largo de todo el embarazo a menos que el médico se lo haya prohibido. Los efectos que esto puede conllevar para la espalda son otra cosa, probablemente dolorosa. Romper el hábito que tiene su hija de que la lleven en brazos sería mejor estrategia que seguir rompiéndose la espalda: intente hacer que caminar le resulte divertido. Desafíela a minicarreras, o suban las escaleras cantando una canción. No olvide aplaudir sus esfuerzos cuando se avenga a caminar en lugar de recurrir a mamá como taxi: intente culpar a su espalda (no al bebé) de su imposibilidad de llevarla siempre en brazos. Compénsela también con abrazos y teniéndola en brazos desde una posición sentada. Y como habrá momentos en que la pequeña se negará a caminar, aprenda la forma adecuada de cogerla en brazos sin dañar su espalda (véase la pág. 266).

Maternidad y paternidad

"Me pregunto si seré feliz con mi bebé cuando lo tenga. No tengo idea de lo que significa ser padre."

La mayoría de las personas se enfrentan a cualquier cambio importante de sus vidas –y no hay mayor cambio que un nacimiento inminente– preguntándose si será un cambio que las haga felices. Y siempre es más probable que el cambio las haga felices si tienen expectativas realistas.

De modo que, si sueñan con volver a casa con un encantador bebé de anuncio, es posible que deban informarse acerca de cómo son los recién nacidos. El bebé no sólo renunciará a sonreír y balbucear durante muchas semanas, sino que prácticamente no querrá comunicarse con los padres excepto llorando, sobre todo cuando la nueva mamá se siente a cenar, quiera hacer el amor, tenga necesidad de ir al lavabo o esté tan cansada que no pueda ni moverse.

Si la visión que tiene de la maternidad está llena de plácidos paseos matutinos por el parque, de días soleados en el zoológico y de horas dedicadas a preparar ropa en miniatura, lo más probable es que la realidad signifique un golpe. Habrá muchas mañanas que se convertirán en tardes antes de que mamá y bebé hayan podido ver la luz del sol; muchos días soleados que transcurrirán principalmente junto a la lavadora y muy pocas prendas diminutas que se libren de quedar manchadas con papilla de plátano y vitaminas infantiles.

Ahora bien, lo que sí puede esperarse de un modo realista son algunas de las experiencias más maravillosas y milagrosas de la vida. La felicidad que se experimenta al arrullar al bebé que duerme (incluso si este pequeño angelito acaba de pasar un momento endiabladamente malo) es incomparable. Esto –junto con aquella primera sonrisa desdentada dedicada exclusivamente a la madre– será compensación más que suficiente por todas las noches en vela, las cenas retrasadas, los encuentros románticos frustrados y las montañas de ropa por lavar.

¿Feliz? Espere y verá.

El cinturón de seguridad

"¿Es conveniente abrocharse el cinturón de seguridad en el coche? ¿El airbag supone un problema si estoy embarazada?"

El modo más seguro de viajar para la embarazada –y el futuro bebé– es con el cinturón de seguridad abrochado. Además, la ley obliga. Para la máxima seguridad y las mínimas molestias, abrócheselo por debajo del vientre, a través de la pelvis y la parte superior de los muslos. Si el coche dispone de un cinturón que pase por los hombros, es aconsejable utilizarlo por encima del hombro y en diagonal a través del pecho, y no por debajo de los brazos. Y no se preocupe de que la presión del cinturón en caso de frenada pueda perjudicar a su bebé: éste se halla bien protegido por el líquido amniótico y la musculatura uterina, que se cuentan entre los mejores materiales absorbentes de impactos.

En cuanto al airbag, lo mejor es mantenerse a la mayor distancia posible. Si viaja de acompañante, sitúe el asiento tan atrás como se pueda (además, sus piernas le agradecerán el espacio para estirarse). Si conduce usted, eleve el volante hacia el pecho, alejándolo de la barriga, y siéntese al menos a 25 cm de distancia del volante, si es posible.

Viajar

"¿Es inconveniente que en mi estado realice el viaje de vacaciones que mi pareja y yo habíamos planeado para este mes?"

Nunca volverá a resultarle tan sencillo salir de vacaciones con el bebé. Imagínese, dentro de un año, empaquetando pañales, biberones y potitos, montando la sillita de seguridad y cargando diversos accesorios infantiles, y comprenderá por qué. Los viajes durante el segundo trimestre no suelen plantear problemas, ya que la fatiga, los mareos y la inestabilidad emocional del primer trimestre ya están superados, y la barriga todavía no molesta tanto como para dificultar sus movimientos y cargar con su equipaje.

No dude respecto a las reservas que hizo en su momento. Pero antes de hacer la maleta, pídale al médico su visto bueno. Es probable que le dé luz verde, ya que viajar no suele prohibirse durante el embarazo a menos que exista alguna complicación médica u obstétrica.

Una vez tenga su permiso, planifique un poco para garantizar un viaje seguro, tanto si es por una salida de negocios como una segunda luna de miel:

Abrocharse por dos

Combatir el estrés del cambio de horario (*jet lag*)

Si añade el *jet lag* a la fatiga normal que experimentan las embarazadas, es probable que desee acabar su viaje antes de comenzarlo. Así pues, lo más sensato es intentar minimizar –si no se pueden eliminar por completo– los efectos que afectan físicamente cuando se viaja atravesando las zonas horarias.

Los siguientes consejos le ayudarán a combatir el *jet lag*.

Empiece a cambiar las zonas horarias antes de salir de viaje. Habitúese gradualmente a la zona horaria a la que va a viajar cambiando la hora de su reloj –y sus horarios– paulatinamente hacia delante o hacia atrás. Si va a viajar hacia el este, empiece levantándose un poco más pronto y yéndose a la cama algo antes unos pocos días antes del viaje. Si se dirige hacia el oeste, váyase a la cama algo más tarde y madrugue un poco menos (si es que puede). Cuando viaje en el avión, intente dormir si es el momento apropiado para hacerlo en su región de destino

o manténgase despierta si es el caso contrario.

Viva a la hora local. Una vez haya llegado a su destino, empiece a vivir toda la jornada según la hora local. Si llega a su habitación de hotel de la ciudad extranjera a las siete de la mañana, exhausta por el vuelo nocturno, resístase a dormir hasta el mediodía. En vez de ello, sosténgase mediante un desayuno agradable y salga a pasar un día tranquilo haciendo turismo. No sea demasiado exigente consigo misma –haga pausas frecuentes y siéntese con los pies en alto, pero intente por todos los medios no adoptar la posición horizontal. Si se echa, lo más probable es que la venza el sueño. También deberá comer según el horario normal y no según su reloj interno (tómese un tentempié si está hambrienta, pero evite tomarse una comida completa hasta que el reloj marque "la hora de comer"), y luche por mantenerse despierta hasta lo más cerca posible de su hora habitual de acostarse (hora local). Esto debería ayudarla a

Elegir un destino adecuado. Viajar a una zona de clima húmedo y cálido puede resultar incómodo a causa del metabolismo acelerado; si se elige un destino de este tipo, asegurarse de que tanto el hotel como el transporte tengan aire acondicionado y evitar deshidrataciones y estancias al sol. Viajar a grandes alturas (superiores a 2100 m) no está recomendado en ningún momento del embarazo, ya que la adaptación a una menor presión de oxígeno puede ser un esfuerzo excesivo para la madre y también para el feto. Otros destinos inapropiados son las regiones del mundo en vías de desarrollo para las que

sería necesario vacunarse, dado que algunas vacunas son peligrosas durante el embarazo (consulte con su médico). Estos mismos sitios pueden ser lugares de incubación de ciertas infecciones peligrosas para las cuales no existen vacunas, lo cual es una razón suficiente para evitarlos. Por no hablar de las enfermedades que se contagian a través de los alimentos y el agua.

Planear un viaje que sea relajante. Un solo lugar de destino es preferible a un viaje que permita visitar seis ciudades en seis días. Para una mujer embarazada es también mucho mejor un viaje en el que ella pueda determinar el ritmo que dormir durante toda la noche local entera. También deberá evitar despertarse demasiado tarde, ya que esto le haría más difícil meterse en la cama la noche siguiente. Pida en recepción que la despierten, a pesar de que no lo crea necesario.

Busque el sol. Recibir algo de luz solar la ayudará a poner en hora su reloj biológico, así que procure pasar bastante tiempo en el exterior durante el primer día en su nuevo destino. Si coincide que no luce el sol, al menos pase algo de tiempo fuera, a la luz del día. Si ha viajado de oeste a este, lo mejor es buscar el sol de la mañana; por el contrario, si ha ido de este a oeste, salga al exterior al finalizar la tarde.

Coma y beba para compensar el *jet lag*. Todos aquellos que viajan con frecuencia en avión saben lo mucho que se pueden deshidratar. Y la deshidratación puede hacer que los síntomas del *jet lag* se agudicen (por no mencionar los riesgos de sufrir complicaciones en el embarazo). Así pues, beba mucha agua en el avión, y continúe bebiendo una vez haya llegado a su destino. También deberá tomarse tiempo para comer con regularidad. Concéntrese en alimentos que proporcionen mucha energía a largo plazo, tales como las proteínas y los hidratos de carbono complejos. También le ayudará a combatir la fatiga hacer algo de ejercicio (nada extenuante; un paseo por un parque o algunos largos en la piscina del hotel bastarán).

No espere un milagro. No tome ningún preparado para el *jet lag* (ni por cualquier otro motivo), ya sean hierbas o medicamentos que precisen receta o no, sin la autorización expresa de su ginecólogo.

Deje pasar el tiempo. Debería empezar a encontrarse menos cansada y más sincronizada con el horario local en un par de días.

Cabe la posibilidad de que los problemas de sueño –junto con la fatiga que inevitablemente los acompaña– la sigan molestando durante todo el viaje. No obstante, seamos francos, ello tendrá menos que ver con el *jet lag* que con el hecho de que está transportando exceso de equipaje (de un tipo que ningún mozo podría llevar en su lugar).

---

un viaje en grupo organizado. Deberá alternar unas pocas horas de la cansada actividad de visitar la ciudad o de ir de compras por las tiendas con unos ratos de descanso.

Seguros. Conviene contratar un seguro de viaje en caso de que alguna complicación del embarazo obligue a cambiar de planes y quedarse cerca de casa. En caso de viajes al extranjero, la póliza de seguro debe incluir también una posible repatriación en caso de tener que regresar con urgencia y bajo supervisión médica. Estos seguros también son útiles como seguro médico en el extranjero.

Preparar un botiquín. Asegurarse de llevar consigo las pastillas de vitaminas suficientes para todo el viaje; tentempiés saludables; algún remedio contra el mareo recomendado por su médico si existe propensión; un par de zapatos anchos y cómodos donde quepan los pies hinchados de la embarazada; y una crema de protección solar.

Si viaja al extranjero, busque con antelación la dirección de un obstetra en destino, por si acaso. En algunos hoteles, pueden ofrecerle este tipo de información. Si se encuentra en el extranjero y por algún motivo necesita atención médica inmediata y el hotel no puede pro-

Embarazadas a altitudes elevadas

Las mujeres acostumbradas a respirar el aire más puro que se halla en lugares situados a gran altitud presentan menos probabilidades de padecer un problema provocado por la altitud durante su embarazo (hipertensión, retención de líquidos, un bebé de menor peso del habitual) que las que se acaban de mudar tras haber vivido siempre al nivel del mar. Por este motivo, muchos facultativos sugieren posponer el traslado o visita previstos a tierras más altas hasta después del parto.

Si debe viajar a un destino que se encuentra a gran altitud, intente ascender gradualmente, si es posible (si conduce, por ejemplo, intente ir ascendiendo 600 metros cada día, en lugar de subir 1800 de golpe). Para minimizar el riesgo del denominado mal de altura, intente además limitar los esfuerzos durante unos días tras su llegada, beba mucha agua, coma poco y con frecuencia en lugar de realizar tres colaciones copiosas, evite los alimentos grasos y pesados y, de ser factible, duerma a menor altitud.

porcionársela, llame a la embajada de su país o al hospital más cercano. O vaya directamente al servicio de urgencias del hospital. Si tiene seguro médico, debería disponer de un número de teléfono donde poder llamar si precisa ayuda.

Llevar consigo la dieta de embarazo. La madre está de vacaciones, pero su bebé está trabajando igual que siempre en su crecimiento y desarrollo, y necesita los mismos nutrientes de siempre. En la hora de las comidas no es necesario el sacrificio total, pero sí la prudencia. En el restaurante, elija cuidadosamente los platos para disfrutar de la cocina local y satisfacer al mismo tiempo las necesidades del bebé. No se salte el desayuno o el almuerzo con vistas a una opípara cena.

Comer de forma selectiva. En algunas regiones puede no ser seguro comer fruta u hortalizas crudas sin pelar o bien ensalada. (Antes de pelar usted misma la fruta, lávela bien y luego lávese las manos para no pasar gérmenes a la fruta; los plátanos y naranjas tienden a ser más seguros que otras frutas a causa de sus pieles gruesas.) En todas las regio-

nes, evite los alimentos tibios o a temperatura ambiente, y la carne, el pescado y las aves crudos o poco cocidos, así como los productos lácteos no pasteurizados o no refrigerados y toda la comida vendida por la calle, aunque sea caliente y esté bien cocida. Para una información completa sobre estas limitaciones o sobre otros riesgos y vacunas para el viajero, póngase en contacto con los organismos competentes de cada región.

No beber agua del grifo (no cepillarse los dientes con ella), a menos que se tenga la seguridad de que no presenta riesgos. Si la pureza del agua es cuestionable en el lugar de destino, conviene usar agua embotellada para beber y lavarse los dientes (asegúrese de que el tapón está intacto cuando lo abra). Evite también el hielo, a menos que esté segura de que ha sido preparado con agua embotellada o hervida.

No nadar tampoco en el agua. En algunas zonas, los lagos y los mares pueden estar contaminados. Habría que pedir información a las autoridades competentes sobre la seguridad del agua. Hay que tener cuidado también con las piscinas que no están lo suficientemente cloradas.

Evite la irregularidad del tránsito intestinal. Los cambios de horarios y de dieta pueden conllevar problemas de estreñimiento; así que mire de combatirlos con los tres remedios más efectivos: fibra, líquidos y ejercicio. También la puede ayudar desayunar (o como mínimo picar alguna cosa) un poco antes de la hora habitual, para poder ir al lavabo antes de salir del hotel.

Orinar frecuentemente. La futura madre se cuidará de no favorecer las infecciones del tracto urinario retrasando sus visitas al lavabo. Deberá "ir" en cuanto sienta la necesidad.

Conseguir el soporte que se precisa. Es decir, medias compresivas. Particularmente si ya sufre de venas varicosas –incluso aunque sólo sospeche que tiene predisposición–, lleve medias compresivas cuando tenga que estar mucho tiempo sentada (en el coche, el avión, el tren, por ejemplo) y cuando tenga que permanecer mucho rato de pie (en los museos, en las colas). También ayuda a minimizar la hinchazón en pies y tobillos.

No quedarse quieta en los desplazamientos. Estar sentada durante largos períodos de tiempo puede restringir la circulación de las piernas, por lo que debe cambiar de posición con frecuencia, estirar las piernas, flexionarlas y masajearlas, y evitar cruzarlas. Si es posible, quítese los zapatos y eleve los pies un poco. Levántese al menos una vez cada hora o dos y camine por los pasillos del avión o el tren. Si viaja en coche, no pase más de dos horas sin parar para estirar las piernas y pasear un poco.

Si viaja en avión. Informarse en la agencia de las líneas aéreas si existe alguna regulación especial referente a las mujeres

Las mujeres embarazadas son deliciosas

Si le parece que los mosquitos la asedian más que nunca ahora que está embarazada, no se trata de imaginaciones suyas. Los científicos han descubierto que las mujeres embarazadas atraen al doble de mosquitos que las que no lo están, posiblemente debido a que a estos malditos bichos les encanta el dióxido de carbono; las embarazadas tienden a respirar con mayor frecuencia, por lo que liberan una mayor cantidad del gas favorito de los mosquitos. Otra razón por la que los mosquitos van derechos hacia las futuras madres: buscan el calor, y las embarazadas suelen tener temperaturas corporales más altas, con todo el proceso de la fabricación del bebé. Así pues, si vive o viaja a una zona donde los mosquitos constituyen un problema (especialmente si son un riesgo para la salud), tome las precauciones apropiadas. Puede evitar sus picaduras quedándose en el interior de los edificios de las zonas infestadas de mosquitos, usando telas metálicas muy tupidas en las ventanas, y utilizando un repelente de insectos sin DEET.

embarazadas (muchas líneas aéreas las tienen). Pedir con tiempo un asiento en la parte delantera del aparato (preferiblemente junto al pasillo, de forma que pueda levantarse y estirarse o ir al baño cuando lo necesite) o, si los asientos no son reservados, subir antes que los demás pasajeros al avión.

Al reservar el vuelo, pregunte si se servirán comidas o si cabe la posibilidad de comprarlas a bordo. Cada vez más son las compañías que no ofrecen colaciones durante el vuelo. Para complementar la comida en el avión, lleve consigo una preparada (un bocadillo o una ensalada, por ejemplo). Aunque vayan a servirle comida durante el vuelo, tenga en cuenta que puede ser una colación pequeña, incomestible o tardía debido a los retrasos aéreos (o las tres a la vez). Lleve porciones individuales de queso, hortalizas crudas, fruta fresca y otros tentempiés saludables. No se olvide de beber mucha agua (no beba agua del grifo del avión), leche y zumos de fruta para contrarrestar la deshidratación causada por los viajes aéreos; esto propiciará los paseos al baño, con lo que las piernas se estirarán periódicamente.

Hay que abrocharse el cinturón de seguridad por debajo del abdomen. Si se viaja a una zona con horario distinto, tener en cuenta la diferencia horaria. Habrá que descansar antes del viaje y planear una actividad ligera para los primeros días después de la llegada (véase el recuadro de la pág. 280).

Si se viaja en coche. Se llevará una bolsa llena de tentempiés nutritivos y un termo con zumo o leche a mano para cuando se tenga hambre. Para los viajes largos, se comprobará que el asiento que se ocupa sea cómodo; si no lo fuera, se pensará en la posibilidad de comprar o pedir prestado un cojín especial que soporte la espalda, que se puede adquirir en una tienda de complementos para el automóvil o por internet. Una almohadilla cervical también añadirá algo de confort. Encontrará más consejos sobre los viajes en coche en la página 279.

Si se viaja en tren. Informarse de si existe un vagón restaurante con un menú completo. En caso contrario, llevar consigo comidas y tentempiés suficientes. Si se viaja de noche, comprar un billete de coche-cama. No es cuestión de comenzar el viaje agotada.

Sexo durante el embarazo

Dejando de lado los milagros religiosos y médicos, todo embarazo empieza con el acto sexual. Por consiguiente, ¿por qué precisamente lo que ha puesto a la mujer embarazada en su situación actual de mujer gestante puede ahora haberse vuelto algo tan complicado?

Tanto si lo practican con más frecuencia como si lo practican con menos frecuencia, tanto si lo disfrutan más o lo disfrutan menos –o si no lo practican en absoluto o no lo disfrutan en absoluto, lo más probable es que hacer un bebé haya cambiado su forma de hacer el amor. El embarazo está lleno de retos a ambos lados de la cama, desde decidir qué es seguro y qué no lo es en la cama (o en la alfombra del salón o en la encimera de la cocina) hasta encontrar las posturas que mejor se adapten al creciente abdomen de la mujer; desde estados de ánimo desacordes (a usted le apetece, a él no; a él le apetece, a usted no) hasta las hormonas enloquecidas (que convierten sus pechos en más apetecibles que nunca, pero le duelen demasiado para dejárselos tocar). Pero no hay por qué preocuparse. Un poco de creatividad, un buen sentido del humor, mucha paciencia (y práctica), y mucho amor lo solucionan todo cuando se trata de hacer el amor durante el embarazo.

El sexo a lo largo de los trimestres

Abajo-arriba-abajo. Aunque parezca una nueva postura para hacer el amor, esto es la descripción de la pauta que sigue la vida sexual de la mayoría de las parejas durante los nueve meses de embarazo. En el primer trimestre, muchas mujeres experimentan un descenso de la libido en cuanto las hormonas del embarazo entran en acción. Y no es de extrañar. Después de todo, el cansancio, las náuseas, los vómitos y la sensibilidad dolorosa de los pechos hacen que la mujer sea una compañera de cama menos ideal. Pero como ocurre en todos los aspectos del embarazo, no hay dos mujeres iguales, lo cual significa que no hay dos libidos iguales. Si tiene suerte, puede experimentar un aumento del deseo sexual durante el primer trimestre, debido a que las hormonas del embarazo hacen que los genitales se vuelvan ultrasensibles, y que la sensibilidad de los pechos que resulta dolorosa para muchas mujeres, le resulte placentera.

El interés por las relaciones sexuales aumenta a menudo –pero no siempre– durante el segundo trimestre, cuando remiten los primeros síntomas del embarazo y la mujer dispone de más energía para dedicar al sexo. ¿Nunca había experimentado un orgasmo múltiple (o un orgasmo)? Es posible que ahora los experimente por primera vez (y que siga experimentándolos). Esto se debe a que el aumento de flujo sanguíneo hacia los genitales femeninos, labios, clítoris y vulva, puede hacer que llegar al clímax resulte ahora más fácil que nunca y los orgasmos pueden ser más intensos y largos que nunca. Pero nada es válido para todas las mujeres embarazadas. Algunas no sienten deseo sexual tampoco en el segundo trimestre o no lo sienten durante los nueve meses del embarazo, lo cual también es normal.

A medida que se acerca el momento del parto, la libido suele ir en retroceso de nuevo; a veces incluso desaparece más drásticamente que durante el primer trimestre, por motivos obvios: en primer lugar, un abdomen del tamaño de una sandía, que dificulta cada vez más al compañero sexual llegar a su objetivo, incluso adoptando posturas creativas; en segundo lugar, las molestias e incomodidades de un embarazo que se acerca a su término puede acabar con la pasión más ardiente; y en tercer lugar, hacia finales del trimestre resulta difícil concentrarse en otra cosa que no sea el esperado acontecimiento. Aun así, algunas parejas consiguen superar estos obstáculos y se mantienen sexualmente activas hasta la llegada de la primera contracción.

¿Qué despierta (o apaga) su deseo?

Existen muchos cambios físicos que afectan tanto al deseo sexual como al placer que se experimenta, tanto positiva como negativamente. Hay que saber cuáles son los efectos negativos y adaptarse a ellos para que interfieran al mínimo en su vida sexual.

Náuseas y vómitos. Los mareos matutinos pueden ser un problema para encontrar un momento para el placer. Es difícil disfrutar del sexo cuando se tienen ganas de vomitar la cena. Por tanto, la pareja deberá elegir la mejor hora para sus encuentros. Si los mareos son matutinos, aprovechen las horas vespertinas. Si las noches son su peor momento, practiquen el sexo por la mañana. Si los mareos persisten de día y de noche, deberán esperar a que remitan estos síntomas, lo cual suele suceder hacia el

Pormenores del sexo durante el embarazo

Se preguntan qué es seguro y qué no lo es en relación con la práctica sexual durante el embarazo. He aquí la información que necesitan:

Sexo oral. El cunnilingus (estimulación oral de los órganos genitales femeninos) es tan seguro como potencialmente placentero durante todo el embarazo; no duden en practicarlo (sólo hay que asegurarse de no insuflar aire en el interior de la vagina). La felación (estimulación oral del pene) siempre es segura durante el embarazo (igual que tragarse el semen), y para algunas parejas constituye un sustituto satisfactorio cuando el coito no está permitido. Conviene evitar el sexo oral si su pareja padece una enfermedad de transmisión sexual.

Sexo anal. Es probablemente seguro durante el embarazo, pero hay que practicarlo con precaución. En primer lugar, seguramente no resultará cómodo si la mujer tiene hemorroides, uno de los posibles efectos secundarios del embarazo, y puede provocar que sangren (lo cual puede estropear el momento). En segundo lugar, deben tener en cuenta la misma norma de seguridad tanto si la mujer está embarazada como si no al practicar el sexo anal: no pasar nunca del ano a la vagina sin antes lavarse. Podrían introducirse bacterias perjudiciales en el canal vaginal y provocar infecciones que constituyen un riesgo para el bebé.

Masturbación. A menos que el orgasmo no esté permitido a causa de un embarazo de alto riesgo o riesgo de parto prematuro, la masturbación durante el embarazo es perfectamente segura y una gran forma de liberar la tensión acumulada.

Vibradores o consoladores. Siempre y cuando el médico dé el visto bueno a la penetración vaginal, el uso de vibradores es seguro durante el embarazo; al fin y al cabo, son versiones mecánicas del órgano masculino. Pero cerciórese de que lo que se introduzca en la vagina esté bien limpio, y evite las penetraciones profundas.

---

final del primer trimestre. Sea como sea, no se fuerce para sentir deseo cuando se encuentra mal: el resultado no será satisfactorio para nadie.

Cansancio. Resulta difícil encontrar energía para hacer el amor cuando apenas se tiene para desvestirse. Por fortuna, el cansancio debe desaparecer hacia el cuarto mes (si bien la fatiga probablemente regresará durante el último trimestre). Hasta entonces, pueden hacer el amor mientras luce el sol (cuando se presente la ocasión), en lugar de esperar hasta la noche cuando la mujer esté demasiado cansada para un ro-

mance. Si tienen libres las tardes del fin de semana, es una buena idea hacer una siesta con una sesión de amor. O aprovechar un rato antes de levantarse para desayunar.

Cambios en la silueta. Hacer el amor puede resultar difícil y desagradable cuando se interpone una barriga hinchada grande e inaccesible como una montaña del Himalaya. A medida que progresa el embarazo, a muchas parejas les puede parecer que no merecen la pena los ejercicios gimnásticos necesarios para escalar el abdomen en aumento. (Pero existen maneras de rodear la montaña.) Además, la silueta más llena de la mujer puede hacer que se sienta menos sexy (si bien algunas mujeres –y la mayoría de parejas– encuentran la figura de embarazada la más sensual de las figuras femeninas). Si el aspecto de su cuerpo la incomoda, intente vestirse con lencería o ilumine su nido de amor con unas velas. Intente deshacerse de la imagen negativa de su cuerpo, socialmente condicionada, diciéndose: "Lo grande (en el embarazo) es bello."

Congestión de los órganos genitales. El mayor flujo sanguíneo hacia la pelvis, causado por los cambios hormonales del embarazo, puede incrementar la respuesta sexual en algunas mujeres; no obstante, también puede hacer que el sexo sea menos satisfactorio (especialmente en fases más avanzadas del embarazo) cuando tras el orgasmo queda una sensación desagradable como si no se hubiera tenido un orgasmo. También para las parejas, la congestión de los órganos sexuales de la mujer embarazada puede incrementar el placer (si la mayor presión les resulta agradable) o bien reducirlo (si la presión es tanta que pierden la erección).

Salida de calostro. Ya avanzado el embarazo, algunas mujeres empiezan a producir calostro, una sustancia precursora de la leche. El calostro puede salir de los pechos durante la estimulación sexual, y puede resultar desconcertante en medio de los preliminares. Desde luego, no es nada preocupante. No obstante, si resulta molesto para usted o para su pareja, puede evitarse fácilmente prescindiendo de la estimulación de los pechos y concentrándose en otras partes del cuerpo (tal vez el clítoris).

Sensibilidad de los pechos. Para algunas parejas, los pechos de la embarazada (llenos, firmes y tal vez más grandes) se convierten en juguetes con los que no dejarían de jugar. Pero para muchas otras, la hinchazón del principio del embarazo viene acompañada de dolor, y con él una política de "se mira pero no se toca". Si sus pechos le proporcionan más dolor que placer, asegúrese de recordárselo a su pareja, y recuérdele también que el dolor remitirá hacia el final del primer trimestre, y entonces podrá disfrutar de ellos.

Alteración de las secreciones vaginales. El aumento de secreción no es necesariamente algo bienvenido. Estas secreciones aumentan de volumen y cambian de consistencia, de olor y de sabor. La mayor lubricación puede hacer que el acto sexual sea más agradable para la pareja si la vagina de la mujer era antes seca y/o incómodamente estrecha. Pero también puede ser que, a causa del aumento de secreción, el canal vaginal esté tan húmedo y resbaladizo que disminuya la sensibilidad para ambos amantes e incluso dificulte al hombre mantener la erección o alcanzar el orgasmo. (Los preliminares pueden ayudarle en este aspecto.) El olor y sabor más intensos de las secreciones pueden hacer que el cunnilingus resulte desagradable para ciertos hombres. El problema puede ser paliado aplicando un aceite de masaje en la parte interior de los muslos (pero no en la vagina).

Algunas embarazadas experimentan sequedad vaginal durante la práctica del sexo, incluso con el aumento de secreciones. Los lubricantes con base de agua y sin perfume pueden utilizarse sin riesgo cuando sea necesario.

Hemorragia causada por la sensibilidad del cuello uterino. El cuello del útero también se congestiona durante el embarazo –pues está atravesado por numerosos vasos adicionales destinados a transportar una mayor cantidad de sangre hacia el útero– y es más blando

Un ejercicio placentero

No existe mejor manera de mezclar el trabajo con el placer que realizando los ejercicios de Kegel durante el acto sexual. Dichos ejercicios tonifican el área perineal preparándola para el parto, reduciendo las probabilidades de que se haga necesaria una episiotomía y minimizando además el riesgo de que se produzca un desgarro. También pueden acelerar la recuperación posparto de la zona. Y, aunque pueden realizarse en cualquier momento (véase la pág. 327), hacerlos durante el coito puede aumentar el placer para los dos. ¡Hacer ejercicio nunca será tan divertido!

que antes del embarazo. Esto significa que una penetración profunda puede a veces provocar una hemorragia, sobre todo en la última etapa, cuando el cuello de la matriz empieza a madurar con vistas al parto (aunque puede ocurrir en cualquier momento del embarazo). Este tipo de hemorragia no suele ser motivo de preocupación, pero coménteselo al médico si ocurre.

Existe toda una serie de dificultades psicológicas que pueden reducir el placer sexual durante el embarazo. Pero también éstas pueden ser minimizadas.

Temor de dañar al feto o de provocar un aborto. En los embarazos normales, el acto sexual no ejerce ninguno de los dos efectos. El feto está bien acolchado y protegido dentro del saco amniótico y el útero, y éste está bien cerrado frente al mundo exterior por un tapón de mucosidad a la entrada del cuello uterino.

El médico le indicará si hay algún motivo por el cual no debería practicar el sexo durante el embarazo. De lo contrario, adelante.

Temor de que el orgasmo provoque un aborto o un parto prematuro. Aunque el útero se contrae después del orgasmo –y estas contracciones pueden ser bastante pronunciadas en algunas mujeres y durar entre media hora y una hora después del acto sexual–, dichas contracciones no son un signo de que se ha iniciado el parto y no suponen ningún riesgo si el embarazo es normal. De nuevo, si hay algún motivo por el cual debería evitar tener orgasmos durante el embarazo (porque exista riesgo de aborto espontáneo o parto prematuro, o debido a algún problema de la placenta, por ejemplo), el médico se lo indicará.

Temor de que el feto "mire" o "sea consciente". Imposible. Aunque al feto le puede resultar agradable el suave movimiento arrullador de las contracciones uterinas, no puede ver ni comprender lo que está sucediendo durante el acto sexual, y seguro que no guardará ningún recuerdo de ello. Las reacciones fetales (movimientos más lentos durante el acto sexual y luego un furioso "pataleo" y un latido cardiaco más rápido después del orgasmo) son debidas única y exclusivamente a la actividad hormonal y uterina.

Temor de "golpear" la cabeza del bebé. Aunque su pareja puede no estar dispuesto a admitirlo, no hay pene lo bastante grande como para dañar a un feto ni lo bastante largo como para llegar donde se encuentra. De nuevo, el bebé está bien aislado en su hogar uterino. Aunque la cabeza del bebé esté ya encajada en la pelvis materna, la penetración profunda no puede dañarle (aunque si resulta incómoda, es mejor evitarla).

Temor de que la introducción del pene en la vagina provoque una infección. A menos que su pareja tenga una enfermedad de transmisión sexual, y que su cérvix no esté abierto, no existe riesgo de infección para la madre ni para el feto a causa del coito. En el saco amniótico, el bebé se encuentra aislado tanto del semen como de los microorganismos infecciosos.[1]

Ansiedad frente al acontecimiento que se acerca. Los futuros padres estarán ansiosos y tal vez un poco (o muy) estresados. Es posible que experimenten sentimientos contradictorios acerca de la inminente llegada del bebé. Y a veces es difícil pensar en el sexo cuando la mente está ocupada con preocupaciones relacionadas con las responsabilidades y cambios del estilo de vida que se avecinan, por no hablar del coste económico y emocional que conllevará la educación del bebé. ¿Un consejo? Hablar de ello abiertamente y con frecuencia en lugar de llevarse las inquietudes a la cama.

Cambios en la relación de pareja. La pareja puede tener problemas para adaptarse a los cambios en la dinámica de la familia: la idea de que ya no serán sólo amantes, o pareja, sino también un padre y una madre, de ahora en adelante. Por otro lado, algunas parejas pueden encontrarse con que la nueva dimensión de su relación aporta una nueva intimidad en la cama.

Hostilidad subconsciente. Del futuro padre hacia la futura madre, porque se siente celoso de que ella sea el centro de atención. O de la futura madre al futuro padre, porque siente que ella está soportando todo el sufrimiento (en especial si

el embarazo está siendo trabajoso) por el hijo que ambos desearon y del que ambos disfrutarán. Estos sentimientos deben ser comunicados y comentados, pero no en la cama.

Creencia de que el acto sexual durante las últimas semanas de embarazo hará que se inicie el parto. Las contracciones uterinas desencadenadas por el orgasmo se vuelven más intensas a medida que avanza el embarazo. Pero, a menos que el cuello uterino esté "maduro", estas contracciones no provocan el parto, como pueden atestiguar numerosas parejas salidas de cuentas. De hecho, los estudios realizados demuestran que las parejas sexualmente activas durante las últimas semanas del embarazo tienen más probabilidades de llegar a término.

Póngase cómoda

Cuando se hace el amor en este momento del embarazo (y también más adelante), la postura es importante. Las posturas laterales (frente a frente o pecho contra espalda) suelen ser las más cómodas, debido a que la embarazada no debe echarse sobre la espalda. Lo mismo cabe decir de la postura con la mujer encima (lo que le permitirá un mayor control sobre la penetración). También puede funcionar la penetración desde detrás. La posición con el hombre encima es adecuada para coitos rápidos (siempre y cuando él no aplique su peso encima de ella, manteniéndose con la fuerza de los brazos), pero tras el cuarto mes no es bueno que la embarazada se mantenga demasiado tiempo echada de espaldas.

---

[1] Muchos tocólogos aconsejamos que no se efectúe el coito después de la semana 36, porque aun con el preservativo y sin romperse las aguas, se ha señalado una mayor frecuencia de rotura de la bolsa amniótica. (*Nota del revisor.*)

Por supuesto, los factores psicológicos también pueden influir positivamente en las relaciones sexuales y aumentar su placer. Por un lado, algunas parejas que se esforzaron mucho por llegar al embarazo, pueden quedar encantadas de poder pasar del sexo de procreación al sexo recreativo. En lugar de ser esclavas de los cálculos de ovulación, las gráficas, los calendarios y la ansiedad mensual, ahora pueden tener relaciones sexuales espontáneas únicamente por placer. Por otro lado, muchas parejas encuentran que después de crear un bebé, se sienten más unidos que antes, y ven la barriga como un símbolo de esta mayor unión, en lugar de verla como un obstáculo.

Cuándo deben limitarse las relaciones sexuales

Puesto que hacer el amor tiene tanto que ofrecer a los futuros padres, lo ideal sería que toda pareja pudiera disfrutar de ello durante todo el embarazo. Desgraciadamente, esto no es posible para algunas parejas. En los embarazos de alto riesgo, el acto sexual puede estar prohibido en ciertas épocas o incluso durante los nueve meses. En otros casos, el acto sexual puede ser permitido si la mujer no experimenta el orgasmo. O si la pareja prescinde de la penetración. O se permite la penetración sólo si se usa preservativo. Es esencial saber con exactitud qué es seguro y qué no lo es, por lo que conviene pedir al médico que precise lo que quiere decir si prescribe abstinencia a la pareja. Pregúntenle por qué deben abstenerse y si se refiere al acto sexual, al orgasmo o a ambos, y si las restricciones son temporales o deben extenderse a toda la duración del embarazo.

Probablemente se deberán restringir las relaciones sexuales en las siguientes circunstancias:

- Si se presentan signos de parto prematuro o, posiblemente, si se tiene un historial de partos prematuros.

- Si se ha diagnosticado cérvix incompetente o placenta previa.

- Posiblemente, si existe hemorragia o la mujer tiene un historial de abortos espontáneos.

Si la penetración no está permitida, pero sí el orgasmo, consideren la masturbación mutua. Si el orgasmo no está permitido, es posible que la mujer obtenga placer al darle placer a su pareja (seguramente él no pondrá objeción). Si el coito está permitido pero el orgasmo no, puede intentar hacer el amor sin llegar al clímax. Aunque no resultará completamente satisfactorio para usted (y puede no ser posible si alcanza el clímax con facilidad), como pareja sí compartirán momentos íntimos que ambos necesitan al mismo tiempo que proporcionará placer a su pareja. Si no se permite ninguna actividad sexual, intenten que no les afecte como pareja. Céntrense en otras formas de sentirse unidos: rememoren las actividades que posiblemente hayan dejado en el olvido desde los primeros días de noviazgo (como ir cogidos de la mano, abrazarse y besarse).

Disfrutarlo más, incluso si se hace menos

Una relación sexual buena y saludable rara vez se construye en un día (o incluso en una noche realmente tórrida). Se desarrolla con práctica, paciencia, comprensión y amor. Ocurre lo mismo con una relación sexual ya establecida que queda sometida a los embates emocionales y físicos de un embarazo. Algunos modos de "salir victorioso" son los siguientes:

- Disfrutar de la vida sexual en lugar de analizarla. No se centren en la frecuencia o infrecuencia con que practican el sexo (la calidad es siempre más importante que la cantidad, especialmente durante el embarazo) ni comparen el sexo antes del embarazo con el sexo durante el embarazo (son cosas diferentes, y ustedes son casi personas diferentes).

- Acentuar los aspectos positivos. Hacer el amor es una buena preparación física para el parto, sobre todo si la mujer practica los ejercicios de Kegel durante el coito (no muchas deportistas se lo pasan tan bien entrenando). Piensen en el sexo como algo relajante, y la relajación es buena para todos los implicados (incluido el bebé). Piense en la redondez de su cuerpo como algo sensual y sexy. Piense en cada abrazo como una oportunidad de unirse más como pareja, no sólo como un paso más hacia el orgasmo.

- Considerar como una aventura el intento de encontrar nuevas posturas durante el embarazo, pero concederse tiempo para adaptarse a ellas. Incluso se puede intentar "nadar en seco": probar una nueva postura sin quitarse la ropa, de modo que resulte ya más familiar (y más fácil) cuando se pruebe de verdad. Véase el recuadro de la página 289.

- Adaptar las expectativas a la realidad. El sexo durante el embarazo plantea muchos retos, y aunque algunas mujeres experimentan un orgasmo por primera vez durante el embarazo, otras lo encuentran más elusivo que nunca. El objetivo no tiene por qué ser siempre el orgasmo; recuerde que la proximidad física puede ser también satisfactoria.

- No olvidar el otro tipo de amor (la conversación). La comunicación es la base de toda relación, especialmente una que pasa por momentos que les cambiarán la vida. Discutan abiertamente los problemas y no los escondan bajo las sábanas. Si algún problema les parece demasiado grande para solucionarlo solos, es aconsejable que soliciten ayuda profesional. Es el mejor momento para resolver problemas de dos ahora que están a punto de ser tres.

Mejor, peor o indiferente, recuerden también que cada pareja vive el sexo a su manera durante el embarazo, tanto física como emocionalmente. Lo cierto es que lo normal, como suele suceder en otros aspectos del embarazo, es lo que usted y su pareja consideren normal.

El sexto mes

Semanas 23 a 27 aproximadamente

AHORA YA NO CABE DUDA DE QUE los movimientos de su barriga los causa el bebé y no los gases (aunque probablemente aún tiene muchos, también). Los brazos y las piernas comienzan a dar golpes y esta gimnasia –junto con los ataques de hipo– es perceptible desde el exterior, y puede llegar incluso a entretener a la gente que rodea a la madre. Este mes es el último del segundo trimestre, lo cual significa que ya ha recorrido las dos terceras partes del camino. Pero aún le queda camino por recorrer y crecer –como lo hace el bebé–, pues todavía es un peso relativamente ligero en comparación con el que supondrá dentro de un mes o dos. Aproveche mientras aún pueda verse los pies (o tocarse los dedos del pie).

Su bebé este mes

Semana 23 La piel del bebé está un poco dada de sí y cuelga suelta de su cuerpo. Esto es así porque la piel crece más rápido de lo que se desarrolla la grasa, y aún no hay suficiente grasa con que rellenarla. Pero no se preocupe, pronto la habrá. A comienzos de esta semana, su bebé (que ahora mide alrededor de 20 cm y pesa casi 450 gramos) empezará a acumular gramos (¡lo que significa que usted también lo hará!).

De hecho, hacia finales de mes, el bebé doblará su peso actual (afortunadamente, usted no). Una vez estos depósitos de grasa estén acumulados, el bebé también será menos transparente. Ahora mismo, los órganos y los huesos aún se pueden ver a través de la piel, que tiene un tono rojo gracias a las venas y arterias que se están desarrollando justo debajo. Pero hacia el octavo mes, ¡se acabaron las transparencias!

Semana 24 Con un peso de 680 gramos y alrededor de 21 cm, el bebé ha superado las referencias frutales y ahora tiene el tamaño de una carta estándar. El aumento de peso semanal del bebé es ahora de 180 gramos (no tanto como lo que gana la madre, pero se acerca mucho). La mayor parte de este peso proviene de la grasa acumulada

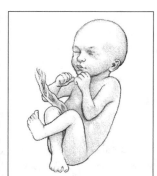

Su bebé, el sexto mes

del bebé, así como de los órganos, huesos y músculos en crecimiento. Ahora, su diminuta cara está casi completamente formada, y es adorable con sus pestañas y cejas, y una cabeza bien llena de pelos. ¿Es el pelo del bebé moreno, rubio o pelirrojo? De hecho, ahora mismo es blanco, ya que aún no tiene pigmento.

Semana 25 El bebé está creciendo a pasos agigantados, esta semana alcanza los 22,5 cm de largo y más de 680 gramos de peso. Y también hay desarrollos emocionantes en vistas. Los capilares se están formando debajo de la piel y llenándose de sangre. Hacia finales de la semana, los sacos de aire forrados de capilares también se desarrollarán en los pulmones del bebé, preparándolos para cuando tenga que empezar a respirar. Estos pulmones aún no están listos al cien por cien para respirar, aunque ya están empezando a desarrollar surfactante, una sustancia que los ayudará a expandirse después del parto, pero aún no están lo suficientemente maduros para mandar el oxígeno necesario a la sangre y liberar dióxido de carbono de ésta (lo que se conoce como respirar). Y hablando de respirar, los orificios nasales del bebé, que hasta ahora estaban tapados, se están empezando a abrir esta semana. Esto le permite comenzar a hacer "respiraciones" de

práctica. Ahora, las cuerdas vocales ya funcionan, lo que ocasionalmente le provocará hipo (que usted sin duda notará).

Semana 26 La próxima vez que eche un vistazo en la sección de carne, coja un filete de aguja de 900 gramos. No, no para cenar, sino para hacerse una idea de lo grande que es el bebé esta semana. Así es, ahora pesa 900 gramos y mide por lo menos 22,8 cm. Otro desarrollo trascendental esta semana: el bebé empieza a abrir los ojos. Los párpados han estado fusionados hasta ahora (para que la retina, la parte del ojo que permite focalizar las imágenes, se pudiera desarrollar). La parte coloreada del ojo (el iris) aún no presenta mucha pigmentación, así que es demasiado pronto para adivinar el color de ojos del bebé. Aun así, ahora es capaz de ver (aunque no haya mucho que ver en los límites oscuros de su hogar uterino). Gracias a la vista y al oído que ahora posee el bebé, la madre puede notar que su actividad aumenta cuando éste ve una luz brillante u oye un ruido fuerte. De hecho, si se produce un ruido vibrante fuerte cerca de su barriga, el bebé responderá parpadeando y asustándose.

Semana 27 El bebé pasa a una nueva tabla del crecimiento esta semana. Ya no se medirá de vértex a rabadilla sino de pies a cabeza. Y esta semana esa longitud es de 38 cm (más largo que un pie). El peso del bebé también está escalando posiciones en las tablas, llegando a superar los 900 gramos esta semana. Y he aquí un hecho fetal interesante: el bebé posee más papilas gustativas ahora de las que tendrá a partir del parto. Lo que significa que no tan sólo nota la diferencia en el líquido amniótico cuando usted come distintos alimentos, sino que también puede incluso reaccionar a ello.

Algunos bebés responden a los alimentos picantes con hipo. O dando patadas cuando reciben aquel toque picante.

Qué se puede sentir

Como siempre, recuerde que cada embarazo y cada mujer son distintos. Puede experimentar todos estos síntomas alguna que otra vez o sólo alguno de ellos. Puede que aún note algunos síntomas del mes pasado; otros serán nuevos. Y puede que otros casi no los note porque se ha acostumbrado a ellos. También puede tener otros síntomas menos comunes. He aquí lo que puede sentir este mes:

Físicamente

- Actividad fetal más evidente.
- Flujo vaginal continuo.
- Dolores en la parte baja del abdomen (a causa del estiramiento de los ligamentos que sostienen el útero).
- Estreñimiento.
- Acidez de estómago, indigestión, flatulencia e hinchazón.
- Dolores de cabeza, vahídos o desmayos ocasionales.
- Congestión nasal y hemorragias nasales ocasionales; embotamiento de los oídos.
- Encías sensibles que pueden sangrar al cepillarse los dientes.
- Buen apetito.
- Calambres en las piernas.
- Ligera hinchazón de los tobillos y los pies, y ocasionalmente, de las manos y el rostro.

- Venas varicosas en las piernas y/o hemorroides.
- Picor en el abdomen.
- Ombligo protuberante.
- Dolor de espalda.
- Cambios de la pigmentación de la piel del abdomen y/o cara.

Un vistazo al interior

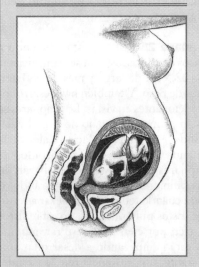

Al inicio de este mes, su útero está situado ya a unos 4 cm por encima del ombligo. A finales de mes, se situará unos 2,5 cm más arriba, de modo que podrá sentirlo unos 6,5 cm por encima del ombligo. La matriz tiene el tamaño de un balón de baloncesto, y puede que el aspecto de la madre sea precisamente ése, el de que lleva escondida una pelota bajo la ropa.

- Estrías.
- Los pechos siguen aumentando de tamaño.

Emocionalmente

- Menos cambios de humor.
- Estar continuamente abstraída.

- Un inicio de tedio con respecto al embarazo ("¿No hay nadie que pueda pensar en otra cosa?").
- Sentir cierta ansiedad respecto al futuro.
- Sentir mucha emoción respecto al futuro.

Qué se puede esperar en la visita de este mes

El reconocimiento de este mes suele ser parecido a los anteriores. Como acaba el segundo trimestre, en este mes cabe esperar que su médico compruebe lo siguiente, aunque puede haber variaciones dependiendo de sus necesidades o el estilo de práctica del facultativo:

- Peso y presión arterial.
- Orina, para el nivel de azúcar y proteínas.
- Latido cardiaco fetal.
- Altura del fundus (la parte superior del útero).

- Tamaño del útero y posición del feto por palpación externa (desde el exterior).
- Manos y pies, por si existe hinchazón, y piernas, por si existen venas varicosas.
- Síntomas que haya experimentado, especialmente los poco habituales.
- Preguntas o problemas que desee aclarar: tenga preparada una lista a mano.

Qué puede preocupar

Problemas para dormir

"Nunca hasta ahora he tenido problemas para dormir. No consigo relajarme por las noches."

Entre las carreras al baño a media noche, una mente siempre ocupada, calambres en las piernas, acidez de estómago que la obliga a adoptar una posición erguida, un metabolismo acelerado que mantiene la sensación de calor elevada en la mujer y la imposibilidad de ponerse cómoda cuando parece que lleva un balón de baloncesto en la barriga, no es de extrañar que no pueda relajarse y conciliar el sueño. Mientras que este insomnio es sin duda una buena preparación para las noches en blanco que pasará como madre, esto no significa que tenga que aceptarlo sin hacer nada al respecto. Pruebe los siguientes consejos para conseguir conciliar el sueño:

- Mueva el cuerpo durante el día. Un cuerpo ejercitado durante el día dormirá mejor de noche. Pero no haga ejercicio justo antes de acostarse, ya que la energía que genera después de hacer ejercicio la podría privar de dormir.

- Despeje la mente. Si no puede dormir a causa de problemas en el trabajo o en casa, desahóguese con su marido o una amiga a primera hora de la tarde para que las preocupaciones no la abrumen a la hora de acostarse. Si no hay nadie cerca con quien pueda hablar, escriba sus preocupaciones. Escribirlas puede ser terapéutico, además de poder ayudarla a encontrar algunas soluciones. A medida que se acerque la hora de acostarse, deje estas preocupaciones de lado, vacíe su cabeza de pensamientos negativos, e intente pensar sólo en cosas positivas.

- Tómese su tiempo (para cenar). En lugar de devorar la cena (con lo hambrienta que está cuando la tiene delante), sírvase sin prisas. Comer lenta y relajadamente la ayudará a reducir el ardor de estómago nocturno e idealmente impedirá que dé vueltas en la cama cuando apague la luz. Y no vaya directa de la mesa a la cama, porque un estómago lleno puede mantenerla con demasiada energía –y demasiado incómoda– para dormir.

- Coma bien antes de acostarse. Comer demasiado antes de ir a la cama puede interferir en el sueño, pero no comer lo suficiente también. Para evitar que los tentempiés nocturnos la despierten, coma algo ligero como parte de su rutina a la hora de acostarse. El clásico habitual para la hora de dormir, un vaso de leche caliente, puede ser especialmente efectivo, probablemente porque le traiga recuerdos de cuando la metían en la cama con su osito de peluche. Conseguirá un efecto soporífico parecido combinando proteína ligera con carbohidratos complejos, así que pique fruta y queso o yogur y pasas, o moje una magdalena o unas galletas de avena en la leche.

- Disminuya el consumo de líquidos. Si lo que se interpone entre usted y un buen sueño son los viajes frecuentes al baño, limite el consumo de líquidos hasta las 6 de la tarde (asegúrese de haber tomado su cuota diaria de líquidos antes de esa hora). Beba si tiene sed, pero no se tome una botella entera de medio litro justo antes de ir a acostarse.

- Evite la cafeína en todas sus formas durante la tarde y el anochecer (sus efectos pueden mantenerla despierta hasta seis horas). Lo mismo para el azúcar (en especial combinado con cafeína o chocolate), que estimula cuando menos lo necesita y luego deja el nivel de glucosa en sangre bajo durante la noche.

- Organice una rutina para la hora de acostarse. No sólo funciona con los niños. La repetición relajante de los rituales correctos para acostarse también puede ayudar a los adultos a tranquilizarse y conseguir un buen sueño. Tómeselo con calma, céntrese en actividades que la relajen después de cenar, preferiblemente realizadas en un orden predecible. Buenas opciones a tener en cuenta para añadir a su rutina: una lectura liviana (nada que no pueda dejar) o ver la televisión (evite cualquier programa violento o emocionalmente doloroso), música relajante, algunos estiramientos, posiciones de yoga o ejercicios de relajación, un baño caliente, un masaje en la espalda, hacer el amor.

- Póngase cómoda. Utilice tantas almohadas como precise; para apoyarse en ellas, para procurarse sujeción cuando la necesite o simplemente para abrazarse a ellas. Cuanto antes aprenda a dormir cómodamente de lado durante el embarazo, más fácil le resultará hacerlo más adelante. Asegúrese también de tener un colchón bien cómodo y de que en la habitación no haga demasiado frío ni demasiado calor.

■ Coja aire. Es difícil conciliar el sueño cuando se está sofocada, especialmente cuando se pasa calor por dos. Así que abra una ventana siempre que no haga mucho frío o calor (en cuyo caso un ventilador o aire acondicionado pueden hacer circular el aire). Y no se cubra la cabeza con la colcha. Esto disminuye el oxígeno e incrementa el dióxido de carbono que respira, pudiéndole causar dolor de cabeza.

■ Pregunte antes de que sea tarde. Mientras que existen fármacos para dormir seguros para su uso ocasional durante el embarazo, no tome ninguno (con o sin receta médica, ni a base de hierbas) a menos que se lo haya recetado su médico. Si éste le ha recomendado que tome un complemento de magnesio (o de calcio y magnesio) para combatir el estreñimiento o los calambres en las piernas, tiene sentido tomarlo antes de acostarse ya que el magnesio posee poderes relajantes naturales.

■ Duérmase con un olor agradable. Una almohada perfumada con lavanda o un saquito de lavanda seca metido entre la funda de la almohada y la almohada pueden ayudarla a relajarse y a conciliar el sueño más rápidamente.

■ Reserve la cama para dormir (y para el sexo). No realice actividades que relacione con estar completamente despierta y posiblemente estresada (contestar correos electrónicos del trabajo desde el portátil, pagar facturas)

en la cama. Ocúpese de estos asuntos en otras estancias de su hogar y reserve el dormitorio para sus actividades más tradicionales.

■ Váyase a la cama cuando esté cansada. Acostarse antes de tener sueño es una buena receta para pasar una noche agitada. Postergar la hora de acostarse puede, paradójicamente, ayudarla a dormir mejor. Pero no espere a estar demasiado cansada y menos capaz de tranquilizarse.

■ Evite mirar el reloj. Juzgue si está durmiendo lo suficiente por cómo se siente, no por las horas que pasa en la cama. Recuerde que mucha gente que

Guarde sus recuerdos (en una caja)

El tiempo vuela cuando se tienen hijos y los cría. Antes de que toque a su fin, conserve su embarazo para la posteridad confeccionando una cápsula del tiempo. Dentro de unos años a su bebé (que ya no será un bebé) le entusiasmará ver cómo eran las cosas antes de que entrara en escena. Coja una caja y meta fotografías suyas (embarazada, claro), de su marido, de sus animales domésticos y de la casa y el coche. Añada ecografías, un menú del restaurante que le entrega sus antojos a domicilio, una revista y periódico actuales y cualquier otro recuerdo del período del embarazo que se quiera conservar. No hace falta que entierre la caja –simplemente precíntela y guárdela (sin olvidarse dónde la ha metido la próxima vez que se trasladen)– hasta que el bebé sea lo suficientemente mayor para que pueda apreciar su contenido.

cree tener problemas para dormir de hecho duerme más de lo que piensa (y todo lo que necesita). Descansa lo suficiente si no se nota cansada crónicamente (más allá de la fatiga normal en su estado). Y hablando de relojes, si la visión de la esfera brillante (y las horas haciendo tictac) de su reloj la estresan, gírelo para no verlo.

- No esté simplemente tumbada. Cuando el sueño la eluda –y ya no le queden más ovejas que contar–, levántese y haga algo relajante (leer, ver la televisión) hasta dormirse.

- No pierda sueño pensando que no duerme. Estresarse por la falta de sueño dificultará aún más poder conciliarlo. De hecho, a veces sólo decir "¿Conseguiré dormirme algún día?" es todo lo que hace falta para quedarse dormida.

Ombligo sobresaliente

"Mi ombligo estaba perfectamente metido hacia dentro. Ahora apunta hacia fuera. ¿Se me quedará así tras el parto?"

Su profundo ombligo ha saltado hacia fuera. ¿Sobresale a través de su ropa estos días? ¿Tiene vida propia? No se preocupe: no es una novedad que los ombligos salten durante el embarazo. Casi todos lo hacen en un momento u otro. Cuando el útero abultado empuja hacia delante, incluso el ombligo más profundo "salta" como si fuera un botón acolchado (excepto que en la mayoría de las mujeres el ombligo sobresale mucho antes de que el bebé esté "listo"). Durante el posparto es muy probable que su ombligo vuelva a su posición inicial, aunque puede conservar la marca de mamá: será más ancho y presentará un aspecto curtido. Hasta entonces puede mirar la parte positiva de su ombligo sobresaliente: ahora tiene la oportunidad

de limpiar a fondo toda la pelusa que se ha ido acumulando en él desde que era una niña. Si el aspecto del ombligo la molesta, considere la posibilidad de taparlo con esparadrapo (puede utilizar una tirita siempre y cuando no le irrite la piel, o un esparadrapo especialmente diseñado para el ombligo). Pero mientras tanto, recuerde que se trata de otra medalla de honor que debe llevar con orgullo.

Patadas del bebé

"Algunos días, el bebé no hace más que dar patadas; pero otros días parece estar muy tranquilo. ¿Es normal?"

Los fetos no dejan de ser humanos. Al igual que todos nosotros, tienen días "animados", en que les apetece golpear con los talones (y con los codos y las rodillas) y días "decaídos", en que prefieren estar más quietos. Con frecuencia, sus respuestas se basan en lo que ha estado haciendo la futura madre. Al igual que los bebés ya nacidos, los fetos se adormecen cuando se les mece. Cuando la futura madre se pasa el día de aquí para allá, el bebé se tranquiliza con el ritmo de sus movimientos y es muy posible que la embarazada no lo note; en parte porque el bebé está más tranquilo, y en parte porque la madre está demasiado ocupada para percibir sus movimientos. Cuando la madre se relaja, el feto entra de nuevo en actividad (un patrón que los bebés, desafortunadamente, tienden a seguir incluso después de haber nacido). Ésta es la razón de que sea más propensa a sentir los movimientos fetales cuando se halla en la cama por la noche o cuando descansa durante el día. La actividad también puede aumentar después de comer o de tomar un tentempié, quizá en respuesta al aumento de glucosa en sangre. Es posible que también note una mayor actividad cuando está excitada o nerviosa –justo antes de hacer una presentación, por ejemplo– posiblemente porque el bebé es estimulado por la mayor cantidad de adrenalina que circula por el sistema de su madre.

En realidad, los bebés despliegan su mayor actividad entre las semanas 24 y 28, cuando son lo suficientemente pequeños para bailar la danza del vientre, dar volteretas, hacer kickboxing, y ejecutar una clase de aeróbic completa en su amplio hogar uterino. No obstante, sus movimientos son erráticos y generalmente breves, de forma que, aunque son visibles en las ecografías, no siempre son sentidos por la futura madre. La actividad fetal suele volverse más organizada y consistente, con períodos más claramente definidos de reposo y actividad, entre las semanas 28 y 32. Sin duda, se siente más tarde y con menor intensidad cuando hay una placenta anterior en medio (véase la pág. 275).

La futura madre no debe comparar lo que ella siente con lo que otras embarazadas le expliquen sobre los movimientos de sus bebés. Cada feto, como cada recién nacido, tiene un esquema individual de actividad y de desarrollo. Algunos parecen siempre activos; otros están más tranquilos. Las patadas de algunos son tan regulares como un mecanismo de relojería; las de otros parecen totalmente irregulares. A menos que se observe una disminución radical de la actividad, todos los esquemas son normales.

Llevar la cuenta de las patadas del bebé no es necesario hasta la semana 28 (véase la pág. 321).

"Algunas veces las patadas son tan intensas que duelen."

A medida que el bebé madura en el útero, se vuelve más y más fuerte, y aquellos movimientos fetales que antes parecían producidos por una mariposa resultan cada vez más intensos. Por eso la embarazada no debe sorprenderse si recibe una patada en las costillas, en la pared del vientre o en el cuello del útero, patada tan intensa que puede llegar a doler. Cuando le parezca que el ataque es particularmente fuerte, puede intentar esquivarlo cambiando de posición. Con ello es posible que desequilibre a su pequeño agresor y detenga temporalmente el asalto.

"Me parece que el bebé me da patadas por todas partes. ¿Es posible que esté esperando mellizos?"

En algún momento del embarazo, toda futura madre llega a pensar que está esperando mellizos o bien un pulpo humano. Esto es porque hasta el momento en que el feto adquiere un tamaño tal que sus movimientos se ven restringidos por los límites del útero para moverse (habitualmente hacia las 34 semanas), es capaz de llevar a cabo numerosas acrobacias. Así, aunque a veces le pueda parecer que su barriga es golpeada por una docena de pequeños puños (o una camada), lo más probable es que se trate siempre de los mismos dos puños que se mueven en su interior junto con dos pequeñas rodillas, dos pequeños codos y dos pequeños pies. (Y si tuviera un segundo pasajero a bordo, es probable que ya lo hubiera descubierto durante una de las ecografías.)

Prurito en el abdomen

"La barriga me pica constantemente. Me está volviendo loca."

Bienvenida al club. Las barrigas embarazadas pican, y el picor puede aumentar a medida que pasan los meses. Esto es debido a que a medida que el vientre crece la piel se estira con rapidez, y el resultado de ello es que se vuelve cada vez más seca, haciendo que pique y sea incómoda. Debe procurar no rascarse, lo que le provocaría más picor y podría causar una irritación. Cuidar la piel de la barriga con una loción puede aliviar temporalmente el prurito; aplique con frecuencia y generosidad una loción suave.

Una loción específica contra el picor (como la calamina) puede proporcionar un mayor alivio, como un baño de avena. No obstante, si el picor es generalizado, y no está relacionado con el hecho de que la piel esté seca o delicada, o aparece una erupción en el abdomen, consulte a su facultativo.

Torpeza

"Últimamente se me cae todo de las manos. ¿Por qué de repente me he vuelto tan torpe?"

Al igual que se siente más pesada con los centímetros de más de la cintura, sentirse menos diestra con las manos y más torpe al andar está incluido en el paquete del embarazo. La causa de esta verdadera (y, por desgracia, evidente para todos) torpeza provocada por el embarazo es la relajación de las articulaciones y ligamentos por la retención de agua, que hace que la mujer sujete los objetos con menor firmeza y seguridad. Otros factores podrían ser la falta de concentración, como resultado del síndrome de cabeza de chorlito (véase la pág. 242) o la falta de destreza a causa del síndrome de túnel carpiano (véase la siguiente pregunta). Y no ayuda que, para colmo, su vientre en constante crecimiento haya desplazado su centro de gravedad, desequilibrándola constantemente. Esta inseguridad de equilibrio –ya sea consciente o no– se hace más aparente al subir escaleras, caminar por una superficie resbaladiza (algo que de

todos modos no debería hacer), o cargar con algo pesado (ídem).

No ver más allá de su vientre en dirección a sus pies (lo que, si aún no ha ocurrido, sin duda ocurrirá) también puede hacer que la mujer se tropiece con mayor facilidad (con los bordillos, los escalones, las zapatillas de deporte que su pareja ha dejado delante de la puerta del baño). Finalmente, la fatiga del embarazo puede dejarla fuera de juego (o hacerla caer), provocando tropiezos y caídas de objetos.

La torpeza del embarazo es más que nada molesta: tener que recoger las llaves del coche del suelo repetidas veces, por ejemplo, simplemente produce un continuo dolor cervical (así como dolor de espalda si no se acuerda de agacharse doblando las rodillas). No obstante, las caídas pueden ser un asunto más serio, por lo que la cautela es esencial cuando se está embarazada.

Si estos días se siente como un toro en una tienda de porcelana, deberá hacer algunas modificaciones en sus actividades diarias. Por supuesto, manténgase alejada de las tiendas de porcelana (y mantenga sus torpes zarpas alejadas de la porcelana de casa). De momento, deje la cristalería en la estantería y permita que otro meta y saque los platos del lavavajillas, especialmente cuando se trate de los buenos. También será de ayuda ir despacio, andar más pausadamente y prestando atención (sobre todo cuando el suelo esté cubierto de hielo o nieve); vaya con especial cautela en la bañera o la ducha, mantenga los vestíbulos y escaleras sin objetos que puedan causarle un tropiezo, absténgase de ponerse de pie sobre sillas (sea lo que sea que tenga que alcanzar) y evite exigirse demasiado (cuanto más cansada esté, más torpe será). Lo más importante de todo es que reconozca sus limitaciones actuales y su falta de coordinación e intente tomárselo con buen humor.

Entumecimiento de las manos

"Me despierto en plena noche con los dedos de la mano derecha entumecidos. ¿Tiene eso que ver con el embarazo?"

Siente cosquilleo estos días. Es probable que se trate del entumecimiento y hormigueo normal en los dedos de manos y pies que muchas mujeres experimentan durante el embarazo, probablemente como resultado de la presión que ejercen sobre los nervios los tejidos hinchados. Si el entumecimiento y el dolor se limitan al pulgar, los dedos índice y corazón, y a medio dedo anular, probablemente esté sufriendo el síndrome del túnel carpiano. Aunque este síndrome es más común en las personas que realizan con regularidad tareas que requieren movimientos repetitivos de la mano (tocar el piano o escribir con un teclado), también es muy común en las embarazadas, incluso en aquellas que no realizan movimientos repetitivos de la mano. Es debido a que el túnel carpiano de la muñeca, a través del cual pasa el nervio de los dedos afectados, se hincha durante el embarazo (como muchos otros tejidos corporales), lo que resulta en una presión que causa entumecimiento, hormigueo, escozor y dolor. Estos síntomas también pueden afectar a la mano y la muñeca, y pueden irradiar hasta el brazo.

Aunque el dolor del síndrome del túnel carpiano puede ocurrir en cualquier momento del día, el dolor de muñeca puede acentuarse por la noche. Esto se debe a que los líquidos que se acumulan en las extremidades inferiores durante el día son redistribuidos al resto del cuerpo (incluidas las manos) cuando está en posición horizontal. Dormir sobre las manos puede empeorar el problema, así que intente elevarlas en una almohada separada a la hora de acostarse. Cuando aparece el entumecimiento, agitar las manos puede aliviarlo. Si esto no funciona, y el entumecimiento le impide dormir, explíquele el problema a su médico. A menudo, llevar una tablilla en la muñeca ayuda. La acupuntura también puede aliviar las molestias.

Los fármacos antiinflamatorios no esteroideos y los esteroides que generalmente se prescriben para el síndrome del túnel carpiano podrían no ser recomendables durante el embarazo. Coméntelo con el médico. Afortunadamente, cuando la hinchazón causada por el embarazo se resuelve una vez ha dado a luz, el síndrome de túnel carpiano también desaparece.

Si piensa que el síndrome del túnel carpiano está relacionado con sus hábitos de trabajo (o el uso del ordenador en casa) además del embarazo, véase la página 216.

Calambres en las piernas

"Los calambres que tengo en las piernas por la noche me impiden dormir."

Entre las preocupaciones y la barriga cada vez más voluminosa, lo más probable es que la embarazada ya tenga bastantes dificultades para descansar por la noche sin que, además, deba sufrir de calambres en las piernas. Desgraciadamente, estos espasmos dolorosos que irradian arriba y abajo de las pantorrillas y se producen con mayor frecuencia durante la noche son muy comunes entre las mujeres embarazadas, durante el segundo y el tercer trimestres.

Nadie sabe con certeza qué causa los calambres en las piernas. Diversas teorías culpan a la fatiga de cargar con el peso del embarazo, la compresión de los vasos sanguíneos de las piernas y posiblemente la dieta (un exceso de fósforo y escasez de calcio o magnesio). También se puede culpar a las hormonas, ya que parece que causan muchos de los achaques del embarazo.

Sea cual sea la causa, existen maneras tanto de prevenirlos como de aliviarlos:

■ Cuando se experimenta un calambre en la pierna, hay que estirar la pierna y flexionar lentamente el tobillo y los dedos del pie en dirección a la nariz (no apunte hacia los dedos del pie). Esto debería aliviar pronto el

dolor. Este ejercicio, repetido varias veces con cada pierna antes de acostarse, puede incluso evitar la aparición de los calambres.

■ Los ejercicios de estiramiento también pueden ayudar a evitar los calambres. Antes de acostarse, sitúese de pie a unos 60-70 centímetros frente a una pared, con las palmas de las manos contra ella. Inclínese hacia delante, mientras mantiene los talones apoyados en el suelo. Mantenga la posición durante diez segundos y luego relájese durante cinco segundos. Repita el estiramiento tres veces. (Véase la ilustración.)

■ Para mitigar la carga diaria sobre las piernas, eleve los pies tan a menudo como pueda, alternando períodos de actividad con períodos de descanso, y lleve medias compresivas durante el día. Flexione los pies periódicamente.

■ Intente ponerse de pie en una superficie fría; a veces resulta útil para controlar un espasmo.

■ Puede añadir el masaje o la aplicación de calor local para aliviar aún más, pero no dé un masaje ni añada calor si ni la flexión ni el frío ayudan a aliviar la situación.

■ Asegúrese de que bebe lo suficiente (como mínimo ocho vasos al día).

■ Siga una dieta equilibrada que incluya más que suficiente calcio y magnesio.

Los calambres realmente dolorosos pueden causar un dolor muscular que dura varios días. Esto no tiene que preocuparla. Pero si el dolor es severo y persiste, contacte con su médico, ya que existe una pequeña posibilidad de que se haya formado un coágulo sanguíneo en una vena, lo que precisaría un tratamiento médico (véase la pág. 602).

Prevenir los calambres en las piernas

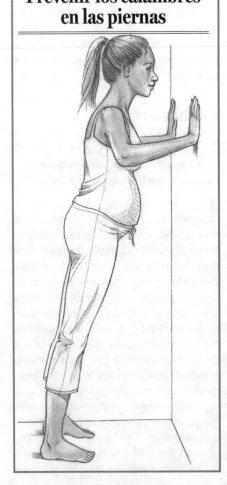

Cuando parece que algo no va bien

Quizá se trate de una punzada en el abdomen que se parece demasiado a un calambre como para ignorarla, un cambio súbito en el flujo vaginal, un dolor en la zona lumbar o en el perineo, o quizá sea algo tan vago que usted ni siquiera pueda definirlo. Lo más probable es que todo vaya bien, pero asegúrese y consulte la página 156 para averiguar si es aconsejable llamar al médico. Si no encuentra sus síntomas en la lista, seguramente será buena idea que llame de todos modos. Informar de unos síntomas poco corrientes podría ayudar a identificar los primeros signos de una dilatación prematura o de cualquier otra complicación del embarazo, lo que marcaría la diferencia en el embarazo. Recuerde que usted conoce su propio cuerpo mejor que nadie. Escúchelo cuando intenta decirle algo.

Hemorroides

"Temo tener hemorroides; he oído que durante el embarazo es común que aparezcan. ¿Puedo hacer algo para prevenirlas?"

Se trata de un terrible dolor en el ano que más de la mitad de las mujeres embarazadas padecen. Del mismo modo que las venas de las piernas son más susceptibles a las varices durante este período, también lo son las del recto. La presión del útero cada vez más dilatado, además del aumento del flujo sanguíneo en la zona pélvica, puede causar la hinchazón, el abultamiento y el picor de las venas de la pared rectal.

El estreñimiento puede agravar, o incluso causar, las hemorroides, así que la primera precaución que debe tomar es la de evitar el estreñimiento (véase la pág. 195). La realización de los ejercicios de Kegel (véase la pág. 327) también puede protegerla contra las hemorroides ya que mejoran la circulación de la zona, como puede hacerlo dormir de lado en lugar de boca arriba para no presionar la zona; evite estar de pie o sentada durante muchas horas; y no se quede mucho rato en el baño (deje aquel libro o revista fuera del baño para no tener tentaciones de sentarse y leer). Sentarse con los pies en un taburete puede facilitar la evacuación.

Para aliviar el escozor de las hemorroides, pruebe con compresas empapadas con solución de hamamélide de Virginia o compresas de hielo. Un baño caliente también puede reducir las molestias. Si sentarse es doloroso, use un cojín en forma de rosquilla para aliviar la presión. Pregunte al médico antes de tomar ningún medicamento, ya sea de uso tópico o no. Pero olvídese del remedio de la abuela –beberse una cucharada de aceite mineral– que puede provocar la pérdida de valiosos nutrientes por vía fecal.

Es posible que a veces las hemorroides sangren, especialmente al realizar esfuerzos durante la defecación, aunque las fisuras anales (dolorosas grietas en la piel del ano causadas por la tensión producida por el estreñimiento) también pueden ser la causa de las hemorragias rectales. Éstas siempre deben ser evaluadas por el médico, pero probablemente las hemorroides o las fisuras son las culpables. Las hemorroides no son peligrosas (sólo molestas) y normalmente desaparecen después de dar a luz, aunque también pueden desarrollarse después del parto como resultado de la presión ejercida durante éste.

Hemorragias a mitad o al final del embarazo

Siempre es inquietante ver una mancha rosa o roja en su ropa interior cuando está embarazada, pero normalmente, una hemorragia ligera en el segundo o tercer trimestre no es motivo de preocupación. A menudo es el resultado de una contusión en el cada vez más sensible cuello del útero durante un examen interno o una relación sexual, o a veces la ocasionan causas desconocidas e inocuas.

Aun así, informe al médico sobre cualquier hemorragia o mancha para descartar que se esté produciendo algo más serio. Si sangra mucho o si las manchas van acompañadas de dolor o molestias, llame al tocólogo de inmediato. Una ecografía a menudo puede determinar la existencia de algún problema.

Bulto en el pecho

"Me preocupa un pequeño bulto en el lado del pecho. ¿Qué puede ser?"

Aunque aún le quedan meses para poder amamantar a su hijo, parece que sus pechos ya se están preparando. El resultado: un conducto mamario obstruido. Estos bultos duros, rojos y sensibles al tacto en el pecho son muy habituales incluso tan pronto, especialmente en los segundos embarazos y siguientes. Las compresas calientes (o dejar correr agua caliente sobre el pecho durante la ducha) y los masajes suaves probablemente despejarán el conducto en unos pocos días, igual que lo harán durante la lactancia. Algunos expertos sugieren que evitar el uso de sujetadores con aro también ayuda, pero asegúrese de que el sujetador que utilice le sostenga bien el pecho.

Recuerde que los exámenes mensuales del pecho no deben detenerse cuando está embarazada. Aunque debido a los cambios que éste experimenta durante la gestación, comprobar si existen bultos en él sea más difícil, es importante intentarlo. Enseñe cualquier bulto a su médico en la próxima visita.

El dolor del parto

"Estoy impaciente por ser madre, pero no tanto por dar a luz a mi hijo. Sobre todo me preocupa el dolor del parto."

Aunque la mayoría de las futuras madres esperan con impaciencia el nacimiento de su bebé, muy pocas esperan con interés el parto que lo precede y mucho menos el dolor que conlleva. Y muchas gestantes, como usted, pasan gran parte del tiempo anterior a este acontecimiento trascendental obsesionadas con el dolor. No se trata de nada sorprendente. Para aquellas que no han experimentado nunca una dolencia importante (excepto quizá un dolor de muelas aquí, un tirón muscular allá), el temor al dolor del parto –que es, después de todo, una cantidad desconocida de dolor– es muy real y muy natural.

Pero es importante acordarse de lo siguiente: el alumbramiento es un proceso natural en la vida que las mujeres, desde siempre, han estado experimentando. Desde luego viene acompañado de dolor, pero es un dolor con un fin positivo (aunque no necesariamente verá el lado positivo cuando esté de parto): adelgazar y abrir el cuello del útero para traer al bebé a sus brazos. Y también es un dolor con límite temporal. Puede que no lo crea (especialmente cuando esté dilatada unos 5 cm), pero el parto no será eterno. No sólo eso, sino que el dolor del alumbramiento es un dolor que ni siquiera tiene que soportar en absoluto. La medicación siempre está disponible, si

---

Diagnóstico de la preeclampsia

Lo más probable es que haya oído hablar o conozca a alguien que ha padecido preeclampsia (o hipertensión inducida por el embarazo) durante la gestación. Pero la verdad es que no se trata de una enfermedad muy común, que se da entre un 3 y un 7% de los embarazos, incluso en su forma más leve. Y, afortunadamente, en mujeres que están recibiendo tratamiento prenatal, se puede diagnosticar y tratar enseguida y así prevenir complicaciones innecesarias. Aunque las visitas rutinarias durante un embarazo sano a veces pueden parecer una pérdida de tiempo ("¿es necesario orinar en un vaso otra vez?"), los indicios más tempranos de la preeclampsia pueden detectarse en dichas visitas.

Los primeros síntomas de la preeclampsia incluyen el aumento de peso repentino aparentemente no relacionado con el hecho de comer desmesuradamente, gran inflamación de las manos y el rostro, dolores de cabeza inexplicables, dolores de barriga o de esófago, picor por todo el cuerpo y/o alteraciones de la visión. Si experimenta alguno de los síntomas anteriormente mencionados, llame a su médico. Si no es así, asumiendo que recibe atención médica con regularidad, no tiene que preocuparse sobre la preeclampsia. Véanse las páginas 567 y 586 para más información y consejos para tratar la hipertensión arterial y la preeclampsia.

---

acabara queriéndola o necesitándola (o ambas cosas).

Así que no hay razón para temer el dolor (especialmente porque existe la posibilidad de evitarlo, o al menos, evitarlo en gran medida), pero hay mucho que decir para estar preparada para ello, y para prepararse de modo realista y racional, con los ojos bien abiertos a todas las opciones y eventualidades. Preparar ahora tanto el cuerpo como la mente –ya que ambos están relacionados con el modo en cómo experimenta el dolor– debería ayudar a reducir la ansiedad en esta fase del embarazo, y al mismo tiempo conseguir que, cuando llegue el momento del parto, el dolor resulte más fácil de tolerar.

Educación. Una de las razones por las que las anteriores generaciones de mujeres encontraban tan intolerables los dolores del parto estribaba en que no comprendían lo que estaba sucediendo en sus cuerpos ni por qué. Sólo sabían que dolía. Hoy en día, un buen curso de educación sobre el parto puede reducir el temor (y en última instancia el dolor) ampliando el conocimiento, preparando a las mujeres y a sus acompañantes, etapa a etapa y fase a fase, para el parto. Si no puede acudir a clase o, simplemente, no quiere, lea tanto como le sea posible acerca del parto. Lo que no sabe puede preocuparla más de lo que debiera. Por cierto, conviene asistir a clases incluso si está pensando en beneficiarse de la epidural e incluso si tiene programado un parto por cesárea.

Actividad. Nadie pensaría en correr una maratón sin el entrenamiento físico apropiado. La futura madre tampoco debería enfrentarse al parto (que también es un trabajo hercúleo) sin un buen entrenamiento. Deberá practicar a conciencia todos los ejercicios de respiración, estiramientos y tonificación que le recomiende el médico o el monitor del curso de educación para el parto, además de realizar muchos ejercicios de Kegel.

No pasarlo sola. Tanto si tiene a su pareja allí para consolarla y darle cubitos de hielo, a una doula (véase la pág. 330) para darle un masaje en la espalda, o a una amiga para secarle la frente –o si le encanta tener compañía, los tres–, un poco de apoyo contribuirá en gran medida a serenar sus temores. Incluso si acaba sintiéndose más tensa que habladora durante el parto, será reconfortante saber que no está sola. Y asegúrese también de que su equipo haya entrenado. La persona que la acompañará debería asistir también a las clases de preparación para el parto o, si no es posible, sugiérale que lea la sección sobre el parto que empieza en la página 413, para que sepa qué esperar y la mejor manera de ayudar.

Tenga un plan y un plan "B". Quizá ya haya decidido que desea que le administren una epidural. Quizá está esperando pasar la fase de dilatación con técnicas de respiración, o recurrir a la hipnosis u otras técnicas de medicina alternativa para hacer frente al dolor. Quizá espera tomar esta decisión hasta comprobar el tipo de dolor al que se enfrenta. Sea como sea, sea previsora, y luego esté abierta a todas las posibilidades (porque el parto no siempre se adapta a los planes de la madre). Al final tendrá que hacer lo mejor para usted y para el bebé (incluso si esto significa aceptar un analgésico cuando esperaba soportar el dolor sin ayuda). Recuerde, para ser madre no hace falta ser mártir. De hecho, a veces los analgésicos son absolutamente necesarios para optimizar los esfuerzos de la parturienta. Véase la página 332 para más información acerca de los métodos para combatir el dolor durante el parto.

Cohibición en el parto

"Tengo miedo de hacer algo embarazoso durante el parto."

Esto es porque aún no está de parto. La idea de chillar o llorar, o de vaciar involuntariamente la vejiga o el intestino, puede ser embarazosa en este momento, pero durante el parto, la vergüenza será lo que tendrá más lejos de su mente. Además, nada de lo que pueda hacer o decir la futura madre durante el parto sorprenderá a los especialistas que la atiendan que, sin lugar a dudas, ya lo habrán visto y oído todo con anterioridad.

Así que conviene dejar de lado las posibles inhibiciones y hacer lo que a la madre le parezca más conveniente. Si normalmente es una persona emotiva y extrovertida, no intente reprimir sus quejas (o gritos). Por otro lado, si se trata de una persona muy cerrada y prefiere ahogar sus sollozos en la almohada, no debe sentir la necesidad de superar con sus lamentos a la parturienta de la habitación de al lado.

El control durante el parto

"Tengo ideas bastante claras sobre lo que me gustaría que sucediera durante la dilatación y el parto. Me horroriza la idea de perder el control durante el parto."

Para los miembros de la generación cuyo lema es "tomar las riendas de la propia vida", la idea de ceder el control del parto al personal médico puede resultar un poco desapacible. Evidentemente, toda mujer desea que los médicos, el personal de enfermería y las comadronas tengan las mejores atenciones posibles con ella y con su hijo, pero a pesar de ello, desearía conservar una cierta parte del control.

Y no tiene por qué renunciar a ello: puede hacerlo trabajando a fondo ahora sus ejercicios de preparación para el parto, familiarizándose con todos los pasos del proceso del alumbramiento y manteniendo una buena relación con su médico, si no lo ha hecho aún. Elaborar un plan para dar a luz (véase la pág. 326) en el que especifique qué le gustaría y qué no le gustaría que pasara durante una dilatación y un parto normales, también aumenta su control.

No obstante, aunque se haya hablado, hecho y escrito todo, es importante que la embarazada entienda que cabe la posibilidad de que, por muy bien que se haya preparado y sea cuál sea el médico que asista al parto, no pueda tener un control absoluto sobre el parto.

Hasta los mejores planes pueden dar lugar a una serie de circunstancias imprevistas y es lógico prepararse para esta posibilidad también. Por ejemplo, esperaba dar a luz sin ninguna medicación, pero la etapa activa es extremadamente larga y difícil y la deja sin fuerzas. O esperaba la epidural pero el parto está yendo extremadamente rápido y el anestesista no llega a tiempo. Aprender cuándo renunciar a llevar las riendas –y ser flexible– en interés propio y del bebé deberá ser una parte importante de la preparación para el parto.

Visita al hospital

"Siempre he asociado los hospitales con los enfermos. ¿Cómo puedo acostumbrarme a la idea de que voy a dar a luz en uno?"

La planta donde tienen lugar los partos es con mucho la más feliz del hospital. Además, si no sabe lo que le espera, puede que llegue allí no solo con contracciones sino también con aprensión. Ésta es la razón por la que la gran mayoría de hospitales y centros de maternidad animan a las parejas a visitar el centro con antelación. Infórmese sobre la posibilidad de hacer una visita al hospital.

Algunos hospitales y centros de maternidad disponen de páginas web que ofrecen visitas virtuales. También puede darse una vuelta por las instalaciones, si se presenta durante las horas de visita; aunque entonces no podrá ver las salas de dilatación ni de partos, sí le permitirán visitar las habitaciones para las nuevas madres y la *nursery*. Además de familiarizarse con el ambiente en que va a dar a luz, tendrá la oportunidad de comprobar el aspecto que tienen los recién nacidos antes de tener al suyo en sus brazos.

Lo más probable es que se vea gratamente sorprendida por lo que ha visto durante la visita. Las instalaciones varían bastante de un hospital a otro y de un centro de maternidad a otro, pero, a medida que la competencia por tener un mayor número de pacientes obstétricas aumenta, el conjunto de comodidades y servicios que ofrecen la mayoría de zonas se ha ido haciendo cada vez más impresionante (más parecido a un hotel que a un hospital). Los hospitales con habitaciones para dar a luz ya no son una excepción en cada vez más hospitales (son la norma en los centros de maternidad atendidos por comadronas).

La educación para el parto

La cuenta atrás ha empezado y el bebé está a punto de llegar (mes arriba, mes abajo). Evidentemente, está esperando con impaciencia la llegada de su pequeño. Pero ¿está tan impaciente por la llegada de la dilatación y el parto? ¿Puede que el temor (tal vez el pánico) se mezcle con la ilusión?

Relájese. Es natural que esté un poco nerviosa por el alumbramiento, o incluso mucho, especialmente si se trata de la primera vez. La mayoría de las futuras madres lo están. Pero, afortunadamente, existe una manera genial para relajar estos nervios, para calmar las preocupaciones y sentirse menos preocupada y más segura cuando llega la primera contracción: la educación. Un poco de conocimiento y mucha preparación pueden marcar una gran diferencia a la hora de ayudarla a sentirse más cómoda en el momento de entrar en la sala de partos. Leerlo todo sobre el parto definitivamente le dará una idea de qué esperar (y puede empezar a hacerlo en la pág. 413), pero una buena clase de educación para el parto puede resolver más dudas. Así que ha llegado el momento de volver al colegio para mamá (y papá).

Beneficios de las clases de educación para el parto

Qué les ofrece una clase de educación para el parto a usted y a su acompañante. Esto depende, por supuesto, del propio curso, del profesor y de la actitud de la pareja (como en los viejos días del colegio, cuánto más ponga de su parte, más beneficiosa será la clase). No importa el qué, siempre hay algo en el curso para todos. Algunos beneficios potenciales incluyen:

- La oportunidad de encontrarse con otras parejas que esperan un hijo y que se encuentran en la misma fase del embarazo que ustedes para compartir experiencias y consejos; comparar los progresos; discutir temas tales como preocupaciones, dolencias y dolores; e intercambiar puntos de vista sobre los accesorios y mobiliario que necesitará el bebé, pediatras y el cuidado de los niños. En otras palabras, mucha camaradería y empatía ilusionada. También representa una oportunidad de hacerse amigos de otras parejas que, como ustedes, pronto serán padres (una ventaja definitiva si su grupo de amigos actual aún no se ha lanzado a tener hijos). Mantengan el contacto con estos compañeros de clase después del parto y ya tendrán un grupo de padres (y un patio de recreo para los niños). Muchas clases organizan "reuniones" una vez todas las mujeres han dado a luz.

- Una oportunidad para que papá se implique en el embarazo. Con el embarazo casi todo gira en torno a la madre, lo que a veces puede producirle al padre el sentimiento de estar mirándolo todo desde el exterior. Las clases de educación para el parto están pensadas para los dos y ayudan a que papá se sienta como el miembro valioso del equipo del bebé que es, particularmente importante si no ha podido asistir a las visitas prenatales. Las clases también lo familiarizarán con el proceso de la dilatación y el parto, con lo que resultará un acompañante más eficaz cuando empiecen las primeras contracciones. Lo mejor de todo, quizá, es que podrá hablar con otros futuros padres; entre otras cosas, sobre estos cambios de humor materno que ha estado sufriendo y de sentimientos persistentes de falta de confianza en uno mismo. Algunos cursos incluyen una sesión especial únicamente para padres, lo que les da la oportunidad de expresar y encontrar alivio para aquellas preocupaciones que bajo ningún concepto desean comunicar a sus parejas.

- Una oportunidad de plantear las preguntas que surgen entre las visitas prenatales, o que la pareja prefiere no hacer a su médico (o que nunca encuentra el momento para preguntar durante una visita apresurada).

- Una oportunidad de aprenderlo todo; es decir, todo sobre la dilatación y el parto. A través de conferencias, coloquios, modelos y vídeos se formarán una idea sobre todos los aspectos relacionados con el nacimiento, desde los síntomas del preparto hasta la coronación y el corte del cordón umbilical. Cuanto más sepan, más cómoda se sentirá la madre cuando en efecto se encuentre en la situación.

- Una oportunidad para conocer todas las opciones a su disposición para aliviar el dolor, desde la meperidina hasta la epidural, incluso la medicina alternativa.

- Una oportunidad de recibir instrucción práctica sobre técnicas de respiración, relajación y otros enfoques alternativos para el alivio del dolor; y de obtener *feedback* de un experto a medida que va aprendiendo. Llegar a dominar estas estrategias –y técnicas de preparación– puede ayudar a la madre a estar más relajada durante la dilatación y el parto, mientras se reduce su per-

cepción del dolor. También le vendrán bien si piensa pedir la epidural u otra medicación contra el dolor.

- Una oportunidad de familiarizarse con las intervenciones médicas que a veces se aplican durante el parto, como la monitorización fetal, profusiones intravenosas, extracción al vacío y cesáreas. Puede que durante su parto no se lleve a cabo ninguna de ellas –o sólo una o dos–, pero conocerlas de antemano hará que el parto sea un poco menos temible.

- Una oportunidad de tener un parto relativamente más agradable –y relativamente menos estresante– gracias a todo lo anterior. Por regla general, las parejas que han asistido a cursos de educación para el parto consideran que la experiencia del nacimiento es más satisfactoria.

- Una oportunidad de desarrollar la confianza en la propia capacidad para hacer frente a las necesidades del parto. El conocimiento siempre significa poder, pero puede ser especialmente poderoso cuando se trata de ir de parto. Si elimina el temor ante lo desconocido (lo que no sabe, en este caso, puede sin duda dañar su confianza), un curso de educación para el parto puede proporcionar una mayor sensación de control, ayudar a que la madre se sienta más poderosa, capaz de afrontar cualquier tipo de parto que la naturaleza le depare.

Elección del curso

Han decidido asistir a un curso de preparación para el parto. Pero ¿dónde empiezan a buscar uno? ¿Y cómo elegirán?

En aquellos lugares en que las clases de educación para el parto son escasas, la elección es relativamente simple. En otros, la variedad de oferta puede ser abrumadora. Existen cursos organizados por hospitales, por instructores privados o por médicos a través de sus consultas. Existen clases prenatales "precoces", a las que se asiste durante el primer trimestre o el segundo, que cubren temas del embarazo tales como la nutrición, el ejercicio, el desarrollo fetal y la sexualidad; y hay clases de 6 a 10 semanas, que suelen empezar en el séptimo u octavo mes, y que se centran en el parto y en los cuidados de la madre y el hijo después de que haya nacido. Incluso existen cursos que se imparten los fines de semana.

Si existen pocas oportunidades de elección, lo más probable es que asistir a algunas clases sea, de todos modos, mejor que no asistir a ninguna en absoluto. Si la pareja tiene la oportunidad de elegir el tipo de clases, los aspectos que se enumeran a continuación pueden ser de utilidad al seleccionar el curso que más les conviene:

¿Quién organiza las clases? Con frecuencia da muy buenos resultados asistir a las clases impartidas por el propio médico, realizadas bajo su dirección o recomendadas por él. También puede resultar útil una clase en el hospital o centro de maternidad donde se dará a luz. Si las ideas acerca del parto que sostiene el instructor de las clases son muy diferentes a las del médico que asistirá a la futura madre durante el alumbramiento, es posible que se produzcan contradicciones. Si surgen diferencias de opinión, la futura madre deberá hablar de ellas para su posible aclaración con su médico antes del parto.

¿Cuántos alumnos hay en cada clase? Las clases reducidas son mejores. Lo ideal son cinco o seis parejas; más de diez o doce pueden ser demasiadas. Si

Vuelta al colegio

Estos días, aparte de estudiar las técnicas de alumbramiento, hay otra clase a la que debería considerar apuntarse: la clase de resucitación cardiopulmonar del bebé y primeros auxilios. Aunque aún no tenga el bebé, no hay un momento mejor para aprender cómo mantener al pequeño al que está a punto de dar a luz sano y salvo. Primero, porque ahora no tendrá que llamar a una canguro para atender a las clases. Y segundo –y más importante–, porque será capaz de llevar al bebé a casa, segura de saber que tendrá los conocimientos necesarios a su alcance en caso de emergencia. Puede encontrar un curso poniéndose en contacto con su hospital.

el grupo es reducido, el profesor podrá prestar más tiempo y más atención a cada caso –lo que es particularmente importante en las sesiones prácticas de las técnicas de respiración y relajación– y además se establecerá una mejor camaradería entre las parejas del grupo.

¿Cuál es el programa del curso? Un curso apropiado incluirá en su programa el tema del parto por cesárea (reconociendo que cabe la posibilidad de que más de una cuarta parte de los asistentes deberán finalmente recurrir a ella) y de la medicación (reconociendo, también, que muchas parturientas la necesitarán o la querrán). Tratará de los aspectos psicológico y emocional, al igual que de las técnicas de parto.

¿Cómo se imparten las clases? ¿Se muestran películas de partos reales? ¿Se hablará de casos recientes? ¿Tendrán los futuros padres la oportunidad de

Para información sobre las clases de preparación al parto

En la actualidad, en los ambulatorios de la Seguridad Social ya se realizan estas clases. De todas formas, pregunte al tocólogo o telefonee al hospital donde piensa dar a luz.

Citamos a continuación algunas páginas web sobre los principales métodos internacionales de preparación al parto (información en inglés) donde puede conseguirse material diverso (vídeos, etc.).

Lamaze International:
www.lamaze.org

Bradley:
The Bradley Method
www.bradleybirth.com

International Childbirth Education Association:
www.icea.org

Association of Labor Assistants and Childbirth Educators:
www.alace.com

New Way Childbirth:
www.newwaychildbirth.com

The American Society of Clinical Hypnosis:
www.asch.net

Society for Clinical and Experimental Hypnosis:
www.sceh.us

Opciones principales de preparación para el parto

Las clases de preparación pueden ser impartidas por enfermeras, comadronas u otros profesionales. Los planteamientos pueden cambiar según las clases, incluso aunque los programas sean similares. Entre los cursos más conocidos cabe citar:

Lamaze. Este enfoque, seguramente el más usado en Estados Unidos, fue instituido por el doctor Ferdinand Lamaze en la década de 1950. Se basa en el uso de técnicas de relajación y respiración en las parturientas, que contarán siempre con la ayuda de su pareja (u otro ayudante) y una enfermera experimentada para que puedan disfrutar de un parto más natural (recuerde que en la década de 1950, se hacía dormir a la mayoría de parturientas). Según la filosofía Lamaze, el nacimiento es algo normal, natural y saludable, y la confianza y capacidad de la mujer en el momento de dar a luz puede ser aumentada o disminuida por el tipo de apoyo que reciba por parte del ayudante y también del medio (una clínica maternal, un hospital o su casa).

El objetivo de la formación de Lamaze es conseguir una concentración activa basada en la relajación y en tipos de respiración rítmicos. Para mejorar la concentración, se anima a las mujeres a dirigir su atención hacia un punto focal. Los cursos también comentan las mejores posturas para la dilatación y la expulsión; técnicas de respiración, distracción y masaje; capacidades de comunicación, así como información sobre el período de posparto y la lactancia. Aunque la filosofía de Lamaze afirma que las mujeres tienen derecho a dar a luz libres de las intervenciones médicas rutinarias,

plantear preguntas? ¿Se dispondrá del tiempo necesario durante las clases para practicar las diversas técnicas enseñadas?

las clases suelen cubrir las intervenciones más comunes (incluyendo medicación contra el dolor) para preparar a las parejas para cualquier tipo de parto. Un curso típico consta de seis clases de dos horas a dos horas y media.

Bradley. Este enfoque hace hincapié en la respiración abdominal profunda en lugar de los esquemas de respiración rápidos y jadeantes. El método Bradley recomienda que la parturienta se concentre en sí misma y trabaje con su cuerpo para controlar el dolor de las contracciones en lugar de utilizar la distracción. Las mujeres aprenden a imitar la posición y la respiración del sueño (que es profunda y lenta) y a utilizar la relajación para hacer más agradables las primeras fases del parto.

Según la técnica de Bradley, las necesidades de una mujer durante el parto son: oscuridad, paz, comodidad física mejorada con almohadones y ojos cerrados. Los profesores de este método reconocen que el parto duele e insisten mucho en la aceptación del dolor. La medicación está reservada para las complicaciones y las cesáreas (que se comentan para que los padres estén preparados para cualquier imprevisto), y aproximadamente un 87% de las mujeres formadas según el método Bradley pueden prescindir de ella. Un curso típico de Bradley dura 12 semanas, comenzando en el quinto mes, y la mayoría son impartidos por matrimonios. También hay clases prenatales.

Hipnosis. Las clases, ya sean individuales o en grupo, enseñan a utilizar la hipnosis para reducir las molestias y el dolor (y en algunas mujeres muy sugestionables, para eliminarlos por completo), y conseguir un estado profundo de relajación, así como para mejorar el humor y la actitud durante el parto. Es aconsejable consultar con el médico o con una

organización internacional de hipnosis para conocer los nombres de los terapeutas diplomados en la zona. (Para más detalles sobre este tema, véase la pág. 338.)

Otras clases de preparación para el parto. La oferta es amplia. Muchos preparadores para el parto son partidarios de que la intervención médica sea mínima. En lugar de intentar enseñar a los futuros padres cómo evitar

---

Clases para las repetidoras

Incluso las "profesionales" más experimentadas se pueden beneficiar de la asistencia a las clases de preparación al parto. En primer lugar, cada dilatación y cada parto son distintos, de forma que puede que lo que experimentó la última vez no tenga nada que ver con lo que va a sentir ahora. En segundo lugar, en las técnicas del parto las cosas cambian rápidamente, y puede que ya se hayan modificado un poco, incluso si sólo han pasado un par de años desde que tuvo a su último hijo. Puede que en este momento existan más opciones para dar a luz que la última vez. Y puede que ciertos procedimientos que antes eran rutinarios sean poco comunes ahora o viceversa. Volver a asistir a las clases de preparación al parto es especialmente importante si va a acudir a un hospital o a un centro de maternidad distinto al que fue la última vez. No obstante, es muy posible que no tenga que ir a clase con las primerizas, y que pueda asistir a un curso diseñado para "refrescar" la memoria a las veteranas.

el dolor de la dilatación y el parto, las clases proporcionan las herramientas para saber afrontar y trabajar con las molestias. También existen clases de educación para el parto diseñadas para preparar a los padres a dar a luz en una clínica particular, y clases patrocinadas por algún grupo médico o una organización de mantenimiento de la salud u otros grupos afines. En muchas ciudades se ofrecen cursos prenatales de educación para el embarazo y el parto, que suelen empezar durante el primer trimestre.

Cursos en casa. Si la mujer tiene que hacer reposo en cama, vive en una zona alejada o por algún motivo no puede asistir a clases en grupo, hay también otras opciones. Una de ellas es un programa completo de Lamaze en DVD, disponible en Lamaze International.

Clases de fin de semana en balnearios. Estas clases ofrecen el mismo programa que las clases tradicionales, concentrado en un solo fin de semana en lugar de estar repartidas durante varias semanas, y son una atractiva opción para aquellos que pueden (y a quienes les gustaría) salir. Además de fomentar la camaradería entre los padres participantes (especialmente gratificante si no tienen otros amigos que estén esperando un bebé con quienes hablar), estos fines de semana también pueden fomentar el romance, un atractivo añadido para las parejas que pronto se convertirán en tríos. Además, representan una gran oportunidad para mimarse antes de la llegada del bebé.

CAPÍTULO 12

El séptimo mes

Semanas 28 a 31 aproximadamente

BIENVENIDA AL TERCER Y ÚLTIMO TRImestre. Aunque le cueste creerlo, ya ha recorrido las dos terceras partes del camino hacia la meta de llegada y sólo tendrá que esperar tres meses más para abrazar (y besar y arrullar) a su hijo. En este último tramo (el que quizá se le hará más largo, al menos por lo que se refiere a centímetros acumulados en el vientre) es probable que aumenten su ilusión e impaciencia, junto con las molestias e incomodidades del embarazo, que tienden a multiplicarse a medida que el peso que carga la mujer es cada vez mayor. Acercarse el día del alumbramiento también significa que se acerca el momento de la dilatación y del parto, y probablemente ya lo está planificando y preparando y ya se debe de haber informado de todo. Si no lo ha hecho ya, es el momento de apuntarse a las clases preparatorias.

Su bebé este mes

Semana 28 Esta semana, el bebé alcanza un peso de 1125 gramos y mide casi 40 cm. Y esta semana aprenderá a parpadear. Su repertorio, cada vez más amplio, incluye ya actividades como toser, succionar, tener hipo y practicar la respiración; y ahora también parpadear. ¿Sueña con el bebé? Pues es posible que él sueñe con usted también, gracias al sueño REM (movimiento ocular rápido) que empieza a experimentar. Pero el pequeño soñador no está todavía listo para nacer. Aunque sus pulmones son casi maduros (lo cual significa que podría respirar con más facilidad si naciera ahora), todavía le queda mucho por crecer.

Semana 29 El bebé puede medir ya 42,5 cm y pesar casi 1350 gramos. Si bien se acerca al tamaño que tendrá al nacer (no crecerá mucho más de 7,5 cm más), debe aumentar mucho de peso. De hecho, a lo largo de las próximas 11 semanas, el bebé duplicará –y puede llegar a triplicar– su peso. Gran parte de este peso procede de la grasa que empieza a acumular bajo la piel. A medida que el bebé se redondea, el espacio uterino se le hace más pequeño, por lo que es menos probable que sienta las patadas del bebé y más bien notará codazos y golpes de rodilla.

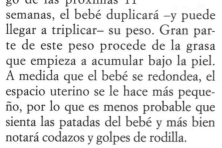

Su bebé, el séptimo mes

Semana 30 ¿Qué mide 42,5 cm, pesa 1350 gramos y es una monada? Es su bebé, que crece día a día (por si no lo había notado por el tamaño de su barriga). Crece también a diario el cerebro, que se prepara para vivir fuera del útero y para toda una vida de aprendizaje. Esta semana el cerebro del bebé empieza a adoptar su aspecto característico con sus cisuras y circunvoluciones. Estos surcos permiten la futura expansión del tejido cerebral, algo crucial para que el bebé evolucione de indefenso recién nacido a bebé activo, a niño verbal y curioso, y más. Ahora el cerebro se ocupará de tareas que hasta ahora delegaba en otras partes del organismo, como la regulación de la temperatura corporal. Ahora que el cerebro es capaz de generar calor (con la ayuda de la grasa que el bebé acumula), el bebé empezará a perder el lanugo, el vello que hasta el momento le mantenía caliente. Esto significa que cuando el bebé nazca ya no será probablemente una bolita peluda.

Semana 31 Aunque el bebé todavía ganará entre 1350 y 2250 gramos antes de nacer, esta semana, sorprendentemente, aumentará 1350 gramos o más. Con 45 cm (cinco arriba, cinco abajo, ya que los fetos de esta edad pueden variar mucho), el bebé se acerca a su talla de nacimiento. Estos días también crecen a toda velocidad las conexiones cerebrales (se crearán trillones). Además el bebé es capaz de poner en marcha toda esta compleja red de conexiones: ya procesa información, sigue la luz y percibe señales con los cinco sentidos. El bebé ahora también duerme durante períodos más largos, especialmente de sueño REM; es fácil diferenciar los momentos en que está despierto (y patalea) de los que duerme (y está en calma).

Alimento para el cerebro del bebé

Durante el tercer trimestre es crucial dar suficientes grasas omega-3, porque es ahora cuando el cerebro se desarrolla más intensamente. Vea en la página 114 los beneficios de las grasas insaturadas.

Qué se puede sentir

Como siempre, recuerde que cada embarazo y cada mujer son distintos. Puede experimentar todos estos síntomas alguna vez o sólo alguno de ellos. Puede que aún note algunos síntomas del mes pasado; otros serán nuevos. Y puede que otros casi no los note porque se ha acostumbrado a ellos.

También puede tener otros síntomas menos comunes. He aquí lo que puede sentir este mes:

Físicamente

- Actividad fetal intensa y más frecuente.

Un vistazo al interior

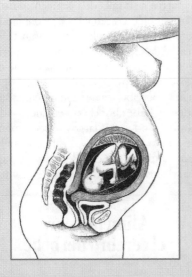

Al principio de este mes, su útero llega ya a unos **28 cm** de la parte superior de su hueso púbico. A finales del mes, el alojamiento de su bebé será unos **2,5 cm** más largo, y se podrá sentir a unos **11 cm** por encima del ombligo. Puede que le parezca que ya no queda sitio para que su matriz crezca más (parece que ya ha llenado todo el abdomen), ¡pero aún le quedan de **8 a 10 semanas** de expansión por delante!

- Aumento del flujo vaginal.

- Dolores en la parte baja del abdomen y en los lados.

- Estreñimiento creciente.

- Acidez de estómago, indigestión, flatulencia e hinchazón.

- Dolores de cabeza, desfallecimientos o mareos ocasionales.

- Congestión nasal y hemorragias nasales ocasionales; embotamiento de los oídos.

- Encías sensibles que pueden sangrar al cepillarse los dientes.

- Calambres en las piernas.

- Dolor de espalda.

- Ligera hinchazón de los tobillos y los pies, y ocasionalmente, de las manos y el rostro.

- Venas varicosas en las piernas.

- Hemorroides.

- Picor en el abdomen.

- Ombligo protruido.

- Estrías.

- Fatiga.

- Dificultades para dormir.

- Contracciones de Braxton Hicks en aumento.

- Torpeza creciente.

- Aumento del tamaño del pecho.

- Calostro que sale de los pechos.

Emocionalmente

- Aumento del nerviosismo.

- Aprensión creciente (el bebé ¡está a punto de llegar!).

- Distracciones continuas.

- Sueños extraños y vívidos.

- Aumento del aburrimiento por lo que se refiere al embarazo o, por

el contrario, sensación de satisfacción, sobre todo si se encuentra bien físicamente.

Qué se puede esperar en la visita de este mes

Este mes, puede esperar que su médico compruebe lo siguiente, aunque puede haber variaciones dependiendo de sus necesidades o el estilo de práctica del facultativo:

- Peso, presión arterial.

- Análisis de orina, para el nivel de azúcar y proteínas.

- Latido cardiaco fetal.

- Altura del fundus.

- Tamaño del útero, por palpación externa (desde el exterior).

- Manos y pies, por si existe hinchazón, y piernas, por si hay venas varicosas.

- Test de glucosa.

- Análisis de sangre para descartar una anemia.

- Síntomas que haya experimentado, especialmente los poco habituales.

- Preguntas o problemas que desee aclarar: tenga preparada una lista.

Qué puede preocupar

Aumento de la fatiga

"Me sentía verdaderamente enérgica los últimos meses y ahora me vuelvo a sentir cansada. ¿Es eso lo que debo esperar durante el tercer trimestre?"

El embarazo está lleno de altibajos, no sólo por lo que se refiere al estado de ánimo (y libido), sino también a los niveles de energía. A la característica fatiga del primer trimestre a menudo le sucede un segundo trimestre de gran energía, por lo que destacan los cómodos meses centrales como un tiempo ideal para llevar a cabo cualquier actividad (ejercicio, sexo, viajes, y todo durante el mismo fin de semana). Sin embargo, durante el tercer trimestre, muchas madres se vuelven a sentir fatigadas.

Lo cual no es de extrañar. A pesar de que algunas mujeres siguen muy activas hacia el final del embarazo (recuerde que cada embarazo es diferente incluso en lo concerniente al nivel de energía), hay muchas otras razones por las que puede sentirse cansada. La más evidente puede ser su barriga. Al fin y al cabo ahora lleva mucho más peso en ella (y en otras partes del cuerpo) de lo habitual, y cargar estos kilos adicionales puede resultar agotador. Otro motivo: estos días, su abultada barriga puede estar interponiéndose (literalmente) entre usted y su descanso nocturno, por lo que se levanta menos descansada cada mañana. También pueden restarle horas de sueño y energía las preocupaciones relacionadas con el bebé (compras, encargos, elección del nombre del bebé, preguntas para el médico). Los factores se multiplican exponencialmente al añadir otras responsabilidades que no tienen nada que ver con el embarazo: el trabajo, el cuidado y alimentación de otros hijos.

Pero el hecho de que la fatiga sea una parte normal del tercer trimestre no significa que deba resignarse a tres meses de agotamiento ni pasarse este tiempo tumbada en el sofá. Como siempre, es una señal del cuerpo, y hay que prestarle atención. Si ha estado ajetreada con los preparativos para la llegada del bebé, o no ha descansado lo suficiente, baje un poco el ritmo. Reduzca la actividad que no sea esencial, y empiece a tomarse las cosas con más calma. Haga un poco de ejercicio pero asegúrese de que es el adecuado (un paseo de media hora puede reactivarla, una hora de footing puede dejarla exhausta) y de que lo hace en el momento adecuado (no justo antes de acostarse, para que la ayude a dormir en lugar de dificultar la conciliación del sueño). Y como todo motor necesita combustible, no se olvide del combustible para mantener su nivel de energía. Tomando tentempiés sanos con frecuencia (pan con queso, frutos secos, yogures), mantendrá un nivel de azúcar en sangre mejor que el que proporcionan la cafeína y el azúcar. Sobre todo recuerde que la fatiga del tercer trimestre es la forma que tiene su organismo de decirle que debe conservar la energía. Necesitará toda la fuerza que pueda acumular ahora para el parto y, aún más, para después. Encontrará más consejos relacionados en la página 145.

Si descansa tanto como le pide el cuerpo pero sigue agotada, hable con su médico. A veces la fatiga extrema que no cesa se debe a la anemia del tercer trimestre (véase la pág. 235), por eso muchos médicos repiten un análisis de sangre para su detección durante el séptimo mes.

Edema (hinchazón)

"Tengo los tobillos hinchados, sobre todo en los días calurosos y al final del día. ¿Es un mal signo?"

Su barriga no es la única cosa que se hincha estos días. La inflamación suele extenderse también a las extremidades. Aunque toda esta inflamación no es agradable –especialmente cuando los zapatos y el reloj le aprietan cada vez más, y se hace cada vez más difícil sacarse los anillos–, la ligera hinchazón (o edema) de tobillos, pies y manos es perfectamente normal, como resultado de la retención de líquidos necesaria del embarazo. De hecho, seguro que ha notado como gran parte de la hinchazón desaparece al despertarse por la mañana, o después de pasar varias horas tumbada (otro buen motivo para tomarse esos descansos).

Normalmente este tipo de hinchazón no es preocupante y sólo le supone cierta incomodidad (y algunos compromisos sociales si ya no se puede poner zapatos elegantes). Puede seguir estos consejos para reducir la hinchazón:

- No sentarse ni estar de pie. Si debe hacerlo en el trabajo –o en casa–, descanse periódicamente. Siéntese tras haber estado de pie y levántese tras haber estado sentada mucho rato. Lo ideal es poder pasear a paso ligero unos cinco minutos para activar la circulación (lo cual activará el flujo de líquidos acumulados).

- Eleve las piernas cuando esté sentada. Si alguien se lo merece, es usted.

- Descanse sobre un costado. Si todavía no ha adquirido el hábito de dormir de lado, ahora es el momento de probarlo. Tumbarse de lado ayuda a que los riñones trabajen a pleno rendimiento, mejora la eliminación de toxinas y reduce la hinchazón.

- Opte por la comodidad. Ahora es momento de confort y no de glamour. Elija calzado cómodo (de todos modos ahora tampoco puede ponerse los zapatos de tacón ajustados), y en casa utilice zapatillas.

- Muévase. Mantenga su rutina de ejercicio físico (si su médico se la ha aconsejado), le ayudará a reducir la hinchazón. Andar (seguramente pronto habrá que decir "balancearse") es fantástico para los pies hinchados porque favorece el riego sanguíneo. Nadar y hacer aeróbic acuático son incluso mejores porque la presión del agua empuja líquido de los tejidos de nuevo a las venas, desde allí circula hasta los riñones y después se expulsa en forma de orina.

- Elimine agua. Aunque parezca contradictorio, es cierto: cuanta más agua beba menos retendrá. Beber al menos entre ocho y diez vasos de 24 cl de líquido diarios le ayudará a expulsar toxinas. Reducir el consumo de líquidos no evitará la hinchazón.

- Tome sal. Se suele pensar que reducir el consumo de sal ayuda a controlar la hinchazón, aunque se sabe que su reducción aumenta la hinchazón. Así que sal al gusto, pero como en todo, la moderación es la clave.

- Busque la ayuda que necesite. Las medias compresivas pueden no ser sexys, pero son muy eficientes para aliviar la hinchazón. Existen varios tipos para embarazadas, incluidas medias enteras (con suficiente espacio para la barriga) y cortas (que al menos son más frescas), pero evite aquellas con la goma muy prieta.

Lo bueno del edema, además de que es normal, es que es temporal. Verá como sus tobillos y sus dedos se deshinchan poco después del parto (aunque algunas madres tardan algunas semanas, a veces un mes o más, en ver cómo la hinchazón desaparece por completo).

Mientras tanto, mire la parte positiva: muy pronto su barriga será tan grande que no podrá ver lo hinchados que están sus pies.

Si la hinchazón le parece acusada, pregunte a su médico. Una hinchazón exagerada puede ser un síntoma de preeclampsia, siempre que ésta esté acompañada de otros síntomas (como un aumento de peso excesivo repentino e inexplicable, presión arterial elevada, y presencia de proteínas en la orina). Si los resultados son normales (presión arterial y composición de la orina se comprueban en cada visita prenatal), no tiene por qué preocuparse. Si además de la hinchazón de repente también ha ganado

Quíteselos mientras pueda

Le aprietan los anillos cada vez más. Antes de que resulten incómodos (y demasiado prietos para poder sacárselos) quíteselos y guárdelos hasta que sus dedos se hayan deshinchado de nuevo. ¿Ya tiene problemas para sacárselos? Pruebe a hacerlo por la mañana o cuando las manos se hayan enfriado (cuanto más calientes más hinchadas). También puede probarlo con jabón líquido, que hará que el anillo sea resbaladizo y más fácil de sacar.

mucho peso en poco tiempo de forma inexplicable, o bien ha tenido dolores de cabeza o molestias de visión, debería llamar al médico y describirle sus síntomas.

Erupciones cutáneas

"Por si las estrías fueran poco, ahora parece que me ha salido en ellas algún tipo de granitos que me pican."

Debe animarse. Le quedan menos de tres meses para el parto, tras el cual podrá decir adiós a la mayoría de los efectos secundarios desagradables del embarazo y, entre ellos, a estas nuevas erupciones. Hasta entonces, podría ser de gran ayuda saber que aunque pueden ser incómodas, estas lesiones no son peligrosas para la madre ni para el bebé. Conocidas médicamente con el nombre de pápulas y placas pruríticas de urticaria del embarazo, también conocida como PPPUE, o EPE (erupción polimórfica del embarazo), desaparecen después del parto y generalmente no suelen reaparecer en los embarazos siguientes. Aunque las placas pruríticas se suelen desarrollar en las estrías abdominales, a veces también aparecen en muslos, nalgas o brazos de la futura madre. Muestre la erupción a su médico, que probablemente le prescribirá una medicación tópica y/o antihistamínica para aliviar las molestias. Muchos trastornos de la piel y erupciones pueden darse en el embarazo. Aunque deben mostrarse al ginecólogo, raras veces son graves. Véase la página 270 para más información.

Dolor en la zona lumbar y las piernas (ciática)

"Tengo un dolor de espalda que se extiende hacia la cadera y la pierna. ¿Qué sucede?"

Parece que su bebé la pone de los nervios, concretamente del nervio de la ciática. De la mitad del embarazo hacia el final, el bebé se va colocando en la posición del parto (lo cual es positivo). Cuando ocurre esto, sin embargo, la cabeza del bebé –y el peso del útero, que es cada vez más grande– puede llegar a situarse sobre el nervio de la ciática en la parte lumbar de la espalda (lo cual es negativo). La ciática puede convertirse en dolor punzante, hormigueo o entumecimiento que empieza en los glúteos o en la zona lumbar y desciende por la parte posterior de una de las piernas. La ciática puede resultar bastante intensa en ocasiones y, aunque puede desaparecer si el bebé cambia su posición, también puede durar hasta el parto e incluso alargarse hasta un poco después del parto.

¿Cómo modificar la posición del bebé y conseguir aliviar el dolor de ciática? Pruebe estos consejos:

- Siéntese. Sentándose puede aliviar el dolor de piernas y de la zona lumbar asociado con la ciática. Tumbándose también puede reducir la presión, siempre y cuando encuentre la mejor postura.

- Aplique calor. Una bolsa de agua caliente en la zona dolorida puede reducir el dolor; también puede ayudar un buen baño de agua caliente.

- Ejercite la zona. Haga balanceos pélvicos o estiramientos para aliviar la presión.

- Haga natación. Los ejercicios acuáticos que no tienen que soportar el peso del cuerpo son particularmente beneficiosos para combatir la ciática. La natación estira y fortalece los músculos de la espalda, lo cual alivia el dolor.

- Busque alternativas. Los tratamientos complementarios y alternativos como la acupuntura, la medicina quiropráctica y el masaje terapéutico (practicados por un profesional cualificado) también pueden resultar beneficiosos.

En los casos graves pregunte al facultativo si puede tomar algún tipo de analgésico.

Síndrome de las piernas inquietas

"A pesar de lo cansada que estoy todas las noches soy incapaz de estarme quieta con las piernas. He seguido todos los consejos para eliminar los calambres, pero no me han funcionado. ¿Qué más puedo hacer?"

Con otras tantas cosas que se interponen entre usted y un reparador sueño nocturno durante el último trimestre, no parece justo que sus piernas se sumen al cúmulo de inconvenientes. Pero para el 15 % de mujeres embarazadas que experimentan el síndrome de las piernas inquietas (SPI) –sí, señora, tiene un nombre– eso es exactamente lo que sucede. Este nombre incluye todo –esa sensación de inquietud, de cosquilleo y de hormigueo en los pies y/o las piernas– lo que impide que el resto de su cuerpo se relaje. Es más común por la noche, pero también puede presentarse por la tarde o en cualquier momento que la mujer se tumbe o se siente.

Los expertos no saben con seguridad qué es lo que causa el SPI en algunas mujeres embarazadas (aunque parece que existe un componente genético), y todavía saben menos sobre cómo tratarlo. Ninguno de los trucos utilizados para combatir los calambres en las piernas –incluyendo friccionarlas o flexionarlas– produce alivio alguno. También debe descartarse la medicación que hoy en día se utiliza para tratar este síndrome,

Cuente las patadas

A partir de la semana 28 conviene comprobar los movimientos fetales dos veces al día: por la mañana, cuando la actividad tiende a ser menor, y al anochecer, cuando hay más actividad. El facultativo puede recomendarle un sistema o puede utilizar el siguiente. Mire la hora y empiece a contar. Cuente todo tipo de movimientos (patadas, aleteos, sacudidas, giros). Pare de contar cuando llegue a 10, y anote la hora. A menudo, notará diez movimientos en 10 minutos más o menos (a veces en algo más de tiempo).

Si pasada una hora no ha notado 10 movimientos, tome un zumo o un tentempié, camine un poco, o tóquese un poco la barriga; luego túmbese, relájese y siga contando.

Si pasan dos horas sin llegar a 10 movimientos, llame al médico. Aunque esta ausencia de actividad no significa necesariamente que algo vaya mal, en ocasiones puede ser una señal de alarma que precisa una rápida evaluación.

Cuanto más se acerque la fecha de salida de cuentas, más importante se vuelve el control de los movimientos fetales.

ya que no es segura durante el embarazo (consulte con el facultativo).

Es posible que la dieta, el estrés y otros factores ambientales contribuyan a agudizar el problema, por lo que podría ser de gran ayuda revisar todo lo que come, lo que hace y cómo se siente cada día, para poder saber qué hábitos le provocan los síntomas, si es que es alguno de ellos el culpable. Por ejemplo, algunas mujeres saben que comer hidratos de carbono al final del día puede empeorar el SPI. Dicho síndrome puede ser causado también por una anemia debida a la falta de hierro, así que vale la pena pedir a su médico que le prescriba un análisis para descartar esta causa, y además para que sugiera cualquier otro tratamiento. Y, desde luego, no haría ningún daño intentar dormir siguiendo los consejos de la página 296. Por desgracia, no obstante, para algunas mujeres es muy difícil conseguir alivio y por lo tanto dormir. Si es una de ellas, sólo tendrá que vérselas con el SPI hasta el parto. Si ya tenía el síndrome antes de estar embarazada, deberá esperar hasta después del parto (y posiblemente hasta después de la lactancia si da el pecho), para continuar cualquier tratamiento que le haya recetado su médico.

Hipo del feto

"Algunas veces percibo unos espasmos ligeros y regulares en el abdomen. ¿Se trata de patadas, de contracciones o de qué?"

Aunque parezca increíble, lo que sucede es que el bebé tiene hipo. Este fenómeno es muy común en los fetos durante la segunda mitad del embarazo. Algunos bebés tienen hipo varias veces al día, un día tras otro. Otros no lo tienen nunca. La incidencia del hipo puede continuar siendo la misma después del nacimiento.

Sin embargo, la futura madre no debe preocuparse, ya que el hipo no provoca las mismas molestias en los bebés (dentro y fuera del útero) que en los adultos, incluso cuando dura veinte minutos o más. Por consiguiente, la embarazada puede tranquilizarse y disfrutar de esta pequeña diversión en el interior de su barriga.

Accidentes

"Al ir de paseo he tropezado con el bordillo de la acera y me he caído, golpeándome en la barriga. Me horroriza la idea de haber perjudicado al bebé."

Una vez comienza el tercer trimestre existen muchos factores que pueden combinarse y provocar caídas. Uno es la falta de equilibrio, que se ha ido perdiendo porque el centro de gravedad de la mujer varía a medida que su barriga aumenta. Otro factor son sus articulaciones, ahora menos firmes y menos estables, lo cual aumenta su susceptibilidad a las caídas, especialmente de cara. También contribuyen a la torpeza la facilidad con que ahora se cansa, su predisposición a preocuparse más y a soñar despierta, y la dificultad para verse los pies.

Un tropezón con el bordillo de la acera le puede causar a la mujer embarazada múltiples rasguños y heriditas (particularmente en su amor propio), pero es muy raro que el feto llegue a sufrir las consecuencias de la torpeza de su madre. El bebé está protegido por el más sofisticado sistema de absorción de golpes, ya que está rodeado por el líquido amniótico, unas membranas resistentes, las paredes del útero y una cavidad abdominal envuelta por músculos y huesos. Para que este sistema resultara insuficiente y el bebé sufriera daños, el accidente de la madre debería ser muy grave (del tipo que exigiría probablemente su rápida hospitalización).

Si no obstante sigue preocupada, llame al médico para quedarse tranquila.

El orgasmo y el bebé

"Cada vez que tengo un orgasmo el bebé deja de dar patadas durante una

media hora. ¿Es posible que el coito sea perjudicial para él en esta fase del embarazo?"

Las reacciones del bebé ante la relación sexual de sus padres son variables. Algunos se sienten acunados y se duermen debido al movimiento rítmico del coito y a las contracciones uterinas que siguen al orgasmo. Otros, estimulados por la actividad, se agitan más.

Ambas reacciones son normales; ninguna de las dos indica que el feto se dé cuenta de lo que sucede entre sus padres o que en ese momento se produzca algún tipo de sufrimiento fetal.

De hecho, y a menos que el médico haya dicho lo contrario, la futura madre puede seguir disfrutando de su sexualidad –y de sus orgasmos– hasta el momento del parto.

Y debe hacerlo mientras pueda, pues no hay que engañarse, pasará bastante tiempo hasta que pueda a volver a hacer el amor con tranquilidad con el bebé en casa.

Sueños y fantasías

"He tenido tantos sueños, tan reales – de noche y de día– sobre el bebé que estoy empezando a creer que me estoy volviendo loca."

Los sueños –y las fantasías– tanto los espeluznantes (como soñar que se deja al bebé en el autobús) como los deliciosos (acariciar las mejillas redondeadas de su retoño, pasearle por el parque en un día soleado), o los extraños (dar a luz a un alienígena con cola o a una camada de perritos) son sanos, normales y muy corrientes durante el embarazo. Y aunque puedan hacerle pensar que se está volviendo loca (¿la perseguía un salchichón gigante por el aparcamiento de la tienda de juguetes

ayer por la noche?), en realidad la están ayudando a seguir cuerda. Son el modo que tiene su subconsciente de aligerar su carga mental de ansiedades, temores, esperanzas y dudas a cerca del bebé y enfrentarse al remolino de emociones (de la ambivalencia al miedo pasando por la alegría más inmensa) que siente usted pero puede tener dificultades para expresar de otro modo. Tómeselo como un tipo de terapia que la beneficia mientras duerme.

Las hormonas también contribuyen a que tenga sueños más intensos de lo normal (¿y a qué no contribuyen?). Además pueden hacer que tenga sueños mucho más vívidos. El sueño más ligero que ahora tiene le ayuda a recordar mejor lo que sueña y recordarlo al detalle. Como se despierta más a menudo que antes, tanto si es para ir al baño, apartar las mantas, dar vueltas o intentar ponerse cómoda, existen más posibilidades de despertarse en medio del ciclo de sueño REM.

Con los sueños tan frescos en su mente cada vez que se despierta es fácil que los recuerde con gran detalle, a veces incluso demasiado.

Los siguientes son los temas sobre sueños y fantasías más comunes durante el embarazo. Quizá alguno de ellos le resulte familiar.

- Sueños ¡ups! Soñar con perder y olvidar cosas (las llaves del coche e incluso a su bebé); no alimentar al bebé; saltarse una visita al médico; salir de compras y dejar al bebé solo en casa; no estar preparada para el bebé cuando llega puede expresar el temor a no ser una madre adecuada.

- Sueños ¡uy! Ser atacada o lesionada –por intrusos, ladrones o animales; caerse por las escaleras tras un empujón o un resbalón– puede indicar un sentimiento de vulnerabilidad.

Preparar a la mascota familiar

Tiene mascota y está preocupada de que, acostumbrada a ser el rey de la casa (a subirse a su cama y a su regazo), reaccione mal y pueda darse rivalidad entre hermanos (quizá peligrosa) al llegar el bebé a casa. Preparar a su perro o gato para la llegada de una tercera persona a casa es crucial. Véase *Qué se puede esperar el primer año* para consejos y recomendaciones sobre cómo preparar a la mascota familiar ante la llegada del bebé.

- Sueños ¡socorro! Los sueños en que está encerrada o no es capaz de escapar –atrapada en un túnel, un coche, una habitación pequeña; ahogada en una piscina, un lago helado o un túnel de lavado de coches– pueden significar el temor a verse en un futuro atada y privada de libertad a causa del nuevo miembro de la familia que está a punto de llegar.

- Sueños ¡oh, no! Los sueños relativos a saltarse la dieta de la embarazada –aumentar demasiado de peso o ganar mucho peso durante una sola noche; comer demasiado; comer o beber cosas perjudiciales o no comer las cosas adecuadas– son pesadillas frecuentes entre las mujeres que intentan ajustarse a una dieta rígida.

- Sueños ¡uf! Soñar con perder el atractivo –resultar poco atractiva para el marido; que el marido encuentre a otra mujer– expresa el frecuente temor a que el embarazo destruya para siempre su aspecto y que, por tanto, aleje a su pareja.

- Sueños sexuales. Los sueños con relaciones sexuales –tanto positivos como negativos, placenteros o provocadores de culpabilidad– pueden reflejar la confusión y ambivalencia sexual que a menudo se experimenta durante el embarazo.

- Sueños con recuerdos. Los sueños sobre la muerte y la resurrección –padres u otros parientes fallecidos que reaparecen– pueden ser el modo subconsciente de unir a los antepasados con la futura generación.

- Sueños sobre la vida con el bebé. Soñar con prepararse para el bebé, y amar al bebé y jugar con él durante el sueño es una manera de practicar la maternidad, de establecer el vínculo con el recién nacido antes de que éste nazca.

- Sueños donde se imagina al bebé. Soñar con el aspecto que tendrá el bebé puede representar una amplia gama de preocupaciones. Los sueños en los que el bebé es deforme, está enfermo, es demasiado grande o demasiado pequeño expresan la preocupación por su salud. Las fantasías en que el bebé tiene habilidades extraordinarias (como hablar o andar nada más nacer) pueden indicar preocupación por la inteligencia de su hijo y ambición con respecto a su futuro. Las premoniciones sobre el sexo del bebé pueden indicar que el corazón de la madre se decanta más por un hijo o por una hija. El mismo significado pueden tener los sueños sobre el color del pelo o los ojos del bebé, o sobre el parecido con su pareja o con una misma. Las pesadillas en que el niño nace completamente desarrollado podrían indicar su miedo a tener que cuidar a un bebé diminuto.

- Sueños sobre el parto. Soñar con el dolor de la dilatación –o con la falta de dolor– o con no ser capaz de empujar al bebé para que salga puede reflejar el miedo al parto.

En resumen, no dé más importancia a sus sueños y fantasías. Son completamente normales y tan comunes entre las embarazadas como la acidez de estómago y las estrías. Recuerde que puede no ser la única que no tiene sueños desapacibles.

Los futuros papás también pueden tener sueños extraños y fantasías mientras intentan controlar su ansiedad consciente o subconsciente por la inminente paternidad.

Compartir los sueños por la mañana puede resultar divertido y también terapéutico, porque hace la transición hacia una paternidad real más fácil, además de ayudar a cohesionar la pareja. ¡Sigan soñando!

Inminencia de la responsabilidad

"Estoy empezando a preguntarme si seré capaz de salir adelante con mi profesión, mi hogar, mi matrimonio y mi bebé."

Muchas madres primerizas han intentado ser "supermujeres" –cargándose de mucho trabajo; manteniendo la casa en orden, la nevera bien llena y la comida preparada sobre la mesa; siendo una compañera atractiva y una madre ejemplar, e intentando superar todos los obstáculos que se presentan–, pero muy pocas lo han conseguido sin sacrificar su salud física y mental.

Cómo le vaya a usted dependerá de las decisiones que toma y de las actitudes que adopta ahora y después de la llegada de su hijo. Le resultará de utilidad reconciliarse con la idea de que no puede hacerlo absolutamente todo, por lo menos al principio.

Si su profesión, su marido y su bebé son importantes, quizá deberá abandonar la pretensión de tener el hogar inmaculadamente limpio. Si la maternidad a tiempo completo le resulta atractiva y se puede permitir el lujo de permanecer en casa durante un cierto tiempo, quizá debería optar por renunciar temporalmente a su carrera. O trabajar sólo media jornada, como solución de compromiso. O bien, si ello es posible, trabajar desde casa.

También es cuestión de abandonar aquellas expectativas que no son realistas.

Nadie es perfecto, aunque inicialmente cueste aceptar esta realidad. Por mucho que una quiera hacerlo todo bien, muy pronto verá que este objetivo es inalcanzable.

A pesar de los mejores esfuerzos, las camas quedarán por hacer, la ropa por doblar, la mesa por recoger, y ponerse atractiva puede significar tener al fin tiempo de lavarse el pelo.

Si la mujer se impone metas demasiado elevadas –aunque antes fuera capaz de cumplirlas– solamente conseguirá desengañarse.

Sea cual fuere la decisión que tome una nueva madre, su nueva vida le resultará más fácil si no debe ponerla en práctica ella sola.

Detrás de la mamá más feliz suele haber un papá que no sólo comparte las tareas domésticas a un cincuenta por ciento, sino que colabora en el cuidado del hijo, desde cambiarle los pañales hasta darle un baño.

Si el padre no está disponible, la madre deberá pensar en otras fuentes de ayuda: la madre, la suegra u otros familiares, asistencia a domicilio, guardería, y un largo etcétera.

Un plan
para dar a luz

"Una amiga mía que ha dado a luz hace poco me ha explicado que preparó un plan para el parto con su médico antes del nacimiento. ¿Es eso corriente?"

Dar a luz un bebé conlleva tomar muchas decisiones; las embarazadas y sus parejas tomarán más decisiones que nunca. Cómo pueden usted y su médico registrar todas esas decisiones, desde cómo calmar el dolor a saber quién ayudará al bebé a nacer. Elabore un plan para dar a luz.

Un plan para dar a luz es justamente eso, un plan (o más correctamente una lista de preferencias). En él las embarazadas y sus parejas pueden detallar la situación que ellos considerarían óptima para dar a luz: cómo les gustaría

---

Un plan de emergencia

Es de esperar que, una vez que haya pasado su plan para dar a luz al profesional que vaya a atenderla, pase a formar parte de su historial y esté en el lugar adecuado en el momento adecuado, el del parto. Pero, por si acaso no llegara a tiempo, es buena idea imprimir varias copias del plan para llevárselas al hospital o centro de maternidad, para que no haya confusiones sobre sus deseos. Su acompañante o su doula puede asegurarse de que cada nuevo turno de personal (con un poco de suerte, no tendrá que pasar por muchos) reciba una copia de su plan. Algunos futuros padres han comprobado que poner el plan para dar a luz dentro de una cestita de dulces lo hace aún más bienvenido.

---

que transcurriera la fase de dilatación, parto y alumbramiento si todo marchase de acuerdo con su "plan". Además de anotar las preferencias de los padres, el plan para dar a luz se ve condicionado por aquello que resulte práctico, factible y que el médico, el hospital o el centro de maternidad consideren aceptable (no todo puede ser viable desde el punto de vista médico, obstétrico o de las políticas del centro hospitalario). No se trata de un contrato, sino de un acuerdo escrito entre el médico y/u hospital, con el objetivo de que el nacimiento sea lo más cercano posible al ideal de la futura madre, dejando de lado expectativas poco realistas, minimizando las decepciones y evitando conflictos mayores o falta de comunicación entre la parturienta y el equipo que la asiste.

Algunos facultativos piden de forma rutinaria a los futuros padres que rellenen un plan para dar a luz; a otros no les importa hacerlo si se les pide. Un plan para dar a luz es un trampolín para el diálogo entre el paciente y su médico. Existen planes para dar a luz solo con la información básica; otros, en cambio, son extremadamente detallados (hasta incluyen el tipo de música e iluminación deseados en la sala de partos). Y como cada mujer es diferente –no solo en lo concerniente a sus gustos durante el parto, sino también porque puede tener diferentes experiencias de parto, según su historial médico y obstétrico–, el plan para dar a luz debería ser individualizado (no haga el suyo basándose en el de su amiga). Algunos de los temas que la mujer puede tener en cuenta en su plan se enumeran a continuación. Puede usar esta lista como orientación general y adaptarla a sus necesidades (vea las págs. apropiadas antes de tomar sus decisiones).

■ Cuánto tiempo desea la mujer permanecer en casa durante la dilatación y cuándo quiere ir al hospital.

Ejercite la musculatura pélvica

Ahora es un buen momento para empezar a preparar su cuerpo y la musculatura del suelo pélvico especial para el gran día. Tal vez nunca prestó mucha atención a su musculatura pélvica, o tal vez ni siquiera sabía que la tuviera. Pues bien, ha llegado el momento de prestarle atención. Se trata de la musculatura que da apoyo al útero, la vejiga y los intestinos y está diseñada para estirarse para que el bebé pueda salir. Éstos también son los músculos que evitan las pérdidas de orina al toser o reír (una función que suele apreciarse sólo cuando no existe o cuando es defectuosa, como puede pasar con la incontinencia del posparto). Estos músculos pueden además aumentar el placer durante las relaciones sexuales.

Afortunadamente, con unos sencillos ejercicios puede trabajar estos músculos y tenerlos a punto en poco tiempo y con poco esfuerzo (no necesita ropa deportiva ni ir al gimnasio ni siquiera sudar). Si realiza durante cinco minutos estos ejercicios, los denominados ejercicios de Kegel, tres veces al día, se asegurará una larga lista de beneficios a corto y largo plazo. Si los músculos del suelo pélvico están bien tonificados se alivian numerosos síntomas del embarazo y el posparto, desde hemorroides hasta incontinencia urinaria y fecal. Y pueden ayudar a evitar una episiotomía, incluso un desgarro durante el parto. Además, realizar los ejercicios regularmente durante el embarazo favorecerá el retorno de la vagina a su forma normal tras la salida del bebé.

Así es como se realizan los ejercicios de Kegel: tensar la musculatura que rodea la vagina y el ano, y aguantar (como si intentara aguantar el flujo de orina) durante diez segundos. Relajar lentamente y repetir; debería realizar tres sesiones de veinte repeticiones diarias. Cuando haga el ejercicio concéntrese sólo en la musculatura pélvica. Si se contraen el estómago, los muslos o las nalgas, el ejercicio no es completo. Aproveche cualquier momento para hacer los ejercicios de Kegel (cada vez que se pare en un semáforo, mientras lee el correo electrónico, hace cola en el supermercado, o trabaja en el escritorio), y conseguirá los beneficios de una musculatura pélvica fuerte. Realícelos también durante el coito: usted y su pareja notarán la diferencia (¡esto es lo que se llama un ejercicio excitante!).

- Comer y/o beber durante la dilatación (véase la pág. 402).

- Estar fuera de la cama (pasear o estar sentada) durante la dilatación.

- Personalizar el ambiente.

- Usar una cámara fotográfica o de vídeo.

- Usar un espejo para que la parturienta pueda ver el nacimiento.

- Uso de IV (administración intravenosa de fluidos, véase la pág. 403).

- Uso de analgésicos (véase la pág. 333).

- Monitorización fetal externa (continua o intermitente); monitorización fetal interna (véase la pág. 405).

- Uso de oxitocina para inducir o acelerar las contracciones (véase la pág. 401).

- Posiciones para la dilatación y la expulsión (véase la pág. 411).

- Uso de compresas de agua caliente y masaje perineal (véanse las págs. 386 y 408).

- Episiotomía (véase la pág. 407).

- Uso de fórceps o extractor al vacío (véase la pág. 408).

- Parto por cesárea (véase la pág. 433).

- Presencia de otras personas importantes (además de su pareja) durante la dilatación y/o el parto.

- Presencia de los otros hijos durante la expulsión o inmediatamente después.

- Aspiración de mucosidades del recién nacido; participación del padre en ello.

- Tomar en brazos al bebé inmediatamente después de nacer; dar de mamar de inmediato.

- Posponer, pesar al bebé y cortar el cordón y/o administrarle colirio hasta después de que madre e hijo se hayan conocido.

- Dejar que el padre corte el cordón umbilical.

- Posibilidad de recogida de sangre del cordón umbilical (véase la pág. 362).

Quizá la madre también desee incluir algunos temas referentes al posparto, tales como:

- Su presencia en el momento de pesar al bebé, del examen pediátrico y de su primer baño.

- Alimentación del bebé en el hospital (si será controlada por el horario de la sala de recién nacidos o por el hambre del bebé; si es posible evitar biberones suplementarios y chupetes si la madre va a amamantar al bebé).

- La circuncisión (véase *Qué se puede esperar el primer año*).

- Compartir la habitación con el bebé (véase la pág. 468).

- Visita de los otros hijos a la madre y/o al bebé.

- Medicación posparto o tratamientos para usted o su bebé.

- Duración de la estancia en el hospital, salvo complicaciones (véase la página 467).

Como es lógico, el rasgo más importante de un buen plan para dar a luz es su flexibilidad. Dado que el alumbramiento –como la mayoría de las fuerzas de la naturaleza– es imprevisible, el plan imaginado antes de comenzar el proceso puede no ser el más adecuado. Aunque hay muchas posibilidades de que el plan se siga como estaba previsto, siempre existe la posibilidad de que no sea así. No hay forma de predecir cómo progresará la dilatación y el parto hasta el inicio de las contracciones, por lo que el plan diseñado por los padres puede no ser viable médicamente, y tal vez deba reajustarse en el último minuto. Al fin y al cabo, la prioridad es el bienestar de la madre y del bebé, y si el plan acaba por no servir a esta

No se aguante

Acostumbrarse a no orinar cuando se siente la necesidad aumenta el riesgo de que la vejiga hinchada irrite el útero y provoque contracciones. No ir cuando se tiene necesidad también puede provocar una ITU, otra causa de contracciones prematuras. Por tanto, si la mujer necesita orinar debe ir de inmediato.

Pruebas vitales para recién nacidos

La mayoría de los bebés nacen y siguen sanos. Pero un pequeño porcentaje de recién nacidos parecen sanos en principio y luego enferman de repente. Afortunadamente, existen formas de detectar estos trastornos metabólicos. Entre las pruebas que se realizan están las diseñadas para detectar fenilcetonuria (FCU), hipotiroidismo congénito, hiperplasia adrenal congénita, déficit de biotinidasa, enfermedad del jarabe de arce en la orina, galactosemia, homocistinuria y anemia drepanocítica.

El análisis se realiza en el laboratorio, utilizando la muestra de sangre que se recoge en el hospital con la punción rutinaria del talón del bebé (se recogen unas gotas de sangre del talón del bebé tras una rápida punción con una aguja).

En el caso poco probable de que el resultado de alguna de las pruebas sea positivo, el pediatra del bebé y un especialista en genética pueden verificar los resultados e iniciar el tratamiento si es necesario (existe una tasa elevada de falsos positivos, por lo que cualquier resultado positivo debería ir seguido de una repetición del análisis). El diagnóstico e intervención precoces pueden marcar una tremenda diferencia en el pronóstico.

---

prioridad, deberá ser relegado a un segundo término. Un cambio de opinión (por parte de la madre) también puede motivar un cambio de planes (estaba en contra de la epidural, pero a los 4 cm se volvió a favor de la misma).

En resumen: los planes para dar a luz, si bien no son necesarios, son una buena opción, una que cada vez aprovechan más futuros padres. Para saber más y para saber si le conviene elaborar uno, hable de ello con el tocólogo en su próxima visita.

Test de tolerancia a la glucosa

"Mi tocólogo dice que necesito hacerme un test de tolerancia a la glucosa para ver si tengo diabetes gestacional. ¿Por qué lo necesito y de qué tipo de prueba se trata?"

Casi todos los médicos piden esta prueba para descartar la diabetes gestacional en casi todas las pacientes entre la semana 24 y 28 (aunque a las que presentan un mayor riesgo de padecerla, incluidas las mujeres mayores, obesas o con un historial familiar de diabetes, se les hace el análisis antes y se les repite con frecuencia). Por lo que seguramente su médico se lo ha pedido como parte de un procedimiento rutinario. Es una prueba sencilla, y agradable, especialmente si es golosa. Se le pide a la mujer que se tome una bebida de glucosa muy dulce, que suele tener sabor a naranja, una hora antes de extraerle una muestra de sangre; no debe estar en ayunas para hacer la prueba. La mayoría de mujeres ingieren la bebida sin problemas y sin efectos secundarios; pero a unas cuantas, en particular las que no tienen inclinación por las bebidas dulces, se les puede revolver el estómago.

Si la sangre revela un elevado nivel de glucosa tras el análisis, lo cual indica la posibilidad de que la mujer puede no producir suficiente insulina para procesar la glucosa adicional en su organismo,

Las doulas, ¿la mejor medicina durante la dilatación?

Cada vez son más las parejas que eligen compartir su experiencia del parto con una doula, una mujer formada para tal fin. Y hacen bien. Los estudios demuestran que las mujeres que reciben el apoyo de una doula son menos propensas a los partos por cesárea, la inducción del parto y la necesidad de analgésicos. Los partos asistidos por doulas también pueden ser más cortos y presentar menos complicaciones.

Doula es un término procedente de la antigua Grecia, donde se empleaba para designar a la criada más importante de la casa, probablemente la que ayudaba a la madre durante el parto. ¿Qué puede hacer exactamente una doula? Esto depende de la doula que se elija, de en qué momento del embarazo empiece a prestar sus servicios y de las preferencias de la madre. Algunas doulas empiezan a ayudar a la madre diseñando su plan para dar a luz y tranquilizándola antes del inicio del parto. Muchas, si se les pide, vienen a casa para ayudar a la pareja cuando se inicia la dilatación.

Ya en el hospital, la doula puede adoptar diversas responsabilidades, siempre en función de las necesidades y deseos de la madre. Su papel principal suele consistir en proporcionar consuelo, ánimo y apoyo (tanto emocional como físico) durante la dilatación. Aporta la tranquilizadora voz de la experiencia (especialmente valiosa si los padres son primerizos), ayuda con las técnicas de relajación y los ejercicios de respiración, ofrece consejo sobre las posiciones de dilatación, y colabora realizando masajes, cogiéndole la mano a la mujer, arreglándole las almohadas y ajustándole las sábanas de la cama. La doula también puede actuar como mediadora, hablar por boca de la madre si es necesario, traducirle la jerga médica y explicarle los procedimientos, y hacer de puente entre el personal hospitalario y los padres. La doula no adoptará el papel de acompañante ni de la enfermera de turno, sino que colaborará con el apoyo y los servicios que ellos dispensan (algo especialmente importan-

---

se pasa al siguiente paso de la prueba: el test de tolerancia a la glucosa. Esta prueba, que se realiza en ayunas y dura tres horas, en la cual se da a la mujer una bebida con una concentración mayor de glucosa, se usa para diagnosticar la diabetes gestacional. La diabetes gestacional se presenta alrededor del 4 al 7 % de futuras madres, lo cual la convierte en la complicación del embarazo más común. Afortunadamente, también es una de las que se controla con mayor facilidad. Cuando el azúcar en sangre se controla escrupulosamente mediante dieta, ejercicio y, si es necesario, medicación, la mujeres con diabetes gestacional tienen muchas probabilidades

de un embarazo perfectamente normal y un bebé sano. Véase la página 585 para más información.

Un bebé que pesa poco al nacer

"He leído mucho sobre la gran cantidad de bebés que nacen con un peso demasiado bajo. ¿Hay algo que yo pueda hacer para que al mío no le suceda esto?"

Algunos casos de bajo peso al nacer son evitables, por lo que la madre puede hacer mucho al respecto, y puesto que está leyendo este libro, lo más probable es que esté haciendo lo necete si la enfermera tiene a otras pacientes asignadas que están dilatando al mismo tiempo o si la dilatación se alarga y las enfermeras se van sucediendo al cambiar los turnos).

Probablemente la doula será la única persona (además de su acompañante) que esté a su lado a lo largo de la dilatación y el parto. Y muchas doulas van más allá y ofrecen apoyo y consejos posparto, desde la lactancia a los cuidados del bebé.

Aunque el futuro padre puede temer que la doula le deje relegado a un papel secundario, esto no sucederá. Una buena doula también ayudará al acompañante a relajarse para que pueda ayudar a la madre a hacer lo propio. Estará junto a él para responder a preguntas que puede no atreverse a formular al médico o a la enfermera. Para prestar un par de manos adicional cuando la madre necesite un masaje simultáneo en las piernas y la espalda. Para traerles más hielo a ambos y ayudarles con la respiración durante cada contracción. Será un miembro de su equipo de colaboradores, preparada para ayudar pero sin apartar al padre de su lugar.

¿Cómo localizar una doula? Muchos hospitales ofrecen listas de las doulas que viven en su zona, igual que algunos médicos. Pida recomendaciones a unos amigos que hayan contratado a una doula, o busque en internet. Cuando haya localizado a una candidata, concierte una entrevista antes de contratarla para cerciorarse de que ambos se sienten cómodos con ella. Pregúntenle acerca de su experiencia, su formación, lo que hará y lo que no hará, su filosofía acerca del parto (si piensa pedir la epidural, por ejemplo, la madre no querrá una doula que desaconseje el uso de analgésicos), si estará disponible a todas horas y a quién recurrir si ella no está, si proporciona servicios durante el embarazo y/o el posparto y cuál es su tarifa. Para más información o para localizar una doula que viva en su zona, consulte el sitio web www.doulas.es. Como alternativa a una doula, podría recurrir a una amiga o familiar que tenga experiencia en el embarazo y el parto y con quien se sienta totalmente cómoda. Ventaja: prestará sus servicios gratuitamente. Inconveniente: no tendrá tantos conocimientos.

sario. En Estados Unidos por ejemplo, 8 de cada 100 recién nacidos entran en la categoría de los que tienen un peso bajo (por debajo de los 2,5 kilos) y un poco más de 1 de cada 100 bebés tiene un peso muy bajo (1,5 kilos o menos). Pero, entre las mujeres informadas que son responsables con los cuidados médicos y con los que pueden procurarse ellas mismas, la tasa es mucho más baja. La mayoría de las causas más comunes de un peso bajo al nacer –tabaco, alcohol o uso de drogas (sobre todo cocaína), mala nutrición, estrés y preocupación excesiva (pero no un nivel normal de estrés), y cuidados prenatales inadecuados, por ejemplo– son evitables. Otras muchas

causas, como enfermedades maternas crónicas, se pueden controlar si existe una buena colaboración entre la madre y su facultativo. El parto prematuro puede ser evitable en algunos casos.

Está claro que a veces el bebé puede ser pequeño al nacer por factores que nadie puede controlar: el poco peso de la propia madre al nacer, por ejemplo, o una placenta inadecuada, o una alteración genética. Otro factor puede ser un período demasiado corto de tiempo entre embarazos (menos de nueve meses). A pesar de todo, aun en estos casos, una buena dieta y unos buenos cuidados prenatales pueden llegar a compensar la carencia y hacer ganar peso al bebé.

Signos de parto prematuro

A pesar de que las opciones de que su bebé sea prematuro son bastante bajas, es recomendable que las futuras madres estén familiarizadas con los signos del parto prematuro, ya que una detección temprana puede modificar totalmente el resultado. Piense en los signos aquí descritos como en una información que nunca tendrá que usar pero que conviene que sepa, sólo para prevenir.

Léase esta lista y si experimenta cualquiera de estos síntomas antes de las 37 semanas, llame a su facultativo inmediatamente:

■ Calambres persistentes parecidos a los dolores menstruales, con o sin diarrea, náuseas o indigestión.

■ Contracciones dolorosas constantes cada 10 minutos (o menos) que no cesan cuando cambia de posición (no confundir con las contracciones de Braxton Hicks que seguramente ya habrá sentido y no indican parto prematuro; véase la pág. 343).

■ Dolor o presión constante en la zona lumbar o cambios en el tipo de dolor lumbar.

■ Cambios en el flujo vaginal, especialmente si es acuoso o sanguinolento de tono rosado o pardusco.

■ Picor o sensación de presión en el suelo pélvico, los muslos, o la ingle.

■ Pérdida vaginal continua.

Recuerde que puede llegar a tener todos o algunos de estos síntomas y no ir de parto (la mayoría de futuras madres padecen presión pélvica en algún momento). De hecho, la mayoría de mujeres con síntomas de parto prematuro no dan a luz pronto. Contacte con su médico porque sólo él puede asegurarlo con certeza.

Para más información sobre cómo evitar riesgos de parto prematuro, véanse las páginas 48 a 52. Para información de cómo gestionar un parto prematuro, véase la página 595.

Cuando el bebé nace pequeño, los cuidados médicos actuales proporcionan incluso al más pequeño grandes expectativas de que sobreviva y crezca sano.

Si cree que tiene motivos para pensar su hijo puede nacer con poco peso, no dude en comunicárselo a su médico. Un examen o una ecografía seguramente le confirmarán que su feto está creciendo a un ritmo normal. Si resulta que su bebé es pequeño, se puede actuar para descubrir la causa, y si es posible, corregirla. Véase la página 588 para más información.

QUÉ ES IMPORTANTE SABER

Aliviar los dolores del parto

A frontémoslo. Las 15 horas aproximadas que dura un parto son un duro esfuerzo. Un esfuerzo que puede doler, y mucho. Si se para a pensar lo que está ocurriendo, no es de extrañar que dar a luz sea doloroso. Durante el parto, su útero se contrae una y otra vez para empujar a un bebé relativamente grande a través de un espacio relativamente estrecho (el cérvix) para salir por otro todavía más estrecho (su vagina, el mismo orificio que había llegado a pensar que era demasiado pequeño para colocar un tampón). Como se suele decir, es dolor por una causa –por una causa muy bonita y adorable–, aunque de todos modos sigue siendo dolor.

A pesar de que no hay modo de evitar el dolor por completo (a menos que le practiquen un parto por cesárea, en cuyo caso no sentirá ni el parto ni tampoco dolor), existen mucha formas para superarlo. Por ser una parturienta puede elegir entre una amplia gama de analgésicos, tanto farmacológicos como no farmacológicos (incluso puede optar por una combinación mixta entre ambos tipos). Puede escoger entre pasar todo el parto sin medicación alguna o sólo durante una fase del parto (como los fáciles primeros centímetros). También puede elegir la medicina alternativa para controlar su dolor (acupuntura, hipnosis o hidroterapia, por ejemplo). O puede dar a luz con un poco de ayuda –o mucha– de un analgésico, como la popular epidural (que puede reducir mucho el dolor o eliminarlo por completo, pero permite que la madre permanezca despierta durante todo el proceso).

¿Cuál es la mejor opción para usted? Para saberla, conózcalas todas. Lea sobre el control del dolor durante el parto (la sección que sigue cubre todo el espectro). Hable con su facultativo. Pregunte a amigas suyas que hayan dado a luz recientemente qué opinan. Y después decida. Recuerde que la mejor opción para usted puede no ser única sino una combinación de varias (reflexología antes de una epidural, o una selección de técnicas de relajación seguidas de una sesión de acupuntura). Recuerde también el valor de ser flexible: no se trata de que sólo pueda estirarse para conseguir alguna de aquellas posturas que aprendió en las clases de parto. Después

de todo, la opción u opciones que planifique ahora puede que no funcionen más adelante, y puede que tenga que modificarlas durante la dilatación (pensaba que necesitaría la epidural pero se da cuenta de que puede tolerar el dolor, o viceversa). Ante todo, recuerde que (excepto si existe un cuadro obstétrico que dictamine las pautas a seguir) es una decisión que depende exclusivamente de usted.

Controlar el dolor con medicación

Durante la dilatación y el parto se pueden administrar diversos fármacos, incluyendo anestésicos (sustancias que producen una pérdida de la sensación), analgésicos (alivian el dolor) o ataráxicos (tranquilizantes). La mayoría de las veces, la elección de la medicación recaerá en la madre, aunque su elección puede verse limitada en función de la fase en que esté la dilatación, si se trata de una emergencia, del historial anterior de la madre y su estado en el momento del parto (y el del bebé), y las preferencias y experiencia del anestesiólogo.

También deberá tener en cuenta al estudiar sus opciones que la efectividad de un fármaco para aliviar el dolor dependerá de cómo la afecte a usted (diferentes fármacos afectan de diferente manera a diferentes personas), de la dosis y de otros factores. Siempre existe una posibilidad remota de que un fármaco no proporcione el alivio deseado, o no lo proporcione en absoluto. Aunque en la mayoría de los casos, la medicación funciona exactamente como se espera.

He aquí las opciones más empleadas:

Bloqueo epidural.[1] La epidural es la opción elegida por dos tercios de las

---

[1] Raquianestesia. (*Nota del revisor.*)

mujeres que dan a luz en un hospital. Los principales motivos de su popularidad se deben a su relativa seguridad (se precisa menos cantidad de fármaco para conseguir el efecto deseado), su facilidad de administración y los resultados adecuados para la paciente (alivio del dolor local en la parte inferior del cuerpo, que le permite estar despierta durante el nacimiento y lo suficientemente alerta para dar la bienvenida al bebé justo después de su llegada al mundo). También se considera más segura para el bebé que otras anestesias porque la epidural se inyecta directamente en la columna (técnicamente, en el espacio epidural, que se localiza entre el ligamento que recubre las vértebras y la membrana que cubre la médula espinal), lo cual significa que el fármaco prácticamente no llega al torrente sanguíneo (a diferencia de otros anestésicos). Además, la epidural se puede administrar a la madre en cuanto ésta la pida: no es necesario esperar a que se dilate un mínimo (3 o 4 cm por ejemplo); los estudios demuestran que, incluso si se administra muy pronto, la epidural no aumenta las probabilidades de una cesárea como se creía antes, ni ralentiza la dilatación significativamente. E incluso si la dilatación se ralentiza un poco, el médico puede administrar oxitocina sintética (la hormona que en su estado natural provoca las contracciones en la embarazada) para reactivar la dilatación.

Con la epidural la mujer puede esperar lo siguiente:

- Antes de su administración, se administra un goteo intravenoso para evitar que baje demasiado la presión arterial, un efecto secundario que afecta a algunas mujeres con este sistema.

- En algunos hospitales (las políticas varían) se inserta un catéter (tubo) en la vejiga justo antes o después de administrar la epidural y se deja allí para que drene la orina mientras hace efecto la anestesia (ya que la medicación puede eliminar el deseo de orinar). En otros hospitales, la vejiga es drenada de forma intermitente con un catéter cuando se considera necesario.

- Para administrar la epidural se frota la parte inferior y central de la espalda de la mujer con una solución antiséptica y se adormece una pequeña zona de la espalda con anestesia local. Se inserta una aguja grande a través de la zona dormida hasta llegar al espacio epidural de la columna, por lo general mientras la madre está tumbada sobre el lado izquierdo, está sentada y reclinada sobre una mesa o bien apoyada en la pareja, ayudante o enfermera. Algunas mujeres notan algo de presión cuando se inserta la aguja, otras un ligero hormigueo o un dolor momentáneo hasta que la aguja llega al lugar adecuado. Si tiene suerte (muchas mujeres la tienen) puede no sentir nada. Además, en comparación con el dolor de las contracciones, las molestias de un pinchazo parecen bastante mínimas.

- Se saca la aguja, dejando un catéter fino y flexible en su lugar. El tubo se sujeta con esparadrapo a la espalda de la embarazada para que pueda moverse de un lado a otro. Transcurridos tres o cinco minutos después de la dosis inicial, los nervios del útero comienzan a adormecerse. Al cabo de diez minutos la mujer comienza a notar el efecto completo (un dulce alivio). La medicación anestesia los nervios de toda la parte inferior del cuerpo, de modo que no se notan las contracciones (de eso se trata).

- La presión arterial se controlará frecuentemente para asegurarse de que no descienda demasiado. Los líquidos intravenosos y la posición tumbada de lado ayudará a la mujer a contrarrestar este efecto secundario.

▪ Como la epidural se asocia algunas veces a una ralentización del ritmo cardiaco fetal, generalmente se requiere un control fetal continuado. Si bien la monitorización fetal limita en parte los movimientos de la madre, permite al tocólogo controlar el latido cardiaco fetal y permite a la madre "ver" la frecuencia de intensidad de las contracciones (porque, si todo va bien, no las sentirá).

Por suerte, la epidural tiene pocos efectos secundarios, aunque algunas mujeres pueden experimentar adormecimiento de sólo un lado del cuerpo (con lo que la anestesia no es completa). La epidural también puede no ofrecer un alivio completo del dolor si la mujer tiene parto de riñones (cuando el feto está en posición posterior y su cabeza presiona contra la espalda de la madre).

Bloqueo combinado espinal epidural (epidural ambulatoria). Esta opción (también conocida como la "epidural para seguir caminando") proporciona el mismo tipo de alivio que la epidural tradicional, pero usa una dosis menor para obtener dicho objetivo. No todos los anestesiólogos ni hospitales ofrecen este tipo de epidural (pregunte a su médico si tendrá acceso a ella). El anestesiólogo primero administra una inyección de analgésico directamente en el líquido cefalorraquídeo para aliviar en parte el dolor, pero como la medicación sólo llega al líquido cefalorraquídeo, la mujer puede seguir sintiendo y usando los músculos de las piernas (de ahí su nombre). Cuando la mujer necesita más analgésico, se inyecta más medicación en el espacio epidural (a través de un catéter insertado en el mismo momento en que se administró la medicación espinal). Aunque la mujer puede mover las piernas, seguramente las notará débiles, por lo que es poco probable que decida ir caminando a ninguna parte.

Empujar sin dolor

Para empujar no siempre es necesario sentir dolor. De hecho, muchas mujeres pueden empujar eficazmente bajo anestesia epidural, siguiendo las instrucciones de su acompañante o enfermera, que le indicarán cuándo empieza una contracción para que puedan empujar. Pero si empujar bajo los efectos de la anestesia no surte ningún efecto –la falta de sensibilidad invalida sus esfuerzos– se puede dejar de administrar anestesia epidural para que la mujer note las contracciones. La medicación puede reiniciarse después de la expulsión para adormecer la zona mientras se repara un posible desgarro.

Bloqueo espinal (para cesárea) o bloqueo bajo espinal o caudal (para extracción con fórceps o al vacío). Estos bloqueadores regionales, que se usan muy poco en la actualidad, se suelen administrar en una sola dosis justo antes de la expulsión (en otras palabras, si no le administraron anestesia epidural durante la dilatación pero la mujer desea un analgésico para el alumbramiento le administran uno de estos bloqueadores de acción rápida). Igual que la epidural, estos bloqueos se administran a la mujer sentada o acostada sobre un lado mientras un anestésico se inyecta en el líquido que rodea la médula espinal. Los efectos secundarios del bloqueo espinal y caudal son los mismos que para la epidural (un posible descenso de la presión arterial).

Bloqueo pudendo. Utilizado ocasionalmente para aliviar el dolor del principio de la segunda fase del parto, suele reservarse para partos vaginales.

Administrado a través de una aguja insertada en el área perineal o vagina, reduce el dolor de la zona, pero no la molestia uterina. Resulta útil cuando se emplean los fórceps, y sus efectos pueden prolongarse durante la episiotomía y la sutura.

Anestesia general. En la actualidad se utiliza casi exclusivamente para los partos quirúrgicos, cuando no hay tiempo de aplicar la anestesia local. El anestesiólogo inyecta fármacos en el goteo intravenoso que duermen a la parturienta. La mujer está despierta durante los preparativos e inconsciente durante el tiempo que se tarde en completar la expulsión (normalmente en cuestión de minutos). Al despertarse, es posible que se sienta desorientada e intranquila. Puede tener un acceso de tos o la garganta dolorida (debido al tubo endotraqueal) náuseas y vómitos.

El problema principal de la anestesia general (además del hecho de que la madre se pierde el nacimiento) es que el feto queda tan sedado como la madre. Sin embargo, el efecto sedante sobre el feto puede ser minimizado administrando la anestesia lo más cerca posible del nacimiento. Así, el bebé puede nacer antes de que el anestésico le haya afectado de forma significativa. La administración de oxígeno a la madre y que ésta se eche de costado pueden ayudar también a que el feto obtenga oxígeno, lo cual minimiza el efecto de los fármacos.

Meperidina o petidina.[2] Es el analgésico obstétrico que se utiliza con mayor frecuencia. La inyección (generalmente en los glúteos) o su administración por vía intravenosa se usa para amortiguar el dolor y relajar a la madre para que pueda

enfrentarse a las contracciones. Puede volver a administrarse cada dos a cuatro horas según se precise. Pero no todas las mujeres aprecian la sensación de adormecimiento que provoca este analgésico, y algunas se sienten en realidad menos capaces de manejar el dolor bajo sus efectos.

Puede provocar algunos efectos secundarios (en función de la sensibilidad de la mujer), como náuseas, vómitos y un descenso de la presión arterial. El efecto que ejercerá sobre el recién nacido depende de la dosis total y del momento en que fue administrado con respecto a la hora del nacimiento. Si se administra próximo al nacimiento, el bebé puede nacer soñoliento e incapaz de succionar; en ocasiones, se puede observar una depresión de la respiración y puede ser necesaria la administración de oxígeno. Estos efectos suelen ser de corta duración y, en caso necesario, pueden ser tratados.

Este analgésico no suele administrarse hasta haber descartado el falso parto, cuando la dilatación ya se ha iniciado, pero no más tarde de dos a tres horas antes de la hora estimada del nacimiento.

Tranquilizantes. Estos fármacos se utilizan para relajar y calmar a una mujer que se muestre ansiosa, con el fin de que pueda participar más plenamente en el parto. Los tranquilizantes pueden también aumentar el efecto de los analgésicos, como por ejemplo de la meperidina. Al igual que los analgésicos, los tranquilizantes suelen administrarse cuando el parto está ya bien establecido, y con bastante anterioridad al nacimiento. Pero ocasionalmente son utilizados en las primeras etapas del parto si una madre primeriza se muestra extremadamente nerviosa. Las reacciones de las mujeres a los efectos de los tranquilizantes son variables. Algunas agradecen la somnolencia que procuran, pero otras

---

[2] En EE.UU., Demerol. Fue muy usada, pero hoy su uso es excepcional. *(Nota del revisor.)*

opinan que dicha somnolencia les impide tener el control de la situación y recordar después los detalles de la experiencia. Una dosis pequeña puede servir para reducir la ansiedad sin menoscabar la conciencia. Una dosis mayor puede provocar una ralentización del habla y un cierto entorpecimiento entre las contracciones, lo que dificulta la utilización de las técnicas aprendidas en los cursos de preparación para el parto. Aunque los riesgos de los tranquilizantes para el feto o el recién nacido son mínimos, muchos facultativos prefieren prescindir de ellos a menos que sean realmente necesarios. Si la mujer cree que es posible que esté extremadamente ansiosa durante el parto, puede aprender ahora algunas técnicas de relajación sin necesidad de medicarse (como la meditación, el masaje, la hipnosis; véase más adelante), con el fin de no necesitar tranquilizantes.

Gestionar el dolor con MCA

No todas las mujeres desean recurrir a los fármacos tradicionales para combatir el dolor, pero la mayoría desean que el parto sea lo más cómodo posible. Aquí es donde la medicación complementaria y alternativa (MCA) encuentra su lugar. En la actualidad no sólo los expertos en MCA abogan por

la aplicación de estas técnicas, sino que cada vez son más los médicos convencionales que recomiendan su uso. Muchos aconsejan las técnicas de MCA a sus pacientes, ya sea como alternativa a la medicación, ya sea como complemento para conseguir la relajación. Aunque esté segura de que desea que le administren la epidural, tal vez pueda explorar también el mundo de la MCA. (Y para explorarlo bien antes de salir de cuentas, porque muchas de las técnicas precisan práctica, incluso la asistencia a clases.) Pero recuerde que es importante recurrir a profesionales cualificados que por supuesto tengan amplia experiencia en la aplicación de tratamientos durante el embarazo y el parto.

Acupuntura y acupresión. Ahora existen estudios científicos que respaldan lo que la tradición china sabe desde hace miles de años: la acupuntura y la acupresión son capaces de aliviar eficazmente el dolor. Los investigadores han descubierto que la acupuntura a través de la inserción de agujas en puntos específicos, provoca la liberación de sustancias químicas cerebrales, incluidas las endorfinas, que bloquean las señales de dolor y alivian los dolores del parto (y tal vez incluso favorecen el progreso del parto). La acupresión funciona según el mismo principio que la acupuntura, excepto que en lugar de insertar agujas, el especialista ejerce presión con el dedo para estimular los puntos. La acupresión aplicada en la parte anterior de la planta del pie parece ayudar en caso de parto de riñones. Si pretende aplicar una u otra durante el parto informe de ello a su tocólogo para que sepa que el especialista en MCA estará junto a usted durante el parto.

Reflexología. Los reflexólogos creen que se puede influir en los órganos internos a través de ciertos puntos situados

---

Respire

Le gustaría eludir los fármacos pero no puede –o no desea– usar MCA. El método Lamaze (u otras técnicas de parto natural) puede ser muy eficaz para controlar el dolor de las contracciones. Véase la página 311.

en los pies. El masaje en los pies llevado a cabo por un reflexólogo puede relajar el útero y estimular la hipófisis, lo cual parece reducir los dolores de parto e incluso acortar la duración del proceso. Algunos puntos de presión son tan poderosos que se debe evitar su estimulación a menos que la mujer *esté* de parto.

Terapia física. El masaje, la aplicación de calor o de frío, o la contrapresión en las zonas doloridas durante el parto puede aliviar en gran medida el dolor de la mujer. El masaje efectuado por la pareja o la doula o un profesional pueden ayudar a la madre a relajarse y a sentir menos dolor.

Hidroterapia. No hay nada como un baño caliente, especialmente con chorros dirigidos a las zonas doloridas y particularmente cuando se va de parto. La mujer puede sumergirse en un jacuzzi (o en una bañera normal) para una sesión de hidroterapia durante la dilatación para reducir el dolor y relajarse. Muchos hospitales y centros de maternidad de algunos países ya disponen de piscinas para las parturientas.

Hipnosis. Aunque la hipnosis no enmascará el dolor de la madre, adormecerá sus nervios ni minimizará las contracciones, puede conseguir que se relaje profundamente de modo que quede totalmente al margen de toda incomodidad. La hipnosis no funciona en todos los casos; la persona debe ser muy sugestionable (por ejemplo, personas capaces de una atención prolongada, que disponen de una gran imaginación, y que disfruten o no les importe estar solas). No obstante, cada vez son más las mujeres que buscan la ayuda de un especialista en hipnosis para que las ayude a aprender a autohipnotizarse para el momento en que lo necesiten; en ocasiones es posible tener el hipnoterapeuta

junto a la paciente durante el proceso. El aprendizaje debe comenzar meses o semanas antes de la fecha prevista. Habrá que practicar mucho durante el embarazo para conseguir relajarse totalmente, aunque el entrenamiento lo lleve a cabo un profesional diplomado (incluso puede usarse la hipnosis para minimizar algunas molestias y dolores del embarazo, además del estrés). Una ventaja de la hipnosis es que mientras la mujer está completamente relajada, también está completamente despierta y consciente de cada instante del nacimiento del bebé. Además no tiene efectos físicos sobre el bebé (ni sobre la madre).

Distracción. Si no es buena candidata para la hipnosis (o no ha tenido tiempo de prepararse), sí puede emplear técnicas de distracción para alejar su mente de los dolores del parto. Cualquier cosa –ver la televisión, escuchar música, meditar– capaz de desviar la atención del dolor puede disminuir la percepción del mismo. Igual podría decirse de la observación concentrada de un objeto (una imagen ecográfica del bebé, un paisaje relajante, una fotografía de su lugar preferido) o hacer ejercicios de visualización (por ejemplo, imaginarse cómo el bebé avanza suavemente con las contracciones, preparándose para salir del útero, ilusionado y feliz). Mantener una actitud positiva ante el dolor también es clave para que el parto sea más fácil. Mantenerse descansada, relajada y positiva (recuerde que el dolor de cada contracción sirve para ayudar a salir al bebé y los dolores no van a durar para siempre) ayudará a la madre a seguir más cómoda.

Estimulación nerviosa eléctrica transcutánea (ENET). Esta técnica usa electrodos para estimular las vías nerviosas que conducen al útero y el cérvix, bloqueando al parecer el dolor. Aunque no hay pruebas científicas de que la ENET sea efectiva en lo que respecta a reducir los dolores del parto, algunos estudios demuestran que sí consigue que la primera fase de la dilatación sea más corta y la mujer precise menos analgésicos.

La decisión

Ahora ya dispone de la información necesaria acerca de las opciones para aliviar los dolores del parto que necesita para tomar su decisión. Pero antes de decidirse, debería:

■ Hablar del alivio del dolor y de la anestesia con el médico mucho antes de que empiecen los dolores del parto. La experiencia del médico le convierte en un aliado muy valioso –aunque su voto no sea vinculante– en el momento de tomar una decisión al respecto. Mucho antes de que empiece la primera contracción, la futura madre deberá informarse de los fármacos o técnicas MCA que emplea el tocólogo habitualmente, cuáles son sus efectos secundarios, cuándo considera que la medicación es absolutamente necesaria y cuándo la opción es de la madre.

■ No decidirse ni aferrarse a una idea con anticipación. Aunque está bien que la embarazada teorice sobre lo que podría ser mejor para ella en ciertas circunstancias, es imposible predecir qué tipo de dilatación o de expulsión tendrá, cómo responderá a las contracciones y si deseará, necesitará o estará obligada a recibir medicación. Aunque la madre tenga tanto miedo al dolor que esté segura de precisar una epidural, merece la pena probar primero algunos sistemas alternativos. Al fin y al cabo, es posible que el parto sea más fácil (o más corto) de lo que pensaba. Y si está convencida de que desea un parto totalmente libre de fármacos, puede plantearse dejar la puerta abierta a la medicación, por si el parto resulta ser más difícil de lo esperado.

Lo más importante, al plantearse las opciones para el alivio del dolor, es recordar el objetivo. Después de todo, independientemente de cómo decida gestionar los dolores del parto –incluso si acaba gestionándolos de forma diferente a la planificada–, de lo que se trata es de dar a luz a su bebé. ¿Se le ocurre un objetivo mejor?

CAPÍTULO 13

El octavo mes

Semanas 32 a 35 aproximadamente

E N ESTE PENÚLTIMO MES, LA FUTURA madre puede estar aún saboreando cada instante o bien puede comenzar a sentirse incómoda al desplazarse con su abultado vientre. Sea como fuere, la pareja estará a la vez ilusionada (¡el bebé está al llegar!) y preocupada (¡el bebé está al llegar!) por el acontecimiento tan esperado, especialmente si se trata del primer hijo. Compartir todas estas emociones con amigos o familiares que tengan también hijos les ayudará a darse cuenta que todo el mundo siente lo mismo, en particular, la primera vez.

Su bebé este mes

Semana 32 Esta semana el feto pesa unos 1800 gramos y mide unos 47,5 cm. Y crecer no es lo único que hace estos días. Mientras está ocupada con los preparativos para la llegada del bebé, el bebé está ocupado preparándose también para su gran debut. Estas últimas semanas todo es práctica, práctica y práctica de las habilidades necesarias para sobrevivir en el exterior, desde tragar y respirar a dar patadas y succionar. Hablando de succionar, el pequeño ya hace algún tiempo que se sabe chupar el pulgar (de acuerdo, tal vez no se considere una habilidad para la supervivencia, pero es gracioso). Otro cambio de esta semana: la piel del bebé ya no es transparente. A medida que se acumula más grasa bajo la piel, finalmente ésta se vuelve opaca (¡como la de mamá!).

Semana 33 El bebé gana peso casi al mismo ritmo que la madre (de promedio, alrededor de 220 gramos a la semana), lo cual aumenta su peso hasta los 2 kilos esta semana. Pero todavía le queda mucho por crecer. Es posible que esta semana crezca 2,5 cm y es posible que el día del parto pese el doble que ahora. Y con el espacio que ocupa el bebé, ya no cabe más líquido amniótico en el útero, lo cual explica por qué las patadas y puñetazos a veces resultan extremadamente incómodos: hay menos líquido para amortiguar los golpes. Ahora también pasan anticuerpos de la madre al bebé, mientras el pequeño sigue desarrollando su sistema inmunitario. Los anticuerpos resultarán de gran utilidad cuando nazca el bebé para protegerle de muchos gérmenes.

Semana 34 El bebé puede medir ahora 45 cm y pesar 2,2 kg. Si es un niño, durante esta semana, los testículos descienden del abdomen hasta el escroto. (Alrededor de un 3 o 4% de los niños nacen con los testículos sin descender, lo cual no es motivo de preocupación;

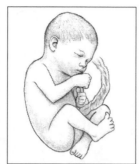

Su bebé, el octavo mes

suelen descender antes de su primer cumpleaños.) Las diminutas uñas del bebé llegarán al final de sus deditos esta semana, por lo que conviene añadir las tijeras infantiles a la lista de la compra.

Semana 35 El bebé mide esta semana unos 45 cm y sigue creciendo a razón de unos 200 gramos a la semana, alcanzando ahora 2,4 kg. Mientras que el crecimiento en altura irá frenando (el bebé nacido a término mide de promedio unos 45 cm), el pequeño seguirá acumulando peso hasta el día del nacimiento. Del mismo modo, estas últimas semanas acumula también neuronas. El desarrollo cerebral sigue a una gran velocidad y la cabeza cada vez pesa más. Durante esta semana, o dentro de poco, la mayoría de bebés se colocan cabeza abajo en la pelvis materna. Es una buena señal, ya que para la madre es más fácil que lo primero que salga al dar a luz sea la cabeza del bebé (la parte más grande de su cuerpo). Además, es posible que la cabeza del bebé sea grande, pero también es blanda (al menos el cráneo), lo cual le permite pasar por el canal del parto más fácilmente.

Qué se puede sentir

Como siempre, recuerde que cada embarazo y cada mujer son distintos. Puede experimentar todos estos síntomas alguna vez o sólo alguno de ellos. Puede que aún note algunos síntomas del mes pasado; otros serán nuevos. Y puede que otros casi no los note porque se ha acostumbrado a ellos. También puede tener otros síntomas menos comunes. He aquí lo que puede sentir este mes:

Físicamente

- Actividad fetal intensa y regular.

- Aumento del flujo vaginal.

- Estreñimiento creciente.

- Acidez de estómago, indigestión, flatulencia e hinchazón.

- Dolores de cabeza, desfallecimientos o mareos ocasionales.

Un vistazo al interior

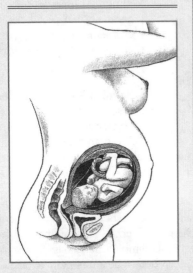

Una curiosidad interesante del embarazo: la medida en centímetros desde la parte superior del hueso púbico de la mujer a la parte alta del útero se corresponde aproximadamente con el número de semanas de gestación: así, a las 34 semanas, el útero mide unos 34 cm desde el hueso del pubis.

- Congestión nasal y hemorragias nasales; embotamiento de los oídos.
- Encías sensibles.
- Calambres en las piernas.
- Dolor de espalda.
- Presión pélvica y/o dolor en esa zona.

- Ligera hinchazón de los tobillos y los pies, y de las manos y el rostro.
- Venas varicosas en las piernas.
- Hemorroides.
- Prurito en el abdomen.
- Ombligo protruido.
- Estrías.
- Falta creciente de aliento a medida que el útero se desplaza a los pulmones, que se alivia al bajar el bebé.
- Dificultades para dormir.
- Contracciones de Braxton Hicks en aumento.
- Torpeza creciente.
- Aumento del tamaño del pecho.
- Calostro que sale de los pechos (aunque esta sustancia anterior a la leche puede no aparecer hasta después del parto).

Emocionalmente

- Ansiedad porque termine el embarazo.
- Aprensión hacia el parto.
- Distracción creciente.
- Inquietud porque van a ser padres, si es la primera vez.
- Ilusión al darse cuenta de que ya no falta mucho.

Qué se puede esperar en la visita de este mes

A partir de la semana 32, el médico puede pedirle que se visite cada dos semanas para seguir el progreso de la madre y del bebé más de cerca. Puede esperar que su médico compruebe lo siguiente, aunque puede haber variaciones dependiendo de sus necesidades o el estilo de práctica del facultativo:

- Peso, presión arterial.
- Análisis de orina, para el nivel de azúcar y proteínas.
- Latido cardiaco fetal.
- Altura del fundus.
- Tamaño (puede informarle del peso estimado del feto) y posición del feto, por palpación externa (desde el exterior).

- Manos y pies, por si existe hinchazón, y piernas, por si hay venas varicosas.
- Análisis de estreptococos del grupo B.
- Síntomas que haya experimentado, especialmente los poco habituales.
- Preguntas o problemas que desee aclarar: tenga preparada una lista.

Qué puede preocupar

Contracciones de Braxton Hicks

"De vez en cuando, me parece que el útero se contrae y endurece. ¿Qué está pasando?"

Práctica. Con el día del parto tan cerca, el organismo se prepara para el gran acontecimiento contrayendo los músculos más implicados. Esta gimnasia uterina que nota son las denominadas contracciones de Braxton Hicks, un precalentamiento que suele comenzar en la semana 20 del embarazo (aunque se nota más adelante). Estas contracciones de calentamiento (que normalmente se notan antes y más intensamente en mujeres cuyo embarazo no es el primero) se notan como un endurecimiento indoloro que empieza en la parte superior del útero y que se extiende gradualmente hacia abajo antes de que se produzca de nuevo la relajación. Estas contracciones suelen durar entre 15 y 30 segundos, pero a veces pueden durar 2 minutos o más. Si se toca el abdomen cuando tenga una contracción de Braxton Hicks, es posible que incluso vea lo que nota; la barriga, normalmente redonda puede adoptar un aspecto puntiagudo o extrañamente abultado. Una imagen extraña, pero normal.

Aunque las contracciones de Braxton Hicks no constituyen una verdadera dilatación, puede que sean difíciles de diferenciar de las reales, especialmente a medida que se intensifican, lo cual hacen hasta que el embarazo llega a su término. Y aunque no son suficientemente eficaces para expulsar el feto (incluso cuando se vuelven realmente incómodas), pueden hacer que empiecen los procesos previos de borramiento y dilatación, ayudando así al parto cuando llegue el momento.

Para aliviar las molestias que pueda sentir durante estas contracciones, intente cambiar de posición: túmbese y relájese si está de pie, o levántese y camine un poco si estaba sentada. Cerciórese además de beber lo suficiente. La deshidratación, aunque sea leve, puede en ocasiones provocar contracciones, incluidas las de Braxton Hicks. También puede aprovechar este ensayo de parto para practicar ejercicios de respiración y las otras técnicas aprendidas, lo que le hará más fácil enfrentarse a las contracciones reales cuando lleguen.

Si las contracciones no remiten con un cambio de actividad, y si se vuelven progresivamente más fuertes y más regulares, es posible que esté realmente de parto, de modo que conviene llamar al médico. Si tiene más de cuatro contracciones de Braxton Hicks en una hora, llame al médico e infórmele de ello. Si le resulta difícil distinguir las contracciones de Braxton Hicks de las reales –especialmente si éste es su primer embarazo y nunca ha experimentado las reales–, vea las diferencias en la página 392 y llame al médico para describirle exactamente lo que siente.

Un cosquilleo desagradable en las costillas

"Me siento como si mi hijo me hubiera introducido los pies en la caja torácica, y eso duele de verdad."

Durante los últimos meses, cuando los fetos no siempre se encuentran cómodos en su reducido espacio, a menudo parece que encuentran un ajustado hueco para sus pies entre las costillas de su madre; y éste es un tipo de cosquilleo que no resulta agradable. Si la madre cambia de posición, quizá convenza al bebé de hacer lo mismo. Unos pocos movimientos del dromedario pueden hacerle mover. O intente recolocarlo con este ejercicio: respire hondo mientras levanta un brazo por encima de la cabeza, y luego exhale mientras baja el brazo; repita el ejercicio varias veces con cada brazo.

Si ninguna de estas tácticas funciona, renuncie. Cuando el bebé baje hacia la pelvis, lo que suele suceder dos o tres semanas antes de dar a luz en los primeros embarazos (pero no hasta empezar la dilatación en los subsiguientes), probablemente no será capaz de hacer llegar sus pies tan alto.

Otro motivo para el dolor en las costillas que no es culpa del bebé –al menos no directamente– es la relajación de las articulaciones de la zona, cortesía de las hormonas del embarazo. El paracetamol puede ayudar a aliviar el dolor, pero evite levantar pesos, actividad que puede empeorarlo (y que no debe realizar, de todos modos).

Falta de aliento

"Algunas veces tengo dificultades para respirar, aunque no esté realizando ningún esfuerzo. ¿A qué se debe? ¿Significa que el bebé no recibe el oxígeno suficiente?"

No es de sorprender que sienta que le falta el aire estos días. El creciente útero ahora está presionando todos sus otros órganos internos con el fin de proporcionar más espacio al creciente bebé. Entre estos órganos que notan la presión se encuentran los pulmones, comprimidos por el útero, cuya capacidad de expansión se ve limitada al respirar. Esto, junto con el aumento de progesterona que ya hace meses que le hace sentir fatiga, explica por qué subir las escaleras estos días puede parecerle correr una maratón. Afortunadamente, mientras que esta falta de aliento le resulta incómoda a usted, no molesta en absoluto al bebé. Él se encuentra bien provisto de todo el oxígeno que precisa a través de la placenta.

Estas incomodidades se alivian normalmente hacia el final del embarazo, cuando el bebé desciende y se encaja en la pelvis de la madre en preparación para el parto (si se trata del primer embarazo esto suele ocurrir entre dos y tres semanas antes del parto; en embarazos posteriores, a menudo no ocurre hasta que empiezan los trabajos de parto). Hasta entonces, le puede resultar más fácil respirar si se sienta recta en lugar

Elegir pediatra

La elección de un pediatra (o de un médico de familia) es una de las decisiones más importantes que deben tomar como padres, y de hecho, no deberían esperar a ser padres para tomarla. Contemplar las diferentes opciones y realizar ahora la elección, antes de que el bebé empiece a llorar inexplicablemente a las 3 de la madrugada, asegurará una transición hacia la paternidad más fácil. También les permitirá tomar una decisión más informada.

Si no saben por dónde empezar a buscar, pregunten a su médico (si están contentos con su actuación) o a los amigos, vecinos o compañeros del trabajo que tengan niños pequeños. O pónganse en contacto con el hospital donde van a tener a su hijo (llamen a maternidad o pediatría y pidan consejo a una

enfermera; nadie conoce mejor a los médicos que las enfermeras). Por supuesto, si pertenecen a una mutua médica, ésta ya les dará sus opciones, entre las que deberán escoger.

Una vez les queden sólo dos o tres candidatos, concierten una entrevista. Lleven consigo una lista de preguntas sobre las cuestiones que más les importen, como el protocolo de visitas (por ejemplo, las horas en que los padres pueden llamar o cuándo se devuelven las llamadas), el apoyo a la lactancia, la circuncisión, el uso de antibióticos, si el pediatra se ocupa de las revisiones del bebé o si normalmente las lleva a cabo la enfermera de la consulta. También es importante saber: si el médico está afiliado a un hospital determinado o si será él quien visite al bebé en el hospital.

de reclinada y si duerme en posición semierguida, con la ayuda de dos o tres almohadas.

En ocasiones, la falta de aliento puede ser una señal de que las reservas de hierro son escasas; consulte con su médico si éste puede ser su caso. Llame inmediatamente (o diríjase al servicio de urgencias) si la falta de aliento es grave y acompañada de respiración acelerada, labios y punta de los dedos azulados, dolor pectoral y/o pulso rápido.

Incontinencia urinaria

"Anoche estuve viendo una película cómica y cada vez que me reía tenía alguna pérdida de orina. ¿A qué se debe?"

Por si los frecuentes viajes al baño no fueran suficiente, en el tercer trimestre se añade otro problema de

vejiga: la denominada incontinencia urinaria de esfuerzo. Esta falta de control –que provoca pequeñas pérdidas de orina al toser, estornudar, levantar pesos o reír– es el resultado de la creciente presión del útero sobre la vejiga. Algunas mujeres también experimentan urgencia miccional (la necesidad repentina de orinar sin poder aguantarse) hacia el final del embarazo. Siga estas recomendaciones para prevenir o controlar la incontinencia, ya sea de esfuerzo o de urgencia:

- Vacíe la vejiga al máximo cada vez que orine; lo conseguirá inclinándose hacia delante.

- Practique los ejercicios de Kegel (véase la pág. 327). Le resultarán muy útiles para fortalecer la musculatura pélvica y prevenir o vencer la mayoría de casos de incontinencia inducida por el embarazo, y, con visión de futuro, también ayudarán a prevenir la incontinencia posparto.

- Cada vez que aparezcan ganas de toser o estornudar, cruce las piernas o realice los ejercicios de Kegel.

- Use una compresa si la necesita, o si cree que la necesitará. Pase a una de gran absorción cuando las pérdidas sean especialmente inconvenientes.

- Evitar el estreñimiento (véase la pág. 195), porque las heces duras pueden presionar la vejiga. Hacer esfuerzos durante la defecación también puede debilitar los músculos del suelo pélvico.

- Si su problema es la urgencia miccional (la obliga a correr al baño constantemente), intente educar la vejiga. Orine con mayor frecuencia –cada 30 minutos o 1 hora– para ir al baño antes de sentir la urgencia. Al cabo de una semana, intente alargar el tiempo entre visitas al baño, añadiendo 15 minutos cada vez.

- Siga bebiendo al menos ocho vasos de líquidos al día, aunque experimente incontinencia de esfuerzo o de urgencia. Limitar la ingestión de líquidos no limitará las pérdidas y puede provocar infecciones del tracto urinario y/o deshidratación. Estas situaciones no sólo pueden conducir a muchos otros problemas (incluidas las contracciones prematuras), sino que las infecciones urinarias pueden empeorar la incontinencia de esfuerzo. En la página 537 encontrará consejos para mantener sano su tracto urinario.

Huela el líquido que se le ha escapado para cerciorarse de que es orina (que es lo más probable) y no líquido amniótico. Si no huele a orina (la orina huele a amoníaco, el líquido amniótico tiene un olor dulce), informe de ello a su médico enseguida.

Volumen y forma de la barriga

"Todo el mundo me dice que mi barriga parece pequeña y baja para los ocho meses de embarazo. ¿Puede ser que mi hijo no esté creciendo correctamente?"

Lo cierto es que no se puede juzgar al bebé por el aspecto de la barriga de la madre. El modo de llevar al bebé tiene menos que ver con el tamaño del bebé y más que ver con estos otros factores:

- La envergadura, forma y estructura ósea de la madre. Hay barrigas de todos los tamaños, como madres de todas las medidas. Una mujer menuda puede presentar un abdomen más compacto, pequeño, bajo y hacia delante, que una mujer más alta. Por otro lado, algunas madres con mucho sobrepeso nunca parecen estar embarazadas. Esto se debe a que sus bebés tienen mucho espacio para crecer en el abdomen ya de por sí grande de sus madres.

- El tono muscular de la madre. Una mujer con musculatura tersa puede no presentar tanta barriga como una con musculatura más flácida, sobre todo si ésta ya ha tenido uno o dos hijos.

- La posición del bebé. La posición del feto puede modificar el aspecto externo de la barriga de la madre.

- El aumento de peso de la embarazada. Un mayor aumento de peso no significa sólo que el bebé será más grande, sino sólo que la madre es más grande.

Las únicas valoraciones referentes al tamaño del bebé a las que debe prestar atención son las del médico, no las de su cuñada, su colega de trabajo ni los perfectos desconocidos que la abordan en la cola del supermercado. Para evaluar el progreso del bebé con más precisión en cada visita prenatal, el facultativo no sólo le mirará la barriga. Cada vez medirá la altura del fundus (la parte superior del útero) y le palpará el abdomen para localizar las partes corporales del bebé y estimar el tamaño de éste. Otras pruebas, como las ecografías, pueden emplearse si es necesario para tener más datos sobre las medidas del bebé.

En otras palabras, lo que importa es lo de dentro y, al parecer, lo que hay dentro de su menuda barriga es un bebé suficientemente grande.

"La gente dice que estoy esperando un niño porque soy todo barriga y no tengo caderas. Ya sé que probablemente es un cuento chino, pero ¿puede haber algo de verdad en ello?"

Las predicciones sobre el sexo del bebé –del tipo que sean– tienen un 50% de probabilidades de ser verdad. (Bueno, de hecho, algo más si se trata de un niño, ya que por cada 100 niñas nacen 105 niños.) Esta probabilidad sería

Modos de llevar al bebé, octavo mes

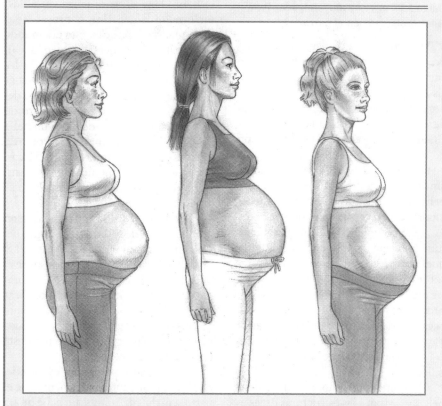

Aquí se muestran sólo tres de los muchos modos diferentes en que una mujer puede llevar a su feto al final del octavo mes. Las variaciones a este respecto son ahora incluso mayores que al principio del embarazo. Según el tamaño y la posición del bebé, y según la altura y el peso que haya aumentado la madre, la barriga será más alta o más baja, más ancha o más comprimida, más grande o más pequeña.

muy buena para una apuesta de casino, pero si la madre confía en ella para decorar la habitación del bebé o elegir su nombre, no lo es tanto.

Y esto vale para todas las predicciones del tipo: "Los niños dan una barriga puntiaguda, las niñas más ancha"; "Las niñas te hacen crecer la nariz, los niños no", y todas las que no estén basadas en la genética o en las ecografías.

Relación entre talla y parto

"Mido 1,52 m y soy muy delgada. Temo tener problemas en el parto."

Cuando se trata de dar a luz es el tamaño interior, no el exterior, el que cuenta. La forma y el tamaño de su pelvis en relación con el tamaño de la cabeza del bebé es lo que determina la dificultad (o facilidad) a la hora del nacimiento, no la altura o la complexión de la madre. Una mujer muy menuda no tiene por qué tener la pelvis menuda. Una mujer baja y delgada puede tener la pelvis más ancha (o de forma más acomodaticia) que otra alta y robusta.

¿Cómo sabrá el tamaño de su pelvis (que no viene con etiqueta que lo indique)? El médico puede hacer conjeturas sobre el tamaño, por lo general según las medidas del primer reconocimiento prenatal. Si existe alguna duda sobre si la cabeza del bebé es demasiado grande para pasar por la pelvis durante el parto, la ecografía ayudará a evaluar esta posibilidad.

Por término medio, el tamaño de la pelvis y de todas las estructuras óseas es menor en personas de menor estatura. Por suerte, la naturaleza no suele dotar a las mujeres de menor tamaño con bebés de mayor tamaño. Los recién nacidos suelen acoplarse bastante bien al tamaño de la pelvis de su madre al nacer (si

bien más adelante pueden sobrepasarla). Lo más probable es que su hijo sea del tamaño adecuado para usted.

Aumento de peso y tamaño del bebé

"He aumentado tanto de peso que temo que el bebé será muy grande y que el parto resultará difícil."

El que la futura madre haya aumentado mucho de peso no significa que necesariamente también lo haya hecho el bebé. Hay otras muchas variables, incluyendo la genética, el propio peso de la madre al nacer (si ésta era grande es probable que el bebé también lo sea), su peso antes de quedar embarazada (las mujeres grandes tienen tendencia a tener hijos grandes) y la calidad de la dieta del embarazo. Incluso con un aumento de 16 o 18,5 kilos, se puede tener un bebé de 2,5 o 3 kilos; o un aumento de peso de 11 kilos puede dar un bebé de 3,5 kilos. Pero, por término medio, un mayor aumento de peso producirá un bebé más grande.

Mediante la palpación del abdomen y la medición de la altura del fondo del útero (la parte superior de la matriz), el médico podrá hacerse una idea sobre el tamaño del bebé, aunque estas "valoraciones aproximadas" pueden implicar un error de medio kilo o más. Mediante una ecografía se puede obtener una idea más aproximada, pero también en este caso puede haber errores.

Pero incluso si el bebé es grande, ello no significa automáticamente que el parto será difícil. Aunque un bebé de 2,5 o 3 kilos nace a menudo con mayor rapidez que uno de 3,5-4 kilos, la mayoría de las mujeres pueden dar a luz de modo natural y sin problemas a un bebé grande (incluso muy grande). El factor determinante, como en cualquier parto, es si la cabeza del bebé (la parte más grande) puede pasar a través de la pelvis de la madre. Véase la pregunta anterior para más información.

Posición del bebé

"¿Cómo puedo saber si mi bebé está colocado en la posición correcta para el parto?"

Jugar a "adivinar qué es este bulto" (intentando decidir qué son los hombros, los codos y las nalgas) puede ser más entretenido que ver la televisión, pero no es el modo más exacto de determinar la posición del bebé. El médico logrará hacerse una idea bastante más correcta de la posición del feto palpando el abdomen de la embarazada. La localización del latido cardiaco fetal constituye otra indicación de la posición del bebé: si éste se halla cabeza abajo, su corazón suele detectarse en la mitad inferior del abdomen de la madre; el latido cardiaco será más sonoro si la espalda del bebé se halla en la parte frontal del abdomen de la madre. En caso de duda, una ecografía verificará la posición.

¿Sigue sin poderse resistir a su pasatiempo favorito (tocar los bultos redondeados de su vientre)? Siga jugando, y para hacer el juego más interesante (y ayudarla en sus pesquisas), intente buscar estas pistas la próxima vez:

- La espalda del bebé suele ser una superficie lisa, convexa, situada en la cara opuesta de unas irregularidades que son las manos, los pies y los codos.

- En el octavo mes del embarazo, la cabeza del feto suele estar cerca de la pelvis; es redonda, firme y después de empujarla, vuelve a su posición inicial sin mover el resto del cuerpo.

- Las nalgas son de forma menos regular y más blandas que su cabeza.

Presentación de nalgas

"En la última visita prenatal, el médico me dijo que la cabeza del bebé estaba arriba, cerca de mis costillas. ¿Significa que tendré un parto de nalgas?"

Aunque cada vez tenga menos espacio, el bebé se las apaña para realizar movimientos importantes durante las últimas semanas del embarazo. De hecho, aunque la mayoría de fetos se posicionan cabeza abajo entre las semanas 32 y 38 (los partos de nalgas representan menos del 5% de los partos a término), algunos no lo hacen hasta unos cuantos días antes del parto. Esto significa que sólo porque el bebé esté colocado ahora cabeza arriba no quiere decir que vaya a tener un parto de nalgas.

Si el bebé no cambia de posición a medida que se aproxima el día del parto, usted y el médico deberían hablar de las posibilidades de intentar hacer girar

Gira, bebé, gira

Algunos facultativos recomiendan unos ejercicios sencillos para ayudar a la madre a girar al bebé que está cabeza arriba para que adopte una posición más adecuada para el parto. Pregúntele a su médico si debería realizar alguno de ellos en casa: balancearse hacia delante y hacia atrás, a gatas, unas cuantas veces al día, con las nalgas más altas que la cabeza; balanceos pélvicos (véase la pág. 251); arrodillada (con las rodillas algo separadas), inclinarse de modo que queden las nalgas elevadas y la barriga casi le toque al suelo (mantenga la posición 20 minutos, tres veces al día, si puede).

De cara o de espalda

No sólo importa si el bebé está cabeza abajo o cabeza arriba, también importa si viene de cara o de espalda. Si el bebé está encarado a la espalda de la madre, con la barbilla pegada al pecho (como lo están la mayoría al llegar el momento del parto), tiene suerte. Esta posición, llamada occipucio anterior, es la ideal para el parto porque la cabeza del bebé está alineada para encajar con la pelvis de la forma más fácil y cómoda posible, pasando primero la parte más pequeña de la cabeza. Si el bebé está encarado hacia la parte frontal de la madre (occipucio posterior), es posible que se prepare para un parto de riñones (véase la pág. 400) porque su cráneo presionará la columna de la madre. También significa que puede tardar algo más de lo habitual en salir.

A medida que se aproxima el día del parto, el médico intentará determinar hacia dónde mira la cabeza del bebé, pero si tiene prisa por saberlo, puede guiarse por las siguientes pistas: cuando el bebé está en posición anterior (mira hacia la espalda de la madre), notará el abdomen duro y liso (la espalda del bebé). Si está en posición posterior, el abdomen puede estar más plano y blando porque los brazos y piernas del bebé miran hacia delante, de modo que no notará la forma lisa y dura de la espalda.

¿Cree –o le han dicho– que su bebé está en posición posterior? No se preocupe todavía de si va a tener un parto de riñones. Muchos bebés se giran hacia la posición anterior durante el parto. Algunas comadronas recomiendan ayudar al bebé antes de que comience el parto poniéndose la madre a gatas y realizando balanceos pélvicos; si estos ejercicios consiguen girar al bebé o no es algo que no está claro (las investigaciones todavía tienen que corroborarlo), pero lo que sí es seguro es que no hacen ningún daño. Al menos, ayudarán a aliviar el dolor de espalda que pueda sentir la madre.

---

al bebé y cuál puede ser el mejor método de parto.

"Si mi bebé está de nalgas, ¿se puede hacer algo para colocarlo bien?"

Hay diversos modos de intentar que un bebé que está de nalgas se gire cabeza abajo. Por un lado, el facultativo puede indicarle que realice ciertos ejercicios sencillos, como los que se describen en el recuadro de la página 349. Otra opción (la moxibustión) procede del campo de la medicina alternativa y emplea la acupuntura combinada con la combustión de hierbas en un intento de ayudar a girar a un feto testarudo.

Si el bebé sigue manteniendo su postura, es posible que el médico sugiera la manipulación del feto para girarlo cabeza abajo mediante la versión cefálica externa (VCE). Se aconseja realizarla durante la semana 37 o 38 o justo cuando empieza la dilatación y el útero todavía está relativamente relajado; algunos médicos prefieren practicarla después de administrar anestesia epidural. El médico (guiado por la ecografía y normalmente en el hospital) aplica sus manos sobre el abdomen de la madre (la madre nota la presión, pero probablemente sin dolor –especialmente si se le ha administrado la epidural–) e intenta girar suavemente al bebé cabeza abajo. Se controla continuamente el estado del feto para asegurarse de que todo va bien durante la maniobra.

¿En qué posición se encuentra el bebé?

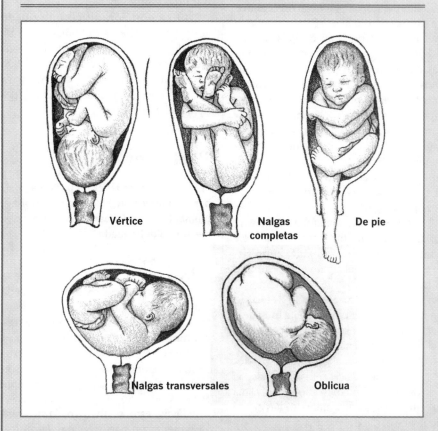

Vértice   Nalgas completas   De pie

Nalgas transversales   Oblicua

La posición del bebé es muy importante en el momento del parto. Casi todos los bebés se presentan con la cabeza hacia abajo (posición de vértice). Hay varios tipos de presentación de nalgas: las nalgas completas tienen las nalgas abajo, con las piernas hacia arriba, contra la cara. También puede suceder que el bebé se presente de pie, con una pierna o ambas primero. La posición de nalgas transversales es cuando el bebé se halla atravesado en el útero. La posición oblicua es cuando la cabeza del bebé apunta hacia la cadera de la madre en lugar de hacia el cérvix.

Las posibilidades de éxito son bastante altas. Aproximadamente en dos tercios de los casos en que se intenta la VCE se consigue posicionar bien al bebé (y la tasa de éxito es aún mayor en madres no primerizas, gracias a una musculatura uterina y abdominal más laxa). Algunos bebés deciden no girarse, y algunos pocos se giran y vuelven después a adoptar la posición de nalgas.

"Si mi bebé mantiene la posición de nalgas, ¿cómo afectará al parto? ¿Podré tener un parto vaginal?"

El hecho de poder tener un parto vaginal dependerá de una serie de factores, incluida la política del facultativo y la situación obstétrica de la mujer. Muchos tocólogos practican una cesárea de rutina cuando el bebé se presenta de nalgas (de hecho, sólo el 0,5% de los bebés que se presentan de nalgas acaban naciendo por parto vaginal) porque muchos estudios sugieren que es la forma más segura de proceder. Algunos médicos y comadronas, no obstante, opinan que es razonable intentar un parto vaginal en ciertas circunstancias (como cuando el bebé se presenta de nalgas completas y está claro que la pelvis de la madre es lo bastante espaciosa como para permitirlo).

Si el bebé permanece de nalgas, la madre debe tener una actitud flexible y estar preparada para cualquier imprevisto en los planes del nacimiento. Aunque el médico dé luz verde a un intento de parto de nalgas, se tratará sólo de eso, de un intento. Si el cérvix se dilata muy despacio, si el bebé no desciende por el canal de parto adecuadamente o si surgen otros problemas, es probable que deba practicarse una cesárea. Hable de las opciones con el médico ahora para estar preparada para cualquiera de ellas cuando llegue el día del parto.

Otras presentaciones inusuales

"El médico me ha dicho que mi bebé está en posición oblicua: ¿qué es y qué significa en relación con el parto?"

Los bebés pueden adoptar todo tipo de posiciones inusuales. El suyo parece que tiene la cabeza abajo pero apuntando hacia su cadera en lugar de hacia el cérvix. La posición oblicua dificulta la salida vaginal del bebé, de modo que el médico puede intentar una versión cefálica externa (VCE) (véase la pág. 350) para intentar mover la cabeza del

bebé y colocarla correctamente. De lo contrario, lo más probable es que opte por una cesárea.

Otra posición difícil que puede adoptar el bebé es la transversal. Es cuando el bebé está acostado horizontalmente en lugar de verticalmente. De nuevo, una VCE puede intentarse para girar al bebé. Si no funciona, el bebé deberá nacer por cesárea.

Parto por cesárea

"Esperaba poder tener un parto vaginal, pero el médico me ha dicho que probablemente me practicarán una cesárea. Me siento defraudada."

Aunque sigue considerándose cirugía mayor (del tipo más feliz que se pueda tener), la cesárea es una forma de dar a luz muy segura, y en algunos casos, la más segura. Es también cada vez más común. El 30% de las mujeres pasan por una cesárea, lo cual significa que sus probabilidades de parto por cesárea son casi de 1 de cada 3, aunque no presente factores que la predispongan a ello.

Dicho esto, si albergaba la esperanza de tener un parto vaginal, la noticia de un parto quirúrgico constituye comprensiblemente una desilusión. Su visión de dar a luz como la naturaleza lo ha previsto –y tal vez como usted siempre ha imaginado– puede verse sustituida por una preocupación por la cirugía, por una estancia hospitalaria más larga y por una recuperación más trabajosa, además de por la cicatriz que dejará en su cuerpo.

Pero debe considerar diversos aspectos si el médico decide finalmente que la cesárea es la mejor salida en su caso: muchos hospitales intentan convertir el parto por cesárea en un acontecimiento familiar, con la madre despierta (si bien debidamente anestesiada), con el padre en la sala junto a ella, y la oportunidad de ver bien al bebé e incluso abrazarlo y besarle brevemente si no hay un motivo médico que lo impida. (Cuando se esté recuperando, una vez suturada la incisión, podrá abrazarle y arrullarle mucho más.) De modo que el parto por cesárea puede ser más satisfactorio de lo que ahora imagina. Y si bien es cierto que la recuperación será más larga y la cicatriz inevitable (aunque estará en un lugar poco visible), también es cierto que dará a luz sin que su perineo se vea afectado en lo más mínimo ni su musculatura vaginal se distienda. La ventaja del parto por cesárea para el bebé es puramente estética –y temporal, porque al no haber tenido que adaptarse al estrecho conducto de la pelvis, suele nacer con la cabeza sin deformaciones (redonda, en lugar de puntiaguda, como los que nacen por vía vaginal).

Pero lo más importante que debe recordar a medida que se aproxima la llegada del bebé es que el mejor parto es un parto seguro, y cuando es necesario por razones médicas, el parto por cesárea puede ser el más seguro.

Y al fin y al cabo, un parto que traiga a un niño sano al mundo y a los brazos de su madre es, sin duda alguna, un parto perfecto.

"¿Por qué tengo la sensación de que todas mis conocidas (mi hermana, mis amigas y casi todas las famosas) tienen partos por cesárea en la actualidad?"

Los índices de cesárea en muchos países industrializados son ahora más altos que nunca (más del 30% de las embarazadas tendrán un parto por cesárea), por lo que casi todo el mundo conoce a alguien a quien se la han practicado. Y si estos últimos años marcan la tendencia del futuro, cabe esperar que todavía aumente más la tasa de partos por cesárea y se oigan más historias

de partos por cesárea en su círculo de relaciones.

Son muchos los factores que contribuyen al aumento de este porcentaje:

Seguridad. El parto por cesárea es extremadamente seguro, tanto para la madre como para el bebé, especialmente con las mejoras tecnológicas de que se disponen en la actualidad (monitores fetales y otras pruebas), que indican con precisión cuándo el feto puede tener problemas.

Bebés más grandes. Cada vez son más las futuras madres que sobrepasan el aumento de peso recomendado, de 12 a 17 kilos, y con el aumento de la tasa de diabetes gestacional, llegan bebés más grandes, que pueden ser más difíciles de expulsar con un parto vaginal.

Madres más grandes. La tasa de cesáreas también se ha visto incrementada debido al aumento de la tasa de obesidad. La obesidad (o el aumento de peso excesivo durante el embarazo) acrecenta significativamente las posibilidades de que una mujer precise una cesárea, en parte a causa de otros factores de riesgo que acompañan a la obesidad (como la diabetes gestacional), y en parte debido a que las mujeres obesas tienden a tener partos más largos con más probabilidades de terminar en la mesa de operaciones.

Madres mayores. Cada vez más mujeres de más de 35 años (y entrados los 40) se quedan embarazadas, pero presentan más probabilidades de requerir partos por cesárea. Lo mismo sucede con las mujeres que presentan enfermedades crónicas.

Cesáreas previas. Pese a que el PVTC (parto vaginal tras una cesárea; véase la pág. 357) sigue considerándose una opción viable en algunos casos, cada vez menos médicos y hospitales permiten que se intente, y cada vez son más los que

Infórmese

Cuanto más sepa, mejor será su experiencia del parto. Y esto es válido también para un parto quirúrgico. He aquí algunos temas que puede comentar con su médico antes de la primera contracción:

- Si el parto no progresa, ¿hay alternativas a la cesárea, por ejemplo, la administración de oxitocina, para estimular las contracciones, o la posición de cuclillas para que la madre empuje con mayor eficacia?

- Si el bebé se presenta de nalgas, ¿se intentará primero girarlo (mediante la VCE u otra técnica)? ¿Hay algún caso en que sea posible un parto vaginal cuando el bebé se presenta en tal posición?

- ¿Qué tipo de incisión se practicará si se hace una cesárea?

- ¿Puede su ayudante estar junto a la mujer si ésta está despierta? ¿Y si está anestesiada?

- ¿Puede acompañarla también su enfermera o doula?

- ¿Podrán los padres coger en brazos al bebé inmediatamente al nacer, y podrá la madre amamantar al bebé en la sala de recuperación?

- Si el bebé no precisa cuidados especiales, ¿podrá estar junto a la madre en la habitación?

- ¿Cuánto tiempo de recuperación precisará la madre tanto en el hospital como en casa? ¿Qué molestias y limitaciones físicas cabe esperar?

Para más información acerca de los partos por cesárea, véase la página 432.

---

programan una cesárea en lugar de un intento de parto.

Menos partos instrumentales. Cada vez nacen menos bebés con la ayuda de una ventosa o con fórceps, lo cual significa que los médicos optan por partos quirúrgicos más a menudo en los casos en que antes hubieran optado por el uso de estos instrumentos.

Petición de la madre. Como la cesárea es tan segura y puede evitar el dolor del parto a la vez que mantiene el perineo intacto, algunas mujeres –especialmente las que ya han pasado por una– la prefieren al parto vaginal y la piden (véase la pág. 355).

Satisfacción. Las políticas familiares de los hospitales han convertido las cesáreas en experiencias más satisfactorias.

Dado que la madre puede estar totalmente consciente durante la cesárea y los hospitales más sensibilizados permiten la presencia del padre junto a ella, el primer contacto con el bebé suele ser posible ya en el quirófano. Es más, la cesárea es una operación corta, se tarda unos 10 minutos o menos en hacer nacer al bebé (la sutura de la incisión tarda unos 30 minutos más).

Incluso con una tasa de cesáreas tan alta como la actual (mucho más baja en partos de bajo riesgo asistidos por comadronas), tenga en cuenta que los partos quirúrgicos siguen siendo una minoría. Al fin y al cabo, dos de cada tres mujeres dan a luz con partos vaginales.

"¿Se suele saber por adelantado si va a haber una cesárea o sólo en el último

momento? ¿Por qué motivos se practica una cesárea?"

Algunas mujeres no saben si van a ser sometidas a una cesárea hasta bien comenzada la dilatación. Otras lo saben con mucha antelación. Cada médico sigue su protocolo cuando se trata de partos quirúrgicos. Las razones más comunes para programar un parto por cesárea son:

- Una cesárea anterior, si existe la misma causa (pelvis de forma anormal, por ejemplo), o cuando se practicó una incisión vertical (en lugar de la horizontal y más baja, más común, que puede resistir mejor la presión del parto); cuando el parto es inducido en una mujer que ya ha tenido una cesárea.

- Cuando se cree que la cabeza del feto es demasiado grande para pasar por la pelvis materna (desproporción cefalopélvica).

- Parto múltiple (casi todos los de trillizos o más son por cesárea; muchos gemelos nacen por cesárea).

- Presentación de nalgas u otra presentación inusual.

- Anomalía fetal o enfermedad materna (cardiopatía, diabetes, preeclampsia) que plantean un riesgo en caso de parto vaginal.

- Obesidad materna.

- Infección activa de herpes, sobre todo primaria, o infección por VIH.

- Placenta previa (cuando la placenta bloquea parcial o totalmente la abertura cervical) o *abruptio placentae* (cuando existe una separación excesiva de la placenta de la pared uterina).

En ocasiones, no se determina la práctica de una cesárea hasta bien comenzado el parto, por motivos como:

- Dilatación que no progresa, como cuando el cérvix no se ha dilatado lo bastante deprisa o se tarda demasiado en expulsar al bebé. (En la mayoría de casos, el médico intentará impulsar las contracciones administrando oxitocina antes de recurrir a la cesárea.)

- Sufrimiento fetal.

- Prolapso del cordón umbilical.

- Útero roto.

Si el facultativo determina que la cesárea es necesaria –o que lo será–, pídale una explicación detallada de los motivos. Pregúntele, también, si tiene alguna otra opción.

Cesárea electiva

"He oído que algunas mujeres eligen tener una cesárea. ¿Debería planteármelo yo también?"

La petición de cesáreas puede que sea mayor ahora que nunca, pero esto no significa que usted debería pedir una. Optar por un parto quirúrgico cuando no es médicamente necesario no es una decisión que debería tomarse a la ligera (y mucho menos basarse en modas). Merece una minuciosa consideración y mucha discusión con el médico acerca de las ventajas e inconvenientes de la misma.

Pese a que pueda tener usted muchos motivos para querer una cesárea, debe sopesar las diferentes opciones. Si tiene…

… miedo al dolor del parto vaginal, recuerde que la cesárea no es la única forma de dar a luz sin dolor. Existen muchas opciones para aliviar el dolor a la madre que tiene un parto vaginal (véase la pág. 333).

Clases para el parto con cesárea

Cree que porque tenga programado un parto por cesárea no necesita asistir a las clases de preparación para el parto. No corra tanto. Claro que no necesitará ser una experta en respiración ni dominar los ejercicios para empujar, pero las clases de educación para el parto tienen aun así mucho que ofrecerle (como qué esperar en un parto por cesárea, y con epidural). La mayoría de clases también ofrecen buenos consejos para cuidar del bebé (algo que debe dominar salga por donde salga), para amamantarle, y posiblemente para recuperar la forma después del parto. Y no desconecte cuando el instructor explique las pautas de respiración para el parto. Las encontrará útiles después del parto, cuando tenga entuertos (al contraerse el útero para volver a su tamaño normal) o cuando el bebé intente alimentarse de sus mamas congestionadas y doloridas. Las técnicas de relajación también la ayudarán (y al padre).

... temor a los efectos que trae consigo el parto vaginal, como el desgaste pélvico o la relajación de la musculatura vaginal, recuerde que los ejercicios del suelo pélvico (Kegel) pueden reducir significativamente el riesgo de padecer tales efectos. Es más, el parto vaginal no tiende a provocar más incontinencia urinaria que la cesárea (lo cual significa que la ruta de salida del bebé no afecta a las probabilidades de pérdidas urinarias posparto).

... la esperanza de dar a luz cuando le resulte más práctico, cerciórese también de calcular los días adicionales de recuperación en el hospital además del mayor riesgo que la cirugía implica para usted y para el bebé. Algo que no es precisamente práctico.

... la intención de tener más hijos, comprenda que optar ahora por una cesárea puede limitar sus opciones la próxima vez. Algunos médicos y hospitales limitan los PVTC (partos vaginales tras una cesárea), lo cual significa que puede no tener la opción de un parto vaginal en el segundo embarazo si decide más adelante que las cesáreas no están hechas para usted.

Al contemplar la posibilidad de una cesárea programada no necesaria médicamente, también hay que considerar lo siguiente: el mejor momento para el bebé para salir del útero es, realmente, cuando él esté preparado. Cuando se programa una cesárea electiva, siempre existe la posibilidad de que el bebé nazca demasiado pronto (sobre todo si el cálculo de la fecha de salida de cuentas no era exacto).

Si, tras considerarlo minuciosamente, sigue interesada en que le practiquen una cesárea electiva, hable con el médico y decidan juntos si es una buena opción en su caso.

Número de cesáreas

"He tenido dos partos por cesárea y deseo tener tres, tal vez cuatro hijos. ¿Hay un límite de cesáreas que se puedan tener?"

Desea muchos bebés pero no está segura de si le permitirán tenerlos todos en el quirófano más feliz del hospital. Lo más probable es que sí. Ya no se aplican límites al número de cesáreas que una mujer puede tener, y pasar por numerosas cesáreas suele considerarse una opción mucho más segura que antes. Hasta qué punto es seguro dependerá del tipo de incisión practicada en las cesáreas anteriores, además de las cicatrices que se hayan formado, de modo que conviene comentar su caso particular con su médico.

Dependiendo del número de incisiones que se tengan, dónde estén localizadas y cómo hayan cursado su cicatrización, la repetición de cesáreas puede acarrear el riesgo de que se produzcan ciertas complicaciones. Entre ellas, la rotura del útero, la placenta previa (una placenta baja), o la placenta acreta (una placenta adherida anómalamente). Por eso deben prestar especial atención a las pérdidas de sangre durante el embarazo, además de las señales de parto (contracciones, desprendimiento del tapón mucoso, rotura de membranas). Si algunos de ellos se presenta, debe notificar de ello al médico enseguida.

Parto vaginal tras una cesárea (PVTC)

"Tuve a mi último hijo por cesárea. Vuelvo a estar embarazada y me pregunto si debería intentar tener un parto vaginal esta vez."

La respuesta a su pregunta depende de quién la conteste. Cuando se trata de determinar si es seguro para la mujer intentar un PVTC, el péndulo de opiniones –expertas o no– sigue oscilando. Hubo un momento en que médicos y comadronas fomentaban que las mujeres que habían tenido un parto por cesárea intentaran al menos intentar tener un parto vaginal (un intento de parto). Pero surgió un estudio que advertía acerca de los riesgos (de rotura del útero o de abertura de la incisión de la cesárea) si se intentaba

un parto vaginal. Muchas mujeres, y muchos facultativos, quedaron confusos e inseguros de lo que se debía hacer en tales casos.

Si miramos las estadísticas, no obstante, las probabilidades de tener un PVTC con éxito son muy buenas. Más del 60% de las mujeres que han tenido una cesárea y son candidatas para intentar un parto vaginal logran tener un parto vaginal normal. Incluso las mujeres que han tenido dos cesáreas tienen buenas probabilidades de dar a luz en un parto vaginal, siempre y cuando se tomen las medidas de precaución adecuadas. Y el estudio que provocó el retroceso de los PVTC en realidad demostraba que la rotura uterina es bastante rara y sólo ocurre en un 1% de los casos. Es más, el riesgo sólo es mayor en ciertas circunstancias, como que la mujer presente una cicatriz uterina vertical en lugar de transversal baja (el 95% de las incisiones actuales son transversales bajas; consulte el tipo de incisión que le practicaron a usted), o cuando el parto es inducido mediante prostaglandinas u otros estimulantes hormonales (causan contracciones más fuertes). Lo cual significa que el PVTC merece un intento si el médico y el hospital lo apoyan (muchos hospitales tienen normas estrictas al respecto y algunos no permiten el PVTC en absoluto).

Si decide intentar un PVTC, debe encontrar a un facultativo que la apoye (las comadronas son más abiertas al respecto y suelen asistir a este tipo de partos con mayor éxito). Lo más importante es aprender todo lo que pueda sobre el tema, incluidas las opciones de que dispondrá en cuanto al alivio del dolor (algunos médicos limitan la medicación analgésica durante los PVTC, otros ofrecen la anestesia epidural). Recuerde, también, que si su parto ha de ser inducido, el médico probablemente descartará el PVTC.

Si, a pesar de sus esfuerzos, el parto termina en cesárea de nuevo, no se sienta fracasada. Recuerde que incluso las mujeres que nunca han tenido cesáreas tienen casi 1 posibilidad entre 3 de precisar cesárea. No se sienta culpable, tampoco, si decide antes del momento del parto que prefiere programar una segunda cesárea en lugar de intentar un PVTC. Alrededor de un tercio del total de cesáreas practicadas son repeticiones, y muchas se realizan a petición de la madre. Una vez más, lo mejor para su bebé es lo que importa.

"Mi tocólogo me anima para que intente un PVTC, pero no sé para qué iba a esforzarme."

Si bien sus sentimientos son un factor importante en la decisión de intentar o no un PVTC, su médico tiene sus motivos y debería tenerlos en consideración. Los riesgos de un PVTC son muy bajos, y la cesárea, al fin y al cabo, es una operación. Un parto vaginal implica una estancia hospitalaria más corta, un menor riesgo de infección, se evita la cirugía abdominal y la recuperación es más rápida: todas ellas son buenas razones para aconsejar el PVTC. Conviene sopesar las ventajas e inconvenientes del PVTC y una cesárea de repetición antes de tomar una decisión.

Si, después de pensárselo y hablarlo, sigue convencida de que el PVTC no está hecho para usted, informe de ello al médico, explíquele sus motivos y programe su cesárea sin sentirse culpable por ello.

Estreptococos del grupo B

"El médico va a hacerme un análisis de estreptococos del grupo B. ¿Qué significa esto?"

Significa que su médico no quiere correr ningún riesgo y en este caso vale la pena asegurarse.

Los estreptococos del grupo B son bacterias que pueden estar en la vagina de mujeres sanas (no tienen nada que ver con los del grupo A, que provocan infecciones de garganta).

No causan ningún daño a las mujeres portadoras (entre un 10 y un 35% de todas las mujeres sanas). Pero pueden provocar una grave infección al recién nacido, que puede infectarse al pasar por el canal de parto (si bien sólo afecta a 1 de cada 200 bebés que nacen de madres portadoras).

Si es portadora de esta bacteria, no experimentará ningún síntoma. Esto es una ventaja, pero la mujer no sabe que es portadora. Por eso, se realiza un test rutinario a las embarazadas entre las semanas 35 y 37 de embarazo (los tests anteriores a la semana 35 no pueden predecir si la mujer será portadora en el momento del parto). Existe un test que todavía no se aplica de forma generalizada, que permite realizar el análisis a la mujer que va de parto y obtener los resultados en una hora, lo cual hace innecesario el test previo.

El test se parece a una citología vaginal y analiza muestras tomadas de la vagina y del recto.

Las mujeres que dan positivo reciben antibióticos por vía intravenosa durante el parto, tratamiento que elimina por completo el riesgo para el bebé. (También puede detectarse la bacteria en una muestra de orina que le pedirán en la visita prenatal. Si es así, se tratará enseguida con antibióticos orales.)

Si su médico no le pide esta prueba a finales del embarazo, usted puede pedírsela. Aunque no se la hicieran y terminara yendo de parto y presentara ciertos factores de riesgo, la tratarían con antibióticos por vía intravenosa

No deje de comer

Seguramente a estas alturas del embarazo se sentirá como una vaca. Razón de más para seguir masticando. Encontrar espacio para la comida –y los envíos de nutrientes para el bebé– en un espacio estomacal invadido por el útero le resultará cada vez más difícil. Esto significa que ahora más que nunca es aconsejable hacer seis colaciones al día.

para garantizar que no infectara al bebé. Si ha tenido un bebé con esta infección, el médico seguramente optará por hacer el test y pasará directamente al tratamiento durante el parto.

Asegurarse mediante el test –y si es necesario, aplicando el tratamiento– significa que el bebé estará a salvo de la infección, lo cual es muy positivo.

Bañarse ahora

"¿Es seguro seguir bañándome a estas alturas del embarazo?"

No sólo es seguro, sino que un baño caliente puede aliviar las molestias e incomodidades de finales del embarazo al final de un largo día (y ¿qué día no es largo cuando se está embarazada de ocho meses?).

Si la preocupa que el agua del baño entre en el interior de la vagina (es posible que haya oído algo de ello en radio macuto), deje de preocuparse. A menos que se haga con fuerza –mediante una ducha vaginal o saltando a una piscina, dos cosas que no debería hacer la embarazada– el agua no puede llegar donde no debería. Incluso si un poco de agua entrara, el tapón mucoso que sella la

entrada al útero protegería su precioso contenido de la invasión de microorganismos infecciosos, si es que hubiera alguno en el agua de su baño.

Incluso cuando la mujer está de parto y el tapón mucoso se ha desprendido, la mujer puede meterse en la bañera. De hecho, la hidroterapia durante la dilatación puede proporcionar alivio a los dolores del parto. Incluso es posible dar a luz en una bañera (véase la pág. 27).

Lo que sí conviene, especialmente a estas alturas del embarazo, es que la bañera disponga de una superficie antideslizante para que la mujer no se resbale y caiga. Y como siempre, evite los baños de espuma y los baños demasiado calientes.

Conducir ahora

"Apenas quepo entre el asiento y el volante. ¿Debería dejar de conducir?"

Puede seguir conduciendo mientras quepa en el asiento del conductor; puede mover el asiento hacia atrás y elevar un poco el volante para conseguir más espacio. Si tiene espacio suficiente –y tiene ganas– realizar trayectos cortos es seguro hasta el día del parto.

Los viajes de más de una hora, sin embargo, pueden resultar demasiado cansados a finales del embarazo, independientemente de quién conduzca. Si debe hacer uno, vaya cambiando de posición y pare cada hora o cada dos horas para levantarse y caminar un poco. Los estiramientos de cuello y de espalda harán el viaje más cómodo.

Pero no debe intentar conducir cuando se dirija al hospital porque está de parto (una contracción muy fuerte podría resultar peligrosa al volante). Y no olvide la norma más importante en todo viaje en coche, tanto si conduce como si viaja de acompañante (incluso si viaja de acompañante a la que llevan al hospital porque va de parto): abróchese el cinturón.

Viajar ahora

"Tengo un importante viaje de negocios planeado para este mes. ¿Puedo viajar sin problemas o es mejor que cancele la cita?"

Antes de organizar el viaje, debe hablar con su médico. Los facultativos no siempre coinciden en lo que respecta a los viajes durante el tercer trimestre. Lo que el suyo le aconseje sobre los viajes en coche, en tren o en avión en este momento del embarazo dependerá de su punto de vista y de otros factores. El primero, y más importante, es cómo lleva la mujer el embarazo; es más fácil que dé luz verde a los viajes si no hay complicaciones. También influye la semana (la mayoría aconseja no viajar en avión después de la semana 36) y si existe riesgo o no de parto prematuro. En segundo lugar, hay que saber cómo se siente la mujer. Los síntomas de embarazo que se multiplican con el tiempo también lo hacen con los kilómetros. Los viajes pueden agravar un dolor de espalda y el cansancio, unas varices o hemorroides, e intensificar el estrés emocional y físico. También hay que tener en cuenta la distancia y la duración del viaje (incluyendo el tráfico), el grado de esfuerzo físico y emocional que implica el viaje, así como la necesidad del mismo (no vale la pena hacer aquellos viajes que pueden ser pospuestos para más adelante).

En los viajes por aire se tendrán en cuenta las limitaciones de la compañía. Algunas compañías no permiten viajar en el noveno mes sin una carta del tocólogo en la que se afirme que no hay riesgo de parto prematuro durante el vuelo; otras son más indulgentes.

Si el médico da el visto bueno, aún hay muchos detalles que considerar. Véase la página 279 para obtener más consejos. Es muy importante descansar mucho. Aún más importante es llevar siempre consigo el nombre, teléfono y dirección de un tocólogo o comadrona recomendados del lugar de destino (y del hospital donde trabajan) y que estén incluidos en el seguro de viaje, en el caso de que acabe necesitando sus servicios. Si la embarazada va a viajar lejos, tal vez sea adecuado viajar con su esposo, en el caso remoto de que acabe dando a luz lejos de casa y quiera estar en su compañía.

Hacer el amor ahora

"Estoy desconcertada, ya que he oído muchas informaciones contradictorias acerca de las relaciones sexuales en las últimas semanas del embarazo."

Se han llevado a cabo numerosos estudios acerca del tema. El problema estriba en que las pruebas médicas de que se dispone al respecto son contradictorias. Está generalmente aceptado que ni el acto sexual ni el orgasmo pueden, por sí solos, precipitar el parto a menos que las condiciones estén maduras para ello (aunque muchas parejas deseosas de tener ya su hijo han disfrutado intentándolo, sin conseguirlo). Si las condiciones están maduras, parece ser que las prostaglandinas que contiene el semen podrían ayudar a desencadenar el parto. Pero no es algo seguro ni es una teoría que la llevará a la sala de partos, aunque las condiciones sean maduras y adecuadas. De hecho, un estudio demostró que las mujeres con embarazos de bajo riesgo que mantenían relaciones durante las últimas semanas del embarazo seguían embarazadas más tiempo que las que se abstenían de las relaciones en estas semanas. ¿Más confundida?

Basándose en lo que se sabe, muchos médicos y comadronas permiten que las pacientes con embarazos normales hagan el amor hasta el mismo día del parto. Y parece que la mayoría de las parejas lo hacen así sin sufrir ningún tipo de complicaciones.

De todos modos, lo mejor es que le pregunte al médico cuál es la última opinión médica. Si el médico le da el visto bueno (y lo más seguro es que se lo dé), no dude en seguir con sus relaciones sexuales (si dispone de la energía y las habilidades gimnásticas necesarias para ello llegado este punto del embarazo). Si el médico no se lo permite (y no lo hará si se trata de un embarazo con un alto riesgo de parto prematuro, con placenta previa o *abruptio placentae* o si experimenta hemorragias inexplicables), entonces deberá buscar la intimidad con su pareja por otros caminos: una cita romántica con cena a la luz de las velas o un paseo a la luz de las estrellas; una tarde acurrucados en la cama o en el sofá delante de la televisión, besándose y abrazándose; una ducha a dos; una sesión de masaje. O háganlo sin hacerlo: usen las manos y la boca para darse placer, si el médico permite el orgasmo a la mujer. Es posible que así no queden satisfechos, pero recuerden que tienen toda una vida sexual por delante, aunque aún queda por superar el período en el que el bebé se despierte a media noche.

La relación con la pareja

"Aún no ha nacido el bebé y parece que la relación con mi marido ya está cambiando. Estamos muy absortos en el próximo nacimiento y en el bebé en vez de uno en el otro, tal como solíamos estar."

Los bebés aportan diversidad de cosas a la vida de la pareja, alegría, emoción y muchos pañales sucios, para empezar. Pero también traen cambios, muchos cambios por el reducido tamaño que presentan.

No es de sorprender que su relación de pareja vaya a ser uno de los aspectos que experimenten el cambio, cosa que parece que ya han notado. Y de hecho, se trata de algo muy positivo. Cuando sean tres, van a tener que realizar ciertas alteraciones en su dinámica y una reorganización de sus prioridades. Pero este trastorno es menos estresante –y resulta más fácil adaptarse a él– si la pareja empieza la evolución natural e inevitable de su relación durante el embarazo. En otras palabras, los cambios en la relación representarán con mayor probabilidad un cambio a mejor si empiezan antes de que el bebé llegue. Las parejas que no cuentan al menos con un poco de desintegración o interrupción de su romance, a menudo encuentran que la realidad de la vida con un exigente recién nacido es más difícil de sobrellevar.

De modo que es aconsejable anticiparse y prepararse para los cambios. Pero no olviden que el bebé no será el único que precisará mimos. Aunque es muy normal –y sano– obsesionarse con el embarazo y el parto, la mujer no deberá dejar que esta nueva faceta de su vida bloquee por completo las demás, especialmente en relación con su pareja. Ahora es el momento de aprender a combinar los cuidados y alimentación del bebé con los de su matrimonio. Se deberá reforzar con regularidad la relación de pareja. Una vez por semana deben hacer algo juntos que no tenga que ver con los partos ni los recién nacidos. Vayan al cine, salgan a cenar fuera, visiten un museo, vayan de compras. Cuando salga a comprar peleles, cómprele también un detalle a esa otra perso-

Banco de sangre del cordón umbilical

Por si fueran pocas las decisiones que deben tomar antes del nacimiento de su hijo, he aquí una más: ¿deberían guardar sangre del cordón umbilical del recién nacido? Y si es así, ¿cómo hacerlo?

La recogida de sangre del cordón, un procedimiento indoloro que tarda menos de cinco minutos y se lleva a cabo después de que el cordón ha sido ya cortado, es totalmente segura tanto para la madre como para el pequeño (siempre que el cordón no se haya pinzado y cortado de forma prematura). La sangre del recién nacido contiene células madre que en ciertos casos pueden emplearse para el tratamiento de algunos trastornos del sistema inmunitario o enfermedades de la sangre. Todavía se están llevando a cabo estudios para determinar si estas células madre son útiles también para el tratamiento de otras afecciones, como la diabetes, la parálisis cerebral e incluso las cardiopatías.

Existen dos formas de conservar la sangre: se puede pagar para almacenarla en un banco privado o se puede donar la sangre a un banco público. El almacenamiento privado puede resultar caro y los beneficios para las familias de bajo riesgo –es decir, las que no tienen un historial familiar de trastor-nos del sistema inmunitario– no están del todo claros.

Por estos motivos, el Colegio Americano de Obstetricia y Ginecología aconseja a los facultativos que expongan los pros y los contras que conlleva almacenar la sangre del cordón umbilical, y la AAP (Academia Americana de Pediatría) no recomienda guardar la sangre del cordón umbilical en un banco privado a menos que un miembro de la familia sufra una enfermedad que pueda beneficiarse de un trasplante de células madre ahora o en el futuro. Entre estas enfermedades se encuentra la leucemia, los linfomas, el neuroblastoma; la drepanocitis, la anemia aplásica y la talasemia; la enfermedad de Gaucher, el síndrome de Hurler; el síndrome de Wiskott-Aldrich; y la hemoglobinopatía grave. La AAP, no obstante, apoya el hecho de que los padres donen la sangre del cordón umbilical para un banco de uso general público. Es algo que al donante no le cuesta nada y que puede salvar una vida.

En caso de estar interesados en la donación del cordón umbilical, hay que hablar con el tocólogo o ponerse en contacto con la Organización Nacional de Trasplantes visitando su web: <www.ont.es>.

---

na especial. O sorpréndale con un par de entradas para un partido o un espectáculo que sabe que le encantaría ver. Durante la cena, invierta al menos un par de minutos para saber cómo le ha ido el día, háblele del suyo, comenten las noticias del día, recuerden su primera cita, sueñen en una segunda luna de miel (aunque no dispondrán de tiempo para ella en muchas lunas), todo ello sin pronunciar la palabra que empieza por "b". Usen aceites de masaje en la cama de vez en cuando, aunque no esté de humor para hacer el amor –o si le parece demasiado trabajo–, pues el mero hecho de acariciarse les hará sentirse unidos. Ninguna de estas técnicas para avivar la llama de su amor ensombrecerá el maravilloso acontecimiento que se aproxima, pero les recordará a ambos que en la vida hay algo más que clases de preparación para el parto y canastillas.

Tener este importante pensamiento presente les facilitará mantener viva la llama de su amor cuando, más adelante, deberán turnarse para atender al bebé a las 2 de la madrugada. Y la llama de su amor, al fin y al cabo, es lo que hará de su hogar, que preparan con cariño para la llegada del bebé, un lugar donde el pequeño viva feliz y seguro.

La lactancia materna

Hace unas 30 semanas que observa (y nota) cómo sus pechos crecen, crecen y crecen. Si se ha parado a pensar qué ocurre bajo estas gigantescas copas, sabrá que las mamas no crecen por casualidad sino que se están preparando para una de las tareas más importantes de la naturaleza: alimentar a un bebé.

Está claro que sus pechos están a favor de la lactancia natural. Y tanto si usted también lo está, como si todavía está planteándose cuál es la mejor opción en su caso para alimentar al bebé, probablemente le irá bien saber más acerca de este asombroso proceso, un proceso que convierte las mamas (¡sus mamas!) en perfectos vehículos del alimento infantil más perfecto del mundo. En este apartado encontrará información interesante, pero para una información más amplia y detallada, véase el libro *Qué se puede esperar el primer año*.

Por qué el pecho es lo mejor

Del mismo modo que la leche de cabra es el alimento ideal para las cabritas, y la leche de vaca es la mejor para los terneros, la leche materna humana es el alimento perfecto para el recién nacido humano. He aquí algunos de los motivos para ello:

Es personalizada. Pensada para satisfacer las necesidades nutricionales de los bebés humanos, la leche de la madre contiene al menos 100 ingredientes que no se encuentran en la leche de vaca y que no pueden ser imitados perfectamente por las leches artificiales. La proteína que contiene la leche materna es principalmente la lactalbúmina, más nutritiva y digerible que el caseinógeno, el componente proteico principal de la leche de vaca, a partir del cual se formula la leche artificial. El contenido en grasa de ambas leches es similar, pero la grasa de la leche materna resulta de más fácil digestión para el bebé. A los lactantes también les cuesta menos absorber los micronutrientes de la leche materna que los que contiene la de vaca.

Es segura. La madre puede estar segura de que su leche nunca está preparada de forma inadecuada, contaminada ni en mal estado.

Calma el estómago. Los bebés amamantados casi nunca están estreñidos debido a que la leche materna es más fácil de digerir. Tampoco tienen diarrea casi nunca, pues la leche de la madre parece destruir algunos microorganismos que la producen y fomenta el crecimiento de flora buena en el tracto digestivo, lo que también evita otros problemas digestivos. Desde un punto de vista meramente estético, las heces del bebé que toma leche materna tienen un olor más dulce (hasta la introducción de sólidos). Además, tienen menor tendencia a causar erupciones cutáneas.

Regula las grasas. La leche materna no sólo tiene menos tendencia a producir bebés con sobrepeso, sino que puede ser que reduzca la tendencia a la obesidad más adelante (si el bebé ha mamado durante al menos seis meses o, mejor un año). También se ha relacionado con cifras de colesterol más bajas en la edad adulta.

Potencia la actividad cerebral. Parece que la lactancia materna aumenta ligeramente el coeficiente de inteligencia. Esto puede deberse no sólo a los ácidos grasos que contiene, que son básicos para el cerebro, sino a la intimidad entre madre e hijo que fomenta el desarrollo intelectual.

No produce alergias. Casi ningún bebé es alérgico a la leche materna (algunos pueden presentar reacciones alérgicas ante ciertos alimentos de la dieta de la madre, incluyendo la leche). La beta-lactoglobulina, sustancia que se encuentra en la leche de vaca, puede desencadenar una respuesta alérgica, con síntomas que pueden ir de moderados a graves. Las fórmulas a base de leche de soja, que se usan a veces como sustituto cuando un lactante es alérgico a la leche de vaca, tienen una composición que se diferencia aún más de la pensada por la naturaleza para los bebés humanos, y también pueden desencadenar una reacción alérgica. Los estudios al respecto demuestran que los lactantes maternos presentan menos probabilidades de sufrir asma infantil que los que toman leche de fórmula.

Evita infecciones. Los bebés amamantados no sólo son menos propensos a la diarrea sino también a infecciones de las vías respiratorias bajas, urinarias y de oído. De hecho, diversos estudios sugieren que una amplia variedad de enfermedades se producirían en menor número de casos en los niños que han sido amamantados, incluyendo meningitis bacteriana, muerte súbita, diabetes, algunos cánceres infantiles, enfermedad de Crohn y otras enfermedades digestivas crónicas. La protección se produce en parte gracias a la transferencia de factores inmunes a la leche materna y al calostro.

Hace bocas más fuertes. Debido a que la lactancia materna requiere un esfuerzo mayor que succionar de un biberón, incrementa el desarrollo de las mandíbulas, los dientes y el paladar. Estudios recientes demuestran que los bebés amamantados son menos propensos a tener caries en la infancia que aquellos que no lo han sido.

Educa las papilas gustativas. ¿Quiere que su hijo coma de todo? Empiece mientras le amamanta. Desarrollar esas pequeñas papilas gustativas con la leche materna, que adquiere el sabor de lo que come la madre, puede empezar a aclimatar al bebé para un mundo de sabores. Los investigadores han observado que los bebés que maman tienden a ser menos tímidos en sus gustos que los que toman leche artificial cuando se introducen los alimentos sólidos, lo cual significa que abrirán la boca con mayor probabilidad ante una cucharada de alimentos sólidos cuando llegue el momento de empezar a tomarlos.

También la madre que amamanta a su hijo se beneficia de ello:

Comodidad. Dar el pecho no requiere planear ni empaquetar nada, ni siquiera disponer de un equipo especial; siempre está a mano (en el parque, en el avión, en mitad de la noche) y a la temperatura correcta. Si amamanta al bebé puede coger al bebé y salir de viaje, sin tener que llevar consigo biberones, tetinas y accesorios de limpieza; sus pechos siempre la acompañarán (es imposible olvidárselos en casa). También se ahorrará viajes a la cocina a las 2 de la ma-

Prepararse para la lactancia

Afortunadamente, la naturaleza lo tiene todo previsto, de modo que no hay mucho que hacer para prepararse para la lactancia mientras la mujer está todavía embarazada (excepto leer e informarse todo lo posible). Algunos expertos en lactancia recomiendan que durante los últimos meses del embarazo no se aplique jabón al lavarse los pezones y aréolas y se use sólo agua (al fin y al cabo, tampoco se ensucian tanto). El jabón tiende a secar los pezones, lo cual puede provocar que se agrieten y duelan al iniciar la lactancia. Si experimenta sequedad o prurito en los pechos, una crema o loción suave la aliviará, pero evite aplicarla en los pezones y aréolas. Si tiene los pezones secos, puede aplicar una crema con base de lanolina.

Ni siquiera las mujeres con pezones pequeños o planos necesitan prepararse para dar de mamar. Los pezones planos no deben prepararse con pezoneras, mediante la manipulación manual ni con la ayuda de un sacaleches manual durante el embarazo. Estas técnicas no sólo son menos efectivas que no aplicar tratamiento alguno, sino que además pueden hacer más mal que bien. Las pezoneras, además de ser accesorios aparatosos pueden provocar sudor e irritación. La manipulación manual y con sacaleches puede estimular la aparición de contracciones y, ocasionalmente, incluso pueden provocar infecciones mamarias.

Una posible excepción: si tiene los pezones invertidos (es decir, si se retraen cuando presiona la aréola), situación que puede dificultar un poco la lactancia. Las pezoneras pueden ayudar a proyectar los pezones hacia fuera, pero es mejor no usarlas con frecuencia, por los motivos ya mencionados. Pida al médico que le recomiende a un experto en lactancia que pueda aconsejarla, o póngase en contacto con La Liga de la Leche, en su página web: <www.laligadelaleche.es>.

---

drugada para preparar un biberón; las últimas tomas del día no requieren más que un camisón con una buena abertura y un lugar para acurrucarse con su retoño. Cuando la madre y el bebé no están juntos (si la madre trabaja fuera de casa, por ejemplo), se puede extraer leche con antelación y guardarla en la nevera para dársela en biberón cuando sea necesario.

Economía. La leche materna es gratis, así como el sistema para administrarla.

Recuperación rápida. Cuando el bebé succiona las mamas, provoca la liberación de la hormona oxitocina, que ayuda a que el útero recupere su tamaño y puede reducir el flujo de loquios (hemo-rragia vaginal posparto), lo cual significa una menor pérdida de sangre. También exige períodos de descanso de la madre; algo muy importante, como usted descubrirá, durante las primeras seis semanas posparto.

Recuperación rápida de la línea. Las calorías que el bebé quita a la madre implican que, aunque la madre ingiera más calorías para producir leche, no acumulará peso, e incluso empezará a quemar la grasa acumulada durante el embarazo.

Retraso de la regla. La lactancia puede posponer en varios meses la aparición de la regla, ¿y quién se quejaría por esto? Pero a menos que desee tener los hijos

El pecho: ¿sexual o práctico?

O quizá ambas cosas a la vez. Si uno lo piensa, no es extraño tener dos o más roles en la vida, incluso roles muy distintos, que requieren diferentes aptitudes y actitudes (amante y madre, por ejemplo). Es posible considerar ambas funciones del pecho –la sexual y la práctica– como importantes y nunca mutuamente excluyentes (y de hecho, la lactancia hace que muchas mujeres y sus parejas se sientan especialmente sensuales). A la hora de decidir si dar el pecho al bebé o no, hay que tener muy presente este punto.

muy seguidos –o si le gustan las sorpresas–, no confíe en la lactancia como método de control de la natalidad. La mayoría de las madres que alimentan a sus hijos exclusivamente con su leche –y cuyos bebés no succionan chupetes con frecuencia– probablemente estén protegidas durante unos meses posparto. Pero pueden empezar a menstruar a los cuatro meses de dar a luz y ser fértiles antes de la aparición de la primera regla.

Estructura ósea. Dar de mamar mejora la mineralización de los huesos después del destete y reduce el riesgo de fractura de cadera después de la menopausia, siempre y cuando la madre ingiera el calcio suficiente para sus necesidades y las de su bebé.

Beneficios para la salud. Amamantar a un hijo puede reducir el riesgo de padecer algunos tipos de cáncer. Las mujeres que dan el pecho a sus hijos tienen un riesgo menor de desarrollar cáncer de ovarios y cáncer de mama. La lactancia también parece reducir el riesgo de desarrollar diabetes tipo 2.

La mayor ventaja. La lactancia materna une a la madre y al hijo, piel contra piel, de seis a ocho veces al día. La gratificación emocional, la intimidad, la comunidad de amor y placer, no solamente pueden ser satisfactorias y reforzar la unión madre-hijo, sino que también mejoran el desarrollo cerebral del bebé. (Nota para las madres de mellizos: Todas las ventajas de la lactancia materna quedan en su caso multiplicadas por dos. Véase la pág. 484 para una serie de consejos que facilitan dar el pecho a dos bebés.)

Para más información sobre la lactancia materna, contactar con la sede local de La Liga de la Leche o consultar su web: <www.laligadelaleche.es>.

Por qué algunas prefieren el biberón

Tal vez decida que la lactancia materna no está hecha para usted. O tal vez exista un motivo por el cual no puede amamantar al bebé, al menos no alimentarle exclusivamente de su leche. No se sienta culpable si elige el biberón en lugar del pecho (o combinar ambos; véase la pág. 368). He aquí algunas ventajas del biberón:

Mayor responsabilidad compartida. El biberón permite al padre compartir también las responsabilidades de alimentar y tener intimidad con el bebé. (No obstante, los padres de bebés amamantados también pueden tener las mismas ventajas, usando un biberón con leche de la madre e implicándose en otras actividades, como bañar o mecer al bebé.)

Más libertad. El biberón no ata tanto la madre al niño. Puede trabajar fuera de casa sin preocuparse por extraer y guardar su leche, puede salir de viaje algunos días sin el pequeño, incluso dormir toda la noche, ya que otra persona puede hacerse cargo del bebé. (Como es evidente, estas opciones también están al alcance de las madres que dan el pecho y extraen su leche o la combinan con biberones complementarios de leche comercial.)

Posibilidad teórica de más intimidad. El biberón no interfiere en la vida sexual de la pareja (menos cuando el bebé se despierta con hambre en un momento inoportuno), algo que puede suceder con la lactancia materna. En primer lugar, las hormonas de la lactancia pueden mantener la vagina seca (aunque los lubricantes vaginales resuelven este problema) y, segundo, el goteo del pecho mientras se hace el amor causa problemas a algunas parejas. En las parejas que alimentan a su hijo con biberón, el pecho desempeña un papel estrictamente sensual en lugar de utilitario.

Menos limitaciones dietéticas. La alimentación con biberón no altera la dieta de la madre, que puede comer toda la col y especias que quiera (si bien no todos los bebés presentan objeciones a estos gustos y algunos incluso disfrutan

Cirugía mamaria y lactancia

Muchas mujeres que han pasado por reducciones mamarias pueden dar el pecho a sus bebés, si bien la mayoría no produce suficiente leche para alimentar el bebé exclusivamente con leche materna. El hecho de que pueda amamantar a su hijo –y la cantidad de leche artificial que necesitará como suplemento– dependerá al menos en parte del procedimiento que se empleó en su intervención. Consúltelo con su cirujano. Si se mantuvieron intactos los conductos galactóforos y las conexiones nerviosas, lo más probable es que sea capaz de producir al menos algo de leche. (Lo mismo sucede si la intervención se realizó en caso de cáncer de mama o enfermedad fibroquística de la mama.)

Si el cirujano la tranquiliza, aumente sus posibilidades de éxito leyendo sobre la lactancia y buscando la ayuda de un asesor de lactancia que conozca los retos que supone amamantar tras una reducción de pecho. La monitorización de la ingesta del bebé (mediante el seguimiento cuidadoso de su aumento de peso y el número de pañales mojados y sucios) será de especial importancia. Si resulta que no produce suficiente leche, recurra a los biberones de complemento con leche comercial. Plantéese también usar un sistema de lactancia suplementaria, que le permitirá fomentar el aumento de producción de leche materna al mismo tiempo que garantiza que el bebé toma la leche que necesita. Recuerde que la leche materna, en la cantidad que sea –aunque no constituya la única fuente de alimentación del bebé–, resulta beneficiosa.

El aumento de mamas es menos probable que interfiera en la lactancia materna que la reducción, pero eso dependerá de la técnica empleada, el tipo de incisión y el motivo por el cual se practicó. Mientras que muchas mujeres con implantes pueden amamantar al bebé sin complementar con leche artificial, una minoría de ellas no consigue producir suficiente leche. Para asegurarse de que la leche materna cubre las necesidades del bebé, habrá que controlar de cerca el aumento de peso y los pañales mojados o sucios que se acumulen a diario.

con ellos), no hay limitaciones en los productos lácteos si el bebé no los tolera, ni con el vino ni los cócteles, ni tampoco hay que pensar en muchos requisitos de nutrición.

Menos situaciones embarazosas si la madre es tímida. Cuando la madre se siente incómoda ante la posibilidad de dar de mamar en público, la lactancia puede resultar difícil de imaginar. Aunque este problema suele resolverse con rapidez: muchas mujeres descubren muy pronto lo fácil que resulta dar de mamar, incluso en lugares públicos.

Menos estrés. Algunas mujeres creen que tienen un carácter demasiado impaciente o tenso para dar el pecho; no obstante, si lo prueban, verán que, una vez establecida, la lactancia materna es muy relajante, en lugar de estresante.

Elegir dar de mamar

En la actualidad, para más y más mujeres la elección es fácil. Algunas saben que optarán por la lactancia natural en lugar de por el biberón incluso antes de decidirse a quedar en estado. Otras mujeres, que no concedieron demasiada atención al tema antes del embarazo, se deciden por la lactancia natural después de haberse informado sobre sus muchos beneficios. Algunas se debaten en la incertidumbre durante todo el embarazo e incluso el parto. Unas pocas, aunque convencidas de que dar el pecho a su bebé no es lo suyo, no pueden deshacerse del sentimiento de que deberían probarlo de todos modos.

Hay un buen consejo para todas estas mujeres: vale la pena intentarlo, es posible que les guste. Siempre pueden dejarlo si no les va bien, pero por lo menos habrán disipado aquellas dudas tan incómodas. Y sobre todo, tanto ellas

como sus bebés se habrán beneficiado de las ventajas de la lactancia materna, aunque sólo sea por breve tiempo.

De todos modos, se debe intentar a conciencia. Las primeras semanas son siempre difíciles, incluso para las más adeptas a la lactancia materna. Algunos expertos sugieren que es necesario todo un mes o incluso 6 semanas de amamantamiento para que se establezca con éxito una relación de alimentación y para que la madre tenga tiempo de decidir si le gusta o no.

Combinar el pecho con el biberón

Algunas mujeres que deciden amamantar a sus hijos descubren que –por el motivo que sea– no pueden o no desean hacerlo de forma exclusiva. Tal vez en el contexto en el que viven no les resulta práctico (viajan demasiado

¿Lleva un *piercing*?

Está preparada para amamantar al bebé cuando nazca, pero hay un detalle que la preocupa –un aro o una barra–, con el cual no sabe qué debería hacer. Si tiene un *piercing* en el pezón, no se preocupe: no hay pruebas que demuestren que afecte a la capacidad de una mujer para amamantar a su hijo. Pero los expertos (tanto en lactancia como en *piercings*) están de acuerdo en que debe quitarse la joya o el adorno del pezón antes de dar de mamar al bebé. Con esto no sólo se evitan posibles infecciones para la madre, sino que además se evita el riesgo de atragantamiento que la joya supone para el recién nacido y se evitan lesiones en su boca, encías, lengua o paladar.

o están muchas horas fuera de casa y la extracción de leche se convertiría en una pesadilla). Quizá les resulte físicamente complicado. Por fortuna, ni la lactancia materna ni la alimentación con biberón son decisiones excluyentes, y algunas mujeres pueden llegar a combinar ambos sistemas de forma satisfactoria. Si se decide por esta opción, lo mejor es que espere a que la lactancia materna esté bien establecida (como mínimo dos o tres semanas) antes de introducir la leche artificial. Para más información sobre el tema, véase el libro *Qué se puede esperar el primer año*.

Cuando no se puede o no se debe dar el pecho

Desgraciadamente, la decisión de dar o no el pecho no se halla abierta para todas las nuevas madres. Algunas mujeres no pueden o no deben amamantar al recién nacido. Las razones de ello pueden ser emocionales o físicas, basarse en la salud de la madre o en la del hijo, ser transitorias o a largo plazo. Los factores maternos más comunes que pueden interferir en la lactancia natural incluyen:

■ Enfermedad grave o debilitante (como por ejemplo dolencias cardiacas o renales, o anemia grave), o delgadez extrema, aunque algunas mujeres se las arreglan para superar los obstáculos y acaban dando de mamar a sus hijos.

■ Infección grave, como por ejemplo tuberculosis activa sin tratar; sin embargo, tras dos semanas de tratamiento ya se puede empezar; mientras tanto se puede proceder a la extracción de leche del pecho (que se desechará) para que ya exista un buen suministro cuando comience la lactancia.

■ Estados crónicos que exigen una medicación que pasa a la leche materna y que

Con ayuda de papá

Aunque la lactancia materna es cosa de dos, muchas veces se precisan tres personas para que funcione correctamente. Un estudio reciente mostró que cuando los padres son partidarios de la lactancia materna, un 96% de las madres están dispuestas a intentarlo; en cambio, si los padres se muestran ambivalentes, el porcentaje de madres desciende hasta un 26%. Es más, según los investigadores, implicar a los padres (proporcionándoles información sobre el funcionamiento de la lactancia para que puedan apoyar a la mujer) puede ayudar a ampliar el tiempo de lactancia, además de facilitar el proceso. Padres: ¡tomen nota y únanse al equipo pro lactancia materna!

podría ser perjudicial para el bebé, como por ejemplo fármacos antitiroideos, anticancerígenos o antihipertensivos; litio, tranquilizantes, sedantes. Si la madre toma cualquier tipo de medicación, deberá consultar al médico antes de empezar a dar el pecho a su hijo. En algunos casos, un cambio de medicación o en el espaciado de las dosis puede posibilitar la lactancia materna. Una necesidad temporal de medicación, como por ejemplo penicilina, incluso en el momento de empezar a amamantar al bebé, no suele interferir en el proceso de la lactancia. Las mujeres que necesitan antibióticos durante el parto o para sanar una infección mamaria (mastitis) pueden seguir amamantando al bebé mientras toman la medicación.

■ Exposición a ciertas sustancias tóxicas en el lugar de trabajo. Véase la página 220 para más detalles.

- Abuso de alcohol. Una bebida ocasional no es perjudicial, pero demasiado alcohol puede provocar problemas al lactante.

- Abuso de drogas, incluido el uso de tranquilizantes, cocaína, heroína, metadona o marihuana.

- El sida o infección por VIH, que puede transmitirse a través de los fluidos corporales, incluyendo la leche materna.

Algunas condiciones en el recién nacido pueden dificultar la lactancia materna, pero no hacerla imposible ya que se puede recibir la ayuda médica adecuada. Entre ellas cabe citar:

- Un bebé prematuro o extremadamente pequeño que puede tener problemas para succionar o agarrarse debidamente al pezón. Si el bebé prematuro está enfermo y debe pasar un tiempo en la UCIN (unidad de cuidados intensivos neonatales) puede no poder mamar, aunque la madre puede extraerse leche para establecer una buena producción y dársela al bebé con la ayuda del personal hospitalario.

- Alteraciones, como intolerancia a la lactosa o fenilcetonuria (PCU), cuando el bebé no tolera ni la leche materna ni la de vaca. En ese caso, los bebés pueden mamar si a la vez reciben un suplemento de leche sin fenilalanina; en el caso de la intolerancia a la lactosa (muy rara en el momento de nacer), la leche de la madre puede ser tratada con lactasa para hacerla más digerible.

- Labio o paladar hendido y otras deformaciones de la boca que interfieren en la succión. A pesar de que el éxito de la lactancia depende en parte del tipo de defecto, casi siempre es posible resolver el problema si se cuenta con ayuda especial. (Los bebés con el paladar hendido no pueden mamar, pero al menos pueden tomar leche materna si la madre se la extrae.)

En contadas ocasiones, la madre no consigue dar de mamar a su hijo, aunque no exista problema alguno y ambos se esfuercen por conseguirlo. El suministro de leche no es el adecuado, tal vez a causa de una insuficiencia de tejido glandular en el pecho materno.

Si la madre no consigue dar de mamar a su hijo –por mucho que lo desee e intente– tampoco hay que sentirse culpable o incapaz por ello. Es muy importante que estos sentimientos no se interpongan en el proceso esencial de conocer y amar al pequeño (un proceso que no tiene por qué incluir necesariamente la lactancia).

CAPÍTULO 14

El noveno mes

Semanas 36 a 40 aproximadamente

POR FIN. EL MES TAN ESPERADO Y SEguramente algo temido desde que el test de embarazo dio positivo. Es muy posible que la mujer ya esté preparada para muchas cosas (para coger en brazos a su hijo, para poderse ver de nuevo los dedos de los pies, para poder dormir boca abajo), pero no para otras. A pesar de la inevitable actividad (más visitas al tocólogo, la compra de la canastilla, proyectos de trabajo por acabar, elección de colores para la habitación del pequeño), es muy probable que el noveno mes sea el más largo de todos salvo, claro está, que la madre no dé a luz a su debido tiempo y el bebé se retrase. En ese caso, será el décimo mes el que será más largo de todos.

Su bebé este mes

Semana 36 Esta semana, el bebé pesa unos 2700 gramos y mide unos 50 cm y está casi listo para llegar a sus brazos. Ahora, la mayor parte de los sistemas que forman el organismo del bebé (desde el circulatorio al músculo-esqueletal) están preparados para la vida fuera del útero. Aunque el sistema digestivo también está preparado, todavía no se ha entrenado. Recuerde que hasta este momento la alimentación del bebé le ha llegado a través del cordón umbilical; no ha precisado hacer la digestión. Pero esto cambiará pronto. En el momento en que el bebé empiece a succionar el pecho de la madre (o el biberón), su sistema digestivo empezará a funcionar (y los pañales empezarán a llenarse).

Semana 37 He aquí una buena noticia: si el bebé naciera hoy, ya se consideraría nacido a término. Si bien esto no significa que haya acabado de crecer ni de prepararse para la vida fuera del útero. Sigue ganando peso a razón de unos 200 gramos a la semana, y ahora el bebé pesa de promedio unos 2900 gramos (aunque el tamaño varía de un bebé a otro). Sigue acumulando grasa y va conformando esos agujeritos para besar en codos, rodillas y hombros, y esos adorables pliegues en el cuello y las mu-

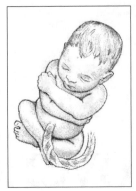

Su bebé, el noveno mes

ñecas. Para mantenerse ocupado hasta su gran debut, va practicando sus habilidades: inhalar y exhalar líquido amniótico (para preparar los pulmones), chuparse el pulgar (para prepararse para mamar), abrir y cerrar los ojos y moverse de un lado al otro (por eso ayer notaba sus nalgas en el lado izquierdo y hoy las nota en el derecho).

Semana 38 El pequeño ya no es tan pequeño, ahora pesa unos 3150 gramos y mide unos 50 cm (cinco arriba, cinco abajo). De hecho, el bebé ya es lo bastante grande como para nacer. Le quedan sólo dos semanas (o cuatro, como máximo) en el útero y ahora funcionan (casi) todos los sistemas de su organismo. Para acabar su preparación, el bebé debe encargarse de algunos detalles más, como desprenderse de la vérnix y el lanugo que le protegen. Y producir más surfactante, para evitar que los alvéolos pulmonares se peguen unos a otros cuando empiece a respirar, algo que hará muy pronto. El bebé llegará antes de lo que espera.

Semana 39 Esta semana no se producen grandes cambios, al menos en cuanto a peso y tamaño se refiere. Por suerte para la madre y su estirada piel (y dolorida espalda), el crecimiento del bebé se ha ralentizado, incluso se ha detenido has-

ta después del parto. De promedio, el bebé esta semana sigue pesando unos 3150 gramos y mide entre 48 y 52 cm (aunque el suyo puede ser un poco más grande o más pequeño). Pero el pequeño sigue progresando en otros aspectos, especialmente en el crecimiento del cerebro, que se desarrolla a gran velocidad (a un ritmo que continuará durante los tres primeros años de vida). Es más, la piel rosada del bebé se ha vuelto blanca o blanquecina (independientemente del color que tenga finalmente, ya que la pigmentación no aparece hasta después del nacimiento). Es posible que haya notado, si es su primer embarazo, que la cabeza del bebé se ha encajado en la pelvis materna. Este cambio de localización del pequeño puede facilitar la respiración (y aliviar la acidez de estómago) a la madre, pero también puede dificultarle caminar (andará como un pato).

Semana 40 ¡Felicidades! Ha llegado al término oficial del embarazo (y tal vez el final de su paciencia). Para que conste, el bebé es ahora un bebé a término y podría pesar entre 2700 y 4050 gramos y medir entre 48 y 55 cm, aunque hay bebés perfectamente sanos que son más pequeños o mayores. Seguramente notará cuando el bebé emerja que sigue en la posición fetal, si bien ya no es un feto. Esto se debe a la fuerza de la costumbre (después de nueve meses en el reducido espacio uterino, el bebé no se da cuenta todavía de que ya tiene espacio para estirarse) y para sentirse protegido (esta posición le da sensación de bienestar). Cuando conozca a su bebé, salúdele y hable con él. Se trata de su primer encuentro cara a cara, pero lo que él reconocerá es la voz de mamá y la de papá. Y si el bebé no nace cuando le toca (si decide ignorar la fecha de salida de cuentas que ha marcado en rojo en el calendario), no es el único que decide no hacerlo. Alrededor de la mitad de los embarazos siguen pasada la semana 40, aunque, por suerte, el tocólogo probablemente no dejará que el suyo siga en el útero pasada la semana 42.

Semanas 41-42 Parece ser que el bebé ha decidido retrasarse. Menos del 5% de los bebés nacen el día de salida de cuentas, y aproximadamente el 50% deciden quedarse más tiempo del esperado. Recuerde también que gran parte de las veces el bebé postérmino en realidad no se está retrasando, sino que la fecha calculada no era exacta. Con me-

nor frecuencia, el bebé sí es posmaduro. Cuando nace un bebé posmaduro, suele tener la piel seca, agrietada, pelada y arrugada (todo ello es temporal). Esto se debe a que la vérnix que le protege se desprendió semanas atrás, en preparación para una fecha de nacimiento que se ha sobrepasado. Un feto de más edad también tiene las uñas más largas, posiblemente el cabello más largo y ni rastro del lanugo. También estará más alerta y tendrá los ojos más abiertos (al fin y al cabo, es mayor y más espabilado). Para asegurarse de que todo va bien, el tocólogo monitorizará al bebé de cerca con tests de no estrés y analizando el líquido amniótico o los perfiles biofísicos.

Qué se puede sentir

Puede experimentar todos estos síntomas alguna vez, o sólo alguno de ellos. Puede que aún note algunos síntomas del mes pasado; otros serán nuevos. Y puede que otros casi no los note porque se ha acostumbrado a ellos y/o porque hayan quedado eclipsados por otros signos más emocionantes que indican que el parto puede no estar lejos:

Físicamente

- Cambios en la actividad fetal (más giros y menos patadas a medida que el bebé dispone de menos espacio para moverse).

- El flujo vaginal aumenta y contiene más mucosidad, que pueda salir teñida de sangre, pardusca o rosada después del coito o un examen pélvico o a medida que el cérvix empieza a dilatarse.

- Estreñimiento.

- Acidez de estómago, indigestión, flatulencia e hinchazón.

- Dolores de cabeza, desfallecimientos o mareos ocasionales.

- Congestión nasal y hemorragias nasales ocasionales; embotamiento de los oídos.

- Encías sensibles.

- Calambres en las piernas por la noche.

- Dolor de espalda más intenso y también pesadez.

- Molestias y dolorimiento en las nalgas y la zona pélvica.

- Aumento de la hinchazón de los tobillos y los pies, y ocasionalmente, de las manos y el rostro.

- Prurito en el abdomen, ombligo protruido.

- Estrías.

Un vistazo al interior

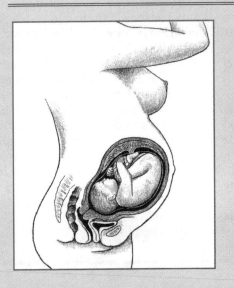

Su útero se encuentra ahora bajo las costillas y sus medidas ya no van a cambiar mucho de una semana a la siguiente. La parte superior del útero se encuentra a unos 38-40 cm de la parte alta del hueso del pubis. El aumento de peso también se hace más lento o incluso se detiene al acercarse el día del parto. La piel del abdomen está distendida al máximo y la embarazada camina de forma muy torpe, quizá porque el bebé ya ha descendido en espera del parto inminente.

- Presencia de venas varicosas en las piernas.

- Hemorroides.

- Respiración más fácil desde que el bebé ha "bajado".

- Micción bastante más frecuente desde que el bebé ha "bajado", lo que produce que sienta una presión sobre la vejiga.

- Mayores dificultades para poder dormir.

- Contracciones de Braxton Hicks más frecuentes e intensas (algunas pueden resultar dolorosas).

- Torpeza creciente y dificultad para moverse.

- Calostro que sale de los pechos (aunque esta sustancia anterior a la leche puede no aparecer hasta después del parto).

- Cansancio o mucha energía, o períodos alternos de cada uno de estos estados.

- Aumento o incluso pérdida del apetito.

Emocionalmente

- Más excitación, más ansiedad, más aprensión y, también, mucha más distracción.

- Alivio de haber llegado prácticamente al final.

- Irritabilidad e hipersensibilidad (especialmente con aquellas personas que siempre preguntan: "¿Todavía no has dado a luz?").

- Impaciencia o puede que intranquilidad.

- Sueños y fantasías sobre el futuro bebé.

Qué se puede esperar en la visita de este mes

Este mes, la madre se pasará más tiempo que nunca en el consultorio médico (mejor hacer acopio de buenos libros para la sala de espera) ya que las visitas serán semanales. Estas visitas serán más interesantes –el tocólogo valorará el tamaño del bebé e incluso puede predecir la proximidad del parto– y la emoción aumentará a medida que se acerca el día señalado. Por regla general, puede esperar que su médico compruebe los siguientes puntos, aunque puede haber variaciones dependiendo de sus necesidades o del estilo de práctica del facultativo:

- Peso (el aumento de peso seguramente disminuirá o incluso cesará por completo).

- Presión arterial (puede ser ligeramente superior a la encontrada a mitad del embarazo).

- Análisis de orina, para determinar el nivel de azúcar y proteínas.

- Manos y pies, por si existe hinchazón, y piernas, por si hay venas varicosas.

- El cuello uterino (por examen interno, generalmente en algún momento después de la semana 38) para detectar si se han iniciado el borramiento y la dilatación.

- Altura del fundus.

- Latido cardiaco fetal.

- Tamaño (se puede obtener una estimación aproximada del peso), presentación (de cabeza o de nalgas), posición del feto (¿mirando hacia atrás o hacia delante?) y también descenso (¿está el bebé encajado?) mediante palpación.

- Cuestiones que la paciente desee discutir, particularmente las relacionadas con el parto; es aconsejable llevar una lista. Hay que incluir la frecuencia y duración de las contracciones de Braxton Hicks que pueda haber notado la madre, así como los síntomas que haya experimentado, en especial los poco habituales.

La mujer puede recibir ya del médico el protocolo para el parto (cuándo llamar al facultativo si cree que está de parto, cuándo tiene que dirigirse al hospital); en caso contrario, deberá pedir instrucciones concretas.

Qué puede preocupar

Frecuencia urinaria, de nuevo

"Durante estos últimos días parece que estoy siempre en el lavabo. ¿Es normal orinar con tanta frecuencia?"

Parece como si la madre reviviera un antiguo problema del primer trimestre. Esto es porque el útero está donde empezó: en la parte inferior de la cavidad pélvica, presionando la vejiga. Y esta vez, el peso del útero es significativamente mayor, por lo que la presión sobre la vejiga también lo es y, por tanto, la necesidad de ir al baño. Siempre que la frecuencia no vaya acompañada de síntomas de infección (véase la pág. 536), habrá que considerarla normal. La mujer no debe intentar reducir la ingesta de líquidos para no ir tanto al lavabo, ya que su organismo los necesita ahora más que nunca. Y, como siempre, vaya cuando tenga ganas (y en cuanto encuentre un baño).

Goteo de leche

"Una amiga me ha dicho que al noveno mes ya le salía leche de los pechos; a mí no. ¿Significa que no voy a tener leche?"

La leche no empieza a producirse hasta que el bebé está listo para tomarla, y esto no ocurre hasta pasados tres o cuatro días del parto. Lo que salía de los pechos de su amiga es calostro, un líquido claro y amarillento que precede a la leche materna madura. El calostro es una fuente de anticuerpos para proteger al recién nacido, y contiene más proteína y menos grasa y azúcares (para digerirlo mejor) que la leche materna que se produce más adelante.

A algunas mujeres, pero no a todas, les sale este fenomenal alimento de los pechos hacia el final del embarazo. Pero incluso las mujeres a las que no les ocurre esto lo producen de todas formas. ¿No experimenta goteo pero siente curiosidad? Si presiona ligeramente la aréola, es posible que salgan algunas gotas (pero no presione con fuerza o puede provocar el dolorimiento de los pezones). ¿No sale nada? No se preocupe. El bebé sabrá cómo obtener el calostro cuando llegue el momento de hacerlo (si piensa darle de mamar). La ausencia de goteo no es una señal de que la producción de leche no vaya a ser suficiente.

Si le sale calostro de los pechos, probablemente sólo se trate de unas gotas. Pero si sale más que eso, puede usar discos de lactancia para proteger la ropa (y evitar momentos potencialmente embarazosos). Y puede ir acostumbrándose a las blusas manchadas, ya que esto es sólo una muestra de lo que puede ocurrir más adelante.

Pérdidas sanguinolentas

"Justo después de hacer el amor con mi marido esta mañana, he tenido unas pequeñas pérdidas. ¿Significa que empieza el parto?"

Una mucosidad teñida de rosa o con un veteado rojo, que aparece inmediatamente después del coito o de un examen vaginal, o una mucosidad teñida de pardo que aparece unas 48 horas después, son probablemente sólo el resultado de que el cuello uterino sensible ha sido magullado o manipulado, no una señal del inicio del parto. Pero si la mucosidad teñida de rosa o de pardo, o sanguinolenta va acompañada de contracciones u otros signos de parto inminente, tanto si se producen después del coito como si no, puede señalar que se está iniciando el período de dilatación (véase la pág. 392).

Si experimenta pérdidas de sangre roja y brillante o la aparición persistente de manchas después del coito –o en cualquier otro momento–, deberá llamar al médico sin demora.

Rotura de aguas en público

"Vivo con el temor de romper aguas en público."

Muchas mujeres temen perder líquido amniótico –especialmente en público– hacia el final del embarazo, pero pocas realmente llegan a experimentar esta situación. A diferencia de lo que se cree, es poco probable que las "aguas" (es decir, las membranas) se "rompan" antes del inicio de la dilatación. De hecho, más del 85% de las mujeres llegan a la sala de partos con las membranas intactas. Y aunque la mujer

¿El bebé ya llora?

El sonido más maravilloso que los padres escuchan es el primer llanto del bebé al nacer. Pero el bebé ya llora en el útero materno. Según las investigaciones, en el tercer trimestre los fetos presentan comportamientos de llanto –temblores del mentón, boca abierta, inhalaciones y exhalaciones profundas y reacciones de sobresalto– cuando se produce un ruido fuerte cerca de la barriga de la madre. Se sabe que el reflejo del llanto está bien desarrollado incluso en los bebés prematuros, de modo que no es de sorprender que los bebés perfeccionan esta habilidad mucho antes de estar preparados para salir (lo cual explica por qué lo hacen tan bien al salir).

se halle entre el 15% restante, no debe temer acabar con un charco a sus pies. A menos que esté acostada (algo que probablemente no suele hacer en público), el líquido amniótico no suele salir a chorro; es más probable que lo haga en forma de goteo o como máximo como un chorrito. Esto es debido a que al estar erguida (de pie, andando, incluso sentada) la madre, la cabeza del bebé tiende a bloquear la salida del útero igual que el tapón de una botella.

Algo más a tener en cuenta: si las membranas se rompen y el líquido amniótico sale bruscamente, las personas que se hallen cerca de la embarazada no la señalarán con el dedo, ni sacudirán la cabeza ni se reirán. En lugar de ello, le ofrecerán su ayuda o bien la ignorarán discretamente. Al fin y al cabo, todos habrán notado que estaba embarazada,

de modo que es poco probable que confundan el líquido amniótico con orina.

Lo bueno de romper aguas (en casa o en público) es que suele indicar que el parto es inminente, y suele producirse a lo largo de las 24 horas siguientes. Si la dilatación no se inicia espontáneamente en el transcurso de este tiempo, el médico seguramente lo inducirá. Esto significa que la llegada del bebé se producirá en un día, de una u otra forma.

Aunque no es necesario, el uso de una compresa higiénica durante las últimas semanas puede proporcionar a la mujer una sensación de seguridad, además de mantenerla más limpia a medida que aumenta la leucorrea. Puede poner también bajo las sábanas unas toallas, un hule o un protector por si rompe aguas en plena noche.

Encajamiento del feto

"Ya he pasado las 38 semanas y el bebé aún no se ha encajado. ¿Significa esto que el parto se retrasará?"

El hecho de que el bebé no se dirija aún hacia la salida no significa que la salida vaya a producirse tarde. El aligeramiento es el descenso del feto hacia la cavidad pélvica, una señal de que la parte de presentación (la primera que saldrá, normalmente la cabeza) se encaja en la parte superior del hueso pélvico. En los primeros embarazos, suele producirse entre dos y cuatro semanas antes del parto. En las mujeres que ya han tenido hijos, rara vez se produce antes de que empiece el parto. No obstante, también aquí la excepción a la regla es la regla. Una madre primeriza puede experimentar el encajamiento cuatro semanas antes de la salida de cuentas y dar a luz con dos semanas de "retraso" o ir de parto sin que el feto haya descendido.

El feto puede incluso descender y luego retroceder. La cabeza del bebé puede parecer que se encaja y luego ascender de nuevo (lo cual significa que en realidad no se ha encajado).

Con frecuencia, el descenso del bebé es muy patente. La embarazada nota que su voluminosa barriga parece haber descendido y haberse inclinado hacia delante. Las consecuencias felices: debido a que la presión que el útero ejerce sobre el diafragma se alivia, es más fácil respirar hondo y, con el estómago menos apretado, resulta más cómodo tomar una comida completa. Las consecuencias menos felices: incomodidad de la presión sobre la vejiga, las articulaciones de la pelvis y la zona perineal –lo que da lugar a una micción más frecuente, a una movilidad más dificultosa, a una sensación de mayor presión perineal y, a veces, a dolores perineales–; punzadas agudas cuando la cabeza del feto presiona sobre la base de la pelvis; cierta pérdida de equilibrio al haberse desplazado de nuevo el centro de gravedad de la mujer.

No obstante, también es muy posible que el encajamiento se produzca sin que la mujer se dé cuenta de ello. Si, por ejemplo, su barriga ya era del tipo bajo, es posible que la forma del abdomen no varíe notablemente con el aligeramiento. O si la mujer no ha tenido nunca dificultades respiratorias o al tomar una comida abundante, o siempre ha tenido la necesidad de ir con frecuencia al baño, es probable que no note ningún cambio significativo en su estado.

El médico confiará en dos indicaciones básicas para determinar si la cabeza del bebé está encajada: con un examen interno comprobará qué parte, que es la que se presentará primero, se nota en la pelvis; con un examen externo determinará si la cabeza del feto está fija o sigue "flotando" libremente. El recorrido de la parte de presentación a través de la pelvis es objetivado por los tocólogos señalando unos planos referidos a los salientes de la pelvis. Se dice que el bebé está en un primer plano cuando la presentación entra en la pelvis, y que está en un segundo plano cuando está a mitad de camino. El tercer plano señala el encajamiento y el cuarto plano, cuándo va a salir, cuándo se dice que corona. Aunque una mujer que empieza el parto con la presentación del feto encajada tiene menos trabajo por delante que la que empieza con la cabeza libre, esto no es invariablemente cierto, ya que la altura de la presentación no es el único factor que influye.

Aunque el encajamiento de la cabeza del feto sugiere que el bebé podrá pasar probablemente a través de la pelvis sin dificultades, no es garantía de ello; del mismo modo, el hecho de que el feto esté aún flotando cuando empieza el parto no indica que vaya a haber necesariamente dificultades. Y la mayoría de los fetos que aún no se han encajado cuando empieza la dilatación pasan a través de la pelvis suavemente. Ello es particularmente cierto en las mujeres que ya han tenido uno o más hijos.

Cambios en los movimientos fetales

"Mi bebé, que solía dar unas patadas muy vigorosas, ahora aún se mueve, pero menos."

Cuando la futura madre sintió por primera vez a su hijo, hacia el quinto mes de embarazo, el útero ofrecía al pequeño mucho espacio para sus movimientos acrobáticos (y para sus patadas y puñetazos). Ahora, el útero resulta bastante más angosto, y su gimnasia queda restringida. En esta "camisa de fuerza" que es ahora el útero, sólo le queda espacio para darse la vuelta,

¿Descenso de peso?

Quizá tenga una sorpresa –agradable– al comprobar su peso este mes. La mayoría de futuras madres, al llegar al final del embarazo, llegan también al final del período de aumento de peso. En lugar de subir, los números de la báscula se detienen –o incluso bajan– durante las últimas semanas. ¿Qué ocurre? Al fin y al cabo, el bebé no está perdiendo peso, y los tobillos y pelvis de la madre están tanto o más hinchados que nunca. Lo que sucede es perfectamente normal. De hecho, el cese del aumento de peso es un modo del cuerpo de prepararse para el parto. La cantidad de líquido amniótico empieza a disminuir (menos líquido implica menos peso), y la mayor actividad intestinal (habitual a medida que se acerca el momento del parto) también puede afectar a los números que muestra la báscula, igual que la sudoración abundante de la madre. Y si se alegra de ver que su peso disminuye, espere al día del parto: entonces experimentará la mayor pérdida de peso de su vida conseguida en un solo día.

Puede que el bebé esté echando la siesta (los fetos, como los recién nacidos, tienen momentos intermedios de sueño profundo); o que la mujer haya estado demasiado ocupada o activa para notar sus movimientos. Para estar más segura, comprobará la actividad de forma más rigurosa mediante el test de la página 321. Es una buena idea repetir el test un par de veces al día durante el último trimestre. Diez o más movimientos en cada prueba significan que el nivel de actividad del bebé es normal. Menos, sugieren que podría ser necesaria una evaluación médica para determinar la causa de esta inactividad, así que la gestante deberá llamar a su médico de inmediato. Aunque un bebé que está relativamente inactivo en el vientre de su madre podría estar perfectamente sano, la inactividad a veces indica que existe sufrimiento fetal. El reconocimiento temprano de este trastorno a través de las pruebas de movimiento fetal y la intervención médica a menudo pueden prevenir consecuencias graves.

"He leído que los movimientos fetales se reducen a medida que se acerca el parto. Pero mi bebé parece estar más activo que nunca."

Todos los bebés son diferentes, incluso antes de nacer, especialmente en lo referente a su nivel de actividad, y en particular a medida que se acerca la fecha del parto. Mientras que algunos bebés se mueven algo menos al prepararse para su llegada, otros mantienen un nivel de energía elevado hasta el momento del parto. A finales del embarazo, suele producirse un descenso gradual del número de movimientos, probablemente relacionado con el poco espacio de que dispone el bebé, la reducción del volumen de líquido amniótico y la mejora de la coordinación fetal.

Pero a menos que se cuenten todos los movimientos, incluso los más mínimos,

volverse y retorcerse. Y cuando su cabeza quede firmemente encajada en la pelvis, el bebé podrá moverse aún menos. En esta fase del embarazo, lo importante no es el tipo de movimientos fetales, sino el hecho de que la madre perciba cada día la actividad de su hijo. Si, por el contrario, la madre no detecta actividad alguna (véase más adelante) o nota un movimiento muy repentino y extraño, deberá consultar con el médico.

"Casi no he sentido las patadas del bebé en toda la tarde. ¿Debería alarmarme?"

es probable que la madre no note la diferencia.

Instinto de preparar el nido

"He oído hablar sobre este instinto en las mujeres. ¿Es algo real?"

En el ser humano, el instinto de preparar un "nido" puede ser tan fuerte y real como en las aves y en los cuadrúpedos. En los perros o gatos es fácil observar lo nerviosa que se pone la hembra preñada justo antes de dar a luz: camina inquieta de un lado para otro, rompiendo papel en jirones en una esquina y, cuando le parece que todo está listo, colocándose en el lugar preparado. Muchas embarazadas experimentan esta necesidad incontrolable de preparar un "nido" justo antes de dar a luz. Para algunas es algo repentino: de golpe les parece vital limpiar la nevera y asegurarse de que hay papel higiénico para seis meses. Para otras, el instinto se traduce en un comportamiento enérgico, maníaco, irracional, con frecuencia humorístico (como mínimo para quienes la observan): puede que quizá se dediquen a limpiar todos los recovecos de la habitación del futuro bebé con un cepillo de dientes, puede que quizá reordenen todos los armarios de la cocina, planchen toda la ropa habida y por haber o también puede que se pasen horas doblando mil veces la ropita del bebé.

Aunque este instinto no es un indicador fiable del momento en que se inicia el parto, lo cierto es que se intensifica cuando se acerca, tal vez como respuesta al aumento de adrenalina que circula por el organismo de la madre. No obstante, hay que recordar que no todas las mujeres experimentan este instinto y que ello no tiene nada que ver con su futura capacidad como madres. El deseo de apoltronarse delante del televisor en las últimas semanas de embarazo es tan frecuente como el de

Estar preparada

Huelga decir que una de las mejores formas de prepararse para el parto es informarse sobre el mismo. Tanto la futura madre como su acompañante se informarán todo lo posible: comenzarán por leer el siguiente capítulo y otros libros más específicos sobre el tema; verán DVD ilustrativos y pueden asistir juntos a las clases de preparación para el parto. No obstante, la preparación no debe detenerse aquí: habrá que considerar los asuntos prácticos y estéticos, pero también los de ocio y entretenimiento. Por ejemplo, ¿desea la mujer que el parto se grabe en vídeo (si lo permiten en el centro donde dará a luz) o se contenta con unas cuantas fotos? ¿Preferirá música suave en esos momentos o bien paz y silencio? ¿Cómo se distraerá entre contracciones, jugando a cartas con el acompañante o al solitario con su móvil, comprobando los mensajes de correo electrónico en el portátil o viendo la televisión?

La embarazada debe tener en cuenta que, una vez iniciadas las contracciones, es posible que no tenga humor para distracciones. No habrá que olvidar los materiales necesarios para las actividades planificadas (¡incluyendo cargar la cámara!) que se colocarán en la maleta del hospital.

Véase la página 388 para comprobar la lista completa.

limpiar armarios, y también es igual de comprensible.

Si la mujer se siente invadida por el instinto de "nidificación", procurará moderarlo con su sentido común. Deberá refrenar el deseo intenso de pintar ella misma la habitación del bebé; hará bien en permitir que otra persona se suba a la escalera con la cubeta y el rodillo mientras ella supervisa desde lejos. Tampoco permitirá que una limpieza excesiva la deje agotada, pues precisará de toda su energía para el parto y para el nuevo bebé. Y lo más importante de todo: tendrá siempre en cuenta las limitaciones de la especie. Aunque comparta con otros miembros del reino animal el instinto de hacer un nido, no debe olvidar que sigue siendo sólo humana y que no puede pretender tenerlo todo hecho antes de la llegada del bebé.

El momento del parto

"Acabo de pasar un reconocimiento interno y el médico dice que daré a luz muy pronto. ¿Puede predecir el momento?"

El tocólogo puede proponer una fecha probable, pero es sólo eso, probable. Existen indicios de que un parto empezará pronto, indicios que el médico busca en el noveno mes, palpando el abdomen y realizando un examen interno. ¿Se ha producido el encajamiento? ¿Qué plano de la pelvis ha alcanzado la parte de presentación del bebé? ¿Han empezado ya el borramiento (adelgazamiento del cuello uterino) y la dilatación (abertura del cuello uterino)? El cérvix, ¿ha comenzado a ablandarse y a desplazarse hacia la parte frontal de la vagina (otra indicación de que el parto está cercano) o bien está aún rígido y hacia atrás?

Sin embargo, "pronto" puede significar dentro de una hora o dentro de tres semanas o más. Pregúntele a la mujer cuya euforia al decirle el médico que "iría de parto aquella misma tarde" se convierte en depresión a medida que las semanas de embarazo continúan pasando. O a la mujer que regresa a casa resignada al decirle el tocólogo "todavía faltan semanas" y que se encuentra dando a luz a la mañana siguiente.

La verdad es que el encajamiento del feto, el borramiento y la dilatación son procesos que pueden tener lugar gradualmente, durante semanas en algunas mujeres, o bien de un día para otro en otras. Estos signos no pueden usarse para determinar con precisión el momento del nacimiento.

De modo que la mujer puede empezar a preparar la maleta si lo desea, pero no hace falta que deje el coche en marcha, ya que como toda embarazada, al llegar a la sala de partos, todavía deberá esperar antes del alumbramiento, si bien el momento llegará sin duda.

El bebé posmaduro

"Llevo una semana de retraso. ¿Es posible que no llegue a ir de parto sin inducirlo?"

La fecha mágica está marcada con un círculo rojo en el calendario; cada uno de los días de las 40 semanas que la precede se tacha con gran ilusión. Y luego, finalmente, llega el gran día. Pero en aproximadamente la mitad de los embarazos el que no llega entonces es el bebé. La ilusión se convierte en desaliento. El cochecito y la cuna para el bebé quedan vacíos un día más. Y luego una semana más. Y luego, en el 10% de los embarazos, dos semanas más. ¿Es que no terminará nunca el embarazo?

Aunque las mujeres que han llegado a las 42 semanas pueden no creerlo, en toda la historia no se ha registrado ningún caso de embarazo que continuara

¿Cómo le va al bebé?

A medida que el embarazo se acerca a su fin, el médico querrá controlar más de cerca la salud de la madre y la del feto, especialmente a partir del final de la semana 40. El motivo es que 40 semanas es el tiempo ideal de permanencia del feto en el útero; los que se quedan en su interior mucho más tiempo pueden enfrentarse a retos potenciales (hacerse demasiado grandes para nacer por parto vaginal, experimentar un empeoramiento de las funciones de la placenta, o un descenso del volumen de líquido amniótico). Afortunadamente, el facultativo es capaz de llevar a cabo diversos tests para cerciorarse del bienestar del bebé presente y futuro.

Valoración en casa del movimiento fetal. El registro por parte de la madre de los movimientos fetales (véase la pág. 321), aunque no constituye un procedimiento infalible, sí puede ofrecer algunas indicaciones sobre el estado del bebé. Diez movimientos por hora suele ser un valor tranquilizador. Si la madre no detecta una actividad normal, se llevarán a cabo otras pruebas.

Test de no estrés (TNE). La madre es conectada al monitor fetal tal como lo estaría si estuviera dilatando, con lo que se puede observar la respuesta del corazón fetal a los movimientos fetales. La madre dispone de un mecanismo (como un interruptor), y cada vez que nota que el bebé se mueve, presiona el interruptor. La monitorización dura entre 20 y 40 minutos y puede detectar si el feto sufre algún tipo de estrés.

Estimulación acústica del feto (EAF) o estimulación vibroacústica. Este test de no estrés, en el que se coloca sobre el abdomen de la madre un instrumento productor de sonido y vibraciones para determinar la respuesta del feto a los mismos, es útil cuando los resultados del TNE son dudosos.

Test del estrés, o test de desafío de la oxitocina (TDO). Si un test de no estrés resulta ambiguo, el tocólogo puede ordenar un test de estrés. Se trata de una prueba hospitalaria utilizada para evaluar la reactividad del corazón al "estrés" de las contracciones uterinas. En este test, algo más complejo y largo (pueden precisarse varias horas), la madre es conectada a un monitor fetal. Si las contracciones no se inician por sí solas, se administra a la madre una pequeña dosis de oxitocina (o se le pide que se

para siempre, ni siquiera cuando aún no se había inventado la inducción del parto. Los estudios demuestran que aproximadamente un 70% de los embarazos demasiado largos en apariencia no lo son en absoluto. Se cree que el parto se ha retrasado debido a errores en el cálculo de la fecha de la concepción, generalmente a causa de una ovulación irregular o a una equivocación sobre la fecha de la última menstruación. Y de hecho, cuando se recurre a una ecografía al inicio del embarazo para determinar la fecha de salida de cuentas, los diagnósticos de embarazos postérmino descienden espectacularmente del 10 al 2%.

Incluso si la mujer se encuentra en este 2%, el médico no permitirá que el embarazo sobrepase las 42 semanas. De hecho, la mayoría ni siquiera dejan que un embarazo llegue a las 42 semanas y prefieren inducir el parto cuando se alcanzan las 41 semanas. Y, por supuesto, si los resultados de las pruebas demuestran en algún momento que la placenta ya no funciona bien o que el nivel de

estimule los pezones) para iniciarlas. La respuesta fetal a las contracciones indica el probable estado del feto y de la placenta. Esta simulación aproximada de las condiciones de la dilatación permite predecir si el feto puede permanecer aún en el útero o no y si se podrá enfrentar a las demandas de la verdadera dilatación.

Perfil biofísico (PBF). El PBF valora mediante ultrasonidos cuatro aspectos de la vida en el útero: movimientos, respiración y tono (capacidad del bebé de flexionar un dedo) fetales, y cantidad de líquido amniótico. Si todos son normales, probablemente el bebé estará bien. Si se combina con un control del latido cardiaco fetal, el PBF proporciona una valoración muy exacta del estado del bebé.

Perfil biofísico modificado. Combina el TNE con una evaluación de la cantidad de líquido amniótico. Un nivel bajo de este líquido puede indicar que el feto no está produciendo orina suficiente y que la placenta no funciona bien. Si el feto reacciona apropiadamente a un test de no estrés y los niveles de líquido amniótico son adecuados, es probable que todo vaya bien.

Velocímetro Doppler de la arteria umbilical. Este análisis no invasor por ultrasonidos controla el flujo de sangre a través de la arteria umbilical. Un flujo ausente, débil o invertido indica que el feto no está teniendo una alimentación adecuada y seguramente no está creciendo bien.

Otros tests sobre el bienestar fetal. Éstos incluyen: ecografías seriadas para documentar el crecimiento fetal; muestreo de líquido amniótico (por amniocentesis); electrocardiografía fetal (para conocer el estado del corazón fetal); y estimulación del cuero cabelludo del feto (que comprueba su reacción a la presión o a un pellizco en el cuero cabelludo).

La mayoría de las veces, los fetos pasan estas pruebas sin problemas, lo cual significa que pueden seguir en el útero hasta que estén listos para salir. En raras ocasiones, los resultados de las pruebas pueden etiquetarse de "no tranquilizadores", lo cual no es tan malo como parece. Como estos tests dan muchos resultados falsos positivos, un resultado no tranquilizador no significa necesariamente que el bebé sufra, sino que el médico seguirá controlando al bebé, y si resulta que existen indicadores de sufrimiento fetal, se inducirá el parto. (Para más información, véase la pág. 401.)

líquido amniótico ha disminuido –o si existen otros signos que indiquen que el bebé puede no estar bien–, el facultativo actuará y, según la situación, inducirá el parto o bien practicará una cesárea. Esto significa que aunque la mujer acabe no yendo de parto por sí misma, no permanecerá embarazada para siempre.

"He oído que los bebés que se retrasan no están bien en el útero. Acabo de pasar la semana 40, ¿significa esto que el bebé debe nacer ya?"

El hecho de que su embarazo sobrepase las 40 semanas no significa necesariamente que el bebé deje de estar bien en su entorno uterino ni que se precie una salida de emergencia. Muchos bebés siguen creciendo iniciado el décimo mes de embarazo. Pero cuando la gestación llega a la fecha postérmino (técnicamente, las 42 semanas), el entorno ideal del útero a veces puede volverse menos habitable. La placenta, envejecida, puede tener dificultades para proporcionar

¿Parto inducido por una misma?

Qué ocurre si la mujer ha salido de cuentas y sigue tan embarazada como siempre (mejor dicho, más embarazada que nunca) y el bebé no da señales de querer salir. ¿Hay que dejar que la naturaleza siga su curso, tarde lo que tarde? ¿O puede la mujer intervenir y aplicar técnicas de autoinducción del parto? Y si interviene, ¿funcionarán las técnicas que aplique la mujer? Mientras que son muchos los métodos naturales que la mujer puede probar para intentar inducirse personalmente el parto, es difícil demostrar que alguno de ellos vaya a funcionar. Algunas mujeres aseguran que sí, pero ninguna de las técnicas tradicionalmente empleadas con este fin se ha documentado como verdaderamente útil. Esto es debido en parte a que cuando parecen funcionar, resulta difícil determinar si realmente han funcionado o si el parto, de forma coincidente, se ha iniciado cuando le tocaba.

Pero si la madre se está quedando sin paciencia (nada raro al sobrepasar la semana 40), puede intentar alguna de las siguientes técnicas:

Paseos. Se ha sugerido que caminar puede ayudar al bebé a descender hasta la pelvis, gracias tal vez a la fuerza de la gravedad o al balanceo de las caderas maternas. Cuando el bebé presiona el cérvix –literalmente– el parto puede iniciarse en cualquier momento. Si resulta que los paseos de la madre no consiguen iniciar el parto, tampoco pasa nada; de hecho, es posible que ahora esté más en forma para el momento de la verdad, cuando llegue.

Coito. Las relaciones sexuales pueden ser una buena manera de mezclar el placer con la obligación. O no. Algunas investigaciones demuestran que el semen (que contiene prostaglandinas) puede estimular las contracciones, mientras

---

suficientes nutrientes y oxígeno al feto, y la producción de líquido amniótico puede disminuir.

Los bebés que nacen tras haber pasado cierto tiempo en este entorno poco habitable se denominan posmaduros. Tienen la piel seca, agrietada, pelada, suelta y arrugada, y ya han perdido la capa protectora de vérnix caseosa. Al ser "mayores" que otros bebés, éstos tienen las uñas más largas y más cabello, y suelen tener los ojos más abiertos, un mayor perímetro craneal y, como pueden haber padecido sufrimiento fetal, los bebés posmaduros presentan más probabilidades de tener que ser extraídos por cesárea. Es posible que precisen además cuidados especiales en la unidad de cuidados intensivos neonatales al nacer.

Por tanto, aunque la mayoría de bebés postérmino llegan a su hogar algo más tarde de lo esperado, llegan totalmente sanos.

Para evitar la posmadurez, muchos médicos prefieren inducir el parto cuando se sabe con certeza que el embarazo ha pasado de 41 semanas y el cérvix está maduro (blando y listo para la dilatación) o antes si se presentan complicaciones de algún tipo. Otros prefieren esperar un poco más y realizar alguna prueba (véase la pág. 382) para ver si el bebé sigue bien, y repetir estas pruebas una o dos veces a la semana hasta que se inicie el parto.

Pregunte a su tocólogo qué plan de acción suele poner en práctica cuando el bebé se retrasa.

que otras investigaciones indican que el sexo a finales del embarazo puede hacer que el bebé se retrase más. En resumen, practiquen el sexo si les apetece (y disfruten de él). Al fin y al cabo, será la última vez en mucho tiempo que podrán (o les apetecerá) hacerlo. Si ello conduce al parto, bien; si no, también.

Estimulación de los pezones. La estimulación de los pezones de la madre durante unas horas (sí, horas) al día puede favorecer la liberación de oxitocina natural y provocar las contracciones. Pero hay un inconveniente: la estimulación de los pezones –por atractivo que pueda parecer (o no) pasarse horas estimulándolos– puede provocar contracciones largas y dolorosas. A menos que el médico le aconseje esta técnica y supervise su aplicación, la mujer debe pensárselo bien antes de empezar ella misma o su esposo la estimulación.

Aceite de ricino. Las mujeres han ido pasando esta tradición (de desagradable sabor) de generación en generación, basándose en la teoría que afirma que este potente laxante estimula los intestinos que, a su vez, estimulan el útero para que se contraiga. La desventaja: el aceite de ricino (aunque se mezcle con una bebida más apetecible) puede provocar diarrea, fuertes calambres, e incluso vómitos. Antes de ingerirlo, la mujer debe estar dispuesta a empezar el parto en tales condiciones.

Infusiones y remedios a base de hierbas. La infusión de hojas de frambuesa o el té de cohosh negro pueden ser los remedios que recomiende la abuela, pero como no se han llevado a cabo estudios que determinen que los tratamientos a base de hierbas sean seguros para inducir el parto, no los use sin consultar antes con su médico.

Y mientras la mujer sopesa la eficacia de los métodos de inducción personal, debe recordar que acabará yendo de parto –por ella misma o con ayuda del facultativo– en cuestión de una o dos semanas.

Claro que lo más probable es que el bebé decida salir del útero tarde o temprano, y sin que le ayuden.

Invitados al parto

"Estoy muy ilusionada con el nacimiento del bebé y deseo compartir dicha experiencia con mis hermanas, con mis mejores amigas y con mi madre, por supuesto. ¿Sería muy extraño tenerlas a todas conmigo y junto a mi marido en la sala de partos?"

E l día del parto será como una fiesta y la lista de invitados parece ir en aumento. No hay nada raro en desear que los seres queridos estén junto a la mujer cuando llegue el gran día, y de hecho cada vez son más las madres que así lo desean.

¿Por qué cada vez son más las embarazadas que creen que cuantos más mejor el día del parto? En primer lugar, el uso generalizado de la anestesia epidural ha conseguido que el parto sea menos laborioso para muchas madres. Al tener que hacer frente a pocos dolores o ninguno, hay más ocasiones para interactuar con los demás (además, es más fácil tener buen humor si la madre no debe gruñir y resoplar). En segundo lugar, los hospitales van adaptándose a esta tendencia e incluso algunos disponen de salas de partos más grandes (para alojar a los numerosos invitados) y más cómodas (con sofás y sillas para que los invitados esperen cómodamente la llegada del bebé). Algunos incluso disponen de acceso a internet para mantener ocupados a los invitados en los momentos de poca acción.

Las políticas de los centros también son más permisivas. Y la afluencia de familiares y amigas puede ser algo que el médico –o la comadrona– haya recomendado. Muchos médicos consideran que si la madre tiene más distracciones, apoyo y ayuda está más relajada y más contenta durante el parto, algo positivo tanto si es un parto medicalizado como si no lo es.

Claramente, existen diversos motivos por los que la mujer puede desear un entorno lleno de caras familiares. Aun así, existen algunos inconvenientes que vale la pena considerar antes de repartir las invitaciones: el responsable médico deberá aprobar la lista de invitados (no todos los médicos están de acuerdo en trabajar con tanta gente alrededor, y puede que el hospital limite el número de invitados permitidos). También debe asegurarse de que su pareja está de acuerdo con reunir a tanta compañía (recuerde que, aunque sea usted la que realizará gran parte del trabajo, ambos son los anfitriones de la fiesta). Piense también si se sentirá cómoda con tantos ojos pendientes de usted en un momento tan íntimo (habrá gruñidos, gritos, escapes de orina y probablemente de heces, y estará medio desnuda). Otro aspecto más a sopesar: los invitados (su hermano o su suegro, por ejemplo), ¿están interesados en ver lo que van a ver? ¿Es posible que su incomodidad la

Masajes para facilitar el parto

Tiene mucho tiempo mientras espera la llegada del bebé. Aproveche para darse –o pedir que le hagan– un buen masaje. El masaje perineal puede ayudar a dar de sí el perineo (la zona que va desde la vagina al recto) de la primípara, lo cual a su vez puede minimizar las punzadas cuando corona la cabeza del bebé. Existe otra ventaja muy bienvenida: también puede evitar una episiotomía o un desgarro, según algunos expertos.

Para comenzar, lávese bien las manos (y asegúrese de tener las uñas cortas) e introduzca los pulgares o índices (lubricados con vaselina si lo desea) en el interior de la vagina. Presione hacia abajo (hacia el recto) y deslice los dedos hacia las nalgas y luego en ascenso hacia los lados del perineo. Este masaje se repite diariamente durante las últimas semanas del embarazo, se realiza durante cinco minutos (o más) cada vez. Si no le apetece este masaje, no está obligada en absoluto a realizarlo. No se preocupe si no le parece algo apropiado, si le parece una actividad extraña o si simplemente no dispone del tiempo para llevarlo a cabo. Aunque la experiencia parece validar este tipo de masajes, todavía no se han realizado estudios clínicos sobre ello. Incluso sin realizar el masaje perineal, la musculatura se estirará cuando llegue el momento.

Y no se preocupe por el masaje si ya ha dado a luz a uno o dos bebés. El perineo no necesita, y probablemente no se beneficiará, de un mayor estiramiento.

Un consejo: si decide realizar el masaje perineal, hágalo con cuidado. Lo último que necesita es hacerse daño, arañarse o irritar esta sensible zona. Por tanto, proceda con cautela.

ponga nerviosa a usted cuando más necesite estar relajada?

¿Se encontrará cómoda con todas estas personas hablando a su alrededor cuando desee calma, tranquilidad y descanso?

¿Se sentirá obligada a estar pendiente de los invitados cuando debería concentrarse en dar a luz a su hijo?

Si decide que desea esta compañía, recuerde que debe poder cambiar de parecer hasta el último momento. Acuérdese (y recuerde a los invitados) de que siempre existe la posibilidad de que el parto que iba a ser vaginal se convierta en una cesárea inesperadamente, en cuyo caso, sólo el futuro padre podrá permanecer en la sala. O puede que al cabo de un rato decida que no está de humor para invitados y deba pedirles a todos que se marchen. (Y si se arrepiente de haber invitado a sus seres queridos, no debe temer herir sus sentimientos pidiéndoles que se marchen; como parturienta, sus sentimientos son los únicos que cuentan.)

¿Quizá no desea invitar a tantas personas?

No deje que las modas –ni los parientes insistentes– influyan en su decisión. Lo que usted y su pareja crean conveniente es lo que deben hacer.

¿Miedo a otro período de dilatación prolongado?

"En mi primer parto, la dilatación duró 30 horas, y finalmente di a luz tras 3 horas de empujar. Aunque los dos salimos bien del acontecimiento, temo pasar de nuevo por esta tortura."

Cualquiera que sea lo bastante valiente para volver al cuadrilátero des-

---

¿Alimentos para inducir el parto?

Está dispuesta a hacer –o comer– lo que sea para provocar esa primera contracción. Aunque no existe respaldo científico, muchas mujeres afirman tener la receta culinaria que consigue desencadenar el parto. Entre las recetas recomendadas están las siguientes: si el estómago de la mujer está listo para ello, algo picante; o algo que ponga en funcionamiento los intestinos –y, cabe esperar, el útero–, como unas cuantas magdalenas integrales, tal vez seguidas de un vaso de zumo de ciruela. Si no le apetece algo tan estimulante, algunas mujeres afirman que la berenjena, los tomates y el vinagre balsámico (no necesariamente juntos) funcionan bien; otras afirman que el zumo de piña cumple la función. Coma o beba lo que fuere, recuerde que a menos que el bebé y su cuerpo estén a punto para iniciar el parto, es poco probable que la cena sea capaz de provocarlo.

---

pués de un primer asalto tan desafiante, se merece un cambio. Y existen muchas probabilidades de que el cambio se dé. Desde luego, aunque las posibilidades de experimentar un parto más fácil son mayores la segunda vez, no hay garantías. La posición del bebé y otros factores pueden alterar la estadística. Ni con una bola de cristal se puede predecir con precisión lo que cada parto puede conllevar.

No obstante, el segundo parto y los siguientes suelen ser más fáciles y cortos que los primeros, a veces con marcada diferencia. El canal de parto ahora es más espacioso, ofrece menos resistencia y

Qué se debe llevar al hospital

Aunque la parturienta puede presentarse en el hospital equipada sólo con su vientre y la cartilla de la Seguridad Social, tal vez no sea ésta la mejor idea. No obstante, conviene ir ligera de equipaje (no es necesario llenar una gran maleta para acompañar a esa gran barriga); llévese sólo lo esencial. Lo mejor es preparar con tiempo la bolsa para no tener que revolver la casa de arriba abajo en busca del iPod cuando las contracciones sean cada cinco minutos. Entre el material útil que puede llevarse están los siguientes artículos:

Para la sala de dilatación o de parto

- Este libro. También conviene llevar un cuaderno y un bolígrafo para anotar las preguntas y respuestas sobre los procedimientos seguidos, sobre el estado personal y el del bebé; las instrucciones para el regreso a casa y el nombre del personal que se ha ocupado de todo el proceso.

- Varias copias del plan para dar a luz (véase la pág. 326).

- Un reloj con segundero para contar las contracciones. Mejor aún, el acompañante puede acostumbrarse a llevarlo puesto durante las últimas semanas del embarazo.

- Un reproductor de MP3, de MP4 o de CD, o un iPod con las canciones favoritas de la madre, si la música la relaja.

- Una cámara fotográfica y/o de vídeo, si la embarazada no se fía de su memoria para captar todo el acontecimiento (y si las normas del hospital permiten la grabación de los nacimientos). No olvidar cargadores y pilas de recambio.

- Algún entretenimiento: un ordenador portátil, un libro de crucigramas o sudoku, videojuegos o cualquier diversión que pueda distraer un poco del tema del parto.

- Lociones, aceites o cualquier producto que la embarazada utilice para darse un masaje.

- Una pelota de tenis o un rodillo de plástico para un buen masaje de espalda por si el dolor en esta zona es intenso.

- Una almohada propia para ponerse más cómoda durante y después de la dilatación.

- Caramelos sin azúcar para mantener la boca húmeda.

- Un cepillo de dientes, dentífrico y líquido para enjuagues (después de unas ocho horas, la mujer necesitará refrescarse la boca).

- Calcetines gruesos por si los pies se enfrían.

- Zapatillas cómodas de suela antideslizante, por si apetece caminar durante la dilatación y para poder

la musculatura está más laxa y, aunque el proceso no estará libre de esfuerzos (raras veces es así), será menos doloroso. La mayor diferencia radicará en la cantidad de esfuerzos para empujar que la madre tendrá que hacer; los segundos bebés con bastante frecuencia salen en unos pocos minutos, en vez de tardar horas.

pasear por los pasillos más tarde, entre las tomas del bebé.

- Un pasador o cinta para el pelo, si lo lleva largo, para mantenerlo alejado del rostro y evitar que se enrede. Y un cepillo.

- Un par de bocadillos o tentempiés para el acompañante, para que el futuro padre no tenga que ausentarse cuando le apriete el hambre.

- Una muda de ropa para el acompañante, para su comodidad y por si se queda a dormir en el hospital.

- Un teléfono móvil y cargador (aunque es posible que no puedan utilizarlo en la habitación).

Para el posparto

- Una bata y/o camisones, en caso de que la madre prefiera llevar su propia ropa en lugar de la del hospital. Deberá abrirse por delante si piensa dar de mamar al bebé.

  De todos modos, hay que pensar que si bien un camisón bonito puede ayudar a levantar los ánimos, también es posible que acabe manchándose de sangre.

- Artículos de tocador, incluido el champú, acondicionador, gel de ducha, desodorante, espejo de bolso, maquillaje y cualquier otro producto que le resulte esencial de belleza e higiene.

- Compresas sanitarias, aunque el hospital las suele proporcionar (evitar el uso de tampones).

- Un par de mudas de ropa interior y un sujetador para dar de mamar.

- Todos los juegos citados antes, más algún libro (incluyendo alguno con nombres de bebés si los padres aún no han decidido este punto).

- Paquetes de pasas, nueces, galletas de trigo integral y otros tentempiés saludables como complemento a la dieta hospitalaria y para no desfallecer cuando el hambre acose entre comidas.

- Una lista con los números de teléfono de la familia y amigos para comunicar la buena nueva; una tarjeta de teléfono o un móvil (aunque algunos hospitales no los permiten).

- Una muda para volver a casa para la madre; hay que recordar que en ese momento tendrá aún una barriga considerable. (Seguramente su aspecto será el que tiene una embarazada a los cinco meses.)

- Un conjunto "de calle" para el recién nacido: un pelele, un jersey, unas botitas, una mantita más o menos gruesa según el tiempo que haga. Probablemente, el hospital proporcionará los pañales, pero siempre es buena idea llevar unos cuantos de más por si acaso.

- Sillita para el recién nacido. Muchos hospitales no dejan salir con el bebé si éste no dispone de la sillita de seguridad adecuada para el coche. Además, la ley obliga a ello.

Hacer de madre

"Ahora que la llegada del bebé está tan próxima, estoy empezándome a preocupar por el trabajo de cuidarle. Nunca he tenido en brazos a un recién nacido."

La mayoría de las mujeres no nacen madres –ni los hombres nacen padres–, ni saben de modo instintivo cómo acunar a un bebé que llora para lograr que se duerma, o cambiarle los pañales

Planificar el parto

Con cuánto tiempo de antelación hay que avisar al tocólogo. ¿Hay que llamar si se rompe la bolsa de las aguas? ¿Cómo contactar con él si las contracciones comienzan fuera de su horario de visita? ¿Hay que llamarle a él primero y luego ir al hospital?

No hay que esperar hasta que comience el parto para obtener la respuesta a estas importantes preguntas. En la próxima visita la mujer debe tratar todos estos puntos con el médico y anotar las respuestas, ya que cuando empiecen los dolores del parto es fácil que la embarazada se olvide por completo de ellas. También hay que pensar en el mejor camino para ir de casa al hospital, calcular más o menos el tiempo que se tarda según los momentos del día y el tipo de transporte disponible si nadie puede llevarla en coche. (Nunca debe conducir ella misma.) Y si hay otros niños en casa, un pariente anciano o un animal de compañía, también hay que hacer planes por adelantado para ocuparse de su cuidado. La embarazada conservará una copia de toda la información anterior en su bolso, así como en la puerta de la nevera o mesilla de noche.

o darle un baño. La maternidad —como la paternidad— es un arte que se aprende y requiere mucha práctica para llegar a ser perfecto (o *casi* perfecto, ya que, evidentemente, no existe una madre o un padre perfectos).

Durante siglos, esta práctica solía adquirirse muy pronto, cuando las niñas aprendían a cuidar de sus hermanos menores o de otros niños de la familia o del barrio, antes de cuidar a sus hijos. En la actualidad, son muchas las mujeres que no han tenido nunca a un recién nacido en brazos hasta que les toca coger al suyo. La práctica de la maternidad se adquiere sobre la marcha y con la ayuda de libros, revistas, internet y, si se tiene la suerte de que el hospital local la ofrece, una clase sobre cómo cuidar del bebé. Esto significa que durante una o dos semanas (o incluso más), la madre puede sentirse fuera de lugar mientras el bebé llora más que duerme, lleva el pañal mal colocado y derrama lágrimas a pesar del "no llores más" indicado en la botella de champú infantil.

No obstante, la nueva madre empieza a sentirse de modo lento pero seguro como una profesional en la materia.

Su inquietud se convierte en seguridad. El bebé que antes tenía miedo de tomar en brazos (¿y si se rompe?) es acunado ahora tranquilamente con el brazo izquierdo mientras con la mano derecha la madre pone la mesa o pasa el aspirador. La administración de gotas de vitaminas, los baños y la introducción de los pequeños bracitos en las mangas de las camisas han dejado de ser temibles. Al igual que las otras tareas diarias de la maternidad, han pasado a ser ya naturales. La mujer se ha convertido en madre y —por difícil que le cueste imaginarlo— a usted le ocurrirá lo mismo.

Aunque nada puede hacer más fáciles estos primeros días con un primer bebé, empezar el proceso de aprendizaje antes del parto puede hacer que éstos parezcan algo menos abrumadores. Podría ser de gran ayuda: visitar una sala de recién nacidos y ver a los últimos en llegar; tener en brazos, cambiar los pañales y tranquilizar al recién nacido de una amiga; leer sobre el primer año de los bebés; visitar sitios web y foros en internet (nadie puede enseñar más a una nueva madre que otra madre); y ver un DVD o tomar clases sobre cómo cuidar a un recién nacido (y procurarle RCP). Para más tranquilidad, hable con amigos que acaben de ser padres. Le resultará de gran alivio comprobar que todos se enfrentan a los mismos retos y tienen los mismos temores y dudas.

Deje la despensa llena

Aunque la adquisición de cochecitos, pañales y ropita en miniatura haya sido su prioridad últimamente, la mujer no debe olvidar ir también al mercado.

Incluso con los tobillos hinchados y con la barriga más pesada que nunca, hacer la compra embarazada de nueve meses es más fácil de lo que lo será durante mucho tiempo.

Por eso conviene aprovechar ahora para llenar la despensa para no tener que hacerlo dentro de poco cargada con el bebé (y la silla de seguridad y la bolsa de pañales). Puede llenar la despensa, la nevera y el congelador de alimentos sanos fáciles de preparar: queso, yogures, fruta congelada para hacer batidos, cereales, barritas de cereales, sopas, frutos secos. Y no olvide tampoco los productos de un solo uso (ahora usará mucho papel de cocina, y le irá bien tener platos y vasos de plástico cuando no tenga tiempo de vaciar el lavavajillas).

Y ya que está en la cocina y dispone de cierto tiempo, cocine algunos platos para poder congelarlos (lasaña, magdalenas) en raciones individuales y bien etiquetados. Le serán prácticos durante el posparto.

Preparto, falso parto, parto verdadero

En las series y películas de televisión siempre parece muy fácil.

Hacia las tres de la madrugada, la mujer embarazada se sienta en la cama, coloca una mano sobre su barriga y extiende la otra para despertar a su marido con un sereno "ha llegado el momento, cariño".

Y ahora usted se pregunta, ¿cómo sabe la mujer que ha llegado el momento? ¿Cómo puede reconocer los dolores del parto con una confianza tan fría, tan clínica, si nunca los había sentido antes? ¿Por qué está tan segura de que no llegará al hospital, será examinada y le notificarán que aún no ha dilatado y ni tan siquiera está cerca del momento del parto?

¿De que no la mandarán de nuevo a casa –entre las sonrisas más o menos veladas del turno de noche– tan embarazada como antes? Porque ha leído el guión, claro.

Al otro lado de la pantalla del televisor (sin guión a mano), lo más probable es que la mujer se despierte a las tres de la madrugada en un estado de total incertidumbre. ¿Se trata realmente de los dolores del parto o tan sólo de otra contracción de Braxton Hicks? ¿Debo encender la luz y empezar a cronometrar? ¿Debo despertar a mi marido? ¿Llamo al médico en plena noche para avisarle de lo que puede ser en realidad un falso dolor de parto? Si lo hago y no ha llegado el momento, ¿me convertiré en aquella mujer embarazada que gritó "¡parto!" tantas veces que nadie se la tomó en serio cuando hubo llegado el momento? ¿O seré la única de la clase de preparación para el parto incapaz de reconocer los dolores del parto? ¿Iré al hospital demasiado tarde y daré a luz en un taxi?

Las preguntas se multiplican con más rapidez que las contracciones.

El hecho es que la mayoría de las mujeres, por muy preocupadas que hayan estado, no valoran equivocadamente el inicio de su parto. Gracias al instinto, a la suerte o a unas contracciones "indudablemente" dolorosas, la gran mayoría de las mujeres llegan al hospital ni demasiado pronto ni demasiado tarde, sino en el momento oportuno. En cualquier caso, no hay razón para dejar el asunto en manos de la suerte. El conocimiento de los signos del preparto, del parto falso y del parto verdadero sin duda ayudará a aliviar la preocupación cuando empiecen las contracciones.

Síntomas de preparto

Los cambios físicos del preparto pueden anticiparse al parto verdadero en un mes o más o sólo en unas pocas horas.

El preparto se caracteriza por el inicio del borramiento y la dilatación del cuello uterino, que sólo pueden ser confirmados por el médico, así como por una gran variedad de signos adicionales que la embarazada puede detectar en sí misma.

Encajamiento. Generalmente entre dos y cuatro semanas antes del parto, en las madres primerizas, el feto empieza a descender hacia la pelvis. En los partos posteriores, este fenómeno no se suele producir hasta que el parto ya ha comenzado.

Sensación de presión creciente en la pelvis y el recto. Los calambres (parecidos a los menstruales) y el dolor en las ingles son particularmente frecuentes en los segundos embarazos o embarazos posteriores. También se puede presentar un dolor en la parte baja de la espalda.

Pérdida de peso o cese del aumento de peso. Cuando el parto ya está cerca, sin que ello quiera decir que es inminente, algunas mujeres pierden un kilo o un kilo y medio de peso.

Cambios en el nivel de energía. En el noveno mes, algunas embarazadas se sienten más fatigadas. Otras, por el contrario, experimentan un aumento de energía, vitalidad y ganas de hacer cosas. La necesidad incontrolable de limpiar los suelos o pulir los muebles se ha relacionado con el "instinto de anidamiento": la hembra de la especie prepara el nido para la inminente llegada (véase la pág. 380).

Cambios en las secreciones vaginales. Es posible que las pérdidas vaginales sean más intensas y más espesas.

Expulsión del tapón mucoso. A medida que el cuello uterino empieza a adelgazarse y dilatarse, el "corcho" de mucosidad que cierra el orificio del útero queda desalojado (véase la pág. 395). El tapón gelatinoso puede expulsarse una o dos semanas antes del inicio de las contracciones verdaderas, o al iniciarse el parto.

Pérdidas rosadas o sanguinolentas. A medida que el cérvix se borra y se dilata, los capilares de la zona suelen romperse y teñir de rosa o manchar de sangre el tapón mucoso (véase la pág. 396). Estas pérdidas suelen significar que el parto se iniciará en cuestión de 24 horas, aunque puede retrasarse algunos días.

Intensificación de las contracciones de Braxton Hicks. Estas contracciones habituales pueden volverse más frecuentes y más intensas, incluso dolorosas (véase la pág. 343).

Diarrea. Algunas mujeres sufren de diarrea inmediatamente antes del inicio del parto.

Síntomas de falso parto

El verdadero parto probablemente no ha comenzado aún si:

- Las contracciones no son regulares y no aumentan de frecuencia o de intensidad. Las verdaderas contracciones pueden no ceñirse a lo que indica el manual, pero se vuelven más intensas y más frecuentes con el tiempo.

- Las contracciones desaparecen si la mujer se pasea un poco o cambia de posición (aunque a veces ocurre lo mismo cuando se trata de parto "verdadero").

- Las pérdidas, si existen, son parduscas. Suelen ser el resultado de un examen interno o del coito llevados a cabo en las pasadas 48 horas.

- Los movimientos fetales se intensifican brevemente con las contracciones. (Llame de inmediato al médico si la actividad se vuelve frenética.)

Recuerde que el falso parto (aunque no sea parto) no es una pérdida de tiempo (aunque la haya llevado al hospital). Es un mecanismo del cuerpo para prepararse para el gran acontecimiento, de modo que cuando llegue el momento todo esté listo, tanto si la gestante lo está como si no.

Síntomas del parto verdadero

No se sabe con certeza qué es lo que provoca el inicio del parto (y a las embarazadas suele preocuparlas más el "cuándo" que el "por qué"), pero se cree que se trata de una combinación de factores. Este intrincado proceso empieza con el feto, cuyo cerebro envía unos mensajes químicos (que probablemente se traduzcan como "Mamá, déjame salir") que desencadenan una reacción hormonal en cadena en la madre. Estos cambios hormonales, a su vez, preparan el terreno para la acción de las prostaglandinas y la oxitocina, sustancias que provocan las contracciones cuando llega el momento.

La mujer sabrá que las contracciones de preparto se han convertido en contracciones de parto verdadero si:

- Las contracciones se intensifican, en lugar de aminorar, con la actividad, y no se reducen ni desaparecen al cambiar de posición.

- Las contracciones son progresivamente más frecuentes y dolorosas y por regla general (pero no siempre) más regulares. Esta progresión no es absoluta –cada contracción no es más dolorosa o más prolongada que la anterior (suelen durar entre 30 y 70 segundos)–, pero su intensidad general aumenta a medida que progresa el parto verdadero. Tampoco su frecuencia aumenta a intervalos regulares, perfectamente iguales, pero aumenta.

- Las primeras contracciones pueden parecer un retortijón intestinal, calambres menstruales fuertes, o ser como una presión en la parte baja del abdomen. El dolor puede sentirse sólo en la parte baja del abdomen o en la zona lumbar y el abdomen, y puede bajar también hacia las piernas (especialmente la parte alta de los muslos). Pero la localización del dolor no es un dato fiable, porque en estas zonas pueden sentirse también las contracciones del falso parto.

- Existen pérdidas rosadas o con un veteado sanguinolento.

En el 15 % de los casos, se rompen las membranas –y el líquido sale en forma de goteo o chorro– antes del inicio del parto. Pero en muchos otros casos, las membranas se rompen espontáneamente durante el parto, o las rompe artificialmente el facultativo.

Cuándo llamar al médico

El tocólogo habrá dado a la mujer instrucciones sobre cuándo llamarle si cree que está de parto (cuando las contracciones sean cada cinco a siete minutos, por ejemplo). La embarazada no esperará hasta que los intervalos sean perfectamente regulares; pueden no llegar a serlo. Si no está segura de si va de parto o no –pero las contracciones son bastante regulares–, llame al médico de todas formas. El tocólogo probablemente podrá determinar por el tono de voz

---

Prepárese

Para estar preparada para la llegada del bebé cuando él esté a punto de salir empiece a leer ahora el siguiente capítulo, sobre el parto y el nacimiento.

---

de la mujer, al hablar mientras tiene una contracción, si se trata de parto verdadero o no (si ella no intenta enmascarar el dolor en un esfuerzo por ser educada). Aunque la mujer haya comprobado una y otra vez la lista de síntomas de parto y siga en la incertidumbre, deberá llamar al médico. No debe preocuparla despertarle en plena noche (las personas que se dedican a asistir partos no esperan que su horario sea de 9 a 5) ni se avergüence si resulta ser una falsa alarma (no sería la primera madre que se equivocara, ni tampoco la última). No asuma que si no está segura de que se trate de parto verdadero no lo sea. Peque de precavida y llame.

Llame también al médico de inmediato si las contracciones son cada vez más fuertes aunque falten todavía semanas para llegar a la fecha de salida de cuentas, si rompe aguas pero no se inicia el parto, si rompe aguas y el líquido tiene un aspecto verde pardusco, si pierde sangre roja, o si nota que el cordón umbilical se ha deslizado hasta el cérvix o vagina.

CAPÍTULO 15

Parto y nacimiento

UENTA LOS DÍAS. ¿ESTÁ ANSIOsa por verse de nuevo los pies? ¿Desesperada por dormir boca abajo otra vez (o desesperada por dormir)? No se preocupe, el final (del embarazo) está cerca. Y mientras sueña con ese precioso instante –cuando tenga al bebé en sus brazos, no en su barriga– probablemente también esté pensando mucho en el proceso que hará que ese instante sea una realidad: el parto. Se estará preguntando: ¿Cuándo empezará el parto? Y más importante, ¿cuándo terminará? ¿Podré aguantar el dolor? ¿Necesitaré la epidural? ¿Llevaré un monitor fetal? ¿Me practicarán una episiotomía? ¿Y si quiero dar a luz en cuclillas? ¿O sin medicación? ¿Y si no hago ningún progreso? ¿Y si va todo tan deprisa que doy a luz por el camino?

Con las respuestas a estas (y otras) preguntas –además del apoyo de su pareja y asistentes al parto (médicos, enfermeras, comadronas, doulas y demás)–, la futura madre estará preparada para lo que el parto conlleve. Sólo debe recordar que lo más importante que el parto conlleva (aunque ninguna otra cosa salga como la había planeado) es la esperada llegada del bebé.

Qué puede preocupar

Tapón mucoso

"Creo que se me ha desprendido el tapón mucoso. ¿Significa esto que el parto está ya a punto de empezar?"

La futura madre no debe precipitarse. El tapón mucoso –esa barrera gelatinosa, transparente, que ha tapado el cuello uterino durante todo el embarazo– puede a veces desplazarse al comenzar la dilatación y el borrado. Algunas mujeres notan la expulsión del tapón mucoso (¿qué es lo que he dejado en el inodoro?); otras no. Aunque la expulsión del tapón mucoso es una señal de que el cuerpo se está preparando para el gran día, no es una señal de que haya llegado, ni tan sólo de que sea inminente.

En este punto, el parto todavía puede estar a uno o dos días vista, o hasta varias semanas vista, durante las cuales el cuello uterino continuará dilatándose. No hay necesidad de llamar aún al médico ni de preparar las maletas a toda prisa.

Si no encuentra el tapón mucoso en su ropa interior ni en el baño, no se preocupe. Muchas mujeres no lo pierden con antelación (y otras lo pierden sin darse cuenta), y ello no predice nada acerca del eventual progreso del parto.

Pérdidas sanguinolentas

"Tengo pérdidas mucosas de color rosa. ¿Está a punto de comenzar el parto?"

Las pérdidas sanguinolentas de tipo mucoso suelen indicar que el cuello uterino ha iniciado ya el borrado y/o dilatación, y el color rosado es el resultado de la rotura natural de vasos sanguíneos que conlleva este proceso. El proceso que finaliza en el nacimiento ya ha comenzado. Es posible que el bebé llegue en uno o dos días a partir de este momento. Pero como el parto es un proceso de duración variable, el suspense continúa hasta que note la primera contracción.

Si las pérdidas se volvieran de repente de color rojo brillante, llame enseguida al médico.

Rotura de las membranas

"Me desperté en plena noche con la cama mojada. ¿Es que había perdido el control de la vejiga, o bien se habían roto las membranas?"

Para contestar a esta pregunta basta probablemente con oler las sábanas. Si la mancha húmeda tiene un olor dulzón y no huele a amoníaco, se trata seguramente de líquido amniótico. Otro indicio de que se trata de líquido amniótico: un hilillo del líquido, color paja pálido, sigue fluyendo (aunque no se vaciará el saco amniótico, ya que el organismo sigue produciendo líquido amniótico hasta el momento del parto; cada pocas horas se reproduce toda la cantidad perdida). Otra prueba: intente detener el flujo de líquido contrayendo la musculatura pélvica (ejercicios de Kegel). Si deja de salir, es orina; si no, es líquido amniótico.

Es más probable que note que pierde líquido si está acostada; normalmente, el flujo se detiene, o aminora, cuando la mujer se pone de pie o se sienta, ya que la cabeza del bebé actúa como un tapón. El goteo será más abundante –tanto sentada como de pie– si la rotura de las membranas ha tenido lugar cerca del cuello uterino y no más arriba.

Es probable que el médico haya dado instrucciones sobre lo que debe hacerse y sobre cuándo llamar si las membranas se rompen. Pero si tiene dudas acerca de ello, siempre es mejor llamar enseguida al médico, ya sea de día o de noche.

"He roto aguas, pero no he tenido ninguna contracción. ¿Cuándo empezará el parto y qué debo hacer mientras tanto?"

Es probable que el parto se inicie pronto. La mayoría de las mujeres cuyas membranas se rompen antes del parto suelen notar la primera contracción antes de 12 horas; y del resto, la mayoría la notan antes de pasadas 24 horas. Pero una de cada diez tarda incluso más en ir de parto. A causa del creciente riesgo de infección para el bebé y/o la madre a través del saco amniótico roto, la mayoría de médicos inducen el parto con oxitocina en el transcurso de las 24 horas que siguen a la rotura si la fecha de la salida de cuentas está próxima, aunque algunos esperan sólo 6 horas. Muchas mujeres de hecho agradecen la inducción del parto rápida, preferible a una espera mojada de 24 horas.

Si experimenta un flujo o goteo vaginal de líquido (además de ponerse una toalla o una compresa), llame al médico o a la comadrona. Mientras tanto, mantenga el área vaginal lo más limpia posible para evitar infecciones. No mantenga relaciones sexuales (tampoco es probable que le apetezcan); utilice compresas sanitarias para absorber el flujo de líquido amniótico (no tampones), no intente realizarse usted misma un examen interno y, como siempre, límpiese de delante hacia atrás después de ir al baño.

En algunos pocos casos de rotura prematura de las membranas (con mayor frecuencia en los partos prematuros y de nalgas), cuando la parte de presentación no está encajada en la pelvis, el cordón umbilical queda "prolapsado": penetra en el cuello del útero o incluso en la vagina, arrastrado por el flujo de líquido amniótico. Si observa que en su vagina aparece un asa de cordón umbilical o siente algo dentro de la vagina, deberá conseguir ayuda médica de inmediato (véase la pág. 603).

Líquido amniótico oscuro

"Las membranas se me han roto y el líquido es de color pardo verdoso. ¿Qué significa?"

El líquido amniótico probablemente está teñido por el meconio, una sustancia de olor desagradable y de color pardo verdoso que procede del tracto digestivo del bebé. Normalmente, el meconio es expulsado después del nacimiento, con las primeras heces del bebé. Pero algunas veces –sobre todo cuando

existe algún tipo de sufrimiento fetal y muy a menudo cuando el bebé es posmaduro– se expulsa antes del nacimiento y va a parar al líquido amniótico. La coloración por meconio, por sí misma, no es un signo seguro de sufrimiento fetal, pero como existe esta posibilidad, lo mejor es informar de ello al médico inmediatamente. Seguramente, el médico decidirá inducir el parto (si las contracciones no están ya en desarrollo) y monitorizará al bebé a lo largo del proceso.

Poco líquido amniótico

"Mi tocólogo dice que tengo poco líquido amniótico y que debe añadir un suplemento. ¿Debo preocuparme?"

Por lo general, la naturaleza mantiene el útero bien lleno de la cantidad necesaria de líquido amniótico. Por suerte, aunque su nivel descienda durante la dilatación, la ciencia médica puede intervenir y complementar el líquido natural con una disolución salina introducida directamente en el saco amniótico a través de un catéter en el útero. Este procedimiento, llamado amnioinfusión, puede reducir significativamente la posibilidad de un parto quirúrgico debido al sufrimiento fetal.

Contracciones irregulares

"En las clases de preparación para el parto nos dijeron que no fuéramos al hospital hasta que las contracciones fueran regulares y se presentaran cada cinco minutos. Las mías se presentan con menos de cinco minutos de intervalo, pero no son en absoluto regulares. No sé qué hacer."

Del mismo modo que no hay dos embarazos iguales, no hay dos partos iguales. El parto descrito en los libros, en las clases de educación al parto o en la consulta del médico es el parto típico, parecido al que muchas mujeres pueden esperar. Pero no todos los partos, ni mucho menos, siguen fielmente el patrón de los libros de texto, con contracciones a intervalos regulares y previsiblemente progresivos.

Si tiene contracciones intensas, largas (de 20 a 60 segundos), frecuentes (por lo general, cada 5 a 7 minutos o menos), aunque varíen considerablemente en cuanto a duración e intervalo, no espere a que se vuelvan "regulares" para llamar al médico o dirigirse al hospital, independientemente de lo que haya leído u oído decir. Es posible que sus contracciones no se vuelvan más regulares y que se encuentre ya en la fase "activa" del parto.

Llamar al médico durante la dilatación

"Acabo de empezar a sentir las primeras contracciones, pero éstas se producen ya cada tres o cuatro minutos. No sé si llamar al médico, ya que éste me dijo que debería pasar en casa las primeras horas de la dilatación."

La mayoría de las madres primerizas (cuyos partos suelen empezar lentamente, con un aumento gradual de las contracciones) pueden contar con pasar en su casa las primeras horas del parto. No obstante, si las contracciones empiezan ya con intensidad –con una duración de por lo menos 45 segundos y con una frecuencia inferior a los 5 minutos–, es probable que las primeras horas del parto sean también las últimas. (Y si no es primeriza, el parto puede incluso ser más rápido.) Es muy posible que la mayor parte de la primera fase del parto ha-

ya sido indolora, y que el cuello uterino se haya dilatado ya considerablemente durante este tiempo. Esto significa que no llamar al médico –y correr el riesgo de tener que acudir apresuradamente al hospital en el último minuto– sería bastante más tonto que coger el teléfono y avisarle ahora mismo.

Cuando llame al médico, sea clara y precisa acerca de la frecuencia, duración e intensidad de las contracciones. Como el médico está acostumbrado a valorar la fase del parto en parte por el sonido de la voz de la futura madre mientras habla al mismo tiempo que tiene una contracción, no intente disimular sus molestias, no se haga la valiente ni intente mantener un tono de voz calmado al describir lo que experimenta. Deje que las contracciones hablen por usted, tan alto como sea necesario.

Si cree que está a punto pero el médico no parece creerlo así, pregúntele si puede dirigirse ya al hospital para que la examinen. Lleve consigo la maleta por si acaso, pero esté preparada por si le dicen que regrese a casa si únicamente ha empezado a dilatar.

No llegar a tiempo al hospital

"Tengo miedo de no llegar al hospital a tiempo."

Afortunadamente, la mayoría de los partos sorpresa se producen en el cine y la televisión. En la vida real, los partos rara vez ocurren sin avisar, especialmente los de las primíparas. Pero muy de vez en cuando, una mujer que no ha sentido los dolores del parto o que sólo ha tenido algunos dolores erráticos, experimenta bruscamente la imperiosa necesidad de parir; con frecuencia confunde esta necesidad con la de ir al lavabo.

Parto de emergencia cuando la mujer está sola

Es casi seguro que no necesitará las siguientes instrucciones pero, por si acaso, téngalas a mano.

1. Intentar conservar la calma.

2. Llamar al 112 (emergencias) o al 061 (ambulancias) para que le manden el equipo adecuado. Pídales que avisen a su médico.

3. Pedir a una vecina u otra persona que la ayude, si es posible.

4. Empezar a jadear para impedir el alumbramiento.

5. Lavarse las manos y el área perineal, si es posible.

6. Extender algunas toallas limpias, periódicos o sábanas sobre una cama, un sofá o sobre el suelo y acostarse hasta que llegue el equipo médico.

7. Si a pesar de los jadeos, el bebé empieza a llegar antes que los auxilios, ayudarle a salir, empujando suavemente cada vez que sienta la necesidad.

8. Si la coronilla del bebé comienza a aparecer, jadee o sople (no empuje) y aplique una suave contrapresión en el perineo para que la cabeza no salga de repente. Ésta debe emerger gradualmente, nunca estirándola. Si el cordón umbilical está enredado en el cuello del bebé, se deslizará un dedo por debajo, con cuidado, para pasarlo por encima de la cabeza.

9. A continuación, sujete suavemente la cabeza del bebé con ambas manos y presione ligeramente hacia abajo (sin estirar), empujando al mismo tiempo para expulsar el primer hombro. Cuando aparezca la parte superior del brazo, levante la cabeza con cuidado para favorecer la salida del otro hombro. Cuando los hombros ya estén fuera, el resto del cuerpo debería salir sin problemas.

10. Colóquese al bebé sobre el abdomen o, si el cordón es lo bastante largo (sin tirar de él), en el pecho. Cubra rápidamente al pequeño con una manta, toalla o cualquier otra pieza de ropa limpia.

11. Limpie la boca y la nariz del bebé con una toalla limpia. Si no ha llegado la ayuda médica y el bebé no llora ni respira, frótele la espalda, manteniendo la cabeza más baja que los pies. Si sigue sin respirar, límpiele el interior de la boca con el dedo limpio e insufle dos bocanadas de aire rápidas y muy suaves en la boca y la nariz.

12. No intente sacar la placenta. Si sale por sí sola antes de que llegue la ayuda de emergencia, envuélvala en toallas o papel de periódico y manténgala por encima del nivel del bebé, si es posible. No intente cortar el cordón.

13. Mantenerse bien abrigados (madre y bebé) hasta que llegue la ayuda externa.

Si bien la posibilidad de que le ocurra es remota, es buena idea que usted y su pareja se familiaricen con las actuaciones básicas en caso de parto de emergencia (véanse los recuadros de arriba y de la pág. 404). Una vez lo hayan hecho, relájense y recuerden que un parto repentino y rápido es una posibilidad extremadamente remota.

Parto corto

"Siempre oigo historias de partos muy cortos. ¿Son muy comunes?"

Un parto corto no siempre es tan corto como parece. Con frecuencia, la futura madre ha estado experimentando contracciones durante horas, días e incluso semanas, que han dilatado gradualmente su cuello uterino. En el momento en que nota la primera contracción está a menudo ya en la fase final del parto.

Ocasionalmente, el cuello uterino se dilata con gran rapidez, consiguiendo en cuestión de minutos lo que la mayoría de cuellos uterinos (particularmente de las madres primerizas) tardan horas en alcanzar. Y felizmente, incluso en estos partos relámpago o precipitados (que tardan tres horas o menos desde el principio hasta el final) rara vez existe una amenaza para el bebé.

Si parece que su parto empieza con gran precipitación –con contracciones fuertes y muy seguidas–, diríjase hacia el hospital de inmediato (para que usted y el bebé puedan ser monitorizados). La medicación puede ser de gran ayuda para aminorar algo las contracciones y aliviar la presión sobre el feto o sobre el cuerpo de la propia madre.

Parto de riñones

"El dolor que siento en la espalda desde que han empezado las contracciones es tan intenso que no sé cómo podré soportarlo hasta el nacimiento del bebé."

Técnicamente, el "parto de riñones" se produce cuando el feto se encuentra en una posición posterior (u occipitoposterior), con la parte posterior de su cabeza haciendo presión sobre el sacro de la madre, el límite posterior de la pelvis. Sin embargo, es posible experimentar un parto de riñones cuando el bebé no se halla en esta posición y cuando el bebé se ha dado la vuelta de una posición posterior a una anterior, posiblemente porque la zona se ha convertido en un foco de tensión.

Cuando la futura madre experimenta este tipo de dolor –que con frecuencia no disminuye entre las contracciones

y resulta insoportable durante éstas–, la causa no es realmente un problema crucial. Lo que sí lo es es el modo de aliviarlo, aunque sólo sea ligeramente. Si ha optado por la epidural, pueden administrársela sin esperar más (no hay necesidad de esperar, sobre todo si el dolor es intenso). Es posible que precise una dosis mayor que la habitual para aliviar totalmente el dolor de espalda, por lo que conviene mencionárselo al anestesista. Otras opciones (como los analgésicos narcóticos) también ofrecen alivio. Pero si desea prescindir de la medicación, existen diversas medidas que pueden resultar útiles; siempre vale la pena probarlas:

Aliviar la presión. Intente cambiar de postura. Camine (si bien esto puede resultarle imposible cuando tenga contracciones fuertes), póngase de cuclillas o a cuatro patas, o adopte la postura que le resulte más cómoda. Si cree que no puede ni moverse y prefiere permanecer echada, lo mejor es que se tienda sobre el costado, manteniendo la espalda doblada.

Calor o frío. El acompañante puede aplicar calor (una bolsa de agua caliente envuelta en una toalla, una compresa caliente, etc.) o frío (bolsas de hielo, compresas frías), en función de lo que procure más alivio. O alternar ambos.

Aplicar una contrapresión y masaje. Pídale al acompañante que pruebe varios modos de aplicar presión al área de mayor dolor, o a las áreas adyacentes, hasta encontrar el que parezca aliviarlo mejor. Puede intentarlo con los nudillos o con la base de la palma de una mano y ejerciendo presión con la otra, con una pelota de tenis, o con un accesorio de masaje para la espalda, ya sea aplicando una presión directa o con firmes movimientos circulares. La presión y el masaje pueden ser ejercidos mientras la mujer permanece sentada o mientras se halla tendida sobre el costado. Se puede aplicar crema, aceite o polvos periódicamente para reducir la posible irritación de la zona.

Reflexología. Para tratar el dolor del parto de riñones, esta terapia propone ejercer presión con el dedo justo debajo de la parte anterior de la planta del pie.

Otras formas alternativas contra el dolor. La hidroterapia puede aliviar algo el dolor. Si la mujer tiene alguna experiencia en meditación, visualización o autohipnosis para combatir el dolor, conviene que las ponga en práctica. Estos sistemas suelen funcionar bien y, en todo caso, son inofensivos. La acupuntura también puede aliviar el dolor, pero habrá que planificar de antemano y tener a un terapeuta avisado para acogerse a esta opción.

Inducción del parto

"El médico quiere inducirme el parto, pero no he salido de cuentas. Pensaba que la inducción sólo era para bebés posmaduros."

A veces, la madre naturaleza precisa una ayuda para convertir a una embarazada en madre. Alrededor del 20% de los embarazos terminan precisando esta ayuda, y si bien es cierto que en muchos casos la inducción es necesaria porque ya ha pasado la fecha de salida de cuentas, hay otros motivos por los que el facultativo puede considerarla necesaria:

■ Cuando las membranas se rompen y las contracciones no se han iniciado al cabo de 24 horas (aunque algunos médicos inducen mucho antes).

■ Cuando un test sugiere que la placenta ya no funciona de forma óptima, que el medio uterino ya no es sano o que el nivel de líquido amniótico es bajo.

■ Cuando un test sugiere que existe sufrimiento fetal y el bebé está lo bastante maduro como para sobrevivir bien fuera del útero.

■ Cuando la madre padece una preeclampsia o diabetes gestacional, o una enfermedad crónica o aguda que plantea un riesgo si no se termina el embarazo.

■ Cuando se teme que la madre no tenga tiempo de llegar al hospital una vez iniciada la dilatación, ya sea porque la mujer vive lejos o porque ya tuvo un parto previo muy rápido.

Si todavía no está segura de los motivos de su médico para inducirle el parto, pídale una explicación. Para saber lo que hay que saber sobre los partos inducidos, siga leyendo.

"¿Cómo funciona la inducción?"

La inducción, como un parto iniciado de forma natural, es un proceso; en ocasiones, un proceso largo. Pero a diferencia del parto iniciado naturalmente, el organismo de la madre recibe ayuda. La inducción suele implicar una serie de pasos (aunque usted no pase por todos ellos necesariamente):

■ En primer lugar, hay que madurar (o ablandar) el cuello uterino para que empiece la dilatación. Si la madre llega y el cérvix ya está maduro, seguramente se pasará al siguiente paso. Si el cérvix no está dilatado ni borrado y no se ha ablandado en absoluto, el facultativo administrará una sustancia hormonal, como la prostaglandina E en forma de gel vaginal (o en forma de supositorio vaginal), para iniciar el proceso. Durante este procedimiento indoloro, se emplea una jeringa para introducir el gel en el interior de la vagina, cerca del cuello uterino. Al cabo de unas horas, cuando el gel haya surtido efecto, se comprobará si el cuello uterino de la mujer se ablanda y empieza a dilatarse. Si no es así, se administra una segunda dosis de gel. En muchos casos, el gel basta para iniciar las contracciones y la dilatación. Si su cérvix está lo suficientemente maduro pero no comienzan las contracciones, sigue el proceso de inducción. (Nota: algunos médicos emplean agentes mecánicos para madurar el cérvix, como un catéter con un balón hinchable, dilatadores graduados que estiran el cuello del útero, o incluso agentes botánicos, como la *Laminaria japonica*, que al introducirla en la vagina, abre paulatinamente el cérvix mientras absorbe el líquido que la rodea.)

- Si el saco amniótico está intacto, el médico puede proceder a la separación de las membranas del cuello uterino para provocar la liberación de la prostaglandina. Este procedimiento no pretende romper la bolsa de aguas, pero a veces sucede. También puede ser doloroso para algunas mujeres. El médico también puede optar por la rotura artificial de las membranas (véase la pág. 407) para intentar iniciar la dilatación.

- Si ni la prostaglandina ni la separación ni la rotura de las membranas inician contracciones regulares, el médico administrará oxitocina sintética (la oxitocina es la hormona natural que produce el organismo durante el embarazo y que también juega un papel importante en el parto) por vía intravenosa, hasta que las contracciones sean regulares. El misoprostol, administrado por vía vaginal, puede emplearse como alternativa a otras técnicas de maduración e inducción; algunos estudios muestran que su ad-

ministración disminuye la cantidad de oxitocina necesaria y reduce el tiempo de dilatación.

- El bebé será monitorizado continuamente para evaluar su estado. Usted también lo será para comprobar que la medicación no hiperestimule su cuello uterino y provoque contracciones demasiado largas e intensas. Si esto ocurre, se puede reducir la infusión o bien detener el proceso por completo. Cuando las contracciones estén bien establecidas, es posible que se cese la administración de oxitocina o se disminuya la dosis, y el parto debería progresar del mismo modo que un parto no inducido.

- Si, pasadas entre 8 y 12 horas de la administración de oxitocina, el parto no se ha iniciado o no ha progresado, el facultativo puede detener el proceso de inducción para dar a la mujer una oportunidad de descansar antes de volver a intentarlo o, según las circunstancias, recurrir a una cesárea.

Comer y beber durante el parto

"He oído historias contradictorias sobre si se puede o no comer y beber durante el parto."

No sé si se puede comer y beber durante el parto. Depende de a quién se lo pregunte. Algunos facultativos no lo permiten, porque sostienen que si se utiliza anestesia general en caso de emergencia, podría producirse la aspiración del alimento en el tracto digestivo. Estos facultativos suelen permitir únicamente chupar cubitos de hielo, junto con el fluido intravenoso necesario. Muchos otros médicos permiten la ingesta de líquidos y sólidos ligeros en los partos de bajo riesgo, aduciendo que la parturienta necesita tanto líquidos como calorías para conservar sus fuerzas y funcionar bien, y que el riesgo de aspiración (que sólo existe si se administra anestesia general, la cual se administra raramente y sólo en caso de emergencia) es extremadamente bajo: en 7 de cada 10 millones de partos. Su postura se ha visto reforzada por algunos estudios que demuestran que las mujeres a las que se permite comer y beber durante el parto tienen partos 90 minutos más cortos de promedio, tienden menos a necesitar oxitocina para acelerar la dilatación, requieren menos medicación para el dolor y dan a luz a bebés con mayor puntuación en el test de Apgar, en comparación con las que ayunan. Consulte con su médico el menú del día de su parto.

Aunque el facultativo dé luz verde para comer, lo más probable es que no tenga ganas de atiborrarse una vez se inicien las contracciones (además, estará muy distraída). Al fin y al cabo, el parto puede estropearle el apetito. Aun así, tomar un tentempié ligero de fácil digestión –un polo, gelatina, zumo de manzana, fruta cocida, pasta sin salsa, una tostada con mermelada o un caldo ligero– mantendrá su nivel de energía en un momento en que la necesitará (seguramente no podrá o no querrá comer durante las últimas fases del parto activo). Al decidir, con ayuda del médico, qué debe comer y cuándo, recuerde que el parto puede provocarle náuseas. Algunas mujeres vomitan al progresar el parto, aunque no hayan comido nada.

Tanto si es capaz de tomar algo como si no, su acompañante sí podrá y debería hacerlo (no querrá que esté debilitado por el hambre cuando más le necesite). Recuérdele que coma algo antes de dirigirse hacia el hospital (él estará pensando en su barriga, no en la suya propia) y que se lleve unos cuantos tentempiés para no tener que dejarla cuando le empiece a rugir el estómago.

El goteo de rutina (IV)

"¿Es cierto que me aplicarán un IV en cuanto ingrese en el hospital para dar a luz?"

Eso dependerá de la política del hospital donde vaya a dar a luz. En algunos hospitales, es una práctica rutinaria colocar una perfusión intravenosa (IV), un catéter flexible introducido en la vena (normalmente en el reverso de la mano o el antebrazo) para administrar líquidos y medicación. El motivo es preventivo: para asegurarse de que la mujer no se deshidrate y por si surge una emergencia y la mujer necesita medicación (la vía para administrar la medicación ya está colocada y no hace falta pinchar de nuevo a la mujer). Otros médicos u hospitales prefieren esperar hasta que surja la necesidad del IV. Pregunte la política de su médico con antelación y, si es contraria al goteo de rutina, dígalo. Es posible que se pueda evitar su aplicación hasta que surja, si surge, la necesidad.

En caso de epidural, es seguro que le colocarán un goteo. Los líquidos IV se administran de forma rutinaria antes y durante la anestesia epidural para reducir la posibilidad de una bajada de tensión, un efecto secundario común de este tipo de anestesia. El goteo también permite la administración fácil de oxitocina sintética si el parto debe acelerarse.

Si terminan aplicándole un IV, por ser una práctica rutinaria o porque le administren la epidural, comprobará que no resulta demasiado molesto. Sólo resulta algo incómodo cuando es insertado, pero a partir de entonces casi pasa inadvertido. Si está instalado sobre un soporte móvil, la madre podrá llevarlo consigo al lavabo, o cuando quiera dar un pequeño paseo por los pasillos del hospital. Si es contraria al goteo pero la política del hospital dicta su aplicación, pregunte a su médico si existe la opción

Parto de emergencia: consejos para el ayudante

En casa o en la oficina

1. Intentar conservar la calma mientras se tranquiliza a la madre. Recordar, aunque no se sepa nada de dar a luz a un niño, que el cuerpo de la madre y su bebé pueden hacer casi todo el trabajo por sí mismos.

2. Llamar al 112 o al 061; pedir que localicen al médico o comadrona de la parturienta.

3. Hacer que la futura madre empiece a jadear para evitar dar a luz.

4. Si se dispone de tiempo, lavarse las manos y lavar el área vaginal de la futura madre con agua y jabón (usar un antibactericida, si es posible).

5. Si hay tiempo, colocar a la madre en la cama (o sobre una mesa o escritorio) de forma que le queden las nalgas colgando ligeramente, con las manos bajo los muslos para mantenerlos elevados. Si se dispone de sillas, usar un par para que apoye los pies sobre ellas. Colocar unos cuantos cojines o almohadas debajo de los hombros y la cabeza de la mujer para mantenerla en posición semirrecostada, que puede facilitar el parto. Si mientras esperan la ayuda médica la cabeza del bebé todavía no sale, hacer que la madre se acueste del todo para ralentizar el proceso hasta que llegue la ayuda.

Hay que proteger las superficies del parto, siempre que ello sea posible, con un mantel de plástico, una cortina de ducha, papel de periódico, toallas o material similar. Bajo la vagina de la madre se colocará una palangana para recoger el líquido amniótico y la sangre.

6. Si no hay tiempo de llegar a una cama o mesa, colocar periódicos o toallas limpias o prendas de vestir dobladas debajo de las nalgas de la mujer. Proteger las superficies del parto como se especifica en el punto 5.

7. Cuando la parte superior de la cabeza del bebé empiece a asomar, indicarle a la madre que jadee o sople (que no empuje) y aplicar una contrapresión suave sobre el perineo (la zona entre la vagina y el ano) para impedir que la cabeza salga súbitamente. Dejar que la cabeza emerja de forma gradual −no tirar nunca de ella−. Si existe una vuelta de cordón umbilical alrededor del cuello del bebé, colocar un dedo debajo de él y hacerlo pasar suavemente por encima de la cabeza del bebé.

8. Tomar la cabeza con las dos manos, suavemente, y empujarla con gran cuidado hacia abajo (no estirar) pidiendo a la madre que empuje para extraer el hombro que se presenta primero. Cuando aparezca el brazo, levantar la cabeza cuidadosamente, vigilando la salida del otro hombro. Una vez que los hombros han quedado libres, el resto del bebé debería resbalar con facilidad.

9. Colocar al bebé sobre el abdomen de la madre o, si el cordón es suficientemente largo (no tirar de él), sobre su pecho.

---

alternativa de colocarle una vía heparinizada.

Con la vía heparinizada, el catéter se inserta en la vena, se añade una gota de la medicación (heparina) que evita la coagulación de la sangre y se cierra el catéter. Esta opción ofrece al personal hospitalario una vía intravenosa abierta por si surge una emergencia, pero no ata a la madre al goteo innecesario: una solución intermedia válida en ciertas situaciones.

Envolverlo rápidamente en una sábana, una manta, una toalla o cualquier prenda limpia que se tenga a mano.

10. Limpiar la boca y la nariz del bebé con una toalla limpia. Si no ha llegado la ayuda médica y el bebé no llora ni respira, frótele la espalda, manteniendo la cabeza más baja que los pies. Si sigue sin respirar, límpiele el interior de la boca con el dedo limpio e insufle dos bocanadas de aire rápidas y muy suaves en la boca y la nariz.

11. No intente sacar la placenta. Si sale por sí sola antes de que llegue la ayuda de emergencia, envuélvala en toallas o papel de periódico y manténgala por encima del nivel del bebé, si es posible. No es preciso intentar cortar el cordón.

12. Mantener bien abrigados y cómodos a la madre y al bebé hasta que llegue la ayuda externa.

De camino al hospital

Si el acompañante está en su propio coche y el alumbramiento es inminente, detener el coche en un lugar seguro. Si se dispone de teléfono móvil, pedir ayuda. En caso contrario, encender las luces de avería. Si alguien se detiene, pedirle un teléfono para llamar al servicio médico de urgencias o a la policía. Si se viaja en taxi, pedir al conductor que pida ayuda por la radio o que llame con su teléfono móvil.

Siempre que sea posible, el acompañante ayudará a la madre a llegar al asiento trasero. Colocar un abrigo, chaqueta o manta debajo de ella. Si la ayuda no llega, proceder como en un alumbramiento de urgencia en casa. En cuanto el bebé haya salido, dirigirse al hospital más cercano.

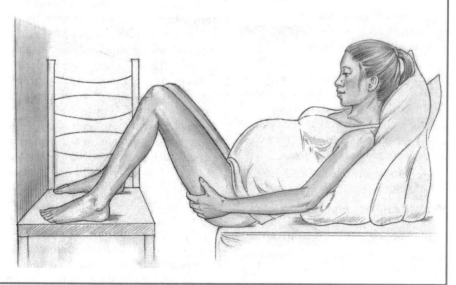

Monitor fetal

"¿Tengo que estar, necesariamente, conectada a un monitor fetal durante todo el proceso del parto? ¿Para qué sirve?"

Para alguien que ha pasado los primeros nueve meses de su vida nadando tranquilamente en un baño amniótico tibio y confortable, el viaje a través de los estrechos límites de la pelvis materna no será un viaje de placer. El bebé será apretujado, comprimido y empujado con cada contracción. Y si bien casi todos los bebés atraviesan el canal de parto sin problemas, para otros el estrés de los apretones, la compresión y los empujones resulta demasiado intenso, y reaccionan con una desaceleración del ritmo cardiaco, movimientos acelerados o ralentizados u otros signos de sufrimiento fetal. El monitor fetal evalúa el estado del feto en relación con el estrés del nacimiento según la reacción de su latido cardiaco a las contracciones del útero.

¿Debe ser continuo este seguimiento? La mayoría de expertos afirman que no, apoyándose en los estudios que demuestran que para las mujeres de bajo riesgo con partos no medicalizados, las comprobaciones periódicas del ritmo cardiaco fetal mediante un Doppler o monitor fetal son una forma eficaz para evaluar el estado del bebé. De modo que, si entra usted en esta categoría, probablemente no necesita estar conectada a un monitor fetal durante todo el proceso de dilatación y parto. Si, en cambio, le inducen el parto, le administran la epidural o presenta ciertos factores de riesgo (como la presencia de meconio en el líquido amniótico), lo más probable es que la conecten a un monitor fetal electrónico durante todo el proceso.

Éstos son los tres tipos de monitores fetales continuos:

Monitor externo. En este tipo de monitor, que es el utilizado con mayor frecuencia, se fijan con esparadrapo dos dispositivos al abdomen de la madre. Uno de ellos, un transductor de ultrasonidos, registra el latido cardiaco fetal. El otro, un marcador sensible a la presión, mide la intensidad y la duración de las contracciones uterinas. Ambos están conectados a un monitor que muestra en una pantalla o imprime las lecturas. Cuando la mujer está conectada a este tipo de monitor, puede moverse en la cama o sentarse en una silla cercana, pero no tiene libertad de movimiento completa, a menos que se emplee la monitorización telemétrica (véase más adelante).

Durante la segunda fase del parto (expulsión), cuando las contracciones pueden ser tan rápidas e intensas que es difícil saber cuándo empujar y cuándo detenerse, el monitor puede señalar exactamente el inicio y el final de cada contracción. O también es posible que el uso del monitor fetal sea abandonado por completo durante esta fase, para no interferir en la concentración de la madre. En este caso, se controlará periódicamente el latido cardiaco del feto con un Doppler.

Monitor interno. Cuando se necesitan resultados más exactos –a menudo cuando se sospecha que existe sufrimiento fetal–, se puede emplear un monitor interno. En este tipo de monitor, un diminuto electrodo se introduce por el interior de la vagina hasta el cuero cabelludo del bebé, y se coloca un catéter en el útero o se fija un manómetro externo con esparadrapo en el abdomen de la madre para medir la intensidad de las contracciones. Aunque este tipo de monitor proporciona una lectura más precisa del latido cardiaco fetal y las contracciones de la madre que el externo, sólo se emplea cuando es necesario (ya que conlleva cierto riesgo de infección). Es posible que el bebé nazca con un cardenal o una rascada en el lugar donde se fijó el electrodo, pero desaparecerá en unos pocos días. La madre está más limitada en sus movimientos con un monitor interno, pero debería poder girarse de lado en la cama

Monitorización telemétrica. Sólo está disponible en algunos hospitales. Este tipo de monitor emplea un transmisor que se coloca en el muslo de la madre para transmitir los latidos cardiacos fetales (mediante ondas de radio) al control de enfermería, lo cual permite a la madre pasear por los pasillos del hospital mientras la monitorizan constantemente.

En todos los tipos de monitores, las lecturas que indican problemas no siempre son precisas. La máquina puede emitir un pitido de alarma si el transductor se ha movido de lugar, si el bebé cambia de posición, si el monitor no funciona bien o si las contracciones son de repente más intensas. El facultativo tendrá en cuenta todos estos factores y otros antes de concluir que el bebé tiene efectivamente un problema. Si las lecturas anómalas continúan, se llevarán a cabo otras pruebas (como la estimulación del cuero cabelludo) para determinar la causa del sufrimiento fetal. Si se confirma que hay un problema, se suele practicar una cesárea.

Rotura artificial de las membranas

"Temo que si la bolsa de aguas no se rompe por sí sola, me la rompan de forma artificial. ¿Me dolerá?"

La gran mayoría de mujeres no sienten nada cuando se provoca la rotura artificial de la bolsa de las aguas, sobre todo si ya han comenzado a dilatar (y hay dolores más importantes a los que hacer frente). Unas pocas experimentan alguna molestia, pero ello se debe sobre todo a la introducción en la vagina del instrumento usado para este procedimiento. Lo más probable es que lo único que note es una salida de líquido, seguida al cabo de poco (se espera) por contracciones más fuertes y más rápidas que pongan al bebé en movimiento. La rotura artificial de las membranas también se lleva a cabo con otros fines, como el control fetal interno, cuando es necesario.

Pese a que los estudios más recientes parecen indicar que la rotura artificial de las membranas no acorta la duración del parto ni disminuye la necesidad de recibir oxitocina sintética, muchos facultativos siguen recurriendo a ella para intentar acelerar el parto. Si no existe un motivo de peso (el parto progresa con normalidad), usted y el médico pueden decidir abstenerse de este procedimiento y dejar que se rompan de forma natural. En ocasiones, las membranas se mantienen intactas a lo largo de la dilatación (el bebé llega con la bolsa de aguas aún rodeándole, lo cual significa que la bolsa deberá romperse justo después del alumbramiento), y esto tampoco representa ningún problema.

Episiotomía

"He oído que la episiotomía ya no es una práctica rutinaria. ¿Es cierto?"

Pues sí, es cierto. Esta pequeña intervención quirúrgica (incisión en el perineo –la zona muscular que se halla entre la vagina y el ano– para ensanchar la abertura vaginal justo antes de la salida del bebé) ya no se practica de forma rutinaria en los partos. En la actualidad, de hecho, las comadronas y la mayoría de tocólogos rara vez realizan la incisión si no existe un buen motivo para ello.

No siempre ha sido así. Antes se creía que la episiotomía evitaba los desgarros espontáneos del perineo y la incontinencia urinaria y fecal durante el posparto, además de reducir el riesgo de traumatismo en el bebé (debido a la presión continuada y fuerte de la cabeza contra el perineo). Pero ahora se sabe que a los bebés les va muy bien sin episiotomía, y a las mujeres también parece irles mejor. La duración media total del parto no parece ser superior y las madres suelen sufrir menos pérdida de sangre, menos infecciones, menos incontinencia fecal y urinaria y menos dolor perineal tras la expulsión (aunque se puede también perder sangre y padecer infecciones si se produce un desgarro). Es más, los estudios demuestran que las episiotomías tienden más que los desgarros espontáneos a convertirse en desgarros de tercer o cuarto grado (que se acercan o alcanzan el recto, en ocasiones provocando incontinencia fecal).

Pero aunque las episiotomías de rutina ya no se recomiendan, siguen existiendo ocasiones en que se hacen necesarias. La episiotomía puede indicarse si el bebé es grande y precisa más abertura para poder salir, o si necesita nacer rápidamente, si los fórceps o la ventosa tienen que utilizarse, o para aliviar una distocia de hombro (el hombro del bebé queda atascado en el canal de parto durante el nacimiento).

Si precisa una episiotomía, le pondrán una inyección (si hay tiempo) de anestesia local antes de realizar la incisión, aunque es posible que no la necesite si ya le han administrado la anestesia epidural o si su perineo ya está insensibilizado por la presión de la cabeza del bebé durante la coronación. El facultativo realizará el corte con unas tijeras quirúrgicas y hará una episiotomía medial (incisión dirigida hacia el recto) o mediolateral (dirigida hacia un costado). Después del nacimiento del bebé y de la expulsión de la placenta, el médico suturará la incisión (le administrarán anestesia local si no se la dieron antes o si el efecto de la epidural ya ha pasado).

Para reducir las probabilidades de necesitar una episiotomía y facilitar el alumbramiento sin ella, algunas comadronas recomiendan el masaje perineal (véase la pág. 386) que se realizará durante las semanas previas al parto si es madre primípara. (Si ha tenido un parto vaginal anterior, su musculatura ya está estirada, de modo que este tipo de masaje no servirá de mucho.) Durante el parto, también la ayudarán: las compresas calientes para aliviar el malestar perineal, el masaje perineal, la posición de pie o de cuclillas y exhalar o gruñir mientras se empuja para facilitar el estiramiento del perineo. Durante la fase de empuje, uno de los asistentes al parto aplicará seguramente una ligera contrapresión en el perineo para que la cabeza del bebé no salga con demasiada rapidez, causando desgarros innecesarios.

Si aún no ha tratado el tema de la episiotomía con su tocólogo, deberá hacerlo ahora. Es fácil que éste acepte no practicarla de forma rutinaria. Haga constar también sus deseos sobre este tema en el plan para dar a luz. Pero recuerde que en determinadas ocasiones las episiotomías son necesarias y que la decisión final deberá tomarse en la sala de partos, cuando corone la cabeza del bebé.

La utilización de fórceps

"¿Qué probabilidades tengo de necesitar los fórceps durante el parto?"

En la actualidad, pocas. Los fórceps, unos instrumentos similares a unas pinzas diseñados para ayudar al bebé a descender por el canal de parto, sólo se emplean en un porcentaje muy pequeño de partos (la extracción con ventosas es más común; véase la siguiente pregunta). Pero si su tocólogo decide utilizar los fórceps, esté tranquila: son tan seguros como una cesárea o como una ventosa cuando lo emplea correctamente un facultativo experimentado (muchos médicos jóvenes no se han formado en su empleo y algunos son reacios a su uso).

Los fórceps se emplean cuando la parturienta está totalmente agotada o si padece una cardiopatía o tiene la presión arterial muy elevada, motivos por los cuales empujar con fuerza durante el parto podría perjudicar su salud. También pueden utilizarse si el bebé debe nacer rápidamente a causa de sufrimiento fetal (si está en una posición favorable, por ejemplo, si casi ha coronado) o si el bebé está en una mala posición durante la fase de expulsión (los fórceps pueden usarse para hacerle rotar la cabeza y facilitar el nacimiento).[1]

El cuello uterino de la madre debe estar totalmente dilatado, la vejiga vacía y las membranas rotas antes de usar los fórceps. Entonces se administra una anestesia local a la madre (a menos que ya se le haya administrado la epidural). Es probable que se practique también una episiotomía para agrandar la abertura vaginal y poder introducir los fórceps. Entonces se insieren los fórceps en la vagina y se colocan alrededor de la cabeza del bebé y el tocólogo extrae con sumo cuidado al bebé del canal vaginal. El bebé puede presentar algunos cardenales o hinchazón en el cuero cabelludo debidos al uso de estos instrumentos, pero normalmente desaparecen pasados unos días.

Si el médico emplea los fórceps pero no consigue extraer al bebé, lo más probable es que recurra a una cesárea.

Extracción al vacío

"El tocólogo de mi amiga usó una ventosa para ayudar a nacer al bebé. ¿Es lo mismo que los fórceps?"

Sirve para lo mismo. El extractor al vacío (ventosa) tiene una taza de plástico que se coloca en la cabeza del bebé y se estira con suavidad para sacarlo por el canal de parto. La succión evita

que la cabeza del bebé retroceda hacia el interior del canal de parto entre contracciones y puede emplearse para ayudar a la madre cuando empuja durante las contracciones. La extracción al vacío se emplea en alrededor de un 5% de los partos y supone una buena alternativa tanto a los fórceps como a la cesárea en determinadas circunstancias.

El médico recurre a la ventosa en situaciones similares a las citadas en el caso de los fórceps (véase la pregunta anterior). Las extracciones al vacío suelen asociarse a un menor traumatismo vaginal (y posiblemente a una menor necesidad de episiotomías) y menos necesidad de anestesia local en comparación con el uso de fórceps, otro motivo por el cual más facultativos optan por ésta en lugar de los fórceps en la actualidad.

Los bebés nacidos con ayuda del extractor al vacío experimentan cierta hinchazón del cuero cabelludo, pero no suele ser nada grave, no requiere tratamiento y desaparece en unos días. Como ocurre con los fórceps, si la ventosa no funciona, se recomienda una cesárea.

Si, durante, el parto el facultativo sugiere la necesidad de la extracción al

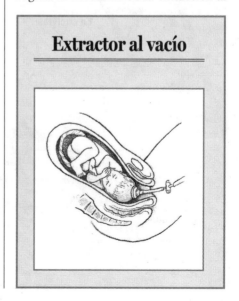

Extractor al vacío

---

[1] Aún más inocua que la aplicación de los fórceps de ayuda resulta la aplicación de las llamadas espátulas, que no comprimen la cabeza fetal y abrevian notablemente la expulsión. (*Nota del revisor.*)

Posiciones para dilatar

Sentada

Pelota suiza

A gatas

Acostada de lado

En cuclillas

De pie

Arrodillada

vacío para acelerar el proceso, pregúntele si puede descansar durante unas contracciones (si hay tiempo) antes de un nuevo intento; este descanso puede darle las fuerzas que precisa para empujar al bebé y expulsarlo. También puede intentar cambiar de posición: póngase a cuatro patas o en cuclillas; la fuerza de la gravedad puede hacer bajar la cabeza del bebé.

Con antelación al parto, pregunte al médico lo que desee saber sobre la posibilidad de uso de los fórceps o la ventosa. Cuanto más sepa, mejor preparada estará si se hace necesario emplearlos durante el parto.

Posiciones para dilatar

"Ya sé que durante la dilatación no es conveniente estar tumbada boca arriba. Pero ¿qué posición es la mejor?"

No hay motivo para estar acostada durante la dilatación; de hecho, tumbarse boca arriba es probablemente la postura menos eficaz para dar a luz: en primer lugar porque no se cuenta con la ayuda de la fuerza de la gravedad para expulsar al bebé, y en segundo lugar porque existe el riesgo de comprimir vasos sanguíneos importantes (lo cual puede interferir en la circulación sanguínea del feto). Se aconseja a las madres que adopten cualquier otra posición que les resulte cómoda o que vayan cambiando de posición. Al moverse y cambiar de posición no sólo conseguirá aliviar las molestias del parto sino que además es posible que acelere el proceso.

La embarazada puede elegir entre las siguientes posiciones para la dilatación y el parto (o variaciones de las mismas):

De pie o caminando. La posición vertical no sólo ayuda a aliviar el dolor de las contracciones sino que además aprovecha la fuerza de la gravedad, lo cual puede hacer que se abra la pelvis y que el bebé se encaje en el canal de parto. Si bien es poco probable que pueda caminar cuando las contracciones sean frecuentes e intensas, hacerlo (o simplemente apoyarse en la pared o en su ayudante) durante las primeras fases de la dilatación puede resultar de ayuda.

Mecerse. Aunque el bebé todavía no ha nacido, puede que le guste que lo mezan (y a usted, especialmente cuando empiecen las contracciones). Siéntese en una silla o manténgase de pie y mézase hacia delante y hacia atrás. Este movimiento puede hacer que se mueva la pelvis y animar al bebé a descender. De nuevo, la posición vertical aprovecha la fuerza de la gravedad durante el proceso.

En cuclillas. Probablemente no podrá dar a luz de pie, pero cuando se acerque el momento de empujar, puede intentar ponerse de cuclillas. Por algo las mujeres han dado a luz en esta posición durante siglos: porque funciona. Esta posición permite que se abra la pelvis y proporciona al bebé más espacio para descender. Puede apoyarse en su acompañante para mantener la posición de cuclillas (le costará mantener el equilibrio, de modo que necesitará este apoyo), o puede apoyarse en una barra al efecto, que suele estar acoplada a la cama (al apoyarse en la barra, las piernas no se le cansarán tanto).

Pelota suiza. Sentarse o apoyarse en una de estas grandes pelotas de ejercicio puede ayudar a abrir la pelvis, y resulta más fácil que estar en cuclillas mucho rato.

Sentada. Tanto si se sienta en la cama (se puede levantar el respaldo para quedar en posición semirrecostada), como en los brazos de su pareja o sobre una pelota suiza, esta posición puede aliviar el dolor de las contracciones y aprovecha la fuerza de la gravedad para hacer descender al bebé por el canal de parto. Puede considerar el uso de una silla de partos, si se dispone de una, que está especialmente diseñada como apoyo a la parturienta que desea dar a luz sentada o en cuclillas y, en teoría, acelera el parto. Otra ventaja: la madre ve mejor el nacimiento en esta postura.

Arrodillada. ¿Tiene un parto de riñones? Arrodillarse y apoyarse sobre una silla o en el hombro de su pareja es una buena posición cuando la cabeza del bebé presiona la columna de la madre. Así se anima al bebé a moverse hacia delante y aligerar el peso de la espalda materna. Aunque no tenga un parto de riñones, ésta puede ser una buena posición para la dilatación y el parto. Como esta postura permite trasladar la presión de la zona lumbar al empujar para expulsar el bebé, parece reducir el dolor del parto incluso más que la posición sentada.

A gatas. Ponerse a cuatro patas es otra forma de enfrentarse mejor al parto de riñones y expulsar más rápidamente al bebé. Esta posición permite a la madre realizar balanceos pélvicos para aliviar el dolor, al mismo tiempo que proporciona acceso a la doula o a la pareja a la espalda materna para poder efectuar masajes y contrapresión. Puede incluso plantearse dar a luz en esta posición (independientemente del tipo de parto), ya que abre la pelvis y aprovecha la fuerza de la gravedad para hacer descender al bebé.

Acostada de lado. Si está demasiado cansada para sentarse o ponerse en cuclillas y necesita acostarse, tumbarse sobre un costado es mucho mejor que hacerlo boca arriba, ya que no comprimirá las venas importantes del organismo. También constituye una buena postura para dar a luz, permite ralentizar un parto que progresa demasiado rápido y alivia el dolor de algunas contracciones.

Test de Apgar

Es la primera prueba que se realiza al bebé cuando nace para evaluar su estado. Al minuto de nacer y de nuevo a los cinco minutos, una enfermera, comadrona o médico comprueban su aspecto (color), pulso (latido cardiaco), mueca (irritabilidad refleja), actividad (tono muscular) y respiración. Los bebés que obtienen un valor superior a 6, que son la mayoría, están bien. Los que están entre 4 y 6 suelen precisar reanimación, algo que implica normalmente aspirar las vías respiratorias y administrar oxígeno. Los que nacen con un valor inferior a 4 precisan técnicas más intensas para salvar su vida.

Recuerde que la mejor posición para el parto es la que resulte más adecuada para usted. Y una buena postura durante las fases iniciales de la dilatación puede no serlo durante la fase de transición, de modo que debe cambiar de posición con la frecuencia que desee. Si la están monitorizando, las posiciones que pueda adoptar se verán algo limitadas. Le resultará difícil caminar, por ejemplo, pero no tendrá problemas para ponerse de cuclillas, balancearse, sentarse, ponerse a cuatro patas o acostarse de lado. Aunque le hayan administrado la epidural, sentarse, acostarse de lado o balancearse siguen siendo opciones válidas.

Distensión provocada por el nacimiento

"Me asusta la idea de que la vagina se estire durante el parto. ¿Volveré a ser la misma de antes?"

La madre naturaleza tiene previstas todas las funciones de la vagina de la mujer. Es un órgano notablemente elástico, formado por pliegues en acordeón que se estiran para dejar pasar al hijo. Puede expandirse para dejar pasar a un bebé de 3,5 kilos sin desgarrarse, y después, volver casi a su tamaño original en el transcurso de unas semanas.

El perineo también es elástico, aunque menos que la vagina. Un masaje en los meses anteriores al nacimiento puede aumentar la elasticidad y reducir la distensión (pero antes de recurrir a él, véase la pág. 386). Ejercitar los músculos pélvicos durante este período aumenta su elasticidad, los refuerza y acelera la recuperación de un tono normal.

Para la mayoría de las mujeres, el ligero aumento del diámetro vaginal les resulta imperceptible y no interfiere en el goce sexual. Para las mujeres que eran inhabitualmente estrechas antes de la concepción, esto es una ventaja, ya que el acto sexual resultará más agradable. En algunas pocas ocasiones, no obstante, en una mujer a la que "le iba bien" antes, la distensión vaginal del parto es lo suficientemente grande como para reducir el goce sexual. A menudo, los músculos vaginales se vuelven a estrechar con el paso del tiempo. Realizar los ejercicios de Kegel, a intervalos frecuentes durante el día puede ayudar a acelerar el proceso. Si después de seis meses la vagina aún está demasiado floja, consulte con el médico para que le proponga otros tratamientos posibles.

La visión de la sangre

"Cuando veo sangre me siento desfallecer. No sé si seré capaz de ver mi propio parto."

Buenas noticias para las aprensivas. En primer lugar, no se ve tanta sangre durante un parto, no más de la que ve cuando tiene la regla. En segundo lugar, la madre no es precisamente una espectadora en su propio parto; es una participante activa que concentra toda su atención y energía en empujar al bebé para que salga. Con la emoción del momento, es poco probable que se dé cuenta de la sangre presente, y mucho menos que la moleste. Si pregunta a alguna amiga que acabe de dar a luz, seguramente no sabrá decirle cuánta sangre vio durante su parto.

Si sigue pensando que no debería ver sangre, sencillamente no mire al espejo en el momento del nacimiento (y en el momento de la episiotomía, si se le practica una). En lugar de ello, mire más allá para poder ver al bebé cuando salga. Desde su situación, es prácticamente imposible que llegue a ver nada de sangre. Pero antes de renunciar a ver su propio parto, mire el parto de otra mujer en DVD. Probablemente quedará más asombrada que horrorizada.

Algunos padres también temen no ser capaces de aguantar la visión del parto. Si su pareja está nerviosa por este aspecto, hágale leer la página 521.

QUÉ ES IMPORTANTE SABER
Las fases del nacimiento

Dar a luz a un bebé es un reto vital, además de emocional y físico, sin igual. Es una experiencia que se espera con ansiedad (y tal vez algo de temor), pero que una vez se ha vivido se recordará probablemente como un momento de alegría (y tal vez con algo de alivio). Afortunadamente, la madre no pasa por ello sola. Además del apoyo de su acompañante, contará con multitud de profesionales a su disposición. Pero a pesar de la intervención de tantos expertos, la madre debe procurar estar informada sobre todo el proceso por su cuenta.

Tras nueve meses –y pasando de las náuseas a la hinchazón, de la acidez de estómago al dolor de espalda–, la madre ya sabe ahora qué se puede esperar cuando se está esperando. Pero ¿qué se puede esperar durante la dilatación y el parto?

Esto es algo difícil de predecir (más bien, imposible). Como todo embarazo que lo precede, cada parto es diferente. Pero del mismo modo que la ayudó estar informada de lo que cabe esperar cuando se está embarazada, ahora también puede ayudarla tener una idea general de lo que cabe esperar cuando vaya de parto, aunque al final resulte que nada es como esperaba (excepto el final feliz).

Fases y etapas del parto

El alumbramiento se divide en tres fases distintas: la dilatación, la expulsión del bebé y la expulsión de la placenta. A menos que el parto se acorte (o se sustituya) por una cesárea, todas las mujeres pasan por la fase de dilatación, con sus etapas precoz, activa y de transición. La frecuencia con que se suceden las contracciones y su intensidad permiten determinar en qué punto del parto se halla una mujer en un momento dado. Con los exámenes internos se confirma esta estimación.

Fase uno: dilatación.

Etapa 1: latente o precoz; borramiento del cuello uterino y dilatación hasta 3 cm; contracciones de 30-45 segundos de duración, a intervalos de 20 minutos o menos.

Etapa 2: activa; dilatación del cuello uterino hasta 7 cm; contracciones de 40-60 segundos de duración a intervalos de 3-4 minutos.

Etapa 3: de transición; dilatación del cuello uterino hasta 10 cm (totalmente dilatado); contracciones de 60-90 segundos de duración a intervalos de 2-3 minutos.

Fase dos: expulsión del bebé.

Fase tres: expulsión de la placenta.

Fase uno: dilatación

Etapa 1: dilatación latente o precoz

Esta etapa acostumbra a ser la más larga y, afortunadamente, la menos intensa de la dilatación. A lo largo de varias horas, días o semanas (a menudo sin contracciones notables ni molestas), o en un período de dos a seis horas de contracciones inconfundibles, el cuello del útero se borra (adelgaza) y se dilata (se abre) hasta 3 cm.

Las contracciones en esta fase suelen durar de 30 a 45 segundos, aunque pueden ser más cortas. Son de suaves a moderadas y pueden ser regulares o irregulares (cada 20 minutos, más o menos), y cada vez son más seguidas, aunque no necesariamente siguiendo un patrón fijo.

Durante el inicio de la dilatación, puede experimentar alguno o todos estos síntomas:

- Dolor de espalda (constante o con cada contracción).

- Calambres parecidos a los menstruales.

- Presión en la parte baja abdominal.

- Indigestión.

- Diarrea.

- Sensación de calor abdominal.

- Desprendimiento del tapón mucoso (mucosidad sanguinolenta).

- Rotura de las membranas amnióticas (rotura de aguas), aunque es más probable que se rompan durante la fase activa del parto.

Desde el punto de vista emocional, puede sentir ilusión, alivio, ansia, incertidumbre, angustia, miedo; algunas mujeres se sienten relajadas y habladoras, otras tensas y aprensivas.

Anotaciones

En lugar de hacerse con cualquier trozo de papel para anotar la frecuencia y duración de las contracciones, aproveche su propio diario del embarazo –si hace alguno– y escriba en él toda la información acerca de sus contracciones y su dilatación (mejor todavía, pida a su esposo que escriba lo que usted le dicte). Así le quedará un recuerdo por escrito que le ayudará a recordar la experiencia, que, de hecho, ¡no olvidará nunca!

Qué puede hacer la mujer. Es evidente que estará ilusionada (y nerviosa), pero es importante que se relaje (o al menos que lo intente). El proceso puede ser largo.

- Si es de noche, intentar dormir (es posible que más adelante no pueda hacerlo, cuando las contracciones sean intensas y seguidas). Si no consigue dormir, es aconsejable que se levante y haga algo para distraerse. Cocine algunos platos para congelarlos, doble ropa del bebé, haga una colada para tener la ropa al día cuando vuelva a casa del hospital (enseguida volverá a acumularse la ropa sucia) o visite un chat de embarazo por si alguien está en la misma situación. Si es de día, continúe con su rutina diaria siempre que no la aleje de su casa (y no salga sin el teléfono móvil). Si está en el trabajo, tal vez sea mejor que vuelva a casa (es probable que no pueda concentrarse para seguir trabajando). Si no tiene nada planeado, busque una actividad que la mantenga ocupada. Salga a dar un paseo, vea la televisión, envíe mensajes de correo electrónico a familiares y amigos, acabe de preparar la maleta para ir al hospital.

- Avisar a su pareja si no está con usted. Probablemente no tenga que venir enseguida si está trabajando –a menos que desee hacerlo–, ya que de momento no podrá hacer gran cosa. Si ha contratado los servicios de una doula, es buena idea avisarla a ella también.

- Tomar un tentempié ligero si tiene hambre (una taza de caldo, una tostada con mermelada, pasta o arroz sin salsa, gelatina, un polo, un plátano o cualquier otra cosa que le haya sugerido el médico); ahora es el momento de acumular energía. Pero no tome nada pesado y evite los alimentos de difícil digestión (hamburguesas,

Llame al médico si...

Su tocólogo seguramente le habrá indicado que no le llame hasta que llegue a la fase más activa del parto, pero es posible que le haya recomendado que le llame antes si el parto empieza de día o si rompe aguas. Debe llamarle inmediatamente si se rompen las membranas y el líquido es turbio o verdoso, si hay hemorragia vaginal rojo brillante, o si no nota actividad fetal (puede resultar difícil de detectar al estar distraída con las contracciones, haga la prueba que se describe en la pág. 321). Aunque puede no tener ganas, lo mejor es que sea usted –y no su acompañante– quien hable con el médico. Se puede perder mucha información si habla una tercera persona.

patatas fritas). Evite también los alimentos ácidos, como el zumo de naranja o la limonada. Y beba agua: es importante que siga hidratada.

- Ponerse cómoda. Tome una ducha caliente; use una esterilla eléctrica si le duele la espalda; tome paracetamol si el médico le ha dado el visto bueno. Pero no tome aspirina ni ibuprofeno.

- Contar las contracciones (desde el principio de una al principio de la siguiente) durante una media hora si parece que se presentan con menos de 10 minutos de separación, y contarlas periódicamente incluso si no son aún tan frecuentes. Pero no es necesario permanecer con los ojos pegados al reloj.

- Orinar con frecuencia para evitar la distensión de la vejiga, que podría inhibir el proceso de dilatación.

- Aplicar las técnicas de relajación si resultan útiles, pero no empezar aún con los ejercicios de respiración, ya que en caso contrario la mujer se encontrará agotada y cansada de ellos mucho antes de que los necesite.

Qué puede hacer el acompañante. Si está con la embarazada, puede ser de ayuda de muchas formas. Si hay también una doula, ésta también puede colaborar:

- Contar las contracciones. El intervalo entre contracciones se cuenta desde el comienzo de una hasta el comienzo de la siguiente. Habría que contarlas periódicamente y anotar los datos. Cuando se presenten con menos de 10 minutos de separación, es necesario cronometrarlas más a menudo.

- Procurar infundir calma. Durante esta fase precoz del parto, la función más importante del acompañante consiste en mantener relajada a la futura madre. Y la mejor manera en que puede conseguirlo es mantenerse relajado él, tanto por dentro como por fuera. Su ansiedad y su tensión pueden transmitirse involuntariamente a la embarazada, no sólo a través de las palabras sino también del contacto (e incluso la expresión facial: no tense la frente). Hacer ejercicios de relajación juntos o hacer a la mujer un masaje tranquilo puede resultar de ayuda. No obstante, es demasiado pronto todavía para empezar con los ejercicios de respiración. Por ahora, limítese a respirar normalmente.

- Ofrecer comodidad, tranquilidad y apoyo. La madre los va a necesitar.

- Conservar el sentido del humor, y ayudar a la mujer a conservar el suyo; al fin y al cabo, el tiempo vuela cuando uno se lo pasa bien. Es más fácil reír ahora que cuando las contracciones se vuelvan seguidas e intensas (a la futura madre probablemente no le hará gracia nada entonces).

- Intentar distraerla. Sugiera actividades que les ayuden a pensar en otras cosas que no sean el parto: jueguen a un videojuego, vean un programa de televisión entretenido, busquen por internet qué famosos cumplen años hoy que va a nacer su hijo, preparen algún plato para congelarlo y tenerlo listo cuando vuelvan del hospital, salgan a pasear.

- Conservar la fuerza para poder seguir apoyando a la madre. Comer periódicamente, pero alimentos que también pueda tomar ella (no se prepare una hamburguesa mientras ella se limita a la gelatina). Prepare un bocadillo para llevárselo al hospital, pero evite los alimentos de olor fuerte. Es posible que a ella le moleste que su aliento huela a cebolla o chorizo.

Etapa 2: dilatación activa

Esta etapa del parto suele ser más corta que la primera y puede durar de promedio entre 2 y 3,5 horas (aunque puede variar mucho). Las contracciones son ahora más concentradas, se presentan más en menos tiempo, y también son más intensas (es decir, dolorosas). A medida que se intensifican, se alargan (40 a 60 segundos, con el momento de máxima intensidad a mitad de la contracción) y se hacen más frecuentes (por lo general cada 3 o 4 minutos, aunque la pauta puede ser irregular); el cuello del útero se dilata hasta 7 cm. Esto conlleva menos tiempo para descansar entre contracciones.

Es posible que ahora ya estén en el hospital, y cabe esperar que se presenten algunos o todos estos síntomas (aunque

no sentirá dolor si le han administrado la epidural):

- Dolor e incomodidad en aumento causados por las contracciones (puede que no pueda hablar mientras tenga una).

- Más dolor de espalda.

- Molestias o pesadez en las piernas.

- Fatiga.

- Más pérdidas sanguinolentas.

- Rotura de las membranas (si no se habían roto antes), o es posible que ahora se las rompan artificialmente.

Desde el punto de vista emocional, puede que se sienta intranquila y le resulte más difícil relajarse; o puede que esté más concentrada y se halle inmersa en sus esfuerzos de dilatación. Es posible que ahora dude de su capacidad ("¿Cómo voy a superar esto?"), y de su paciencia ("¿Es que este parto no terminará nunca?"), o puede que se sienta animada y contenta de que las cosas empiezan a ocurrir. Sean cuales sean sus sentimientos, son normales; solo prepárese para ponerse "activa".

Durante la fase activa del parto, si todo progresa adecuadamente, y sin complicaciones, el personal del hospital dejará tranquila a la madre y sólo se encargará de hacer las comprobaciones periódicas necesarias, dejando que la madre realice su trabajo de parto con su acompañante y demás ayudantes sin interferir. Es posible que esto sea lo que hagan:

- Tomarle la presión.

- Monitorizar al bebé con un Doppler o monitor fetal.

- Contar y monitorizar la intensidad de las contracciones.

En marcha hacia el hospital

Hacia el final de la etapa precoz o el principio de la fase activa (probablemente cuando las contracciones lleguen cada cinco minutos o menos, o más pronto si la mujer vive lejos del hospital o si éste no es su primer parto), siguiendo las indicaciones de su médico, la futura madre cogerá su maleta y se dirigirá al hospital. Este viaje puede resultar más fácil si el acompañante está siempre localizable, ya sea a través del móvil u otro sistema, y puede llegar rápidamente (nunca intente conducir sola hasta el hospital: tome un taxi o pida a un amigo que la lleve al hospital si no puede ponerse en contacto con su acompañante); si ya se ha planeado la ruta con antelación; si se conocen los lugares donde se puede aparcar (si la cuestión del aparcamiento puede ser un problema, es más razonable coger un taxi); y se sabe cuál de las entradas conduce directamente hasta la planta de obstetricia. Durante el trayecto, recline el asiento tan atrás como sea posible y le resulte cómodo (acuérdese de abrocharse el cinturón). Si la mujer tiene escalofríos, lleve una manta consigo para taparse.

Una vez lleguen al hospital, el procedimiento de admisión irá más o menos así:

- Si la futura madre se ha registrado con antelación (y sería mejor que lo hubiera hecho), este requisito suele ser breve; si el parto se encuentra ya en la fase activa, el marido puede ocuparse de ello. Si no se ha registrado, usted (o su acompañante) deberá pasar por un proceso más largo para rellenar formularios y responder preguntas.

- Una vez en el ala de dilatación y parto, la mujer será llevada a una sala de dilatación o de parto por la enfermera de turno. A veces, la mujer es conducida primero a una sala de control donde se comprueba el estado del cuello uterino para ver si está o no de parto. En función de las normas del hospital, es posible que el acompañante y otros familiares deban esperar fuera mientras la mujer es admitida y preparada. (Nota para el acompañante: éste es un buen momento para efectuar algunas llamadas telefónicas prioritarias o

- Evaluar la cantidad y calidad de las pérdidas de sangre.

- Colocarle un goteo intravenoso si desea anestesia epidural.

- Tal vez se intente acelerar el parto si progresa muy lentamente con el uso de oxitocina sintética o mediante la rotura artificial de las membranas.

- Examinar internamente a la mujer periódicamente para comprobar que la dilatación progresa y para determinar hasta qué punto el cuello uterino está borrado y dilatado.

- Administrar analgésicos si la mujer lo desea.

También estarán dispuestos a contestar cualquier pregunta que la mujer pueda tener (no dude en preguntar) y a proporcionarle apoyo adicional.

Qué puede hacer la mujer. Ahora se trata de ponerse cómoda:

- No dude en pedir a su acompañante todo lo que necesite para seguir tan cómoda como le sea posible, tanto si se trata de un masaje de espalda para aliviar el dolor como si se trata de

para comprar algo de comer si no se ha traído nada. Si no le han avisado al cabo de 20 minutos, recuerde a alguien del control de enfermería que está esperando. Es posible que le pidan que se ponga una bata sobre la ropa.)

- La enfermera redactará una breve historia médica, preguntando, entre otras cosas, cuándo empezaron las contracciones, qué intervalo las separa, si se han roto las membranas y qué y cuándo comió la madre por última vez.

- La enfermera pedirá a la madre que firme los papeles rutinarios del hospital.

- La enfermera le proporcionará a la futura madre una bata de hospital para que se la ponga y recogerá una muestra de orina. Comprobará el pulso, la presión arterial, la respiración y la temperatura; examinará el perineo por si hay pérdida de líquido amniótico o de sangre; escuchará el latido cardiaco del feto mediante un Doppler o conectará a la madre a un monitor fetal, si es necesario. Posiblemente también evaluará la posición exacta del feto.

- Según las normas del hospital o del médico, y posiblemente según sus preferencias, se iniciará un goteo intravenoso.

- La enfermera, el médico de la paciente o un médico residente efectuará un examen interno de la paciente para determinar el grado de dilatación y de borramiento del cuello uterino. Si las membranas no se han roto espontáneamente y la dilatación es de por lo menos 3 o 4 cm (muchos médicos prefieren esperar hasta una dilatación de por lo menos 5 cm), se procederá a la rotura artificial de las mismas, a menos que la mujer y su médico hayan decidido dejarlas intactas hasta un momento posterior del parto. Esta intervención es indolora; todo lo que la mujer notará es la salida de líquido templado.

Si la mujer tiene alguna pregunta –sobre la política del hospital, sobre su estado, sobre los planes del tocólogo– que no haya sido contestada con anterioridad, ahora es el momento de hacerla. Su acompañante también puede aprovechar este momento para entregar una copia de su plan para dar a luz, si tiene uno, a los asistentes del parto.

una compresa húmeda para refrescarse la cara. Hablar será importante. Recuerde que por muy dispuesto a ayudar que esté él, no puede predecir cuáles son sus necesidades, especialmente si es su primera vez.

- Empiece los ejercicios de respiración, si va a recurrir a ellos, en cuanto las contracciones sean demasiado intensas como para hablar mientras tiene una. ¿No los ha practicado? Pida a la enfermera o doula que le den algunas indicaciones sencillas para respirar. Haga lo que la relaje e intente estar cómoda. Si las respiraciones no funcionan, no se sienta obligada a seguir realizándolas.

- Si desea analgésicos, ahora es el momento de pedirlos. Pueden administrarle la epidural en cuanto crea que la necesita.

- Si dilata sin analgésicos, intente relajarse entre contracciones. Esto resultará cada vez más difícil a medida que vayan siendo más seguidas, pero también será más importante a medida que se agota su energía. Recurra a las técnicas de relajación aprendidas en las clases de preparación para el parto

Si el parto no progresa

Seguramente, lo que más desea ahora es que el parto avance. Y para progresar durante la dilatación se requieren tres componentes principales: contracciones uterinas intensas que dilaten eficazmente el cuello uterino, un bebé en una posición que facilite la expulsión y una pelvis suficientemente espaciosa para permitir el paso del bebé. Pero, en algunos casos, el parto no progresa como debiera porque el cérvix tarda mucho tiempo en dilatarse, el bebé tarda más de lo esperado en descender por la pelvis o empujar no sirve de mucho.

En ocasiones, las contracciones se ralentizan después de la administración de la epidural. Pero recuerde que las expectativas de progreso del parto son diferentes para las mujeres que reciben la epidural (las fases uno y dos pueden ser más largas, lo cual no debe preocuparla).

Para recuperar el buen ritmo del parto, el facultativo (y usted) pueden realizar algunos pasos:

■ Si está en la fase inicial del parto y el cuello uterino no se dilata o no se borra, el médico puede recomendarle que realice alguna actividad (caminar, por ejemplo) o justo lo contrario (que duerma y descanse, con la ayuda de las técnicas de relajación). Esto ayudará a descartar el falso parto (las contracciones del falso parto normalmente remiten con la actividad o el descanso).

■ Si sigue sin dilatarse con la rapidez deseada, el facultativo puede administrarle oxitocina, prostaglandina E u otro estimulante del parto. Puede incluso recomendar una técnica que usted misma (o su acompañante) pueden aplicar: la estimulación de los pezones.

■ Si ya está en la fase activa del parto pero el cérvix se dilata muy lentamente (menos de 1-1,2 cm por hora en primíparas, y 1,5 cm por hora en mujeres con partos anteriores), o si el bebé no está descendiendo por el canal de parto a razón de 1 cm por hora en primíparas, o 2 cm por hora en otras madres, el tocólogo puede provocarle la rotura artificial de las membranas y/o seguir administrándole oxitocina.

■ Si acaba empujando más de dos horas (y es primípara y no le han administrado epidural) o tres horas (si le han administrado anestesia epidural), el médico evaluará de nuevo la posición del bebé, comprobará el estado de la madre, y tal vez intente la extracción del bebé con la ventosa o (menos probable) con fórceps, o decida practicar una cesárea.

Para que el parto progrese (y el bebé avance por el canal del parto), acuérdese de ir orinando, ya que una vejiga llena puede interferir en el descenso del bebé. (Si le han administrado la epidural, quizá le vacíen la vejiga con una sonda.) Un intestino lleno puede tener el mismo efecto; si no ha ido de vientre en 24 horas, inténtelo. También puede recurrir a la ayuda de la gravedad para hacer avanzar el parto (siéntese semierguida, póngase en cuclillas o de pie o camine). Lo mismo es recomendable para empujar en la fase de expulsión. Una postura semirrecostada o en cuclillas puede ser la más eficaz para dar a luz.

La mayoría de médicos practican una cesárea tras 24 horas de parto activo (a veces, antes) si no se ha progresado lo bastante con el trabajo de parto; otros esperan más, siempre y cuando la madre y el bebé estén bien.

o pruebe la que se describe en la página 160.

- Manténgase hidratada. Si el médico lo permite, beba con frecuencia para recuperar líquidos y para que no se le seque la boca. Si tiene hambre, y el médico lo consiente, tome un tentempié ligero (otro polo, por ejemplo). Si el médico no permite que coma nada, chupar cubitos puede ser de ayuda.

- Muévase si puede (no podrá moverse mucho si le administraron la epidural). Camine, si es posible, o al menos cambie de posición cuando sea necesario. (Véase la pág. 410 para ver algunas de las posiciones recomendadas durante el parto.)

- Orine periódicamente. A causa de la enorme presión pélvica, es posible que no tenga ganas de vaciar la vejiga, pero una vejiga llena puede impedir el progreso que se desea. Si le han administrado la epidural, en lugar de ir al baño, probablemente le habrán colocado una sonda para poder vaciar la vejiga.

No hiperventile

Al respirar tanto durante la dilatación, algunas mujeres empiezan a hiperventilarse, lo cual implica que baja el nivel de dióxido de carbono en la sangre. Si se marea, se le nubla la visión o nota un cosquilleo en los dedos de manos y pies, comuníqueselo a su acompañante, enfermera, médico o doula. Le proporcionarán una bolsa de papel para que respire en ella (o le indicarán que respire cubriéndose nariz y boca con las manos abombadas). Al cabo de unas cuantas respiraciones, se sentirá mejor.

Qué puede hacer el acompañante. Si hay una doula, comparta con ella estas responsabilidades. Es mejor haber decidido con anterioridad quién hará qué para ayudar a la parturienta.

- Entregar una copia del plan para dar a luz a cada enfermera o asistente para que todos estén al corriente de sus preferencias. Si hay cambio de turno, cerciorarse de que las nuevas enfermeras disponen de una copia.

- Si la madre desea medicación, comunicarlo a la enfermera o médico. Respetar las decisiones de la mujer tanto si decide no tomar medicación como si la desea.

- Seguir las indicaciones de la madre. Debe recibir lo que necesite. Recuerde que es posible que cambie de parecer constantemente (tan pronto desea ver la televisión como desea que la apaguen). Lo mismo ocurrirá con su estado de ánimo y su reacción a sus esfuerzos. No lo tome como algo personal si no le agradece, no reacciona o incluso se molesta ante sus esfuerzos por acomodarla. Déjela tranquila si es lo que desea, pero esté preparado para intervenir a los 10 minutos, si ella lo requiere. Recuerde que su papel es importante, aunque a veces se sienta inútil o crea incluso que molesta. La madre le agradecerá sus esfuerzos mañana o cuando todo haya terminado.

- Si es posible, mantener cerrada la puerta de la sala de dilatación o de partos, dejar sólo unas luces encendidas y conseguir que la habitación esté tranquila para favorecer una atmósfera apaciguante. Una música suave (si no es que ella prefiere ver la televisión) puede ser también útil. Continuar con las técnicas de relajación entre las contracciones, pero no insistir si la madre empieza a estresarse con ellas. Si le va bien distraerse, jueguen a las cartas o a un juego con el móvil, o charlen o vean la televisión. Pero distráigala sólo si es lo que le va bien a ella.

- Ofrecer palabras tranquilizadoras (si ello no pone a la embarazada más nerviosa); elogiar sus esfuerzos (pero sin pasarse ni exagerar). Particularmente si el progreso es lento, recordarle que se concentre en una contracción cada vez, y que cada dolor la acerca más al momento de ver a su esperado bebé. Pero si sus palabras de ánimo la irritan, olvídelas. Muéstrese simplemente comprensivo si es lo que ella precisa.

- Cronometrar las contracciones. Si la parturienta está conectada a un monitor, pedirle al médico o a la enfermera el modo de leer los datos del monitor, para que más tarde, cuando las contracciones se sucedan con rapidez, pueda avisar a la mujer del momento en que empieza cada nueva contracción. (El monitor puede detectar que el útero se tensa antes de que la mujer lo note, gracias a la epidural.) También puede ayudarla anunciándole cuándo empieza a pasar el momento culminante de cada contracción. Esto les proporcionará a ambos algún sentido de control sobre la dilatación. Si no se dispone de monitor, el acompañante puede aprender a reconocer la llegada y el final de las contracciones colocando su mano sobre el abdomen de ella (a menos que esto moleste a la mujer).

- Hacer un masaje en el abdomen o en la espalda de la futura madre, o aplicar la contrapresión o cualquier otra de las técnicas aprendidas para que se sienta más cómoda. Dejarse dirigir por ella; pedirle que manifieste el tipo de masaje que le vaya mejor. Si prefiere que no la toquen en absoluto (algunas mujeres lo encuentran molesto), es mejor proporcionarle ayuda verbalmente. Recuerde que lo que le gusta en un momento dado, puede molestarla al siguiente.

- Recordar a la mujer que vaya al baño al menos una vez cada hora si no lleva una sonda. Puede no tener ganas, pero una vejiga llena puede impedir el progreso de la dilatación.

- Sugerir un cambio de posición periódicamente; andar con ella, si es posible.

- Traerle hielo. Busque una máquina de hielo y tráigaselo a la parturienta. Si le permiten beber o comer algo ligero, ofrézcaselo periódicamente. Los polos pueden resultar especialmente refrescantes; pregunte a la enfermera si el hospital dispone de ellos.

- Refrescar a la mujer. Use una compresa húmeda para refrescarle el cuerpo y la cara; refrésquelos a menudo.

- Si se le enfrían los pies, ofrézcale un par de calcetines y póngaselos (ella difícilmente podrá).

- Actúe como su voz y sus oídos. Ella ya está bastante ocupada, aligérele la carga. Sírvale de mensajero con el personal médico tanto como sea posible. Interceptar las preguntas que pueda contestar para evitarle el esfuerzo a ella, pedir la explicación de las medidas adoptadas, el equipo, cualquier medicación administrada, de modo que le pueda explicar a ella lo que está sucediendo. Por ejemplo, ahora podría ser el momento para averiguar si se puede conseguir un espejo para que ella pueda ver el parto. Hacerle de abogado defensor cuando sea necesario, pero intentar luchar por ella tranquilamente, quizá fuera de la habitación, con el fin de no molestarla.

Etapa 3: dilatación de transición

La transición es la etapa más agotadora de la dilatación, ya que la intensidad de las contracciones aumenta bruscamente; pero, por suerte, suele ser también la más breve. Son muy fuertes, se producen a intervalos de dos o tres minutos y duran entre 60 y 90 segundos, con puntos máximos muy intensos que se prolongan durante la mayor parte de la contracción. Algunas mujeres, en especial las que ya han tenido algún hijo, experimentan puntos máximos múltiples. Puede parecer que las contracciones no llegan a desaparecer por completo y que no es posible relajarse bien entre ellas. Los últimos 3 cm de dilatación, hasta llegar a los 10 cm, se producirán probablemente en un tiempo muy breve; por término medio, entre 15 minutos y una hora, si bien se puede tardar hasta 3 horas.

Sentirá muchas sensaciones durante la etapa de transición (a menos que le hayan administrado la epidural, claro), por ejemplo:

- Dolor más intenso con las contracciones.

- Fuerte presión en la zona lumbar y/o el perineo.

- Presión en el recto, con o sin ganas de ir de vientre (puede tener la necesidad de gruñir: ¡hágalo!).

- Aumento de las pérdidas sanguinolentas a medida que se rompen más capilares del cuello uterino.

- Calor y sudor o frío y escalofríos (o ambos a intervalos).

- Calambres en las piernas que pueden sacudirse descontroladamente.

- Náuseas o vómitos.

- Somnolencia entre las contracciones dado que el oxígeno se desvía del cerebro a la zona del alumbramiento.

- Sensación de tirantez en la garganta o el pecho.

- Agotamiento.

Desde el punto de vista emocional, la mujer se puede sentir vulnerable y abrumada, como si se le estuviera acabando la cuerda. Además de la frustración de no poder aún empujar, puede sentirse irritable, desorientada, descorazonada e intranquila, con dificultades para concentrarse y relajarse (esto último puede resultarle imposible). También puede sentir la emoción de la inminente llegada del bebé.

Qué puede hacer la mujer. Seguir trabajando. Al final de esta etapa, que no está lejos, el cérvix estará completamente dilatado y será hora de empezar a empujar para expulsar al bebé. En lugar de pensar en todo lo que queda, intentar pensar en todo el camino que ya se ha recorrido.

- Siga empleando las técnicas de respiración si le funcionan. Si nota la necesidad de empujar, intente jadear o soplar, a menos que haya recibido otras instrucciones. Al empujar cuando el cérvix aún no está totalmente dilatado, podría hacer que se hinchara, lo que podría retrasar el parto.

- Si no desea que nadie la toque si no es necesario, si las manos antes reconfortantes del acompañante le resultan ahora irritantes, no debe dudar en manifestarlo.

- Intente relajarse entre contracciones (si le resulta humanamente posible) con una respiración torácica lenta y rítmica.

- Piense en la recompensa final: pronto abrazará a su bebé.

Cuando se haya dilatado 10 cm, la trasladarán a la sala de partos, si no está ya allí. O, si está en una cama de partos, retirarán los pies de la cama.

Qué puede hacer el acompañante. De nuevo, la doula, si está presente, puede compartir estas tareas con el acompañante:

- Si a su mujer le han administrado la epidural u otro tipo de analgésico, pregúntele si precisa otra dosis. La etapa de transición puede resultar bastante dolorosa, y si el efecto de la epidural desaparece, lo estará pasando mal. Si es así, informe de ello al personal de enfermería o al médico. Si la mujer no ha recibido medicación, ahora le necesitará más que nunca.

- Manténgase a su lado, pero déjele el espacio que ella precise. A menudo, las mujeres no quieren que las toquen en esta etapa; pero, como siempre, siga estando pendiente de ella en todo momento. El masaje abdominal puede resultar ahora ofensivo, pero la contrapresión aplicada en la región lumbar puede seguir proporcionándole alivio para el dolor de espalda. Esté preparado para dejarla tranquila si se lo pide.

- No hable más de lo debido. Ahora no es momento de charla, y probablemente tampoco de bromas. Tranquilice a su mujer en silencio y ayúdela dándole indicaciones breves y directas.

- Dele mucho ánimo, a menos que ella prefiera que esté callado. En este momento, el contacto visual o el tacto pueden ser más expresivos que las palabras.

- Respire con ella cuando tenga contracciones si parece ayudarla a superarlas.

- Ayúdela a descansar y relajarse entre contracciones, acariciándole ligeramente el abdomen para indicarle que la contracción ha terminado. Recuérdele que use las respiraciones lentas y rítmicas entre contracciones, si puede.

- Si las contracciones parecen ser más seguidas y/o ella siente la necesidad de empujar –y no la han examinado desde hace un rato–, avise a la enfermera o médico. Es posible que ya esté completamente dilatada.

- Ofrézcale cubitos de hielo o un sorbo de agua con frecuencia, y límpiele la frente con una toalla húmeda y fría. Si tiene escalofríos, tráigale una manta o unos calcetines.

- No pierda de vista cuál es el premio final. El proceso está siendo largo, pero no falta mucho para la fase esperada de empuje.

Fase dos: expulsión del bebé

Hasta este momento, su participación activa en el nacimiento de su hijo ha sido escasa. Aunque ha tenido que soportar las consecuencias del proceso, su cuello uterino y su útero (y el bebé) han realizado la mayor parte del trabajo. Pero ahora que la dilatación ha terminado, se necesita la ayuda de la madre para empujar al bebé a través del canal del parto y hacia el mundo exterior. Este proceso suele durar entre media hora y una hora, pero puede ocurrir en 10 breves minutos (incluso menos) o en dos, tres o más horas muy largas.

Las contracciones de la segunda fase son más regulares que las de la etapa de transición. Continúan durante unos 60 a 90 segundos, pero a veces están más distanciadas (por lo general se presentan cada dos a cinco minutos) y es posible que sean menos dolorosas, aunque a veces son más intensas. Entre cada contracción debería producirse ahora un período bien definido de reposo, aunque es posible que la mujer encuentre aún difícil reconocer el comienzo de cada nueva contracción.

En la segunda fase son habituales estas sensaciones (aunque la mujer sentirá menos –o nada– si le han administrado la epidural):

■ Dolor con las contracciones, aunque posiblemente no tanto.

■ Una necesidad imperiosa de empujar (aunque no todas las mujeres la sienten, especialmente con la epidural).

■ Presión rectal tremenda.

■ Repunte de energía o de fatiga.

■ Contracciones muy visibles, el útero se endurece visiblemente con cada una.

■ Aumento de las pérdidas sanguinolentas.

■ Una sensación de estiramiento, hormigueo, quemazón o punzadas en la vagina cuando la cabeza del bebé corona.

■ Una sensación húmeda y resbaladiza cuando el bebé emerge.

Desde el punto de vista emocional, puede sentirse aliviada ante la posibilidad que tiene ahora de empujar (aunque algunas mujeres se sienten avergonzadas, inhibidas o asustadas); también es posible que se sienta ilusionada y feliz o, si la fase se prolonga mucho más de una hora, frustrada y abrumada. Cuando la segunda fase se prolonga, la preocupación de la mujer no se centra tanto en poder ver finalmente a su hijo como en la necesidad de que el calvario termine de una vez; ésta es una reacción comprensible y normal.

Qué puede hacer la mujer. Es hora de sacar al bebé. De modo que ahora deberá adoptar una postura cómoda para empujar (que dependerá de la cama, la silla o la bañera utilizada, de las preferencias del médico y, si es posible, de las suyas). Una posición semisentada o en cuclillas es probablemente la mejor, ya que se aprovecha la fuerza de la gravedad para acelerar el proceso y proporciona a la madre una mayor fuerza para empujar. Pegar la barbilla al pecho puede resultar de ayuda para concentrarse y empujar. En ocasiones, cuando el empuje no consigue hacer descender al bebé por el canal del parto, puede ir bien cambiar de posición. Si la mujer ha estado semirrecostada, por ejemplo, quizá deseará ponerse a gatas o en cuclillas.

Cuando esté preparada para empujar, hágalo con todas sus fuerzas. Cuanto más eficazmente empuje y cuanta más energía dedique al esfuerzo, más rápidamente atravesará su bebé el canal del parto. No obstante, si empuja de modo desorganizado y frenético, consume su energía pero adelanta poco. Tenga en cuenta estos consejos al empujar:

■ Relajar el cuerpo y los muslos y empujar como si estuviera evacuando los intestinos. Concentre su energía en la vagina y el recto, no en la parte superior de su cuerpo (lo cual podría provocar dolor pectoral tras el parto), ni en la cara (para evitar hematomas en las mejillas y ojos enrojecidos, además de ser poco eficaz).

■ Puesto que la mujer está empujando con toda su zona perineal, cualquier

El nacimiento del bebé

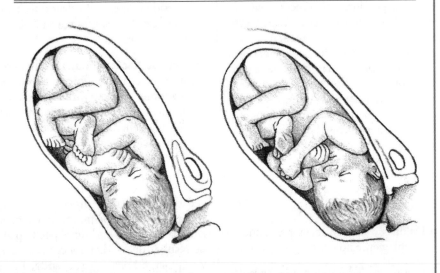

1. El cuello uterino se ha adelgazado algo (borramiento), pero aún no ha empezado a dilatarse.

2. El cuello uterino está ya dilatado y la cabeza del bebé ha empezado a presionar hacia el canal del parto (la vagina).

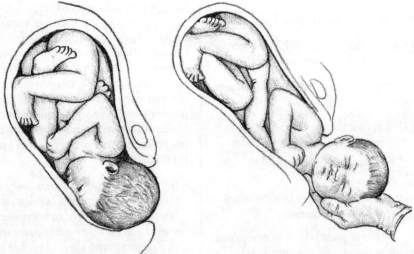

3. Para que la parte menos ancha de la cabeza fetal pueda empezar a pasar a través de la pelvis materna, el bebé suele darse ligeramente la vuelta durante el parto. Aquí, la cabeza, algo deformada, ha coronado.

4. La cabeza, la parte más ancha, ya ha sido expulsada. El resto del parto debe ser ahora rápido y sin problemas.

cosa que se encuentre en su recto será expulsada también; si intenta controlar la defecación al mismo tiempo que empuja, no conseguirá gran cosa. No dejar que la inhibición o la vergüenza rompan el ritmo de su esfuerzo. Una pequeña evacuación involuntaria (o una micción) se da en casi todos los partos. Ninguna de las personas que se encuentran en la sala de partos tendrá nada que decir sobre ello, y lo mismo debería hacer la parturienta. Con gasas estériles se retirará inmediatamente cualquier excreción.

■ Respire varias veces, profundamente, cuando empiece la contracción; luego tome aire y conténgalo. Cuando la contracción alcance su máxima intensidad, empuje con todas sus fuerzas –aguantando la respiración o exhalando al empujar–. Si lo desea, pida a las enfermeras o a su acompañante que cuenten hasta 10 mientras empuja. Pero si esto rompe su ritmo o no la ayuda, dígales que no lo hagan. No hay una única fórmula para determinar la duración de cada empuje ni las veces que se debe empujar con cada contracción; lo más importante es hacer lo que dicte el instinto. Es posible que experimente hasta cinco veces la necesidad de empujar con cada contracción y que cada empuje dure unos segundos, o puede que sólo la sienta dos veces y cada empuje sea más largo. Déjese llevar por esta necesidad. Aunque no siga este ritmo que le dicta su cuerpo, o si su cuerpo no le dicta ningún ritmo, dará a luz de todas formas. Si parece que el ritmo no se establece naturalmente –y no lo hace en todas las mujeres–, el médico o la comadrona ayudará a dirigir los esfuerzos de la madre y a reorientarlos.

■ No sienta frustración si ve la cabeza del bebé que corona y luego desaparece de nuevo. El nacimiento es un proceso que se realiza con dos pasos hacia delante y uno hacia atrás.

■ Descanse entre contracciones, con la ayuda del acompañante y del personal del hospital. Si está muy exhausta, especialmente si la segunda fase se prolonga, es posible que el médico le sugiera que no empuje durante varias contracciones para así poder acumular energías.

■ Deje de empujar cuando reciba instrucciones de no hacerlo (como puede suceder para impedir que la cabeza del bebé salga al exterior con demasiada rapidez). En lugar de empujar, jadee o sople.

■ Acuérdese de ir mirando al espejo (si se ha dispuesto uno). Al ver la cabeza del bebé coronando (y alargar la mano para tocarla), la mujer sentirá más motivación para empujar cuando sea necesario. Además, no habrá una "segunda sesión", a menos que el acompañante esté grabando en vídeo el proceso del nacimiento.

Mientras empuja, las enfermeras y/o el tocólogo le darán apoyo e indicaciones; seguirán monitorizando el ritmo cardiaco del bebé con un Doppler o monitor fetal; y se prepararán para el nacimiento extendiendo gasas estériles, disponiendo los instrumentos, poniendo al médico la bata y los guantes, embadurnando el área perineal con antiséptico (si bien las comadronas suelen ponerse sólo los guantes y no utilizan las sábanas estériles). Pueden practicar una episiotomía si es necesario, o emplear el extractor al vacío o, con menor probabilidad, los fórceps.

Una vez emergida la cabeza, se aspirará rápidamente la nariz y la boca del bebé para eliminar las mucosidades, y luego se ayudará a que salgan los

Una primera mirada al bebé

Los que esperan que su bebé llegue al mundo tan redondeado y liso y rosado como un querubín de Botticelli pueden llevarse una buena sorpresa. Los nueve meses de estar inmerso en el líquido amniótico y la docena de horas de compresión en el útero en contracción y en el canal de parto, dejan sus huellas en el aspecto de un recién nacido. Los bebés nacidos mediante cesárea tendrán temporalmente cierta ventaja en cuanto al aspecto.

Por suerte, la mayoría de las características menos afortunadas del aspecto de los bebés son sólo transitorias. Una mañana, después de un par de semanas de haber llevado a casa a un pequeño ser arrugado, ligeramente flacucho y con los ojos hinchados, la pareja se despertará y comprobará que el querubín de Botticelli se encuentra realmente en la cuna.

Una cabeza de forma extraña. En el momento de nacer, la cabeza del bebé es, proporcionalmente, la parte más ancha de su cuerpo, con un diámetro igual al de su tórax. A medida que el bebé crece, el resto del cuerpo se va proporcionando. Con frecuencia, la cabeza se ha deformado para poder pasar a través de la pelvis materna, por lo que presenta una forma extraña, ligeramente puntiaguda; la presión contra un cuello uterino poco dilatado puede deformar aún más la cabeza, provocando la aparición de un bulto que desaparecerá en uno o dos días; el aspecto deforme lo hará al cabo de dos semanas, cuando la cabeza del bebé empezará a adoptar la forma redondeada de un querubín.

El cabello del recién nacido. El cabello que cubre la cabeza del recién nacido puede tener poca relación con el cabello que poseerá más adelante. Algunos recién nacidos son casi calvos; otros tienen una espesa mata de pelo, pero la mayoría tendrán un ligero birrete de suave pelo. En definitiva, todos perderán su pelo de recién nacidos (aunque no se note), que será reemplazado por el nuevo, posiblemente de otro color y textura.

La capa de vérnix caseosa. La sustancia grasa que recubre al feto en el útero está destinada, según se cree, a proteger la piel del bebé contra la prolongada exposición al líquido amniótico. Los bebés prematuros tienen una capa de este tipo muy gruesa, los posmaduros casi no la presentan, excepto en los pliegues de la piel y debajo de las uñas.

Hinchazón de los órganos genitales. Esta característica es común a los niños y niñas recién nacidos, y es particularmente

---

hombros y el resto del cuerpo. La mujer sólo precisa un empujón suave para ayudar a la expulsión llegado este punto: la cabeza es la parte más difícil, y el resto sale con relativa facilidad. El cordón umbilical será pinzado (normalmente cuando deja de latir) y cortado –lo hará el facultativo o bien el acompañante– y se colocará el recién nacido sobre el abdomen de la madre. (Si han optado por la donación de la sangre del cordón umbilical, su recogida se realizará ahora.) Éste es un buen momento para acariciar y abrazar al bebé piel contra piel: súbase la bata y arrulle al bebé. Si necesita un motivo para hacerlo, los estudios demuestran que los bebés que tienen contacto piel con piel con la madre justo después del nacimiento duermen más y son más tranquilos en las horas siguientes. ¿Qué

pronunciada en los niños que han nacido por cesárea. Los pechos de los recién nacidos, niños y niñas, también pueden estar hinchados a causa de la estimulación provocada por las hormonas de la madre. Estas hormonas pueden ocasionar también una secreción vaginal blanquecina, incluso teñida de sangre, en las niñas. Estos fenómenos no son anormales y desaparecen en una semana o 10 días.

Ojos hinchados. La hinchazón que se observa alrededor de los ojos de los recién nacidos, normal para alguien que ha estado sumergido en líquido amniótico durante nueve meses y luego ha tenido que pasar por un estrecho canal de parto, puede verse acentuada por las gotas que se les aplican para protegerles contra las infecciones y desaparece en unos pocos días. Los ojos de los bebés de raza blanca son casi siempre de color azul pizarra, independientemente del color que tendrán más tarde. En las razas de piel oscura, los bebés tienen los ojos marrones al nacer.

La piel. La piel del bebé será rosada, blanca o incluso grisácea al nacer (incluso aunque más adelante se vuelva marrón o negra). Esto se debe a que la pigmentación no se muestra hasta pasadas unas horas después del nacimiento. La piel también puede presentar irritaciones, granitos y puntos blancos debido a las hormonas maternas, pero todos son temporales. Puede observar que la piel del bebé es seca y se agrieta debido a su primera exposición al aire, algo que pronto desaparecerá.

El lanugo. Una fina pilosidad, denominada lanugo, puede cubrir los hombros, la espalda, la frente y las sienes de los bebés a término. Habitualmente suele desprenderse hacia el final de la primera semana de vida. Esta pilosidad puede ser más abundante y duradera en un bebé prematuro y no existir en otro posmaduro.

Marcas de nacimiento. Una mancha rojiza en la base del cráneo, sobre el párpado o en la frente es muy común, especialmente en los niños de raza blanca. Las manchas mongólicas, pigmentaciones de color gris azulado de las capas profundas de la piel, pueden aparecer en la espalda, las nalgas y a veces en los brazos y los muslos, y son más frecuentes en los asiáticos, los europeos meridionales y los negros. Estas marcas desaparecen con el tiempo, habitualmente cuando el niño tiene unos cuatro años. Los hemangiomas, unas marcas protuberantes y de color rojo intenso, tienen un tamaño que oscila entre diminuto y el de una moneda. Con el tiempo palidecen, adquieren una coloración gris perla y, finalmente, desaparecen por completo. Las manchas de color café con leche pueden aparecer en cualquier parte del cuerpo; por lo general son poco evidentes y no palidecen.

es lo siguiente que espera al bebé? Las enfermeras o el pediatra evaluarán su estado y le otorgarán un valor de la escala Apgar, al minuto de nacer y de nuevo a los cinco minutos (véase el recuadro de la pág. 412); le darán un masaje enérgico y estimulante mientras lo secan; quizá tomen las huellas del pie del recién nacido; colocarán una pulsera identificativa en la muñeca de la madre y el tobillo del bebé; administrarán pomada ocular para evitar infecciones (puede pedir que le administren la pomada después de tenerle en brazos); lo pesarán y envolverán en un arrullo para que no pierda calor. (En algunos hospitales, pueden saltarse algunos de estos procedimientos; en otros, los realizarán más tarde para que la madre tenga tiempo de establecer un vínculo emocional con el bebé.)

Después le devolverán al bebé (si todo va bien) y podrá, si lo desea, empezar a darle el pecho (pero no se preocupe si el bebé no se agarra inmediatamente; véase la pág. 471).

Más tarde, se llevarán al bebé a la *nursery* (si ha dado a luz en el hospital), donde le realizarán un examen pediátrico completo y se tomarán medidas rutinarias de prevención (como un pinchazo en el talón y una inyección contra la hepatitis B). Una vez la temperatura del bebé sea estable, le darán su primer baño, y tal vez la madre (y el padre) puedan ayudar. Si la política del hospital es dejar al bebé en la habitación con la madre, se lo devolverán enseguida y lo dejarán en un moisés junto a su cama.

Qué puede hacer el acompañante. De nuevo, puede compartir estas responsabilidades con la doula.

- Continuar ofreciendo apoyo y consuelo (un "te quiero" murmurado al oído de la mujer le puede servir más en este momento que cualquier otra cosa), pero no se ofenda si ella no se percata de su presencia. Su energía se concentra en otro lugar.

- Ayudarla a relajarse entre las contracciones, por medio de palabras tranquilizadoras, una toalla humedecida con agua fría aplicada sobre la frente, la nuca y los hombros, y si es factible, con ayuda de un masaje en la espalda o una contrapresión para aliviarle el dolor de espalda.

- Continuar proporcionándole trozos de hielo para humedecerle la boca.

- Sujetarle la espalda mientras empuja, cogerle la mano, limpiarle la frente o cualquier otra cosa que parezca ayudarla. Si resbala y queda en mala posición, será imprescindible ayudarla a volver a la posición adecuada.

- Indicarle periódicamente los progresos efectuados. Cuando el bebé empiece a coronar, recordarle echar una ojeada al espejo para que pueda tener la confirmación visual de lo que está consiguiendo; cuando no esté mirando al espejo, o si no se dispone de espejo, hacerle una descripción detallada de lo que sucede. Tomar su mano y tocar juntos la cabeza del bebé para infundirle ánimos.

- Si el médico permite que el acompañante coja al bebé cuando éste emerge o más tarde, o que le corte el cordón umbilical, no debería tener miedo de hacerlo. Ambas cosas son fáciles, y además el acompañante recibirá instrucciones paso a paso, apoyo y comprensión del personal del hospital. El acompañante debe saber que el cordón umbilical no puede ser cortado como un cordel normal; es mucho más resistente de lo que parece a simple vista.

Fase tres: expulsión de la placenta

L o peor ya ha pasado, y lo mejor ya ha llegado. Todo lo que queda por hacer ahora es atar algunos cabos sueltos, por así decirlo. Durante esta fase final del nacimiento (que generalmente dura entre cinco minutos y media hora o más), será expulsada la placenta, que constituyó la fuente de vida para el bebé en el seno materno. La mujer continuará experimentando contracciones débiles de aproximadamente un minuto de duración, aunque también es posible que no las note. El estrechamiento del útero separa a la placenta del útero y la desplaza hacia el segmento inferior del útero hasta la vagina, con lo que puede ser extraída. El facultativo la ayudará a expulsar la placenta, o bien tirando suavemente del cordón con una mano, mientras que con la otra presiona sobre el útero; o bien ejerciendo una presión descendente sobre la parte superior del útero, pidiéndole a la mujer que empuje en el momento apropiado. Es posible que le administren oxitocina, por inyección o por vía intravenosa, para acelerar las contracciones uterinas, lo que acelerará la expulsión de la placenta, favorecerá el estrechamiento del útero y reducirá la hemorragia. Una vez expulsada, el médico examinará la placenta para comprobar que está intacta. Si no lo está, inspeccionará el útero para extraer cualquier fragmento residual de la placenta.

Ahora que el trabajo ha terminado, la mujer puede sentirse exhausta o, por el contrario, llena de energía. Es probable que tenga mucha sed y también hambre, especialmente si el parto ha sido largo. Algunas mujeres tienen escalofríos en este momento; todas ellas experimentan una pérdida vaginal sanguinolenta (denominada loquios), comparable a la de una menstruación intensa.

La reacción emocional es algo diferente en cada mujer. Su primera reacción puede ser de alegría, pero es igualmente probable que sea de alivio. Puede que se sienta animada y parlanchina o sentir exaltación o impaciencia por expulsar la placenta o por tener que esperar que terminen de suturar una episiotomía o desgarro, o que esté tan admirada con el bebé que ahora tiene en brazos que no se dé cuenta de nada más. Algunas mujeres experimentan una fuerte sensación de intimidad con el marido y un lazo inmediato con el nuevo bebé; otras se sienten algo distanciadas (¿quién es este bebé extraño?) o incluso resentidas (¡cómo me ha hecho sufrir!), en especial después de un parto difícil. Sea cual sea su reacción, la madre acabará amando intensamente al bebé, solo que a veces necesitará más tiempo (véase la pág. 466).

Qué puede hacer la mujer.

* Alimentar o coger al bebé en brazos, una vez el cordón umbilical ha sido cortado. Háblele: dado que el bebé reconoce su voz, si la madre le canta o habla, le resultará especialmente tranquilizador (ahora está en un mundo extraño y usted puede ayudarle a comprenderlo). En algunas circunstancias, es posible que se mantenga al bebé un rato en una incubadora o en los brazos del acompañante, pero no se preocupe, tendrá tiempo de sobra para establecer su vínculo emocional con él.

* Establecer el vínculo entre los tres, usted, su pareja y el bebé.

* Ayudar a expulsar la placenta, empujando a indicación del médico. Algunas mujeres no necesitan empujar para que salga la placenta. El médico le comunicará qué hacer, si debe hacer algo.

* Mantenerse tranquila mientras le suturan la episiotomía o un posible desgarro.

* Sentirse orgullosa de lo que ha conseguido.

Todo lo que queda por hacer es dejar que el facultativo suture un posible desgarro (si no está anestesiada, le administrarán una anestesia local) y que la limpien. Es posible que le proporcionen una bolsa de hielo para que la coloque en la zona perineal con el fin de minimizar la hinchazón; pídala si no se la ofrecen. La enfermera también la ayudará a ponerse una compresa (recuerde que sangrará mucho). Cuando esté más recuperada, la trasladarán a una habitación posparto.

Qué puede hacer el acompañante. Si hay una doula, puede seguir ayudándoles, concentrándose en los aspectos más prácticos del cuidado posparto mientras usted pasa un rato con las dos estrellas del espectáculo.

- Dígale algunas palabras de alabanza y felicítese usted mismo por el trabajo bien hecho.

- Empiece a establecer vínculos con el bebé teniéndolo en brazos, apretándose contra él, cantándole o susurrándole. Es probable que el bebé haya oído su voz durante su estancia en el útero y que le resulte conocida. Escucharla ahora le producirá un gran consuelo.

- No se olvide de los vínculos con su mujer.

- Pida unas compresas de hielo para calmar el área perineal de la madre, si la enfermera no se las ofrece antes.

- Pida a la enfermera que le traigan un zumo u otra bebida a la madre, que se sentirá sedienta. Después de que ella se haya rehidratado, y si los dos se sienten con ganas de ello, descorchar la botella. (En el caso del champán, cuidado con las dosis si la madre da de mamar al bebé o está deshidratada.)

- Haga algunas fotografías y grabe al asombroso recién nacido si ha venido preparado con la cámara.

Parto por cesárea

A diferencia de lo que ocurre en el parto vaginal, en un parto por cesárea la mujer no puede participar activamente. En lugar de expulsar al bebé con el esfuerzo, las respiraciones y el empuje, deberá acostarse y dejar que sean los demás quienes lleven a cabo el trabajo. De hecho, su mayor contribución al parto por cesárea consiste en prepararse bien: cuanto más informada esté, más cómoda se sentirá. Por eso es aconsejable que lea este apartado.

Gracias a la anestesia local y a la liberalización de las normas de los hospitales, muchas mujeres pueden ser espectadoras de su parto por cesárea. Puesto que no deben preocuparse por empujar ni sienten molestias, a menudo son capaces de relajarse y de apreciar el nacimiento. Esto es lo que cabe esperar en un parto típico donde se practica una cesárea:

- Se conectará un gota a gota intravenoso (si aún no se ha hecho), con el fin de disponer de un acceso fácil para la medicación adicional.

- Se administrará anestesia: un bloqueo epidural o caudal (que insensibilizan la parte inferior del cuerpo pero que permiten a la mujer continuar consciente), o bien una anestesia general (que duerme por completo a la futura madre; a veces es necesario cuando el bebé debe ser extraído inmediatamente).

- Se lavará con una solución antiséptica el abdomen de la madre y se insertará una sonda (un tubo fino) en la vejiga, para mantenerla vacía y fuera del área de acción del cirujano.

- Se dispondrán sábanas estériles alrededor del abdomen al descubierto de la madre. Se colocará una pantalla al nivel de sus hombros para que no pueda ver la incisión practicada.

- Si el acompañante va a asistir al parto, le pedirán que se ponga ropa esterilizada. Permanecerá sentado cerca de la cabeza de la mujer, para procurarle su apoyo, y tendrá la oportunidad de observar la intervención quirúrgica.[1]

- Si se trata de una cesárea de emergencia, las cosas irán muy deprisa.

- Cuando el médico esté seguro de que la anestesia ha hecho efecto, practicará una incisión en la parte baja del abdomen, por encima del vello púbico. Si la mujer está despierta, tendrá una sensación como de "abrir una cremallera", pero no dolor.

- Luego se practicará otra incisión, esta vez en el útero. Se abrirá el saco amniótico, si aún no se había roto, y se aspirará el líquido que contiene; la mujer puede oír una especie de gorgoteo.

- Luego se extraerá el bebé; normalmente un ayudante presiona al mismo tiempo el extremo superior del útero. Si la mujer ha sido sometida a una anestesia epidural, probablemente notará una cierta sensación de presión.

- Después se aspirarán la nariz y la boca del bebé, que emitirá su primer llanto;

el cordón umbilical se pinzará y se cortará, y la madre podrá dar una primera ojeada a su hijo.

- Mientras el bebé es sometido a las mismas atenciones que el bebé que ha nacido por parto vaginal, el médico procederá a extraer la placenta.

- A continuación, el médico examinará rápidamente los órganos reproductores de la madre y suturará las incisiones practicadas; la incisión uterina se coserá con puntos reabsorbibles que no deben ser sacados posteriormente. La incisión abdominal puede ser suturada con puntos o grapas quirúrgicas.

- Es posible que se administre una inyección de oxitocina, ya sea por vía intramuscular o intravenosa, para ayudar a contraer el útero y controlar la hemorragia. Pueden administrarse antibióticos por vía intravenosa para minimizar las posibilidades de infección.

En función del estado de la madre y del bebé, así como de las normas del hospital, ésta podrá o no coger a su hijo en brazos en la misma sala de operaciones. Si no se lo permiten, tal vez pueda hacerlo el padre. En caso de que el bebé sea trasladado rápidamente a la unidad de cuidados intensivos neonatales, los padres no deben alarmarse. Se trata de una medida rutinaria que se adopta en muchos hospitales y no indica que el estado del bebé sea motivo de inquietud. En lo referente al establecimiento del vínculo con el recién nacido, también será posible establecerlo más adelante sin ninguna clase de problemas.

---

[1] En Europa no se autoriza al marido la entrada en un quirófano por razones de asepsia. Si el marido debe alejarse del campo operatorio de sus servidores no verá nada, y si está al lado de su mujer estorba a los anestesiólogos y puede contaminar a los cirujanos. (*Nota del revisor.*)

¡Felicidades! Lo ha conseguido...
¡Ahora toca relajarse
y disfrutar del nuevo bebé!

PARTE 3

Gemelos, trillizos y más

Cuando se espera más de un bebé

Embarazo múltiple

L E HAN DICHO QUE LLEVA DOS (O más) pasajeros en la barriga. Incluso si deseaba tener un embarazo múltiple, la primera reacción a la noticia puede ser muy variada: de la incredulidad a la alegría, de la ilusión al temor (o el miedo). Y, entre los momentos de satisfacción y las lágrimas, surgirán preguntas: ¿Estarán sanos los bebés? ¿Estaré sana? ¿Puedo seguir con mi tocólogo o debería ver a un especialista? ¿Qué dieta debo seguir, y cuánto peso debo ganar? ¿Habrá suficiente espacio en mi interior para dos bebés? ¿Habrá suficiente espacio en casa para dos bebés? ¿Podré llevar el embarazo a término? ¿Tendré que guardar cama? ¿Será el parto el doble de doloroso?

¿Ve doble?

Parece que los partos múltiples se multiplican, y es así. Alrededor del 3% de los bebés nacen en grupos de dos, tres o más; la mayoría (alrededor del 95%) nacen en pareja. Resulta asombroso que el número de partos gemelares haya aumentado más del 50% en los últimos años, y los partos más numerosos (de trillizos o más) han aumentado nada menos que un 400%.

¿Qué está pasando? El mayor número de madres de más edad tiene mucho que ver con este fenómeno. Las madres mayores de 35 años, por naturaleza, presentan más probabilidades de liberar más de un óvulo durante la ovulación (debido al aumento de fluctuación hormonal, concretamente de FSH, u hormona folículo-estimulante), lo cual incrementa las posibilidades de embarazos dobles. Otro factor es el aumento de los tratamientos de fertilidad (más comunes en madres de más edad), lo cual multiplica las posibilidades de un embarazo múltiple. Y otro factor sorprendente, según los expertos, podría ser la mayor incidencia de la obesidad. Las mujeres con un índice de masa corporal (IMC) mayor de 30 antes del embarazo tienen más posibilidades de ser madres de mellizos que las mujeres con valores de IMC más bajos.

Llevar a un solo bebé ya supone una serie de retos y cambios; llevar a más de uno... probablemente usted ya habrá echado cuentas... Pero no hay que preocuparse. Se puede hacer, al menos si la madre dispone de toda la información que ofrece este capítulo (y el apoyo de su pareja y de su médico). O sea que relájese y prepárese para su maravilloso embarazo múltiple.

Qué puede preocupar

Detectar el embarazo múltiple

"Acabo de saber que estoy embarazada y tengo la sensación de que llevo dos bebés. ¿Cómo puedo saberlo con certeza?"

Atrás quedaron los días en que los partos múltiples llegaban como una sorpresa. Hoy en día, la mayoría de futuros padres conocen la noticia desde bien pronto. Hay diversos métodos:

Ultrasonidos. La imagen ecográfica es la prueba. Si desea la confirmación indiscutible de que lleva más de un bebé, la ecografía es la mejor opción. Incluso una ecografía realizada a principios del primer trimestre, a las seis u ocho semanas (que probablemente le harán si tiene un nivel elevado de GCh o si ha concebido mediante un tratamiento de fertilidad, aunque algunos médicos la realizan de forma rutinaria) puede detectar la presencia de más de un feto. Pero si desea asegurarse por completo, deberá observar la ecografía realizada pasada la semana 12 (porque las anteriores no siempre muestran a los dos bebés).

Doppler. El médico suele escuchar el latido del corazón del bebé pasada la semana 9. Y, aunque resulta difícil distinguir dos latidos con sólo este instrumento, si el facultativo tiene experiencia y cree escuchar dos latidos distintos, seguramente es debido a que la madre lleva múltiples (la ecografía confirmará la noticia).

Niveles hormonales. La hormona del embarazo GCh se detecta en la orina de la madre al cabo de unos diez días de la concepción, y su nivel aumenta rápidamente a lo largo del primer trimestre. A veces (aunque no siempre), un nivel de GCh más elevado del habitual puede indicar la presencia de múltiples fetos. Dicho esto, el nivel normal de GCh en el caso de gemelos también encaja con el nivel normal en el caso de un solo feto, de modo que un nivel elevado de GCh no indica por sí solo un embarazo múltiple.

Resultados de los análisis. Un resultado inusualmente elevado (positivo) de los análisis triples (o cuádruples) en el segundo trimestre (véase la pág. 70) puede indicar en ocasiones que el embarazo es múltiple.

Medidas de la madre. No es de extrañar que cuantos más bebés lleve, más grande se hará el útero. En cada visita, el médico palpará el fondo del útero para determinar su crecimiento. Si crece más de lo habitual, puede ser una señal de que la madre lleva más de un bebé (pero no siempre; véase la pág. 183).

En resumen: hay muchas pistas que indican que un embarazo es múltiple (incluido el instinto de la madre), pero sólo la ecografía puede asegurar que sea así. Consulte con su médico.

¿Mellizos o gemelos?

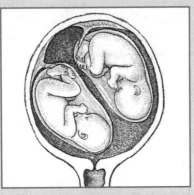 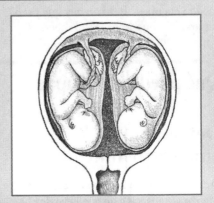

Los mellizos (izquierda), que son el resultado de dos óvulos fecundados al mismo tiempo, disponen cada uno de su placenta. Los gemelos (derecha) proceden de un solo óvulo fecundado que se divide y al desarrollarse se convierte en dos embriones separados, que pueden compartir la misma placenta o tener cada uno la suya.

Los mellizos son más comunes que los gemelos, y las posibilidades de tener mellizos aumentan con la edad de la madre y el número de hijos que tenga. Las probabilidades de tener un embarazo doble en general aumentan si hay un historial familiar de embarazos dobles por parte materna.

Elegir un tocólogo

"Acabo de enterarme de que llevo gemelos. ¿Puedo seguir con mi tocólogo o debería acudir a un especialista?"

Si está contenta con su médico, no hay motivo para cambiar sólo porque lleve dos bebés. (Simplemente, plantéese si está realmente satisfecha con él, ya que le verá con mayor frecuencia durante su embarazo gemelar: más bebés suelen significar más visitas.) Aunque esté en manos de una enfermera comadrona, seguramente podrá seguir acudiendo a ella siempre y cuando cuente también con un médico en su equipo para realizar visitas regulares y para el parto.

¿Está contenta con su tocólogo de siempre pero le atrae la idea de un cuidado más específico? Muchos médicos

envían a sus pacientes con embarazos múltiples a un especialista para que las visite periódicamente; ésta sería una buena solución si desea combinar la familiaridad que tiene con su médico con los conocimientos específicos de un especialista. Las futuras madres con necesidades especiales (como edad avanzada, historial de abortos espontáneos o enfermedad crónica) pueden plantearse ponerse en manos de un especialista perinatólogo. Comente esta posibilidad con su médico si su embarazo es de alto riesgo.

Al elegir a un especialista para su embarazo múltiple, también deberá tener en cuenta en qué hospital trabaja. Lo ideal es dar a luz en un hospital donde puedan atender a los bebés prematuros (que disponga de unidad de cuidados intensivos neonatales) por si sus retoños se adelantan, como suele ocurrir en caso de múltiples.

Pregunte también qué política sigue el médico en los aspectos específicamente relacionados con los embarazos múltiples: ¿le inducirá el parto a las 37 o 38 semanas de forma rutinaria o tendrá usted la opción de proseguir con el embarazo si todo va bien? ¿Será posible tener un parto vaginal o el médico practica una cesárea siempre que el parto es múltiple? ¿Dará a luz en la sala de partos o directamente en el quirófano?

Para más información general sobre la elección del médico, véase la página 23.

Síntomas del embarazo

"He oído que cuando se esperan gemelos, los síntomas del embarazo son más intensos que cuando se espera un solo bebé. ¿Es verdad?"

El doble de bebés a veces significa el doble de molestias durante el embarazo, pero no siempre. Cada embarazo múltiple, como cada embarazo de un solo bebé, es diferente. La futura madre de uno puede experimentar náuseas por dos, mientras que la futura madre de gemelos puede pasar todo el embarazo sin un solo día de mareos. Lo mismo ocurre con los demás síntomas.

Pero aunque la madre no tiene por qué esperar el doble de mareos matutinos (o de acidez de estómago, calambres en las piernas o venas varicosas), tampoco puede descartarlo. Las molestias, de promedio, sí se multiplican al multiplicarse los fetos, lo cual no es de sorprender dado el peso adicional que la mujer carga y las hormonas adicionales que genera. Entre los síntomas que pueden –pero no necesariamente deben– padecerse más cuando el embarazo es múltiple se encuentran los siguientes:

* Mareos matutinos. Las náuseas y vómitos pueden empeorar en los embarazos múltiples, gracias –entre otras cosas– a los niveles hormonales más elevados que circulan por el organismo de la madre. Los mareos pueden también empezar antes y durar más.

* Otras molestias estomacales, como la acidez de estómago, la indigestión y el estreñimiento. El mayor espacio que ocupan los bebés en la zona gástrica (y la mayor ingestión de alimentos por parte de una mujer que debe comer por tres o más) puede aumentar las molestias digestivas típicas del embarazo.

* Fatiga. Es obvio que cuanto más peso carga la madre, más cansada se encontrará. La fatiga puede aumentar con la energía adicional que gasta la madre de múltiples (el cuerpo de la madre debe trabajar el doble para fabricar dos bebés). La falta de sueño también puede resultar agotadora (es difícil encontrar la posición con una barriga del tamaño de una sandía, pero lo es más con el tamaño de dos sandías).

* Otras incomodidades físicas. Cada embarazo conlleva sus molestias e incomodidades particulares; el embarazo gemelar puede conllevar incluso algunas más. Cargar con un bebé adicional puede traducirse en más dolor de espalda, más punzadas en la pelvis, más calambres, tobillos más hinchados, más venas varicosas. Respirar por tres o más puede resultar un esfuerzo adicional, especialmente cuando los bebés crecen tanto que empiezan a presionar los pulmones de la madre.

* Movimientos fetales. Aunque cualquier mujer embarazada puede tener la sensación en algún momento de llevar un pulpo, las ocho extremidades que lleva en su interior aseguran esta sensación.

Tanto si su embarazo termina obsequiándola con el doble de molestias e incomodidades como si no, una cosa es segura: también le aportará el doble de recompensas. No está mal, para nueve meses de trabajo.

Comer bien cuando el embarazo es múltiple

"Me he comprometido a comer bien ahora que espero trillizos, pero no estoy segura de lo que esto significa: ¿comer el triple?"

Comer por cuatro significa comer constantemente. Si bien la madre no debe cuadruplicar literalmente su ingesta diaria (como una madre que espera un solo bebé tampoco debe doblarla), sí deberá comer a conciencia y en abundancia durante los próximos meses. Las mujeres con embarazos múltiples deben ingerir alrededor de unas 150 a 300 calorías adicionales por feto (buenas noticias si deseaba licencia para comer, no tan buenas si sufre mareos o si le parece que ya no le cabe nada más en la barriga). Esto se traduce en 300 a 600 calorías adicionales si espera gemelos, 450 a 900 si espera trillizos (si ha iniciado el embarazo con un peso estándar). Pero no hay que interpretar este aumento de calorías a ingerir como un permiso para comer más de cualquier cosa. La calidad de los alimentos que tome será tan importante como la cantidad. De hecho, la buena nutrición durante un embarazo múltiple afecta todavía más al peso de los bebés al nacer que en un embarazo de un solo bebé.

¿Cómo comer cuando se esperan múltiples bebés? Véase el Capítulo 5 y:

Haga pequeñas colaciones. Cuanto mayor se haga su barriga, más pequeñas querrá que sean las comidas. Hacer cinco o seis colaciones pequeñas al día no sólo aliviará la sobrecarga digestiva (y la falta de espacio en su barriga), sino que además mantendrá su nivel de energía, proporcionándole la misma aportación nutricional que las tres comidas diarias típicas.

Elija lo que come. Escoja alimentos que reúnan muchos nutrientes en pequeñas raciones. Los estudios demuestran que una dieta rica en calorías que sea también rica en nutrientes aumenta significativamente las probabilidades de tener los bebés sanos y a término. Abusar de los alimentos de poca calidad nutricional significa además que quedará menos espacio en su estómago para los alimentos más nutritivos.

Tome nutrientes extra. No es de sorprender que la necesidad de nutrientes se multiplica por el número de bebés, lo cual significa que la madre debe incluir en su dieta raciones adicionales de los alimentos básicos (véase la pág. 105). Se suele recomendar que las mujeres que llevan varios bebés incluyan una ración adicional de proteína, una de calcio y una de cereales integrales. Pregunte a su médico qué recomienda él en su caso.

Aumente la dosis de hierro. Otro nutriente que necesitará ingerir en mayor proporción será el hierro, que ayuda al organismo de la madre a fabricar glóbulos rojos (necesitará muchos debido a la gran cantidad de sangre que precisa su fábrica de bebés) y ayuda a evitar la anemia, que es común en los embarazos múltiples. La carne roja, la fruta seca, las semillas de calabaza y las espinacas son buenas fuentes de hierro (encontrará una lista más detallada en la pág. 113). Las vitaminas prenatales y tal vez un suplemento de hierro se encargarán del resto; pregunte a su médico.

Beba mucha agua. La deshidratación puede conducir a un parto prematuro (un riesgo que ya tienen los embarazos múltiples), por lo que conviene que la madre beba al menos 8 vasos de líquido al día.

Encontrará más información acerca de la dieta durante un embarazo múltiple en el libro *Comer bien cuando se está esperando.*

Aumento de peso

"Sé que debo ganar más peso al esperar gemelos, pero ¿cuánto más?"

La mayoría de los médicos aconsejan que la mujer que está embarazada de gemelos aumente entre 17 y 22 kilos, y la mujer que espera trillizos aumente de promedio 25 kilos (menos si tenía sobrepeso antes del embarazo; más si estaba por debajo de su peso ideal). Parece fácil, ¿no? Pues en realidad, aumentar el peso suficiente no siempre resulta sencillo cuando se llevan dos –o más– bebés. De hecho, las dificultades del embarazo pueden mantener los números de la báscula por debajo de lo deseable.

Las náuseas pueden impedir el aumento de peso durante el primer trimestre. Comer pequeñas cantidades de alimentos nutritivos a lo largo del día puede ayudar a la madre a superar estos meses de vómitos. Intente aumentar medio kilo a la semana durante el primer trimestre, pero si no lo consigue o tiene dificultades para aumentar poco siquiera, no se preocupe. Más adelante se divertirá compensando. Sí debe seguir tomando las vitaminas prenatales y mantenerse bien hidratada.

Aproveche el segundo trimestre (que seguramente será el más cómodo –y el más fácil a la hora de las comidas–) como su oportunidad para acumular los nutrientes que sus bebés necesitarán para crecer. Si no ha ganado nada de peso durante el primer trimestre (o incluso ha perdido peso debido a las náuseas y vómitos abundantes), es posible que el facultativo desee que aumente usted entre 750 gramos y 1 kilo a la semana, si espera gemelos, y entre 1 kilo y 1200 gramos, si espera trillizos. (Si ha ido ganando peso regularmente durante el primer trimestre, sólo deberá aumentar unos

Cuánto aumentar cuando hay que ganar peso por dos o más

Tipo de embarazo	Aumento de peso primer trimestre	Aumento de peso segundo trimestre	Aumento de peso tercer trimestre	Total peso aumentado
Gemelar, madre por debajo de su peso	2-3 kilos	9,5-11,5 kilos	8,5-10,5 kilos	20-25 kilos
Gemelar, madre con peso normal o sobrepeso	1,5-2 kilos	9,5-11 kilos	6,5-9,5 kilos	17,5-22,5 kilos
Trillizos	2-2,25 kilos	15 o más kilos	5,5-7,5 kilos	22,5 o más kilos

Embarazos de duración variable

Está contando cuánto le queda para llegar a las 40 semanas. Puede no tener que contar tanto. Un embarazo gemelar puede considerarse a término hasta 3 semanas antes, a las 37 semanas, algo que merece la pena celebrar (3 semanas menos de hinchazón, acidez de estómago y espera). Pero del mismo modo que el 95% de los embarazos de un solo bebé no llegan a término, los embarazos múltiples también mantienen en vilo a los padres (y al facultativo).

Pueden seguir hasta las 39 semanas (o más), o pueden terminar antes de llegar a las 37 semanas. De hecho, un embarazo múltiple dura de promedio 35 semanas y media.

Si sus bebés acaban quedándose en el útero 37 semanas, es posible que el médico decida inducir el parto a las 38 semanas, según el estado de los bebés y el de la madre, y según las preferencias del facultativo. Asegúrese de discutir con él su modo de proceder mucho antes de que llegue el momento del parto, porque muchos médicos difieren en el modo de enfocar las últimas semanas de un embarazo múltiple.

750 gramos a la semana si espera gemelos, o 1 kilo si espera trillizos.) Puede que esto le parezca mucho peso en poco tiempo, y es así. Pero es un peso que es importante aumentar. Añada a su dieta raciones adicionales de proteína, calcio y cereales integrales. ¿La acidez de estómago y la indigestión empiezan a interferir en su dieta? Realice seis (o más) colaciones pequeñas a lo largo del día.

A medida que se adentre en el tercer trimestre, intente aumentar entre 750 gramos y 1 kilo por semana durante el séptimo mes. Llegadas las 32 semanas de gestación, es posible que cada bebé pese ya 2 kilos, por lo que no quedará mucho espacio en su estómago para la comida. Pese a sentirse llena, deberá esforzarse por llenarse más, y los bebés agradecerán la nutrición de una dieta equilibrada. Concéntrese, pues, en la calidad y no en la cantidad y espere bajar a un aumento de 450 gramos o menos a la semana durante el octavo mes, y sólo alrededor de medio kilo en total durante el noveno mes. (Es comprensible por qué la mayoría de embarazos múltiples no llegan a las 40 semanas.)

Ejercicio

"Soy corredora, pero ahora que espero gemelos, ¿podré seguir corriendo?"

El ejercicio es beneficioso en la mayoría de embarazos, pero cuando hay que estar en forma por tres, hay que hacerlo con cuidado. Si el médico le da luz verde para entrenar durante el primer y segundo trimestres (pregúnteselo), seguramente le indicará que realice actividades más tranquilas que correr. Le aconsejará que evite las actividades que ejerzan presión en el cuello uterino o que eleven la temperatura corporal significativamente.

El Colegio Americano de Obstetricia y Ginecología recomienda que las futuras madres de múltiples eviten el ejercicio aeróbico de gran impacto (que incluye la carrera) porque puede aumentar el riesgo de parto prematuro. El consejo también es válido para corredoras experimentadas.

¿Busca un tipo de ejercicio más adecuado para los tres? Constituyen buenas opciones la natación o el aeróbic acuático para embarazadas, los estiramientos, el yoga prenatal, el entreno con pesas ligeras, y la bicicleta estática: todos ellos son ejercicios que no requieren que la madre esté de pie al realizarlos. Y no se olvide de los ejercicios de Kegel, que puede realizarlos en cualquier lugar y en cualquier momento para fortalecer la musculatura del suelo pélvico (que necesita reforzarse especialmente cuando la madre lleva más de un bebé).

Haga lo que haga, si el esfuerzo provoca contracciones de Braxton Hicks u otra de las señales de alarma indicadas en la página 251, deténgase inmediatamente, descanse, beba agua y llame al médico si no remiten en 20 minutos o más.

Sentimientos contradictorios

"Todo el mundo cree que es muy emocionante que vayamos a tener gemelos, excepto nosotros. Estamos decepcionados y asustados. ¿Qué nos pasa?"

No les pasa nada. Los sueños de paternidad no suelen incluir dos cunas, dos tronas, dos sillitas de paseo ni dos bebés. Los futuros padres se preparan psicológicamente, además de física y económicamente, para la llegada de un bebé, y cuando se enteran de que serán dos, no es raro que se sientan decepcionados. O asustados. La responsabilidad de cuidar de un bebé ya es lo bastante sobrecogedora sin tener que duplicarla.

Si bien algunos padres están encantados al enterarse de que esperan a más de un bebé, otros tardan algún tiempo en asimilar la noticia. Es tan común sentir decepción como alegría, experimentar una sensación de pérdida de la intimidad y normalidad de la relación individualizada con un bebé, y no verse capaz inmediatamente de tenerla con dos bebés. En lugar de verse meciendo, alimentando y arrullando a un bebé, les puede costar acostumbrarse a la idea de tener que vivir con dos recién nacidos. También pueden sentirse inundados de emociones contradictorias: preguntándose "¿Por qué nosotros?", sintiéndose luego culpables por cuestionar su doble suerte (especialmente si quedarse en estado fue difícil). Todos estos sentimientos (y otros que pueden experimentar) son una reacción normal ante la noticia. Por tanto, acepten el hecho de que se sienten confundidos y no carguen con sentimientos de culpa (dado que sus sentimientos son normales y comprensibles, no tienen por qué sentirse culpables por ellos). En lugar de ello, aprovechen los meses que quedan para el parto para ir haciéndose a la idea de tener gemelos (lo crean o no, se harán a la idea ¡y les encantará!). Hablen abierta y sinceramente entre ustedes (cuanto más aireen sus sentimientos, menos tardarán en superarlos). Hablen con conocidos que tengan gemelos, y si no conocen a nadie, búsquenlos. Compartir sus sentimientos con otras personas que los hayan experimentado también les ayudará a aceptarlos y, con el tiempo, emocionarse con este embarazo y con los dos retoños que pronto tendrán en brazos. Descubrirán que los gemelos pueden dar el doble de trabajo al principio, pero a la larga también les darán el doble de alegrías.

Comentarios poco sensibles

"No me lo puedo creer: cuando dije a mis amigas que esperábamos gemelos, una me dijo: 'Mejor tú que yo.' Pensé que se alegrarían por mí, ¿por qué harían un comentario como éste?"

Puede que éste sea el primer comentario insensible que haya oído acerca de su embarazo múltiple, pero seguramente no será el último. Desde colegas del trabajo a familiares y

Contactos múltiples

Como futura madre de múltiples, forma parte de un grupo de miles de mujeres que, como usted, esperan a más de un bebé, lo cual supone el doble de alegría y el doble también de angustias. Formar parte de este grupo puede traerle multitud de recompensas. Al hablar con otras futuras madres de múltiples, podrá compartir con ellas sus miedos, alegrías, síntomas y anécdotas que nadie más entendería. También podrá recibir consejos tranquilizadores de otras embarazadas que esperan varios bebés (además de las que ya los han tenido). Únase a un foro en internet o pida a su médico que la ponga en contacto con otras mujeres con embarazos múltiples que acudan a su consulta. También hay organizaciones nacionales, como la Asociación de Gemelos y Mellizos de España (‹www.gemespa.org›).

amigos, pasando por algunos perfectos desconocidos con quienes se cruza en el supermercado, la sorprenderán los comentarios crueles que la gente no tiene reparo en hacer a una mujer con embarazo múltiple, desde "¡Vaya barriga! ¡Llevarás por lo menos una camada entera!" a "¡La que te espera!" o "No sé cómo vas a arreglártelas con más de uno".

¿Qué ocurre con la falta de tacto? La verdad es que muchas personas no saben cómo reaccionar ante la noticia de un embarazo múltiple. Claro que un sencillo "¡Felicidades!" sería lo adecuado, pero la gente asume que el embarazo múltiple es algo especial (y lo es) y que deben expresarlo con un comentario "especial".

Sienten curiosidad por lo que debe ser estar embarazada de gemelos, están asombrados por lo que va a vivir usted, no tienen ni idea de qué decirle, de modo que sueltan un comentario equivocado. Sus intenciones son buenas, pero no saben expresarlas.

La mejor manera de reaccionar ante esta falta de tacto es no tomarla como algo personal ni tomarse los comentarios demasiado en serio.

Recuerde que cuando su buena amiga abrió la boca y metió la pata, lo más probable es que intentara desearle lo mejor (y probablemente no tenga idea de que usted se ofendió, de modo que es mejor intentar olvidarlo). Recuerde también que usted es la mejor portavoz de las madres de gemelos de todo el mundo y tendrá muchas ocasiones de ejercer como tal y describir las maravillas del embarazo múltiple.

"La gente no deja de preguntarme si hay otros gemelos en mi familia o si me he sometido a un tratamiento de fertilidad. No me avergüenzo de haber concebido con la ayuda de fármacos, pero no es algo que desee compartir con desconocidos."

Una mujer embarazada saca al cotilla que los demás llevan dentro, pero una mujer que espera más de un bebé se convierte en un asunto de interés público. De repente, su embarazo está en boca de todos, incluso de personas a las que casi no conoce (o no conoce de nada) que se meten en su vida y le piden información personal sin pensárselo dos veces. Pero de eso se trata, de que no lo piensan dos veces, ni una. No pretenden entrometerse, sólo sienten curiosidad, y no saben hacerlo mejor. Si no tiene inconveniente en dar los detalles más jugosos, no se corte ("Bueno, primero lo intentamos con clomifeno y, como no funcionó, recurrimos a la fecundación in vitro, de modo que fuimos a una clínica de fertilidad…"). Cuando llegue a la mitad de su historia, su interlocutor seguramente estará aburrido y deseoso de terminar la conversación. O puede probar con una de las siguientes respuestas la próxima vez que alguien le pregunte acerca de la concepción de sus gemelos:

- "Ha sido una gran sorpresa." Esto puede ser verdad, tanto si han recurrido a algún tipo de ayuda para la concepción como si no.

- "Bueno, ahora sí tendremos un historial de gemelos en la familia." Con esto les hará callar, aunque sigan preguntándose en silencio.

- "Hicimos el amor dos veces la misma noche." Todos lo hemos hecho en algún momento, ¿no? Aunque la última vez fuera en su luna de miel, no estaría mintiendo al decirlo, y así cesará el interrogatorio.

- "Les concebimos con verdadero amor." Esto es verdad y les dejará desarmados.

- "¿Por qué lo preguntas?" Si la persona está intentando concebir, tal vez así inicien una conversación que le resulte de ayuda (la infertilidad puede ser un camino solitario, como es posible que ya sepa usted). Si no, es posible que la persona deje de interrogarla. Al fin y al cabo, no estará tan interesada en hablar de su vida privada como en preguntar por la suya.

Si no está de humor para respuestas ingeniosas, ni para ningún tipo de respuestas (especialmente si le han preguntado lo mismo cinco veces en un día), no pasa nada si indica a su interlocutor que no es asunto suyo. "Este tema es personal" lo dice todo.

Seguridad del embarazo múltiple

"Apenas nos habíamos hecho a la idea del embarazo nos dijeron que esperaba gemelos. ¿Un embarazo gemelar conlleva más riesgo para los bebés, o para la madre?"

Los bebés adicionales están expuestos a riesgos adicionales, pero no tantos como podría pensarse. De hecho, no todos los embarazos gemelares se clasifican como "embarazos de alto riesgo" (aunque los embarazos de más de dos sí), y la mayoría de futuras madres de múltiples pueden esperar que su embarazo transcurra como un embarazo estándar (al menos en lo concerniente a complicaciones). Además, si afronta el embarazo múltiple con un poco de información acerca de los riesgos y complicaciones potenciales, le será más fácil evitar muchos de ellos y la preparará por si debe hacerles frente. Relájese (los embarazos gemelares son seguros), pero siga leyendo.

Para los bebés, los riesgos potenciales incluyen:

Parto prematuro. Los embarazos múltiples, por regla general, terminan antes que los sencillos. Más de la mitad de los gemelos (el 59%), la mayoría de trillizos (el 93%) y prácticamente todos los cuatrillizos nacen prematuros. Mientras que las mujeres embarazadas de un solo bebé dan a luz, de promedio, a las 39 semanas, los partos gemelares, de promedio, son a las 35-36 semanas. Los trillizos normalmente nacen (de promedio) a las 32 semanas, y los cuatrillizos a las 30 semanas. (Tenga en cuenta que el embarazo gemelar se considera que llega a término a las 37 semanas en lugar de las 40.) Al fin y al cabo, por muy cómodos que los bebés se sientan en el útero, también pueden sentirse muy apretados a medida que crecen.

Cerciórese de que sabe reconocer las señales de parto prematuro y no dude en llamar al médico enseguida si experimenta alguna de ellas (véase la pág. 332).

Bajo peso al nacer. Como muchos embarazos múltiples terminan antes, la mayoría de bebés nacen con un peso inferior a los 2,5 kilos, lo cual se considera un peso bajo. La mayoría de ellos no tendrán problemas de salud derivados de su peso, gracias a los avances en el cuidado de estos recién nacidos pequeños, pero los bebés que nacen con menos de 1,5 kilos de peso presentan más riesgos de complicaciones que pueden convertirse en discapacidades a largo plazo. Asegurarse de mantener una buena salud prenatal e incluir muchos nutrientes en su dieta de embarazo (lo cual significa también ingerir la cantidad de calorías necesaria), favorecerá el crecimiento de los bebés y su mayor peso al nacer. (Véase el libro *Qué se puede espe-*

Múltiples beneficios

Buenas noticias. Nunca ha sido tan seguro concebir, llevar y dar a luz a más de un bebé a la vez, y por muchos motivos. He aquí algunos:

- Conocimiento desde el principio. Como el descubrimiento de la noticia del embarazo múltiple casi siempre llega a principios del embarazo, la madre dispone de mucho tiempo para planificar y prepararse para la llegada de los bebés, además de mucho tiempo para aprovechar la mejor atención prenatal posible. Y una buena atención prenatal es el camino hacia un embarazo sano, doblemente si es un embarazo múltiple.

- Muchas más visitas con el tocólogo. Una buena atención prenatal empieza con visitas prenatales más frecuentes. Seguramente visitará al médico cada dos o tres semanas (en lugar de hacerlo cada cuatro) hasta el séptimo mes, y con mayor frecuencia a partir de entonces. Y las visitas serán más en profundidad a medida que el embarazo avance. Le harán todas las pruebas que realizan a todas las futuras madres y es posible que además le hagan más pruebas (para detectar posibles señales de parto prematuro).

- Muchas imágenes de los bebés. Le harán más ecografías para monitorizar a los bebés y asegurarse de que su desarrollo y crecimiento es el esperado y el embarazo va bien. Esto significa que puede estar más tranquila, además de coleccionar más imágenes para el álbum de sus bebés.

- Más atención. Un buen cuidado prenatal también significa más atención a su salud para reducir el riesgo de que aparezcan ciertas complicaciones del embarazo (como la hipertensión, la anemia, el desprendimiento de la placenta o el parto prematuro, todos comunes en embarazos múltiples). Con tanta atención, cualquier problema que surja será tratado enseguida.

rar el primer año para saber más acerca de los bebés prematuros.)

Síndrome de transfusión feto-fetal.

Cuando se da esta complicación intrauterina, que ocurre en alrededor de un 15% de los embarazos de gemelos idénticos –en que los gemelos comparten la placenta–, los vasos sanguíneos de la placenta compartida se cruzan y uno de los gemelos recibe demasiado flujo sanguíneo y el otro demasiado poco. Es una situación peligrosa para los bebés, aunque no para la madre. Si la detectan en su embarazo, el médico puede optar por recurrir a la amniocentesis para extraer el exceso de fluido, lo cual mejora el flujo sanguíneo en la placenta y reduce el riesgo de parto prematuro. Otra opción es la cirugía láser para sellar la conexión entre los vasos sanguíneos.

Un embarazo múltiple también puede tener algunos efectos en la salud de la madre:

Preeclampsia. Cuantos más bebés lleve, más placenta. Esta placenta adicional (junto con el aumento de hormonas que supone llevar más bebés) a veces puede provocar el aumento de la presión arterial, lo cual puede convertirse en preeclampsia. La preeclampsia afecta a una de cada cuatro madres de gemelos y suele detectarse a tiempo, gracias al seguimiento que realiza el médico. Para más información sobre la preeclampsia, véase la página 584.

Diabetes gestacional. Las embarazadas de múltiples presentan una mayor probabilidad de tener diabetes gestacional. Esto se debe seguramente a que los niveles más elevados de hormonas pueden interferir en la capacidad de la madre de procesar la insulina. La dieta normalmente consigue controlar (incluso prevenir) la diabetes, pero en ocasiones se necesita un aporte adicional

de insulina (véase la pág. 585 para más información).

Problemas de la placenta. Las mujeres que esperan múltiples tienen un riesgo algo mayor de presentar complicaciones como la placenta previa (placenta baja) o desprendimiento de placenta (separación prematura de la placenta). Afortunadamente, el seguimiento médico puede detectar la placenta previa antes de que se convierta en un riesgo importante. La separación de la placenta no puede detectarse antes de que suceda, pero como el seguimiento del embarazo es tan intenso, se pueden tomar los pasos necesarios para evitar más complicaciones en caso de que la placenta se desprendiera.

Guardar cama

"¿Tendré que guardar cama por el hecho de llevar gemelos?"

Es una pregunta que se hacen muchas futuras madres de múltiples, y los médicos no siempre tienen una respuesta sencilla que darles. Todavía no está del todo claro si el reposo en cama ayuda a evitar el tipo de complicaciones que a veces se asocian a los embarazos múltiples (como el parto prematuro o la preeclampsia). Por tanto, de momento, algunos facultativos lo prescriben en algunos casos. Cuantos más bebés lleve la madre, más probable es que se le recomiende reposo, ya que el riesgo de complicaciones aumenta con cada feto adicional.

Hable de ello con el médico al principio del embarazo, para saber qué opina del reposo en cama. Algunos tocólogos lo prescriben de forma rutinaria a todas las embarazadas de múltiples (a menudo a partir de la semana 24 a 28); cada vez más médicos lo basan en el caso concreto, según vayan viendo.

Si el médico le recomienda guardar cama, en la página 610 encontrará consejos para sobrellevarlo. Y recuerde que, aunque no se lo recomienden, el médico seguramente le aconsejará que se tome las cosas con calma, trabaje menos y esté de pie el menor tiempo posible durante la segunda mitad del embarazo.

Síndrome del gemelo desaparecido

"He oído hablar del síndrome del gemelo desaparecido. ¿Qué es?"

La detección de embarazos múltiples al principio de la gestación mediante la ecografía tiene muchos beneficios, porque cuanto antes se sabe que hay dos o más bebés que cuidar, mejores cuidados pueden ofrecérseles. Pero en ocasiones existe una desventaja al saberlo tan pronto. La identificación de embarazos gemelares más pronto que nunca también revela pérdidas que antes no se llegaban a conocer.

La pérdida de uno de los gemelos durante el embarazo puede producirse durante el primer trimestre (con frecuencia antes de que la madre sepa siquiera que lleva gemelos) o, con menor frecuencia, cuando el embarazo está más avanzado. Cuando la pérdida ocurre durante el primer trimestre, los tejidos del gemelo desaparecido son reabsorbidos por el organismo de la madre. Este fenómeno, denominado síndrome del gemelo desaparecido, ocurre en un 20-30% de los embarazos múltiples. La documentación del síndrome del gemelo desaparecido ha aumentado significativamente durante las últimas décadas, a medida que

las ecografías –la única forma de saber con certeza al principio del embarazo que se llevan gemelos– se han ido realizando de forma rutinaria. Las investigaciones indican que hay más casos de síndrome del gemelo desaparecido en mujeres mayores de 30 años, aunque esto puede deberse a que las mujeres mayores en general presentan índices más elevados de embarazos múltiples, especialmente si se someten a tratamientos de fertilidad.

Rara vez se presentan síntomas cuando se produce la pérdida temprana de uno de los gemelos, aunque algunas mujeres experimentan calambres, hemorragia o dolor pélvico, similares a los de un aborto espontáneo (si bien ninguno de estos síntomas es una señal segura de la pérdida de uno de los fetos). El descenso de los niveles hormonales (detectado mediante un análisis de sangre) también puede indicar la pérdida de uno de los fetos.

La parte positiva es que cuando se produce el síndrome del gemelo desaparecido durante el primer trimestre, la madre normalmente sigue con un embarazo normal y dará a luz a un bebé sano sin complicaciones ni intervención. En el caso menos probable de que uno de los gemelos fallezca durante el segundo o tercer trimestre, el bebé que sobrevive puede estar expuesto a un mayor riesgo de restricción del crecimiento intrauterino, y la madre puede correr el riesgo de tener un parto prematuro, una infección o hemorragias. El bebé superviviente se observará de cerca y el resto del embarazo se monitorizará para evitar complicaciones.

Encontrará consejos de ayuda para enfrentarse a la pérdida de un gemelo en el útero en la página 615.

El parto múltiple

Probablemente dedicará mucho tiempo a preguntarse cómo dará a luz a sus retoños. Todos los partos son inolvidables, pero en el caso de gemelos (o más), el parto no será como la típica historia que habrá oído de las madres que han dado a luz a un solo bebé. No es de sorprender que todo pueda complicarse cuando va a alumbrar a dos o más.

¿Su parto requerirá el doble de esfuerzo? ¿Cómo va a ser el parto? Las respuestas pueden depender de muchos factores, como la posición de los fetos, la seguridad de los bebés, la salud de la madre, etcétera. Los partos múltiples presentan más variables –y más sorpresas– que los individuales. Pero como va a tener dos (o más) bebés al precio de un solo parto, su parto múltiple será un buen arreglo tenga el formato que tenga. Y recuerde que sea cual sea la ruta de salida que tomen sus bebés, el mejor modo de nacer es el que resulte más sano y seguro para ellos y para usted.

La dilatación en el parto múltiple

La dilatación será diferente de la de una madre que dé a luz a un solo bebé en los siguientes aspectos:

■ Puede ser más corta. ¿Es necesario sufrir el doble para obtener la doble recompensa? No. De hecho, es posible que sufra menos. La primera fase del parto suele ser más corta en los partos múltiples, lo cual significa que se tarda menos en llegar al momento de empujar, si se trata de un parto vaginal. ¿El inconveniente? Que se llega antes a la parte más difícil del parto.

■ O puede ser más larga. Como el útero está más estirado cuando alberga múltiples fetos, las contracciones pueden ser más débiles. Y más débiles puede significar que se puede tardar más en dilatar por completo.

■ El parto se monitoriza más de cerca. Como el equipo médico debe tener el doble de cuidado durante el parto múltiple, la madre es controlada más de cerca durante la fase de dilatación. Durante esta fase es posible que esté conectada a dos o más monitores fetales para que el médico pueda controlar el estado de cada uno de los bebés. Enseguida, los latidos de los bebés se monitorizarán con un monitor externo, de modo que la madre puede quitárselo periódicamente para caminar o sumergirse en la bañera para aliviar el dolor (si lo desea). En las fases finales de la dilatación, el bebé A (el más cercano a la salida) puede ser monitorizado internamente con un electrodo colocado en su cuero cabelludo, mientras el bebé B sigue siendo monitorizado externamente. Entonces la madre ya no podrá moverse porque estará

Salida de gemelos

Con cuánto tiempo de diferencia nacen los bebés en un parto múltiple. Si se trata de un parto vaginal, la mayoría nacen con una diferencia de 10-30 minutos. Si se practica una cesárea, la diferencia puede ser de segundos, o hasta un minuto.

Posturas de los bebés en los partos

E che una moneda al aire: ¿cara (boca arriba) o cruz (boca abajo)? O tal vez una combinación de ambas. La postura en que los bebés estén a la hora del parto es una incógnita. He aquí las diferentes posibilidades que sus gemelos pueden adoptar y los posibles tipos de parto en cada caso.

Vértice/vértice. Ésta es la postura más cooperativa que los gemelos pueden adoptar para el parto, la que se da en el 40% de los casos. Si ambos bebés se presentan de vértice (boca abajo), es posible que pueda iniciar el parto de forma natural e intentar un parto vaginal. Pero recuerde que incluso los bebés que nacen solos y están perfectamente posicionados a veces precisan nacer por cesárea. Las posibilidades se duplican en el caso de gemelos.

Vértice/nalgas. Es la segunda posición más favorable si la madre desea un parto vaginal. Significa que si el bebé A está boca abajo y bien posicionado para nacer, es posible que el médico pueda manipular al bebé B y girarle de la posición de nalgas a la posición de vértice una vez nacido el bebé A. Puede hacerlo ejerciendo presión sobre el abdomen materno (versión externa) o literalmente desde el interior del útero (versión interna). La versión interna suena mucho más complicada de lo que es; como el bebé A ha preparado y estirado el canal del parto, la maniobra se realiza con rapidez. Si el bebé B sigue de nalgas, es posible que el facultativo intente una extracción de nalgas, que consiste en sacar al bebé por los pies.

Nalgas/vértice o nalgas/nalgas. Si el bebé A, o ambos bebés, se presenta de nalgas, lo más probable es que el facultativo recomiende un parto por cesárea. Si bien la versión externa es común en el caso de un solo bebé, en esta situación se considera demasiado arriesgada.

Bebé A oblicuo. ¿A que no sabía que había tantas posibilidades en cuanto a presentaciones? Cuando el bebé A está en oblicuo, significa que su cabeza apunta hacia abajo pero hacia las caderas de la madre en lugar del cuello uterino. En un parto individual, es posible que el médico opte por intentar la versión externa cuando el bebé está en posición oblicua, pero este procedimiento resulta arriesgado en este caso. Pueden darse dos soluciones: una presentación oblicua puede corregirse sola al progresar las contracciones y dar como resultado un parto vaginal, o con más probabilidad, que el médico recomiende un parto por cesárea para evitar un parto largo y duro que puede o no terminar siendo vaginal.

Transversa/transversa. En esta situación, ambos bebés están acostados horizontalmente en el útero. Casi siempre termina en cesárea.

---

conectada a una máquina (aunque es posible que llegado este punto ya no desee moverse). Comente con el médico el tipo de monitorización que empleará y cómo afectará a su movilidad.

- Probablemente le administrarán anestesia epidural. Si ya lo esperaba, le gustará saber que se recomienda en caso de partos múltiples, por si se hace necesario recurrir a una cesárea para sacar a uno o todos los bebés.
- Si desea evitar la epidural, hable con el médico, porque las normas de facultativos y hospitales son variadas en este aspecto.

- Probablemente dará a luz en un quirófano. La mayoría de hospitales lo estipulan así por si surgen complicaciones (y en caso de ser necesaria una cesárea); pregunte cuál es la política al respecto en su hospital. Lo más probable es que pueda dilatar en una sala de dilatación pero que, llegado el momento de empujar, la trasladen al quirófano.

Alumbrar gemelos

Así es como puede ser un parto gemelar:

Parto vaginal. Alrededor de la mitad de los gemelos nacen así en la actualidad, lo cual no significa que la experiencia del parto sea la misma que para las madres de bebés únicos. Una vez dilatada la madre, el nacimiento del primer bebé puede ser rápido ("¡Salió con tres empujones!") o un largo calvario ("¡Tardó tres horas en salir!"). Si bien este último caso es poco frecuente, las investigaciones demuestran que la fase de empujar (fase dos) suele ser más larga en un parto gemelar que en uno individual. El segundo bebé de un parto vaginal suele nacer al cabo de 10-30 minutos y la mayoría de las madres afirman que expulsar al segundo es mucho más fácil que expulsar al primero. Según la posición del segundo bebé, es posible que necesite ayuda del médico, que puede mover al bebé en el interior del canal del parto (versión interna) o emplear la ventosa para acelerar la expulsión. La posibilidad de este tipo de intervención es otro motivo por el cual muchos médicos recomiendan la anestesia epidural para las madres de múltiples. (Notar la mano en el interior del útero para sacar al bebé no es agradable.)

Parto mixto. En unos pocos casos (muy raros), el segundo bebé nace por cesárea después de haber nacido el primero por parto vaginal. Esto suele ocurrir solo cuando surge una emergencia y el segundo bebé está en situación de riesgo, como cuando se desprende la placenta o cuando existe prolapso del cordón umbilical. (Los monitores fetales indican al médico el estado del segundo bebé una vez ha nacido el primero.) Un parto mixto no es muy agradable para la madre; evidentemente, en el momento,

---

Recuperación tras un parto múltiple

Aparte de que tendrá los dos brazos ocupados para abrazar a los dos bebés, la recuperación de un parto múltiple es similar a la de un parto individual; lea los Capítulos 17 y 18. Además, cabe esperar estas diferencias durante el posparto:

- Seguramente la barriga tardará más en volver a su tamaño normal (porque de entrada se ha estirado más). Hay más piel que debe recuperar su forma habitual.

- Puede tener más loquios (hemorragia vaginal) durante más tiempo. Esto se debe a que se almacenó más sangre en el útero durante el embarazo, y ahora debe expulsarla.

- Tardará más en recuperar la figura, en parte porque ha permanecido bastante inactiva los últimos meses del embarazo (por muy en forma que estuviera antes del embarazo).

- Notará molestias más tiempo debido al peso adicional que tuvo que cargar durante el embarazo. Por no hablar también del peso que deberá cargar después del parto.

Dar el pecho por duplicado también es bueno para la madre

Seguramente ya sabrá que dar el pecho es lo mejor para los bebés (en la pág. 484 encontrará consejos para amamantar a múltiples). Pero ¿sabía que también va bien para su recuperación posparto? La lactancia materna libera hormonas (oxitocina) que favorecen la contracción del útero para que recupere su tamaño normal (y recuerde que el suyo se estiró más). Esto reducirá los loquios, de modo que perderá menos sangre. Y si le preocupa el peso que ha acumulado, vea a sus retoños como pequeñas máquinas naturales de liposucción: amamantar a dos bebés quema calorías y grasa el doble de rápido, lo cual significa que continuará teniendo licencia para comer más. Si amamanta a tres bebés (o más), quemará todavía más calorías.

Si sus bebés están en la UCIN, probablemente no pueda amamantarles directamente al principio, pero se beneficiarán de la nutrición ideal que sólo usted puede proporcionarles (especialmente si han nacido prematuros): use un sacaleches eléctrico (probablemente pueden darles la leche que usted se extraiga), y siga sacándose leche hasta que les den el alta y puedan mamar directamente.

---

puede asustarla y, una vez finalizado, significa que deberá recuperarse del parto vaginal y de la intervención quirúrgica, dolorosos por partida doble. Pero cuando se hace necesario, puede significar la supervivencia del bebé, lo cual merece de sobra la prolongación del tiempo de recuperación.

Cesárea programada. La cesárea programada se comenta con el médico con antelación y se determina una fecha. Los posibles motivos para ella pueden ser un parto anterior por cesárea (el PVTC no es una práctica común en caso de partos múltiples), existencia de placenta previa u otras complicaciones médicas u obstétricas, o posiciones fetales que hacen poco seguro el parto vaginal. En la mayoría de cesáreas programadas, su pareja o acompañante pueden acompañar a la madre en el quirófano, donde seguramente le administrarán anestesia espinal, una versión de la epidural empleada para bloquear el dolor en un parto vaginal. Tal vez le sorprenda la rapidez del procedimiento una vez la anestesia haya hecho efecto: los bebés nacerán con una diferencia de sólo unos segundos o uno o dos minutos.

Cesárea no programada. Es la otra posibilidad del parto múltiple. En este caso es posible que acuda a su visita prenatal semanal y descubra que va a conocer a sus hijos ese mismo día. Lo mejor es estar preparada, por lo que en las últimas semanas del embarazo, deberá tener preparada la maleta. Entre las razones de una cesárea por sorpresa se encuentran éstas: complicaciones como restricción en el crecimiento intrauterino (los bebés se quedan sin espacio para crecer) o un aumento significativo de la presión arterial de la madre (preeclampsia). Otro caso para una cesárea no programada puede surgir cuando el tiempo de dilatación se alarga mucho y el parto no progresa. Cuando el útero alberga 5 kilos o más de bebés, puede estar demasiado estirado para contraerse eficazmente; entonces la cesárea puede ser la única salida.

Parto de trillizos

El parto por cesárea es el más frecuente en caso de trillizos, no sólo porque suele ser la opción más segura, sino también porque la cesárea es más común cuando los partos son de alto riesgo (los partos de trillizos siempre pertenecen a esta categoría) y porque son más comunes cuando las madres son de edad más avanzada (éstas dan a luz a la mayoría de trillizos). Pero algunos médicos creen que el parto vaginal puede ser posible si el primer bebé se presenta de vértice y no hay otras complicaciones (como preeclampsia o sufrimiento fetal). En unos pocos casos, el primer bebé o el primero y el segundo pueden nacer por parto vaginal y el tercero puede requerir una cesárea. Por supuesto, es más importante el hecho de que los cuatro salgan de la sala de partos en buen estado que el hecho de que los tres bebés nazcan por parto vaginal.

PARTE 4

Después del parto

Posparto: la primera semana

FELICIDADES. EL MOMENTO TAN ANsiado ya ha llegado finalmente. Atrás quedan meses de embarazo y largas horas de parto. Por fin el bebé está en sus brazos en lugar de en su vientre. Ya ha pasado a ser oficialmente una madre. No obstante, hay que recordar que la transición de embarazo a posparto no sólo implica la llegada del bebé; incluye también toda una serie de síntomas (adiós dolores y molestias del emba-

razo, bienvenidos dolores y molestias del posparto) y toda una serie de preguntas (¿Por qué sudo tanto? ¿Por qué sigo teniendo contracciones? ¿Podré volver a sentarme? ¿Por qué parece que estoy aún de seis meses? ¿Son míos estos pechos?). Lo mejor es que lea este capítulo de antemano. Cuando sea madre a tiempo completo, encontrar el momento para leer algo (por no hablar de ir al baño) no será fácil.

Qué se puede sentir

Durante la primera semana del posparto, dependiendo del tipo de parto que la mujer haya tenido (fácil o difícil, vaginal o por cesárea) y de otros factores individuales, experimentará todos o solamente algunos de los siguientes síntomas:

Físicamente

- Pérdidas vaginales sanguinolentas (loquios), similares a las del período.

- Calambres abdominales (entuertos) al contraerse el útero.

- Un gran cansancio.

* Molestias perineales, dolor y entumecimiento si el parto fue vaginal (especialmente si se han aplicado puntos de sutura).

* Molestias perineales si el parto fue por cesárea.

* Dolor en la incisión y más tarde entumecimiento de la zona si el parto fue por cesárea (especialmente si fue el primero).

* Molestias al sentarse y también al andar si se le practicó una episiotomía o tiene la cicatriz de una cesárea o un desgarro.

* Dificultades al orinar durante un día o dos.

* Estreñimiento; dificultades y molestias al defecar durante los primeros días.

* Hemorroides, antiguas del embarazo o nuevas de empujar.

* Dolorimiento general, especialmente si empujar fue difícil.

* Ojos inyectados en sangre; hematomas alrededor de los ojos, en las mejillas y en otros lugares, debido a los esfuerzos de empujar.

* Sudoración abundante, especialmente de noche.

* Molestias y congestión en los pechos a partir del tercer o cuarto día del posparto.

* Pezones doloridos o incluso aparición de molestas grietas si da el pecho al recién nacido.

Emocionalmente

* Sentimientos de exaltación, tristeza o alternancia de ambos estados de ánimo.

* Nerviosismo y temor ante la maternidad, especialmente si se trata del primer hijo.

* Frustración, si le cuesta empezar a dar el pecho.

* Sentimiento de agobio ante los retos físicos, emocionales y prácticos que se presentan.

* Ilusión porque empieza una nueva vida con el bebé.

Qué puede preocupar

Hemorragias

"Me habían dicho que después del parto sufriría unas pérdidas sanguinolentas, pero cuando me levanté por primera vez de la cama y vi la sangre que me bajaba por las piernas me quedé realmente alarmada."

Haga acopio de compresas y relájese. Esta pérdida de sangre, mucosidad y tejido residuales procedentes del útero, que recibe el nombre de loquios, suele ser igual de intensa (o a veces más intensa) que la pérdida de un período menstrual durante los tres a diez primeros días posparto. Podría llenar un par de tazas antes de que empiece a disminuir el flujo, que en ocasiones puede parecer copioso. Una pérdida más abundante y súbita en el momento de levantarse de la cama en los primeros días es habitual, y no debe causar preocupaciones. Y puesto que la sangre y algún coágulo ocasional son los elementos predominantes de los loquios durante el primer período del posparto, las pérdidas serán bastante rojas durante cinco días a tres semanas, volviéndose gradualmente más rosadas y luego pardas, y finalmente de color blanco amarillento. Se deben utilizar compresas higiénicas, y no tampones, para absorber estas pérdidas; pérdidas que suelen continuar intermitentemente durante un tiempo (entre dos y seis semanas). En algunas mujeres, este ligero sangrado dura unos tres meses. El flujo varía según las mujeres.

La lactancia materna y la administración intravenosa de oxitocina (prescrita de modo rutinario por algunos médicos después del parto) pueden reducir el flujo de los loquios, ya que favorecen las contracciones uterinas. La contracción del útero después del parto es importante, ya que estrangula los vasos sanguíneos que han quedado al descubierto en el lugar en que la placenta se separó del útero. Para saber más acerca de estas contracciones, véase la siguiente pregunta.

Si está en el hospital y cree que puede estar sangrando demasiado, comuníqueselo a una enfermera. Si experimenta algunos de los signos de hemorragia que se consignan en la página 608 cuando esté ya en casa, llame al médico sin demora; si no le encuentra, diríjase al servicio de urgencias del hospital (donde dio a luz, si es posible).

Entuertos

"Tengo unos dolores parecidos a calambres en el abdomen, especialmente cuando doy el pecho al bebé. ¿Qué me pasa?"

Por desgracia, las contracciones no acaban inmediatamente después del parto, ni tampoco el malestar que causan. Se trata probablemente de "entuertos" que son provocados por las contracciones que experimenta el útero cuando se encoge (de algo más de un kilo a poco más de 50 gramos) y desciende de nuevo a su posición normal en la pelvis después del parto. Es posible seguir el proceso de encogimiento del útero presionando ligeramente por debajo del ombligo. Después de seis semanas seguramente ya no se notará.

Los entuertos pueden resultar dolorosos, pero su función es necesaria. Además de favorecer el retorno del útero a su posición y tamaño habituales, estas contracciones ayudan a disminuir las pérdidas de sangre del posparto. Es más probable que estas contracciones sean experimentadas por aquellas mujeres cuya musculatura uterina es flácida a causa de los partos anteriores o de una distensión excesiva del útero (por ejemplo, en el caso de mellizos). Los entuertos pueden ser más pronunciados al dar de mamar, cuando la succión del lactante libera oxitocina, que estimula las contracciones, y/o si la madre recibe oxitocina sintética por vía intravenosa tras el parto.

Los dolores remiten por sí solos en unos cuatro a siete días. Mientras lo hacen, el paracetamol puede proporcionar alivio. Si no lo hace, o si los dolores persisten durante más de una semana, consulte con su médico para descartar complicaciones posparto, como una infección.

Dolor en el área perineal

"No me practicaron una episiotomía y tampoco me desgarré. ¿Por qué estoy tan dolorida?"

Nadie puede esperar que un bebé de tres kilos y medio atraviese la pelvis sin dejar rastro. Incluso si el perineo permaneció intacto durante el nacimiento del bebé, esta zona está distendida, magullada y traumatizada; y las molestias, que varían entre benignas y no tan benignas, son el resultado totalmente normal de ello. El dolor puede intensificarse al toser o estornudar, y pueden sentirse molestias al sentarse durante algunos días.

Siga los mismos consejos de la siguiente respuesta dirigida a mujeres con dolores debidos a un desgarro.

También es posible que al empujar se hayan producido hemorroides y, quizá, fisuras anales, que pueden ser de sólo incómodas a muy dolorosas. Véase la página 303 para saber más sobre las hemorroides.

"Me desgarré durante el parto y ahora me duele mucho. ¿Es posible que se hayan infectado los puntos?"

La dolencia perineal experimentada después de todos los partos vaginales (y, a veces, en aquellas mujeres que han tenido una dilatación difícil antes de ser sometidas a cesárea) se ve acrecentada en el caso de que el perineo se haya desgarrado o se haya cortado quirúrgicamente (episiotomía). Al igual que toda herida recién suturada, el lugar de la episiotomía o de una laceración necesita tiempo para cicatrizar, generalmente entre 7 y 10 días.

Durante este tiempo, la presencia únicamente de dolor, a menos que sea muy intenso, no indica que se haya producido una infección.

La infección es posible, pero muy poco probable si se ha cuidado adecuadamente la zona perineal. Mientras la madre permanece en el hospital, el médico o el personal de enfermería controlarán el perineo por lo menos una vez al día para tener la seguridad de que no se ha presentado una inflamación u otro signo de infección. También instruirán a la madre sobre las medidas de higiene del perineo durante el posparto, que son importantes para evitar una infección no sólo en la región de la sutura, sino también en el tracto genital (los gérmenes pueden llegar allí). Por esta razón, las mujeres que no sufrieron ni un desgarro ni

una episiotomía deben tomar también las mismas precauciones.

Las medidas que deben aplicarse durante 10 días en cuanto a la higiene perineal son las siguientes:

- Utilizar una compresa higiénica limpia por lo menos cada cuatro o seis horas.

- Verter agua tibia (o una solución antiséptica si el médico lo ha recomendado) en la zona del perineo mientras se orina para reducir la quemazón y después de orinar o defecar. Secar con una gasa o con las servilletas de papel que a veces acompañan las compresas higiénicas proporcionadas en los hospitales, procediendo siempre de delante hacia atrás.

- No tocar la zona con las manos hasta que haya cicatrizado por completo.

Aunque las molestias serán probablemente mayores en caso de que se haya practicado una sutura (en este caso el dolorimiento puede ir acompañado de picor alrededor de los puntos), las sugerencias para aliviarlas suelen ser bien recibidas por todas las mujeres que acaben de dar a luz:

Frío. Para reducir la hinchazón y aliviar el dolor, aplique agua de *Hamamelis* fría mediante una gasa estéril, o una bolsa de hielo triturado aplicada a la zona, cada 2 horas durante las 24 horas tras el parto.

Calor. Baños de asiento calientes o compresas calientes aplicadas durante 20 minutos unas cuantas veces al día aliviarán las molestias.

Anestésicos locales. En forma de aerosoles, cremas o emplastes; el médico prescribirá quizá analgésicos suaves.

No presionar. Permanecer tendida sobre el costado; evitar los largos períodos en posición sentada o de pie, para reducir la tensión sobre la zona.

Cuándo llamar al médico

Pocas mujeres se sienten bien física y emocionalmente después de dar a luz; así es el posparto. Sobre todo en las seis semanas siguientes al parto es común experimentar dolores, molestias y otros síntomas desagradables. Por suerte, las complicaciones graves son raras. De todas formas, todas las mujeres que acaban de dar a luz deben conocer los síntomas que indican una posible complicación, por si acaso. Llamar al médico si se experimenta alguno de estos síntomas:

- Una hemorragia que sature más de una compresa por hora durante más de unas pocas horas. La mujer hará que alguien la lleve a un servicio de urgencias, o llamará a un servicio de urgencias si no puede contactar de inmediato con su médico. Durante el camino, o mientras espera ayuda, se echará y mantendrá una bolsa de hielo (o una bolsa de plástico bien cerrada llena de cubitos de hielo y un par de toallitas de papel para absorber el agua de la descongelación) en la parte baja del abdomen (directamente sobre el útero, o en el foco de dolor), si le es posible.

- Hemorragia de color rojo *vivo* en cualquier momento pasada la primera semana posparto. Pero no hay que preocuparse si el flujo tiene un tinte sanguinolento ocasional, por un breve episodio de hemorragia indolora al cabo de unas tres semanas, o por un flujo de sangre que aumenta al estar más activa o dar de mamar.

- Loquios con un olor desagradable. Deberían oler como un flujo menstrual normal.

- Coágulos de sangre grandes (del tamaño de un limón o mayores) con los loquios. La aparición ocasional de pequeños coágulos durante los primeros días es normal.

- Ausencia de loquios durante las dos primeras semanas del posparto.

Puede servir de ayuda sentarse sobre un cojín o sobre un neumático hinchado (los venden para quienes padecen hemorroides); también es útil contraer las nalgas antes de sentarse.

Ropa holgada. La ropa ceñida, sobre todo la interior, puede irritar la herida, aumentando el dolor.

Gimnasia. Los ejercicios de Kegel, con la mayor frecuencia posible después del parto y durante todo el puerperio, para estimular la circulación en la zona, lo que favorecerá la cicatrización y mejorará el tono muscular.

No se preocupe si no llega a sentir los músculos cuando efectúe los ejercicios; la zona está entumecida después del parto. La sensibilidad sin duda volverá gradualmente al perineo a lo largo de las próximas semanas.

Si el perineo enrojece, duele mucho y se inflama, o si detecta un olor desagradable, puede que haya desarrollado una infección. Llame al médico.

Magulladuras y hematomas

"Tengo el aspecto y me siento como si hubiera estado en un ring en vez de en una sala de partos. ¿Por qué?"

- Dolor o molestias, con o sin hinchazón, en la parte baja del abdomen después de los primeros días.

- Dolor persistente en el área perineal pasados los primeros días.

- Transcurridas 24 horas, fiebre de más de 37,5 °C durante más de un día.

- Mareos fuertes.

- Náuseas y vómitos.

- Dolor, hinchazón, enrojecimiento, calor y sensibilidad localizados en un pecho una vez haya bajado la congestión, que podrían ser un signo de mastitis o infección del pecho. Se iniciará el tratamiento casero (véase la pág. 483) mientras se espera localizar al médico.

- Hinchazón y/o enrojecimiento, calor y exudación localizados en el lugar de la incisión de la cesárea.

- Transcurridas 24 horas, dificultades para orinar; dolor o quemazón excesivos al orinar; frecuentes ganas de orinar con resultados escasos; orina oscura y/o escasa. Beber mucha agua mientras se intenta contactar con el médico.

- Dolor pectoral agudo (que no debe confundirse con el dolor torácico, que es el resultado habitual de un esfuerzo excesivo al empujar); respiración o ritmo cardiaco acelerado; coloración azul de las puntas de los dedos o de los labios.

- Dolor, sensibilidad y calor localizados en el muslo o la pantorrilla, con o sin enrojecimiento, hinchazón y dolor al flexionar el pie. Descanse con las piernas levantadas mientras localiza al médico.

- Depresión que afecte a la capacidad de hacerse cargo de las obligaciones o que no se resuelve al cabo de unos días; sentimientos de hostilidad hacia el bebé, especialmente si van acompañados de impulsos violentos. Véase la página 495, para más información sobre la depresión posparto.

Posiblemente, esta mujer ha trabajado más duramente al dar a luz a su hijo que la mayoría de boxeadores en el cuadrilátero.

Por lo tanto, no es sorprendente que, debido a las poderosas contracciones y a las extenuantes maniobras al empujar (sobre todo si empujaba con la cara y el pecho en lugar del abdomen) durante la expulsión, presente algunos recuerdos poco agradables del parto. Entre ellos: ojos morados o inyectados en sangre (las gafas de sol los disimularán en público hasta que recuperen su aspecto normal, y las compresas frías aplicadas unos 10 minutos varias veces al día acelerarán el proceso); y magulladuras, que van desde pequeños puntitos en las mejillas hasta grandes hematomas en la cara o la parte alta del pecho.

También puede tener dolor torácico y/o dificultades para respirar hondo debido a los esfuerzos excesivos de los músculos del pecho al empujar (pueden reducir las molestias los baños o duchas calientes o aplicar una bolsa de agua caliente); dolor o sensibilidad en la zona del cóccix (los masajes y el calor pueden resultar de gran ayuda); dolor generalizado (de nuevo, el calor puede ser bastante útil).

Dificultades para orinar

"Han pasado ya varias horas desde que nació mi bebé y aún no he conseguido orinar."

La dificultad para orinar durante las primeras 24 horas del posparto es completamente normal. Algunas mujeres no sienten la necesidad de orinar; otras sienten esta necesidad pero son incapaces de satisfacerla. Finalmente, algunas mujeres llegan a orinar pero con dolores y quemazón. Existen numerosas razones para que el vaciado de la vejiga represente realmente un esfuerzo tan grande después del parto:

- La capacidad de retención de la vejiga aumenta porque de repente dispone de más espacio; por consiguiente, la mujer nota con menor frecuencia la necesidad de orinar.

- La vejiga puede haber sido traumatizada o contusionada durante el parto, por lo que queda temporalmente paralizada y no envía las señales de aviso cuando está llena.

- La anestesia epidural puede reducir la sensibilidad de la vejiga o la conciencia de la madre sobre las señales que envía la vejiga.

- El dolor en la zona perineal puede provocar espasmos reflejos en la uretra (el tubo por donde sale la orina), dificultando así la micción. El edema (hinchazón) del perineo puede obstaculizar también la micción.

- La sensibilidad de la sutura de una episiotomía o una laceración puede provocar quemazón y/o dolor al orinar. La quemazón puede ser aliviada orinando de pie sobre el retrete, de modo que la orina fluya directamente hacia abajo sin tocar los puntos dolorosos. Pulverizar agua caliente sobre la zona mientras se orina (la enfermera puede proporcionar un rociador) ayuda también a aliviar las molestias.

- La deshidratación, especialmente si no bebió nada durante un parto largo y no le administraron fluidos por vía intravenosa.

- Diversos tipos de factores psicológicos pueden inhibir la micción: temor de sentir dolor al orinar, falta de intimidad, vergüenza de utilizar una cuña o el reparo natural de necesitar ayuda para ir al lavabo.

Por difícil que resulte orinar después del parto, es esencial vaciar la vejiga al cabo de seis u ocho horas para evitar la infección del tracto urinario, la pérdida de tono muscular en la vejiga a causa de la hiperdistensión y la hemorragia que podría provocarse si la vejiga impidiera el descenso del útero. Por consiguiente, después del parto cabe esperar que la enfermera le pregunte a menudo si ya ha orinado. Es posible que le pida que la primera vez que orine después del parto lo haga en una cuña, para poder medir la cantidad de orina; y que le palpe la vejiga para asegurarse de que no esté distendida. Para favorecer la micción conviene:

- Asegurarse de tomar muchos líquidos: todo lo que entra tiene que salir. Además, hay que recuperar los fluidos perdidos durante el parto.

- Andar un poco. Levantarse de la cama y dar un pequeño paseo tan pronto como sea posible después del parto ayudará a poner en movimiento la vejiga (y los intestinos).

- Si la presencia de la enfermera cohibiera a la madre, ésta le puede pedir que espere fuera de la habitación mientras intenta orinar. La enfermera volverá a entrar cuando la madre haya terminado, para enseñarle los principios de higiene perineal.

- Si la madre se encuentra demasiado débil para levantarse e ir al lavabo, y por lo tanto debe utilizar un orinal plano, puede pedir que le proporcionen agua caliente para verterla en la zona perineal (esto puede estimular la micción); también puede ser útil sentarse sobre el orinal, en lugar de permanecer tendida sobre él. La intimidad, de nuevo, será la clave del éxito.

- Calentar la zona perineal con un baño de asiento o bien enfriarla con una bolsa de hielo, lo que mejor funcione en su caso.

- Abrir un grifo mientras se intenta orinar. El ruido del agua al caer en el lavabo estimula la micción.

Si a pesar de sus esfuerzos no ha podido orinar pasadas ocho horas desde el parto, es posible que el médico dé instrucciones para que le introduzcan una sonda en la uretra para vaciar la vejiga (una buena razón para intentar orinar con los métodos que se sugieren con anterioridad).

Después de 24 horas, el problema de defecto se convierte en un problema de exceso. En el posparto, las mujeres empiezan a orinar con frecuencia y abundantemente a medida que se elimina el exceso de líquidos corporales del embarazo. Si la micción resulta aún difícil, o si la cantidad de orina excretada es escasa, podría ser que existiera una infección del tracto urinario (véase la pág. 536 para conocer los signos y síntomas de este tipo de infección).

"No controlo la orina. Sale sola."

El estrés físico del alumbramiento puede alterar temporalmente algunas zonas del cuerpo, incluyendo la vejiga. O cuesta mucho orinar o no existe freno, como es su caso. Esta incontinencia ocurre debido a una pérdida de tono muscular en la zona del perineo. Los ejercicios de Kegel, recomendados siempre después del parto, pueden ayudar a restablecer el tono y ayudar a recuperar el control sobre el flujo de orina. Véase la página 491 para más consejos en caso de incontinencia; si sigue produciéndose, consultar con el médico.

Defecación

"Di a luz a mi bebé hace dos días y todavía no he ido de vientre. He sentido la necesidad, pero tengo demasiado miedo de que el esfuerzo abra los puntos de sutura."

La primera evacuación después del parto es un hito. Cada día que pasa sin que se produzca la evacuación aumenta la tensión física y emocional.

Existen varios factores fisiológicos que pueden obstaculizar la vuelta al funcionamiento normal de los intestinos. Por un lado, los músculos abdominales que ayudan a la eliminación se han visto distendidos durante el parto y han quedado flácidos e ineficaces. Por otro, es posible que el propio intestino haya resultado traumatizado por el parto y haya quedado perezoso. Y, naturalmente, es posible que se haya vaciado antes o durante el parto y probablemente haya seguido vacío, ya que la mujer apenas ha tomado alimentos sólidos durante todo el tiempo que ha durado el parto.

Pero los inhibidores más potentes de la actividad intestinal después del parto son quizá los de orden psicológico: el miedo al dolor, el temor infundado a que se abran los puntos, la preocupación por el empeoramiento de las hemorroides, la vergüenza natural a causa de la poca intimidad en el hospital y la presión que se ejerce sobre la madre para que evacue, cosa que muchas veces dificulta aún más el proceso.

Pero el hecho de que el estreñimiento sea común en el posparto no significa que no se pueda hacer nada por combatirlo. He aquí algunas recomendaciones:

No preocuparse. No hay nada que impida más eficazmente la evacuación que la constante preocupación sobre la necesidad de evacuar. La mujer no debe preocuparse de si sus puntos se abrirán: no lo harán. Tampoco debe preocuparse si pasan varios días antes de que se reanude el movimiento intestinal: es muy normal.

Pedir los alimentos adecuados. Se seleccionarán los cereales integrales y las frutas y verduras frescas del menú del hospital. Complementar la dieta hospitalaria con alimentos traídos de fuera que estimulen los intestinos. Las manzanas, peras, pasas y otras frutas secas, nueces, bollos de salvado y galletas integrales pueden ser útiles. Si la madre está en casa, debe comer de forma regular y adecuada, con abundante fibra. El chocolate y los bombones –que tan a menudo se regalan a las mujeres que acaban de ser madres– sólo empeoran el estreñimiento.

Beber mucho. No sólo es necesario compensar la pérdida de líquidos que se produce durante el parto, sino que debe tomar más líquidos para ayudar a ablandar las heces en caso de estreñimiento. El agua siempre es la mejor opción, pero puede recurrir también a la eficacia del zumo de manzana o ciruela. El agua caliente con limón también funciona.

Masticar chicle. Masticar chicle estimula los reflejos digestivos en algunas personas y puede ayudarla a que su sistema digestivo vuelva a trabajar. Hágase con un paquete de chicles.

Levantarse. Un cuerpo inactivo favorece unos intestinos inactivos. Es evidente que la madre no irá a correr una maratón el día después del parto, pero debería dar pequeños paseos por los pasillos. Los ejercicios de Kegel, que pueden ser practicados en la cama casi inmediatamente después del parto, ayudarán a tonificar no sólo el perineo sino también el recto. En casa, pasear con el bebé; consultar también la página 502 para más ideas sobre el ejercicio durante el posparto.

No esforzarse. Los esfuerzos no abrirán los puntos de la sutura, pero pueden provocar o agravar las hemorroides. Si la mujer sufre de hemorroides, encontrará alivio con los baños de asiento, los anestésicos tópicos, los supositorios y las compresas calientes o frías.

Usar ablandadores de heces. Muchos hospitales dan a las madres un ablandador de heces y un laxante antes del alta, por si todo lo demás falla.

Las primeras evacuaciones pueden causar grandes molestias. Pero no se preocupe, a medida que las heces se ablanden y la función intestinal sea más regular, las molestias irán desapareciendo.

Transpiración excesiva

"Me despierto por las noches empapada de sudor. ¿Es normal?"

Es desagradable, pero normal. Las que acaban de ser mamás sudan mucho por un par de buenas razones. Por un lado, los niveles hormonales se reajustan ahora que la mujer ya no está embarazada. Por otro lado, la sudoración es una de las maneras que tiene el cuerpo para librarse de los líquidos acumulados durante el embarazo (como la micción frecuente), de modo que debería alegrarse de sudar. Algo que puede no alegrarla es la incomodidad que la transpiración puede llevar consigo y el tiempo que puede alargarse. Algunas mujeres siguen sudando durante semanas; si suda principalmente de noche, como es habitual, una toalla colocada sobre la almohada puede ayudarla a sentirse más cómoda (además de proteger la almohada).

No existe motivo para preocuparse, pero es necesario que los líquidos sean reemplazados, especialmente si amamanta al bebé.

Fiebre

"Acabo de regresar a casa del hospital y tengo 38,3 °C de fiebre. ¿Debería llamar al médico?"

Siempre es buena idea informar al médico si la mujer no se encuentra bien después del parto. La aparición de fiebre el tercer o cuarto día puede ser signo de infección posparto, pero también de una enfermedad no relacionada con el parto. En ocasiones, también puede aumentar la temperatura debido a la mezcla de excitación y agotamiento durante los primeros días del posparto. Una breve febrícula (de menos de 38 °C) puede acompañar a la congestión de las mamas con la subida de la leche, pero no debe preocupar a la madre. Aunque, como precaución, conviene informar al médico si la fiebre es de más de 38 °C y dura más de un día durante las tres primeras semanas posparto, o si dura más de unas horas y es más elevada –aunque vaya acompañada de síntomas evidentes de resfriado o gripe o de vómitos–, para que determine la causa de la fiebre y se inicie el tratamiento adecuado.

Pechos congestionados

"Al fin me ha subido la leche, y ha triplicado el tamaño de mis pechos, que están tan duros, congestionados y doloridos que no puedo ni ponerme el sujetador. ¿Es esto lo que me espera hasta que destete al bebé?"

Cuando pensaba que no podían crecerle más los pechos, lo hacen. Llega la primera leche y provoca la inflamación de las mamas, que quedan doloridas y duras como el granito y a veces alcanzan un tamaño que asusta. Para empeorar las cosas, la congestión (que puede llegar a las axilas) puede hacer que la lactancia sea dolorosa para la madre y, si los pezones quedan aplanados debido a la hinchazón, frustrante para el bebé. Cuanto más tardan madre e hijo en iniciar la lactancia, peor suele ser la congestión.

Afortunadamente, la congestión y sus desagradables efectos disminuyen gradualmente a medida que se establece un sistema bien coordinado de oferta y demanda de leche, normalmente en cuestión de días. El dolorimiento de los pezones –que suele ser máximo hacia la vigésima toma– desaparece también rápidamente cuando los pezones se endurecen con el uso. Y con los cuidados adecuados, la presencia de grietas y heridas sangrantes en los pezones también serán molestias temporales (véase la pág. 480).

Antes de que dar el pecho al bebé se convierta en la experiencia maravillosa que toda madre espera, existen varias medidas que se pueden adoptar con objeto de reducir las molestias y acelerar el establecimiento de una lactancia satisfactoria (véase el apartado dedicado a este tema, pág. 472).

Las mujeres que no tienen dificultades para iniciar la lactancia (especialmente las que ya han pasado por la experiencia con anterioridad) pueden no presentar congestión mamaria. Siempre y cuando el bebé obtenga leche al mamar, esto también es normal.

Congestión cuando no se da el pecho

"No voy a dar el pecho a mi bebé. He oído decir que la retirada de la leche puede ser dolorosa."

Los pechos están programados para llenarse de leche alrededor del tercer o cuarto día posparto, tanto si la madre piensa utilizar esta leche para alimentar al bebé como si no. Este proceso puede ser incómodo, incluso doloroso, pero es transitorio.

Los pechos sólo producen la leche necesaria. Si la leche no se utiliza, la producción se detiene. Aunque pueden seguir goteando los pechos ocasionalmente durante varios días, incluso semanas, la congestión intensa no debería durar más de 12 o 24 horas. Durante este tiempo, pueden aplicarse bolsas de hielo, tomar analgésicos suaves y usar un buen sujetador.[1] Evite la estimulación de los pezones, la extracción de la leche y las duchas calientes, ya que estas acciones estimulan la producción de leche y alargan este doloroso ciclo.

Leche suficiente

"Hace ya dos días que nació mi bebé y de mis pechos no sale nada, ni tan sólo calostro, cuando los aprieto. Temo que mi hijo pase hambre."

El recién nacido no se morirá de hambre; por el momento, ni tan sólo tiene hambre, ya que los bebés no nacen con apetito ni con necesidades inmediatas de nutrición. Y en el momento en que el bebé empiece a desear un pecho lleno de leche (a los tres o cuatro días de parto), su madre será capaz, indudablemente, de satisfacerlo.

Esto no quiere decir que los pechos de la madre estén ahora vacíos. El calostro (que proporciona al bebé suficiente alimento y además importantes anticuerpos que su organismo aún no produce, y que le ayuda a vaciar el sistema digestivo del exceso de mucosidades y de meconio) se halla ya presente en la reducida cantidad necesaria. (Lo que necesita en este momento el bebé equivale a algo así como una cucharadita de calostro por toma.) No obstante, exprimir manualmente los pechos no es fácil antes del tercer o cuarto día después del parto, momento en que los pechos empiezan a hincharse y a notarse llenos (lo que indica que la leche ya ha subido). Incluso un bebé de un día, sin experiencia previa, está mejor dotado que su madre para extraer el calostro que necesita.

Vínculo afectivo

"Esperaba establecer el vínculo afectivo con mi bebé en cuanto naciera, pero no siento absolutamente nada. ¿Pasa algo conmigo?"

Momentos después del parto, le entregan a su retoño, más perfecto y precioso de lo que se había atrevido a imaginar. El bebé la mira y sus miradas se unen y forjan un vínculo materno-filial instantáneo. Al arrullarle e inundarle de besos, experimenta sentimientos de los que no se sabía capaz, y se siente abrumada por su intensidad. Es el amor maternal.

Tal vez sea un sueño, un sueño de embarazada. Las escenas como ésta son oníricas –y televisivas–, pero no son las que viven la mayoría de madres primerizas. Una situación más realista: tras un largo y difícil parto que la ha dejado agotada física y emocionalmente, le

---

[1] Hoy es habitual en muchos centros el uso de inhibidores de la prolactina humana de la leche, con lo que se evita eficazmente esta molesta subida de la leche en las puérperas que no amamantan. (*Nota del revisor.*)

colocan entre los brazos a un extraño arrugado, hinchado y enrojecido, y lo primero que piensa es que no se parece en nada al querubín que esperaba ver. Lo segundo que piensa es que no deja de berrear. Se esfuerza para amamantarle pero no colabora, intenta interactuar con él pero prefiere seguir berreando que dormir y, francamente, llegado este punto, usted también. Y no puede evitar preguntarse (cuando la despierta): "¿Habré perdido mi oportunidad de establecer un vínculo afectivo con él?"

Por supuesto que no. El proceso es diferente para cada madre y cada bebé y no tiene fecha de caducidad. Aunque algunas madres establecen vínculos afectivos con sus bebés más rápidamente que otras –tal vez porque tienen experiencia con otros hijos, sus expectativas son más realistas, sus partos fueron más fáciles o sus bebés son más receptivos– pocas sienten que el vínculo se forma instantáneamente. Los vínculos que duran toda una vida no se forman de la noche al día. Se van forjando gradualmente, con el tiempo.

Debe darse tiempo para acostumbrarse a la idea de ser madre (es un gran cambio, al fin y al cabo) y para conocer al bebé, que, reconozcámoslo, es ahora un extraño en su vida. Ocúpese de las necesidades del bebé (y de las suyas), y notará cómo se va forjando su relación día a día, arrullo a arrullo. Y hablando de arrullos, no los escatime. Cuanto más mime al bebé, más se verá en su nuevo papel. Aunque al principio no le salga como algo natural. Cuanto más tiempo pase acariciando, alimentando, masajeando, abrazando, balbuceando y hablando con el bebé –cuanto más tiempo pasen en contacto, piel con piel, cara a cara–, más natural se volverá hacerlo y más cerca se sentirá del pequeño. Lo crea o no, antes de darse cuenta se sentirá como la madre que realmente es, unida al bebé por el tipo de amor con que había soñado.

Estancia hospitalaria

El tiempo que la madre y el bebé deberán permanecer en la clínica u hospital dependerá del tipo de parto, del estado de la madre y del del hijo. Por lo general, y tras un parto vaginal, la madre permanece en el centro entre dos y tres días, mientras que en el caso de cesárea, el período es más largo, si la madre y el hijo se encuentran bien y ella desea regresar a su casa antes, podrá arreglar los trámites con ayuda del médico para el alta anticipada. En ese caso deberá llevar al recién nacido a un reconocimiento médico al cabo de pocos días, para asegurarse de que todo va bien. Se controlará el peso del pequeño y su estado general (incluyendo una comprobación de posible ictericia).

También se deberá controlar su alimentación, por lo que conviene llevar consigo un diario donde se anoten las diversas tomas.

Si la madre decide permanecer en el hospital todo el tiempo permitido, podrá aprovechar para descansar lo máximo posible y reunir fuerzas para cuando regrese a su casa.

"Mi bebé fue prematuro y estará en la UCIN durante dos semanas como mínimo. ¿Será entonces demasiado tarde para establecer un buen vínculo afectivo?"

Nada de eso. Naturalmente, el primer contacto en la sala de partos es algo muy bonito. Permite que la madre y el hijo se sientan unidos, piel con piel. Es el primer paso en el desarrollo de un vínculo duradero. Pero sólo el primer paso. Y no tiene que producirse necesariamente en el momento del nacimiento. Puede ocurrir más tarde, en la cama del hospital, o a través de las compuertas de la incubadora, o incluso semanas más tarde, en el hogar.

Y, afortunadamente, podrá tocar, hablar o incluso tal vez coger al bebé en brazos mientras se encuentre en la UCIN. La mayoría de hospitales no sólo permiten el contacto de los padres con sus hijos en tales situaciones, sino que lo alientan. Hable con la enfermera encargada para ver cómo se puede estar el máximo tiempo posible con el recién nacido. Para saber más sobre los cuidados del bebé prematuro, véase *Qué se puede esperar el primer año*.

Recuerde, además, que incluso los padres que tienen ocasión de empezar a establecer vínculos en la sala de partos no sienten necesariamente apego instantáneo (véase la pregunta anterior). El tipo de amor que dura toda la vida suele exigir tiempo, el tiempo que pasarán junto al bebé a partir de ahora.

El bebé en la habitación

"Tener al bebé en la habitación me parecía una buena idea cuando estaba embarazada. Pero entonces no tenía ni idea de lo agotada que iba a estar. Pero ¿qué tipo de madre pareceré si le pido a la enfermera que se lo lleve?"

Sólo parecerá una madre muy humana. Acaba de realizar uno de los mayores retos de su vida, dar a luz, y está a punto de iniciar uno incluso mayor, educar a un hijo. Necesitar un poco de reposo entre ambos es normal y totalmente comprensible.

Tener al bebé en la habitación las 24 horas es una buena opción para que los padres puedan ir conociéndolo desde el primer momento de su llegada. Pero no es una obligación, y no está hecho para todo el mundo. Para algunas mujeres resulta fácil, tal vez porque tuvieron un parto rápido o porque ya tienen experiencia. Para ellas, un bebé inconsolable a las 3 de la madrugada no es una gozada pero tampoco constituye una pesadilla. Sin embargo, para una madre que lleva incontables horas sin dormir, que está agotada tras un parto largo y que nunca antes ha tenido cerca a un recién nacido, estos llantos en plena noche pueden abrumarla y hacerle sentir que no está preparada.

Si le apetece tener al bebé en la habitación, fantástico. Pero si después cambia de opinión, no dude en manifestarlo. Una buena solución de compromiso puede ser la de tener al bebé en la habitación durante el día pero no durante la noche. O quizá dormir de un tirón la primera noche y tener al pequeño en la habitación a partir de la segunda. Pero asegúrese de que le traigan al bebé cuando le toque una toma –y de que no le den biberones– si le da el pecho.

Es importante ser flexible. Durante el tiempo de permanencia en el hospital, la madre debe preocuparse más por la calidad del tiempo que pasa con su hijo que por la cantidad, y no sentirse culpable por tener en cuenta sus propias necesidades. Muy pronto volverá a casa y lo tendrá las 24 horas del día. Descanse ahora y estará mejor preparada para cuidar de él en casa.

Recuperación en caso de cesárea

"¿Cómo será la recuperación de mi cesárea?"

La recuperación en un caso de cesárea es similar a la recuperación después de cualquier intervención quirúrgica abdominal mayor, con una deliciosa diferencia: en lugar de haber perdido la vesícula biliar o el apéndice, la mujer ha ganado un bebé.

Evidentemente, existe otra diferencia, algo menos deliciosa: además de recuperarse de una intervención quirúrgica, la mujer deberá recuperarse también del parto. A excepción de un perineo intacto, la madre experimentará todas las molestias que sufriría si el parto hubiera sido vaginal: entuertos, loquios, malestar en el perineo (si la dilatación fue larga antes de la cesárea), congestión de los pechos, cansancio, cambios hormonales y transpiración excesiva, por enumerar algunas.

En lo que se refiere a la intervención quirúrgica, cabe esperar lo siguiente en la sala de recuperación:

Dolor en la zona de la incisión. Una vez eliminada la anestesia, la herida, como todas las heridas, empezará a doler, aunque el grado de intensidad dependerá de muchos factores, entre ellos el umbral de dolor de la mujer y el número de cesáreas a las que ha sido sometida (la primera es habitualmente la más molesta). Probablemente se le administrará algún analgésico si es necesario, que puede dejarle una sensación de embotamiento o somnolencia. También le permitirá dormir un poco, que bien lo necesita. La mujer no debe preocuparse si quiere dar el pecho a su bebé; la medicación no pasará al calostro y en el momento en que le suba la leche, lo más probable es que ya no necesite medicación. Si el dolor continúa durante semanas, como sucede a veces, la madre puede recurrir a analgésicos comunes, pedir consejo al médico. Para favorecer la curación, hay que evitar el alzamiento de pesos durante las primeras semanas tras el parto.

Posibles náuseas con o sin vómitos. Esto no siempre constituye un problema, pero si lo es, se administrará a la mujer un antiemético para evitar los vómitos.

Agotamiento. Es probable que la madre se sienta débil tras la intervención, en parte debido a la pérdida de sangre y en parte a la anestesia. Y si antes de la cesárea pasó por horas de dilatación, el agotamiento aún será mayor. Es posible que se sienta también agotada emocionalmente (al fin y al cabo, acaba de tener un hijo y ha pasado por una operación), especialmente si la cesárea no fue planeada.

Evaluaciones regulares del estado de salud. Una enfermera controlará los signos vitales (temperatura, presión arterial, pulso, respiración) de la paciente, su producción de orina, su flujo vaginal, el estado de su herida y el nivel y firmeza de su útero (a medida que se reduce el tamaño y vuelve hacia su posición original en la pelvis). También comprobará el goteo intravenoso y la sonda uretral.

Una vez trasladada a su habitación del hospital, la mujer puede esperar:

Continuación de la vigilancia. La enfermera seguirá comprobando su estado de salud.

Eliminación de la sonda uretral. La mujer puede tener dificultades para orinar; es aconsejable que siga los consejos que aparecen en la página 462. Si no dan resultado, es posible que la sonda uretral sea insertada de nuevo hasta que la paciente pueda orinar por sí misma.

Ejercicio. Antes de que se le permita levantarse de la cama, se alentará a la mujer a que mueva los dedos de los pies, flexione los tobillos, empuje con los pies contra el borde de la cama y gire el cuerpo de un lado a otro. También puede practicar los ejercicios de las páginas 504 y 505. Estos ejercicios mejoran la circulación, especialmente la de las piernas, y previenen la formación de coágulos sanguíneos. (Algunos de estos ejercicios pueden resultar bastante dolorosos, por lo menos durante las primeras 24 horas.)

Levantarse pasadas 8 a 24 horas de la intervención. Con la ayuda de la enfermera, la paciente empezará por sentarse, apoyada en el cabezal elevado de la cama. Luego, apoyándose en las manos, deslizará las piernas por encima del borde de la cama y las dejará colgando durante unos minutos. Luego, lentamente, la enfermera la ayudará a poner los pies en el suelo, con las manos aún apoyadas en la cama. Si siente vahídos (cosa muy normal), se sentará de nuevo en la cama. Esperará un par de minutos antes de dar algunos pasos. Estos primeros pasos pueden ser extremadamente dolorosos. Aunque seguramente necesitará ayuda las primeras veces que se levante, esta dificultad para andar es temporal; la paciente tendrá pronto más ánimos para pasear que la mujer que ha tenido un parto vaginal; y le será mucho más fácil sentarse.

Un retorno lento a la dieta normal. Aunque antes era habitual (aún se sigue haciendo en algunos hospitales) mantener a la madre con alimento intravenoso durante las primeras 24 horas tras una cesárea y dieta líquida los dos días siguientes, ahora se aconseja comenzar con alimentos sólidos antes. Los estudios han mostrado que las mujeres que comienzan a comer sólidos antes (de forma gradual, pero ya a partir de las 4-8 horas después de la operación) vacían antes sus intestinos y, como norma general, salen del hospital unas 24 horas antes que las mantenidas sólo a régimen de líquidos. El procedimiento puede variar según los hospitales y los médicos; el estado de la madre tras la intervención desempeña también un papel en el momento de decidir cuándo desconectar el goteo y sacar los cubiertos. La reintroducción de sólidos debe hacerse paulatinamente. Primero, líquidos por la boca, seguidos de algo suave y fácil de tolerar, como gelatina, e ir avanzando a partir de ahí. No obstante, la dieta debe ser siempre blanda y de fácil digestión, como mínimo los primeros días. Cuando se reanuden los alimentos sólidos, no olvidarse tampoco de beber mucho, sobre todo si se da el pecho.

Dolor referido en el hombro. La irritación del diafragma, provocada por la presencia de pequeñas cantidades de sangre en la barriga, puede provocar intenso dolor en el hombro. Se puede administrar un analgésico.

Posible estreñimiento. Debido a la anestesia y a la intervención (además de la dieta restringida), los intestinos pueden estar inactivos y pueden pasar algunos días antes de que se produzca la primera evacuación, lo cual no debe ser motivo de preocupación. Es posible que la mujer experimente gases dolorosos debido al estreñimiento.

Quizá se prescriba un laxante para acelerar el proceso, especialmente si la mujer siente molestias. Puede probar alguno de los consejos que se describen en la página 463.

Molestias abdominales. A medida que el tracto digestivo (que ha quedado temporalmente inactivo a causa de la intervención quirúrgica) empieza a funcionar de nuevo, el gas atrapado en él puede provocar un dolor considerable, sobre todo cuando presiona contra el lugar de la incisión. Estas molestias pueden empeorar al reír, toser o estornudar. La paciente deberá hablar de su problema con el médico o con la enfermera, que sugerirá algún remedio. Se puede administrar un supositorio para liberar los gases; pasear por los pasillos también puede dar buen resultado. Puede ser eficaz tenderse sobre la espalda o sobre el costado izquierdo, con las rodillas levantadas, y respirar profundamente, sujetándose el lugar de la herida con las manos.

Estar con el bebé. Tan pronto como sea posible, la animarán a coger a su hijo y alimentarlo (si le quiere dar el pecho, póngalo encima de un cojín colocado sobre la incisión de la cesárea o tumbado a su lado). Y no hay ningún problema porque levante a su hijo. En función de las normas del hospital y de su estado de salud, es probable que pueda tener al bebé en la habitación la mayor parte del día; tener al marido al lado le será de gran ayuda. Si no se siente con suficientes fuerzas –o simplemente necesita descansar un rato–, no hace falta que tenga al bebé en la habitación toda la noche.

Los puntos. Si los puntos de la sutura no son del tipo que se absorben solos, habrá que extraerlos pasados cinco o seis días. Y aunque esto no es demasiado doloroso, es posible que la mujer lo encuentre molesto. Cuando la herida ha quedado al descubierto, la paciente puede examinar la incisión; le preguntará al médico cuánto tiempo tardará en curar; se informará de los cambios normales que se pueden producir y de los que requieren atención médica.

En la mayoría de los casos, la madre puede esperar el alta a los 4 días de posparto. Una vez en casa precisará de ayuda en el cuidado del bebé y en el suyo. Hay que intentar tener a alguien en casa durante las dos primeras semanas.

Volver a casa con el bebé

"En el hospital las enfermeras le cambiaban el pañal al bebé, le aseaban y me indicaban cuándo debía darle de mamar. Me siento poco preparada y abrumada al quedarme sin su ayuda."

Es cierto que los bebés no vienen con un manual de instrucciones bajo el brazo. Afortunadamente, al salir del hospital, la madre sí recibe algunas instrucciones por parte del personal de enfermería en cuanto a sus cuidados, aseo y cambio de pañales. ¿Las ha perdido? ¿O se han ensuciado con las heces del bebé la primera vez que intentó cambiarle el pañal mientras leía las indicaciones para hacerlo correctamente? No se preocupe; existe mucha información a su alrededor para ayudarla. Además, seguramente ya habrá concertado la primera visita con el pediatra, donde recibirá más información útil y la respuesta a las 3.000 preguntas que tiene ya para él (si se acuerda de anotarlas y llevarlas a la consulta).

Claro que hace falta algo más que información para que los nuevos padres se conviertan en expertos. Hace falta paciencia, perseverancia, y mucha, mucha práctica. Por suerte, los bebés son muy permisivos durante este proceso. No les importa que les pongan el pañal del revés ni que mamá se olvide de limpiarles la parte posterior de las orejas al bañarlos. Tampoco tienen reparos en dar la información que precisan: le harán saber cuándo tienen hambre, cuándo están cansados, si el agua del baño está demasiado fría (si bien al principio es posible que la madre no comprenda de qué se queja el bebé). Lo mejor de todo, ya que el bebé nunca antes ha tenido una madre con quien pueda compararla, es que usted será la mejor para él.

¿Sigue faltándole confianza? Lo que puede ser de mayor ayuda –además del paso del tiempo y la acumulación de experiencia– es saber que no está sola. Toda madre (incluso las que mira con envidia por sus habilidades) se siente abrumada durante las primeras semanas, especialmente cuando el agotamiento posparto –unido a la falta de sueño y la recuperación del parto– pasa factura física y emocional. De modo que lo mejor es que se lo tome con calma (y tómese también un trozo de pan con queso: un nivel bajo de azúcar en sangre puede contribuir a la sensación de agobio) se dé tiempo para ir adaptándose al programa de la maternidad. Muy pronto (antes de lo que cree), los retos diarios que implica el cuidado del bebé no serán tan abrumadores. De hecho, se convertirán en algo tan natural que podrá cuidar al bebé con los ojos cerrados (a veces le parecerá que lo hace). Le cambiará los pañales, le dará de comer, le hará eructar y le consolará como la mejor de las madres, incluso con un brazo atado a la espalda (o, al menos, doblando la colada, contestando correos electrónicos, leyendo un libro, desayunando o llevando a cabo cualquier otra tarea a la vez). Se convertirá en madre. Y las madres, por si no lo sabía, son capaces de todo.

Los primeros días de la lactancia

No hay nada más natural que un bebé lactante, ¿cierto? Bueno, no siempre, o por lo menos no inmediatamente. Los bebés nacen para mamar, pero no siempre nacen sabiendo mamar. Lo mismo ocurre con las madres. Los pechos se llenan de leche automáticamente, pero saber cómo ponerlos eficazmente en la boca del bebé es algo que debe aprenderse.

Lo cierto es que, si bien la lactancia es un proceso natural, no les sale de forma natural –ni rápida– a algunas madres y bebés. Algunas veces existen factores físicos que hacen que los primeros intentos fracasen; otras, la razón del fracaso es una simple falta de experiencia por parte de los dos principiantes. Pero sea cual fuere la razón que separa al bebé del pecho de la madre, no debería pasar mucho tiempo antes de que se compenetren perfectamente. Algunas de las relaciones mutuamente más satisfactorias entre un bebé y el pecho de su madre empezaron con varios días de torpezas, esfuerzos fracasados y lágrimas.

El conocimiento de lo que se puede esperar y del modo de enfocar los problemas puede ayudar a facilitar la adaptación mutua. Leer sobre el tema o incluso asistir a una clase prenatal sobre la lactancia son ayudas valiosas, como los siguientes consejos:

- Empezar lo más pronto posible. Lo mejor sería empezar ya en la sala de partos, siempre que sea factible (véase "Bases de la lactancia materna", pág. 476). Informe al médico de su deseo de empezar a amamantar al bebé en cuanto sea posible tras el parto (y anote esta petición en su plan para dar a luz, si usa uno). No se decepcione si el bebé o usted (o ambos) no se encuentran en condiciones de iniciar la lactancia enseguida. Esto no significa que no puedan iniciarla con éxito más tarde. Y recuerde que incluso cuando logra iniciarse enseguida, ello no garantiza que la primera experiencia de lactancia sea perfecta. Ambos tienen mucho que aprender.

- Mantenga unido al equipo de lactancia. Tenga al bebé en la habitación, las 24 horas o durante el día, si se siente con fuerzas. Si prefiere descansar entre tomas –se lo ha ganado–, pida que le traigan al bebé cuando tenga hambre.

■ Consiga la ayuda que necesite. Lo ideal es que un especialista en lactancia esté junto a usted al menos durante un par de las primeras tomas para darle instrucciones, consejos y tal vez algunas lecturas recomendadas. Si este servicio no se le ofrece, pida a una enfermera que esté familiarizada con las técnicas de lactancia que la observe y le dé indicaciones si usted o el bebé no hacen algo correctamente. Si vuelve a casa del hospital sin este tipo de ayuda, su técnica deberá ser evaluada por un entendido en el tema –el pediatra, una enfermera o un asesor de lactancia externo– en cuestión de pocos días. También encontrará ayuda si se pone en contacto con la sede más cercana de La Liga de la Leche.

■ Limitar las visitas para aumentar las posibilidades de dar el pecho. Si el bebé siempre está en la habitación, las visitas deberían limitarse al marido mientras la madre y el bebé aprenden las técnicas de lactancia. Por ansiosa que esté por dar a conocer al recién llegado, deberá mantener un ambiente relajado y una buena concentración durante las primeras sesiones de lactancia.

■ Tener paciencia si el bebé se está recuperando aún del parto. Si la madre recibió anestesia o tuvo un parto largo y difícil, puede esperar que su bebé se muestre amodorrado y perezoso durante unos pocos días. No hay peligro de que el bebé pase hambre, ya que los recién nacidos tienen pocas necesidades de alimento durante los primeros días de vida. Lo que sí necesitan es cariño. En este momento, el contacto con el pecho de la madre es tan importante como la leche que pueda succionar.

■ Asegurarse de que el apetito y el instinto de succión del bebé no son saboteados entre las tomas. En algunos hospitales se suele tranquilizar a los bebés que lloran con un biberón de agua azucarada entre las tomas. Esto puede tener un doble efecto perjudicial. En primer lugar, satisface para varias horas el hambre aún reducida del neonato. Luego, cuando el bebé sea llevado a su madre para que le dé el pecho, es posible que no tenga ganas de mamar, y los pechos de la madre no serán estimulados para producir leche, lo cual puede dar inicio a un círculo vicioso. En segundo lugar, la tetina de goma del biberón le exige menos esfuerzo y ello puede debilitar su reflejo de succión. Enfrentado al mayor esfuerzo de succionar la leche del pecho, es posible que el bebé se dé por vencido. Los chupetes también pueden interferir en la lactancia (aunque no en todos los casos). Por ello es importante que la madre dé órdenes –a través del pediatra del bebé– para que no le den ningún suplemento alimentario ni chupete al recién nacido mientras esté en la *nursery*, a menos que sea médicamente necesario.

■ Amamantar según el sistema de demanda, como mínimo entre ocho y doce tomas al día, aunque la demanda no llegue a este nivel. De esta forma, no sólo el bebé estará feliz, sino que aumentará la producción de leche a medida que vaya creciendo la demanda. Imponer un horario de tomas cada cuatro horas puede empeorar la congestión temprana de los pechos y producir un bebé subalimentado después.

■ Dar de mamar el tiempo que quiera el bebé. Antes se solía aconsejar que si las primeras tomas eran cortas (cinco minutos en cada pecho), se endurecían progresivamente los pezones evitando que quedaran doloridos. El

Dar de mamar al bebé que está en la UCIN

Si el bebé tiene que estar en la unidad de cuidados intensivos neonatales por algún motivo y no puede ir a casa con la madre, no por ello hay que dejar de darle el pecho. Los bebés prematuros o con otros problemas se desarrollan mejor con leche materna. La madre deberá hablar con el neonatólogo que se encarga del recién nacido y con la enfermera para decidir cuál es la mejor opción para alimentarle con la leche materna. Si la madre no puede amamantarle directamente, una posibilidad es extraerla y dársela al bebé a través de un tubo o biberón. Si tampoco esto es posible, lo único es seguir extrayendo la leche para que su producción siga hasta que el bebé pueda ya succionar por sí mismo.

dolor en los pezones, no obstante, es el resultado de una posición incorrecta del bebé en el pecho y tiene poco que ver con el tiempo de la toma. La mayoría de recién nacidos requieren entre diez y cuarenta y cinco minutos para completar una toma. Siempre que la posición sea la correcta, no hay necesidad de limitar este tiempo.

■ Vaciar los pechos. Lo ideal es que como mínimo un pecho se vacíe del todo en cada toma; esto es más importante que conseguir que el bebé succione de ambos lados. Si el pecho no se vacía del todo, el bebé no llega hasta la leche más profunda, que contiene más calorías para el aumento de peso que la que sale primero (la leche del principio de la toma aplaca la sed, la leche del final engorda al bebé). La leche del final de la toma también es más saciante, lo cual significa que el bebé se sien-

te lleno más tiempo. Por ello, no hay que retirar al pequeño porque ya hayan pasado quince minutos; es mejor esperar a que esté dispuesto a hacerlo espontáneamente. Luego se ofrecerá el segundo pecho, pero sin forzar. La madre deberá recordar el pecho del que su bebé ha succionado en último lugar y que no ha vaciado del todo para ofrecérselo primero en la toma siguiente.

■ No dejar dormir al bebé si con ello se salta una toma. Algunos recién nacidos, sobre todo en los primeros días de vida, pueden no despertarse lo suficiente como para comer. Si ya han pasado tres horas desde la última toma, ha llegado el momento de despertarlo. He aquí una forma de hacerlo. En primer lugar, destaparlo si está muy abrigado; el aire fresco ayudará a despertarlo. Luego, se intentará colocarlo erguido, sujetando con una mano la espalda mientras la otra sostiene la barbilla; frotar la espalda con suavidad. También ayuda dar un masaje en brazos y piernas y pasar un poco de agua fresca por la frente. En el momento en que el bebé se mueva, se colocará con rapidez en la posición de mamar. Otra posibilidad es colocar el bebé dormido sobre el pecho de la madre. Los bebés tienen un olfato muy fino y el aroma de la leche puede despertarlos.

■ No intentar dar de mamar nunca a un bebé que llora. Lo ideal es ofrecerle el pecho cuando muestra los primeros signos de hambre o de interés por la succión, que pueden ser chuparse la mano, buscar el pezón o mostrarse particularmente alerta. No hay que esperar nunca a unos lloros desesperados, que son ya la última manifestación de los deseos de comer. Si el bebé ya ha comenzado a llorar, hay que mecerlo o calmarlo antes de comenzar a darle de mamar. O bien ofrézcale su dedo para que lo chupe hasta que se calme; cuando el pequeño está desconsolado le es imposible encontrar el pezón y agarrarse a él.

- La madre intentará conservar la calma. Procurará empezar la toma relajada y seguir tranquila por frustrante que resulte la sesión de lactancia. Si tiene visitas, se despedirá de ellas unos 15 minutos antes de la hora y durante este tiempo se dedicará a relajarse. Realice algunos ejercicios de relajación antes de empezar (véase la pág. 160) o ponga una música suave. Durante la toma se intentará mantener la calma recordando que todo mejorará. La tensión no sólo obstaculiza la producción y secreción de leche, sino que además puede causar ansiedad en el bebé. El recién nacido es extremadamente sensible al estado de ánimo de la madre y reacciona en consecuencia. Un bebé ansioso no mama bien.

- A partir del momento de la subida de la leche hay que anotar en un cuaderno el horario de las tomas (cuándo empiezan y acaban), así como el número de pañales mojados y sucios cada día. De esta forma, la madre tendrá una idea de cómo procede la lactancia y se lo podrá decir al pediatra. Seguir con ocho a doce tomas cada 24 horas, pero sin obligar nunca al bebé a succionar. Aunque la duración de las tomas puede variar considerablemente, una vez reguladas la congestión inicial y el dolor de los pezones, su duración media será de unos treinta minutos, por lo general divididos en los dos pechos (aunque a veces el bebé se quedará dormido antes de succionar el pecho número dos, lo que está bien siempre y cuando el primero haya quedado vacío). El aumento de peso del bebé y el estado de los pañales le dará una idea más clara de la ingesta del pequeño. Al día debe haber como

Recordatorio

Para asegurarse de que cada pecho sea estimulado, use un recordatorio, como una anotación en su diario de lactancia, un coletero atado en la tira del sujetador o un brazalete que le indique de qué lado se alimentó el bebé en la última toma. Empiece la toma siguiente por el otro lado (y cámbiese de lado el coletero o brazalete).

mínimo unos seis pañales mojados con orina de color amarillo claro, no oscuro, y como mínimo tres evacuaciones al día. Independientemente del tiempo que succione el bebé, si su estado es bueno y el aumento de peso adecuado, hay que suponer que su alimentación también lo es.

Congestión mamaria: la subida de la leche

Justo en el momento en que la madre y su hijo parecen haberle encontrado el truco a la lactancia, se entromete la leche. Hasta aquel momento, el bebé había venido chupando pequeñas cantidades de calostro y los pechos no ocasionaban demasiadas molestias a la madre. Y de repente, en cuestión de horas, se produce la subida de la leche, y los pechos quedan repletos, duros y doloridos. La lactancia resulta difícil para el lactante y dolorosa para la madre.

Afortunadamente, este período de congestión es breve –con frecuencia no dura más de 24 a 48 horas–, aunque a veces puede durar hasta una semana. No obstante, mientras dure, existen diversos modos para aliviar las molestias, como pueden ser:

Bases de la lactancia materna

1. Busque un sitio tranquilo. Hasta que usted y el bebé adquieran cierta práctica, dele de mamar en un lugar que tenga pocas distracciones y un nivel de ruido muy bajo.

2. Tenga una bebida a mano para reponer líquidos mientras el bebé mama. Evite las bebidas calientes para evitar el riesgo de quemarse o quemar al bebé; y las bebidas heladas, a menos que necesite una. Añada un tentempié saludable si hace mucho rato que no come.

3. A medida que se sienta más cómoda amamantando, lea un libro o una revista durante las tomas largas (pero desvíe la vista de la lectura periódicamente para establecer contacto con el bebé). Sin embargo, ver la televisión puede ser demasiado distraído, sobre todo durante las primeras semanas. Lo mismo sucede con el teléfono; deje que salte el contestador o que respondan por usted.

4. Adopte una posición que sea cómoda para ambos. Si está sentada, una almohada sobre su regazo le ayudará a mantener al bebé a la altura adecuada. Asegúrese de que sus brazos descansan en una almohada o en el reposabrazos de una silla; intentar aguantar tres kilos sin apoyo le causará calambres y molestias. Si puede, mantenga las piernas elevadas.

5. Ponga al bebé de lado, frente a su pezón. Asegúrese de que el cuerpo de su hijo está de cara a usted –barriga con barriga– con la oreja, el hombro y la cadera en línea recta. El bebé no tiene que girar la cabeza, debe alinearla con el cuerpo (imagine lo difícil que sería beber y tragar mientras le giran la cabeza; lo mismo le ocurre al bebé). Adoptar la postura adecuada es esencial para prevenir dolorimientos en el pezón y dificultades de lactancia.

Los especialistas en lactancia recomiendan dos posturas durante las primeras semanas. La primera se denomina sujeción cruzada: sostenga la cabeza del bebé con la mano opuesta (si le da de mamar el pecho derecho, sostenga al bebé con el brazo izquierdo). Su mano debe descansar entre los hombros del bebé; el pulgar, tras una oreja; el resto de dedos, tras la otra. Con la mano derecha, sostenga el pecho derecho, con el pulgar sobre el pezón y la aréola (el área oscura) hasta donde la nariz del bebé toque su pecho. El índice debería estar donde la mejilla del bebé toque su pecho. *Con suavidad*, presione el pecho para que el pezón apunte hacia la nariz del bebé. En este momento, ya puede darle de mamar (véase el paso 6).

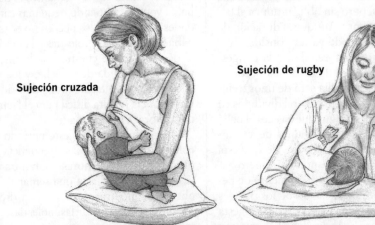

Sujeción cruzada

Sujeción de rugby

La segunda posición es la sujeción de rugby. Esta posición es muy útil para las mujeres que han sufrido una cesárea y quieren evitar que el bebé toque su abdomen; o que tienen los pechos grandes; o cuyo bebé es pequeño o prematuro; o que amamantan a gemelos. Ponga a su bebé a su lado semisentado mirando hacia usted, con sus piernas bajo sus brazos (su brazo derecho si está amamantando del pecho derecho). Sostenga la cabeza del bebé con su mano derecha y cójase el pecho como en la sujeción cruzada.

Cuando adquiera experiencia, puede incorporar la sujeción de la cuna, en que la cabeza del bebé descansa en el ángulo de su brazo, y la sujeción tumbada de lado, en que usted y su bebé están tendidos barriga con barriga. Esta posición es la ideal cuando se da de mamar en mitad de la noche.

6. Con suavidad, abra los labios del bebé con el pezón hasta que abra la boca del todo como si bostezara. Algunos expertos en lactancia sugieren que se acaricie la nariz del bebé con el pezón y luego el labio superior para que abra bien la boca. Esto evita que el labio inferior se pliegue mientras mama. Si el bebé se aparta, acaríciele la mejilla para que se gire hacia usted. El reflejo de búsqueda hará que ladee la cabeza hacia su pecho.

7. Cuando el bebé abra la boca, acérqueselo. No mueva el pecho hacia el bebé. Muchos problemas de lactancia ocurren porque la mama se dobla hacia el bebé, al intentar que se agarre el pecho con la bo-ca. En lugar de esto, mantenga la espalda recta y acerque al bebé hacia su pecho.

8. No introduzca el pezón en una boca cerrada; deje que el bebé tome la iniciativa. Puede que se precisen un par de intentos antes de que el bebé abra la boca lo bastante para agarrarse al pecho.

9. Asegúrese de que tanto la aréola como el pezón, y no solamente el pezón, queden dentro de la boca del bebé. La succión efectuada sólo sobre el pezón no comprime las glándulas de la leche y además puede causar dolor y grietas. También es necesario asegurarse de que el bebé está chupando el pezón. Algunos recién nacidos succionan con ganas cualquier parte del pecho (aunque no obtengan leche) y pueden provocar una lesión dolorosa si succionan su sensible tejido.

10. Si su pecho está tapando la nariz del bebé, bájelo con suavidad con un dedo. Levantar al bebé también puede ayudar a proporcionarle más espacio para que respire. Cuando realice esta maniobra, asegúrese de que el pequeño sigue aferrado a la aréola.

11. Compruebe que el bebé traga leche. Puede hacerlo observando si el movimiento de las mejillas es rítmico y continuado.

12. Si el bebé ya ha terminado de chupar, pero continúa cogido al pecho, intentar separarlo bruscamente puede dañar el pezón. Primero se interrumpirá la succión apretando sobre el pecho o colocando un dedo en la comisura de la boca del bebé, para permitir la entrada de aire.

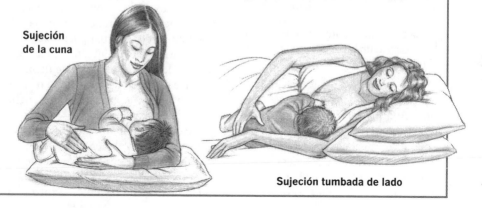

Sujeción de la cuna

Sujeción tumbada de lado

Cada vez más fácil

Si se ha tenido que enfrentar a alguna o varias dificultades, continúe en su empeño y la lactancia enseguida se convertirá en algo sencillo (de hecho se dará cuenta de que es la forma más fácil de alimentar a un bebé).

Mientras tanto, consiga la ayuda necesaria para superar las dificultades a las que deba enfrentarse; use los consejos de estas páginas o acuda a un asesor de lactancia. No deje que estas dificultades con el primer bebé la desanimen a la hora de amamantar al siguiente. Gracias a la experiencia adquirida ahora (por la madre y por los pechos), la lactancia materna suele ser más fácil con el segundo (y siguientes) bebé, y la congestión, el dolorimiento de los pezones y otros problemas son mucho menos comunes.

- Aplicar calor brevemente, para ablandar la aréola y favorecer la salida de la leche al inicio de una sesión. Para ello, colocar una toalla embebida en agua caliente (pero sin llegar a quemar) sobre la zona de la aréola o inclinarse sobre una palangana llena de agua caliente.

- Masaje. Puede favorecer el flujo de la leche dando un masaje en el pecho que el bebé succiona.

- Usar compresas de hielo después de dar de mamar para reducir la congestión. Aunque pueda parecer algo raro, las hojas de col refrigeradas son también muy calmantes (usar las hojas exteriores y grandes y practicar un orificio en el centro para el pezón; aclarar y secar antes de la aplicación).

- Usar un sujetador especial las 24 horas del día. La presión contra los pechos congestionados puede ser dolorosa; por ello no debe estar demasiado apretado. Usar también ropa ancha que no apriete.

- No caer en la tentación de saltarse una toma a causa del dolor. Cuanto menos succione el bebé, más congestionados estarán los pechos y más dolerán.

- Extraer a mano un poco de leche de cada pecho antes de dar de mamar para reducir la congestión. De esta forma, se facilita la salida de la leche y se ablanda el pezón para que al bebé le resulte más fácil agarrarse a él.

- Cambiar la posición del bebé de una toma a la siguiente (en una se puede probar la sujeción de rugby, y en la siguiente la de la cuna; véase la pág. 476). Así se asegura el buen vaciado de todos los conductos de la leche y se puede reducir el dolor por congestión.

- Aliviar el dolor. En casos de dolor muy fuerte, se puede tomar paracetamol u otro analgésico suave aconsejado por el médico.

Goteo de leche

Durante las primeras semanas de lactancia, es posible que le salga leche de los pechos, con mayor o menor abundancia. Esto puede ocurrir en cualquier momento, en cualquier lugar y sin previo aviso. De repente, notará la bajada de la leche y, antes de darle tiempo a ponerse un disco de lactancia o taparse con un jersey, aparecerá una mancha redonda en su ropa.

Además de momentos incómodos ("Por eso sonreía el mensajero…"), puede que le salgan chorritos de leche espontáneamente mientras duerme, al darse una ducha caliente, al oír llorar al bebé, al pensar en el bebé o al hablar de él. La leche puede salir de un pecho mientras el bebé mama del otro, y si el pequeño sigue un horario de lactancia más o menos regular, los pechos de la madre pueden empezar a gotear antes de que el bebé se agarre a ellos.

Si bien puede resultar incómodo y embarazoso, este efecto secundario de la lactancia es completamente normal y muy común, especialmente durante las primeras semanas. (No gotear en absoluto o gotear muy poco es igualmente normal, y de hecho, muchas madres notan que gotean menos con el segundo hijo y siguientes.) En la mayoría de los casos, al establecerse la lactancia, el goteo disminuye considerablemente. Mientras tanto, aunque no podrá cerrar el grifo, puede intentar reducir las molestias del goteo:

- Haga provisión de discos de lactancia. Si tiene este problema, deberá cambiarse los discos de lactancia cada vez que dé el pecho; a veces, con más frecuencia. Recuerde que, como el pañal, el disco debe ser sustituido por uno nuevo al mojarse. Los discos no deben tener una capa de plástico ni ser impermeables, para no acumular la humedad, lo cual provocaría irritación de los pezones. Algunas mujeres prefieren los discos desechables y otras optan por los de algodón reutilizables.

- Proteja la cama. Si gotea mucho de noche, use discos adicionales o colóquese debajo una toalla grande para dormir. No querrá cambiar las sábanas a diario, o peor todavía, tener que comprar un colchón nuevo.

- No se extraiga leche para evitar el goteo. Sacarse leche no lo evitará, al contrario, cuanto más estimule las mamas, más leche producirán y más goteo tendrá que soportar.

- Intente cortar el flujo. Cuando la lactancia está bien establecida y la producción de leche se ha equilibrado, puede intentar detener el goteo presionando los pezones (tal vez no en público) o doblar los brazos sobre los pechos cuando note que va a gotear leche. Pero no lo haga durante las primeras semanas porque puede inhibir la bajada de la leche y puede provocar la obturación de un conducto mamario.

Pezones doloridos

La sensibilidad de los pezones puede aumentar las dificultades al inicio de la lactancia. En la mayoría de los casos, los pezones se endurecen con rapidez, pero en algunas mujeres, especialmente en aquellas cuyos bebés no se colocan bien, y las que tienen hijos que succionan con gran energía, los pezones duelen y se agrietan. Para aliviar estas molestias:

Medicación y lactancia

Muchos medicamentos son totalmente compatibles con la lactancia materna; otros no; y otros todavía se están estudiando. Pero como hacía cuando estaba embarazada, pregunte al médico y al pediatra antes de tomar un medicamento (con o sin receta), e informe a cualquier médico que le recete medicación de que está amamantando a su bebé. Recuerde que generalmente es mejor tomar la medicación justo después de dar el pecho, de forma que los niveles en la leche sean los más bajos cuando vuelva a amamantar.

La dieta ideal durante la lactancia

Parece un sueño: quemar las calorías de una carrera de 7,5 km sin dejar el sofá. Un sueño que ahora que amamanta al bebé se convierte en realidad. La producción de leche consume 500 calorías diarias, lo cual significa que debe añadir 500 calorías a su dieta (que se suman a las necesidades anteriores al embarazo, no a las del embarazo) para, de ese modo, satisfacer sus necesidades actuales.

¿A base de patatas fritas? Pues, no. La calidad tiene tanta importancia como la cantidad (recuerde que sigue comiendo por dos, más o menos). Las buenas noticias son que ahora ya se habrá acostumbrado a comer correctamente con la práctica de los últimos nueve meses. Mejores noticias aún, comer bien durante la lactancia es muy parecido a hacerlo durante el embarazo, pero (lo mejor de todo) con recomendaciones más relajadas. Además, si bien las calorías cuentan, todavía no debe contar calorías. Siga la dieta de la lactancia con todo el rigor que le sea posible:

Qué se debe comer. Como siempre, comer bien consiste en comer equilibradamente. Intente ingerir los siguientes alimentos cada día mientras amamanta al bebé:

- Proteínas: 3 raciones.

- Calcio: 5 raciones (una más que durante el embarazo).

- Alimentos ricos en hierro: 1 o más raciones.

- Vitamina C: 2 raciones.

- Hortalizas de hoja verde y frutas y verduras amarillas: 3 o 4 raciones.

- Otras frutas y verduras: 1 o más raciones.

- Hidratos de carbono integrales y otros hidratos de carbono complejos: 3 o más raciones.

- Alimentos ricos en grasas: con moderación; no necesita tantos como durante el embarazo.

- Alimentos ricos en DHA para favorecer el crecimiento cerebral del bebé (este tipo de grasas se encuentra en el salmón, las sardinas, las nueces, el aceite de semillas de lino y los huevos enriquecidos con DHA).

- Complejo vitamínico prenatal.

Es posible que necesite aumentar la ingesta de calorías a medida que el bebé crezca y mame más, o disminuirla si suplementa la lactancia natural

---

- Asegurarse de que el bebé está bien colocado, de cara al pecho (véase el recuadro de la pág. 476). Vaya cambiando de posición para que en cada toma se comprima una parte diferente de la aréola, pero siempre con el bebé de cara al pecho.

- Deje respirar a los pezones (en casa). Exponga los pezones doloridos o agrietados al aire brevemente antes de cada

toma. Protéjalos de los roces de la ropa y, si le duelen mucho, puede plantearse rodearlos de una cámara de aire poniéndose una pezonera aireadora.

- Manténgalos secos. Cámbiese los discos de lactancia en cuanto se humedezcan. Cerciórese de que no estén forrados con plástico para que no acumulen humedad. Si vive en un clima húmedo, séquese los pezones con un

con leche artificial o alimentos sólidos, o si dispone de buenas reservas de grasa que desee empezar a quemar.

Qué no se debe comer. Cuando se está dando el pecho, las opciones de menú son más variadas que cuando se está embarazada. Ahora puede brindar con ese pinot noir que tienen reservado, o tomar una copita de su licor preferido. Pero hay que limitar la bebida (un par de copas a la semana, a consumir preferiblemente justo después de una toma, en lugar de antes, para que el organismo disponga de algunas horas para metabolizar el alcohol de modo que llegue mucho menos al bebé). ¿Puede volver a tomar café? Hasta cierto punto, sí. Más de uno o dos cafés pueden afectar al bebé y dificultar la conciliación del sueño a ambos. Y si bien es seguro volver a tomar sushi, siga evitando pescados con alto contenido en mercurio, como el tiburón, el blanquillo camello y la caballa, y limite el consumo de los que puedan contener cantidades moderadas de metales pesados.

Qué hay que vigilar. Si tiene un historial familiar de alergias, consulte con el médico para saber si debe evitar los cacahuetes y los alimentos que los contengan (y tal vez algún otro alimento altamente alergénico). Vigile también con las hierbas, incluso con los tés que puedan parecerle más inocuos. Consuma infusiones de marcas fiables y elija los sabores considerados seguros durante la lactancia, como naranja, menta, frambuesa, *rooibos*, camomila y escaramujo. Lea atentamente las etiquetas para cerciorarse de que las infusiones no contengan otras hierbas, y consúmalas con moderación. Si desea emplear sustitutos del azúcar, la sucralosa o el aspartamo se consideran mejores opciones que la sacarina.

Qué hay que vigilar en el bebé. Algunas madres observan que su dieta afecta al estómago y al temperamento de sus bebés. Si bien lo que come la madre influye en el sabor y olor de la leche (esto ocurre en todos los casos), se trata de algo positivo, ya que ofrece al bebé diversidad de sabores. Pero algunos bebés pueden mostrarse sensibles a algunos alimentos que consume la madre. Si sospecha que algún alimento de su dieta provoca rechazo por parte del bebé (o afecta a su sistema digestivo), intente eliminarlo de su dieta durante unos días para observar la reacción. Algunos de estos alimentos problemáticos suelen ser la leche de vaca, los huevos, el pescado, los cítricos, los frutos secos y el trigo.

Para más información acerca de la dieta durante la lactancia, lea *Comer bien cuando se está esperando*.

secador de pelo (a una distancia de 15 a 20 cm) durante dos o tres minutos (no más) después de las tomas. Encontrará un gran alivio.

- Cúrese con leche. La leche materna puede ayudar a curar los pezones doloridos. Deje que la leche que queda en el pezón después de la toma se seque allí mismo, en lugar de limpiarla. O extráigase unas gotas al final de la toma y extiéndala sobre los pezones, dejándola secar antes de volver a ponerse el sujetador.

- Póngase crema. Los pezones están protegidos y lubricados por las glándulas de la piel. Pero usar un preparado de lanolina modificada puede ayudar a prevenir o curar las grietas de los pezones. Después de dar de mamar, aplíquese una crema de lanolina, pero evite los productos derivados del petróleo (como la vaselina) y otros tipos de productos. Lávese los pezones sólo con agua, nunca utilice jabón, alcohol ni toallitas, tanto si están agrietados como si no. El bebé ya está protegido contra los gérmenes de la madre, y la leche es limpia.

- Cúrese con té. Empape bolsitas de té normales con agua fría y colóquelas sobre los pezones. Las propiedades del té pueden aliviar el dolor y curar la piel.

- Trátelos por igual. No favorezca un pecho porque le duela menos o porque el pezón no esté agrietado; el único modo de endurecer los pezones es usarlos. Además, para que ambos pechos sean buenos productores de leche, ambos deben ser estimulados durante el mismo tiempo.

  Si un pezón está mucho más dolorido que el otro, amamante al bebé primero del menos dolorido porque el bebé succiona con más fuerza cuando tiene hambre. Hágalo sólo el tiempo estrictamente necesario –y no más de unos pocos días– porque podría dejar de estimular debidamente el pecho dolorido, lo cual afectaría a la producción de leche. Afortunadamente, el dolorimiento no suele durar más (si se alarga, póngase en contacto con un asesor de lactancia; es posible que el problema sea la posición).

- Relájese antes de dar el pecho. La relajación favorecerá la bajada de la leche (lo cual significa que el bebé no tendrá que succionar con tanta fuerza), mientras que la tensión la inhibe.

- Alivie el dolor. Tome paracetamol antes de amamantar para aliviar el dolor.

- Vigile la evolución de los pezones. Si están agrietados, esté atenta a las señales

---

Dar el biberón

Si elige dar el biberón al bebé o combinar la lactancia materna con la leche artificial, iniciar el proceso suele ser más sencillo que iniciar la lactancia natural (especialmente porque la leche de fórmula viene con instrucciones, los pechos no). Pero de todas formas hay mucho que aprender, y lo puede leer en *Qué se puede esperar el primer año*.

---

de infección (véase la pág. siguiente), que puede producirse cuando los gérmenes entran en un conducto mamario a través de las grietas.

Complicaciones ocasionales

Una vez establecida, por lo general la lactancia continúa sin problemas hasta el destete. No obstante, de vez en cuando se presentan complicaciones, como por ejemplo:

Obstrucción de los conductos de la leche. Algunas veces, un conducto se obstruye y la leche se acumula. Puesto que este proceso (caracterizado por la presencia de un pequeño bulto rojo y doloroso en el pecho) puede provocar una infección, es importante intentar ponerle remedio con rapidez. El mejor modo consiste en ofrecer el pecho afectado siempre en primer lugar al bebé haciendo que éste lo vacíe al máximo posible. Si el bebé no consigue vaciar el pecho, la leche restante deberá ser extraída manualmente o con un sacaleches. Eliminar toda posible presión sobre el conducto, asegurándose de que el sujetador no está demasiado apretado (y evitando los sujetadores con aros por ahora) y variando la posición de lactancia para presionar sobre otros conductos. La aplicación de compresas calientes antes de dar de mamar también es de ayuda (la barbilla del bebé, si se coloca correctamente, puede proporcionar un excelente masaje sobre el conducto obturado). No destetar al bebé en este momento; la interrupción de la lactancia no haría más que agravar el problema.

Infección del pecho. Una complicación más grave pero menos común de la lactancia es la mastitis o infección del pecho, que puede desarrollarse en una o ambas mamas, con mayor frecuencia durante el primer período posparto (aunque puede ocurrir en cualquier momento de la lactancia). Los factores que pueden combinarse para causar una mastitis son no dejar que los pechos se vacíen por completo de leche cada vez que se amamanta, que los gérmenes (generalmente de la boca del bebé) entren en los conductos de la leche por las grietas o fisuras del pezón y una menor resistencia de la madre debido al estrés y la fatiga.

Los síntomas más comunes de la mastitis son el dolor intenso, el endurecimiento, el enrojecimiento, el calor y la hinchazón del pecho, con escalofríos generalizados y fiebre de 38 a 39 °C. La madre que presente uno de estos síntomas deberá avisar al médico. Es necesario un rápido tratamiento médico, que puede incluir reposo en cama, antibióticos, analgésicos, aumentar la ingesta de líquidos y la aplicación de hielo o de calor. Deberá notar una mejoría considerable a las 36 a 48 horas de tratamiento con antibióticos. Si no es así, informe al médico; tal vez le recete otro tipo de antibiótico.

Siga dando de mamar durante el tratamiento. Puesto que la infección de la madre se debe probablemente a gérmenes contagiados por el bebé, éste no sufrirá ningún daño. Y el vaciado del pecho

ayudará a evitar la obstrucción de los conductos de la leche. Dar primero al bebé el pecho enfermo y vaciarlo con el sacaleches si el bebé no lo ha hecho. Si el dolor es tan fuerte que la mujer no puede amamantar, intentará bombear la leche de sus pechos mientras está dentro de una bañera llena de agua caliente con los pechos flotando cómodamente; puede dejar que la leche se pierda en el agua. (No debe usarse un sacaleches eléctrico.)

El retraso del tratamiento de la mastitis podría conducir a la formación de un absceso en el pecho cuyos síntomas son: dolores muy intensos; hinchazón localizada, sensibilidad anormal y calor en el área del absceso; fiebre entre los 37,5 y los 39,5 °C. El tratamiento consiste en la administración de antibióticos y, generalmente, en el drenaje quirúrgico bajo anestesia. Puede dejarse colocado el drenaje después de la intervención. La lactancia normalmente no puede continuarse con el pecho afectado en la mayoría de los casos, pero la madre puede seguir dando el otro pecho al bebé hasta que lo destete.

Dar el pecho después de una cesárea

El tiempo que debe pasar hasta que la mujer que ha sido sometida a una cesárea pueda amamantar al recién nacido dependerá de cómo se sienta y del estado del bebé. Si ambos están en buena forma, probablemente podrá amamantarlo en la sala de partos después de acabado el procedimiento quirúrgico, o en la sala de recuperación poco después. Si la mujer está atontada por la anestesia general o el bebé necesita cuidados inmediatos, se deberá esperar. Si después de 12 horas la mujer aún no ha podido estar junto al bebé, debería preguntar si debe usar un sacaleches para sacar la leche (en ese momento se trata en realidad de calostro) para empezar la lactancia.

Puede que en un principio el amamantamiento después de una cesárea sea molesto. Lo será menos si intenta no aplicar ninguna presión sobre la incisión: coloque una almohada sobre su regazo debajo del bebé, échese de lado o adopte la sujeción de rugby (pág. 476), siempre con la ayuda de una almohada, para dar el pecho. Tanto los entuertos que la mujer experimentará al amamantar como el dolor en el lugar de la incisión son normales e irán disminuyendo al pasar los días.

Dar el pecho a más de un bebé

La lactancia en caso de gemelos, como prácticamente todos los aspectos del cuidado de múltiples recién nacidos, parece como mínimo el doble de complicada. No obstante, una vez establecida la rutina, no sólo resulta posible sino el doble (o el triple) de gratificante. Para dar el pecho a dos o más bebés, debería:

Comer bien y en abundancia. Cumplir todas las recomendaciones dietéticas para las madres lactantes (véase "La dieta ideal durante la lactancia", pág. 480), con los siguientes puntos adicionales: tomar entre 400 y 500 calorías más que las necesarias antes del embarazo por cada bebé que amamante (es posible que la madre deba aumentar su ingesta calórica a medida que los niños crecen y tienen más hambre, o bien disminuirla si les da un biberón y/o alimentos sólidos como suplemento, o si tiene unas reservas de grasa considerables que desea quemar); una ración adicional de proteínas (cuatro en total) y una ración adicional de calcio (seis en total) o un suplemento de calcio.

Extraerse leche. Si los bebés están en la UCIN y son demasiado pequeños para mamar, o si necesita ayuda adicional para estimular la producción de leche al principio, plantéese el uso de un sacale-ches eléctrico doble. Más adelante, la extracción de leche le permitirá dormir un poco más mientras otra persona da el biberón a los bebés. No se desanime si el sacaleches no funciona al principio en la producción de leche; su uso regular (y la estimulación por parte de los bebés) acabará favoreciendo la producción de leche necesaria.

Amamantar a dos a la vez. Tiene dos pechos y dos (o más) bocas que alimentar. ¿Se ve capaz de dar de mamar a dos bebés a la vez? Puede hacerlo, especialmente con un poco de ayuda (como las almohadas de lactancia especiales para mellizos). Una ventaja evidente –y enorme– de dar de mamar simultáneamente a los dos bebés es que la madre no se pasa el día y la noche dando el pecho (primero un bebé, después el otro, de nuevo el primero, etcétera). Para dar de mamar a dos bebés a la vez, colóquelos a los dos sobre la almohada y luego haga que se agarren al pezón (o puede pedir a alguien que le acerque primero un bebé y después el otro, especialmente mientras se acostumbra al proceso).

Si no le atrae la idea de dar de mamar simultáneamente a los dos bebés, no lo haga. Puede dar el biberón a uno (con leche que se haya extraído o con leche de fórmula, si les da suplemento) mientras amamanta al otro (y luego cambiar), o dar de mamar a un bebé y después al otro. Algunos bebés son lactantes eficaces y terminan de mamar en 10 o 15 minutos. Si éste es el caso con los suyos, alégrese: las tomas serán tan cortas como si diera de mamar a los bebés simultáneamente.

¿Tiene tres o más bebés que alimentar? Amamantar a trillizos (incluso cuatrillizos) también es posible. Dé el pecho a dos a la vez y al tercero después, acordándose de ir haciendo turnos para que todos los bebés mamen solos alguna vez. Para más información sobre la

Dar de mamar a gemelos

Algunas madres de gemelos prefieren amamantar un bebé cada vez, ya que ello les resulta más fácil y satisfactorio. Otras no desean pasarse todo el día en ello y encuentran que hacerlo con los dos a la vez les ahorra tiempo y funciona bien. En el dibujo se muestran dos posiciones que pueden adoptarse para amamantar dos gemelos a la vez. **1.** Ambos bebés se sujetan en la posición de sujeción de rugby, colocando almohadas bajo sus cabezas. **2.** Se combinan la sujeción de la cuna y la de rugby, pero usando siempre almohadas; se experimentará hasta que la madre y ambos bebés se sientan cómodos.

lactancia de múltiples consulte la página web www.multilacta.org.

Recurrir al doble de ayuda. Intente conseguir la máxima ayuda posible para realizar las tareas domésticas, cocinar y cuidar de los bebés, para tener suficiente energía y poder producir la leche necesaria.

Tratar a cada bebé según su carácter. Los mellizos tienen necesidades, así como también personalidades y ritmos de alimentación diferentes, por lo que debe sintonizar con las necesidades de cada uno. Realice anotaciones para asegurarse de que cada uno queda satisfecho con cada toma.

Alternar los pechos. Cambie de pecho para cada bebé en cada toma de modo que ambas mamas sean estimuladas por igual.

Dese tiempo

Hace una semana que ha sido madre (prueba de ello son las estrías, las molestias posparto y las ojeras), y es posible que se esté preguntando: ¿Cuándo me sentiré como una madre? ¿Cuándo conseguiré que el bebé se agarre al pecho a la primera? ¿Cuándo aprenderé a hacerle eructar correctamente? ¿Cuándo dejaré de temer que se me rompa el bebé al cogerlo? ¿Cuándo seré capaz de balbucearle sin sentirme como una idiota? ¿Cuándo sabré lo que significa cada tipo de llanto? ¿Cómo se pone un pañal para que no tenga pérdidas? ¿Cómo se pasa el pijama por la cabeza del bebé sin tirones? ¿Cómo se le lava la cabeza sin echarle jabón en los ojos? ¿Cuándo sabré hacer el papel que me ha dado la madre naturaleza con naturalidad?

Lo cierto es que dar a luz convierte en madre a una mujer, pero no hace que necesariamente la mujer se sienta madre desde el primer momento.

Únicamente el tiempo invertido en esta tarea –a veces sorprendente, a veces abrumadora– lo conseguirá. El día a día (y noche a noche) de la maternidad nunca es fácil, pero la práctica facilita su desempeño.

Anímese y dese tiempo para descubrir que es la madre que, por cierto, ya es.

CAPÍTULO 18

Posparto: las primeras seis semanas

E N ESTE MOMENTO, LA MADRE SE ES-
tará adaptando a su nuevo papel
en la vida o bien intentará aco-
plar las necesidades del nuevo hijo con
las de los mayores.

Con seguridad, su atención día y
noche estará centrada en el pequeño que
acaba de llegar.

Pero ello no significa que deba olvidarse de sí misma ni de sus necesidades.

Aunque la mayoría de sus preguntas y dudas están centradas en el bebé,
también aparecerán otras centradas
en su persona, desde su estado emocional ("¿Algún día podré volver a ver
los anuncios de seguros sin llorar?"),
a su sexualidad ("¿Volveré a tener ganas algún día?"), al estado de su cintura
("¿Algún día podré cerrarme la cremallera de los tejanos?").

La respuesta a todas estas preguntas
es sí, pero, evidentemente, hay que dar
tiempo al tiempo.

Qué se puede sentir

L as seis primeras semanas tras el nacimiento se consideran de "recuperación". Aunque su embarazo fuera un
soplo y su parto el más fácil de la historia
(y especialmente si no fue así), su cuerpo
ha sido empujado hasta el límite y ahora
necesita volver a su estado normal. Toda
nueva madre, como toda embarazada, es
diferente, igual que el ritmo de recuperación y los diferentes síntomas del posparto. Dependiendo del tipo de parto que la
mujer haya tenido y de otros factores individuales, experimentará todos o solamente
algunos de los siguientes síntomas:

Físicamente

- Continuación de las pérdidas vaginales sanguinolentas (loquios), similares a las del período; primero de color rojo oscuro, luego rosadas, parduscas y blancoamarillentas.

- Cansancio.

- Continuación de las molestias perineales, dolor y entumecimiento, si el parto fue vaginal (especialmente si se han aplicado puntos de sutura), o si dilató antes de tener un parto por cesárea.

- Menos dolor en la incisión, y más entumecimiento de la zona si el parto fue por cesárea (especialmente si fue el primero).

- Menos estreñimiento y, con suerte, menos hemorroides.

- Adelgazamiento gradual de la barriga a medida que el útero vuelve a su tamaño y posición habituales.

- Pérdida de peso gradual.

- Menos hinchazón.

- Molestias en los pechos y pezones doloridos hasta que se establezca bien la lactancia.

- Dolor de espalda (a causa de la debilidad de la musculatura abdominal y por llevar en brazos al bebé).

- Dolor en articulaciones (debido al aflojamiento sufrido durante el embarazo, en preparación al parto).

- Dolores en los brazos y la nuca (de llevar al niño en brazos).

- Caída del cabello.

Emocionalmente

- Júbilo, depresión o alternancia de ambos estados de ánimo.

- Sentimiento de agobio, creciente sentimiento de confianza o alternancia entre ambos.

- Disminución o aumento (menos frecuente) del deseo sexual.

Qué se puede esperar en la visita de posparto

Probablemente el médico concertará una visita para una revisión a las cuatro o seis semanas después de dar a luz. (Si ha sido necesario practicar una cesárea, el médico deseará también examinar la incisión aproximadamente a las tres semanas del parto.) Durante esta visita, la paciente puede esperar que su médico compruebe lo siguiente, aunque puede haber variaciones dependiendo de sus necesidades o el estilo de práctica del facultativo. No olvide llevar una lista con sus preguntas.

- Presión arterial.

- Peso, que puede haber bajado entre 8 y 10 kilos.

- El útero, para ver si ha vuelto a su tamaño, forma y emplazamiento normales.

- Estado del cuello uterino, que irá volviendo a su estado anterior al embarazo, pero aún está congestionado.

- Estado de la vagina, que ya se habrá contraído y habrá recuperado gran parte de su tono muscular.

- El lugar de la sutura de la episiotomía o laceración, si se practicó; o si fue necesaria una cesárea, el lugar de la incisión.

- Los pechos.

- Hemorroides o venas varicosas, si las tiene.

- Preguntas o problemas que la mujer desee discutir; es aconsejable llevar una lista a la consulta.

En esta visita, el médico hablará también con su paciente acerca del método de control de la natalidad que ella desea utilizar (si no desea quedarse embarazada de nuevo enseguida, claro). Si planea utilizar un diafragma y si el cuello de su útero ya se ha recuperado suficientemente, se le podrá adaptar uno; en caso contrario, deberá utilizar preservativos hasta que se le pueda adaptar el diafragma. También le puede recetar píldoras anticonceptivas, aunque si está amamantando al bebé, sus opciones de contraceptivos orales se limitarán a las que son seguras durante la lactancia, como la minipíldora de progesterona. Para más información acerca de este tema, véase *Que se puede esperar el primer año*.

Qué puede preocupar

Agotamiento

"Sabía que estaría cansada después del parto, pero hace cuatro semanas que no duermo y estoy agotada."

No es de sorprender que esté agotada. Se está ocupando de las interminables tareas de alimentar, hacer eructar, cambiar pañales, mecer y calmar al bebé. Está intentando atacar la montaña de ropa sucia que parece crecer a diario y no parece que vaya a poder escribir el montón de tarjetas de agradecimiento que tiene preparadas. Sale a comprar (faltan pañales, otra vez), y carga con todos los accesorios infantiles necesarios (¡quién iba a pensar que tendría que cargar con tanto trasto para acercarse al supermercado a por leche!). Y lo hace todo durmiendo un promedio de tres horas (con suerte), y con un cuerpo que todavía se está recuperando del parto. En otras palabras, tiene varios buenos motivos por sentirse exhausta.

¿Hay cura para este síndrome de fatiga materna? Pues no, al menos no hasta que el bebé empiece a dormir toda la noche de un tirón. Pero mientras tanto, existen varias formas de recuperar energía, al menos la suficiente para seguir en marcha.

Busque ayuda. Contrate a alguien para que la ayude en casa si se lo puede permitir. Si no puede, acepte los ofrecimientos de ayuda por parte de su madre, su suegra y sus amigas. Pídales que saquen a pasear al bebé mientras usted duerme una reparadora siesta o que hagan la compra, recojan las prendas del tinte o le traigan un paquete de pañales.

Comparta la carga. La paternidad –cuando hay dos padres– es un trabajo de dos. Aunque su pareja trabaje a jornada completa, debería compartir los cuidados del bebé cuando está en casa. Lo mismo sucede con la limpieza, la colada, la cocina y la compra. Juntos, repártanse las responsabilidades y anoten qué hace cada cual para evitar confusiones. (Si es madre soltera, recurra a una buena amistad para que la ayude en lo posible.)

Despreocúpese de lo que no sea esencial. Y no hay nada esencial excepto el bebé. Todo lo demás puede esperar hasta que recupere su energía. Deje que el polvo se acumule (aunque sea sobre las tarjetas de agradecimiento que tiene intención de escribir). Y mientras ignora las tarjetas, mande un mensaje electrónico a todos sus conocidos con una foto del bebé.

Pida que se lo traigan a casa. Tanto si se trata de una comida caliente como del termómetro rectal que olvidó comprar. Incluso la compra de la semana encuentra el camino hasta su casa desde internet, o los accesorios infantiles que precisa el bebé. Haga pedidos grandes, así no se quedará sin pañales tan deprisa (pero no compre tantos que el bebé crezca antes de poder usarlos).

Duerma a la vez que el bebé. Lo habrá oído antes, y seguramente no le gusta la idea, dado que cuando el bebé duerme es el único momento que tiene para hacer algunas de las 300 cosas que le quedan por hacer. Pero si se tumba 15 minutos mientras el bebé hace una de sus siestas, se sentirá mejor y más capaz de enfrentarse a los llantos cuando se reanuden (en 15 minutos).

Alimente al bebé y aliméntese usted. Claro que tendrá mucho trabajo alimentando al bebé, pero no se olvide de comer usted también. Combata la fatiga con tentempiés y colaciones ligeras que combinen proteínas e hidratos de carbono complejos para tener energía a largo plazo en lugar de un subidón momentáneo: pan con queso; frutos secos; hortalizas; un yogur, un plátano y una barrita de cereales. Tenga tentempiés preparados en la nevera, en la guantera del coche y en la bolsa de los pañales para ir comiendo. Aunque el azúcar y la cafeína (una pasta y un café con leche, tomados uno tras otro) pueden parecer una buena solución para recuperar energía, recuerde lo siguiente: si bien la saciarán al momento, enseguida desaparecerá la energía que le han proporcionado. Y no sólo debe comer; beba además mucha agua, no

sólo porque ha perdido muchos líquidos durante el parto, sino porque la deshidratación puede conllevar fatiga. Todos estos consejos están dirigidos a todas las madres recientes, pero son de especial importancia para las que amamantan a su bebé y deben seguir comiendo por dos.

Si está realmente exhausta, acuda al médico para descartar una posible causa física de su cansancio (como tiroiditis posparto; véase la pág. 497). Si se siente triste o deprimida (véase la pág. 493), tome las medidas necesarias para controlar estos sentimientos, porque la tristeza puerperal también se asocia con la fatiga (y con la tiroiditis). Si su estado de salud es bueno, tenga por seguro que los días de agotamiento están contados.

Caída del cabello

"El cabello ha empezado a caérseme de repente. ¿Me quedaré calva?"

No, no va a quedarse calva, sólo está volviendo a la normalidad. Habitualmente, la cabeza pierde unos 100 cabellos al día, que son sustituidos continuamente. Durante el embarazo, los cambios hormonales impiden que estos cabellos caigan. No obstante, esta mayor abundancia de cabello es sólo temporal: estos cabellos estaban destinados a caer y lo harán dentro de los seis primeros meses posparto. Algunas mujeres que están dando el pecho como método exclusivo de alimentación ven que la caída del pelo no comienza hasta el destete de su bebé o cuando se suplementa el amamantamiento mediante una leche de farmacia o con sólidos. Cuando el bebé esté listo para soplar las velas de su primer pastel de cumpleaños, su pelo habrá vuelto a la normalidad.

Para mantener el pelo sano, tendrá que asegurarse de tomar la dieta ideal para el posparto, continuar con el suplemento vitamínico del embarazo y tratar el cabello con cuidado. Ello significa lavarlo con champú solo cuando sea necesario, usar un acondicionador para reducir los enredos, usar un peine de púas muy separadas para desenredarlos y evitar la aplicación de calor (con rizadores o planchas).

Hable con el médico si la pérdida de cabello le parece realmente excesiva.

Incontinencia urinaria posparto

"Pensaba que controlaría mejor mi vejiga al nacer el bebé, pero hace casi dos meses que di a luz y sigo teniendo pérdidas de orina al toser o reírme. ¿Es para siempre?"

Es completamente normal tener pérdidas ocasionales de orina en los meses siguientes al parto, generalmente al reír, estornudar, toser o realizar esfuerzos, y es muy frecuente (más de un tercio de las madres experimentan estas pérdidas). Esto se debe a que el embarazo y el parto han debilitado la musculatura que rodea la vejiga y la pelvis, dificultando el control del flujo de la orina. Además, al retraerse el útero durante las semanas siguientes al parto, éste queda justo sobre la vejiga, lo cual dificulta aún más el control. Los cambios hormonales posteriores al embarazo también pueden influir.

Se puede tardar entre tres y seis meses en recuperar el control total de la vejiga. Hasta entonces, use compresas para absorber las pérdidas de orina (nada de tampones: no sirven para detener el flujo de orina porque se introducen en otro conducto, y además no pueden usarse durante el posparto), y siga estos pasos para recuperar el control más rápidamente:

Realice los ejercicios de Kegel. ¿Pensaba que se había librado de ellos ahora que ya ha nacido el bebé? Pues no. Seguir con estos ejercicios que refuerzan la musculatura del suelo pélvico favorecen la recuperación del control de la orina ahora y para toda la vida.

Controle su peso. Empiece a deshacerse de los kilos del embarazo, ya que este peso adicional sigue presionando la vejiga.

Entrénese para controlar la vejiga. Orine cada 30 minutos –antes de tener ganas– e intente ir alargando el tiempo transcurrido entre viajes al baño unos cuantos minutos cada día.

Regule su actividad intestinal. Intente evitar el estreñimiento, para que los intestinos llenos no presionen la vejiga.

Beba mucho. Siga bebiendo al menos ocho vasos de líquidos al día. Aunque crea que al ingerir menos agua, las pérdidas serán menores, la deshidratación la hará más vulnerable a las infecciones del tracto urinario. Si la vejiga se infecta es más probable que la mujer tenga pérdidas, y si hay pérdidas, la vejiga está más expuesta a la infección.

Incontinencia fecal

"Me da mucha vergüenza, pero últimamente libero gases involuntariamente e incluso tengo pequeñas pérdidas fecales. ¿Qué puedo hacer?"

Para algunas madres recientes, la incontinencia fecal y los gases involuntarios se añaden a la lista de desagradables síntomas posparto. Esto es debido a que durante el parto, la musculatura y los nervios de la zona pélvica se estiran y a veces quedan dañados, lo cual puede dificultar

Cuando las pérdidas no cesan

Lo ha intentado todo para controlar la incontinencia urinaria o fecal –incluidos los ejercicios de Kegel que practica hasta la saciedad–, pero sigue teniendo pérdidas. No deje que la vergüenza le impida hablar de ello con su médico. Es posible que éste recomiende el *biofeedback* (una técnica sorprendentemente eficaz para controlar la incontinencia), otros tratamientos, o en casos extremos, la corrección mediante cirugía. Afortunadamente, la situación casi siempre se resuelve sin llegar a este tipo de intervención.

a la mujer el control al defecar. En la mayoría de los casos, el problema se resuelve por sí solo a medida que los músculos y nervios se recuperan, normalmente en cuestión de semanas.

Hasta entonces, evite los alimentos de difícil digestión (frituras, legumbres, col), y evite comer en exceso o con prisas (cuanto más aire ingiera, más probabilidades existen de que lo expulse en forma de gases). Seguir realizando los ejercicios de Kegel también ayudará a tonificar los músculos flácidos que sirven para controlar los esfínteres.

Dolor de espalda posparto

"Pensé que el dolor de espalda cesaría después del parto, pero no es así. ¿Por qué?"

En casi la mitad de los casos, este viejo amigo de los días de embarazo vuelve para acompañar a las madres recientes. Una parte del dolor tiene las mismas causas: los ligamentos, que las hormonas han aflojado y todavía no se han reafirmado. Los ligamentos pueden tardar algún tiempo, y semanas de dolor, en recuperarse. Lo mismo ocurre con la musculatura abdominal, debilitada y estirada, que alteraba la postura de la mujer durante el embarazo, ejerciendo tensión en la espalda. Y, por supuesto, ahora que tiene a un bebé, existe otro motivo para el dolor de espalda: cogerlo en brazos, agacharse, acunarle, alimentarle. A medida que el pequeño vaya creciendo, la espalda de la madre sufre más tensión.

Aunque el tiempo se encarga de curar la mayoría de dolencias, incluidas las molestias e incomodidades del posparto, también hay otras formas de aliviar el dolor de espalda:

- **Tonifique el abdomen.** Realice algunos ejercicios sencillos, como balanceos pélvicos, para fortalecer los músculos que aguantan la espalda.

- **Agáchese correctamente.** Doble las rodillas para recoger un objeto del suelo, o para coger en brazos al bebé.

- **Siéntese bien.** Cuando dé de mamar al bebé, adquiera una postura adecuada (por tentador que resulte dejarse caer sin más en el sofá, dado su estado de agotamiento). Su espalda se lo agradecerá, dele apoyo (con almohadas, reposabrazos, cojines).

- **Siéntese.** Aunque se pase el día de aquí para allá, sin parar, cuando pueda siéntese. Si tiene que permanecer de pie, coloque un pie sobre un taburete bajo para aliviar la presión sobre la zona lumbar.

- **Vigile su postura.** Mantenga la espalda recta, incluso cuando se balancee de un lado a otro. Los hombros caídos provocan dolor de espalda. A medida que el bebé crece, no lo apoye sobre la cadera, para no causar dolor de cadera.

- Eleve las piernas. Elevar los pies al sentarse –y dar de comer al bebé– aliviará la tensión de la espalda.

- Use una mochila portabebés. En lugar de cargarle siempre en brazos, coloque al bebé en una mochila portabebés. Con ello, no sólo calmará al pequeño sino que también calmará su dolor de espalda.

- Use ambos brazos. Muchas madres usan siempre el mismo brazo para cargar (o alimentar) al bebé. En lugar de ello, alterne en el uso de ambos brazos, así se fortalecerán los dos (y no sufrirá dolor lateral).

- Dese un masaje. Un masaje profesional, si tiene tiempo y se lo puede permitir, es lo que su musculatura necesita. También puede pedirle a su pareja que le haga uno.

- Aplíquese calor. Una compresa caliente puede aliviar el dolor de espalda y los dolores musculares. Aplíquela con frecuencia, especialmente durante las tomas.

A medida que su cuerpo se vaya adaptando a cargar con el bebé, probablemente notará que el dolor de espalda (y brazos, cadera y cuello) disminuye, y puede incluso desarrollar unos bonitos tríceps. Mientras tanto, otro consejo: llene la bolsa de los pañales sólo con lo estrictamente necesario, que ya pesa lo suyo.

Tristeza posparto

"Creía que iba a estar encantada cuando el bebé naciera, en cambio me siento deprimida. ¿Qué me ocurre?"

Es una de las mejores épocas de su vida; es una de las peores épocas de su vida. Así es como se sienten un 60-80% de las mujeres después del parto. La llamada tristeza puerperal parece surgir de la nada, normalmente entre el tercer y el quinto día posparto, algunas veces antes y otras veces más tarde, y provoca una inesperada melancolía e irritabilidad, llantos, inquietud y ansiedad. Llega de forma inesperada porque, al fin y al cabo, la llegada del bebé debería ser un momento feliz, y no desgraciado.

Resulta fácil comprender por qué la mujer se siente así si se para un momento y mira hacia atrás para recordar lo que le ha pasado a su cuerpo, su mente y su vida: rápidos cambios de los niveles hormonales (que descienden en picado después del parto); un regreso a casa agotador; las exigencias del bebé las 24 horas del día; la privación de sueño; un posible sentimiento de desilusión (pensaba que la maternidad iba a ser algo natural, y no lo es; esperaba un bebé redondito y gracioso, y está rojo y tiene la cabeza alargada); las complicaciones de la lactancia (pezones doloridos, congestión dolorosa); insatisfacción con su aspecto (las ojeras, la tripa que sigue enorme); y el estrés en su relación de pareja. Con semejante lista de retos a los que enfrentarse (por no hablar de los de la vida cotidiana), lo raro sería que no se sintiera deprimida.

La tristeza posparto suele desaparecer en un par de semanas a medida que la madre se adapta a su nueva vida y empieza a descansar algo más, o, más bien, empieza a funcionar mejor sin descansar tanto. Mientras eso ocurre, siga estos consejos para animarse:

Baje el listón. ¿Se siente abrumada y poco adecuada para su papel de madre? Recuerde que esta sensación no durará mucho. Con un par de semanas de práctica, se sentirá más cómoda. Mientras tanto, sea realista y baje el listón para usted y para el bebé. Como si se tratara de un mantra, repítase a sí misma: no existen los padres perfectos ni el bebé perfecto. Si sus expectativas son demasiado elevadas, se decepcionará con mayor facilidad. En lugar de ello, haga las cosas tan bien como sepa (en este momento puede no ser tan bien como quisiera, pero no pasa nada).

No lo pase sola. No hay nada más deprimente que quedarse solo con un bebé que llora, un montón de ropa sucia, una torre inclinada de platos sucios y la promesa (o garantía) de otra noche sin poder dormir. Pida ayuda a su pareja, su madre, su hermana, sus amigas, una doula o una asistenta.

Póngase guapa. Parecerá una tontería, pero no lo es. Dedicar un rato a tener buen aspecto la ayudará a sentirse mejor. Dúchese antes de que su pareja salga hacia el trabajo, póngase ropa limpia y tal vez un poco de maquillaje (y mucho corrector de ojeras).

Salga de casa. Resulta asombroso lo que puede conseguir un cambio de escenario, especialmente cuando el nuevo escenario no incluye un montón de correo por abrir (y facturas por pagar). Intente salir de casa al menos una vez al día. Pasee por el parque con el bebé, visite a una amiga (y si sus amigas también son madres, pueden intercambiar historias de tristeza, y luego reírse de ellas), dese una vuelta por el centro comercial. Cualquier cosa que evite que se quede en casa autocompadiéndose.

Dese un capricho. Vaya al cine, salga a cenar con su pareja, vaya a hacerse la manicura (pida a alguien que se quede con el bebé mientras tanto), o permítase una ducha larga. De vez en cuando, dese prioridad, se lo merece.

Muévase. El ejercicio físico crea endorfinas que proporcionan una sensación de bienestar natural y duradera. Apúntese a una clase de ejercicio posparto (preferentemente una a la que pueda acudir con el bebé, o donde haya servicio de guardería), adquiera un DVD para hacer ejercicio en casa, salga y realice ejercicios con el cochecito de paseo, o sencillamente, salga a pasear.

No se olvide de sus tentempiés. Con frecuencia, las madres están tan atareadas alimentando a sus bebés que se olvidan de comer ellas. Esto es un error: el nivel bajo de azúcar en sangre no sólo disminuye el nivel de energía sino que también influye en el estado de ánimo. Para mantenerse en forma, física y emocionalmente, haga acopio de tentempiés sustanciosos, fáciles de comer y fáciles de preparar. ¿Siente tentaciones de optar por una chocolatina? Adelante, hágalo si el chocolate la anima. Pero no lo haga con frecuencia porque las subidas de azúcar en sangre inducidas por el azúcar no duran mucho.

Llore y ríase. Si necesita llorar para desahogarse, hágalo. Pero cuando termine, póngase a ver una comedia y ríase. Ríase también de todos los percances que pueden sucederle: el pañal que pierde, los pechos que empiezan a gotear en la cola del supermercado, la regurgitación del bebé que la pilla sin toallitas. Ya sabe lo que dicen: la risa es la mejor medicina. Y un buen sentido del humor es el mejor amigo de los padres.

¿Sigue melancólica haga lo que haga? Recuerde que enseguida se le pasará la tristeza puerperal, en una o dos semanas, y entonces disfrutará de una época maravillosa de su vida.

Si los sentimientos de depresión persisten (más de dos semanas) o empeoran, y empiezan a interferir en su capacidad para cumplir con sus responsabilidades, llame al médico y lea la página siguiente.

"Me siento fenomenal desde el momento en que di a luz hace tres semanas. ¿Esta sensación de felicidad no será el preámbulo de la depresión?"

La tristeza posparto es común, pero no es obligatoria. De hecho, no hay motivo para creer que su estado de ánimo vaya a hundirse sólo porque ahora se sienta rebosante de felicidad. Como la tristeza puerperal suele ocurrir durante la primera o segunda semana posparto, es lógico pensar que se ha librado de ella.

El hecho de no sentirse deprimida, no obstante, no significa necesariamente que todos en casa se hayan librado de la tristeza posparto. Los estudios demuestran que si bien es poco probable que los papás (que, lo crea o no, también experimentan cambios hormonales posparto) se sientan deprimidos cuando sus parejas lo están, el riesgo de caer en un estado de tristeza posparto aumenta espectacularmente cuando la madre se siente fantásticamente bien. Por tanto, cerciórese de que su pareja no se siente decaída; algunos papás intentan esconder sus sentimientos para no preocupar a sus esposas.

Depresión posparto

"Mi bebé tiene más de un mes y yo sigo sintiéndome deprimida. ¿No debería estar ya mejor?"

Cuando la tristeza puerperal no desaparece, es probable que el motivo sea la depresión posparto. Aunque las dos expresiones con frecuencia se emplean indistintamente, la "tristeza puerperal" y la "depresión posparto" no son lo mismo. La verdadera depresión posparto es menos común (afecta a alrededor del 15% de las mujeres) y dura mucho más (de unas semanas a un año o más). Puede empezar con el parto, pero a menudo no lo hace hasta

uno o dos meses después. A veces no llega hasta que la mujer tiene su primera menstruación después del parto o hasta que desteta al bebé (posiblemente debido a la fluctuación hormonal). Son más propensas a la depresión posparto las mujeres que la han sufrido con anterioridad, las que tengan un historial familiar de depresión o síndrome premenstrual (SPM) acentuado, las que pasaron mucho tiempo deprimidas durante el embarazo, tuvieron un embarazo o un parto complicado, o tienen un bebé enfermo.

Los síntomas de depresión posparto son similares a los de la tristeza puerperal, pero mucho más pronunciados. Incluyen llantos e irritabilidad; problemas de sueño (no poderlo conciliar de noche o desear pasarse el día durmiendo); problemas con la comida (no tener apetito o tenerlo en exceso); sentimientos persistentes de tristeza, desesperanza e impotencia; incapacidad (o falta de deseo) para cuidar de sí mismas o del bebé; exclusión social; exceso de preocupación; aversión hacia el recién nacido; sentimiento de soledad; y pérdida de memoria.

Si no ha puesto en práctica las indicaciones para combatir la tristeza posparto (véase la pág. 493), pruébelo ahora. Algunas de ellas pueden ser de ayuda para aliviar la depresión posparto. Pero si los síntomas persisten más de dos semanas sin notar una mejora o si presenta síntomas más graves durante varios días, lo más probable es que la depresión no vaya a desaparecer sin ayuda profesional. No espere. Primero, llame al médico y sea muy clara al explicarle lo que siente. Es posible que le haga una prueba de tiroides; como las irregularidades de los niveles de la hormona tiroides pueden provocar inestabilidad emocional, éste suele ser uno de los primeros pasos al evaluar la depresión posparto (véase la pág. siguiente). Si los niveles de tiroides son normales, pida que la remi-

Ayuda en el caso de depresión posparto

Ninguna madre reciente debería tener que sufrir en silencio la depresión posparto. Por desgracia, muchas la sufren, bien porque creen que se trata de algo normal e inevitable después de dar a luz (no lo es), bien porque les avergüenza y temen pedir ayuda (lo cual deben hacer).

Las campañas de educación pública pretenden asegurar que toda mujer que precise ayuda la reciba lo antes posible para poder empezar a disfrutar lo antes posible del nuevo bebé. Los hospitales deberán enviar a las madres a casa con materiales educativos al respecto para que ellas (y sus maridos) sean capaces de detectar los síntomas enseguida y buscar tratamiento. Los médicos cada vez están mejor informados también: aprender a detectar los factores de riesgo durante el embarazo que podrían predisponer a una mujer a la depresión posparto, buscar síntomas de la afección de forma rutinaria durante el posparto y tratarla con rapidez, seguridad y éxito. Existen varias pruebas eficaces para la detección de la depresión posparto, como la Escala de Depresión Posparto de Edimburgo o el Test de Depresión Posparto de Beck.

La depresión posparto es una de las formas más tratables de depresión. De modo que si una mujer se sume en ella, no debe sufrir más de lo necesario. Debe hablar de ello y buscar ayuda médica enseguida.

tan a un terapeuta experimentado en el tratamiento de la depresión posparto y pídale hora de visita enseguida. Los antidepresivos (varios de ellos son seguros durante la lactancia), combinados con el asesoramiento psicológico, pueden ayudarla a sentirse mejor rápidamente. Algunos médicos recetan pequeñas dosis de antidepresivos durante el último trimestre del embarazo a las mujeres con un historial de depresión; otros recomiendan que las mujeres con riesgo elevado tomen antidepresivos justo después del parto para evitar la depresión posparto. La terapia lumínica puede aliviar los síntomas de esta enfermedad (este tipo de terapia emplea un tipo de luz que imita la luz natural y provoca cambios bioquímicos positivos en el cerebro que pueden animar a la paciente). Sea cual sea el tratamiento que usted y el médico decidan aplicar, recuerde que la detección precoz es clave. Sin ella, la depresión puede impedir a la madre establecer vínculos afectivos con el bebé, cuidarle y disfrutar de él. También puede tener efectos devastadores en las demás relaciones de la mujer (con su pareja, sus otros hijos), además de su propia salud y bienestar.

Algunas mujeres, en lugar de (o además de) deprimirse después del parto, se sienten extremadamente angustiadas o asustadas, en ocasiones experimentan ataques de pánico, que incluyen pulso y respiración acelerados, sofocos o escalofríos, dolor pectoral, mareos y temblores. Estos síntomas también requieren un rápido tratamiento por parte de un especialista, que puede incluir medicación.

Alrededor del 30% de las mujeres que sufren depresión posparto también muestran síntomas de trastorno obsesivo-compulsivo posparto. Entre ellos, despertarse cada 15 minutos para comprobar que el bebé sigue respirando, limpiar la casa de forma obsesiva, o

¿En baja forma a causa de la tiroiditis?

Casi todas las nuevas madres se sienten cansadas y en baja forma. La mayoría tiene problemas para perder peso. Muchas sufren depresión en uno u otro grado y también una cierta pérdida de cabello. El cuadro puede no ser muy halagüeño, pero para la gran mayoría de madres es el normal durante el posparto y va mejorando poco a poco con el tiempo. No obstante, en el 5-9% de mujeres que sufren de tiroiditis posparto, el cuadro puede no mejorar con el tiempo. El problema es que los síntomas de la tiroiditis se parecen a los que experimentan todas las madres, y por ello es posible que no se diagnostique ni se trate.

Para la mayoría de mujeres, la tiroiditis puede comenzar en cualquier momento entre el mes y los tres meses después del parto, con un breve episodio de hipertiroidismo. Este período de exceso de hormona tiroidea en circulación por la sangre de la madre puede durar unas pocas semanas o más tiempo. En este período, la mujer puede sentirse cansada y nerviosa, sentir mucho calor y experimentar una sudoración excesiva e insomnio, pero como todo ello es también común en el posparto, el diagnóstico no es fácil. En esta fase no se suele precisar tratamiento.

Este período suele ir seguido por otro de hipotiroidismo. En este caso, el cansancio continúa junto con depresión (más duradera y algo más grave que la típica tristeza posparto), dolores musculares, mala memoria e incapacidad para perder peso.

Si los síntomas de posparto parecen ser más pronunciados y persistentes de lo esperado, y sobre todo si impiden que la madre coma, duerma y disfrute de su hijo de forma adecuada, lo mejor es acudir al médico. Los análisis pueden determinar si se trata de un problema de tiroides. La mujer hará constar los posibles problemas de este tipo en su familia, ya que existe un vínculo genético muy fuerte.

La mayor parte de las mujeres se recuperan de la tiroiditis posparto durante el año posterior al parto. Mientras tanto, el tratamiento con hormona tiroidea puede ayudarlas a sentirse bien con mucha mayor rapidez. Un 25% de mujeres, no obstante, siguen siendo hipotiroideas, y durante toda su vida deben seguir con el tratamiento (un comprimido diario y un análisis de sangre anual). Incluso en aquellas que se recuperan de forma espontánea, es fácil que la tiroiditis se repita durante otro embarazo o después del mismo. Algunas pueden desarrollar hipertiroidismo o enfermedad de Graves en un momento posterior de sus vidas. Por este motivo, las mujeres que han tenido este problema deberían pasar un análisis anual de tiroides y, si planean quedar de nuevo embarazadas, repetirlo también antes y durante el embarazo (porque de no tratarse, puede interferir en la concepción y provocar problemas durante el embarazo).

pensamientos obsesivos centrados en hacerle daño al recién nacido (tirarle por la ventana o escaleras abajo). Estas mujeres se sienten horrorizadas ante sus pensamientos espantosos y violentos, aunque no los lleven a cabo (sólo las que sufren psicosis posparto pueden llegar a hacerlo). Pero tienen tanto miedo de perder el control y acabar cediendo a estos impulsos que pueden acabar desatendiendo al bebé. Igual que en el caso de la depresión posparto, el tratamiento del trastorno obsesivo-compulsivo posparto combina los antidepresivos con la terapia. Si la acechan este tipo de pensamientos y/o comportamientos obsesivos, busque ayuda explicándole al médico los síntomas.

Mucho menos frecuente y más grave que la depresión posparto es la psicosis posparto. Sus síntomas incluyen falta de realidad, alucinaciones y/o espejismos. Si la mujer experimenta sentimientos muy fuertes de suicidio o de agresividad, si oye voces o ve cosas inexistentes, o presenta otros síntomas de psicosis, debe llamar al médico de inmediato e insistir en recibir ayuda urgente. No debe infravalorar lo que está pasando ni dejarse convencer de que estos sentimientos son normales en el posparto, ya que no lo son. Para asegurarse de no materializar ninguno de los impulsos peligrosos mientras espera ayuda, lo mejor es buscar la compañía de un vecino, un amigo o un familiar, o dejar al bebé en un lugar seguro (como la cuna).

Recuperar el peso y la silueta anteriores al embarazo

"Ya me esperaba que inmediatamente después del parto no tendría una silueta como para llevar bikini, pero al cabo de una semana aún parece que esté de seis meses."

Aunque no hay ninguna dieta más efectiva que el parto para perder peso rápidamente (una media de 6 kilos de un día para otro), la mayoría de las mujeres no la encuentran lo suficientemente efectiva. Sobre todo después de haberse visto en el espejo poco después de haber dado a luz.

El hecho es que nadie sale de la sala de partos con un aspecto mucho más delgado del que tenía al entrar. En parte, esto se debe al útero, aún agrandado, que habrá recuperado su tamaño al cabo de seis semanas tras el parto, reduciendo así el volumen abdominal. Otra razón del volumen son los líquidos aún acumulados, que desaparecerán al cabo de pocos días de dar a luz. El resto del problema se debe a la piel y los músculos distendidos, que requerirán cierto esfuerzo para su recuperación (véase la pág. 502).

Por muy difícil que resulte olvidarse del tema, lo mejor es no preocuparse por la silueta en las seis primeras semanas de posparto, sobre todo si se está dando de mamar al bebé. Es un período de recuperación y se precisa una dieta nutritiva (y mucho descanso) para tener energía y resistencia a las infecciones. Si al cabo de seis semanas la madre aún no ha perdido nada de peso, puede comenzar a reducir un poco las calorías. Si está amamantando, no se pase. Ingerir calorías insuficientes puede hacer disminuir la producción de leche, y quemar grasa con demasiada rapidez puede liberar toxinas en la sangre que podrían terminar en la leche materna. Si no amamanta a su hijo, puede iniciar una dieta para perder peso sensata y equilibrada.

Algunas mujeres observan que los kilos extra se van pronto al dar de mamar, otras se desaniman al ver que la báscula no se mueve. En este último caso, no hay que desesperarse; tras el destete tendrá ocasión de perder los kilos de más.

La rapidez con la que se recupera el peso anterior al embarazo depende también de los kilos aumentados durante el mismo. Si la mujer no engordó mucho más de 11 kilos, podrá volverse a enfundar los viejos tejanos en pocos meses, sin necesidad de hacer dieta. Sin embargo, si engordó 16 kilos o más, le costará más recobrar la silueta anterior, de diez meses a dos años.

Sea cual sea su caso, dese tiempo. Recuerde que tardó nueve meses en aumentar todo ese peso y es posible que tarde el mismo tiempo en deshacerse de él.

Recuperación a largo plazo en caso de cesárea

"Hace una semana que di a luz por cesárea. ¿Qué cabe esperar a partir de ahora?"

Aunque ya ha pasado un período importante, aún le quedan unas pocas semanas de recuperación, como a todas las mujeres que acaban de ser madres. No debe olvidar que, cuanto más respete el descanso necesario y los consejos del médico, más corto será el plazo de recuperación. Mientras tanto, cabe esperar:

Dolor escaso o nulo. Ya debería haber desaparecido casi por completo. Pero si continúa sintiéndolo, un analgésico suave puede ayudarla.

Mejora progresiva. La cicatriz estará sensible y dolorida durante unas pocas semanas, pero mejorará constantemente. Para evitar que se irrite, se la puede cubrir con una gasa. Las prendas sueltas, poco apretadas, resultarán más cómodas. Una tirantez ocasional o unos dolores breves en la zona de la cicatriz forman parte normal de la curación y desaparecerán con el tiempo. Luego puede aparecer el picor (el médico puede recetarle una pomada para aliviarlo). El entumecimiento del abdomen alrededor de la cicatriz puede durar más tiempo, posiblemente varios meses. La hinchazón del tejido cicatrizal disminuirá probablemente y la cicatriz se volverá rosada o púrpura antes de palidecer.

Si el dolor se vuelve persistente, si la zona que rodea la incisión adquiere un color rojo intenso, o si la herida presenta una supuración parda, gris, amarilla o verde, la mujer deberá llamar al médico. Es posible que la incisión se haya infectado. (Una reducida expulsión de líquido claro puede ser normal, pero de todos modos es mejor informar también de ella al médico si se produce.)

Esperar al menos cuatro semanas para reanudar el coito. Las recomendaciones son más o menos las mismas en las mujeres que han pasado por un parto vaginal y en las que han sido sometidas a una cesárea (aunque la espera viene determinada por la cicatrización del corte). Encontrará más información en la pregunta siguiente.

Empezar los ejercicios. Una vez desaparecido el dolor, podrá empezar a hacer ejercicio físico. Los ejercicios de Kegel son importantes aunque haya dado a luz con el perineo intacto, porque el embarazo afecta a la musculatura del suelo pélvico de todas formas. Concentrarse más bien en ejercicios para los músculos abdominales. (Véase el apartado sobre la recuperación de la línea, pág. 502.) La divisa será "lento y seguro"; empezar el programa gradualmente y hacer los ejercicios cada día. La mujer deberá esperar que pasen unos meses antes de volver a ser ella misma.

Reanudación de las relaciones sexuales

"¿Cuándo podremos volver a hacer el amor?"

Ello depende, en parte, de ustedes, si bien deberán consultarlo antes con el médico. La recomendación habitual es que la pareja reanude su vida sexual cuando la mujer se sienta físicamente preparada para ello (normalmente a las cuatro semanas posparto), aunque algunos médicos dan luz verde al sexo ya a las dos semanas posparto y otros siguen la vieja norma de las seis semanas. En determinadas circunstancias (por ejemplo, si la recuperación ha sido lenta o si la mujer ha tenido una infección), el facultativo puede aconsejar que esperen más tiempo. Si el médico recomienda la abstinencia, pero usted cree que está preparada para el coito, pregúntele sus motivos. Si no hay motivo, pregunte si pueden reanudar las relaciones antes. Si por motivos de salud o seguridad conviene esperar seis semanas, tómese una ducha fría –tal vez junto a su pareja– y esperen el visto bueno del médico, y recuerden que el tiempo vuela cuando se cuida de un recién nacido. Mientras tanto, pueden poner en práctica otras formas de contacto amoroso.

"La comadrona me ha dicho que ya puedo reanudar las relaciones sexuales, pero me da miedo el dolor. Además, para ser sincera, no me apetece mucho."

En la lista de prioridades para la madre durante el posparto, el sexo no suele estar nunca en los diez primeros puestos, y con razón. La mayoría de las mujeres se sienten como usted durante el período posparto –y después– por una serie de razones comprensibles. En primer lugar, como ya sospecha, el sexo durante el posparto puede causar más dolor que placer, especialmente si la mujer dio a luz por parto vaginal, pero también si dilató y luego le practicaron una cesárea. Al fin y al cabo, la vagina se ha estirado hasta llegar a sus límites y posiblemente se haya lacerado o se ha cortado quirúrgicamente, lo cual ya implica dolor al sentarse, así que como para plantearse el coito. Los lubricantes naturales todavía no han vuelto a su función y la mujer se siente incómoda y seca, especialmente si amamanta al bebé. Hay que añadir al potencial dolor los niveles bajos

de estrógeno, que hacen que el tejido vaginal sea fino, algo que tampoco ayuda.

Pero la libido de la mujer tiene otros problemas que combatir durante este período además de los físicos: la preocupación por una personita con muchas necesidades, que se despierta con el pañal lleno y el estómago vacío en los momentos más inoportunos. Por no hablar de otros aspectos descorazonadores, como el olor de leche regurgitada de las sábanas, el montón de ropa de bebé sucia al pie de la cama, el hecho de no acordarse de cuándo se duchó por última vez. No es sorprendente que su apetito sexual haya desaparecido temporalmente.

¿Volverá a apetecerle algún día? Por supuesto que sí. Como todo lo demás que está ocurriendo en su nueva vida, sólo es cuestión de tiempo y paciencia (especialmente de su pareja). Espere hasta que se sienta preparada, o prepárese siguiendo estos consejos:

Lubricación. Utilizar una crema lubricante hasta que se produzcan de nuevo las secreciones naturales puede reducir el dolor y aumentar el placer de las relaciones. Compre la crema en tamaño familiar para poder usarla generosamente (los dos).

Relájese. Tomar una copa de vino puede ayudar a la mujer a relajarse y evitar que se ponga tensa y experimente dolor durante el coito (pero beba justo después de una toma si da de mamar al bebé). Otra manera de relajarse es con un masaje; pida uno antes de entrar en acción.

Juegos previos. Seguro que su pareja está tan ansiosa como siempre para entrar en acción. Pero, aunque él no precise de preliminares, usted sí. Y pida más. Cuanto más esfuerzo dedique él a motivar a la mujer (siempre y cuando dispongan de tiempo antes de que el bebé vuelva a despertarse), mejor será la experiencia para ambos.

¿Quiere saber más?

Encontrará más información y consejos para reanudar sus relaciones sexuales después del parto, así como sobre los métodos anticonceptivos, en el libro *Qué se puede esperar el primer año.*

Hable claro. Usted sabe qué es lo que duele y qué es agradable, pero su pareja no lo sabe, a menos que le proporcione la información ("A la izquierda... no, a la derecha... no, abajo... un poco más arriba; ahí ¡perfecto!").

Variar las posturas. Experimenten y encuentren una postura que incida menos en las zonas doloridas y dé control a la mujer sobre la penetración. Las posturas de lado o con la mujer encima son ideales por estos motivos. Sea quien sea quien marque la pauta, debe avanzar despacio y con tiento.

Prepárese. Restablezca el tono muscular de la vagina realizando los ejercicios de los que estará harta de oír hablar (pero debería seguir practicando): los ejercicios de Kegel. Realícelos de día y de noche (no olvide hacerlos durante el coito, ya que la presión ejercida complacerá a ambos).

Encuentren modos alternativos de gratificación. Si el acto sexual no resulta placentero, se puede buscar la satisfacción sexual a través de la masturbación mutua o del sexo oral. O si son demasiado recatados para ello, busquen el placer de estar simplemente juntos. No hay absolutamente nada malo en estar juntos en la cama, besarse, acariciarse y contarse cosas sobre el bebé.

Y, como colofón, un consejo: aunque practicar el coito le haga un poco de daño la primera vez (y la segunda y la tercera...), no se dé por vencida ni renuncie. Muy pronto (aunque ahora no se lo parezca) volverá a recuperar el placer del sexo (para usted y su pareja).

Quedar embarazada de nuevo

"Pensaba que dar el pecho era una forma natural de control de la natalidad. Pero ahora me han dicho que sí puedo quedar embarazada mientras lo hago e incluso antes de volver a tener la menstruación."

A menos que no le importe volver a quedarse embarazada enseguida, no se fíe en absoluto de la lactancia como método anticonceptivo.

Es cierto que las mujeres que dan el pecho a sus hijos presentan de nuevo sus ciclos menstruales normales más tarde, por término medio, que las madres que no los amamantan. En las madres que no dan el pecho, la menstruación empieza habitualmente entre las 6 y las 12 semanas después del parto, mientras que en las madres que sí lo hacen el promedio se halla entre los 4 y los 6 meses. Pero, como siempre, los promedios pueden inducir a error. Se conocen casos de madres que dan el pecho y vuelven a tener la menstruación a las 6 semanas del parto o, por el contrario, a los 18 meses del mismo. El problema estriba en que no existe un modo seguro de predecir el momento en que volverá la menstruación, aunque este proceso está influido por diversas variables. Por ejemplo, la frecuencia de las tomas (más de tres al día parece suprimir con mayor seguridad la ovulación), la duración de la lactancia (cuanto más tiempo dura, más tarda en producirse la ovulación), y el hecho de si la leche materna se suplementa o no de algún modo (el bebé toma biberones, alimentos sólidos, incluso agua; todos ellos son factores que pueden llegar a reducir el efecto inhibidor que la lactancia suele ejercer sobre la ovulación).

¿Por qué preocuparse del control de la natalidad antes del primer período menstrual? Porque el momento en que la mujer ovulará por primera vez después del parto es tan impredecible como el momento en que menstruará de nuevo. Algunas mujeres tienen un primer período estéril; es decir, no ovulan durante el ciclo. Otras ovulan antes de tener el período y por consiguiente pueden pasar de un embarazo a otro sin haber tenido una menstruación.

Puesto que no se sabe qué vendrá primero, el período o la ovulación, es altamente aconsejable tomar precauciones en forma de contracepción.

Desde luego, pueden producirse sorpresas. Incluso cuando la mujer esté usando un método anticonceptivo –y sobre todo, si no lo hace–, aún es posible que quede embarazada. Si la mujer tiene alguna sospecha de que podría estar embarazada, lo mejor que puede hacer es hacerse un test.

Véase la página 46 para obtener más información acerca de dos embarazos seguidos.

Recuperar la línea

Una cosa es parecer embarazada de seis meses cuando se está embarazada de seis meses, y otra muy distinta es tener aspecto de embarazada cuando ya se ha dado a luz. Sin embargo, la mayoría de las mujeres salen de la sala de partos con una figura no mucho más esbelta de la que tenían al entrar, con un bulto encantador entre los brazos y con varios bultos aún alrededor de la cintura. En cuanto a los vaqueros ceñidos que con tanto optimismo la futura madre colocó en la maleta para ponérselos al salir del hospital, lo más probable es que no salgan de la maleta y deban ser sustituidos por unos pantalones premamá.

¿Cuánto tiempo deberá pasar para que una nueva madre deje de parecer una futura madre? La respuesta dependerá básicamente de cuatro cosas: el aumento de peso durante el embarazo; el control de las calorías; la cantidad de ejercicio físico y el metabolismo y la herencia.

"¿Más ejercicio?", puede preguntarse la madre. "He estado en perpetuo movimiento desde que volví a casa del hospital. ¿No es bastante ejercicio?" Desgraciadamente, la respuesta es no. Por agotadora que sea, esta actividad general no tensa los músculos perineales y abdominales que han quedado distendidos por el embarazo. Esto sólo lo conseguirá un buen programa de ejercicios. El tipo adecuado de ejercicios posparto no sólo tonificará a la mujer, también evitará dolores de espalda, favorecerá la cicatrización, acelerará la recuperación del parto y ayudará a reforzar las articulaciones distendidas, mejorando la circulación y reduciendo el riesgo de otros síntomas molestos del posparto, desde varices a calambres en las piernas. Los ejercicios de Kegel, que refuerzan los músculos del perineo, ayudan a evitar la incontinencia (goteo de orina) y problemas sexuales en el posparto. Por último, el ejercicio físico puede conllevar profundas ventajas psicológicas: las endorfinas que libera mejoran el humor de la madre y la capacidad de hacer frente al estrés de la nueva maternidad. De hecho, los estudios demuestran que las madres que retoman el ejercicio durante las seis primeras semanas posparto se sienten mejor con ellas mismas y también se sienten físicamente mejor.

La mujer puede empezar antes de lo que ella cree. Si el parto fue vaginal y sin complicaciones, y no existe ningún otro problema físico, el programa de ejercicios puede comenzar ya a las veinticuatro horas del parto.

Si la mujer ha tenido un parto quirúrgico o traumático, primero deberá hablar con el médico.

No obstante, no hay que comenzar con grandes esfuerzos, ya que el cuerpo todavía está en recuperación y precisa empezar de una forma pausada y cuidadosa.

El siguiente programa de tres fases es una buena guía a seguir. Puede ser complementado con un libro de ejercicios o un DVD, clases para posparto (estar en compañía aumenta la motivación y muchas mujeres llevan también a sus bebés) o bien paseos diarios con el cochecito.

Normas básicas para las primeras seis semanas

- Llevar un sujetador adecuado y ropa cómoda.

- Intentar dividir los horarios de ejercicio en dos o tres sesiones cómodas, en lugar de una larga, al día (esto tonifica mejor los músculos, el cuerpo lo acepta mejor y suele ser más fácil de organizar).

- Comenzar cada sesión con el ejercicio que parezca menos cansado.

- Realizar los ejercicios poco a poco, y nunca hacer series de repeticiones rápidas. Siempre hay que descansar entre los movimientos (ya que es entonces cuando tiene lugar la formación muscular, no mientras hay actividad).

- Como durante el embarazo, evitar saltos y movimientos bruscos y erráticos durante las primeras seis semanas de posparto. Evitar también los ejercicios de rodillas hacia el tórax, pasar a posición sentada cuando se está echada en el suelo y elevaciones

dobles de piernas a lo largo de este período.

- Sustituir la pérdida de líquidos mientras se hace ejercicio. Tenga una botella de agua junto a usted mientras entrena y vaya tomando sorbos. Debería tomar uno o dos vasos adicionales de líquido (más si las sesiones de entreno son más largas y duras).

- Tomárselo con calma y con sensatez. No haga más de lo recomendado, aunque se sienta capaz, y deténgase antes de cansarse. Si se extralimita, probablemente no lo notará hasta el día siguiente, y entonces estará demasiado cansada y dolorida para hacer ejercicio.

- No permitir que el cuidado del bebé impida cuidarse bien a una misma. Al bebé le encantará estar tumbado sobre el pecho de la madre mientras ella realiza sus ejercicios.

La posición básica

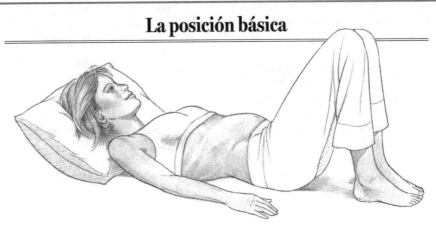

Tumbada boca arriba, con las rodillas dobladas y las plantas planas sobre el suelo. La cabeza y los hombros deben estar apoyados sobre almohadones y los brazos planos sobre el suelo.

Balanceo pélvico

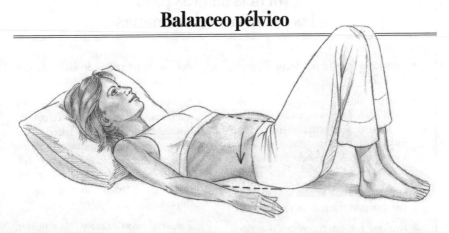

Tumbada boca arriba en la posición básica, inspirar y sacar el aire mientras se presiona la parte baja de la espalda contra el suelo durante 10 segundos. Relajarse. Repetir tres o cuatro veces al principio, aumentando luego hasta 12 repeticiones y después 24.

Primera fase: 24 horas después del parto

Tiene unas ganas locas de volver a ponerse en forma. Pues lo tiene bien fácil. Empiece con los ejercicios siguientes:

Ejercicios de Kegel. Se puede empezar a hacer estos ejercicios inmediatamente después del parto (véanse las indicaciones en la pág. 327), aunque al

Deslizamiento de piernas

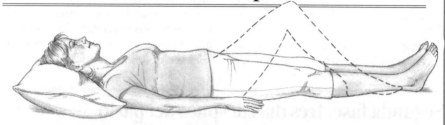

Colocarse en la posición básica. Estirar lentamente ambas piernas hasta que estén planas sobre el suelo. Deslizar el pie derecho, siempre plano sobre el suelo, hacia las nalgas otra vez, inspirando durante este movimiento. Mantener la zona lumbar en contacto con el suelo. Sacar el aire mientras se estira de nuevo la pierna. Repetir con el pie izquierdo. Comenzar con 3 o 4 deslizamientos con cada pierna y aumentar poco a poco hasta llegar a 12 o más sin cansarse. Al cabo de tres semanas, cambiar a elevación de piernas (elevar una pierna cada vez muy poco del suelo y bajarla de nuevo muy despacio), siempre que este ejercicio resulte cómodo.

Elevación de cabeza/hombros

Colocarse en la posición básica. Inspirar profundamente y alzar la cabeza muy poco, extendiendo los brazos, sacando el aire durante este movimiento. Bajar la cabeza poco a poco e inspirar. Cada día se intentará elevar la cabeza algo más, con la idea de llegar a elevar los hombros del suelo. No intentar alcanzar la posición sentada durante las seis primeras semanas y a partir de entonces hacerlo sólo si el tono muscular del abdomen había sido anteriormente bueno. Compruebe también antes de hacerlo que no existe separación abdominal (véase la pág. 506).

principio la madre no sentirá sus músculos al hacerlos. Pueden realizarse en cualquier posición cómoda, y la comodidad es clave cuando se acaba de dar a luz. Cualquier momento es bueno para hacer los ejercicios de Kegel, pero intente habituarse a practicarlos mientras da de comer al bebé, cosa que hará durante horas en los próximos meses. Se repetirá hasta 25 veces, de cuatro a seis veces al día, y se seguirá durante el resto de la vida para mantener una buena salud pélvica (¡y aumentar el placer sexual!).

Respiración diafragmática profunda.
Colocándose en la posición básica (véase el recuadro de la pág. 504), poner las manos sobre el abdomen, para poder notar cómo se levanta a medida que respiramos lentamente por la nariz; contraer los músculos abdominales a medida que se deja salir lentamente el aire por la boca. Empezar con únicamente dos o tres respiraciones profundas para evitar la hiperventilación. (En caso de haberse excedido, los signos de hiperventilación serán vahídos, cosquilleos o visión borrosa.)

Segunda fase: tres días después del parto

Si está ansiosa por recuperar su forma física, ahora es el momento de avanzar en el programa de ejercicio. Pero antes de hacerlo, la mujer deberá asegurarse de que los dos músculos verticales de la pared abdominal (denominados músculos abdominales rectos) no se han separado durante el embarazo. Si lo han hecho, podrá acelerar su curación realizando el ejercicio que se describe en el recuadro siguiente antes de empezar a realizar ejercicios abdominales.

Una vez cerrada la separación, o si no se tiene, se puede realizar el ejercicio de elevación de cabeza/hombros, el deslizamiento de piernas y los balanceos pélvicos (véanse las ilustraciones de las págs. 504 y 505).

Todos estos ejercicios deberán llevarse a cabo en la posición básica. Al principio, podrán efectuarse sobre la cama y posteriormente sobre un suelo bien amortiguado.

Vale la pena comprar una esterilla apropiada, no sólo para practicar con mayor facilidad y comodidad los ejercicios ahora, sino porque más tarde el bebé podrá empezar a darse la vuelta y efectuar sus primeros intentos de gateo sobre ella.

Cerrar la separación abdominal

Es probable que tenga un agujero en la barriga (y no se trata del ombligo). Lo que se conoce como diastasis es una separación de la musculatura abdominal que puede desarrollarse cuando a la madre le crece la barriga durante el embarazo. Puede tardar uno o dos meses en cerrarse después del parto, y la mujer deberá esperar a que lo haga para empezar con los ejercicios abdominales o bien se expone a un riesgo de lesión. Para determinar si existe la separación, puede autoexaminarse del siguiente modo: adoptar la posición básica, levantar ligeramente la cabeza, con los brazos extendidos; buscar si existe un bulto blando justo debajo del ombligo. Este bulto es signo de que se ha producido la separación.

En caso de tener una diastasis, la mujer puede acelerar su curación realizando el siguiente ejercicio: adoptar la posición básica, tomar aire. Cruzar entonces las manos sobre el abdomen, usando los dedos para juntar los lados de los músculos abdominales al mismo tiempo que se saca el aire y se empuja el ombligo hacia la columna y se levanta lentamente la cabeza. Tomar aire de nuevo mientras se baja la cabeza lentamente. Repetir tres o cuatro veces, dos veces al día.

Tercera fase: después del chequeo posparto

Ahora, con el permiso del médico, la mujer puede poner en práctica un programa de ejercicios más activo. Puede retomar gradualmente o empezar un programa que incluya pasear, correr, ir en bicicleta, nadar, ejercicios acuáticos, aeróbic, yoga, Pilates, pesas o actividades similares. O apuntarse a una clase de ejercicio posparto. Sin embargo, no intentará hacerlo con demasiado vigor ni demasiado pronto. Lo mejor es que el propio cuerpo sea el que decida.

Amamantar y entrenar

Buenas noticias para las nuevas madres que deseen hacer ejercicio. El entreno físico –incluso si es intenso– no agriará la leche materna, como es posible que haya oído. Puede que sepa más salada, debido al sudor de los pezones, pero al bebé puede incluso gustarle el sabor. Por tanto, cuando el médico le dé el visto bueno no dude en entrenar y hacer el ejercicio que le apetezca. Dar de mamar al bebé antes de hacer ejercicio puede hacer el entreno más cómodo (ya que los pechos no estarán tan llenos), pero no es indispensable. Y no olvide usar un sujetador que aguante mucho, ahora lo necesita más que nunca.

PARTE 5

Para ellos

CAPÍTULO 19

Los padres también están esperando

AUNQUE ES CIERTO QUE SÓLO LAS mujeres pueden quedar embarazadas –a pesar de los avances médicos y de las películas de Hollywood–, también es cierto que los padres viven asimismo la espera. No sólo son miembros esenciales del equipo creador del bebé, sino que el cuidado y el apoyo que prestan a sus esposas embarazadas los convierte en unos protectores muy valiosos del bebé aún por nacer. Los futuros padres no sólo comparten las alegrías del embarazo, el parto y el cuidado del hijo, sino también las preocupaciones; y es muy probable que gran parte de las preocupaciones sean las mismas para los dos miembros del equipo de futuros padres, si bien algunas serán propiamente suyas. Como su pareja, ellos también tienen derecho a alguna frase tranquilizadora, no sólo durante el embarazo y el parto, sino también en el posparto.

Y de ahí la razón de este capítulo, dedicado al compañero en la reproducción, que con frecuencia es tratado con cierta negligencia. Sin embargo, este capítulo no sólo está pensado para ellos, del mismo modo que el resto del libro

Preparados, listos... ¡ya!

Para que el bebé venga al mundo en las mejores condiciones posibles, se puede comenzar incluso antes de que el espermatozoide se una al óvulo. Si su compañera aún no está embarazada, ambos tienen tiempo para una preparación óptima. Para ello, lean el Capítulo 1 y sigan las recomendaciones para el período anterior a la concepción. Si su pareja ya está encinta, no se preocupen por lo que no han hecho; comiencen desde ahora mismo a cuidarse.

no sólo va destinado a las mujeres. La futura madre puede llegar a comprender mejor lo que siente, teme y espera su pareja tanto en el transcurso del embarazo como en el parto y posparto si lee atentamente este capítulo; el futuro padre obtendrá un mejor conocimiento de los cambios físicos y emocionales que sufre su mujer durante el embarazo, el parto y el posparto, y se preparará mejor para su propio papel, si lee el resto del libro.

Qué puede preocupar

Hacer frente a los síntomas de la mujer

"Mi pareja está teniendo todos los síntomas posibles: náuseas, antojos y aumento de la frecuencia urinaria. No sé qué hacer, me siento inútil."

Su pareja es presa de las hormonas del embarazo (que en ocasiones parecen invadir su ser). Estas hormonas, esenciales para la fabricación del bebé, también pueden producir una serie de síntomas asombrosos (y a veces desconcertantes): a ella le cuesta acostumbrarse a ellos y a usted le cuesta estar a su lado sin poder hacer nada al respecto.

Afortunadamente, no tiene por qué quedarse sin hacer nada. Para ayudar a su pareja embarazada a sentirse mejor, lea la información acerca de cada síntoma y ponga en práctica alguna de las siguientes estrategias:

Mareos matutinos. Este síntoma del embarazo no hace honor a su nombre. La mujer puede experimentarlo las 24 horas del día y verse obligada a correr al baño por la mañana, por la tarde y por la noche. La pareja puede hacer que la mujer se sienta mejor, o al menos que no se sienta peor. No use la loción para después del afeitado que ella de repente encuentra repugnante y aparte la cebolla de la ensalada. Llénele el depósito de su coche para que no tenga que soportar el olor a gasolina que tanto la molesta ahora. Proporciónele los alimentos que no le provocan mareos: *ginger ale*, batidos, galletas saladas (pero pregunte primero porque lo que calma el estómago de una mujer puede revolver el estómago de otra). Apóyela cuando vomite: aguántele el cabello, tráigale agua fría, frótele la espalda. Anímela a comer pequeñas colaciones a lo largo del día en lugar de hacer tres comidas abundantes (esto puede disminuir los mareos y náuseas).

Recuerde que no debe hacer bromas sobre el tema. Si se pasase 10 semanas vomitando, no lo encontraría gracioso. Ella tampoco.

Antojos y aversiones. ¿Ha notado que le dan asco algunos alimentos que antes le encantaban o que otros alimentos que antes no comía (o no en las combinaciones actuales) ahora la vuelven loca? No bromee acerca de este cambio de preferencias, la mujer es tan incapaz de controlarlas como usted de comprenderlas. En lugar de ello, ayúdela manteniendo lejos los alimentos que la molestan. Sorpréndala con su bocadillo –ahora favorito– de melón, pepinillos y queso.

Esfuércese por conseguirle a la hora que sea ese pastel de chocolate, y ambos se sentirán mejor.

Cansancio. Si se siente cansado al final del día, piense en esto: su pareja gasta más energía tumbada en el sofá fabricando el bebé que usted levantando pesas en el gimnasio. Eso significa que ella

Familias de cualquier tipo

La mayoría de consejos en este capítulo se aplican también a familias no tradicionales. En ese caso se elegirán las preguntas y respuestas que se adapten a la situación particular de cada cual.

siempre estará más cansada de lo que usted puede imaginar. Por eso, le agradecerá que tome usted la iniciativa y sea quien recoja la ropa sucia, pase el aspirador, quite el polvo, haga la colada y limpie el baño. (Además, el olor de los productos de limpieza también empeora sus mareos.) Deje que ella le observe cómodamente tumbada en el sofá (aunque ésta haya sido siempre su postura favorita).

Dificultad para dormir. La mujer está fabricando un bebé, pero es posible que no consiga dormir como un bebé. En lugar de ponerse a roncar la próxima vez que su esposa tenga insomnio, acompáñela mientras no le entre sueño. Cómprele una almohada de embarazo o acomódela en la cama distribuyendo a su alrededor unos almohadones. Relájela con un masaje en la espalda, un vaso de leche caliente y una magdalena. Hablen acostados en la cama. Abrácela cuando lo necesite. Y si una cosa lleva a la otra, tal vez ambos duerman mejor. (Pero no espere una recompensa sexual a sus atenciones; por muchas razones, es posible que a ella no le apetezca hacer el amor estos días.)

Micción frecuente. Este síntoma no dejará a su esposa durante el primer trimestre, y volverá de nuevo el tercer trimestre. Intente no ocupar el baño

cuando ella pueda necesitarlo, y procure que siempre esté en buenas condiciones de uso. Acuérdese de bajar la tapa del inodoro tras cada uso (especialmente por la noche), y procure que el pasillo esté libre de obstáculos (su maletín, sus zapatillas de deporte, una revista) y alumbrado con una lamparilla para que ella no tropiece cuando se dirija al baño. Y tenga paciencia cuando su mujer deba levantarse tres veces mientras ven una película o le haga detener el coche seis veces de camino a casa de sus padres.

Síntomas por empatía

"Si es mi mujer la que está embarazada, ¿por qué estoy sufriendo mareos matutinos?"

Las mujeres no tienen la exclusiva en los síntomas de embarazo. La mitad o más de padres (según el estudio que se consulte) sufren del síndrome de Couvade durante el embarazo de sus esposas. Los síntomas del Couvade[1] pueden imitar en un hombre casi todos los síntomas normales que presenta una mujer durante su embarazo: náuseas y vómitos, dolor abdominal, variación del apetito, aumento de peso, antojos, estreñimiento, calambres en las piernas, vahídos, fatiga y cambios de humor.

Las emociones que se sienten en esta época pueden provocar la aparición de estos síntomas, desde empatía por la mujer embarazada (uno desea poder

---

[1] Entre nosotros este síndrome es excepcional, posiblemente porque el embarazo está menos psicotizado que en Estados Unidos. Lo que sí tenemos es la "covada" del marido gallego, donde existía una antigua tradición, supongo que ya perdida, según la cual en el posparto el hombre era amorosamente cuidado, se le daba un buen caldo y se encamaba mientras la recién madre se ponía a trabajar. *(Nota del revisor.)*

sentir su dolor, y lo siente) a ansiedad (el marido está estresado por el embarazo o porque va a convertirse en padre) y celos (el hombre quiere una parte de la atención). Pero los síntomas por empatía implican algo más que identificación con la mujer. De hecho, también intervienen factores físicos. Lo crea o no, las hormonas femeninas de su esposa no son las únicas que aumentan. Las investigaciones demuestran que las hormonas femeninas aumentan en el hombre durante el embarazo y tras el nacimiento del hijo. Aunque posiblemente la cantidad de hormonas femeninas en el padre no bastarán para hacer que le crezcan los pechos, es probable que sí le hagan crecer un poco la tripa, o que se le antoje comer su bocadillo preferido cada vez que vea uno, o levantarse por la noche para comer unos pepinillos (o todo ello). Y estas fluctuaciones hormonales no se deben al azar, ni a un sentido del humor desviado de la madre naturaleza. Están diseñados para despertar en el hombre su lado más protector; es el modo que tiene la naturaleza de hacer despertar el padre que se lleva dentro. Así, el hombre no sólo se prepara para los cambios de pañal que le esperan, sino que además ayuda a ambos a enfrentarse a los cambios que tienen ante ustedes. Estos cambios hormonales también ayudan al padre a canalizar los sentimientos en ocasiones incómodos para llevar a cabo acciones productivas. Use su empatía para cocinar y para limpiar el baño; enfréntese a su ansiedad hablando de ella con su esposa y con sus amigos que ya son padres; siéntase menos excluido implicándose más en el embarazo y los preparativos para la llegada del bebé.

Puede estar seguro de que los síntomas que no desaparezcan durante el embarazo lo harán poco después del parto, aunque es posible que aparezcan otros en el posparto. También es normal que el futuro padre no sienta nin-gún mareo durante todo el embarazo de su esposa. Que no sufra mareos matutinos o no aumente de peso no significa que el futuro padre no empatice o se identifique con su esposa, sino que ha hallado otras formas de hacerlo. Cada futuro padre, como cada futura madre, es diferente.

Sentirse excluido

"Me siento como si no tuviera nada que ver con el embarazo ahora que la concepción ya no es el tema principal."

Muchos padres en ciernes comparten esta sensación de estar al margen de lo que sucede. Después de todo, la mujer es la que recibe más atención (de los amigos, familiares, médicos). Ella es quien está físicamente conectada con el bebé.

No se preocupe. El hecho de que el embarazo no tenga lugar en su cuerpo no significa que no pueda compartirlo. No espere una invitación para abandonar el banquillo. Su pareja tiene muchas cosas en la cabeza y le corresponde a usted dar el primer paso. Dígale que se siente arrinconado y pídale que le deje participar. Seguramente ella no se habrá dado cuenta de haberle excluido del embarazo, o puede que pensara que no le interesaba participar más.

Pero recuerde también que el mejor modo de no sentirse fuera es implicarse en la acción. Hágalo así:

- Acuda a las visitas con ella. Siempre que pueda, acompáñela al médico. Ella agradecerá el apoyo moral, y usted agradecerá la oportunidad de oír las recomendaciones del médico de primera mano (así podrá ayudarla a seguirlas mejor y a recordarlas si el despiste provocado por el embarazo la desorienta). Además, podrá preguntarle al facultativo todo lo que

Recursos para el padre

Los futuros padres necesitan tanta información, apoyo y comprensión como las futuras madres. Busque en internet sitios o foros informativos, tanto durante el embarazo como cuando ya haya nacido su hijo.

desee. Las visitas le proporcionarán más información sobre los cambios físicos que experimenta el cuerpo de su esposa. Lo mejor de todo es que podrá ser testigo de los hitos más especiales junto a ella (oír el latido cardiaco del bebé y ver su imagen con las ecografías).

- Actúe como si estuviera embarazado. No es necesario que acuda al trabajo con prendas premamá ni que empiece a beber un litro de leche cada día. No obstante, sí puede realizar con su mujer los ejercicios aconsejados para el embarazo (le irán bien también); renunciar al alcohol (es mucho más fácil para ella no tomar bebidas alcohólicas si usted hace lo mismo); comer bien (al menos cuando esté con ella); y si fuma, dejar de fumar (para siempre, ya que el humo no es bueno para nadie, especialmente el bebé).

- Infórmese. Incluso un licenciado universitario tiene mucho que aprender cuando se trata del embarazo y el parto. El padre puede leer todos los libros y artículos que caigan en sus manos sobre el tema, o visitar páginas en internet. Asistirá a las clases de preparación para el parto junto con su mujer; irá a clases para padres, si se imparten en su localidad. Hablará con los amigos y colegas que hayan sido padres por primera vez hace poco o intervendrá en un chat sobre el tema.

- Tome contacto con el bebé. La esposa ha tenido la ventaja de conocer al bebé antes de nacer debido a que se hallaba cómodamente instalado en su útero, pero ello no significa que el padre no pueda también empezar a conocer al nuevo miembro de la familia. Puede hablarle, cantarle y leerle con frecuencia, el feto puede oír su voz a partir de finales del sexto mes y después del parto la reconocerá. Disfrute de sus patadas y movimientos poniendo la mano o la mejilla sobre el abdomen desnudo de su mujer cada noche; también es una buena forma de compartir la intimidad con ella.

- Compre la canastilla. Y la cuna y el cochecito con su pareja. Ayude a su esposa a decorar la habitación del bebé. Intervenga en la propuesta de nombres para el bebé. Acuda a las entrevistas con posibles pediatras para el bebé. De modo general, muéstrese activo en todo lo que se relacione con la planificación y preparación de su llegada.

- Planifique su baja por paternidad. Y si lo considera necesario, pida más días libres para poder disfrutar del bebé cuando haya nacido.

Sexo

"Desde que mi mujer está embarazada ha aumentado su apetito sexual. ¿Es normal (no me quejo)? ¿Es seguro tener relaciones tan frecuentes durante el embarazo?"

Los rumores son ciertos: algunas mujeres experimentan un gran aumento del deseo sexual durante el embarazo. Y tienen sus motivos. Los genitales de la mujer están llenos de hormonas y sangre durante el embarazo, lo cual hace que las terminaciones nerviosas de la zona estén más sensibles. Otras zonas del cuerpo también están hinchadas (lo

Sexo durante el embarazo

Aunque las normas básicas del juego son las mismas durante el embarazo, el sexo en este período requiere algunas adaptaciones, delicadeza y flexibilidad (literalmente). He aquí algunas indicaciones para ir por el buen camino:

- Espere la luz verde. ¿Ayer le apetecía mucho pero hoy se muestra fría antes sus insinuaciones? Del mismo modo que la mujer embarazada cambia de humor, su deseo sexual también cambia. El marido deberá adaptarse a estos cambios.

- Caliente sus motores antes que los suyos propios. Esto sirve siempre, pero es esencial cuando ella está encinta. Avance tan despacio como ella requiera y asegúrese de que está preparada y receptiva antes de poner la directa.

- Preste atención a sus indicaciones. Lo que le gusta y lo que no puede haber cambiado (incluso desde la semana pasada). Pregunte siempre antes de actuar. Posiblemente, deberá ir con sumo cuidado cuando se trata de los pechos de la mujer: aunque han aumentado de tamaño y se han convertido en una enorme tentación, pueden dolerle al tocarlos aunque sea con suavidad, especialmente durante el primer trimestre. Esto significa que podrá mirar pero sin tocar durante un tiempo.

- Conduzca usted. Elija posturas con la comodidad de ella en mente. Una de las más indicadas durante el embarazo es la mujer encima, así ella puede controlar la penetración. Otra postura favorita ahora es de lado. Y cuando su tripa empiece a interponerse entre los dos, sean creativos: inténtenlo desde atrás, con ella de rodillas o sentada en su regazo mientras está tumbado.

- Prepárese para cambios de dirección. Si no todos los caminos conducen al coito, encuentre vías alternativas para proporcionarse placer mutuo: la masturbación, el sexo oral, el masaje.

habrá notado ya), incluyendo partes (como los pechos y las caderas) que la hacen sentir más femenina y sensual que nunca. Todo ello es normal (como lo es la apatía sexual, también habitual en muchas mujeres), y es seguro siempre y cuando el médico haya dado luz verde a las relaciones sexuales.

Por tanto, esté disponible cuando ella le necesite. Y siéntase afortunado si lo necesita a menudo. Pero siempre siga sus indicaciones, especialmente ahora. Avance si ella está receptiva, pero no lo haga sin su visto bueno.

Aunque algunas mujeres están más activas sexualmente durante los nueve meses de embarazo, otras no experimentan un aumento del deseo sexual hasta el segundo trimestre; y para otras, el deseo aumenta durante el segundo trimestre para decaer en el tercero. Esté preparado para adaptarse a sus necesidades sexuales cambiantes cuando pase de receptiva a apática en 60 segundos (frustrante, tal vez, pero completamente normal). Recuerde, también, que habrá retos logísticos desde la mitad hasta el final del embarazo a medida que su abdomen aumente de volumen.

"Ahora encuentro a mi mujer terriblemente atractiva. Pero desde que supimos lo del embarazo, nunca parece estar de humor."

Incluso aquellas parejas que siempre han sintonizado sexualmente pueden experimentar de repente un cambio en sus relaciones sexuales cuando están esperando. Esto se debe a que muchos factores, físicos y emocionales, pueden afectar al deseo sexual, el placer y el acto en sí mismo durante el embarazo. Así, puede que le guste lo que vea; muchos hombres encuentran las formas redondeadas y plenas del embarazo sorprendentemente sensuales, incluso eróticas. O es posible que su deseo se origine a partir del afecto: el hecho de estar esperando un bebé puede dar una nueva dimensión a sus sentimientos por su mujer y aumente la pasión.

Pero de la misma forma que su apetito sexual se incrementa, también es normal y comprensible que el de su mujer decrezca. Puede deberse a los síntomas del embarazo (no es fácil sentir deseos cuando duele la espalda y se tienen los tobillos hinchados, se está agotada o se ha vomitado el almuerzo), en particular durante el primer y el tercer trimestre, los más incómodos. Puede que su nueva silueta la desanime con la misma intensidad con que a usted le excita. O tal vez está preocupada por el bebé y/o encuentra difícil compaginar las funciones de madre y amante.

Cuando no le apetezca (aunque *nunca* le apetezca), no se lo tome como algo personal. Inténtelo de nuevo una y otra vez, pero sepa perder. Acepte sus "Ahora no" y sus "No me toques ahí" con una sonrisa de comprensión y un abrazo que comuniquen lo mucho que la quiere aunque no pueda demostrárselo como desearía. Recuerde que tiene muchas cosas en la cabeza y lo más probable es que sus necesidades sexuales no sean ahora lo más prioritario para ella.

Existe la posibilidad de que su paciencia se vea recompensada, seguramente durante el segundo trimestre, cuando algunas mujeres recuperan su deseo sexual. Pero aunque su vida sexual no se rehaga entonces o si lo hace pero decae de nuevo durante el tercer trimestre (a causa de un aumento de la fatiga o del dolor de espalda o a causa de la enorme barriga de la embarazada) o en el posparto (durante el cual es probable que ninguno de los dos esté muy deseoso), no se preocupe. Cuidar otros aspectos de su relación garantizará que retomen su vida sexual en el punto donde la dejaron.

Mientras tanto, no fuerce su agenda sexual; en su lugar, potencie el romanticismo, la comunicación y los abrazos. No sólo conseguirá que permanezcan más unidos sino que, como para muchas mujeres son afrodisíacos, es posible que logren lo que tanto anhela. Cuando una cosa lleve a la otra, avance con tiento (véase el recuadro de la pág. 515).

Y no olvide decirle a su pareja –a menudo– lo sensual y atractiva que la encuentra desde que se quedó embarazada. Puede que las mujeres sean intuitivas, pero no leen la mente.

"Ahora que mi esposa está embarazada, no tengo demasiado interés por el sexo. ¿Es eso normal?"

Los padres en ciernes, como las madres en ciernes, pueden experimentar toda una serie de reacciones diversas en relación a la vida sexual durante el embarazo, y todas ellas deben ser consideradas "normales". Hay muchos motivos por los que la libido puede decrecer en este período. Tal vez la pareja se esforzó tanto por conseguir la concepción del hijo que ahora el sexo parece casi una obligación. Tal vez han pasado a centrarse en el futuro bebé y en el papel de padres y el sexo ha sido relegado a un segundo lugar. O bien están influyendo los cambios del cuerpo de la esposa (sobre todo porque recuerdan constantemente cómo la vida y la relación de pareja están también cambiando). O quizá el hombre tiene miedo de lesionar a la esposa o al bebé (algo que no ocurrirá). O es posible que el hecho de no haber hecho nunca el amor con una mujer embarazada (aunque esta mujer sea la misma con quien siempre ha disfrutado haciéndolo) le inquiete. O tal vez sea la sensación de incomodidad lo que le impide este tipo de acercamiento: al acercarse a su mujer puede acercarse demasiado al bebé durante una actividad de adultos (aunque el bebé se mantiene completamente ajeno a ella). Los cambios hormonales normales en los padres durante el embarazo de sus parejas también pueden ser el motivo de su inapetencia sexual.

La incomunicación en la pareja puede confundir aún más estos sentimientos en conflicto: el hombre puede pensar que ella no tiene interés, lo que le conduce inconscientemente a reducir su deseo. Ella cree que es él quien carece de interés, y por ello también dosifica sus propios impulsos.

La frecuencia de las relaciones sexuales es ahora menos importante que la calidad de la intimidad en la pareja. Es posible que una mayor intimidad de otro tipo –por ejemplo, los mimos o la confianza mutua para hablar de sus sentimientos– pueda aumentar la actividad sexual. No deberá sorprenderse si una vez se hayan adaptado a los cambios físicos y emocionales que conlleva el embarazo, la pasión surge de nuevo.

También es posible que la falta de deseo continúe durante los nueve meses de embarazo y más. Al fin y al cabo, incluso las parejas que ven aumentar su apetito sexual durante el embarazo descubren que su vida sexual se ralentiza con la llegada del bebé, al menos durante un par de meses. Todo esto es normal y todo es temporal. Mientras tanto, procure que al dedicarse a los cuidados del bebé no olviden los cuidados de su relación. Recurra al romanticismo con frecuencia (una cena con velas que ha preparado mientras ella dormía la siesta). Sorpréndala con flores o regálele una prenda de lencería sexy (las hacen también para embarazadas). Propóngale un paseo a la luz de la luna o un chocolate caliente y mimos en el sofá. Comparta con su pareja sus miedos y sus sentimientos y anímela a que ella haga lo propio. No escatime besos y abrazos. Mantenga viva la llama de su amor hasta que se encienda de nuevo la de la pasión.

Haga saber a su pareja que su falta de interés sexual no guarda relación alguna con ella física ni emocionalmente. La confianza de las futuras madres puede ser frágil cuando se trata de su aspecto físico, especialmente cuando empiezan a ganar kilos. Explicarle (a menudo, con palabras y caricias) que ahora le parece más atractiva que nunca la ayudará a comprender que su inapetencia no es nada personal.

Para más consejos sobre cómo disfrutar más del sexo cuando se hace menos, véase la página 290.

"Aunque el médico nos ha asegurado que no hay peligro por hacer el amor durante el embarazo, suelo tener problemas por miedo a lastimar a mi mujer o al bebé."

Son numerosos los padres que se enfrentan a los mismos miedos cuando se trata del sexo durante el embarazo. Es natural anteponer a la mujer y al futuro bebé e intentar protegerlos a cualquier precio (incluso el del propio placer).

Pero no tema, puede fiarse del médico. Si ha dado el visto bueno al coito durante el embarazo (como ocurre en la mayoría de los casos), pueden practicarlo con seguridad hasta el día del parto. El bebé está lejos de su alcance, bien protegido en su hogar intrauterino, a salvo de cualquier agresión e incapaz de ver ni darse cuenta de nada de lo que sucede. Ni siquiera las contracciones que la mujer puede notar si alcanza el orgasmo deben ser motivo de preocupación, ya que no son las del tipo que producen un parto prematuro en un embarazo normal. De hecho, los estudios han demostrado que las mujeres embarazadas de bajo riesgo que siguen teniendo relaciones sexuales durante el embarazo presentan menos tendencia a tener un parto prematuro. Hacer el amor no sólo no le hará ningún daño a su pareja, sino que colmará sus mayores deseos de ternura e intimidad física y le hará saber que todavía continúa siendo deseable, aunque ella no se sienta de esa forma. Si bien debe proceder con cuidado (siga las indicaciones de ella y dé prioridad a sus necesidades), puede proceder sin miedo y disfrutar del sexo.

¿Sigue preocupado? Explíqueselo a ella. Recuerde que la comunicación sincera y abierta sobre cualquier tema, incluido el sexo, es la mejor estrategia.

Sueños durante el embarazo

"Últimamente tengo sueños extrañísimos, y no sé cómo interpretarlos."

El embarazo es una época de sentimientos profundos, tanto para la madre como para el padre, y éstos pueden oscilar como un tiovivo, desde la alegría más intensa a la ansiedad más temible. No es de extrañar que estos sentimientos afloren a través de los sueños, donde el subconsciente puede trabajarlos y representarlos de forma segura. Los sueños eróticos, por ejemplo, pueden reflejar algo del subconsciente que probablemente la persona ya sabe: el miedo a que la vida sexual se vea afectada por el tema del embarazo y del bebé. Estos sueños no son sólo normales, sino también válidos. Una buena forma de salvar la pareja consiste en reconocer que el bebé va a introducir algunos cambios en ella.

Los sueños sexuales son más corrientes al inicio del embarazo. Más tarde van siendo sustituidos por sueños con componente familiar. Es posible soñar con los padres o los abuelos: es la forma que tiene el subconsciente de unir las generaciones pasadas y futura. Es fácil soñar que se vuelve a ser niño, lo que puede indicar un miedo comprensible ante las responsabilidades venideras y nostalgia por los años libres de preocupaciones del pasado. Es posible incluso que sueñe que es usted quien está embarazado, lo cual indica empatía por la carga que lleva su mujer, celos por la atención que ella recibe o tal vez el deseo de conectar con el bebé aún no nacido. Soñar que se olvida de abrocharle el cinturón de seguridad en el coche al bebé o soñar que éste se le cae de los brazos puede ser la expresión de sus inseguridades como padre (las mismas que comparten todos los futuros padres). Sueños donde se comporta como un típico "macho" –marcando goles o conduciendo un coche de carreras– pueden comunicarle el miedo subconsciente de que convertirse en un padre cariñoso le reste masculinidad. La parte más tierna del subconsciente puede salir también a flote, incluso en la misma noche, soñando con escenas donde presta ayuda y da cariño a la madre y al bebé, lo cual puede ser una preparación para el nuevo rol que pronto desarrollará. Los sueños de soledad y exclusión ponen de manifiesto estos sentimientos que muchos futuros padres experimentan.

No todos los sueños denotarán ansiedad, claro. Algunos de ellos –alguien nos entrega un bebé o encontramos uno abandonado, ceremonias de bautizo, paseos con cochecito por el parque–

Cuestión de hormonas

El hecho de ser un hombre no significa que sea inmune a los cambios hormonales que suelen atribuirse a las mujeres. Las investigaciones han demostrado que los padres en ciernes y recientes experimentan un descenso de los niveles de testosterona y un aumento de los niveles de estradiol, una hormona femenina. Se especula que este cambio hormonal, corriente en el reino animal, favorece la afloración del lado tierno de los machos. También es posible que contribuya a la aparición de ciertos síntomas relacionados con el embarazo en los hombres, como los antojos, los mareos, el aumento de peso y los cambios de humor. Es más, puede que mantenga a raya la libido del futuro padre (lo cual suele ser algo positivo, ya que un ferviente deseo sexual puede resultar poco práctico durante el embarazo y, desde luego, cuando el bebé ya está en casa). Los niveles hormonales suelen volver a la normalidad en cuestión de tres a seis meses, y con ello acaban los síntomas de embarazo y vuelve el apetito sexual habitual (si bien la vida sexual puede no volver a la normalidad hasta que el bebé duerma toda la noche de un tirón).

muestran el grado de ilusión ante la inminente llegada. (Encontrará más información sobre los sueños en la pág. 323.)

Una cosa sí es segura: no es el único que sueña. Las futuras madres (por motivos similares, además de los hormonales, que hacen que los sueños sean aún más vívidos) son también propensas a tener sueños extraños e intensos. El hecho de compartir los sueños por la mañana puede ser un ritual íntimo y terapéutico, siempre y cuando no se los tomen demasiado en serio. Al fin y al cabo, los sueños, sueños son.

Impaciencia ante los cambios de humor de la mujer

"Ya había oído hablar de los cambios de humor durante el embarazo, pero no estaba preparado para esto. Un día está entusiasmada, al siguiente, deprimida; y parece que no hago nada bien."

Bienvenido al maravilloso —y a veces excéntrico— mundo de las hormonas del embarazo. Maravilloso porque éstas trabajan duro para alimentar la vida que crece en el útero materno. Excéntrico porque, además de hacerse con el control de su cuerpo (con frecuencia amargándole la vida), las hormonas también toman el control emocional de la mujer y hacen que se sienta llorosa sin motivo, extraordinariamente ilusionada, desproporcionadamente molesta, delirantemente feliz y estresada… todo incluso antes de la hora del almuerzo.

No es de sorprender que los cambios de humor de la futura madre sean más pronunciados durante el primer trimestre, cuando las hormonas del embarazo fluyen en mayor cantidad (y cuando ella aún ha de acostumbrarse a ellas). Pero incluso cuando las hormonas se hayan calmado durante el segundo y tercer trimestres, cabe esperar aún altibajos emocionales, que durarán hasta el día del parto, y más.

¿Qué deberá hacer el futuro padre? He aquí algunas sugerencias:

Tener paciencia. El embarazo no durará para siempre (aunque en el noveno mes habrá momentos en que dudarán de ello). Pasará, y pasará más plácidamente si es paciente. Mientras tanto, intente no perder la calma y haga lo que pueda por hacer salir al santo que lleva dentro.

No tomarse sus arrebatos como algo personal. Y no se los eche en cara. Están, al fin y al cabo, completamente fuera de su control. Recuerde que son las hormonas las que los provocan. Evite siquiera comentarle a la mujer que presenta tales cambios de humor. Si bien es incapaz de controlarlos, lo más seguro es que sea muy consciente de ellos. Y probablemente no le gusten a ella más que a usted. No es fácil estar embarazada.

Ayúdela a combatir los cambios. Como el nivel bajo de azúcar en sangre puede provocar los cambios de humor, ofrézcale un tentempié cuando empiece a bajar (unas galletas saladas con queso, un batido de fruta y yogur). El ejercicio físico puede liberar las endorfinas que levantan el ánimo que ahora necesita tanto; sugiera un paseo antes o después de cenar (es un buen momento para que le comente los miedos y angustias que pueden abatirla).

Haga un esfuerzo adicional. Hágase cargo de la colada, hágase con su menú predilecto y tráigaselo a casa, haga la compra del sábado, haga desaparecer los platos sucios... haga lo que haga falta. No sólo agradecerá ella sus esfuerzos, sino que usted disfrutará además de su mejor humor.

Cambios de humor en el hombre

"Desde que el test del embarazo de mi esposa dio positivo, me siento deprimido. No creo que los padres deban deprimirse durante el embarazo de sus mujeres."

Los padres comparten más que el futuro bebé con su pareja. Mucho antes de que llegue el retoño, estarán compartiendo muchos de los síntomas, incluidos los cambios de humor, sorprendentemente comunes en los futuros padres. Mientras que usted no puede atribuirlos a sus hormonas (si bien las hormonas del hombre también fluctúan durante el embarazo de su pareja), es probable que su bajo estado de ánimo esté relacionado con sus sentimientos normales pero perturbadores –de la ansiedad al miedo pasando por la ambivalencia– con los que muchos padres (y madres) se ven enfrentados durante los meses que preceden al mayor cambio en sus vidas.

Pero puede hacer algo para que le suba el ánimo y tal vez evitar la tristeza puerperal, que afecta aproximadamente al 10% de los padres. Siga estos consejos:

- Hable. Exprese sus sentimientos para que no le depriman. Compártalos con su mujer (y no olvide escuchar los suyos), y hagan de la comunicación un ritual diario. Explíqueselos a un amigo que haga poco que ha sido padre (nadie le entenderá como él) o incluso a su padre. O busque una vía alternativa: un foro de futuros padres.

- Muévase. Nada le levantará el ánimo como el ejercicio físico. Al hacer ejercicio, se liberan endorfinas, que proporcionan una sensación de bienestar duradera.

- Manténgase ocupado. Prepárese para la inminente llegada colaborando en los preparativos que seguramente están teniendo ya lugar. Es posible que haciéndolo se anime.

- Deje de beber. El consumo de alcohol puede hundir más los ánimos. Aunque esta sustancia tiene fama de levantarlos, técnicamente se clasifica como un depresivo, motivo por el cual la mañana siguiente nunca es tan alegre como la noche anterior. Además, disfraza los sentimientos que está intentando trabajar. Lo mismo es válido en caso de consumo de otras drogas.

Si estas recomendaciones no le ayudan a animarse, o si su depresión se acentúa o empieza a interferir en la relación de pareja, el trabajo y otros aspectos de su vida, no espere más. Busque ayuda profesional (del médico o de un terapeuta) para poder empezar a disfrutar de lo que debería ser un cambio de vida lleno de felicidad e ilusión.

Ansiedad sobre el parto

"Estoy ilusionado con el inminente nacimiento del bebé, pero me preocupa mi capacidad de enfrentarme a todo el proceso. ¿Y si no lo resisto?"

Muy pocos padres entran sin temores en la sala de partos. Incluso los tocólogos que han asistido en los alumbramientos de millares de bebés de otras parejas pueden experimentar una brusca pérdida de la seguridad en sí mismos al enfrentarse con el nacimiento de su propio hijo.

No obstante, muy pocos de estos temores –de temblar, desmoronarse, desmayarse o sentirse mareado mientras se asiste al parto– llegan a hacerse realidad. Y si bien estar preparado para el nacimiento (mediante la asistencia a las clases apropiadas, por ejemplo) suele conseguir que la experiencia sea más satisfactoria, la mayoría de los futuros padres, incluso los menos preparados, superan el momento del parto mucho mejor de lo que esperaban.

Sin embargo, al igual que todo lo que es nuevo y desconocido, el nacimiento de un hijo resulta menos atemorizador e intimidante si se sabe lo que se debe esperar. Por ello, aconsejamos al padre que se convierta en un experto en el tema. Por ejemplo, puede leer todo el capítulo dedicado al parto, que empieza en la página 413. Busque información en internet. Puede asistir a las clases de preparación para el parto, viendo atentamente las películas que se proyecten en ellas. Puede también visitar el hospital con anterioridad para familiarizarse con la tecnología que se utilizará en la sala de partos. También puede resultarle de utilidad hablar con algún amigo que haya pasado ya por esta experiencia. Lo más probable es que le explique que también abrigaba los mismos temores antes del parto, pero que luego la experiencia fue fantástica.

Aunque es importante formarse sobre el tema, también es importante recordar que el parto no es el examen final del curso sobre educación para el parto. El padre no debe tener la sensación de que ha de sacar buenas notas. El personal de enfermería y los médicos no lo estarán examinando ni tampoco comparando con el futuro padre de la habitación de al lado. Y, lo que es más importante, tampoco lo hará su pareja. No se lo tendrá en cuenta si olvida todas las técnicas de asistencia que aprendió en las clases de educación para el parto. Para la mujer, la presencia de la pareja, que la conforta, la acaricia y la anima, y le proporciona el consuelo de tener junto a sí una cara conocida, es lo más importante.

No obstante, para muchas parejas, la presencia de una doula durante el parto es de gran ayuda para ambos a la hora de superar mejor el momento (véase la pág. 330).

"Ver sangre me marea, y me preocupa estar presente durante el parto."

PARA ELLOS

La mayor parte de padres –y madres– que están esperando se preocupan por su posible reacción ante la sangre del parto. No obstante, muy pocos acaban siquiera dándose cuenta de ella, primero porque no se ve demasiada sangre, y segundo porque la emoción de ver salir al bebé (y los esfuerzos por conseguirlo) suele centrar la atención de los padres.

Si la sangre le marea, centre su atención en el rostro de su esposa mientras la ayuda en los últimos empujones. En el momento cumbre del nacimiento, si mira, la sangre será lo último en que se fijará.

"Mi mujer será sometida a una cesárea planificada. ¿Qué debo saber antes de la experiencia?"

Cuanto más sepan sobre cesáreas ahora, mejor será la experiencia para ambos.

Aunque no podrá ayudar a su pareja tanto como si diera a luz en un parto vaginal, su participación será más valiosa de lo que piensa.

La reacción de un padre ante un parto por cesárea puede, de hecho, influir en el nivel de temor y ansiedad de su pareja, y un padre menos estresado contribuye a que la madre esté menos estresada.

Y no hay un modo mejor de reducir la ansiedad que saber qué cabe esperar. Apúntense juntos a una clase de educación para el parto que incluya las cesáreas en el programa.

Lean acerca de los partos quirúrgicos y su recuperación (véanse las págs. 432 y 468).

Recuerden que todas las intervenciones quirúrgicas pueden intimidar, pero las cesáreas son muy seguras tanto para la madre como para el bebé. Además, la mayor parte de hospitales ahora intentan enfocarlas al máximo a la familia, y permiten que el padre esté presente (si lo desea),[2] junto a su esposa, para cogerle la mano y coger al bebé en brazos al nacer, como las parejas que dan a luz mediante partos vaginales.

Ansiedad sobre los cambios de vida

"Desde el momento en que lo vi en una ecografía, he estado esperando con impaciencia el nacimiento de nuestro hijo. Pero también me preocupan los cambios que supondrá en nuestras vidas."

Los bebés son pequeños, pero sin duda traen consigo grandes cambios, algo que preocupa a todos los futuros padres. A las futuras madres también les preocupan estos cambios, pero estar tan involucradas físicamente en el proceso del embarazo, les permite ir digiriéndolos (sus vidas ya han cambiado, mucho). Para los padres, los cambios pueden parecer menos graduales. Pero pensar en ellos –incluso preocuparse por ellos– ahora es en realidad algo positivo, ya que les da tiempo para prepararse de forma realista para el impacto que la paternidad tendrá en su vida. Las preocupaciones más corrientes son éstas:

¿Seré un buen padre? No hay futuro padre (o madre) en cuya lista de preocupaciones ésta no tenga uno de los primeros lugares. Para ayudarle a tacharla de su lista, vea la página 525.

¿Cambiará nuestra relación de pareja? Toda pareja de nuevos padres se encuentra con que su relación sufre algunos

---

[2] Se ha señalado ya en el Capítulo 3 sobre la cesárea que por lo menos en España la pareja de la parturienta, excepto cuando es médico y está familiarizado con las normas de asepsia, no entra en los quirófanos para una cesárea. (*Nota del revisor.*)

Estar ahí

La mejor forma de comenzar la vida como padre es estar en casa con la madre y el bebé. Por ello, si la economía y otros puntos lo permiten, lo ideal sería contar con días de fiesta después del nacimiento, ya sea acogiéndose a la baja por paternidad, tomando vacaciones o pidiendo un permiso sin sueldo o, si todo ello es imposible, intentando trabajar media jornada durante unas pocas semanas, o llevarse parte del trabajo a casa.

Si ninguna de estas posibilidades resulta factible y el trabajo no puede dejarse, habrá que aprovechar al máximo el tiempo en casa. Se intentará estar en casa todo lo posible, renunciando a las horas extra, a las reuniones fuera del horario laboral o a los viajes de negocios que puedan dejarse para otro momento. Sobre todo en el posparto, cuando la madre aún se está recuperando del nacimiento, es importante que el padre intente ayudar en la casa y en el cuidado del bebé. Por muy agotador que sea su trabajo, tanto física como emocionalmente, no hay ocupación más exigente que la de ser madre o padre a jornada completa.

Aunque el padre tenga como prioridad la vinculación con su hijo, no debe olvidarse de mimar a su esposa.

La ayudará cuando esté en casa y le hará saber que se acuerda de ella cuando esté en el trabajo. Puede enviarle mensajes de ayuda y empatía (dejando que ella airee sus quejas, si así lo desea), regalarle flores y llevarle comida de su restaurante preferido.

---

cambios después del parto. Y anticiparse a ellos durante el embarazo es un primer paso importante para afrontarlos durante el posparto. Estar solos ya no será tan fácil como cerrar las persianas y descolgar el teléfono; desde el momento en que el bebé llegue del hospital, la intimidad espontánea y la intimidad completa se convertirán en algo precioso y a menudo inalcanzable. El idilio deberá planificarse (aprovechar la hora de la siesta del bebé) en vez de llegar espontáneamente, y las interrupciones serán la norma (no se puede descolgar el bebé). Sin embargo, siempre y cuando ambos se tomen la molestia de buscar tiempo que dedicar el uno al otro –tanto si ello significa saltarse el programa de televisión favorito para poder compartir una cena tardía después acostar al bebé, como si se trata de renunciar al golf del sábado con los amigos de forma que se pueda hacer el amor durante la siesta matinal del bebé–, la relación podrá adaptarse bien a los cambios. De hecho, muchas parejas consideran que ser tres profundiza, refuerza y mejora su relación de pareja.

¿Cómo nos repartiremos el cuidado del bebé? Cuidar de los hijos es tarea de dos (al menos cuando existen dos progenitores), aunque no estén seguros exactamente de cómo debería dividirse el trabajo. Es mejor que no esperen hasta que el bebé necesite su primer cambio de pañales en plena noche o su primer baño para decidir al respecto. Adelántense en lo posible. Puede ser que algunos detalles cambien cuando los padres empiecen a desempeñar sus funciones (ella se había comprometido a bañarle, pero él lo hace mejor), pero explorar teóricamente las opciones con adelanto hará que el padre se sienta más confiado sobre cómo funcionará el cuidado del bebé más adelante. Además, favorecerá que hablen abiertamente del tema, algo que todo equipo necesita hacer para ser eficaz.

¿Cómo afectará al trabajo? Eso dependerá de su horario. Si trabaja muchas horas y dispone de poco tiempo libre, tal vez necesite (y desee) realizar algunos cambios para que la paternidad sea ahora la prioridad. Y no debería esperar a convertirse oficialmente en padre. Plantéese tomarse tiempo libre para acompañar a su esposa al médico, además de ayudarla con los preparativos para la llegada del bebé. Reduzca su jornada de 12 horas y resístase a la tentación de seguir trabajando al llegar a casa. Evite los viajes y el exceso de trabajo durante los dos meses anteriores y posteriores a la fecha de salida de cuentas, si le es posible. Y disfrute de la baja de paternidad durante las primeras semanas de vida del bebé.

¿Deberemos renunciar a nuestra vida social? Después del nacimiento del niño, la pareja no deberá renunciar por entero a su vida social, pero debe estar preparada para que haya algunos cambios. Un recién nacido adquiere, y debería ser así, un papel central dentro de la familia, desplazando algunos de los hábitos de su antiguo estilo de vida, al menos durante un tiempo. Las fiestas, películas y espectáculos deberán encajarse entre las tomas del bebé; las cenas para dos en restaurantes románticos se convertirán en cenas para tres en restaurantes familiares que toleren las inevitables molestias de los bebés. También puede cambiar el gusto en cuanto a los amigos; las parejas sin niños puede que de repente tengan poco en común con los nuevos padres, y puede que éstos empiecen a decantarse hacia otros paseantes de bebés en busca de un comprensivo compañerismo. No es que no vayan a tener tiempo para los viejos amigos –y para sus aficiones de siempre– ahora que tendrán un bebé, sólo que seguramente será necesario cambiar las prioridades.

¿Podré mantener a mi nueva familia? Especialmente hoy en día, cuando los costes de criar a los hijos llegan a la estratosfera, muchos futuros padres no pueden dormir haciéndose esta pregunta tan legítima. Pero existen muchas formas de recortar costes, como optar por la lactancia natural (que no precisa la adquisición de biberones ni leche de fórmula), aceptar todos los artículos de segunda mano que se le ofrezcan a la pareja (de todos modos, los vestidos nuevos empiezan a parecer de segunda mano después de que el bebé vomite unas cuantas veces), y hacer saber a los amigos y familia qué regalos necesitan en vez de permitir que llenen las estanterías del bebé de artículos que acabarán cubiertos de polvo. Si la nueva madre o el padre han planeado reducir la jornada laboral (o dejar de lado sus aspiraciones profesionales durante un tiempo) y ello preocupa desde el punto de vista económico, hay que sopesar los gastos que se ahorran en cuidadores infantiles y viajes. Las pérdidas económicas pueden resultar no ser tan importantes.

Lo más importante es no pensar en lo que ya no se tendrá (o para lo que se tendrá menos tiempo), sino en lo que se ganará: llega una persona importante con quien compartir su vida. ¿Cambiará su vida? Desde luego. ¿Será mejor? Infinitamente.

Miedo a la paternidad

"Yo quiero ser un buen padre, pero solo de pensarlo me da miedo. Nunca he visto ni he cogido en brazos a un recién nacido, y mucho menos he cuidado de él."

Uno no nace siendo un buen padre, como una no nace siendo una buena madre. Aunque el amor paterno es algo que aparece de forma espontánea, las habilidades prácticas deben ser aprendidas. Uno afronta el desafío aprendiendo sobre la marcha, con mucha perseverancia y amor. No obstante, si el futuro padre cree que se sentirá más cómodo desempeñando las tareas que se avecinan si recibe una preparación formal, deberá tomar clases para cuidar al bebé –si es que se imparten en su localidad– para aprender a cambiarle los pañales, bañarlo, alimentarlo, tenerlo en brazos, vestirlo y jugar con él. Pregunte por estas clases, a las que pueden asistir en pareja, durante la próxima visita prenatal o en el hospital donde la madre va a dar a luz, o busquen información en internet. Apúntese también a un cursillo de primeros auxilios infantiles. Encontrarán información en los libros, como *Qué se puede esperar el primer año*. Si tiene amigos que hayan sido padres recientemente, puede pedirles que le dejen coger al bebé en brazos, cambiarle los pañales o jugar con él.

Y recuerde que, del mismo modo que las madres tienen técnicas diferentes, los padres también. Relájese, confíe en su instinto (los padres también lo tienen), y no tema buscar un estilo que se adapte a usted y a su hijo. Antes de darse cuenta, se habrá convertido en un padre fantástico allá donde los haya.

Lactancia materna

"Mi esposa se está planteando dar el pecho a nuestro hijo, y sé que será bueno para el pequeño, pero a mí me parece algo incómodo."

Hasta ahora, veía los pechos de su mujer como órganos sexuales. Lo cual es natural. Pero hay algo que también es natural. Los pechos están hechos para cumplir otra importante misión: alimentar al bebé. No hay un alimento infantil más perfecto que la leche de la madre, ni un sistema más adecuado para suministrarla que sus pechos. La lactancia materna ofrece un sinfín de beneficios para la salud del bebé (desde prevenir alergias, la obesidad y ciertas enfermedades a favorecer el desarrollo cerebral) y de la madre (la lactancia natural está asociada a una recuperación posparto más rápida y posiblemente a un menor riesgo de un futuro cáncer de mama). Encontrará más información al respecto en la página 363.

Sin duda, la decisión de su esposa de preferir el pecho al biberón va a cambiar en mucho la vida del bebé y también la de ella. De modo que deje sus sentimientos a un lado y vote a favor de la lactancia: cuenta más de lo que usted piensa. Aunque no sepa la diferencia entre la bajada de la leche y la subida de la leche, influirá usted en gran medida en el hecho de que su pareja sea capaz de mantenerse firme en su empeño (y cuanto más tiempo dé de mamar al bebé, más beneficios obtendrán de la lactancia ella y el pequeño). De hecho, los estudios han mostrado que, cuando los padres apoyan la lactancia materna, las madres tienen más posibilidad de salir adelante en el empeño. Por tanto, debe tomarse en serio su influencia. Infórmese sobre la lactancia leyendo, viendo DVD, hablando con otros padres cuyas esposas han amamantado a sus hijos, y pregunte si en el hospital hay un asesor de lactancia que ayude con las primeras tomas. (Lección número 1: se trata de un proceso natural, pero no sale solo.) Si a su esposa le da vergüenza pedir ayuda –o si está demasiado cansada tras el parto–, pídala usted.

Por supuesto, al principio puede resultar extraño ver a su mujer dando de mamar –casi tan extraño como pue-

Tristeza del padre

Está encantado de convertirse en padre; sin embargo, se
siente decaído. Después de tanta preparación, el bebé ha nacido
y usted se siente no sólo agotado
(por la falta de sueño) sino también
desanimado.

No todos los padres recientes
experimentan la denominada tristeza puerperal, pero cabe esperar un
remolino de sentimientos en ambos
padres (por suerte, suele darse el
caso en sólo uno de los progenitores a la vez). Prepárese y sea fuerte,
necesitará la paciencia de un santo, la resistencia de un triatleta, un
temperamento a prueba de altibajos y un sentido del humor enorme
para superar este período de re-
ajustes. Adapte los consejos para la
tristeza posparto de la madre (pág.
493) a sus necesidades durante esta
fase. Si no le resultan de ayuda y sigue deprimido, pida al médico ayuda para poder empezar a disfrutar
de la vida con el bebé.

de parecerle a ella dar de mamar–, pero
en poco tiempo se convertirá en algo natural, normal e increíblemente especial.

**"Mi mujer está dando el pecho a nues-
tro hijo. Tienen una intimidad que yo no
comparto, y me siento excluido."**

Existen ciertos aspectos biológicos
inmutables de la procreación que
excluyen al padre: no puede quedar
embarazado, no puede dar a luz y no
puede amamantar al bebé. No obstante,
como descubren cada año millones de
nuevos padres, las limitaciones físicas
naturales del hombre no tienen por qué
relegarle al papel de espectador. Puede
compartir casi todas las alegrías, esperanzas, preocupaciones y tribulaciones
del embarazo y el parto de su esposa
–desde la primera patada hasta la última
contracción de expulsión– como participante activo y solidario. Y aunque nunca
podrá ponerse a su bebé en el pecho
(por lo menos no con los resultados que
espera el bebé), sí puede intervenir en el
proceso de lactancia participando en los
siguientes aspectos:

**Ser el alimentador suplementario del
bebé.** Una vez establecida la lactancia,
existe más de un modo de alimentar a
un recién nacido. Y aunque el padre no
puede darle el pecho, puede ser él quien
le dé los biberones de suplemento; con
ello, no sólo proporcionará a su pareja
un respiro (ya sea en plena noche o en
plena cena), sino que además tendrá la
oportunidad de sentirse próximo a su
hijo. No debe desperdiciar esta oportunidad metiendo simplemente el biberón en la boca del bebé. Tomará al bebé
como lo hace la madre para darle el pecho, abrazándolo y acunándolo. El padre puede desabrocharse la camisa para
permitir un contacto piel con piel con el
bebé, para que ambos vivan más plenamente la experiencia.

**No dormir toda la noche de un tirón has-
ta que el bebé también lo haga.** Compartir las alegrías de la lactancia significa también compartir las noches sin
dormir. Incluso si el padre no le da el biberón suplementario, puede convertirse en una parte del ritual de la lactancia
nocturna. Puede ser el padre quien levante al bebé de la cuna, quien le cambie los pañales, lo lleve a la madre para
que ésta lo alimente e incluso quien lo
devuelva a la cuna cuando haya vuelto
a dormirse.

**Participar en todos los demás rituales
diarios.** Dar el pecho es el único trabajo
diario exclusivo de la mujer. Los padres
pueden bañar, cambiar y dormir al bebé.

Vínculo afectivo

"Estoy tan emocionado con mi hija que temo que estoy prestándole demasiadas atenciones."

A veces uno exagera en la vida, pero nunca en el tema del amor y la atención hacia un recién nacido. Los bebés no sólo precisan la atención de sus padres, sino que además no existe otro modo de fundamentar su relación con ellos. Todo el tiempo dedicado a su bebé ayudará también a la madre a vincularse con él, ya que las madres que sufren solas la carga del cuidado del hijo pueden sentirse demasiado cansadas y resentidas para vincularse bien con el pequeño.

Y si le sorprende el entusiasmo que siente por su hija, esté tranquilo.

Vigile el ánimo de la madre

La tristeza posparto es una cosa (normal y que desaparece por sí sola) y la verdadera depresión posparto es otra. La depresión es una complicación médica que requiere tratamiento inmediato. Si la madre sigue pareciendo abrumada varias semanas tras el parto o experimenta brotes de llanto, irritabilidad o trastornos del sueño (no provocados por el bebé), o si no come o no tiene un comportamiento normal en algún otro aspecto –tan normal como cabría esperar dadas las nuevas responsabilidades–, anímela a hablar de ello con el médico. No deje de insistir si ella rechaza la opción. Puede no reconocer los signos de depresión en ella misma. Cerciórese de que reciba el tratamiento necesario para mejorar. Véase la página 495 para conocer las señales de depresión posparto.

Estudios recientes han mostrado que los machos del reino humano y animal experimentan un aumento de hormonas femeninas cuando nace el bebé. Según parece, el instinto de cuidado y protección no es exclusivo de las madres.

No obstante, mientras se ocupe de su hija, no se olvide de la otra relación que también precisa atención (y que es incluso más significativa): la de su pareja. Asegúrese de que ella sabe cuánto la quiere y no se olvide de darle su dosis de mimos y cuidados.

"He oído hablar del vínculo afectivo, y la madre y yo tuvimos ocasión de coger al bebé en brazos al nacer. Pero han pasado cuatro días y, si bien noto que le quiero, sigo sin sentir una gran conexión con el bebé."

La formación del vínculo afectivo empieza con el primer abrazo, pero éste es sólo el comienzo de su relación con el bebé. Esta nueva conexión entre ambos se fortalecerá y se hará profunda no sólo a lo largo de las próximas semanas sino a lo largo de los muchos años que compartirán como padre e hijo.

En otras palabras, no espere resultados inmediatos y no se preocupe porque no los haya obtenido. Considere cada momento con su hijo una nueva oportunidad para forjar el vínculo afectivo con él. Cada cambio de pañal, cada caricia, cada mirada, sirven para desarrollarlo. Establecer contacto visual y piel con piel (ábrase la camisa y póngaselo junto al pecho mientras le canta una nana) puede mejorar la intimidad y reforzar el vínculo. (Según las investigaciones, este tipo de contacto acelera el desarrollo cerebral; por ello es bueno para ambas partes.) Recuerde que la relación puede parecerle unilateral al principio (hasta que el bebé empiece a ser más receptivo, usted será el que sonría y balbucee), pero cada momento de atención contribuye a la sensación de bienestar del bebé y a notar que se le quiere. Las sonrisas que le devolverá el pequeño dentro de un tiempo confirmarán que su tiempo ha sido bien empleado, y que la conexión con el bebé siempre ha estado allí.

Si el padre cree que la madre está monopolizando el cuidado del bebé (ella puede hacerlo sin darse siquiera cuenta) deberá hacerle saber que le gustaría poder colaborar. Ofrézcase voluntario para pasar tiempo con el bebé siempre que le sea posible –cuando su pareja esté en clase de gimnasia, haya salido a tomar un café con una amiga o esté en la bañera con un buen libro– y así no habrá interferencias y podrá llegar a conocer bien a su hijo. Y no se sienta obligado a pasar tiempo con el bebé en casa. Los recién nacidos son muy fáciles de transportar: basta con llevar una bolsa con los pañales, meterlos en el cochecito o la silla del coche y salir a dar una vuelta.

Sentir poco deseo sexual después del parto

"El parto fue una experiencia milagrosa. Pero parece que haber visto a mi hijo nacer me ha quitado todo interés sexual."

Comparada con la de otros animales, la respuesta sexual humana es extremadamente delicada. Se halla a merced no sólo del cuerpo sino también de la mente. Y, en ciertas ocasiones, la mente puede hacer verdaderos estragos en este terreno. Una de estas ocasiones se presenta durante el embarazo, como probablemente ya sabrá. Otra, en el período posparto.

Es muy posible que el repentino desinterés sexual no tenga nada que ver con el hecho de haber presenciado el nacimiento del hijo. La mayoría de los nuevos padres se encuentran con que tanto su es-

---

¿Sexo posparto?

Si cree que lleva demasiado tiempo sin sexo y cree que no podrá aguantar mucho más, tenga paciencia. Su pareja todavía se está recuperando del esfuerzo gigantesco realizado por su cuerpo: no sólo el parto, sino también los nueve meses de embarazo. Físicamente ha pasado por mucho. El médico o comadrona puede haber dado ya el visto bueno al coito, pero la última palabra la tiene su pareja. Cuando ella esté de acuerdo en intentarlo, deberá usted actuar con mucha delicadeza. Pregúntele qué le gusta, qué le duele y qué puede hacer para ayudarla. Y ni se plantee entrar en acción sin muchos preliminares (ella necesitará masajes y lubricación para favorecer las secreciones que los cambios hormonales han secado). No se extrañe si un chorro de leche le entra en el ojo en plena actividad sexual (ocurre, especialmente al principio). Ríanse juntos de la anécdota y prosigan con su quehacer.

---

píritu como su carne sienten menos deseo después del parto (aunque los que no se sienten así no tienen nada de anormales) y esto ocurre por varias razones bien comprensibles: cansancio; temor a que el bebé se despierte llorando a la primera caricia (especialmente si duerme en la habitación de los padres); temor a hacerle daño a la mujer si se mantienen relaciones sexuales antes de que esté recuperada del todo; y, finalmente, la preocupación por el bebé, física y mental, que ahora requiere toda su energía. Los sentimientos del padre también pueden verse influidos por un aumento temporal de las hormonas femeninas y el descenso de la testosterona que muchos nuevos padres experimentan, ya que son las hormonas masculinas las que despiertan el deseo sexual, tanto en los hombres como en las mujeres. Ésta es probablemente la manera que tiene la naturaleza de favorecer la protección por parte del padre y de quitarle el sexo de la cabeza al hombre cuando hay un bebé recién llegado.

En otras palabras, probablemente no pase nada porque el padre no se sienta sexualmente motivado en este momento, sobre todo si su mujer (como ocurre con muchas mujeres en el primer tiempo del posparto) no se encuentra tampoco preparada emocional o físicamente para hacer el amor. Es imposible predecir cuánto tiempo tardará en volver el deseo del hombre y de la mujer. Como sucede en todos los aspectos de la sexualidad, el margen de lo "normal" es muy amplio. Para algunas parejas, el deseo volverá incluso antes del visto bueno del médico, que suele ser entre las dos y las seis semanas del parto. Para otras, pueden pasar seis meses hasta que se vuelve a encender la llama de la pasión. Algunas mujeres no sienten apetencia sexual hasta que dejan de amamantar a su hijo, pero esto no significa que no puedan disfrutar de la intimidad que proporciona el acto sexual.

Algunos padres, incluso si estaban preparados para el nacimiento, salen de la sala de partos con la sensación de que la zona especial que estaba destinada al placer ha adquirido bruscamente una finalidad práctica. No obstante, a medida que pasan los días, también pasa esta sensación. La vagina tiene dos funciones, igualmente importantes: la práctica y la sexual. Ninguna de las dos excluye a la otra, y de hecho están estrechamente relacionadas. Además, la vagina es el lugar de paso para el bebé sólo durante el breve tiempo del parto, mientras que es una fuente de placer para la pareja a lo largo de toda una vida.

Mientras espera que su deseo sexual vuelva (¡cosa que hará!), no se olvide de dedicar atenciones a su pareja. Las mujeres que acaban de dar a luz no suelen sentirse en su momento más sensual, y aunque no esté de humor para hacer el amor sí estará contenta de saber que usted la quiere. No hará ningún daño intentar algún acercamiento sexual para favorecer el retorno del deseo. Encienda unas velas aromáticas cuando el bebé esté dormido para disimular el persistente olor a pañales sucios; ofrezca a su pareja un masaje sin compromiso; acaríciela cuando estén recostados en el sofá. Quién sabe, tal vez el apetito sexual regrese mucho antes de lo que esperan.

"Ahora que mi esposa da de mamar al bebé, no puedo evitar ver los pechos de otra forma. Me parecen demasiado funcionales para resultarme atractivos sexualmente."

Al igual que la vagina, los pechos están destinados a un fin práctico y a un fin sexual. Y aunque estas finalidades no sean mutuamente excluyentes a largo plazo, pueden entrar en conflicto durante la lactancia.

Algunas parejas encuentran que la lactancia es un incentivo sexual. Otras, por razones estéticas (flujo de leche, por ejemplo) o porque se sienten incómodas al utilizar la fuente de alimento del bebé para el placer sexual, encuentran que es un potente inhibidor.

Sea cual fuere el efecto, éste será el normal para la pareja. Si el marido encuentra que los pechos de la mujer son demasiado funcionales ahora para resultar sexualmente atractivos, puede no incluirlos en los juegos amorosos por el momento, con la seguridad de que volverá a encontrarlos atractivos cuando se acostumbre a compartirlos con el bebé. Sin embargo, es necesario que se muestre abierto y sincero con su mujer; abstenerse de repente de ciertas caricias habituales puede hacer que ella se sienta rechazada.

PARTE 6

Cuidar la salud durante el embarazo

Si la embarazada enferma

TODAS LAS MUJERES ESPERAN SU-cumbir al menos a algunos de los síntomas menos deseables del embarazo durante la gestación. Pero no suelen contar con un resfriado, la gripe o una infección. Lo cierto es que las embarazadas pueden enfermar como cualquier otra persona. Es más, enfermar por dos puede incomodar el doble, especialmente porque muchos remedios que la mujer está acostumbrada a tomar pueden no ser adecuados durante el embarazo.

Afortunadamente, la mayoría de enfermedades no afectarán al embarazo. Naturalmente, la prevención es la mejor forma de evitar contraer una enfermedad y tener un embarazo saludable. Pero cuando esto falla, un tratamiento rápido, en la mayoría de los casos bajo la supervisión del médico, puede propiciar con rapidez una mejoría.

Qué puede preocupar

Padecer un resfriado

"Tengo un resfriado terrible y me preocupa que pueda afectar a mi bebé."

El resfriado común es todavía más común cuando la mujer está embarazada porque su sistema inmunitario está debilitado. Por fortuna, los gérmenes sólo afectarán a la madre. El bebé no puede resfriarse ni verse afectado por el catarro materno. No obstante, la medicación y los suplementos que la mujer acostumbre a tomar para conseguir alivio o para prevenir un resfriado, incluyendo ácido acetilsalicílico e ibuprofeno, megadosis de vitamina C y zinc, y la mayoría de hierbas, no están aconsejados (véase la pág. 548 para más información sobre la medicación durante el embarazo). Antes que nada, pues, llame al médico para preguntarle qué medicinas se consideran seguras durante el embarazo y cuáles aconseja en su caso; seguramente habrá diversas entre las que pueda elegir. (Si ya ha tomado unas cuantas dosis de medicina no recomendada durante el embarazo, no se preocupe. Pero comuníquelo al médico para estar más tranquila.)

Aunque ahora no pueda tomar las medicinas que suele, no hay motivo para sufrir cuando la mucosidad nasal y la tos la tienen confinada en la cama, incluso cuando nota que le ronda el resfriado. Algunos de los remedios más eficaces contra el resfriado no los venden en la farmacia y son los más seguros para la madre y el bebé. Estos consejos la ayudarán a cortar el catarro, antes de que se convierta en una sinusitis u otra infección secundaria, al mismo tiempo que le proporcionarán alivio rápido. Al primer estornudo o picor de garganta:

■ Descanse si lo necesita. Pasar el resfriado en cama no lo acorta necesariamente, pero si el cuerpo necesita descanso, conviene dárselo. Por otro lado, si tiene ganas (y no tiene fiebre ni tos), el ejercicio ligero a moderado puede ayudar a recuperarse antes.

■ No deje de comer correctamente. Aunque no le apetezca y no tenga hambre, elija los alimentos nutritivos que más le apetezcan, o que al menos no le provoquen rechazo. Intente tomar cítricos o zumos (naranjas, mandarinas, pomelo) además de muchas otras frutas y verduras ricas en vitamina C cada día, pero no tome suplementos de vitamina C (aparte de los que incluya el suplemento de vitaminas que tome para el embarazo) sin la aprobación del médico. Tampoco tome zinc ni equinácea.

■ Tome mucho líquido. La fiebre, los estornudos y la mucosidad nasal provocan la pérdida de fluidos que usted y el bebé necesitan. Las bebidas calientes serán especialmente calmantes; tenga un termo con una bebida caliente junto a la cama e intente tomar un vaso cada hora. El agua y los zumos también son recomendables, si le apetecen.

■ Al acostarse o para dormir, utilice dos almohadas para que la cabeza le quede elevada. Así respirará mejor durante la noche. Las tiras nasales (que abren las narinas) también pueden ayudarla. Las venden en las farmacias sin receta.

■ Mantenga húmedas las vías nasales con un humidificador o rociándolas con suero fisiológico (también se vende sin receta y es seguro).

■ Si le duele la garganta o si tiene tos, haga gárgaras con agua salada (¼ cucharadita de sal diluida en 24 cl de agua caliente).

■ Intente bajar la fiebre rápidamente. Para más información sobre su tratamiento, véase la página 535.

■ No retrase la llamada al médico ni deje de tomar la medicación que le recete porque crea que todos los fármacos son nocivos para el embarazo. Muchos no lo son. Pero cerciórese de que el médico sepa que está embarazada.

Si el resfriado es lo bastante grave como para interferir en su alimentación o descanso nocturno, si al toser expulsa mucosidad verdosa o amarillenta, si la tos va acompañada de dolor torácico o silbidos, si nota el pulso en los senos nasales (véase la pregunta siguiente), o si los síntomas duran más de una semana, hay que llamar al médico. Es posible que

¿Se trata de una gripe o de un resfriado?

He aquí una forma de poder distinguirlos:

Resfriado: incluso los más fuertes son más suaves que las gripes. Por lo general suelen estar precedidos de dolor de garganta (que dura sólo un día o dos) seguido de la aparición gradual de los síntomas. Entre ellos, moqueo y luego congestión nasal, estornudos y seguramente un cierto dolor general y cansancio leve. No hay fiebre o ésta es muy baja (por lo general, inferior a 38 °C), puede aparecer tos, sobre todo hacia el final, que puede continuar durante una semana o más después de la desaparición de los otros síntomas.

Gripe: es más grave y aparece más de repente. Entre los síntomas hay que incluir fiebre (por lo general, de 39-40 °C), dolor de cabeza, dolor de garganta (que suele empeorar al segundo o tercer día); los músculos suelen estar también doloridos y existen una debilidad y cansancio generalizados (que pueden durar un par de semanas o incluso más). Puede haber algún estornudo y con frecuencia tos, que puede ser grave. En algunos casos pueden aparecer incluso náuseas y vómitos. No obstante, no debe confundirse con una "gripe intestinal" (véase la pág. 539). Se puede evitar contagiarse de la gripe vacunándose.

---

el resfriado haya provocado una infección secundaria y la mujer deberá medicarse por su bien y por el del bebé.

Sinusitis

"He tenido un resfriado durante una semana. Ahora me han empezado a doler la frente y las mejillas. ¿Qué debo hacer?"

Da la impresión de que el resfriado se ha convertido en una sinusitis. Los síntomas incluyen dolor y con frecuencia sensibilidad en la frente y/o los huesos de las mejillas (bajo los ojos), a veces alrededor de los dientes (un dolor que se intensifica al bajar o sacudir la cabeza), con una mucosidad oscura (verdosa o amarillenta) y densa.

La sinusitis tras un resfriado es algo bastante común, pero es incluso más frecuente en embarazadas, ya que sus hormonas tienden a inflamar las membranas mucosas (como las que conducen a los senos faciales) produciendo bloqueos que permiten la proliferación de gérmenes. Estos gérmenes tienden a permanecer más tiempo en estos espacios debido a la dificultad de las células inmunitarias de llegar hasta allí. Como resultado de ello, las infecciones no tratadas en estos espacios pueden durar semanas o, peor todavía, volverse crónicas. El tratamiento con antibióticos (el facultativo le recetará uno que sea seguro durante el embarazo) pueden proporcionar un rápido alivio.

Gripe

"Es la época de las gripes y me pregunto si debo vacunarme. ¿Es seguro durante el embarazo?"

Una vacuna contra la gripe es la mejor defensa durante la época de gripes. De hecho, los organismos de salud aconsejan que toda embarazada en su segundo o tercer trimestre debería vacunarse contra la gripe si coincide con la época de máximo riesgo. Estos organismos consideran que las embarazadas deben tener prioridad para recibir esta vacuna, junto a las personas mayores y los niños de edad comprendida entre los 6 meses y los 5 años.

La vacuna de la gripe debe ser aplicada antes de la época de riesgo –o como máximo al principio de la misma– para obtener una mejor protección. No es efectiva al cien por cien, pues sólo es válida contra aquellos virus que supuestamente crearán problemas en un año concreto, pero aumenta las posibilidades de no enfermar de gripe ese año. Y aunque no evite del todo la infección, como mínimo suaviza mucho los síntomas. Estas vacunas no suelen tener efectos secundarios y, cuando los tienen, éstos son leves.

Cuando acuda a vacunarse, pregunte si pueden administrarle la vacuna sin timerosal. Y opte por el pinchazo en lugar de la vacuna en aerosol (FluMist en EE. UU., Fluenz en Europa). Esta vacuna, a diferencia de la inyectada, se formula con el virus vivo de la gripe (lo cual significa que puede provocar una gripe leve) y no se recomienda en embarazadas.

Vacuna para dos

Vacunarse de la gripe es bueno para la mujer embarazada, pero ¿sabía que es beneficioso también para el recién nacido? Los investigadores han observado que los bebés de madres que se vacunaron contra la gripe durante el tercer trimestre del embarazo parecen estar protegidos contra el virus de la gripe durante los seis primeros meses de vida.

Esto significa que al vacunarse ahora, estará protegiendo al bebé hasta el momento en que le tengan que administrar su primera vacuna contra la gripe.

Si la embarazada sospecha que ha contraído la gripe (véanse los síntomas en el recuadro de la pág. 534) deberá llamar al médico de inmediato para ver cómo puede ser tratada (y evitar que la gripe se convierta en una neumonía). El tratamiento es típicamente sintomático, con el objetivo de reducir la fiebre (actúe enseguida para reducirla; véase la pregunta siguiente), los dolores y molestias, y la congestión nasal. Lo más importante si tiene la gripe (u otro virus) durante el embarazo: descansar y beber muchos líquidos, con el fin de evitar la deshidratación.

Fiebre

"Tengo un poco de fiebre. ¿Qué debería hacer?"

Durante el embarazo, una febrícula (fiebre de menos de 38 °C) no suele ser motivo de preocupación. Pero tampoco conviene ignorarla, lo cual significa que debe actuar para bajar la fiebre cuanto antes. Controle su temperatura corporal para cerciorarse de que la fiebre no sube.

Si la fiebre es de más de 38 °C en una embarazada, hay que prestarle más atención y debe informarse de ella al médico enseguida. Esto se debe a que la causa (como una infección que hay que tratar con antibióticos) puede suponer un problema para el embarazo incluso aunque la fiebre no lo sea. Mientras no contacte con el médico, puede tomar paracetamol para empezar a bajar la fiebre. Un baño o ducha tibios, bebidas frescas y poca ropa favorecerán también el descenso de la fiebre. El ácido acetilsalicílico y el ibuprofeno deben *evitarse* durante el embarazo a menos que el facultativo los recete.

Si tuvo una fiebre alta en una fase anterior del embarazo y no lo comunicó al médico, hágalo ahora.

Inflamación de garganta

**"Mi hijo de tres años tiene una infla-
mación de garganta. Si me la contagia,
¿hay algún riesgo para el bebé?"**

Si hay algo que los niños comparten
sin problemas son los gérmenes.
Y cuantos más niños hay en una casa
(especialmente en edad escolar o preescolar), mayores son las posibilidades de
contagio de resfriados y otras infecciones para la mujer embarazada.

Por eso conviene extremar las medidas preventivas (no comparta bebidas, resista la tentación de acabarse la
merienda del pequeño, lávese las manos
con frecuencia) y potenciar el sistema
inmunitario –debilitado por el embarazo– comiendo correctamente y descansando bien.

Si sospecha que tiene una inflamación de garganta, acuda al médico para
que pueda realizar un cultivo enseguida. La infección no dañará al bebé,
siempre y cuando se trate enseguida
con un antibiótico adecuado. El facultativo le recetará uno que sea eficaz y
seguro. No tome la medicación que hayan recetado a su hijo ni a otra persona
de la familia.

Infección del tracto urinario

**"Temo haber contraído una infección
del tracto urinario."**

La castigada vejiga de la mujer embarazada, que se pasa meses soportando la invasión de su espacio por un
útero creciente y su ocupante, es el caldo
de cultivo ideal para visitantes menos
bienvenidos: las bacterias. Las bacterias
se multiplican con rapidez en las zonas
donde se acumula la orina; por tanto, en
cualquier zona del tracto urinario que
queda ahora comprimida por el útero.
(La misma compresión que la hace levantar varias veces por la noche para
ir al baño.) Esta compresión, unida a
las propiedades de relajación muscular
de las hormonas que ahora invaden su
organismo, facilitan la entrada en el tracto urinario de las bacterias intestinales
que viven tranquilamente en la piel y en
las heces. De hecho, las infecciones del
tracto urinario (ITU) son tan frecuentes
durante el embarazo que al menos el 5%
de las mujeres gestantes pueden esperar
padecer al menos una y las que ya la han
sufrido tienen una posibilidad entre tres
de una recidiva. En algunas mujeres, la
cistitis transcurre sin producir síntomas
o "silenciosamente", y se diagnostica en
los cultivos de orina rutinarios. En otras,
los síntomas pueden ser de leves a bastante incómodos (necesidad de orinar
con frecuencia, quemazón al orinar –a
veces sólo una gota o dos–, dolor agudo
en el bajo vientre). La orina puede tener
también un olor desagradable y un aspecto turbio.

Diagnosticar una ITU es un procedimiento sencillo que se realiza en la
consulta del médico. Se empapa un bas-
toncillo con una muestra de orina y éste
reacciona si hay glóbulos blancos o rojos en la orina. Los glóbulos rojos indican que hay sangre en el tracto urinario;
los blancos indican que puede existir
una infección. El tratamiento de la ITU
se realiza mediante antibióticos especialmente indicados para el tipo de bacteria
encontrado al analizar la muestra de orina en el laboratorio. (No dude en tomar
la medicación, el médico le habrá recetado un antibiótico de los muchos que
se pueden tomar sin riesgo durante el
embarazo.)

Lo mejor, claro está, es siempre
prevenir la ITU. Existen algunas medidas preventivas que reducen el riesgo de
infección durante el embarazo (o que,

usadas en combinación con el tratamiento médico, pueden ayudar a acelerar la recuperación cuando se produce la infección):

■ Beber muchos líquidos, especialmente agua, que pueden ayudar a eliminar las bacterias. También pueden ser beneficiosos los zumos de arándanos, posiblemente porque los taninos que contienen evitan que las bacterias se adhieran a las paredes del tracto urinario. Se evitará el café y el té (incluso si son descafeinados), y el alcohol, que pueden aumentar el riesgo de irritación.

■ Lavarse bien la zona vaginal y vaciar la vejiga justo antes y después de tener relaciones sexuales.

■ Cada vez que se orine, tomarse el tiempo necesario para asegurarse de que la vejiga está bien vacía. Inclinarse hacia delante mientras se orina puede ayudar a conseguirlo. A veces también puede ser de ayuda "vaciar doblemente"; después de orinar, esperar cinco minutos y luego intentarlo de nuevo. Y no aguantarse la orina: hacerlo habitualmente aumenta las posibilidades de sufrir una infección.

■ Para que la zona respire, llevar ropa interior y medias con la entrepierna de algodón y evitar la ropa muy ceñida. No llevar medias debajo de los pantalones. Y dormir sin braguitas ni pantalón de pijama si es posible (y resulta cómodo).

■ Mantener las zonas vaginal y perineal meticulosamente limpias y libres de irritación. Limpiarse siempre de delante hacia atrás después de ir al baño para impedir que las bacterias fecales entren en la vagina o uretra (el tubo corto que sirve para dar salida a la orina desde la vejiga). Lavarse diariamente (duchas mejor que baños) y evitar baños de burbujas y jabones, aerosoles, detergentes y papel higiénico perfumados. Evitar también aquellas piscinas que no estén adecuadamente cloradas.

■ Algunos facultativos recomiendan que la mujer tome yogur con cultivos activos o tomar alimentos probióticos mientras se sigue el tratamiento con antibióticos para favorecer el restablecimiento del equilibrio de bacterias beneficiosas. Pregunte a su médico; algunos alimentos probióticos son más potentes que otros.

■ Mantener altas las defensas siguiendo una dieta nutritiva, descansando mucho y haciendo ejercicio físico, y no llevando una vida demasiado agitada.

Las ITU de la parte baja del tracto urinario no son nada agradables, pero la verdadera amenaza potencial que conllevan es que las bacterias de una ITU no tratada se desplacen hasta los riñones. Las infecciones renales no tratadas pueden llegar a ser peligrosas y provocar un parto prematuro, un bebé con bajo peso al nacer y otros problemas. Los síntomas son los mismos que los de la ITU, pero suelen ir acompañados de fiebre (a menudo de hasta 39,5 °C), escalofríos, sangre en la orina, dolor de espalda (a media espalda, en un lado o en ambos), náuseas y vómitos. Si experimenta estos síntomas, comuníqueselo inmediatamente al médico para poder recibir tratamiento inmediato.

Candidiasis

"Creo que tengo una candidiasis. ¿Debería tomar la medicación que tomo habitualmente o debo acudir al médico?"

El embarazo no es momento para automedicarse, ni siquiera cuando se trata de algo tan aparentemente sencillo

Vaginitis bacteriana (VB)

La vaginitis bacteriana (VB) es la afección vaginal más común en las mujeres en edad fértil, y afecta hasta un 16% de las embarazadas. Aparece cuando ciertos tipos de bacterias que normalmente se encuentran en la vagina empiezan a multiplicarse; suele ir acompañada de un flujo vaginal blanco lechoso o grisáceo, de olor desagradable, "a pescado", dolor, prurito o quemazón (aunque algunas mujeres con VB no presentan síntomas). Se desconocen las causas exactas que afectan al equilibrio normal de las bacterias vaginales, si bien se han identificado algunos factores de riesgo, como tener varios compañeros sexuales, el uso de duchas vaginales o el uso de un DIU. La VB no se transmite por contacto sexual, pero se relaciona con la actividad sexual (las mujeres que nunca han mantenido relaciones sexuales rara vez presentan esta afección).

Durante el embarazo, la VB se asocia a un ligero aumento de algunas complicaciones como la rotura prematura de membranas o la infección del líquido amniótico, que pueden provocar un parto prematuro.

También se puede relacionar con abortos espontáneos y un bajo peso al nacer. Algunos médicos sólo realizan el análisis en mujeres con alto riesgo de parto prematuro, pero no existen pruebas que demuestren que el hecho de tratar a estas mujeres reduzca la incidencia de partos prematuros.

Dicho lo cual, hay que aclarar que el tratamiento con antibióticos sí sirve para aliviar los síntomas.

Ciertos estudios sugieren que el tratamiento puede reducir las complicaciones relacionadas con los partos prematuros provocados por la VB y puede disminuir el número de días que estos bebés pasan en la UCIN.

---

como este tipo de infección. Aunque haya usted sufrido candidiasis cien veces, aunque reconozca los síntomas perfectamente (secreciones vaginales amarillentas o verdosas, consistentes y espesas, de olor desagradable, acompañadas de quemazón, prurito, enrojecimiento o dolor), aunque se haya tratado usted misma usando medicación sin receta, esta vez llame al médico.

El tratamiento en cada caso dependerá del tipo de infección, algo que sólo puede determinarse mediante análisis de laboratorio. Si la infección resulta ser efectivamente por hongos, algo corriente durante el embarazo, el médico posiblemente recete a la mujer supositorios, geles, pomadas o cremas vaginales. El agente antifúngico oral, el fluconazol, también puede recetarse durante el embarazo, pero sólo en pequeñas dosis y para un uso que no supere los dos días.

Por desgracia, la medicación puede acabar con la infección sólo temporalmente; la infección puede reaparecer intermitentemente tras el parto y puede requerir tratamiento repetidamente.

La mujer también puede acelerar la recuperación y evitar la reinfección manteniendo el área genital limpia y seca. Debe seguir unas meticulosas normas de higiene, especialmente después de ir al baño (limpiarse siempre de delante hacia atrás); aclarando bien la zona vaginal tras enjabonarse en la ducha o el baño; evitar el uso de jabones irritantes o perfumados y baños de espuma; llevar ropa interior de algodón; y evitar la ropa ajustada (especialmente si no es de tejido de algodón). En general, hay que dejar respirar la zona cuando sea posible (durmiendo sin ropa interior, por ejemplo).

Comer yogur que contenga cultivos probióticos vivos puede ayudar a mantener a raya los hongos. La mujer puede pedir al médico que le recomiende un suplemento probiótico eficaz (muchos no lo son). Algunas pacientes crónicas de infecciones por hongos encuentran que reducir el consumo de azúcar y de alimentos horneados elaborados con harinas refinadas también es eficaz. No se deben realizar duchas vaginales, ya que alteran el equilibrio bacteriano vaginal normal.

Enfermedades gastrointestinales

"Tengo molestias en el estómago y no puedo comer nada. ¿Será esto dañino para mi bebé?"

Cuando pensaba que ya no iba a necesitar vivir en el baño porque los mareos matutinos ya han desaparecido, surge una gastroenteritis que la devuelve a su lugar junto al inodoro. Y si todavía está en el primer trimestre del embarazo, resulta difícil distinguir los síntomas de una y otra afección.

Afortunadamente, el virus estomacal que afecta a la madre no daña al feto. Lo cual no significa que se deba ignorar. Y tanto si el malestar estomacal se debe a las hormonas, un virus o una ensalada de huevo en mal estado, el tratamiento es el mismo: descansar tanto como sea posible y consumir muchos líquidos, especialmente si se pierden vomitando y/o con diarrea, pues son mucho más importantes que los alimentos sólidos, a corto plazo.

Si no orina con la suficiente frecuencia o si la orina es oscura (debería ser de color amarillo paja), es posible que esté deshidratada. Intente tomar pequeños sorbos de agua, zumo diluido (de uva), caldo claro, té descafeinado flojo, o agua caliente con limón. Si no logra sorber, chupe cubitos o polos. Siga lo que le indique su estómago a la hora de ir incluyendo sólidos en la dieta y, al hacerlo, elija alimentos suaves, simples y poco grasos (arroz blanco o tostadas secas, cereales de bajo contenido en fibra, compota de manzana, plátanos). Y no olvide que el jengibre es bueno para los males de estómago. Tómelo en infusión o en forma de refresco o caramelos. Acuérdese también de tomar suplementos cuando pueda. Las vitaminas siguen siendo necesarias, por lo que conviene seguir tomándolas si el estómago es capaz e retenerlas. Pero no se preocupe si las devuelve.

Si su estómago no retiene nada, hable con el médico. La deshidratación es un problema para las personas que sufren una enfermedad gastrointestinal, pero es especialmente delicado el caso de la embarazada, que debe hidratarse por dos. Es posible que le recomiende algún tipo de suero rehidratante.

Consulte con el médico antes de tomar cualquier tipo de medicina. Algunos antiácidos son seguros durante el embarazo, y algunos médicos incluso dan permiso para tomar algún medicamento para aliviar los gases, pero pregunte antes. Su médico puede incluso recetarle algún antidiarreico, pero probablemente pasado el primer trimestre (véase la pág. 550).

Y en todo caso, tenga paciencia: un estómago revuelto no suele durar más de uno o dos días.

Listeriosis

"Una amiga que está embarazada me ha dicho que no debo tomar productos lácteos sin pasteurizar porque puedo enfermar durante el embarazo. ¿Es eso cierto?"

Pues sí, aunque no sea una buena noticia para quien disfrute comiéndolos. La leche y los quesos sin pasteurizar (incluyendo algunas mozzarellas, queso azul, quesos mexicanos, brie, Camembert y feta) pueden producir una enfermedad en cualquier momento, pero sobre todo durante el embarazo. Estos alimentos, junto con zumos sin pasteurizar, alimentos crudos o poco cocidos (carne, pescado, marisco, aves, huevos), las salchichas tipo frankfurt y las hortalizas crudas sin lavar pueden contener *Listeria*. Esta bacteria es capaz de producir una enfermedad grave (listeriosis), sobre todo en individuos de riesgo elevado, incluyendo niños pequeños, ancianos, personas con problemas inmunitarios y embarazadas, cuyos sistemas inmunitarios también son más débiles. La *Listeria*, a diferencia de otros gérmenes, entra directamente en el torrente sanguíneo y por ello puede llegar con rapidez al feto por vía placentaria (otros contaminantes alimentarios suelen quedarse en el tracto digestivo y sólo causan problemas si llegan al líquido amniótico).

La listeriosis es difícil de detectar, en parte porque los síntomas pueden aparecer entre doce horas y treinta días después de haber ingerido algún alimento contaminado, y porque estos síntomas –dolor de cabeza, fiebre, cansancio, dolores musculares y a veces náuseas y diarrea– se parecen a los de una gripe e incluso pueden confundirse con efectos secundarios del embarazo. Hay que tomar antibióticos para tratar y curar la listeriosis. De no ser tratada, la enfermedad puede provocar graves complicaciones para la madre y el bebé.

Por ello, está clara la importancia de evitar la infección, en primer lugar dejando de ingerir los alimentos que pueden contener la bacteria, especialmente ahora, aunque ello comporte algunos sacrificios. Véase la página 132 para más consejos sobre salud alimentaria y la prevención de enfermedades provocadas por la ingestión de ciertos alimentos. Recuerde, no obstante, que el riesgo de contraer la infección es extremadamente bajo, de modo que no debe preocuparse por los alimentos potencialmente peligrosos que ya haya consumido.

Toxoplasmosis

"Aunque he traspasado a mi marido todas las tareas del cuidado de los gatos, me preocupa que viviendo con ellos puedan contagiarme la toxoplasmosis. ¿Cómo podré saber que he contraído la enfermedad?"

Probablemente no podría saberlo. La mayoría de la gente que se infecta por esta enfermedad no presenta ningún síntoma en absoluto, aunque algunas personas sienten un ligero malestar, algo de fiebre e hinchazón de los ganglios dos o tres semanas después de la exposición, seguidos de un sarpullido uno o dos días después.

No obstante, seguramente esta mujer no padecería la enfermedad. Si ha vivido mucho tiempo con gatos, lo más probable es que ya se haya contagiado y desarrollado anticuerpos contra el virus que provoca la toxoplasmosis.

Si resulta que la mujer no está inmunizada y experimenta los síntomas de la toxoplasmosis, probablemente el médico llevará a cabo un análisis. En el caso poco probable de que el análisis diera un resultado positivo, seguramente se iniciará un tratamiento con antibióticos para reducir el riesgo de transmitir la infección al bebé.

Existe un riesgo muy reducido para la embarazada que se contagia de toxoplasmosis, y el riesgo de contagio al feto si la madre no ha recibido tratamiento y presenta la enfermedad es sólo de un 15%. Cuanto más al inicio del embarazo se contagia la madre, menos probabilidades existen de que pase la enfermedad al bebé, pero más graves son las consecuencias si ello ocurre. Cuanto más avanzado está el embarazo, mayor es el riesgo de transmisión de la enfermedad, pero menos graves son las posibles consecuencias. Afortunadamente, el número de mujeres embarazadas que contraen la enfermedad es reducido, y sólo 1 de cada 10.000 bebés nacen con toxoplasmosis congénita grave.

Los avances tecnológicos recientes posibilitan el análisis de la sangre fetal y/o el líquido amniótico y el hígado fetal mediante ecografías para comprobar si el feto se ha contagiado, si bien no antes de la semana 20 o 22. Si el feto no ha sufrido ningún contagio, probablemente no se verá afectado.

El mejor "tratamiento" para la toxoplasmosis es la prevención. Véase la página 88 para conocer las precauciones que deben seguirse para evitar contraer esta infección.

Citomegalovirus (CMV)

"Mi hijo ha traído una circular del colegio en que se informa a los padres de un brote de CMV en la escuela. ¿Debo preocuparme por una posible infección durante el embarazo?"

Afortunadamente, las probabilidades de que la mujer contraiga la infección de su hijo y se la pase al feto son remotas. ¿Por qué? Porque la mayoría de adultos se contagiaron en su infancia, y si se encuentra dentro de esta mayoría, no puede contagiarse de nuevo ahora (si bien el CMV puede ser reactivado). Incluso aunque contrajera una nueva infección de CMV durante el embarazo, los riesgos para el bebé son bajos. A pesar de que la mitad de las mujeres infectadas dan a luz a bebés infectados, sólo un pequeño porcentaje presentan los efectos de la enfermedad. Los riesgos son menores aún para un bebé cuya madre padezca una reactivación del virus durante el embarazo.

De todos modos, a menos que sepa con certeza que es inmune al CMV porque haya tenido una infección anterior, la mejor defensa es un buen ataque. Tome medidas preventivas como lavarse bien las manos después de cambiarle los pañales a su hijo o ayudarle a ir al baño, y no se coma los restos de comida que el niño deje. (Y si trabaja en una guardería, siga siempre escrupulosamente el protocolo de higiene.)

Aunque el CMV con frecuencia va y viene sin presentar síntomas evidentes, en ocasiones provoca fiebre, fatiga, ganglios inflamados y dolor de garganta. Si nota alguno de estos síntomas, acuda al médico. Tanto si los síntomas señalan la presencia de CMV como de otra enfermedad (como una gripe o inflamación de garganta), la mujer requerirá tratamiento.

Eritema infeccioso agudo

"Me han dicho que una enfermedad de la que nunca había oído hablar –el eritema infeccioso agudo– podría causar problemas en el embarazo."

El eritema infeccioso agudo es la quinta de un grupo de seis enfermedades que pueden causar fiebre y sarpullidos en los niños. Pero a diferencia de las demás enfermedades de su grupo (como la varicela o el sarampión), ésta no se conoce mucho porque sus síntomas son leves y pueden pasar inadvertidos e incluso no presentarse en absoluto. La fiebre se presenta sólo en un 15 a un 30% de los casos.

El sarpullido –que durante los primeros días hace que parezca que las mejillas hayan sido abofeteadas, y luego se esparce con el aspecto de un encaje por el tronco, las nalgas y los muslos, yendo y viniendo (generalmente en respuesta al calor del sol o de un baño) durante una a tres semanas– a menudo se confunde con el sarpullido de la rubéola y otras enfermedades infantiles, incluso con quemaduras solares.

Una exposición concentrada por tener que cuidar a un niño con un eritema infeccioso agudo o por dar clases en una escuela donde esta enfermedad es epidémica pone a la futura madre en un riesgo mayor de desarrollar la enfermedad.

Pero la mitad de las mujeres en edad reproductiva pasaron la enfermedad en su infancia y ahora son inmunes a ella, de modo que la infección, afortunadamente, no es corriente entre las mujeres embarazadas.

En el caso poco probable que una futura madre contraiga esta enfermedad y contagie al feto, el virus puede alterar la capacidad del feto para producir glóbulos rojos, provocando anemia u otras complicaciones.

Si contrae el eritema infeccioso agudo, el médico realizará un seguimiento para comprobar si existe anemia fetal mediante ecografías durante ocho a diez semanas.

Si el bebé se contagia durante la primera mitad del embarazo, aumenta el riesgo de aborto espontáneo.

De nuevo, las probabilidades de que la mujer, el embarazo o el feto se vean afectados por esta enfermedad son remotas.

De todas formas, como siempre, conviene dar los pasos adecuados para evitar la infección mientras la mujer está embarazada (véase la pág. siguiente).

Sarampión

"No recuerdo si me vacunaron contra el sarampión de pequeña. ¿Debería vacunarme ahora?"

No. La vacuna del sarampión no debe administrarse durante el embarazo, debido al riesgo teórico que existe para el feto, a pesar de que no hay informes de problemas en recién nacidos cuyas madres fueron vacunadas contra esta enfermedad sin saber que estaban embarazadas. Además existen muchas posibilidades de que la mujer esté inmunizada, ya que la mayoría de mujeres en edad de procrear han sido vacunadas durante su infancia. Si el carné de vacunas no incluye esta información y sus padres no recuerdan si se le administró la vacuna de pequeña, el médico puede llevar a cabo un análisis para determinar si la mujer está inmunizada. Aunque no lo esté, el riesgo de contraer el sarampión es muy bajo debido a la gran cobertura vacunal frente a esta enfermedad que tenemos en España (lo cual significa que es poco probable que la madre se contagie en nuestro país).

En el caso extremadamente improbable de que la mujer se expusiera directamente a una persona enferma y no fuera inmune al sarampión, el médico le administraría gammaglobulina (anticuerpos) durante el período de incubación –entre el momento de exposición y el inicio de los síntomas– para reducir la gravedad de la infección si se produjera. El sarampión, a diferencia de la rubéola, no parece provocar defectos congénitos, aunque puede estar relacionado con un aumento del riesgo de aborto o parto prematuro. Si contrajera la enfermedad poco antes de la fecha de salida de cuentas, existe el riesgo de que el recién nacido se contagie de la madre. De nuevo, se le administraría gammaglobulina para reducir la severidad de los síntomas

Mantener la salud

Durante el embarazo, debido a los efectos potencialmente dañinos para el bebé tanto de las enfermedades como de los medicamentos, es mucho mejor prevenir que curar. Las siguientes sugerencias aumentarán las probabilidades de seguir sana, tanto si se está embarazada como si no:

Mantener altas las defensas. Seguir la mejor dieta posible, dormir lo suficiente y hacer ejercicio adecuado, pero sin agotarse. Reducir al máximo el estrés en la vida diaria.

Evitar a las personas enfermas. Intentar mantenerse alejada de cualquiera que tenga un resfriado, una gripe, una enfermedad gastrointestinal o cualquier otra enfermedad contagiosa detectable. Distanciarse de los que tosen en el autobús, evitar comer con los compañeros que se quejan de que les duele la garganta y evitar estrechar la mano de un amigo que tenga un resfriado nasal (los gérmenes, al igual que los saludos, pueden pasarse mediante un apretón de manos). También se evitarán en lo posible los espacios cerrados muy concurridos o atestados.

Lavarse bien las manos. Las manos son el máximo transmisor de enfermedades: por ello hay que lavárselas bien con jabón y agua caliente, durante 20 segundos, sobre todo después de haber estado junto a alguien enfermo, en lugares o transportes públicos y antes de comer. Conviene llevar en el bolso toallitas limpiadoras para lavarse las manos cuando no haya agua disponible.

Mantener la distancia. En casa, limitar en lo posible el contacto con los niños o la pareja enfermos (dejar que tome el papel de enfermero otro miembro de la familia, una canguro o una amiga no embarazada). Evitar comerse los restos de su comida y beber de sus vasos. Y aunque todo niño enfermo precisa los mimos de mamá, asegúrese de lavarse bien las manos y la cara después de acariciarle y abrazarle. Lavarse las manos también después de cualquier contacto con los pacientes, su ropa de cama, sus toallas o sus pañuelos sucios, especialmente antes de tocarse los ojos, la nariz o la boca. Procurar que se laven las manos con frecuencia y que se tapen la boca al estornudar o toser. Utilizar un desinfectante en el teléfono, el ordenador, los mandos a distancia y otras superficies que ellos toquen.

Si el propio hijo o un niño con el que normalmente se pasa mucho tiempo presenta un sarpullido de cualquier tipo, evitar un contacto estrecho con él y avisar al médico de inmediato a menos que se sepa que se es inmune a la varicela, el eritema infeccioso agudo y el CMV.

Cuidar de los animales de compañía. Se mantendrán los animales de compañía en buen estado de salud, teniendo al día el calendario de vacunas. Si se posee un gato, hay que evitar la toxoplasmosis (véase la pág. 88).

Atención a la enfermedad de Lyme. Se evitarán las zonas abiertas donde sea endémica la enfermedad de Lyme (véase la pág. 546).

No compartir. Esto incluye los cepillos de dientes u otros objetos personales. En el cuarto de baño, tenga a mano vasos desechables para enjuagarse la boca.

Seguridad en los alimentos. Para evitar enfermedades provocadas por la comida, seguir una preparación segura y unos buenos hábitos de conservación (véase la pág. 132).

de la infección. Recuerde que todo esto es muy teórico, dado lo raro que es el sarampión en la actualidad.

Paperas

"Un compañero acaba de tener paperas. ¿Debería vacunarme si no las he pasado?"

Las paperas son raras durante el embarazo, ya que hoy en día la mayoría de adultos han sido vacunados contra ellas de pequeños. Lo más probable es que lo fuera usted también (o, menos probable, que desarrollara la enfermedad), lo cual significa que ahora no puede contagiarse. Si no está segura de si la vacunaron ni de si tuvo la enfermedad, pregunte a sus padres o al pediatra que la cuidó de pequeña, si es posible.[1]

Si resulta que no está inmunizada contra las paperas, ahora no es aconsejable vacunarse porque la vacuna puede dañar al feto. Aun sin inmunidad, el riesgo de contraer esta enfermedad es muy bajo. No es altamente contagiosa por contacto esporádico. No obstante, como las paperas parecen desencadenar contracciones uterinas, y debido a que éstas pueden producir un aborto espontáneo o un parto prematuro más tarde, la embarazada deberá estar alerta para detectar los primeros síntomas de esta enfermedad (posiblemente un dolor vago, fiebre y pérdida del apetito antes de que las glándulas salivales o parótidas se hinchen; luego dolor de oído y dolor al masticar o al tomar bebidas o alimentos ácidos o agrios). La mujer deberá notificar de inmediato estos síntomas al médico, ya que un tratamiento rápido puede

reducir las posibilidades de que surjan problemas. También puede pensarse en la vacuna triple vírica antes de volver a quedar embarazada de nuevo.

Rubéola

"Puedo haber estado expuesta a la rubéola durante un viaje al extranjero. ¿Debo preocuparme?"

Afortunadamente, la gran mayoría de mujeres son inmunes a la rubéola, porque la han contraído en algún momento de sus vidas (generalmente durante la infancia) o porque han sido vacunadas contra ella.[2] De modo que lo más probable es que no pueda contagiarse y, en consecuencia, no tenga por qué preocuparse. Si la mujer no sabe si es inmune, esto se puede averiguar mediante un simple análisis, que mide el nivel de anticuerpos contra el virus que contiene la sangre, y que llevan a cabo rutinariamente la mayoría de tocólogos durante la primera visita prenatal. Si no se hizo este análisis, ahora es el momento de que se lo realicen.

Si resulta que la mujer no es inmune, todavía no se debe considerar la posibilidad de tomar medidas drásticas de inmediato. Para que el virus pueda ser dañino, la madre debe contraer la enfermedad. Los síntomas, que aparecen dos o tres semanas después de la exposición, suelen ser benignos (malestar, fiebre no muy alta e hinchazón de los ganglios, seguidos de un ligero sarpullido que aparece un día o dos más tarde) y a veces pueden pasar desapercibidos. Si la mujer contrae la enfermedad (cosa

---

[1] Conviene llevar un registro preciso de las vacunas y enfermedades, para poderlo consultar en la edad adulta y darle al hijo toda esta información cuando se vaya de casa. (*Nota del revisor.*)

[2] La vacuna es más eficaz si se aplica en la adolescencia, pero toda mujer no vacunada en esa etapa de su vida es conveniente que se vacune en cuanto tenga posibilidades de quedar embarazada. (*Nota del revisor.*)

poco probable), el riesgo para el bebé dependerá de cuándo enferme la madre. Durante el primer mes del embarazo, las posibilidades de que el feto desarrolle un defecto grave son bastante elevadas. En el tercer mes, el riesgo es significativamente más bajo. Y más adelante, el riesgo es aún menor.

Por desgracia, no existe ninguna forma de evitar por completo que una mujer que se ha visto expuesta a la infección contraiga la enfermedad de la rubéola, pero como las posibilidades de verse expuesta a la rubéola son mínimas, este caso sería extraordinario. No obstante, si no es inmune y esta vez se libra de la enfermedad, evite las preocupaciones en futuros embarazos vacunándose después de dar a luz. Se le pedirá que no quede embarazada durante un mes después de la vacuna. Pero si concibe accidentalmente durante este período –o si fue vacunada antes de saber que estaba encinta– no deberá preocuparse. No se ha informado de defectos congénitos en bebés cuyas madres fueron vacunadas al principio de su embarazo inadvertido o que los concibieron después de ser vacunadas.

Varicela

"Tengo un hijo en edad preescolar que ha sido expuesto a la varicela en la guardería. Si la contrae, ¿podría ello resultar perjudicial para el bebé que estoy esperando?"

No es probable. Bien aislado del resto del mundo, el feto no puede contraer la varicela de una tercera persona, sólo de su madre. Y primero ésta debería contraerla, lo que muy bien podría ser imposible. En primer lugar, su hijo difícilmente se contagiará y traerá la enfermedad a casa si recibió la vacuna pertinente. En segundo

lugar, es muy probable que la mujer haya tenido esta infección de pequeña (del 85 al 95 % de la población adulta actual la ha pasado) y se haya inmunizado. Pregunte a sus padres o consulte su carné de vacunas para averiguar si ha pasado la varicela. Si no tiene manera de saberlo con certeza, pídale al médico que le haga un análisis para saber si está inmunizada.

Aunque las posibilidades de que la mujer sea infectada son pequeñas incluso si no está inmunizada, se recomienda una inyección de la inmunoglobulina de la varicela-zóster (IGVZ) en el transcurso de las 96 horas después de la exposición, es decir, después de un contacto directo con alguien que tenga la enfermedad. No está claro si ello protegerá al bebé para que no contraiga la varicela si la madre se contagia, pero debería minimizar las complicaciones para la madre, lo que es de gran importancia, dado que esta enfermedad benigna en la infancia puede ser bastante grave en los adultos. Si la gestante es víctima de una infección grave, se instaurará un tratamiento con un fármaco antivírico para reducir los riesgos de complicaciones.

Si la mujer contrae la varicela durante la primera mitad del embarazo, las posibilidades de que el bebé desarrolle el denominado síndrome de varicela congénita son mínimas (2%); este síndrome puede provocar defectos de nacimiento. Si la mujer enferma más avanzado el embarazo, los riesgos para el bebé son prácticamente nulos. La excepción es si la madre se contagia justo antes de dar a luz (la semana anterior) o justo después. En este caso extremadamente raro, existe una pequeña posibilidad de que el recién nacido llegue al mundo infectado. Para evitar la infección neonatal, se suele administrar una infusión de anticuerpos de la varicela al bebé al nacer (o en cuanto se sepa que la madre está infectada, tras el parto).

Dicho sea de paso, el herpes zóster, que es una reactivación del virus de la varicela en un paciente que la tuvo antes, parece que no tiene malas consecuencias para el feto, probablemente debido a que la madre y, por lo tanto, el bebé, ya tienen anticuerpos contra el virus.

Si la mujer no es inmune y ha logrado escapar a la infección, lo mejor es que pregunte a su médico sobre la posibilidad de vacunarse después del parto y proteger así cualquier embarazo futuro. La vacuna debe aplicarse como mínimo un mes antes del nuevo embarazo.

Fiebre de las Montañas Rocosas (o enfermedad de Lyme)

"Sé que vivo en una zona donde existe un alto riesgo de contraer la fiebre de las Montañas Rocosas. ¿Es peligroso tenerla cuando se está embarazada?"

La enfermedad de Lyme es más común entre la gente que pasa mucho tiempo en los bosques donde viven ciervos, ratones u otros animales portadores de garrapatas, pero también puede contraerse en las ciudades por medio de plantas traídas del campo.

La mejor manera de proteger al bebé y a la madre es mediante medidas preventivas. Si la embarazada se halla en zonas boscosas o herbosas, o si maneja plantas que provienen de dichas zonas, deberá llevar pantalones largos, cuyas perneras introducirá dentro de las botas o calcetines, y llevará manga larga; aplicará un repelente de insectos que sea efectivo contra las garrapatas a las prendas de ropa. Al volver a casa, revisará su piel cuidadosamente en busca de garrapatas. Si encuentra una, la sacará enseguida con unas pinzas; luego la meterá en una botellita para que el médico la analice (sacárselas pasadas menos de 24 horas después de que se adhieran elimina casi por entero la posibilidad de infección).

Si le ha mordido una garrapata, acudirá al médico inmediatamente; con un análisis de sangre se determinará si ha contraído la enfermedad. (Los primeros síntomas pueden incluir una pústula rojiza en el lugar de la picadura, fatiga, jaqueca, fiebre y escalofríos, dolorimiento generalizado, hinchazón cerca del lugar de la picadura; otros síntomas más avanzados son dolores similares a los artríticos y pérdida de memoria.)

Afortunadamente, los estudios demuestran que el tratamiento inmediato con antibióticos protege completamente al bebé cuya madre ha contraído la enfermedad de Lyme, y evita que la madre caiga gravemente enferma.

Hepatitis A

"Uno de los niños de la guardería donde trabajo tiene hepatitis A. Si me he contagiado, ¿podría ello afectar a mi embarazo?"

La hepatitis A es muy común, casi siempre es una enfermedad benigna (a veces sin síntomas aparentes) y rara vez pasa al feto o al recién nacido. Por tanto, aunque la madre se contagie, ello no debería afectar al embarazo. Pero siempre es mejor evitar una infección sea del tipo que sea, de modo que conviene tomar precauciones: lávese las manos después de cambiar pañales o acompañar a un niño al baño (la hepatitis A se contagia por vía fecal-oral), y lávese bien antes de comer. Pregunte a su médico sobre la conveniencia de vacunarse contra la hepatitis A.

Hepatitis B

"Soy portadora de la hepatitis B y acabo de saber que estoy embarazada. ¿El hecho de ser portadora es dañino para el bebé?"

S aber que la madre es portadora de la hepatitis B es el primer paso para evitar que la enfermedad afecte al bebé. Como esta infección hepática puede pasar de la madre al bebé durante el parto, se tomarán medidas en el momento del nacimiento para cerciorarse de que esto no ocurra. El recién nacido recibirá un tratamiento en las 12 primeras horas de vida con inmunoglobulina de la hepatitis B y con la vacuna de la hepatitis B (que se administra de manera rutinaria, de todas formas). Este tratamiento casi siempre consigue evitar el desarrollo de la infección. El bebé volverá a ser vacunado al mes y a los dos meses de edad y de nuevo a los seis meses (vacunación rutinaria), y es posible que le realicen un análisis a los 12-15 meses de edad para asegurarse de que la terapia ha sido efectiva.

Hepatitis C

"¿Debería preocuparme por la hepatitis C durante el embarazo?"

L a hepatitis C puede transmitirse de la madre infectada al niño, seguramente ya en el útero y no durante el parto. La tasa de transmisión es baja, sólo un 7-8%. Pero como suele transmitirse a través de la sangre (por ejemplo, por drogas ilegales inyectadas o transfusiones) es difícil que la futura madre esté infectada. En caso de existir infección, es probable que pueda ser tratada, pero no durante el embarazo.

Parálisis facial de Bell

"Esta mañana me he levantado con dolor detrás de la oreja y con la lengua entumecida. Cuando me he mirado al espejo, he observado que hacía una mueca rara con la boca. ¿Qué me pasa?"

P arece que esta mujer tiene parálisis de Bell, una lesión del nervio facial que provoca debilidad o parálisis en un lado de la cara. La parálisis de Bell afecta a las mujeres embarazadas tres veces más que a las que no lo están (aunque es poco corriente en general) y la mayoría de las veces se presenta en el tercer trimestre o en el primer período posparto. Aparece de repente, y el paciente suele levantarse y darse cuenta de la parálisis sin previo aviso.

La causa de esta parálisis facial temporal es desconocida, aunque los expertos sospechan que la inflamación del nervio facial puede tener su origen en una infección bacteriana o vírica. Otros síntomas que a veces acompañan la parálisis incluyen dolor detrás del pabellón auricular o en la parte trasera de la cabeza, mareos, babeo (debido a la debilidad de los músculos), boca seca, incapacidad para parpadear, deficiencia del sentido del gusto y entumecimiento de la lengua, e incluso dificultades para hablar en ciertos casos.

La buena noticia es que la parálisis de Bell no se extenderá ni empeorará. En la mayoría de los casos, desaparece por completo en menos de tres semanas a tres meses sin tratamiento (aunque en algunos casos tarda hasta seis meses en desaparecer). Y lo mejor de todo es que no representa ninguna amenaza para el bebé ni el embarazo. Si bien es necesario llamar al médico, lo más probable es que no precise tratamiento alguno.

Tomar medicación durante el embarazo

Si lee el folleto informativo que acompaña cualquier medicamento con o sin receta médica, se percatará de que casi todos advierten sobre el uso del fármaco en caso de embarazo sin aprobación médica. Pero casi todas las embarazadas acaban tomando al menos un fármaco con receta médica a lo largo del embarazo y alguno más sin receta médica. ¿Cómo saber si el medicamento es seguro o no?

Ningún fármaco, ya sea prescrito o adquirido sin receta, clásico o a base de hierbas, es 100% seguro en el 100% de las personas el 100% de las veces. Y cuando se está embarazada, cada vez que se toma un fármaco está en juego la salud de dos individuos, uno de los cuales es muy pequeño y vulnerable. Aunque se ha demostrado que algunos fármacos son peligrosos para el feto, muchos medicamentos han sido usados con seguridad durante el embarazo y existen situaciones en las que la medicación es absolutamente esencial.

Siempre conviene sopesar los riesgos potenciales que conlleva tomar un fármaco frente a los beneficios potenciales que aportará, y aún más durante el embarazo. Implicar al médico en la decisión de si se debe tomar o no un medicamento es siempre buena idea, y durante el embarazo es esencial. Pregúntele siempre antes de medicarse, aunque se trate de un fármaco sin receta médica que ya ha tomado otras veces.

El fármaco que se tome en una situación específica dependerá de las últimas informaciones disponibles sobre la seguridad de éste durante el embarazo. Las numerosas listas de fármacos seguros, posiblemente inseguros y definitivamente inseguros pueden ser de alguna ayuda, pero la mayoría ya están anticuadas y no son fiables.

Como siempre, en caso de duda, no tome ningún fármaco –que precise o no receta médica, clásico o a base de hierbas– sin consultar con el médico.

Fármacos comunes

Existen multitud de medicamentos que se consideran seguros para las embarazadas. Estos medicamentos pueden aportar alivio si la mujer tiene una congestión nasal o sufre un terrible dolor de cabeza. Otros medicamentos no son recomendables en la mayoría de los casos, si bien en ciertos casos pueden ser aconsejables, por ejemplo, pasado el primer trimestre de embarazo o dado un problema concreto. Y muchos medicamentos están totalmente desaconsejados cuando la mujer está embarazada. A continuación, encontrará información sobre los fármacos más frecuentes cuyo uso puede plantearse durante el embarazo:

Paracetamol. Suele darse luz verde a su uso a corto plazo durante el embarazo, pero hay que preguntar al médico la dosis adecuada antes de tomarlo por primera vez.

Aspirina. El médico seguramente le recomendará que no tome aspirina, especialmente durante el tercer trimestre, ya que aumenta el riesgo de problemas para el recién nacido y de complicaciones antes y durante el parto, como un exceso de pérdida de sangre. Algunos estudios sugieren que en dosis muy bajas la aspirina puede ayudar a prevenir la preeclampsia en ciertas circunstancias, pero solo el médico será capaz de determinar si debería recetarla en cada caso. Otros estudios indican que la aspirina en dosis bajas y en combinación con la heparina puede reducir la incidencia de abortos recurrentes en algunas mujeres que presenten el denominado síndrome antifosfolípido. Pero sólo el médico puede determinar si estas medicinas son seguras en cada caso.

Ibuprofeno. Debería utilizarse con precaución durante el embarazo, especialmente durante el primer y el tercer trimestre, cuando puede tener efectos negativos parecidos a los de la aspirina. Debe tomarse únicamente si el médico, informado del embarazo de la paciente, se lo recomienda específicamente.

Naproxeno. Es un fármaco perteneciente al grupo de antiinflamatorios no esteroideos (AINE) y su uso no es recomendable en absoluto durante la gestación.

Aerosoles nasales. Para el alivio a corto plazo de la congestión nasal, el uso de la mayoría de aerosoles nasales es seguro. Pregunte al médico qué marca le recomienda y qué dosis debe utilizar. Las soluciones salinas son siempre seguras, igual que las tiras nasales.

Antiácidos. La acidez de estómago persistente suele responder al tratamiento con antiácidos, pero debe consultar con el médico para que le recomiende un producto y le indique la dosis adecuada.

Antiflatulentos. Muchos médicos les dan el visto bueno para el alivio ocasional de la hinchazón de estómago durante el embarazo, pero consulte antes con su médico.

Antihistamínicos. No todos son seguros durante el embarazo, pero varios sí lo son. Debe consultar con su médico para que le recomiende el fármaco adecuado en su caso y en su estado, so-

Estar al día

Las numerosas listas disponibles de fármacos posiblemente seguros, posiblemente inseguros y definitivamente inseguros durante el embarazo cambian constantemente, sobre todo a medida que salen al mercado nuevos medicamentos. Otros fármacos pasan de ser vendidos con receta médica a serlo sin necesidad de ella. Y otros fármacos se están estudiando todavía para determinar si su uso es seguro durante la gestación.

Para saber con seguridad qué medicamentos puede tomar y cuáles no, siempre consulte con su médico. También puede recurrir a un especialista en medicina maternofetal. Puede, además, conseguir información fiable pidiéndola directamente a las organizaciones sanitarias (Agencia Española de Medicamentos y Productos Sanitarios, Ministerio de Sanidad y Consumo; página web: <www.aemps.gob.es>). Pero recuerde que siempre deberá consultar al médico o al farmacéutico.

bre todo durante el primer trimestre. Muchos médicos permiten el uso limitado de clorfeniramina y triprolidina.

Somníferos. Algunos de ellos se consideran seguros durante el embarazo, y muchos facultativos dan luz verde a su uso ocasional. No obstante, consulte siempre con su médico antes de tomar un somnífero.

Descongestionantes. Los hay seguros para su uso, normalmente limitado, durante la gestación. Cerciórese de consultar con su médico antes de medicarse y pregúntele la dosis adecuada.

Antidiarreicos. Algunos se consideran seguros durante la gestación para su uso durante un período limitado de tiempo, pero hay que preguntar antes al médico (la mayoría aconsejan esperar hasta pasado el primer trimestre). Se desaconseja el uso de diversos salicilatos durante el embarazo.

Antibióticos. Si el médico le receta antibióticos durante el embarazo es debido a la presencia de una infección bacteriana más peligrosa que la ingestión de dichos antibióticos (muchos se consideran totalmente seguros). Normalmente, el facultativo receta antibióticos pertene-cientes al grupo de la penicilina o la eritromicina. Ciertos antibióticos (como las tetraciclinas) no son recomendables cuando la mujer está encinta, de modo que hay que asegurarse de que el médico que receta el fármaco sepa que la mujer está embarazada.

Antidepresivos. La depresión no tratada en una futura madre puede conllevar muchas consecuencias negativas para el bebé. Pese a que los estudios de los efectos de los antidepresivos en el embarazo y en el feto cambian constantemente, parece ser que existen diversos fármacos

Remedios a base de hierbas

Los suplementos nutritivos y remedios medicinales a base de hierbas hacen promesas muy tentadoras (¡mejorar el descanso nocturno!, ¡mejorar la memoria!, ¡mejorar el sistema inmunitario!), especialmente atractivas cuando el embarazo deja a la mujer pocas opciones para automedicarse. ¿Puede hacer algún daño tomarse un par de píldoras de *Ginkgo biloba* para ayudar a las neuronas a recordar que hay que pagar la factura de la luz? ¿Y si toma melatonina para poder dormir como un bebé? ¿O equinácea para defenderse de los gérmenes cuando corre algún resfriado por la oficina? Al fin y al cabo, en la etiqueta pone "producto natural", y lo venden en la herboristería (¿qué puede ser más sano?).

De hecho, podría resultar perjudicial, especialmente ahora que la mujer comparte estos productos con el bebé. "Producto natural" no significa "producto seguro", y el lugar donde se adquiera el producto tampoco es garantía de que lo sea. Los preparados a base de hierbas no se han fabricado bajo ningún control de calidad ni bajo las normas de seguridad de los organismos oficiales, ni se han sometido a pruebas clíni-cas, lo cual significa que su seguridad (o falta de ella) se desconoce. Incluso las hierbas que haya oído que son beneficiosas durante el embarazo pueden ser peligrosas si se toman en diferentes etapas de la gestación. Por ejemplo, algunas hierbas que favorecen el inicio del parto pueden provocar un parto prematuro si se toman antes de la fecha de término. Y muchas hierbas son peligrosas se tomen en el mes de gestación que se tomen (como el aceite de albahaca, el cohosh azul o negro, el aceite de clavo, la consuelda, las enebrinas, el muérdago, el poleo, el sasafrás, el ñame y muchas más).

Siempre es mejor actuar con precaución cuando la mujer se automedica con hierbas, pero lo es doblemente cuando está embarazada. Para ir sobre seguro, no tome ningún tipo de remedio a base de hierbas –ni siquiera los que utilizaba antes de quedar en estado– a menos que se lo recete el médico para que lo tome durante el embarazo.

Si desea sentirse natural durante el embarazo, recurra a otras terapias naturales que no impliquen ingerir ninguna sustancia (como la acupuntura, el masaje o la meditación).

cuyo uso es seguro, otros cuyo uso debe ser absolutamente evitado y otros cuyo uso debe estudiarse en cada caso individual, sopesando su administración en base a los riesgos que presenta la depresión de no ser tratada. Véase la página 557 para más información.

Antieméticos. Algunos fármacos que contienen el antihistamínico doxilamina, tomados en combinación con la vitamina B_6, hacen disminuir los síntomas de los mareos matutinos, pero sólo deben utilizarse cuando el facultativo los recomienda. Estos fármacos pueden además provocar somnolencia.

Antibióticos tópicos. Administrados en pequeñas cantidades, algunos antibióticos tópicos, como la bacitracina, son seguros durante el embarazo.

Esteroides tópicos. Administradas en pequeñas cantidades, algunas hidrocortisonas son seguras durante el embarazo.

Si precisa tomar fármacos durante la gestación

Si la mujer precisa algún tipo de medicación durante el embarazo, se seguirán estos pasos para aumentar sus beneficios y disminuir sus riesgos:

- Se discutirá con el médico la posibilidad de tomar la medicación en las dosis efectivas menores posibles y durante el menor tiempo posible.

- Se tomará la medicación cuando vaya a ser más beneficiosa; los fármacos para el resfriado se toman de noche, por ejemplo, para que hagan su efecto mientras se duerme.

- Seguir cuidadosamente las instrucciones tanto del médico como del prospecto.[3] Algunos medicamentos deben tomarse con el estómago vacío; otros con comida o leche. Si el médico no ha dado instrucciones, se preguntará al farmacéutico; la mayoría ofrecen información adecuada (incluyendo efectos secundarios) de todos los fármacos que venden. No se asuste si el prospecto indica algunas reservas en la toma por parte de las embarazadas; siempre que el médico que le ha recetado el fármaco sepa que está embarazada, no le hará ningún daño.

- Explorar los remedios no medicamentosos y usarlos para complementar el uso de los fármacos. Por ejemplo, eliminar todos los alergenos posibles de la casa, de forma que el médico pueda reducir la cantidad de antihistamínicos. Recuerde que los remedios a base de hierbas también se consideran fármacos y no deben tomarse sin la aprobación del médico.

- Asegurarse de que el medicamento se dirige adonde se supone que debe ir tomando un sorbo de agua antes de tragar una cápsula o pastilla, para que baje con mayor facilidad, y terminándose el vaso después, para que vaya más rápidamente al lugar adecuado.

- Para mayor seguridad, intentar conseguir todos los medicamentos en la misma farmacia. El farmacéutico tendrá seguramente un registro de cada cliente y de los fármacos vendidos, con lo que podrá avisar sobre posibles

---

[3] Con el prospecto, sin embargo, hay que tener en cuenta que los laboratorios farmacéuticos deben atenerse a la norma de prescribir los menos medicamentos posibles durante el embarazo, por lo cual no hay que asustarse cuando el prospecto indique algunas reservas en la toma por parte de las embarazadas. Hay que tener en cuenta que las compañías de productos farmacéuticos tienden a protegerse de posibles reclamaciones legales, por lo que lo más sensato es consultar con el médico. (*Nota del revisor.*)

interacciones. También hay que asegurarse bien de recibir el fármaco correcto. Comprobar el nombre y dosis en el frasco para asegurarse de que es el recetado por el médico (muchos nombres se parecen). Para mayor seguridad, preguntar al farmacéutico para qué sirve el medicamento. Si la embarazada sabe que precisa un antihistamínico para la alergia y el fármaco recibido es para la hipertensión, será evidente que ha habido una confusión.

- Preguntar sobre los posibles efectos secundarios y sobre cuáles deben ser notificados al médico.

Una vez se tiene la completa seguridad de que el fármaco prescrito se considera seguro durante el embarazo, ya no hay motivos para dudar: no le hará ningún daño a su bebé.

CAPÍTULO 21

Padecer una enfermedad crónica

CUALQUIERA QUE HAYA VIVIDO CON una enfermedad crónica sabe que la vida puede complicarse mucho, ya sea con dietas especiales, la medicación o el control médico. Si a ello se añade un embarazo, la cosa se complica incluso más al tener que modificar la dieta, replantear la medicación y realizar un control médico más exhaustivo. Por suerte, con algunas precauciones adicionales y un poco de esfuerzo, hoy en día la mayoría de enfermedades crónicas son compatibles con el embarazo.

El punto hasta el cual la enfermedad puede afectar al embarazo y cómo el embarazo puede repercutir en la enfermedad dependerá de multitud de factores, muchos de los cuales son individuales. Este capítulo perfila las precauciones que las embarazadas deben seguir en el caso de las enfermedades crónicas más comunes.

Utilice esta lista ordenada alfabéticamente como guía, pero siga las recomendaciones de su médico, ya que las habrá adaptado a su caso concreto.

Qué puede preocupar

Anemia falciforme

"Padezco de anemia falciforme y acabo de saber que estoy embarazada. ¿Estará bien mi bebé?"

No hace demasiados años, la respuesta no hubiera sido muy halagüeña. No obstante, hoy en día, y gracias a los principales avances médicos, las mujeres que padecen anemia falciforme –incluso las que presentan complicaciones relacionadas con la enfermedad, como deficiencias cardiacas o renales– presentan buenas probabilidades de dar a luz sin peligro a un bebé sano.

No obstante, el embarazo en las mujeres con anemia falciforme suele clasificarse como de alto riesgo. El estrés añadido que supone el embarazo aumenta las posibilidades de padecer una crisis, y debido a la enfermedad, los riesgos de ciertas complicaciones del embarazo –como el aborto espontáneo, el parto prematuro o la restricción del crecimiento fetal– también aumentan. La preeclampsia es también más común en mujeres con anemia falciforme.

El pronóstico, tanto para la mujer como para su bebé, será mejor si reciben cuidados médicos excelentes. La mujer deberá pasar controles médicos con mayor frecuencia que otras embarazadas, posiblemente cada dos o tres semanas hasta la semana 32, y cada semana a partir de entonces. Sería ideal que el tocólogo estuviera familiarizado con la anemia falciforme y que trabajara en estrecha colaboración con un especialista en medicina maternofetal, un internista o un hematólogo bien informados. Aunque no se sabe con seguridad si es una terapia beneficiosa o no, es posible que le realicen una transfusión sanguínea al menos una vez (habitualmente al principio de la dilatación o justo antes del parto) o incluso periódicamente a lo largo del embarazo.

En lo concerniente al parto, la mujer presenta tantas posibilidades como cualquier otra de tener un parto vaginal. En el posparto, es probable que le administren antibióticos para evitar una infección.

Si ambos progenitores son portadores del gen de la anemia falciforme, el riesgo de que su bebé herede una forma de dicha enfermedad es mayor. Al principio del embarazo (si no antes de la concepción), deberá hacerse un estudio del futuro padre para saber si es portador. Si lo es, es posible que la pareja desee visitar a un consejero genético y obtener un diagnóstico prenatal mediante amniocentesis para comprobar si el feto está afectado.

Artritis reumatoide

"Padezco artritis reumatoide. ¿Cómo influirá en mi embarazo?"

No es probable que esta enfermedad influya demasiado en el embarazo, pero el embarazo influirá seguramente en su enfermedad, y para mejor. Muchas mujeres aquejadas de este problema notan un descenso significativo del dolor y de la hinchazón en las articulaciones durante el embarazo, aunque existe un mayor riesgo de reaparición de los síntomas en el posparto.

El cambio más importante cuando se está encinta es la forma de tratar esta enfermedad. Como algunos de los fármacos usados para combatir la artritis reumatoide (como el ibuprofeno y el naxopreno) no son seguros durante el embarazo, el médico deberá recetar otros que sean seguros, como los esteroides.

Durante la dilatación y el parto es importante elegir posiciones que no supongan un estrés añadido a las articulaciones afectadas. Hay que comentar con el médico que supervisa la artritis y también con el tocólogo qué posiciones pueden ser las más adecuadas.

Asma

"Soy asmática desde la infancia. Me preocupa que los ataques y los fármacos que tomo puedan dañar a mi bebé."

Aunque es cierto que una enfermedad asmática grave puede poner en peligro un embarazo, los estudios han demostrado que este riesgo puede eliminarse casi por completo. Las asmáticas que se hallan bajo una estrecha y experta supervisión médica (preferiblemente en manos de un equipo que incluya tocólogo, internista y/o alergólogo) durante todo el embarazo tienen tan buenas probabilidades de tener un embarazo normal y un bebé sano como las no asmáticas.

A pesar de que el asma, si está controlada, tiene sólo un efecto mínimo sobre el embarazo, éste a menudo tiene un efecto considerable sobre la enfermedad. En aproximadamente un tercio de las embarazadas asmáticas el efecto es positivo: su asma mejora. En otro tercio, su enfermedad sigue igual; en el tercio restante (generalmente en aquéllas con una enfermedad más grave), el asma empeora. Si la mujer ya ha estado embarazada antes, es posible que el asma se comporte de la misma forma en este embarazo que en los anteriores.

La mujer y el bebé se beneficiarán si la enfermedad está bajo control antes de concebir o al menos al principio del embarazo. Las siguientes medidas resultarán de gran ayuda:

- Identificar los factores ambientales desencadenantes. Las alergias son la principal causa de asma y seguramente ya conoce las suyas; evite los alergenos para respirar mejor durante el embarazo (en la pág. 232 encontrará consejos sobre cómo hacerlo). Los más comunes son el polen, las descamaciones de los animales, el polvo y el moho. Las sustancias irritantes como el humo del tabaco, los productos de limpieza domésticos y los perfumes también pueden provocar una reacción, de modo que es buena idea mantenerse alejada de ellos (y, por supuesto, la mujer deberá dejar de fumar si lo hace, igual que su pareja). Si inició un tratamiento de inyecciones para la alergia antes del embarazo, podrá seguir con él.

- Haga ejercicio físico con moderación. Si el ejercicio provoca ataques de asma, tomar la medicación recetada antes del entreno o de un esfuerzo puede evitar un ataque. Hable con el médico para que le dé otros consejos relacionados con el ejercicio físico.

- Cuide su estado de salud. Intente evitar los resfriados, la gripe y otras infecciones respiratorias (véase también el recuadro de la pág. 543). Puede que el médico prescriba una medicación para prevenir un ataque de asma al iniciarse un pequeño resfriado, y probablemente querrá tratar todas las infecciones respiratorias, excepto las más pequeñas, con antibióticos. También es posible que la mujer embarazada se deba vacunar contra la gripe y las infecciones por neumococos. Si sufre de sinusitis o reflujos gastroesofágicos, ambos más comunes durante el embarazo, hay que tratarlos, ya que pueden interferir en el tratamiento del asma.

- Controle la respiración con un neumotacógrafo, siguiendo las directrices del médico. Con ello se asegurará de que obtiene el oxígeno que tanto usted como el bebé necesitan.

- Se tomarán sólo medicamentos que haya prescrito el médico durante el embarazo, y se tomarán sólo de la forma prescrita para el embarazo. Si los síntomas son débiles, puede que no se requiera medicación. Si son de moderados a fuertes, existen varios fármacos, tanto para ingerir como para inhalar, que son considerados seguros durante la gestación (por lo general, los medicamentos inhalados parecen ser más seguros que los fármacos orales). No dude en tomar la medicación que necesite: recuerde que debe respirar por dos.

Cáncer durante el embarazo

El cáncer no es una afección común durante el embarazo; sin embargo puede ocurrir, del mismo modo que puede ocurrir en cualquier otro momento de la vida. El embarazo no provoca cáncer ni aumenta las probabilidades de la mujer de desarrollarlo. Se trata de dos acontecimientos, uno representa una alegría y el otro un reto, que a veces pueden darse al mismo tiempo.

El tratamiento para el cáncer durante la gestación requiere un equilibrio entre proporcionar el mejor tratamiento para la mujer y limitar posibles riesgos para el feto. El tipo de tratamiento que se aplique dependerá de muchos factores: lo avanzado que esté el embarazo; el tipo de cáncer; el estadio en que se encuentre el cáncer; y, por supuesto, los deseos de la mujer. Las decisiones que puede tener que tomar para equilibrar su bienestar con el del bebé pueden ser emocionalmente devastadoras, por lo que necesitará mucho apoyo al tomarlas. Como algunos tratamientos contra el cáncer pueden dañar al feto, especialmente durante el primer trimestre, los médicos normalmente retrasan el tratamiento hasta el segundo o tercer trimestre de gestación. Cuando el cáncer se diagnostica más avanzado el embarazo, los médicos pueden decidir esperar a que haya nacido el bebé para iniciar el tratamiento, o pueden plantearse la inducción temprana del parto. La buena noticia es que las mujeres embarazadas a las que se diagnostica esta enfermedad reaccionan igual de bien al tratamiento que las que no están embarazadas, en el caso de que los demás factores sean comparables.

Si precisa ayuda, puede contactar con la Asociación Española contra el Cáncer (<www.aecc.es>).

Si la mujer sufre un ataque de asma, deberá tratarlo de inmediato con la medicación prescrita por el médico, para evitar que el feto se vea privado de oxígeno. Si la medicación no ayuda, la mujer se dirigirá al servicio de urgencias más cercano o llamará a su médico de inmediato. Un ataque de asma puede provocar contracciones uterinas precoces, pero que suelen acabar una vez concluido el ataque (por lo que resulta importante frenarlo cuanto antes).

Debido al historial de problemas respiratorios, es posible que la asmática se asuste ante la falta de aliento que suele afectar a muchas mujeres al final del embarazo. Pero no debe preocuparse, es normal y no es peligrosa. No obstante, en el tercer trimestre, cuando la respiración se hace más difícil a causa del engrosamiento del útero que presiona los pulmones, es posible notar un empeoramiento en los ataques asmáticos. En estos casos es preciso aplicar tratamiento inmediato.

Si se está planteando dar a luz sin medicación, la alegrará saber que la mayoría de mujeres con asma no parecen tener problemas con las técnicas de Lamaze y otros métodos de preparación para el parto. Si, por el contrario, su plan incluye una epidural, tampoco tiene por qué ser un problema (si bien ciertos analgésicos narcóticos seguramente no se usarán porque potencian los ataques de asma). Pese a que los ataques de asma durante el parto son raros, es posible que el médico recomiende a la mujer que siga con la medicación habitual mientras da a luz; si el asma es lo suficientemente grave como para requerir esteroides orales o medicación tipo cortisona, es probable que la mujer precise esteroides intravenosos para poder superar el estrés del parto. Al ser ingresada en el hospital se controlará su oxigenación y, si es baja, se le administrará medicación preventiva. Aunque algunos bebés nacidos de madres asmáticas pueden respirar con un ritmo rápido al nacer, esta condición es sólo transitoria.

En lo que respecta al asma de la madre, es posible que los síntomas vuelvan a ser como antes del embarazo (ya sea para mejor o para peor) al cabo de tres meses después del parto.

Depresión

"Me diagnosticaron depresión crónica hace unos años, y tomé antidepresivos en pequeñas dosis desde entonces. Ahora que estoy embarazada, ¿debería interrumpir la medicación?"

Más de una de cada diez mujeres en edad de procrear sufre brotes de depresión, de modo que no está sola. Afortunadamente para usted y para todas las gestantes que comparten su situación, el panorama es positivo: con el tratamiento adecuado, las mujeres con depresión pueden tener embarazos totalmente normales. Decidir el tipo de tratamiento a seguir durante la gestación requiere encontrar un equilibrio, especialmente a la hora de elegir los fármacos. Con la ayuda de su psiquiatra y su tocólogo, deberá sopesar los riesgos y beneficios que implica tomar dichos fármacos –o dejar de hacerlo– en el transcurso del embarazo.

Es posible que parezca una decisión fácil, al menos a primera vista. Al fin y al cabo, ¿qué mejor motivo puede tener para posponer su bienestar emocional a favor del bienestar físico del bebé? Pero la decisión es mucho más complicada que esto. Para empezar, las hormonas del embarazo pueden afectar al estado emocional de la mujer. Incluso las mujeres que nunca han tenido problemas de trastornos anímicos, depresión u otras afecciones psicológicas pueden experimentar enormes fluctuaciones y cambios de humor durante el embarazo, y las mujeres que tienen un historial de depresión presentan un mayor riesgo de sufrir brotes depresivos durante la gestación y son más propensas a la depresión posparto. Y esto es especialmente cierto para las mujeres que dejan de tomar los antidepresivos durante el embarazo.

Es más, la depresión que no se trata es probable que afecte no sólo a la madre (y a los que la rodean), sino también a la salud del bebé. Las futuras madres deprimidas pueden no comer o dormir bien, ni prestar tanta atención al cuidado prenatal, y pueden tender más a beber y fumar. Todos estos factores, combinados con los efectos debilitantes de la ansiedad y el estrés, se han relacionado en algunos estudios con un mayor riesgo de parto prematuro, poco peso al nacer y una puntuación más baja en el test de Apgar. Tratar la depresión eficazmente –y tenerla bajo control durante el embarazo– permite a la madre cuidarse y cuidar del bebé durante estos meses.

¿Qué significa todo esto? Significa que la mujer debe pensárselo bien (y consultarlo con el médico, claro está) antes de plantearse dejar de tomar los antidepresivos. Y, junto con el médico, plantearse qué antidepresivos pueden adaptarse mejor a sus necesidades durante la gestación, que pueden o no ser los mismos que tomaba hasta ahora. Ciertos fármacos son más seguros que otros, y algunos no son aconsejables durante el embarazo. El médico le proporcionará la información más actualizada, porque cambia constantemente. Se sabe que algunos antidepresivos inhibidores selectivos de la recaptación de serotonina (ISRS) presentan muy pocos riesgos para el bebé, por lo que pueden ser buenas opciones. Los estudios realizados demuestran que las mujeres embarazadas que toman Prozac pueden ser más propensas a dar a luz a bebés prematuros, y los recién nacidos expuestos al Prozac y otros ISRS durante la gestación pueden experimentar síntomas de abstinencia a corto plazo (que no duran más de 48 horas), entre ellos llanto excesivo, temblores, problemas para dormir y malestar gastrointestinal inmediatamente después del nacimiento. Aun así, los investigadores advierten de que estos riesgos no deberían impedir a las futuras madres medicarse con Prozac (u otros ISRS) si su depresión no puede tratarse eficazmente de otro modo, dado que la depresión no tratada conlleva sus propios riesgos, muchos con efectos a largo plazo.

El tocólogo –junto al responsable de su salud mental– le indicará la mejor medicación en su caso. Comente con ellos las diferentes opciones que se le ofrezcan.

Recuerde, además, que los tratamientos no medicamentosos a veces también pueden ayudar a tratar la depresión. La psicoterapia puede ser eficaz por sí misma o en combinación con los fármacos. Otras terapias que también pueden resultar útiles combinadas con la medicación son, entre otras, la luminoterapia y otras técnicas de medicina complementaria y alternativa. El ejercicio físico (debido a la liberación de endorfinas), la meditación (que ayuda a controlar el estrés) y la dieta adecuada (para mantener un buen nivel de azúcar en sangre, tomando tentempiés frecuentes e ingiriendo ácidos grasos omega-3, que levantan el ánimo) pueden resultar beneficiosos si se añaden al tratamiento programado. Hable con el tocólogo y con el psiquiatra para decidir si estas opciones pueden complementar su tratamiento.

Diabetes

"Soy diabética. ¿Cómo afecta esto a mi bebé?"

Hoy en día, con los cuidados y la guía de un experto y unos escrupulosos cuidados de la madre, la mujer diabética tiene tan buenas posibilidades de tener un embarazo feliz y un bebé sano como cualquier otra embarazada.

Las investigaciones han demostrado que la clave para llevar con éxito un embarazo con diabetes, ya sea del tipo 1 (el organismo no produce insulina) o del 2 (el organismo no responde a la insulina), es mantener la euglicemia (niveles de glucosa en sangre normales) antes de la concepción y conservarla durante los nueve meses siguientes que durará el embarazo.

Tanto si la mujer ya era diabética como si ha desarrollado una diabetes gestacional, todas las consideraciones siguientes serán importantes para conseguir un embarazo seguro y un bebé sano:

El médico correcto. El tocólogo que supervise su embarazo debe tener mucha experiencia y éxito en el tratamiento de embarazadas diabéticas y debe estar en contacto con el facultativo que se encarga de la diabetes de la futura madre. Tendrá más visitas prenatales que otras embarazadas y deberá seguir más órdenes del médico (todo por una buena causa).

Una buena dieta. Se deberá planificar cuidadosamente una dieta especial para cubrir los requisitos personales con la ayuda del médico, un especialista en nutrición o una enfermera con competencia para tratar a embarazadas diabéticas. Dicha dieta probablemente será rica en hidratos de carbono complejos, moderada en cuanto a las proteínas, baja en colesterol y grasas, y no contendrá dulces azucarados o muy pocos. Será muy importante ingerir gran cantidad de fibra con la dieta, dado que algunos estudios demuestran que la fibra puede reducir los requerimientos de insulina en las embarazadas diabéticas.

La limitación de hidratos de carbono ya no es tan rígida como hace un tiempo, ya que es posible regular la insulina si la futura madre supera el límite en una comida u otra. Hasta qué punto se restringirán los hidratos de carbono dependerá de la forma en que el organismo reaccione ante cada alimento en particular. La mayoría de diabéticas obtienen los hidratos de carbono de las hortalizas, cereales (mejor integrales) y legumbres, en lugar de obtenerlos de las frutas. Para mantener un buen nivel de azúcar en la sangre, la mujer debe tener especial cuidado a la hora de ingerir suficientes hidratos de carbono en el desayuno. Los tentempiés también serán importantes, y sería ideal que incluyeran tanto hidratos de carbono complejos (como el pan integral) como proteínas (como legumbres, queso o pollo). Saltarse una comida o un tentempié puede reducir peligrosamente el nivel de azúcar en sangre, por lo que la mujer deberá asegurarse de comer con regularidad, aunque los mareos matutinos u otros problemas del embarazo le reduzcan el apetito. Lo mejor es tomar seis pequeñas colaciones al día, regularmente espaciadas y bien planificadas, complementadas por tentempiés saludables cuando sea necesario.

Un aumento de peso razonable. Es mejor intentar alcanzar el peso ideal antes de concebir (algo que la mujer debe recordar si desea tener otro bebé). No obstante, si el embarazo empieza con un sobrepeso, no se intentará utilizar el período de gestación para adelgazar. Para el bienestar del bebé es vital ingerir suficientes calorías. El aumento de peso deberá progresar de acuerdo con las directrices establecidas por el médico. En ocasiones, los bebés de las diabéticas son muy grandes, aunque las madres no hayan engordado mucho. El crecimiento del bebé se controlará cuidadosamente mediante ecografías.

Ejercicio. Un programa de ejercicios moderado, sobre todo en mujeres con diabetes del tipo 2, proporcionará más energía y ayudará a la regulación del azúcar en sangre y a estar en forma para el parto. Sin embargo, debe ser planificado en relación con el horario de la medicación y con el plan de alimentación, por un equipo médico o con su ayuda. Si la mujer no sufre otras complicaciones médicas o del embarazo y está físicamente en forma, es probable que se le sugieran ejercicios moderados tales como los paseos a buen ritmo, nadar y pedalear en la bicicleta estática sin forzarse (pero no el *jogging*). Si la mujer no estaba en forma antes del embarazo o si existen signos de problemas con la diabetes, el embarazo o el crecimiento del bebé, es probable que solo le permitan realizar ejercicios ligeros (como los paseos sin prisa).

Las precauciones que se le pedirá que tenga en cuenta serán probablemente similares a las que recibe cualquier otra gestante: comer algo antes del entreno; no entrenar hasta quedar agotada; y no entrenar nunca en un ambiente muy caluroso (26 °C o más). Si la embarazada está tomando insulina, probablemente se le aconsejará que evite inyectarse en las partes del cuerpo con las que hará ejercicio (las piernas, por ejemplo, si va a pasear) y que no reduzca la toma de insulina antes del ejercicio.

Descanso. Especialmente durante el tercer trimestre, un descanso adecuado es muy importante. Se evitará agotar las energías y se intentará tomarse algún tiempo de descanso, poner los pies en alto o hacer la siesta a mediodía. Si la embarazada tiene una profesión y especialmente una que le exija mucho esfuerzo, puede que el médico le recomiende la baja por maternidad con un cierto adelanto.

Regulación de la medicación. Si la dieta y el ejercicio por sí solos no pueden controlar el nivel de azúcar en sangre, probablemente la mujer deberá tomar insulina. Si necesita insulina por primera vez, se le estabilizará el azúcar en sangre con una cuidadosa supervisión médica. Si la mujer tomaba medicación oral para la diabetes antes de concebir, se le cambiará por una formulación inyectable o en bomba subcutánea durante el embarazo. Como los niveles de las hormonas que actúan contra la insulina aumentan al avanzar el embarazo, la dosis de insulina se irá revisando al alza periódicamente. Es posible que deba recalcularse también la dosis a medida que la madre y el bebé vayan aumentando de peso, si la madre enferma, si está bajo mucho estrés o si se excede en el consumo de hidratos de carbono. Las investigaciones realizadas demuestran que el fármaco oral gliburida es una alternativa efectiva a la insulina durante el período de gestación en algunos casos leves.

Además de estar segura de la medicación tomada, la mujer también deberá vigilar otros fármacos ingeridos. Muchos de los que se venden sin receta pueden afectar a los niveles de insulina –y algunos son peligrosos durante el embarazo–; por ello no hay que tomar ninguno hasta consultar con el médico que controla la diabetes y el tocólogo.

Regulación del azúcar en sangre. Puede que la mujer deba comprobar el nivel de azúcar en sangre (mediante el simple método de una punción en el dedo) desde cuatro hasta diez veces al día para asegurarse de que los niveles son seguros. Si la mujer tiene diabetes del tipo 1, es posible que también analicen la sangre para determinar el nivel de hemoglobina glucosada (hemoglobina A1c), pues los niveles altos de esta sustancia indican niveles de azúcar mal controlados. Para mantener niveles normales de glucosa, deberá comer con regularidad, ajustar su dieta y ejercicio según sea necesario y, si fuera preciso, tomar medicación. Si la mujer tomaba insulina antes del embarazo, deberá tener en cuenta que está más sujeta a padecer episodios de hipoglucemia (un nivel bajo de azúcar en sangre) que cuando no estaba gestando. Esto es especialmente frecuente durante el primer trimestre del embarazo, por lo que el control es esencial. Y no salga de casa sin llevar consigo algunos tentempiés.

Control de orina. Como el cuerpo de la mujer puede producir cetonas –sustancias ácidas que pueden producirse durante la degradación de las grasas– se llevará a cabo un control cuidadoso de la orina para su detección.

Un control cuidadoso. No hay que alarmarse si el médico ordena que se realicen muchos análisis, especialmente en el tercer trimestre, o incluso si sugiere la hospitalización durante las últimas semanas del embarazo. Ello no significa que algo vaya mal, sólo que el facultativo desea estar seguro de que todo sigue bien. Ante todo, los análisis irán dirigidos a una evaluación regular de la situación de la madre y de la del bebé, para determinar el momento óptimo del parto y si se precisa alguna otra intervención.

Probablemente se examinarán los ojos de la mujer con regularidad, para comprobar el estado de la retina, y se realizarán análisis sanguíneos y de orina cada 24 horas para evaluar el funcionamiento renal (los problemas de la retina y los riñones tienden a empeorar durante el embarazo, pero en general suelen revertir al estado anterior después del parto). Posiblemente se evaluarán el estado del bebé y de la placenta a través de tests de estrés y de no estrés (véase la pág. 382), perfiles biofísicos y una ecografía (para determinar el tamaño del bebé con objeto de asegurar que está creciendo como debe, de forma que el nacimiento puede tener lugar antes de que su tamaño sea excesivo para un parto vaginal). Y como existe un riesgo ligeramente más elevado de problemas cardiacos en los bebés de madres diabéticas, se llevará a cabo una ecografía especial a la semana 16 y otra (electrocardiograma fetal) alrededor de la semana 22, para asegurarse de que todo vaya bien.

Puede que se le pida a la madre, después de la semana 28, que controle los movimientos fetales tres veces al día (véase la pág. 321 para saber cómo hacerlo o siga las instrucciones del médico).

Como entre las diabéticas existe un mayor riesgo de preeclampsia, el médico observará a la futura madre para detectar si surgen síntomas de esta enfermedad.

Parto adelantado a elección. Las mujeres que desarrollan diabetes gestacional, igual que las que ya tenían una diabetes de grado leve y bien controlada, pueden llevar el embarazo a término con seguridad. Pero cuando los niveles normales de azúcar en sangre de la mujer no se han controlado bien durante el embarazo, o si la placenta se deteriora antes, o si surgen complicaciones más avanzado el embarazo, puede provocarse el parto para que el bebé nazca una o dos semanas antes de la fecha de salida de cuentas. Los diversos tests mencionados antes ayudan al médico a decidir cuándo inducir el parto para llevar a ca-

bo una cesárea, lo bastante tarde como para que los pulmones fetales estén lo suficientemente maduros para funcionar fuera del claustro materno, pero no tan tarde como para que la seguridad del bebé peligre.

No hay que preocuparse si el bebé pasa a una unidad de cuidados intensivos neonatales justo después del nacimiento. Es un procedimiento rutinario en muchos hospitales para los hijos de mujeres diabéticas. El bebé se tendrá en observación por posibles problemas respiratorios (poco probables si al examinar los pulmones resultaron ya suficientemente maduros para el nacimiento) e hipoglucemia (aunque algo más común en los bebés de diabéticas, responde con rapidez y completamente al tratamiento). Enseguida estará con su bebé y podrá iniciar la lactancia natural, si es lo que tiene planeado.

Enfermedad tiroidea

"Me diagnosticaron un hipotiroidismo cuando era adolescente y desde entonces tomo hormona tiroidea. ¿Puedo seguir medicándome mientras estoy embarazada?"

No sólo puede seguir medicándose, sino que debe hacerlo, ya que es vital para usted y para el bebé. Un motivo por el cual debe hacerlo es que las mujeres con hipotiroidismo (la glándula tiroides no produce la cantidad adecuada de la hormona tiroxina) sin tratar tienen más tendencia a sufrir abortos. Las hormonas tiroideas son también necesarias para el desarrollo cerebral del feto; los bebés que no reciben la dosis necesaria de estas hormonas en el primer trimestre pueden nacer con problemas de desarrollo neurológico e incluso sordera. (Pasado el primer trimestre, el feto produce sus propias hormonas y queda protegido aunque los niveles hormonales maternos sean bajos.) Los niveles bajos de la hormona tiroidea también se relacionan con la depresión materna durante el embarazo y el posparto, otra razón de peso para seguir con el tratamiento.

No obstante, la dosis de medicación puede tener que ajustarse, ya que el organismo requiere más hormona tiroidea cuando está fabricando un bebé. Consulte con su endocrinólogo y su tocólogo para cerciorarse de que la dosis que toma sea la adecuada, pero recuerde que le analizarán los niveles hormonales periódicamente durante el embarazo y el posparto para ver si la dosis debe reajustarse de nuevo. Esté alerta también ante las posibles señales que indiquen que el nivel hormonal es demasiado bajo o demasiado alto e informe de ellas al facultativo (aunque muchos síntomas de hipotiroidismo se parecen a los síntomas del embarazo, como la fatiga, el estreñimiento y la sequedad de la piel).

Un déficit de yodo, algo que puede ser común en las mujeres en edad de procrear, puede interferir en la producción de hormonas tiroideas; por ello hay que asegurarse de ingerir las cantidades necesarias de ese mineral, contenido sobre todo en el marisco y en la sal yodada.

"Padezco la enfermedad de Graves. ¿Supone ello un problema para mi embarazo?"

La enfermedad de Graves es la forma más común de hipertiroidismo, una enfermedad en la que el tiroides produce una cantidad excesiva de hormona tiroidea. Los casos leves de hipertiroidismo a veces mejoran durante el embarazo, ya que el cuerpo de la embarazada requiere una mayor cantidad de hormona tiroidea

de la habitual. No obstante, un hipertiroidismo medio a grave ya es otro tema. Si se deja sin tratar, esta enfermedad puede tener consecuencias graves para la madre y el hijo, como aborto o parto prematuro; por ello hay que recurrir a un tratamiento adecuado. Afortunadamente, si se trata la enfermedad, el resultado de la gestación será probablemente bueno para madre e hijo.

Durante el embarazo, el tratamiento preferido es el fármaco propiltiouracilo (PTU) en la dosis eficaz mínima. Si la mujer es alérgica al PTU se usará en su lugar metimazol. Si no se puede usar ninguna de estas dos sustancias, se recurrirá a la cirugía para extirpar la glándula tiroidea, pero debe llevarse a cabo al principio del segundo trimestre para evitar el riesgo de aborto (en el primer trimestre) o de parto prematuro (a finales del segundo y en el tercer trimestre). El yodo radiactivo no es seguro durante el embarazo, de modo que no se incluirá en el tratamiento.

Si la mujer ya se ha sometido a la cirugía o a un tratamiento con yodo radiactivo antes de quedar en estado, deberá seguir con la terapia para aportar hormona tiroidea durante el embarazo (lo cual no sólo es seguro sino que es además esencial para el desarrollo del bebé).

Epilepsia

"Soy epiléptica y deseo tener un hijo. ¿Puedo tener un embarazo seguro?"

Con unos cuidados médicos adecuados, las posibilidades de tener un bebé sano son excelentes. El primer paso –preferentemente antes de la concepción– es esencial: tener la enfermedad bajo control médico, con la ayuda de su neurólogo y del tocólogo elegido para el cuidado prenatal. (Si ya está encinta, es esencial visitar al médico lo antes posible.) Será necesaria una supervisión continua de su estado y seguramente un ajuste frecuente de las dosis de su medicación, así como la comunicación entre sus médicos.

La mayoría de las mujeres no experimentan un empeoramiento de la epilepsia durante el embarazo. La mitad no presentan cambio alguno, y un pequeño porcentaje observan que los ataques son menos frecuentes y más leves. Unas pocas, sin embargo, experimentan ataques más frecuentes y graves.

En cuanto al efecto de la epilepsia sobre el embarazo, las futuras madres con epilepsia tienden más a experimentar náuseas y vómitos (hiperemeresis), pero no tienen un riesgo más elevado de sufrir complicaciones graves durante el embarazo y en el parto. Se cree que el ligero incremento en la incidencia de ciertos defectos congénitos en los hijos de madres epilépticas se debe en gran medida al uso de ciertos fármacos contra las convulsiones durante el embarazo más que a la epilepsia misma.

Evalúe con su médico con anticipación suficiente la posibilidad de dejar la medicación antes de concebir. Esto es posible si la futura madre no ha tenido ataques durante un período de tiempo; si los ha tenido, es importante intentar controlarlos, a ser posible de inmediato. Si debe seguir medicándose, quizá sea posible cambiar a un fármaco menos peligroso. Según parece, durante el embarazo, las terapias con un fármaco único parecen causar menos problemas que las combinadas y es ésta la forma preferida de tratamiento. No obstante, la mujer no debería dejar de tomar una medicación necesaria por miedo a perjudicar a su bebé; no tomarla –y tener ataques frecuentes– podría ser más peligroso para el feto.

Se recomienda llevar a cabo una ecografía estructural detallada a todas las mujeres que toman medicación para combatir los ataques de epilepsia, y ciertas pruebas realizadas en la primera etapa del embarazo. Si la mujer toma ácido valproico, el médico querrá descartar defectos en el tubo neural del feto, como espina bífida.

Es importante para todas las mujeres epilépticas embarazadas dormir mucho y comer muy bien, manteniendo un nivel adecuado de líquidos. También puede que se recomiende un suplemento de vitamina D a las mujeres que toman ciertos fármacos contra las convulsiones. Durante las cuatro últimas semanas de gestación, el médico puede prescribir un suplemento de vitamina K para reducir el mayor riesgo de que el bebé sufra hemorragias.

Ni la dilatación ni el parto tienden a ser más complicados a causa de la epilepsia, aunque es importante seguir con la medicación anticonvulsiva durante la dilatación para minimizar el riesgo de un ataque epiléptico durante el parto. Es posible utilizar anestesia epidural para aliviar el dolor.

La lactancia tampoco debería ser un problema. La mayoría de fármacos administrados contra la epilepsia pasan a la leche en dosis tan bajas que es poco probable que afecten al lactante.

Información sobre la epilepsia

Para más información sobre la epilepsia, visite el sitio web del Grupo de Estudio de Epilepsia, de la Sociedad Española de Neurología (‹http://epilepsia.sen.es/›). Allí encontrará listados de asociaciones de familiares de enfermos, respuestas a preguntas habituales, enlaces de interés, etcétera.

Esclerosis múltiple (EM)

"Hace varios años me diagnosticaron una esclerosis múltiple. Sólo he tenido dos episodios de EM y han sido relativamente benignos. ¿Afectará la EM a mi embarazo? ¿Afectará el embarazo a la EM?"

Buenas noticias: las mujeres con EM pueden tener embarazos normales y bebés sanos. Un buen cuidado prenatal iniciado pronto (mejor todavía, la modificación de las terapias incluso antes de la concepción), junto con visitas regulares al neurólogo, ayudarán a la madre a conseguir un resultado feliz. Y las buenas noticias también conciernen al parto. La dilatación y el alumbramiento no suelen verse afectados por la EM, ni tampoco las opciones disponibles para aliviar el dolor. Las epidurales y otros tipos de anestesia parecen ser completamente seguras para las parturientas con EM.

En lo referente al efecto que tiene el embarazo sobre la EM, algunas mujeres experimentan recaídas durante la gestación, y durante el posparto, pero la mayoría recuperan el estado previo al embarazo en los seis meses siguientes al parto. Algunas mujeres con problemas de movilidad observan que, a medida que aumentan de peso durante el embarazo, les cuesta más caminar, lo cual no es de sorprender. Evitar un excesivo aumento de peso puede ayudar a minimizar este problema. En todo caso, tanto si la mujer experimenta recaídas como si no, el embarazo no parece afectar al número global de recaídas provocadas por la enfermedad ni el grado de discapacidad definitivo.

Para mantenerse lo más sana posible, la mujer intentará minimizar el estrés y descansar lo suficiente. También debe intentar evitar que suba la temperatura corporal (no se dé baños calientes y no haga demasiado ejercicio físico en el exterior si hace calor). Deberá combatir las infecciones, especialmente las del tracto urinario, que son más frecuentes durante el embarazo (véase la pág. 536 para conocer las medidas preventivas).

El embarazo puede influir en el tratamiento de la EM. Aunque las dosis de bajas a moderadas de prednisona se consideran seguras durante la gestación, otros medicamentos administrados para la EM pueden no serlo. Deberá elaborar un régimen medicamentoso junto con sus médicos que resulte seguro para usted y para el bebé y tan eficaz como sea posible.

Después del parto, hay muchas posibilidades de que la mujer pueda amamantar al bebé, al menos parcialmente. Si la lactancia no es posible, a causa de la medicación que toma la madre o porque le resulta físicamente demasiado estresante, no debe preocuparse. Los bebés no sólo crecen bien tomando biberones, sino que crecen mejor cuando sus madres se encuentran bien.

Dado que la vuelta al trabajo en el primer período posparto puede aumentar la fatiga y el estrés de la mujer –lo cual puede exacerbar los síntomas–, ésta debería plantearse tomarse este regreso con calma, si puede permitírselo económicamente. Si la EM interfiere en su capacidad de ocuparse de sus responsabilidades mientras el bebé es pequeño, vea la pregunta referente a los cuidados del bebé cuando los padres sufren algún tipo de discapacidad.

Otra observación: muchas mujeres con EM están preocupadas por si transmiten la enfermedad a sus hijos. Aunque existe un componente genético en la enfermedad que hace que estos niños tengan mayores posibilidades de verse afectados de adultos, el riesgo es bastante pequeño. Entre un 95 y un

98% de los niños con madres con esclerosis múltiple no desarrollan esta enfermedad.

Escoliosis

"Me diagnosticaron escoliosis en la adolescencia. ¿Qué efectos tendrá la desviación de mi columna en el embarazo?"

Afortunadamente, no muchos. Las mujeres con escoliosis suelen tener embarazos y partos sin complicaciones, y dar a luz a bebés sanos. De hecho, los estudios demuestran que no existen problemas significativos durante el embarazo que puedan ser atribuibles a la escoliosis.

Las mujeres con una desviación grave de la columna, o aquellas cuya escoliosis implica deformaciones de la cadera, la pelvis o los hombros, pueden experimentar más incomodidades, problemas respiratorios o dificultades para sobrellevar el peso adicional hacia finales del embarazo. Si la mujer nota que el dolor de espalda aumenta durante la gestación, deberá evitar estar de pie muchas horas y tomar baños calientes; convenza a su pareja para que le haga masajes y siga los consejos que encontrará en la página 266. También puede pedir a su médico que le recomiende un fisioterapeuta que la pueda ayudar enseñándole ejercicios específicos para paliar el dolor provocado por la escoliosis. Comente, además, la posibilidad de recurrir a algún tratamiento de medicina complementaria y alternativa (véase la pág. 95).

Si se desea anestesia epidural, habrá que consultar con el médico para encontrar a un anestesista que tenga experiencia con madres afectadas de escoliosis. Aunque la enfermedad no suele interferir en la epidural, hace que su administración resulte algo más complicada. No obstante, un anestesiólogo experimentado no debería tener problemas para introducir la aguja en el lugar adecuado.

Fenilcetonuria (FCU)

"Yo nací con FCU. Mis médicos me dieron permiso para dejar la dieta baja en fenilalanina cuando pasé de los diez años y me encontraba bien. Pero cuando hablé de quedarme embarazada, mi tocólogo me dijo que debía volver a la dieta. ¿Es realmente necesario?"

Una dieta baja en fenilalanina, que consiste en tomar un sucedáneo de leche sin fenilalanina y cantidades medidas de frutas, hortalizas, pan y pasta (y que excluye alimentos ricos en proteínas, como la carne, el pollo, el pescado, los productos lácteos, los huevos, las legumbres y los frutos secos), no resulta sabrosa ni fácil de seguir. Pero para las mujeres embarazadas con FCU es absolutamente necesaria. No ceñirse a la dieta durante la gestación pondría al bebé en riesgo de sufrir varias anamolías, como graves retrasos mentales. Lo ideal sería que el régimen bajo en fenilalanina se retomara tres meses antes de la concepción, y que los niveles de fenilalanina en sangre se mantuvieran bajos durante todo el embarazo. (Incluso iniciar la dieta al principio del embarazo puede reducir la gravedad de los retrasos en el desarrollo de los hijos de mujeres con FCU.) Y, por supuesto, los alimentos edulcorados con aspartamo quedan rigurosamente prohibidos.

Sin duda, resultará difícil retomar esta dieta al cabo de tantos años, pero los beneficios para el bebé bien valen este sacrificio. Si a pesar de este incentivo la embarazada tiene un desliz en su dieta, intentará obtener ayuda profesional de un terapeuta que esté familiarizado con este tipo de problemas. Incluso podría resultar útil contar con un grupo de apoyo a madres con esta enfermedad; las dificultades de la fenilcetonuria se pasan mejor en compañía de personas que también se enfrentan a ellas.

Fibromialgia

"Me diagnosticaron fibromialgia hace unos años. ¿Qué efecto tendrá la enfermedad en el embarazo?"

El hecho de que sea consciente de padecer la enfermedad le proporciona una ventaja que muchas mujeres no tienen. La fibromialgia se caracteriza por dolores, sensación de quemazón y molestias en los músculos y tejidos blandos del cuerpo, y a menudo pasa desapercibida en mujeres embarazadas, posiblemente porque la fatiga, debilidad y estrés psicológico que provoca la enfermedad se consideran síntomas normales del embarazo.

Seguramente ya estará habituada a la frustración que provoca la fibromialgia y a la falta de información acerca de la enfermedad y de un tratamiento efectivo para combatirla. Pero debe prepararse para frustrarse todavía más porque, desgraciadamente, se sabe poco del efecto que tiene el embarazo sobre la fibromialgia y del efecto de la enfermedad sobre el embarazo. Por lo que se sabe, hay algunas buenas noticias: los bebés de madres con fibromialgia no sufren de ningún modo los efectos de esta enfermedad. Por otro lado, algunos estudios recientes indican que el embarazo puede ser más difícil en una mujer con fibromialgia. La mujer puede sentirse más cansada y dolorida, y experimentar dolores y molestias en más partes del cuerpo que una mujer embarazada que no sufra la enfermedad (si bien algunas afortunadas se sienten mejor durante

la gestación). Para mantener los síntomas a raya, intente reducir el estrés de su vida diaria todo lo posible, aliméntese siguiendo una dieta equilibrada, haga ejercicio moderado (sin pasarse), y siga realizando los estiramientos y ejercicios tonificantes (o yoga, ejercicios acuáticos, etcétera) que la hayan ayudado antes del embarazo. Las mujeres con fibromialgia suelen aumentar entre 12 y 17 kilos de peso durante el primer año de padecer la enfermedad, de modo que durante el embarazo el aumento excesivo de peso puede ser un problema (la mujer puede tener dificultades para seguir las directrices de aumento de peso recomendables). Y como la enfermedad suele tratarse con antidepresivos, la mujer deberá cerciorarse de que el tocólogo y el médico que se ocupa del seguimiento de la fibromialgia estén en contacto y sólo le receten fármacos seguros para su uso durante la gestación.

Fibrosis quística

"Padezco de fibrosis quística y sé que es algo que complica el embarazo, pero ¿hasta qué punto?"

Si ha vivido toda su vida con esta enfermedad, estará habituada a los retos que plantea y también a enfrentarse a ellos. Y aunque estos retos aumentarán un poco durante el embarazo, existen muchas medidas que usted y los médicos pueden aplicar para tener un embarazo sano.

La primera dificultad puede ser llegar a conseguir un aumento adecuado de peso, algo que deberá intentar de acuerdo con sus médicos (y seguramente con la ayuda de un experto en nutrición), para que el bebé pueda crecer normalmente. El embarazo, y la salud de la madre, serán controlados de forma estricta, lo que implica un mayor número de visitas prenatales (la ventaja es que tendrá más ocasiones de oír el latido del corazón del feto, y más ocasiones para resolver dudas). Su actividad puede verse limitada y, como presenta un mayor riesgo de parto prematuro, se tomarán medidas para reducirlo.

También es posible que requiera hospitalización periódica.

Se recomienda asesoría genética para descartar la posibilidad de que la enfermedad afecte al feto (aunque lo más probable es que no sea así). Si el padre del bebé no es portador de fibrosis quística, existen muy pocas posibilidades de que el bebé se vea afectado por ella (si bien sí será portador). Si el padre es portador, existe una posibilidad de cada dos de que el bebé esté afectado; las pruebas prenatales despejarán esta duda.

Ahora que la mujer respira por dos, es importante seguir un buen cuidado pulmonar, sobre todo si el tamaño en expansión del útero dificulta la expansión de los pulmones. También se controlará muy de cerca la salud pulmonar para detectar una posible infección pulmonar. Algunas mujeres con una enfermedad pulmonar grave experimentan un empeoramiento de dicha enfermedad durante el embarazo, pero es algo temporal. En general, la gestación no parece influir negativamente a largo plazo en la fibrosis quística.

El embarazo no es fácil en ninguna circunstancia, y es definitivamente más difícil para las mujeres que sufren fibrosis quística. Pero la recompensa –el precioso bebé que le está costando tanto trabajo– hace que todo esfuerzo merezca la pena.

Hipertensión

"Sufro de hipertensión desde hace años. ¿Cómo afectará eso a mi embarazo?"

Dado que un número cada vez mayor de mujeres eligen tener sus hijos con más edad y la hipertensión es más frecuente a medida que nos hacemos mayores, hay más embarazadas hipertensas. De modo que no está sola (aunque sea hipertensa desde más joven).

Su embarazo se considera de alto riesgo, lo cual significa que pasará más tiempo en la consulta del tocólogo y deberá esforzarse más para seguir las órdenes del facultativo. Pero todo por una buena causa. Con una presión arterial bien controlada y un buen cuidado médico y personal, es muy probable que la madre tenga un buen embarazo y dé a luz a un bebé sano.

Los siguientes consejos pueden ayudar a aumentar las posibilidades de tener un embarazo con éxito:

Los médicos adecuados. El médico que supervisa el embarazo debe tener mucha experiencia en estos casos y debe colaborar con el especialista que se ha encargado de supervisar la hipertensión de la madre.

Buen control médico. Probablemente, el médico deseará visitar a la mujer con mayor frecuencia y la someterá a más pruebas (siempre por una buena causa). La hipertensión crónica aumenta el riesgo de desarrollar preeclampsia durante el embarazo además de otras complicaciones, de modo que el médico prestará especial atención al bienestar de la mujer a lo largo de las 40 semanas de gestación.

Relajación. Los ejercicios de relajación son adecuados en cualquier embarazo, pero aún más cuando la madre es hipertensa. Los estudios demuestran que estos ejercicios reducen la presión arterial. Dé un vistazo a los de la página 160, o plantéese usar un CD de meditación, o incluso asistir a un curso.

Otros planteamientos alternativos.
Pruebe las técnicas de medicina complementaria y alternativa que le aconseje
el médico, como el *biofeedback*, la acupuntura o el masaje.

Mucho reposo. Como tanto el estrés
emocional como el físico pueden hacer
aumentar la presión arterial, la mujer
no debe excederse. Debe tomarse pausas para descansar, preferiblemente con
los pies en alto, tanto por la mañana como por la tarde. Si tiene un trabajo que
le produce mucho estrés, considerará la
posibilidad de renunciar a él hasta que el
bebé llegue. Si tiene más hijos que le dan
mucho trabajo, deberá conseguir ayuda,
ya sea remunerada o voluntaria.

Control de la presión arterial. Puede
que se le recomiende a la mujer que se
tome la presión arterial a diario, usando
un equipo doméstico. La tensión se tomará cuando esté más relajada.

La dieta adecuada. La dieta del embarazo es un buen punto de partida; modi-
fíquela con la ayuda de su médico para
adaptarla a sus necesidades. Comer muchas frutas y hortalizas, productos lácteos
semidesnatados o desnatados y cereales
integrales puede resultar de gran ayuda
para mantener su presión a raya.

Los líquidos adecuados. Recuerde que
debe beber al menos ocho vasos de líquido al día, lo cual la ayudará a aliviar
la hinchazón de los pies y los tobillos.
En la mayoría de los casos, los diuréticos
(fármacos que eliminan líquido corporal
y a veces se emplean en el tratamiento de
la hipertensión) no son recomendables
durante el embarazo.

La medicación prescrita. Si la medicación se modifica o no durante el embarazo, dependerá de los fármacos que la
mujer tome. Algunos de ellos se consideran seguros durante la gestación,
otros no.

Incapacidad física

**"Soy parapléjica debido a una lesión en
la columna vertebral y estoy confinada
en una silla de ruedas. Mi marido y yo
hacía tiempo que deseábamos tener un
bebé y por fin me he quedado embarazada. ¿Qué viene ahora?"**

Como toda mujer embarazada, necesitará primero lo esencial: seleccionar un médico. Y como toda mujer que
se halla dentro de una categoría de alto
riesgo, sería ideal que el médico fuera un
tocólogo especialista en medicina maternofetal que tenga experiencia en tratar
mujeres que se enfrentan a los mismos
desafíos y posibles riesgos que usted.
Puede no ser tan difícil de encontrar
ahora que cada vez más hospitales están
desarrollando programas especiales para
proporcionar a las mujeres con discapacidades físicas mejores cuidados prenatales y obstétricos. Si en el lugar donde
vive no existe una persona de este tipo,
se buscará un médico que se preste a
aprender "sobre la marcha" y que sea
capaz de ofrecer el incondicional apoyo
que tanto la embarazada como su pareja
precisarán.

Las medidas especiales que se deberán tomar para que el embarazo tenga éxito dependerán de las limitaciones
físicas. En cualquier caso, restringir el
aumento de peso a los límites recomendados (11 a 16 kilos) ayudará a minimizar el estrés sobre el cuerpo de la madre.
Alimentarse con la mejor dieta posible
mejorará el bienestar físico general y disminuirá las probabilidades de que surjan complicaciones. Y continuar con la
terapia física ayudará a asegurar que se
tenga la máxima fuerza física y movilidad cuando llegue el bebé (la terapia en
el agua puede ser especialmente beneficiosa y segura).

Seguramente será tranquilizador saber que, aunque el embarazo puede ser

más difícil para una mujer con una incapacidad física, para el bebé no será más estresante de lo que es habitual. No existen pruebas de que haya un aumento de anomalías fetales entre los bebés de madres con lesiones en la columna vertebral (o de aquéllas con otras incapacidades físicas no relacionadas con la herencia o con una enfermedad sistémica). No obstante, las mujeres con lesiones en la columna vertebral son más propensas a tener complicaciones en el embarazo, por ejemplo, infecciones renales y problemas con la vejiga, palpitaciones y sudoración, anemia y espasmos musculares. También el parto puede conllevar problemas especiales, aunque en muchos casos será posible el parto vaginal. Debido a que probablemente las contracciones uterinas serán indoloras, la mujer deberá recibir instrucciones para detectar otros signos de que se acerca el momento de dar a luz –como rotura de las membranas– o bien el médico pedirá a la embarazada que se palpe periódicamente el útero para controlar si las contracciones han comenzado.

Mucho antes de la fecha de salida de cuentas, se elaborará un plan infalible para llegar al hospital –uno que tenga en cuenta el hecho de que puede que la mujer esté sola en casa cuando se inicie la dilatación (puede que la mujer desee ir al hospital al iniciarse la dilatación para evitar los problemas causados por los retrasos en el camino)–; se asegurará de que el personal del hospital está preparado para atender sus necesidades especiales.

Cuidar de los hijos siempre constituye un desafío. Aún lo será más para la mujer incapacitada y su pareja. Una planificación anticipada ayudará a enfrentarse a dicho desafío con más éxito. Se harán las modificaciones necesarias en la casa para que el cuidado del bebé sea más fácil; se obtendrá ayuda (remunerada o no) al menos para las primeras semanas. La lactancia, que suele ser posible, facilitará la vida a la madre (evitará prisas en la cocina para preparar biberones, y no hará falta comprar la leche de fórmula). Si le traen a casa los pañales y otros productos necesarios, se ahorrará esfuerzo y tiempo. El mueble cambiador debe estar adaptado a la madre para poder utilizarlo desde la silla de ruedas, la cuna debe tener un lateral abatible para que la mujer pueda meter y sacar al bebé con facilidad. Si la madre va a ser quien bañe al bebé, se tendrá que poner la bañerita en una mesa accesible para ella. Dado que bañar al bebé a diario no es necesario, se podrá lavar al niño con una esponja sobre el cambiador o sobre el regazo en días alternos. Una mochila para transportar al bebé podría ser una forma muy conveniente de llevarlo de acá para allá dejando las manos libres para controlar la silla. Unirse a un grupo de apoyo de padres con incapacidades físicas no sólo puede constituir una fuente de bienestar y fuerza, sino también una mina de oro en lo que respecta a ideas y consejos.

Lupus

"Últimamente mi lupus ha estado muy inactivo. Acabo de quedarme embarazada. ¿Es probable que sufra un recrudecimiento?"

Hoy en día todavía se desconocen muchas cosas del lupus eritematoso sistémico (LES), especialmente en lo concerniente al embarazo. Los estudios realizados indican que el embarazo no afecta al curso a largo plazo del lupus. Durante el embarazo mismo, algunas mujeres encuentran que su estado mejora, y otras que empeora. Lo que sucede en un embarazo no predice lo que pasará en los siguientes. Durante el posparto, parece que se da un aumento de las crisis.

Aprovechar al máximo la medicación

Si la mujer se medica con fármacos orales para controlar una enfermedad crónica, es posible que durante la gestación deba realizar algunos ajustes. Por ejemplo, si durante el primer trimestre sufre mareos matutinos, tomar la medicación justo antes de acostarse por la noche –para que haga efecto antes de que comiencen las náuseas y vómitos matinales– evitará que devuelva las medicinas antes de que surtan efecto. (Pregunte al médico, ya que algunos fármacos deben ingerirse a ciertas horas del día.)

Otro aspecto que debe tener en cuenta usted y el equipo de médicos que la tratan: algunos fármacos se metabolizan de forma diferente durante el embarazo. Por tanto, las dosis que tomaba pueden no ser las adecuadas durante la gestación. Si duda acerca de este aspecto o si sospecha que puede no estar tomando la dosis suficiente –o cree que la dosis es excesiva– coméntelo con sus médicos.

No obstante, el efecto del LES sobre el embarazo no está del todo claro. Parece ser que las mujeres que obtienen mejores resultados son aquellas que conciben durante un período de bienestar. Aunque el riesgo de que el embarazo se malogre es ligeramente mayor, las posibilidades de tener un bebé sano son excelentes. Las que no tienen un pronóstico tan bueno son las mujeres con LES con un deterioro renal grave (es ideal que la función de los riñones sea estable durante los seis meses anteriores a la concepción). Si la mujer padece lo que se denomina lupus anticoagulante o anticuerpos antifosfolípidos, es posible que el médico le recete una dosis diaria de aspirina y heparina.

Debido al lupus, los cuidados de la embarazada serán más complicados que los de la mayoría, con tests más frecuentes, más medicación (como corticosteroides) y posiblemente con más limitaciones. No obstante, con la madre, su tocólogo, o especialista en medicina maternofetal, y el médico que trata el lupus trabajando en colaboración, las posibilidades están muy a favor de que el resultado sea feliz y que todos los esfuerzos hayan valido la pena.

Síndrome del colon irritable

"Tengo el síndrome del colon irritable y me pregunto si el embarazo empeorará los síntomas."

Como el embarazo parece afectar al síndrome del colon irritable (SCI) de forma diferente en cada caso, no hay modo de predecir cómo afectará al suyo. Algunas mujeres afirman que no padecen síntomas en absoluto durante el embarazo; otras afirman que sus síntomas empeoran durante estos nueve meses.

Un motivo por el cual resulta tan difícil determinar los efectos del embarazo en el SCI –y viceversa– es que los intestinos casi siempre se ven presionados por el embarazo. Las mujeres embarazadas tienden más a sufrir estreñimiento (un síntoma también del SCI), aunque algunas presentan heces más blandas con mayor frecuencia (un síntoma también del SCI). Lo mismo ocurre con los gases y la hinchazón, que habitualmente empeoran, tanto si la mujer está en estado como si no, al padecer SCI. Y como las hormonas del embarazo afectan al organismo en diversos frentes, incluso

Síndrome de fatiga crónica

Afortunadamente, tener el síndrome de fatiga crónica no interfiere de modo alguno con el embarazo ni con la salud del futuro bebé. Desgraciadamente, los científicos saben poco más sobre los efectos de la enfermedad sobre el embarazo. Todavía no se han realizado estudios al respecto y lo poco que se sabe proviene de los casos observados, que indican que el síndrome de fatiga crónica afecta de manera diferente a mujeres diferentes. Algunas futuras madres notan que los síntomas mejoran durante la gestación, mientras que para otras empeoran. Puede ser difícil de determinar, ya que el embarazo es físicamente agotador para todas las mujeres, incluso las que no tienen que enfrentarse a esta enfermedad.

Si está embarazada y padece el síndrome de fatiga crónica, es importante que el médico que realiza el seguimiento de su enfermedad sepa que está en estado y que el tocólogo que se ocupe de su embarazo sepa que padece el síndrome. Juntos, incorporando estrategias que la hayan ayudado en el pasado, podrán ayudarla a manejar la enfermedad durante la gestación.

las mujeres con SCI quedan desconcertadas: una mujer que tiende a sufrir diarrea puede de repente enfrentarse al estreñimiento, mientras que una mujer que suele experimentar estreñimiento ahora va al baño con mucha –tal vez incluso demasiada– facilidad.

Para mantener los síntomas a raya, siga las técnicas que suele emplear para combatir el SCI habitualmente: comer poco y con frecuencia; mantenerse bien hidratada; tomar mucha fibra para mejorar la digestión; evitar los alimentos picantes; evitar el exceso de estrés; evitar los alimentos y bebidas que empeoran sus síntomas. Tal vez desee añadir alimentos probióticos a su dieta (yogur con cultivos activos, sólido, líquido, en polvo o en cápsulas). Son sorprendentemente eficaces para regular la función intestinal y son seguros durante el embarazo. Consúltelo con su médico.

Tener el SCI aumenta el riesgo de parto prematuro (esté atenta por si se presentan signos de contracciones prematuras; véase la pág. 332). También existe una mayor probabilidad de que la madre termine dando a luz por cesárea.

QUÉ ES IMPORTANTE SABER
Conseguir el apoyo necesario

Si bien es cierto que todas las embarazadas necesitan mucho apoyo, también lo es que las que padecen una enfermedad crónica lo necesitan aún más. Aunque haga años que la mujer convive con su enfermedad, aunque sepa todo lo que se sabe acerca de ella, y se haya convertido en una experta en su manejo, probablemente descubra que con el embarazo cambian las normas (incluidas las que tenía memorizadas).

Ninguna mujer embarazada debería vivir la gestación en solitario, pero si además padece una enfermedad crónica es posible que desee beneficiarse de diferentes tipos de apoyo:

Apoyo médico. Del mismo modo que cualquier futura madre, necesitará un tocólogo al que pueda recurrir antes de la concepción (si es posible), que cuide de usted durante la gestación y que asista el parto cuando llegue el momento. A diferencia de muchas otras embarazadas, el tocólogo no será el único médico que la trate. También necesitará la atención del médico o médicos especialistas que se encargan de su enfermedad crónica. Todos ellos trabajarán en colaboración para asegurarse de que usted y el bebé reciben el cuidado adecuado: que se tenga en cuenta el bienestar del bebé al tratar su enfermedad y que se tenga en cuenta su enfermedad al cuidar del bienestar del bebé. La comunicación será una parte vital de este trabajo en equipo; por tanto, cerciórese de que todos los médicos que la tratan reciban los resultados de las pruebas y análisis que se le realicen, conozcan la medicación que se le administra y estén al corriente de cualquier otro aspecto relacionado con su cuidado.

Todos sus médicos tendrán muchos otros pacientes, de modo que lo mejor es no asumir que la comunicación siempre se da.

Si el especialista que trata su enfermedad crónica le receta un nuevo fármaco, pregúntele si el tocólogo le ha dado el visto bueno, y viceversa.

Apoyo emocional. Todos necesitamos a alguien en quién apoyarnos; tal vez usted precise a más de una persona. Alguien con quien desahogarse cuando esté hastiada por la dieta que debe seguir o cuando esté cansada de las pruebas médicas a las que se debe someter (¿seis análisis en tres días?). Un hombro para llorar cuando se sienta particularmente angustiada. Un oído comprensivo para sus confidencias. Alguien que le ofrezca el apoyo emocional que toda gestante necesita.

Su pareja es una fuente perfecta de este tipo de apoyo, por descontado, especialmente porque sabe por lo que está usted pasando y hará lo que sea para ayudarla. Sus amigas y familiares pueden venirle bien, aunque sus embarazos tal vez fueran más "normales" y no podrán siempre llegar a sentir lo mismo que usted. Pero nadie la comprenderá mejor, le ofrecerá más consuelo y más satisfactorio que otra madre en la misma situación que usted.

En función de su enfermedad y de dónde viva la mujer, puede encontrar un grupo de apoyo dirigido a las futuras madres o a las madres recientes que se hallen en su misma situación. O con ayuda de sus médicos, puede incluso iniciar uno (aunque se trate de un grupo de dos –otra madre con quien quedar para comer o charlar por teléfono–). O puede buscar en internet foros de embarazadas que compartan su enfermedad. Encontrará apoyo emocional y ayuda para enfocar los aspectos más prácticos: consejos, ideas para la dieta y otros recursos que la ayudarán a llevar a cabo su doble misión, cuidarse y cuidar a su bebé.

Apoyo físico. De nuevo, no hay mujer embarazada que no lo necesite en un momento u otro: alguien que la ayude con la compra cuando está agotada, que limpie el baño para que ella no tenga que exponerse al olor de los productos de limpieza, que le haga la cena cuando las náuseas le impiden enfrentarse al pollo crudo. Pero en el caso de las futuras madres que añaden a las exigencias físicas del embarazo las de una enfermedad crónica, toda ayuda es poca. La mujer debe obtener la colaboración de donde sea y no debe temer pedirla. Su pareja puede cuidarse de las tareas domésticas que no tenga energía para llevar a cabo, pero sus amistades, familiares y, si puede permitírselo, una asistenta, también pueden echarle una mano.

PARTE 7

Complicaciones durante el embarazo

Hacer frente a las complicaciones

S I LE HAN DIAGNOSTICADO UNA COM-plicación del embarazo o si se sospecha que puede haber alguna, en este capítulo encontrará los síntomas y tratamientos típicos para cada una. Si hasta ahora su embarazo no ha planteado problemas, no le hace ninguna falta leer este capítulo. La mayoría de embarazadas experimentan un embarazo y un parto sin complicaciones. Si bien toda información es enriquecedora cuando es necesaria, al leer todo lo que podría ir mal cuando nada va mal sólo conseguirá estresarse –y para nada–. Sáltese este capítulo y ahórrese preocupaciones en vano.

Complicaciones durante el embarazo

Los siguientes trastornos, aunque más comunes que ciertas complicaciones del embarazo, siguen siendo poco probables en el embarazo medio. Por ello, sólo deberá leerse este capítulo si se ha diagnosticado una de ellas o si la mujer está experimentando síntomas que pueden indicar una complicación. En caso de que se haya diagnosticado una, las explicaciones que aparecen en este libro deberán considerarse sólo como una visión general –para saber de qué se trata–, pero la mujer deberá obtener de su médico órdenes más detalladas (que posiblemente difieran de los consejos hallados en estas páginas).

Aborto precoz

¿Qué es? Un aborto espontáneo es la expulsión espontánea del embrión o feto del útero antes de que sea capaz de vivir

Tipos de aborto espontáneo

Si el embarazo se ha malogrado en una etapa inicial, la tristeza que la mujer siente es la misma sea cual sea la causa o el nombre médico oficial. Aun así, resulta útil conocer los diferentes tipos de aborto espontáneo para comprender los términos que el facultativo pueda emplear.

Embarazo químico. Ocurre cuando un óvulo es fecundado pero no se desarrolla con éxito o no se implanta adecuadamente en el útero. La mujer puede tener una falta y sospechar que está embarazada; puede incluso obtener un resultado positivo en una prueba de embarazo porque su organismo ha producido ciertos niveles –bajos pero detectables– de la hormona del embarazo, GCh, pero en un embarazo químico, no se observa saco gestacional ni placenta al realizar la ecografía.

Huevo huero. También llamado embarazo anembriónico, ocurre cuando un óvulo fecundado que se adhiere a la pared del útero empieza a desarrollar la placenta (que produce GCh) pero luego no consigue convertirse en embrión. Queda un saco gestacional vacío (que puede visualizarse con una ecografía).

Aborto retenido. Es muy raro, ocurre cuando el embrión o feto muere pero sigue en el útero. A menudo, las únicas señales de aborto retenido son la desaparición de los síntomas del embarazo y, con menor frecuencia, pérdidas vaginales de color pardusco. La confirmación del aborto se realiza cuando una ecografía detecta que no existe latido cardiaco.

Aborto incompleto. Se produce cuando parte del tejido de la placenta queda en el interior del útero y otra parte se expulsa en forma de pérdidas vaginales. Con un aborto incompleto, la mujer sigue notando calambres y sangrado (a veces abundante), el cérvix sigue dilatado, las pruebas de embarazo siguen dando positivas (los niveles de GCh en sangre siguen siendo detectables y no descienden como cabe esperar), y algunas partes del embarazo siguen siendo visibles con una ecografía.

Amenaza de aborto. Cuando la mujer tiene pérdidas de sangre vaginales pero el cérvix sigue cerrado y se detecta latido fetal (controlado por ecografía), se considera que se ha producido una amenaza de aborto. Aproximadamente la mitad de las mujeres que sufren una consiguen llevar el embarazo a buen término.

fuera del claustro materno (en otras palabras, la interrupción no planificada de un embarazo). Un aborto durante el primer trimestre se denomina aborto precoz. El 80% de los abortos espontáneos tienen lugar en el primer trimestre. (Si se produce el aborto entre el final del primer trimestre y la semana 20, se considera un aborto tardío; véase la pág. 579.)

El aborto precoz suele estar relacionado con un defecto cromosómico o anomalía genética del embrión, pero también puede deberse a factores hormonales. En la mayoría de los casos, la causa no se puede determinar.

¿Es muy común? El aborto es una de las complicaciones más corrientes al inicio del embarazo. Resulta difícil determinarlo con exactitud, pero los investigadores calculan que más del 40% de las concepciones terminan en aborto.

Le interesa saber . . .

En un embarazo normal, el aborto *no* es una consecuencia del ejercicio, de las relaciones sexuales, del trabajo duro o de levantar objetos pesados, de un susto repentino, del estrés emocional, de una caída ni de un golpe en el abdomen. Las náuseas y los vómitos, aunque sean graves, tampoco son causa de aborto. De hecho, hay evidencia de que las mujeres que experimentan estos síntomas tienen menor tendencia a abortar. Afortunadamente, la gran mayoría de mujeres que tienen un aborto espontáneo pueden tener un embarazo normal en el futuro.

Y más de la mitad de ellos ocurren tan pronto que ni siquiera se sospechaba el embarazo, lo cual significa que estos abortos pasan desapercibidos y son vividos como una menstruación desacostumbradamente abundante o bien normal. Véase el recuadro de la página 578 para más información sobre los diferentes tipos de abortos.

Cualquier mujer puede tener un aborto, y de hecho, la mayoría de las mujeres que tienen uno no presentan factores de riesgo conocidos. Aun así, se sabe que algunos factores aumentan el riesgo de aborto. Uno es la edad; los óvulos de las mujeres mayores (y posiblemente el esperma de sus parejas también mayores) pueden presentar con mayor probabilidad alguna anomalía genética (una mujer de 40 años tiene un 33% de posibilidades de abortar, mientras que las posibilidades en una mujer de 20 años son del 15%). También son factores de riesgo los déficits vitamínicos (especialmente de ácido fólico); tener sobrepeso o estar demasiado delgada; fumar; insuficiencias o desequilibrios hormonales, como una afección tiroidea no controlada; ciertas enfermedades de transmisión sexual (ETS); determinadas enfermedades crónicas.

Signos y síntomas. Los síntomas de aborto pueden incluir uno o todos los siguientes:

- Calambres o dolores (en ocasiones severos) en el centro de la parte baja del abdomen o la espalda.

- Hemorragia vaginal abundante (posiblemente con coágulos y tejidos) similar a una menstruación.

- Manchado ligero y persistente que dura más de 3 días.

- Disminución o desaparición de los síntomas de embarazo, como el dolorimiento de los pechos o las náuseas.

¿Qué pueden hacer la mujer y el médico? No siempre el sangrado significa que se produce un aborto. De hecho, muchas situaciones pueden provocar este tipo de pérdidas (véase la pág. 157).

Si observa pérdidas de sangre, llame al médico. Éste evaluará el tipo de pérdidas y probablemente realice una

Le interesa saber . . .

En ocasiones es demasiado pronto para detectar el latido fetal o visualizar el saco fetal mediante una ecografía, incluso en un embarazo sano. Las fechas pueden no haberse calculado con exactitud o el equipo de ultrasonidos puede no ser lo bastante sofisticado. Si el cuello uterino sigue cerrado, la mujer sólo tiene ligeras pérdidas y la ecografía es ambigua, se repetirá un sonograma al cabo de una semana aproximadamente para determinar lo que ocurre. Es posible que se controle también el nivel de GCh.

Si se ha sufrido un aborto

Aunque es difícil para los padres aceptarlo en ese momento, cuando se produce un aborto suele ser debido a que el estado del embrión o del feto es incompatible con la vida normal. El aborto temprano suele ser un proceso de selección natural en el cual un embrión o feto defectuoso (defectuoso debido a factores ambientales, tales como la radiación o los fármacos; debido a una mala implantación en el útero; debido a una anomalía genética, una enfermedad materna, un accidente u otras razones desconocidas) es desechado, probablemente porque no es capaz de sobrevivir.

A pesar de ello, perder un bebé, incluso aunque sea muy pronto, es traumático. No obstante, no hay que permitir que los sentimientos de culpabilidad agraven la desgracia. Un aborto no es culpa de la madre. Sigan el proceso del duelo, un paso necesario para superarlo. Estarán tristes, incluso deprimidos, durante un tiempo. Compartir sus sentimientos con la pareja, el médico, un familiar o un amigo ayudará a la madre. En algunas comunidades existen grupos de apoyo para las parejas o mujeres que han tenido un aborto; o puede buscar uno en internet. Este hecho de compartir la experiencia con otros que saben verdaderamente cómo se siente la madre puede ser especialmente importante si la mujer ha tenido más de un aborto. Para más consejos, véase el Capítulo 23.

Para algunas mujeres, la mejor terapia es quedarse embarazada de nuevo en cuanto sea médicamente aconsejable. Pero antes de ello, comenten las posibles causas del aborto con el tocólogo. Con frecuencia, el aborto es un suceso aislado y fortuito, provocado por una anomalía cromosómica, una infección, exposición a sustancias químicas o teratogénicas, o por el azar, y no es probable que vuelva a suceder.

Cualquiera que sea la causa del aborto, muchos médicos sugieren esperar dos o tres meses antes de volver a intentar concebir, aunque a menudo las relaciones sexuales pueden reanudarse en cuanto la pareja lo desee. Otros tocólogos dejan que la madre naturaleza se encargue de todo; dicen a sus pacientes que sus cuerpos ya sabrán cuándo es el momento de concebir de nuevo. Algunos estudios han demostrado que las mujeres tienen una tasa de fertilidad superior a la normal durante los tres ciclos siguientes a un aborto espontáneo ocurrido en el primer trimestre. No obstante, si el médico recomienda un período de espera, se utilizará un método anticonceptivo fiable, preferiblemente del tipo de barrera (preservativo, diafragma). Puede aprovecharse este período de espera para mejorar la dieta y poner el cuerpo en forma (véase el Capítulo 1).

Por suerte, hay muy buenas posibilidades de que la siguiente vez la mujer tenga un embarazo normal y un bebé sano. La mayoría de las mujeres que han tenido un aborto no tienen que pasar de nuevo por la misma experiencia. De hecho, un aborto constituye un seguro de fertilidad, y la gran mayoría de mujeres que pierden un bebé de esta forma pueden tener otro.

ecografía. Si el embarazo sigue pareciendo viable (se detecta el latido cardiaco fetal), el médico puede ordenarle reposo en cama temporal, controlar el nivel hormonal si el embarazo está en sus comienzos (el aumento de GCh es una buena señal), y las pérdidas seguramente cesarán por sí solas.

Si el facultativo observa que el cuello del útero está dilatado y/o no se

Gestionar un aborto

La mayoría de abortos son completos, es decir, todo el contenido del útero se expulsa por vía vaginal (esto explica las pérdidas). Pero en ocasiones –especialmente hacia el final del primer trimestre– el aborto es incompleto, y partes de los tejidos del embarazo quedan en el útero. O deja de oírse el latido cardiaco fetal mediante la ecografía, lo cual significa que el embrión o feto ha muerto, aunque no se haya producido hemorragia (se trata entonces de un aborto retenido). En ambos casos, es necesario vaciar el útero de modo que el ciclo menstrual normal se reinicie (y la mujer pueda quedar embarazada de nuevo, si lo desea). Hay diversas formas de hacerlo.

Espera. Se puede optar por dejar que la naturaleza siga su curso y esperar a que se produzca la expulsión natural de los restos del embarazo. La espera en el caso de un aborto incompleto o retenido puede ser de unos días a, en algunos casos, tres o cuatro semanas.

Medicación. Normalmente se trata de una píldora de misoprostol, que se administra por vía oral o vaginal, que favorece la expulsión de los tejidos que formaban el feto y la placenta. La duración del proceso varía de una mujer a otra, pero el sangrado suele empezar en cuestión de días como mucho. Los efectos secundarios de la medicación pueden incluir náuseas, vómitos, calambres y diarrea.

Cirugía. Otra opción consiste en intervenir con un proceso denominado dilatación y raspado.

Durante el proceso, el médico dilata el cuello uterino y retira cuidadosamente (mediante succión, raspado o ambos métodos) los tejidos fetales y la placenta del útero.

El sangrado que ocurre posteriormente no suele durar más de una semana. Aunque los efectos secundarios son raros, existe un pequeño riesgo de infección tras la intervención.

---

detecta el latido cardiaco fetal con la ecografía (y las fechas se han calculado correctamente), asumirá que se ha producido un aborto. En tal caso, por desgracia, no se podrá hacer nada para evitarlo.

Si experimenta mucho dolor debido a los calambres, el médico puede recomendar o recetar un analgésico. No dude en pedírselo si lo necesita.

Prevención. La mayor parte de abortos son resultado de un defecto en el embrión o feto que no podía ser evitado. No obstante, hay pasos que se pueden seguir para reducir el riesgo de aborto:

▪ Tener bajo control las enfermedades crónicas antes de la concepción.

▪ Tomar un suplemento nutritivo prenatal que incluya ácido fólico y otras vitaminas del grupo B. Las nuevas investigaciones han mostrado que algunas mujeres tienen dificultades para concebir y/o mantener el embarazo por un déficit de vitamina B_{12}. Cuando estas mujeres comienzan tomando dicho suplemento, no tienen ya problemas para quedar en estado ni llevar a buen término el embarazo.

▪ Intentar alcanzar el peso ideal antes de la concepción: estar demasiado delgada u obesa pone en riesgo el embarazo.

▪ Evitar las prácticas que aumentan el riesgo de aborto, como el uso de alcohol y el tabaquismo.

¿Cómo debe decidir la mujer el camino a seguir? Algunos factores que considerarán usted y el médico son los siguientes:

- Cuánto falta para el aborto. Si la hemorragia y los calambres son ya muy fuertes, es probable que ya falte poco para el aborto. En ese caso, es mejor dejar que prosiga el proceso sin realizar raspado. Si la ecografía ha determinado la muerte del feto, pero ha habido poca hemorragia o incluso nada, es probable que el misoprostol o el raspado sean la mejor opción.

- En qué momento del embarazo sucede. Cuanta más cantidad de tejido fetal haya, más probabilidades hay de que se precise un raspado para acabar de limpiar el útero.

- El estado emocional y físico de la madre. Estar esperando que tenga lugar el aborto (algo que puede durar hasta tres o cuatro semanas en algunos casos) puede ser debilitante para la mujer y para su pareja. Mientras el feto esté en su interior, ella no puede llevar a cabo el proceso de duelo ante la futura pérdida. Completar el proceso más rápidamente también le permitirá reanudar su ciclo menstrual antes, e intentar concebir de nuevo.

- Riesgos y beneficios. La dilatación y raspado es una intervención invasiva y que conlleva un riesgo algo superior (aunque aún muy bajo) de infección. La ventaja de concluir de una vez con el aborto puede compensar este pequeño riesgo en muchas mujeres. Si el aborto es espontáneo, existe también el riesgo de que el útero no se vacíe del todo, en cuyo caso se aplicará una dilatación y raspado para concluir lo que la naturaleza ha comenzado.

- Evaluación del aborto. Cuando se lleva a cabo una dilatación y raspado es más sencillo evaluar la causa del aborto examinando el tejido fetal.

Independientemente de la vía seguida, la pérdida será difícil de superar por la madre; véase el Capítulo 23 para saber cómo superar el dolor.

- Tomar fármacos con precaución. Tomar sólo los que el médico recomiende sabiendo que la mujer está embarazada, y evitar los que se sabe que son un riesgo para el embarazo.

- Tomar precauciones para evitar infecciones, como ETS.

Si la mujer ha sufrido dos o más abortos, es importante que se haga un análisis para determinar su posible causa y así poderlos prevenir en el futuro (véase el recuadro de la pág. 580).

Aborto tardío

¿Qué es? La expulsión espontánea de un feto entre el fin del primer trimestre y la vigésima semana se denomina aborto tardío. Después de la vigésima semana, el aborto se denomina fetal o alumbramiento de un mortinato.

La causa del aborto tardío por regla general se relaciona con la salud de la madre, el estado del cérvix o del útero, la exposición de la embarazada a ciertos fármacos u otras sustancias tóxicas o problemas de la placenta.

¿Es muy común? El aborto tardío ocurre en 1 de cada 1000 embarazos.

Signos y síntomas. Pasado el primer trimestre, las pérdidas rosáceas durante varios días o una escasa pérdida parda durante varias semanas indican que existe la amenaza de un aborto tardío. Una

Abortos recurrentes

Aunque tener un aborto no significa en absoluto que la mujer vaya a tener más, algunas mujeres sufren abortos recurrentes (dos o tres abortos seguidos). Si la mujer tiene varios abortos se preguntará si será capaz de tener un embarazo normal. En primer lugar, debe saber que hay muchas posibilidades de que sea así, aunque es posible que deba cuidar sus futuros embarazos de forma diferente. Las causas de los abortos recurrentes a veces se desconocen, pero existen pruebas que pueden aclarar por qué tuvieron lugar, aunque cada uno tuviera una causa distinta.

Intentar determinar la causa de un solo aborto no suele merecer la pena, pero una evaluación médica puede ser recomendable si la mujer ha tenido dos o más abortos seguidos. Algunos factores que pueden estar relacionados con los abortos recurrentes son un problema de tiroides, problemas autoinmunes (el sistema inmunitario de la madre ataca al embrión), déficit de vitaminas o útero deformado. En la actualidad existen pruebas para determinar cuáles son los factores de riesgo que pueden provocar un aborto y sugerir medidas para evitarlo, en algunos casos con facilidad. Ambos progenitores pueden realizarse análisis de sangre para detectar problemas cromosómicos que puedan ser pasados al feto. Pueden hacerse también pruebas para detectar problemas de coagulación en la madre (algunas mujeres producen anticuerpos que atacan a sus propios tejidos y producen coágulos sanguíneos que pueden obtu-

hemorragia más fuerte, especialmente si va acompañada de calambres, casi con toda probabilidad indica que el aborto es irremediable, sobre todo si el cérvix está dilatado. (Puede haber otras muchas causas de hemorragia grave, como puede ser una placenta previa, pág. 590; un desprendimiento de la placenta, pág. 592; un desgarro en el revestimiento uterino; o un parto prematuro, pág. 595.)

¿Qué pueden hacer la mujer y el médico? Si la mujer tiene pérdidas rosadas o pardas, llame al médico. Éste evaluará el tipo de pérdidas y probablemente realice una ecografía, compruebe el estado del cérvix y le ordene guardar cama. Si las pérdidas cesan, es probable que no fueran debidas a un aborto (a veces son ocasionadas por el coito o por una examen médico), lo cual significa que la mujer puede seguir con su actividad normal. Si el cérvix ha empezado a dilatarse y la mujer no ha experimentado dolores ni pérdidas, es posible que se diagnostique cérvix incompetente y se lleve a cabo un cerclaje (sutura del cuello uterino; véase la pág. 51) para evitar un aborto tardío. Una vez que empiezan la hemorragia fuerte y los calambres, que indican que se inicia un aborto, no se puede hacer nada para evitarlo. Cuanto más avanzado el embarazo, más probable es que el tocólogo decida internar a la madre. Puede ser necesario realizar una dilatación y raspado para extraer los restos de embarazo que pudieran permanecer en el útero.

Prevención. Cuando el aborto tardío se inicia, es inevitable. Pero si puede determinarse la causa, podría ser posible evitar que se repita. Si ha sido debido a un cérvix incompetente que no se había diagnosticado, pueden evitarse los futuros abortos mediante un cerclaje a

rar los vasos sanguíneos maternos que alimentan la placenta). Una ecografía, una resonancia magnética o una tomografía computarizada pueden llevarse a cabo para evaluar el útero; puede hacerse una histeroscopia para evaluar la cavidad uterina; y puede analizarse el feto abortado para detectar anomalías cromosómicas.

Una vez se conoce la causa o causas, se pueden discutir las opciones de tratamiento, además de decidir de qué forma hay que cuidar del próximo embarazo. Con la cirugía se pueden corregir ciertos problemas uterinos; la medicación tiroidea tratará eficazmente un problema de tiroides; un suplemento nutricional supervisado puede resolver la carencia de alguna vitamina; los tratamientos hormonales también pueden ser útiles, así como un tratamiento para evitar la coagulación sanguínea (pequeñas dosis de aspirina y/o heparina). En algunos casos, las pacientes con un historial de abortos precoces que parecen producir poca progesterona pueden tomar la hormona, aunque este tratamiento es controvertido. O, si la causa es un exceso de prolactina, se recetará medicación para reducirla.

Incluso aunque la mujer haya sufrido abortos recurrentes, sigue teniendo posibilidades de tener un embarazo con éxito. Si bien ahora puede resultarle difícil creerlo, siquiera esperarlo. Es importante que la mujer encuentre un modo de enfrentarse al miedo comprensible que puede tener a volver a quedar en estado. El yoga, las técnicas de visualización y los ejercicios respiratorios pueden aliviar la ansiedad, y se puede obtener apoyo de otras mujeres que han pasado por situaciones semejantes. Compartir abiertamente sus sentimientos puede resultar útil. Recuerde que no está sola.

principios del embarazo, antes de que el cérvix empiece a dilatar. Si la culpable fue una enfermedad crónica, como la diabetes, la hipertensión o una afección tiroidea, se puede controlar antes de volver a concebir. Una infección aguda puede evitarse o tratarse. Y un útero malformado en algunos casos puede corregirse con cirugía. La presencia de anticuerpos que provocan la inflamación de la placenta y/o la formación de coágulos puede tratarse con pequeñas dosis de aspirina y heparina en un embarazo posterior.

Embarazo ectópico

¿Qué es? El embarazo ectópico (o tubárico) es un embarazo que se implanta fuera del útero, generalmente en las trompas de Falopio, debido normalmente a un problema (como una cicatriz) que obstruye o ralentiza el paso del óvulo fecundado. Un embarazo ectópico también puede implantarse en el cuello del útero, en un ovario o en el abdomen. Por desgracia, no hay posibilidad de que un embarazo ectópico siga su curso normal.

Una ecografía puede detectar el embarazo ectópico, a menudo ya a la quinta semana. Pero sin un diagnóstico y tratamiento precoz, el óvulo fecundado podría seguir creciendo en las trompas de Falopio y provocar su rotura. Si la trompa

Le interesa saber...

Más de la mitad de las mujeres que reciben tratamiento por un embarazo ectópico conciben y tienen un embarazo normal al cabo de menos de un año.

Embarazo ectópico

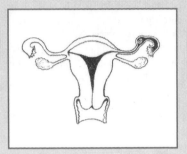

En un embarazo ectópico, el óvulo fecundado se implanta en una zona distinta al útero. Aquí, el óvulo se ha implantado en la trompa de Falopio.

estalla, su futura capacidad para conducir un óvulo fecundado hasta el útero se destruye, y si no se cura puede provocar una hemorragia interna grave, incluso mortal. Por suerte, el tratamiento rápido (normalmente cirugía o medicación) puede evitar la rotura de la trompa y disminuir enormemente el riesgo para la madre, al mismo tiempo que aumenta las posibilidades de conservar su fertilidad.

¿Es muy común? Alrededor de un 2% de los embarazos son ectópicos. Las mujeres con riesgo son las que cuentan con una historia de enfermedad inflamatoria de la pelvis, endometriosis, un embarazo ectópico anterior, o cirugía de las trompas (concebir tras haberse ligado las trompas comporta un 60% de probabilidades de embarazo ectópico). También se incluyen en el grupo de riesgo las mujeres que quedaron embarazadas mientras tomaban píldoras anticonceptivas de progesterona; las que quedaron embarazadas llevando un DIU (si bien con

los nuevos modelos de DIU, especialmente los que incorporan hormonas, las posibilidades de embarazo ectópico son mucho menores); las mujeres que sufren una ETS; y las fumadoras.

Signos y síntomas. Entre los primeros síntomas se hallan:

- Dolor espasmódico y parecido a un calambre, normalmente en la parte baja del abdomen (suele empezar como un dolor leve que va en aumento); el dolor puede empeorar al ir de vientre, toser o al moverse.

- Sangrado anómalo (manchas pardas o ligero sangrado antes del dolor).

Si el embarazo ectópico no se detecta y la trompa de Falopio estalla, la mujer puede experimentar:

- Náuseas y vómitos.

- Debilidad.

- Mareos y/o vahídos.

- Dolor abdominal agudo.

- Presión en el recto.

- Dolor en el hombro (debido a la acumulación de sangre debajo del diafragma).

- Hemorragias vaginales más abundantes.

Le interesa saber ...

Los calambres ocasionales en la parte baja del abdomen al principio del embarazo son probablemente el resultado de la implantación normal, del aumento del torrente sanguíneo o del estiramiento de los ligamentos que se produce al crecer el útero, y no una señal de embarazo ectópico.

¿Qué pueden hacer la mujer y el médico? Los calambres ocasionales, incluso las pequeñas pérdidas vaginales al principio del embarazo no deben provocar alarma, pero hay que comunicar al médico cualquier tipo de dolor, pérdidas vaginales o sangrado. Llámele de inmediato si siente un dolor agudo, parecido a un calambre, en la parte baja del abdomen, sangrado abundante o cualquiera de los demás síntomas de rotura en un embarazo ectópico. Si el médico determina que tiene un embarazo ectópico (normalmente diagnosticado mediante ecografía y análisis de sangre), no hay, por desgracia, modo de salvarlo. Lo más probable es que la mujer deba someterse a cirugía (laparoscópica) para extraer el embarazo ectópico o tomar medicación (metotrexato), para poner fin al embarazo. En algunos casos, se puede determinar que el embarazo ectópico ha dejado de progresar y se puede esperar a que desaparezca con el tiempo por sí solo, evitando así la intervención quirúrgica.

Como el material residual que queda en la trompa puede dañarla, se lleva a cabo un análisis de seguimiento para poder controlar los niveles de GCh y asegurarse de que todo el embarazo ectópico ha sido eliminado.

Prevención. Para reducir el riesgo de un embarazo ectópico, es útil dejar de fumar y buscar tratamiento inmediato para cualquier enfermedad de transmisión sexual o evitar contraerlas (mediante la práctica de relaciones sexuales seguras).

Hemorragia subcoriónica

¿Qué es? La hemorragia subcoriónica (también denominada hematoma subcoriónico) es una acumulación de sangre entre el revestimiento uterino y la

---

Le interesa saber...

Una hemorragia subcoriónica no afecta al bebé, y como la mujer es controlada mediante ecografías hasta que el hematoma se corrige por sí solo, puede tranquilizarse cada vez que oiga el latido fetal (lo cual tendrá ocasión de oír más que muchas embarazadas).

---

membrana coriónica (la membrana fetal externa, junto al útero) o debajo de la placenta misma, que a menudo (pero no siempre) provoca pérdidas de sangre vaginales.

En la gran mayoría de los casos, las mujeres que tienen un hematoma subcoriónico tienen un embarazo perfectamente sano.

Pero como (en algunos pocos casos) los hematomas o coágulos que se hallan debajo de la placenta pueden causar problemas si crecen demasiado, se realiza el seguimiento de todos los hematomas subcoriónicos.

¿Es muy común? Alrededor del 1% de todos los embarazos presentan una hemorragia subcoriónica. De entre las mujeres que experimentan pérdidas durante el primer trimestre, al 20% se les diagnostica un hematoma subcoriónico como la causa del sangrado.

Signos y síntomas. Las pérdidas de sangre pueden ser un signo, habitualmente durante el primer trimestre. Pero muchas hemorragias subcoriónicas se detectan durante una ecografía rutinaria, sin que hayan aparecido signos ni síntomas de su presencia.

¿Qué pueden hacer la mujer y el médico? Si tiene pérdidas, llame al médico; es posible que le haga una ecografía para comprobar si existe un hematoma subcoriónico, qué tamaño tiene y dónde se localiza.

Hiperemesis gravidarum

¿Qué es? La hiperemesis gravidarum es una forma exagerada de las náuseas y vómitos matutinos, continuados y debilitantes (que no deben confundirse con un caso de mareos matutinos típicos). La hiperemesis suele empezar a remitir alrededor de la semana 12 y la 16, pero en algunos casos continúa durante todo el embarazo.

La hiperemesis gravidarum puede provocar pérdida de peso, malnutrición y deshidratación si no se trata. Su tratamiento suele requerir hospitalización, principalmente para poder administrar líquidos y fármacos antieméticos por vía intravenosa a la madre, con el fin de proteger su bienestar y el del bebé.

¿Es muy común? Ocurre en alrededor de 1 de cada 200 embarazos. Es más común en primíparas, en mujeres jóvenes, en mujeres obesas, en las que están esperando más de un hijo y en mujeres que ya sufrieron este trastorno en un embarazo anterior. El estrés emocional extremo también puede aumentar el riesgo,

así como los desequilibrios endocrinos y el déficit de vitamina B.

Signos y síntomas. Los síntomas incluyen:

- Náuseas y vómitos muy frecuentes y severos.

- Incapacidad de retener los alimentos o los líquidos ingeridos.

- Signos de deshidratación, como micción infrecuente u orina de color amarillo oscuro.

- Pérdida de peso de más del 5%.

- Presencia de sangre en el vómito.

¿Qué pueden hacer la mujer y el médico? Si los síntomas son relativamente benignos, la mujer puede probar primero algunos de los remedios naturales utilizados para combatir los mareos matutinos, como el jengibre, la acupuntura o una muñequera de acupresión (véase la pág. 147).

Si estas técnicas no funcionan, pida al facultativo algún fármaco que pueda irle bien.

Pero si la mujer vomita constantemente y/o sigue perdiendo peso, el médico evaluará la necesidad de administrarle líquidos por vía intravenosa y/u hospitalizarla, y tal vez le recete un antiemético.

Cuando sea capaz de retener la comida en el estómago, resultará útil modificar la dieta y eliminar los alimentos picantes y grasos –los que más fácilmente provocan náuseas–, y evitar los sabores y olores que tiendan a marearla.

Además, conviene que la mujer coma con frecuencia tomando pequeñas colaciones ricas en carbohidratos y proteínas a lo largo del día, y se asegure de ingerir bastantes líquidos (controle el aspecto de la orina: si es de color amarillo oscuro no bebe, o no retiene, suficientes líquidos).

Le interesa saber ...

Por mal que la haga sentir la hiperemesis gravidarum, es poco probable que ésta afecte al bebé. La mayoría de estudios demuestran que no existen diferencias entre el estado de salud y el desarrollo de los hijos de mujeres que la experimentaron y los de las que no.

Diabetes gestional

¿Qué es? Se trata de una forma de diabetes que aparece sólo durante el embarazo: ocurre cuando el cuerpo no es capaz de producir cantidades adecuadas de insulina (la hormona que permite al organismo convertir el azúcar en energía) para regular de forma efectiva el azúcar en sangre. La diabetes gestacional suele aparecer entre las semanas 24 y 28 de gestación (lo cual explica por qué el test de tolerancia a la glucosa se lleva a cabo de forma rutinaria alrededor de la semana 28). Esta enfermedad casi siempre desaparece después del parto, pero si la mujer la tiene, deberá hacerse un análisis posparto para cerciorarse de que la enfermedad ha remitido.

La diabetes, tanto la del tipo que empieza durante el embarazo como la que se inicia antes de la concepción, generalmente no es peligrosa para el feto ni para la madre si es controlada. No obstante, si se permite que circule demasiado azúcar por el torrente sanguíneo de la madre, y por lo tanto que entre en la circulación fetal a través de la placenta, los problemas potenciales para la madre y el bebé son graves. Las mujeres que padecen una diabetes gestacional no controlada corren el riesgo de tener un bebé demasiado grande y de desarrollar preeclampsia (hipertensión inducida por el embarazo). La diabetes incontrolada puede provocar problemas para el recién nacido, como ictericia, dificultades respiratorias y niveles bajos de azúcar en sangre. En el futuro, el bebé puede tener un mayor riesgo de ser obeso y padecer diabetes del tipo 2.

¿Es muy común? La diabetes gestacional es bastante común y afecta a entre un 4 y un 7% de embarazadas. Como es más corriente en mujeres obesas, el porcentaje de embarazadas con esta afección va en aumento. Las madres de más edad también presentan mayores probabilidades de desarrollarla, igual que las mujeres con un historial familiar de diabetes o diabetes gestacional.

Signos y síntomas. La mayoría de mujeres con diabetes gestacional no presentan síntomas, aunque algunas pueden experimentar:

- Sed excesiva.

- Micción frecuente y abundante (que se distingue de la micción también frecuente pero escasa de principios del embarazo).

- Fatiga (que puede ser difícil de diferenciar de la fatiga del embarazo).

- Azúcar en la orina (detectada mediante análisis prenatales rutinarios).

¿Qué pueden hacer la mujer y el médico? Alrededor de la semana 28, la mujer se somete a una prueba de tolerancia a la glucosa (véase la pág. 329). Si el test da positivo para diabetes gestacional, el médico seguramente ordenará a la madre que siga una dieta muy especial (similar a la dieta del embarazo) y recomendará que realice ejercicios para mantener la diabetes gestacional bajo control. Es posible que la mujer tenga que controlar los niveles de glucosa en sangre mediante análisis que ella misma se hará en casa. Si la dieta y el ejercicio no bastan para controlar el nivel de azúcar en sangre (normalmente sí bastan), la mujer puede tener que administrarse insulina suplementaria. La insulina puede inyectarse, pero cada vez se recurre más a la gliburida oral como tratamiento alternativo. Afortunadamente, prácticamente todos los riesgos potenciales relacionados con la diabetes gestacional quedan eliminados mediante este control estricto del nivel de azúcar en sangre. Para más información, véase la página 558.

Le interesa saber . . .

No debe preocuparse si su diabetes gestacional está bien controlada. Tendrá un embarazo normal y el bebé no debería verse afectado por ella.

Prevención. Controlar el aumento de peso (antes y durante la gestación) puede prevenir la diabetes gestacional. Igual que los buenos hábitos alimentarios (tomar mucha fruta y hortalizas, y cereales integrales, limitar el consumo de azúcares refinados, e ingerir suficiente ácido fólico) y el ejercicio regular (las investigaciones demuestran que las mujeres obesas que hacen ejercicio presentan la mitad de riesgo de desarrollar diabetes gestacional). Seguir con estas medidas preventivas después del parto también reduce el riesgo de la aparición de diabetes más adelante.

Hay que recordar, además, que tener diabetes gestacional aumenta el riesgo de la mujer de desarrollar diabetes del tipo 2 más adelante. Mantener una dieta sana, un peso adecuado y seguir haciendo ejercicio físico reduce significativamente este riesgo.

Preeclampsia

¿Qué es? La preeclampsia (también conocida como hipertensión inducida por el embarazo o toxemia) es un trastorno que generalmente se desarrolla hacia finales del embarazo (pasada la semana 20) y se caracteriza por un aumento repentino de la presión arterial, hinchazón (edema) y presencia de proteínas en la orina.

Si la preeclampsia no se trata, puede convertirse en eclampsia, un trastorno mucho más grave que incluye convulsiones (véase la pág. 601). Si la preeclampsia no se trata también puede causar otras muchas complicaciones, como un parto prematuro o la restricción del crecimiento intrauterino.

¿Es muy común? A alrededor del 8% de las embarazadas se les diagnostica preeclampsia. Las mujeres que llevan varios fetos, las mayores de 40 años y las mujeres con presión arterial elevada o diabetes presentan un mayor riesgo de desarrollar preeclampsia. Si a la mujer le diagnostican preeclampsia, tendrá 1 entre 3 posibilidades de desarrollarla de nuevo en futuros embarazos. El riesgo es mayor si el diagnóstico corresponde al primer embarazo o si la preeclampsia se desarrolla al principio del embarazo.

Signos y síntomas. Los síntomas pueden incluir cualquiera o todos los siguientes:

* Hinchazón severa de las manos y el rostro.

* Hinchazón de los tobillos que no remite después de 12 horas de descanso.

* Aumento de peso excesivo repentino no relacionado con la dieta.

* Jaquecas que no remiten con analgésicos suaves.

* Dolor en la parte alta del abdomen.

* Visión doble o borrosa.

* Aumento de la presión arterial (hasta 140/90 o más en una mujer que nunca ha tenido la presión alta).

* Ritmo cardiaco acelerado.

* Micción escasa.

* Función renal anómala.

* Reacciones reflejas exageradas.

¿Qué pueden hacer la mujer y el médico? En mujeres que reciben un cuidado médico regular, la preeclampsia se detecta siempre pronto (el médico puede sospechar de su existencia por la proteína en la orina y por el aumento de la presión arterial, o porque aparezcan los síntomas indicados). Prestar atención a estos síntomas (e informar de su aparición al tocólogo) también es útil, especialmente si la mujer tiene un historial de hipertensión previa al embarazo.

Si a la mujer se le diagnostica preeclampsia, el tratamiento incluirá seguramente reposo en cama en casa y un seguimiento de cerca de la presión arterial y monitorización fetal (aunque los casos más graves pueden requerir hospitalización). Si la preeclampsia es grave, el tratamiento suele ser más agresivo e incluye la inducción del parto en los tres días siguientes al diagnóstico. Pronto se inicia la administración intravenosa de sulfato de magnesio, ya que casi siempre evita la progresión de la preeclampsia.

Aunque hay tratamientos para controlar la preeclampsia durante períodos

Las razones de la preeclampsia

Nadie sabe con certeza cuáles son las causas de la preeclampsia, aunque existen varias teorías:

* Un componente genético. Los investigadores creen que la herencia genética del feto puede ser uno de los factores que predispone a la madre a tener preeclampsia. De modo que si la madre de su pareja o su propia madre sufrieron preeclampsia cuando estaban embarazadas de ustedes, es más probable que usted la presente ahora.

* Un vaso sanguíneo defectuoso. Algunos investigadores indican que este defecto provoca que los vasos sanguíneos de algunas mujeres se constriñan durante el embarazo en lugar de dilatarse (lo que ocurre habitualmente). Como resultado de este defecto, según estos investigadores, el suministro de sangre hacia órganos como los riñones o el hígado disminuye y provoca la preeclampsia. El hecho de que las mujeres que experimentan preeclampsia durante el embarazo presenten un mayor riesgo a lo largo de su vida de padecer algún tipo de enfermedad cardiovascular también parece indicar que esta afección puede ser el resultado de una predisposición en determinadas mujeres a tener la presión arterial alta.

* Periodontitis. Las mujeres embarazadas con enfermedad periodontal presentan más del doble de probabilidades de tener preeclampsia que las que tienen encías sanas. Los expertos tienen la teoría de que la infección que provoca la periodontitis puede pasar a la placenta o producir sustancias químicas que pueden provocar la preeclampsia. Aun así, no se sabe si la periodontitis provoca la preeclampsia y ni siquiera si está relacionada con ella.

* Respuesta inmune a un invasor extraño: el bebé. Esta teoría implica que el organismo de la madre se vuelve "alérgico" al bebé y a la placenta. Esta "alergia" causa una reacción en el cuerpo de la madre que puede dañar su sangre y vasos sanguíneos. Cuanto más parecidos sean los marcadores genéticos del padre y de la madre, más probable es esta respuesta inmune.

cortos de tiempo, no hay cura para ella excepto el parto, que suele ser recomendable en cuanto el bebé esté físicamente maduro o después de administrarle medicación para acelerar la maduración de sus pulmones. Las buenas noticias son que el 97% de las mujeres con preeclampsia se recuperan completamente, y su presión arterial vuelve a la normalidad después del parto.

Los científicos están desarrollando análisis de sangre y orina sencillos que puedan predecir qué futuras madres tienen más probabilidades de desarrollar esta complicación. Se ha descubierto que las mujeres que la desarrollan presentan niveles elevados de una sustancia denominada FH-1 soluble en la sangre y la orina. Otra sustancia llamada endoglina también puede prevenir este trastorno. Lo ideal sería que las investigaciones condujeran a una detección más pronta de la preeclampsia.

Prevención. Las investigaciones señalan que para las mujeres con riesgo de preeclampsia, la aspirina u otros fármacos anticoagulantes pueden reducir el riesgo durante el embarazo, si bien los beneficios de esta medicación deben valorarse junto a sus peligros teóricos. También indican que la buena alimentación, que asegura una buena ingesta de antioxidantes, magnesio, vitaminas y minerales, puede reducir el riesgo, igual que un buen cuidado dental.

Síndrome de HELLP

¿Qué es? Es una enfermedad que combina diferentes anomalías y que puede afectar a la mujer embarazada de forma aislada o junto con preeclampsia, casi siempre durante el tercer trimestre. El acrónimo (según las siglas en inglés) responde a la enumeración de estas anomalías: hemólisis, en que los glóbulos rojos se destruyen demasiado pronto, lo cual conlleva un recuento bajo de los mismos; aumento de las enzimas hepáticas, lo cual indica que el hígado funciona mal y es incapaz de procesar las toxinas del organismo eficientemente; y recuento bajo de plaquetas, lo cual dificulta la formación de coágulos sanguíneos.

Cuando este síndrome se desarrolla, puede amenazar tanto la vida de la madre como la del bebé. Las mujeres a las que no se diagnostica el síndrome de HELLP y no reciben tratamiento rápido presentan 1 probabilidad de cada 4 de presentar complicaciones graves, principalmente en forma de graves daños hepáticos o embolia.

¿Es muy común? El síndrome de HELLP se presenta en alrededor de 1 de cada 10 embarazos con preeclampsia o eclampsia, y en menos de 1 de cada 500 embarazos.

Las mujeres que desarrollan preeclampsia o eclampsia tienen el riesgo de padecer el síndrome, igual que las mujeres que tuvieron el síndrome en un embarazo anterior.

Signos y síntomas. Los síntomas del síndrome de HELLP son muy vagos, y son los siguientes (en el tercer trimestre):

Le interesa saber...

Por suerte, en las mujeres que reciben cuidados médicos regulares, la preeclampsia se detecta enseguida y se trata con éxito. Con los cuidados médicos adecuados, la mujer con preeclampsia cercana a la fecha de salida de cuentas presenta las mismas probabilidades de un parto con éxito que la mujer que presenta una presión arterial normal.

- Náuseas.

- Vómitos.

- Jaquecas.

- Malestar general.

- Dolor y sensibilidad en la parte superior derecha del abdomen.

- Síntomas típicos de enfermedad vírica.

Los análisis revelan un recuento bajo de plaquetas, un número elevado de enzimas hepáticas y hemólisis (rotura de los glóbulos rojos). La función del hígado se deteriora con rapidez, lo que hace crítico el tratamiento.

¿Qué pueden hacer la mujer y el médico? El único tratamiento efectivo es el parto, de modo que lo mejor que se puede hacer es estar atenta a la aparición de los síntomas (especialmente si la mujer padece o presenta el riesgo de tener preeclampsia) y llamar al médico inmediatamente si se presentan. Si la mujer sufre el síndrome de HELLP también puede recibir esteroides (para tratar el síndrome y favorecer la maduración de los pulmones del bebé) y magnesio (para evitar convulsiones).

Prevención. Como la mujer que ha tenido el síndrome en un embarazo anterior es propensa a volver a tenerlo, el seguimiento escrupuloso de su estado es necesario ahora. Por desgracia, no se puede hacer nada para prevenir su aparición.

Retraso del crecimiento intrauterino

¿Qué es? El término retraso del crecimiento intrauterino (RCIU) se emplea para indicar que un bebé es más pequeño de lo normal a lo largo del embarazo. El diagnóstico de RCIU se produce si el peso del bebé está por debajo del percentil 10 para su edad gestacional. El RCIU puede ocurrir si la salud de la placenta o si el suministro de sangre se deteriora, o si la alimentación, salud o estilo de vida de la madre impide que el feto crezca.

¿Es muy común? El RCIU ocurre en alrededor del 10% del total de embarazos. Es más común en el primer embarazo, en el quinto y siguientes, en mujeres de menos de 17 años o más de 35 años de edad, en las mujeres que han tenido antes un bebé con bajo peso al nacer, y en las que tienen problemas placentarios o anomalías uterinas. Los embarazos múltiples también son un factor de riesgo, pero ello seguramente se debe más al poco espacio disponible que a los problemas placentarios. Si la propia madre presentó un peso bajo al nacer aumenta el riesgo de tener también un bebé pequeño; lo mismo sucede si el padre fue un recién nacido pequeño.

Signos y síntomas. Tener un abdomen de pequeño tamaño no suele ser un indicio de RCIU. De hecho, rara vez existen signos externos evidentes que indiquen que el bebé no está creciendo como

Le interesa saber ...

Si una mujer ha tenido un bebé con bajo peso al nacer, presenta un riesgo algo mayor de tener otro; pero, la ventaja es, según muestran las estadísticas, que cada bebé tiende a ser más grande que el anterior. Si la mujer tuvo un bebé con RCIU con el primer embarazo, si presta atención a aquellos factores que contribuyeron a ello, puede reducir el riesgo de tener otro en este embarazo.

Le interesa saber...

Más del 90% de los bebés que nacen con un peso bajo se recuperan aceptablemente y alcanzan el peso que les corresponde a lo largo de los dos primeros años de vida.

debería. En lugar de ello, el RCIU suele detectarse durante una visita prenatal de rutina, cuando el tocólogo mide la altura del fundus –la distancia del hueso pélvico hasta la parte superior del útero– y observa que es demasiado pequeña para la edad gestacional del bebé.

Una ecografía también puede detectar que el crecimiento del bebé es algo más lento de lo esperado dada su edad gestacional.

¿Qué pueden hacer la mujer y el médico? Uno de los mejores indicadores de la salud del bebé es su peso, de modo que el RCIU puede presentar diversos problemas para el recién nacido, incluida la dificultad para mantener una temperatura corporal normal o combatir la infección. Por eso resulta tan importante diagnosticar el problema enseguida e intentar favorecer la salud del bebé. Pueden adoptarse diversos enfoques, según la causa que se sospeche, incluido el reposo en cama, la alimentación por vía intravenosa, si es necesaria, y la administración de medicación para mejorar el flujo sanguíneo placentario o para corregir un problema que se ha diagnosticado que pueda estar contribuyendo al RCIU. Si el entorno intrauterino es pobre y no se puede mejorar, y si los pulmones del feto están maduros, la inducción del parto –que permite al bebé empezar a vivir en condiciones más saludables– puede ser la mejor solución.

Prevención. Una buena alimentación y la eliminación de los factores de riesgo pueden mejorar sustancialmente las posibilidades de un crecimiento fetal normal y un buen peso al nacer. Si se controlan ciertos factores de riesgo maternales (como una presión arterial elevada crónica, tabaquismo, consumo de alcohol o de drogas) que contribuyen al mal crecimiento fetal, se puede ayudar a evitar el RCIU. Un buen cuidado prenatal también minimiza los riesgos, como una dieta excelente, un aumento de peso adecuado y la disminución del estrés físico y psíquico excesivo (incluyendo la falta crónica de descanso). Afortunadamente, incluso cuando la prevención y el tratamiento fallan y el bebé nace con poco peso, las probabilidades de que se recupere son cada vez mejores, gracias a los muchos avances en cuidados neonatales.

Placenta previa

¿Qué es? Este término se refiere a la posición de la placenta, que se halla unida a la mitad inferior del útero, recubriendo total o parcialmente la boca del útero. A principios del embarazo, es bastante común que la placenta esté baja; pero al ir progresando el embarazo y crecer el útero, en la mayoría de los casos ésta se desplaza hacia arriba. Si la placenta no se mueve hacia arriba y sigue cubriendo parcialmente o tocando el cérvix, se denomina placenta previa parcial. Si cubre totalmente el cérvix, se denomina placenta previa completa. Ambas pueden obstruir el paso del bebé hacia el canal de parto, lo cual imposibilita un parto vaginal. También puede provocar sangrado a finales del embarazo y durante el parto. Cuanto más cerca del cérvix se sitúe la placenta, mayor es la posibilidad de sangrado.

Placenta previa

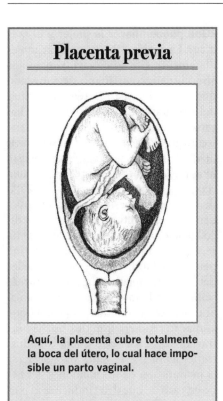

Aquí, la placenta cubre totalmente la boca del útero, lo cual hace imposible un parto vaginal.

¿Es muy común? La placenta previa se da en 1 de cada 200 partos. Es más frecuente en mujeres de más de 30 años de edad que en mujeres de menos de 20 años, y también en mujeres que han tenido al menos otro embarazo anterior o algún tipo de cirugía uterina (como una cesárea o un raspado tras un aborto).

Fumar o llevar múltiples fetos también aumentan el riesgo.

Signos y síntomas. La placenta previa suele detectarse no por los síntomas sino al realizarse la ecografía rutinaria del segundo trimestre (aunque los problemas potenciales no existen hasta el tercer trimestre).

En ocasiones, se detecta en el tercer trimestre (a veces antes) a raíz de ligeras pérdidas de sangre. Típicamente, el san-

grado es su único síntoma. No suele asociarse a dolor.

¿Qué pueden hacer la mujer y el médico? No hay que hacer nada (y la mujer no debe preocuparse si tiene placenta previa) hasta el tercer trimestre, y para entonces los casos más precoces de placenta previa ya se han corregido por sí solos. Incluso más tarde, no es necesario seguir tratamiento alguno si no se sufren pérdidas de sangre (la mujer sólo debe mantenerse atenta por si sangra o si aparecen las señales de parto prematuro, más común en los casos de placenta previa).

Si hay sangrado relacionado con el diagnóstico de placenta previa, el tocólogo seguramente ordenará a la madre que guarde cama y que se abstenga de mantener relaciones sexuales, y realizará un seguimiento de cerca.

Si parece inminente un parto prematuro, la mujer puede recibir esteroides para madurar los pulmones del bebé más rápidamente. Incluso aunque este trastorno no haya supuesto ningún tipo de problema para el embarazo (no ha habido pérdidas de sangre y el embarazo ha llegado a la fecha de término), el bebé nacerá por cesárea.

Le interesa saber . . .

La placenta previa se considera la causa más común de sangrado en la última fase del embarazo. La mayoría de placentas previas se detectan enseguida y se consigue hacer nacer al bebé con éxito mediante cesárea (aproximadamente, el 75 % por ciento de los casos nacen por cesárea antes del inicio de la dilatación).

Abruptio placentae

¿Qué es? Esta complicación constituye la separación prematura de la placenta (el sistema de apoyo vital del bebé) de la pared uterina durante el embarazo, en lugar de producirse durante el parto. Si la separación es pequeña, no suele representar ningún peligro para la madre ni el bebé siempre y cuando se procure su tratamiento enseguida y se tomen las debidas precauciones. Si la separación es más grande, sin embargo, el riesgo para el bebé es considerablemente mayor, dado que la separación completa de la placenta de la pared uterina significa que el bebé deja de recibir oxígeno y nutrición.

¿Es muy común? Ocurre en menos del 1% de los embarazos, casi siempre en la segunda mitad del embarazo y con mayor frecuencia durante el tercer trimestre. La separación de la placenta puede afectar a cualquier mujer, pero se da con mayor frecuencia en mujeres que tienen un embarazo múltiple; las que han tenido una separación de placenta anteriormente; las que fuman o toman cocaína; las que padecen diabetes gestacional o las propensas a coágulos, preeclampsia u otros problemas relacionados con la presión elevada durante el embarazo. Un cordón umbilical corto o un traumatismo debido a un accidente pueden ser ocasionalmente la causa de una separación de la placenta.

Signos y síntomas. Los síntomas de una separación de la placenta dependerán de la magnitud de la misma, pero suelen incluir los siguientes:

- Sangrado (que puede ser de ligero a abundante, con o sin coágulos).

- Dolores o calambres abdominales.

- Dolorimiento uterino.

- Dolor de espalda o en el abdomen.

¿Qué pueden hacer la mujer y el médico? La mujer debe comunicar inmediatamente al médico cualquier dolor abdominal acompañado de sangrado que se produzca en la segunda mitad del embarazo. El diagnóstico suele hacerse con la ayuda del historial de la paciente, un examen físico y la observación de contracciones uterinas y la respuesta fetal a ellas. Puede ser útil realizar una ecografía, pero sólo alrededor del 25% de las separaciones de la placenta pueden verse con ultrasonidos. Si el médico ha determinado que la placenta se ha separado un poco de la pared uterina pero no del todo, y si los signos vitales del bebé son regulares, probablemente se pedirá a la mujer que guarde cama. Si el sangrado continúa, es posible que la madre requiera líquidos por vía intravenosa. El tocólogo puede administrarle también esteroides para acelerar la maduración de los pulmones del bebé en caso de que deba inducirse el parto pronto. Si la separación de la placenta es significativa o si sigue progresando, el único modo de tratamiento consiste en el parto mediante cesárea.

Corioamnionitis

¿Qué es? Es una infección del líquido amniótico y de las membranas fetales que envuelven y protegen al bebé. Está causada por bacterias comunes, como *E. coli* o por estreptococos del grupo B (se lleva a cabo un análisis para su detección en la semana 36 de embarazo). Se cree que la infección del líquido amniótico es la causa principal de la rotura prematura de las membranas, así como de la dilatación prematura.

¿Es muy común? La corioamnionitis se presenta en el 1 al 2% de los embarazos. Las mujeres que experimentan la rotura prematura de las membranas tienen un riesgo mayor de corioamnionitis porque las bacterias de la vagina llegan al saco amniótico una vez roto. Las mujeres que han sufrido una infección durante su primer embarazo son más propensas a volver a tenerla en el siguiente embarazo.

Signos y síntomas. El diagnóstico de corioamnionitis es complicado por el hecho de que no existe ningún test simple que pueda confirmar la presencia de la infección.

Los síntomas pueden incluir:

- Fiebre.

- Útero dolorido.

- Aumento del ritmo cardiaco de la madre y del bebé.

- Pérdidas de líquido amniótico con mal olor (si las membranas ya se han roto).

- Pérdidas vaginales con mal olor (si las membranas están intactas).

- Aumento del número de glóbulos blancos (signo de que el organismo está combatiendo una infección).

¿Qué pueden hacer la mujer y el médico? Llame al tocólogo si tiene pérdidas de líquido amniótico, por pequeñas que sean, o si tiene pérdidas vaginales con mal olor o cualquiera de los demás síntomas enumerados. Si le diagnostican corioamnionitis, seguramente le recetarán antibióticos para combatir las bacterias y

se provocará el parto enseguida. La mujer y el bebé también recibirán antibióticos después del parto para que no se desarrollen otras infecciones.

Oligohidramnios

¿Qué es? Es una alteración que comporta escasez de líquido amniótico en el útero. Suele desarrollarse hacia el final del embarazo, aunque puede ocurrir en fases anteriores. Aunque la mayoría de mujeres que presentan oligohidramnios llegan a tener un embarazo completamente normal, existe un pequeño riesgo de constricción del cordón umbilical. Con frecuencia, esta alteración es el resultado de una pérdida de líquido amniótico (que la madre no nota necesariamente). Con menor frecuencia, el nivel bajo de líquido amniótico puede indicar que existe un problema con el bebé, como un crecimiento fetal deficiente o un problema renal o urinario.

¿Es muy común? Alrededor del 4 al 8% de las mujeres embarazadas padecen oligohidramnios a lo largo del embarazo, pero en las mujeres que han sobrepasado la fecha de salida de cuentas en dos semanas, el número aumenta al 12%. Las mujeres con un embarazo postérmino son más propensas a sufrir esta alteración, así como las que han experimentado una rotura prematura de las membranas.

Signos y síntomas. La madre no experimenta síntomas, pero los signos que indican la presencia de la afección son el descenso del volumen de líquido amniótico, detectado mediante ecografía. También puede haber un descenso notable de la actividad fetal y un descenso repentino del ritmo cardiaco fetal en algunos casos.

¿Qué pueden hacer la mujer y el médico? Si a la mujer se le diagnostica oligohidramnios, deberá descansar mucho y beber mucha agua. La cantidad de líquido amniótico se vigilará de cerca. Si en algún momento la alteración pone en peligro el bienestar del bebé, el tocólogo puede aconsejar una amnioinfusión (el aumento del volumen de líquido amniótico con solución salina estéril) o puede optar por un parto inducido.

Hidramnios

¿Qué es? Es un exceso de líquido amniótico en el útero (también se denomina polihidramnios). La mayor parte de los casos son leves y pasajeros, y resultan de un cambio temporal en el equilibrio normal de producción de líquido amniótico; el líquido sobrante suele reabsorberse sin tratamiento.

Pero cuando se produce una acumulación excesiva de líquido (muy rara), puede indicar que existe un problema fetal, como un defecto gastrointestinal o en el sistema nervioso central, o bien un problema de deglución (los bebés suelen tragar líquido amniótico). Demasiado líquido amniótico puede suponer un riesgo de rotura prematura de las membranas, parto prematuro, separación de la placenta, presentación de nalgas o prolapso del cordón umbilical.

¿Es muy común? Se da en alrededor del 3 al 4% del total de embarazos. Hay más probabilidades de que se produzca cuando hay varios fetos y puede estar relacionado con una diabetes materna sin tratar.

Signos y síntomas. Con frecuencia, no se presentan ningún tipo de síntomas, aunque algunas mujeres pueden experimentar:

■ Dificultades para notar los movimientos fetales (porque hay demasiado aislamiento).

■ Crecimiento uterino más rápido de lo habitual.

■ Molestias abdominales.

■ Indigestion.

■ Hinchazón en las piernas.

■ Falta de aliento.

■ Tal vez contracciones uterinas.

El hidramnios suele detectarse durante una visita prenatal, cuando la altura del fundus –la distancia del hueso púbico hasta la parte superior del útero– es mayor de la habitual, o al realizar una ecografía que mida la cantidad de líquido en el saco amniótico.

¿Qué pueden hacer la mujer y el médico? A menos que la acumulación de líquido sea muy abundante, no hay nada que la mujer pueda hacer excepto seguir acudiendo a las visitas con el tocólogo, que realizará el seguimiento de la alteración. Si la acumulación es excesiva, el tocólogo puede aconsejar que la mujer se someta a una amniocentesis terapéutica, durante la cual se extrae líquido del saco amniótico para reducir su volumen. Como el hidramnios supone un mayor riesgo de prolapso del cordón umbilical, la mujer debe llamar al médico enseguida si rompe aguas antes de empezar a dilatar.

Rotura prematura de las membranas (RPDM)

¿Qué es? La RPDM se refiere a la rotura de las membranas coriónicas o la "bolsa de aguas", antes de las 37 semanas. El riesgo más grave de esta alteración es un parto prematuro; otros riesgos incluyen infección del líquido amniótico y prolapso o compresión del cordón umbilical. (La RPDM no pretérmino –es decir, después de la semana 37 pero antes de que comience el parto– se trata en la pág. 396.)

¿Es muy común? Ocurre en menos del 3% de los embarazos. Las mujeres con mayor riesgo son las que fuman durante el embarazo, sufren determinadas ETS, sangrado vaginal crónico o separación de las membranas, han tenido una rotura de las membranas con anterioridad, presentan vaginitis bacteriana, o llevan múltiples fetos.

Signos y síntomas. Salida más o menos abundante de líquido de la vagina. El modo de determinar si se trata de líquido amniótico u orina es oliéndolo: si huele a amoníaco, probablemente sea orina; si el olor es más o menos dulce, probablemente sea líquido amniótico (a menos que esté infectado, en cuyo caso el olor será más desagradable). Si tiene dudas, llame al tocólogo.

¿Qué pueden hacer la mujer y el médico? Si las membranas se han roto después de la semana 34, seguramente se inducirá el parto. Si es demasiado pronto para hacer nacer al bebé, lo más probable es que la madre sea hospitalizada y se le administren antibióticos para evitar infecciones, además de esteroides para que los pulmones del bebé maduren lo más rápidamente posible para poder provocar un parto seguro cuanto antes. Si se inician las contracciones y se cree que el bebé es demasiado inmaduro para nacer, pueden administrarle fármacos a la madre para inhibir el parto.

Rara vez la rotura de las membranas se cura y el líquido deja de salir por sí solo. Si esto ocurre, la mujer puede volver a casa y seguir con su actividad diaria habitual mientras está alerta por si se producen más pérdidas.

> ### Le interesa saber . . .
>
> Con un diagnóstico precoz y adecuado y un buen tratamiento cuando ocurre la RPDM, tanto la madre como el bebé pueden seguir bien, aunque si el parto es prematuro, es posible que el bebé deba permanecer en la unidad de cuidados intensivos neonatales algún tiempo.

Prevención. Las infecciones vaginales, especialmente la vaginitis bacteriana, pueden provocar la RPDM; por tanto, controlar y tratar estas infecciones puede resultar efectivo para evitar la RPDM en algunos casos.

Parto prematuro

¿Qué es? Cuando la dilatación se inicia después de la semana 20 pero antes del fin de la semana 37, se considera que se produce un parto prematuro.

¿Es muy común? El parto prematuro es un problema bastante común; en España, alrededor del 10% de los bebés nacen prematuramente.

Los factores de riesgo que provocan un parto prematuro incluyen el tabaquismo, el uso de alcohol o de drogas, un aumento de peso insuficiente o excesivo, una nutrición inadecuada, infección periodontal, otras infecciones (como determinadas ETS, vaginitis bacteriana, infecciones del tracto urinario o del líquido amniótico), cérvix incompetente, irritabilidad uterina, enfermedad crónica materna, *abruptio placentae* y placenta previa. Las mujeres menores de 17 años y las mayores de 35, las que llevan varios fetos y las que tienen un historial de partos prematuros también

Le interesa saber . . .

Un bebé nacido prematuramente es casi seguro que necesitará pasar cierto tiempo en la unidad de cuidados intensivos neonatales (UCIN), que pueden ser unos días, semanas o, en algunos casos, meses. Aunque ser prematuro se ha relacionado con un crecimiento lento y retrasos en el desarrollo, la mayoría de los bebés prematuros se ponen al día y no presentan problemas a largo plazo. Gracias a los avances médicos, las posibilidades de llegar a casa con un bebé normal y sano tras un parto prematuro son muy buenas.

presentan un mayor riesgo. Los partos prematuros también son más frecuentes en mujeres de raza negra y en mujeres con una situación difícil. Además, un buen número de partos prematuros son inducidos por los tocólogos con el fin de evitar riesgos mayores ante un problema médico, como una preeclampsia o RPDM.

Aun así, hace falta investigar más para conocer mejor las causas del parto prematuro; como mínimo la mitad de las mujeres que lo sufren no presentaban factores de riesgo conocidos.

Signos y síntomas. Los signos de parto prematuro pueden incluir todos o algunos de los siguientes:

- Calambres parecidos a los de la menstruación.
- Contracciones regulares que se intensifican y se vuelven más frecuentes aunque se cambie de posición.
- Presión en la espalda.
- Presión inusual sobre la pelvis.

- Pérdidas de sangre por la vagina.
- Rotura de las membranas.
- Cambios en el cérvix (adelgazamiento, apertura o acortamiento) al medirlo mediante ecografía.

¿Qué pueden hacer la mujer y el médico? Como cada día que el bebé pasa en el útero mejoran sus posibilidades tanto de supervivencia como de buena salud, retrasar el parto todo lo posible será el objetivo principal. Si la mujer experimenta contracciones, el tocólogo puede –según lo avanzada que esté la mujer– recomendar reposo en cama en casa o el ingreso hospitalario para administrarle fluidos por vía intravenosa (cuanto mejor hidratada esté la madre, menos posibilidades hay de que sigan las contracciones; de modo que, si está en casa, siga bebiendo también). Puede que se administren antibióticos, especialmente si se cree que lo que ha provocado el inicio del parto es una infección. También existen fármacos (agentes tocolíticos como la terbutalina o el sulfato de magnesio) que pueden administrarse temporalmente para detener las contracciones. También es posible que se administren esteroides a la madre para ayudar al bebé a madurar los pulmones más rápidamente, para mejorar sus posibilidades si el parto prematuro resulta necesario o inevitable. Si el médico determina que el riesgo para la madre o para el bebé de seguir con el embarazo no compensa el riesgo que supone un parto prematuro, no se intentará posponer el parto.

Prevención. No todos los partos prematuros pueden evitarse, ya que no todos son debidos a factores de riesgo previsibles. No obstante, las siguientes medidas pueden reducir el riesgo de parto prematuro (a la vez que favorecen las posibilidades de tener un embarazo lo más sano posible): tomar ácido

Predicción del parto prematuro

Incluso entre las mujeres que presentan alto riesgo de parto prematuro, la mayoría llegará a término. Un modo de predecir el parto prematuro es el examen de las secreciones cervicales o vaginales de lo que es conocido como fibronectina fetal (FNF). Algunos estudios indican que las mujeres con resultados positivos para la FNF tienen mayores posibilidades de parto prematuro dentro de las dos semanas siguientes al test. De todos modos, el test es más preciso diagnosticando los casos de mujeres que *no* presentan riesgo de parto prematuro (por no detectarse FNF) que en la predicción de aquellos casos que presentan este riesgo. Cuando la FNF es detectada, deberían tomarse medidas para reducir las posibilidades de parto prematuro. El test no tiene una amplia disponibilidad, es caro y se reserva normalmente para casos de alto riesgo. Si el caso no se considera de alto riesgo para parto prematuro, no es necesario realizar las pruebas para FNF.

Otra prueba que puede realizarse es la medición del cuello del cérvix. Se mide mediante ultrasonidos, y si hay signos de que se está abriendo o acortando, el facultativo puede tomar medidas para evitar el parto prematuro, como ordenar a la madre que guarde cama.

fólico antes del embarazo; procurarse cuidados médicos prenatales desde el principio; comer correctamente y mantenerse hidratada; procurarse buenos cuidados dentales; evitar el tabaco, la cocaína, el alcohol y otras drogas; no tomar medicación sin la aprobación del médico; hacerse pruebas para detectar, y tratar si es necesario, infecciones, como VB o ITU; y seguir las recomendaciones del tocólogo en lo concerniente a la limitación de actividades agotadoras, incluido el coito y las horas que se pase la mujer de pie o caminando en el trabajo, especialmente si ha tenido partos prematuros con anterioridad. Las mujeres que ya han tenido algún parto prematuro o que tengan un cuello cervical corto pueden tomar un suplemento de progesterona, diario o semanalmente, en forma de gel o inyección.

Disfunción de la sínfisis púbica

¿Qué es? Significa que los ligamentos que normalmente mantienen el hueso pélvico alineado se relajan demasiado y se estiran demasiado pronto antes del parto (a medida que se acerca el parto, los ligamentos se aflojan). Esto, a su vez, puede hacer que la articulación pélvica –la sínfisis púbica– sea inestable, lo cual provoca dolor de leve a severo.

¿Es muy común? La incidencia de esta alteración es de 1 de cada 300 embarazos, aunque algunos expertos piensan que más del 2% de las embarazadas la experimentan (pero no se les diagnostica).

Signos y síntomas. Los síntomas más comunes son un intenso dolor (como si se partiera la pelvis) y dificultad al andar. Típicamente, el dolor se concentra en la zona púbica, pero en algunas mujeres llega a la parte superior de los muslos y el perineo. El dolor puede empeorar al caminar o al soportar peso, especialmente si el movimiento implica levantar una pierna, como al subir escaleras, vestirse, entrar y salir del coche, o girarse en la cama. En casos muy raros, los huesos de la articulación pueden llegar a separarse, en lo que se denomina diástasis de la sínfisis púbica, lo cual puede provocar un dolor más severo en la pelvis, las ingles, las caderas y las nalgas.

¿Qué pueden hacer la mujer y el médico? Evitar que se agrave la alteración limitando las posiciones en que la mujer deba soportar peso y minimizar al máximo las actividades que impliquen levantar o separar las piernas, incluso caminar, si resulta muy incómodo. Intentar estabilizar los ligamentos sueltos llevando un cinturón o faja que recoja la pelvis y aguante los huesos en su lugar. Los ejercicios de Kegel y los balanceos pélvicos pueden ayudar a fortalecer la musculatura pélvica. Si el dolor es severo, pida al médico algún analgésico o recurra a las técnicas de la medicina alternativa, como la acupuntura o la quiropraxia.

Muy rara vez, esta alteración puede imposibilitar el parto vaginal, por lo que el médico puede optar por una cesárea. Y en casos incluso más raros, la afección puede empeorar después del parto y requerir intervención médica. Pero para la mayoría de las madres, una vez ha nacido el bebé y la producción de relaxina (la hormona que relaja los ligamentos) cesa, los ligamentos vuelven a la normalidad.

Nudos y enredos en el cordón umbilical

¿Qué es? De vez en cuando, el cordón umbilical se enreda alrededor del feto, con frecuencia en el cuello. Algunos nudos se forman a lo largo del parto; otros durante el embarazo, al moverse el bebé. Siempre y cuando el cordón no apriete, no suele causar problemas. Pero si el nudo se ciñe, podría interferir en la circulación de sangre de la placenta al bebé y privar de oxígeno al bebé. Esto es algo que ocurre muy rara vez, pero cuando se da el caso suele ocurrir cuando el bebé desciende por el canal de parto.

¿Es muy común? Los verdaderos nudos del cordón umbilical se forman en 1 de cada 100 embarazos, pero sólo en 1 de cada 2000 partos el nudo se cierra y supone algún problema para el bebé. Los nudos más comunes alrededor del cuello se dan en casi una cuarta parte de los embarazos pero no suelen suponer un riesgo para el bebé. Los bebés con cordones largos y los que son grandes dada su edad gestacional presentan un mayor riesgo de desarrollar nudos verdaderos. Los investigadores creen que es posible que los déficits nutricionales que afectan a la estructura del cordón, u otros factores de riesgo, como el tabaco, el consumo de drogas, un embarazo múltiple o tener hidramnios, pueden hacer que la mujer sea más propensa a tener un embarazo en que se forme un nudo con el cordón umbilical.

Signos y síntomas. La señal más común es el descenso de la actividad fetal pasada la semana 37. Si el nudo se forma durante el parto, el monitor fetal detectará un ritmo cardiaco fetal anómalo.

¿Qué pueden hacer la mujer y el médico? La mujer puede vigilar el estado general del bebé, especialmente hacia el final del embarazo, contando con regularidad las patadas y llamando al médico si se nota algún cambio en la actividad fetal. Si un nudo suelto se cierra durante el parto, el tocólogo detectará el descenso del ritmo cardiaco fetal y tomará las decisiones oportunas para garantizar la seguridad del bebé al nacer. El parto inmediato, normalmente mediante una cesárea, suele ser la mejor opción.

Cordón con dos vasos

¿Qué es? Un cordón umbilical normal está formado por tres vasos sanguíneos: una vena (que trae nutrientes y oxígeno al bebé) y dos arterias (que transportan residuos del bebé a la placenta y a la sangre de la madre). Pero en algunos casos, el cordón umbilical contiene solamente dos vasos sanguíneos: una vena y una arteria.

¿Es muy común? Alrededor del 1% de los bebés únicos y un 5% de los que pertenecen a un embarazo múltiple tienen un cordón de dos vasos. Las que presentan mayor riesgo son las mujeres de raza blanca, las de más de 40 años de edad y las diabéticas. Los fetos de niñas son más propensos a esta alteración que los de niños.

Signos y síntomas No hay síntomas ni señales que indiquen esta alteración; se detecta con el examen ecográfico.

¿Qué pueden hacer la mujer y el médico? En ausencia de otras anomalías, el hecho de que el cordón tenga dos vasos no daña al embarazo. Lo más probable es que el bebé nazca completamente sano. De modo que lo primero que debe hacer la mujer es no preocuparse.

Si el médico observa que su cordón es de dos vasos, el embarazo será monitorizado más de cerca, ya que la alteración conlleva un pequeño riesgo de retraso en el crecimiento fetal.

Complicaciones poco frecuentes del embarazo

Las siguientes complicaciones suelen ser bastante raras. Es muy poco probable que la embarazada media las sufra, por ello, *sólo* es preciso leer esta sección en caso necesario y sólo el apartado que concierna a la mujer. Si durante el embarazo se lleva a cabo el diagnóstico de una de ellas, se puede utilizar la información que contienen estas páginas para reunir más datos sobre el problema y su tratamiento más común (así como la mejor forma de prevenirlo en embarazos futuros), pero es posible que el protocolo utilizado por su médico sea distinto al aquí citado.

Embarazo molar

¿Qué es? En un embarazo molar, la placenta crece de forma anómala y se convierte en una masa de quistes (también llamada mola hidatidiforme), pero no hay feto. En algunos casos, existe tejido fetal o embrionario identificable, aunque no viable; entonces se trata de un embarazo molar parcial.

La causa del embarazo molar es una anomalía acontecida durante la fecundación: dos juegos de cromosomas del padre se mezclan con uno de la madre (mola parcial), o con ninguno de ellos (mola completa). La mayoría de los embarazos molares se descubren a las pocas semanas de la concepción, y todos terminan en aborto.

¿Es muy común? Por suerte, los embarazos molares son bastante raros; se dan

---

Le interesa saber ...

Si la mujer ha tenido un embarazo molar no presenta mayor riesgo de tener otro. De hecho, solo del 1 al 2% de las mujeres que han tenido uno experimentan otro.

en 1 de cada 1000 embarazos. Las mujeres de menos de 15 años y las de más de 45, además de las que han sufrido diversos abortos espontáneos presentan un riesgo algo mayor de tener uno.

Signos y síntomas. Los síntomas de un embarazo molar pueden incluir:

- Pérdidas vaginales parduscas continuadas o intermitentes.

- Náuseas y vómitos severos.

- Calambres incómodos.

- Presión arterial elevada.

- Útero más grande de lo habitual.

- Útero maleable (en lugar de firme).

- Ausencia de tejido embrionario o fetal (observado mediante ecografía).

- Niveles excesivos de hormona tiroidea en la madre.

¿Qué pueden hacer la mujer y el médico? Si la mujer experimenta algunos de estos síntomas debe llamar al médico. Alguno de estos síntomas puede ser difícil de discernir de los normales al principio del embarazo (muchos embarazos completamente normales presentan algunas pérdidas vaginales y calambres, y casi todos incluyen náuseas), pero la mujer debe confiar en su intuición. Si cree que algo va mal, hable con el tocólogo, aunque sólo sea para quedarse tranquila.

Si las ecografías demuestran que la mujer tiene un embarazo molar, el tejido anómalo debe extraerse mediante una dilatación y raspado. El seguimiento es crucial para cerciorarse de que no se desarrolla después un coriocarcinoma (véase a continuación), aunque, afortunadamente, las posibilidades de que un embarazo molar que recibe tratamiento se vuelva maligno son muy bajas. El tocólogo probablemente recomendará que la mujer no vuelva a quedarse embarazada durante un año tras un embarazo molar.

Coriocarcinoma

¿Qué es? El coriocarcinoma es una forma rara de cáncer relacionada con el embarazo que crece a partir de las células de la placenta. Suele presentarse en la mayoría de casos después de un embarazo molar, aborto espontáneo o provocado, o embarazo ectópico, cuando parte del tejido placentario residual sigue creciendo a pesar de la ausencia de feto. Sólo el 15% de los coriocarcinomas ocurren tras un embarazo normal.

¿Es muy común? Es extremadamente raro y se da en 1 de cada 40.000 embarazos.

Signos y síntomas. Los signos de la enfermedad incluyen:

- Sangrado intermitente después de un aborto espontáneo, un embarazo o el raspado de un embarazo molar.

- Expulsión anómala de tejidos.

- Niveles elevados de GCh que no vuelven a la normalidad al finalizar un embarazo.

- Un tumor en la vagina, el útero o los pulmones.

- Dolor abdominal.

¿Qué pueden hacer la mujer y el médico? La mujer debe llamar al médico

---

Le interesa saber ...

Con un diagnóstico y tratamiento precoces del coriocarcinoma, la fertilidad de la mujer no queda dañada, aunque suele recomendarse que el embarazo se retrase un año después de recibir tratamiento para el coriocarcinoma y no queden vestigios de la enfermedad.

si experimenta alguno de los síntomas enumerados, pero debe recordar que es extremadamente improbable que indiquen la presencia de un coriocarcinoma. Si se diagnostica un coriocarcinoma, la mujer se tranquilizará al saber que, si bien todo tipo de cáncer conlleva cierto riesgo, el coriocarcinoma responde extremadamente bien a la quimioterapia y a los tratamientos con radiación y su tasa de curación supera el 90%. La histerectomía casi nunca se hace necesaria porque este tipo de tumor responde muy bien a los fármacos de quimioterapia.

Eclampsia

¿Qué es? La eclampsia es el resultado de una preeclampsia no controlada o no resuelta (véase la pág. 586). Dependiendo del estadio del embarazo, cuando la mujer sufre eclampsia, el bebé puede correr el riesgo de nacer prematuramente ya que el parto inmediato suele ser la única forma de tratamiento posible. Aunque la eclampsia supone una amenaza para la vida de la madre, las muertes maternas debidas a esta alteración son bastante raras. Con un tratamiento adecuado y un seguimiento cuidadoso, la mayoría de las mujeres con eclampsia vuelven a la normalidad después del parto.

¿Es muy común? La eclampsia es mucho menos corriente que la preeclampsia y ocurre en sólo 1 de cada 2.000 a 3.000 embarazos, normalmente en mujeres que no han recibido cuidados prenatales regulares.

Signos y síntomas. Las convulsiones – habitualmente cuando falta poco para el parto o durante el mismo– son el síntoma más característico de eclampsia. Las convulsiones posparto también pueden aparecer, por lo general dentro de las 48 horas siguientes al nacimiento.

¿Qué pueden hacer la mujer y el médico? Si la mujer tiene preeclampsia y empieza a convulsionar, le administrarán oxígeno y fármacos para detener las convulsiones, y se inducirá el parto o se practicará una cesárea cuando la madre se estabilice. La mayoría de las mujeres vuelven rápidamente a la normalidad tras el parto, aunque es necesario realizar un seguimiento de cerca para asegurarse de que la presión arterial no siga elevada y las convulsiones no prosigan.

Prevención. Las visitas prenatales regulares permiten al médico detectar los síntomas de la preeclampsia. Si la mujer es diagnosticada de preeclampsia, el tocólogo la vigilará (y a su presión arterial) para que esta alteración no progrese y se convierta en eclampsia. Las medidas que se toman para prevenir la preeclampsia también sirven para evitar la eclampsia.

Le interesa saber...

Muy pocas mujeres que reciben cuidados médicos prenatales pasan de una preeclampsia (manejable) a una eclampsia (más grave).

Colestasis

¿Qué es? Se trata de una alteración por la que el flujo normal de bilis de la vesícula biliar se ralentiza (como resultado del efecto de las hormonas del embarazo), causando la acumulación de ácidos biliares en el hígado que, a su vez, pueden verterse en el torrente sanguíneo. La colestasis tiene más probabilidades de desarrollarse en el último trimestre, cuando las hormonas llegan a su punto álgido. Normalmente, desaparece después del parto.

La colestasis puede aumentar el riesgo de sufrimiento fetal, parto prematuro o mortinato, por lo que el diagnóstico precoz y el tratamiento inmediato son cruciales.

¿Es muy común? Afecta a alrededor de 1 o 2 embarazos de cada 1.000. Es más común en mujeres que llevan varios fetos, mujeres que han sufrido lesiones hepáticas anteriores y mujeres cuyas madres o hermanas han tenido colestasis.

Signos y síntomas. Con frecuencia, el único síntoma que se nota es un intenso picor, especialmente en manos y pies, normalmente hacia el final del embarazo.

¿Qué pueden hacer la mujer y el médico? El objetivo del tratamiento de la colestasis del embarazo consiste en aliviar los picores y evitar complicaciones del embarazo. El picor puede tratarse con fármacos tópicos, lociones o corticosteroides. A veces se emplea medicación para reducir la concentración de ácidos biliares. Si la colestasis pone en peligro el bienestar de la madre o del feto, un parto prematuro puede hacerse necesario.

Trombosis venosa profunda

¿Qué es? Se trata de un coágulo sanguíneo que se forma en una vena profunda. Estos coágulos suelen formarse en las extremidades inferiores, especialmente en los muslos. Las mujeres son más susceptibles a las trombosis durante el embarazo y el parto, y especialmente durante el posparto. Ello se debe a que la naturaleza, preocupada por la excesiva pérdida de sangre del parto, tiende a incrementar la capacidad de coagulación de la sangre –a veces demasiado– y a que el útero agrandado hace difícil que la sangre de la parte inferior del cuerpo vuelva hasta el corazón. Si la trombosis en venas profundas no se trata, es posible que el coágulo se desplace hacia los pulmones y ponga en peligro la vida de la mujer.

¿Es muy común? Ocurre en alrededor de 1 de cada 1.000 o 2.000 embarazos (también puede aparecer en el posparto). Es más común si la mujer es mayor, si fuma, si tiene un historial familiar o personal de coágulos, si tiene hipertensión, diabetes u otras afecciones, incluidas las enfermedades vasculares.

Signos y síntomas. Los síntomas más corrientes de una trombosis venosa profunda incluyen:

- Dolor o pesadez de la pierna.
- Sensibilidad en la pantorrilla o el muslo.
- Hinchazón de leve a moderada.
- Distensión de las venas superficiales.
- Dolor en la pantorrilla al flexionar el pie (al doblar los dedos del pie hacia el mentón).

Si el coágulo se ha desplazado hacia los pulmones (émbolo pulmonar), los síntomas pueden ser:

- Dolor en el pecho.
- Falta de aliento.
- Tos con esputos espumosos y teñidos de sangre.
- Ritmo cardiaco acelerado y respiración rápida.
- Labios y puntas de los dedos azulados.
- Fiebre.

¿Qué pueden hacer la mujer y el médico? Si se ha diagnosticado una trombosis venosa profunda u otros problemas con coágulos en un embarazo anterior, el médico debería estar informado de ello. Además, si la mujer experimenta hinchazón y dolor en sólo una pierna en cualquier momento del embarazo, debe llamar al médico enseguida.

Con una ecografía o una resonancia magnética se puede detectar el coágulo de sangre. Si es el caso, es posible que se administre heparina a la mujer para diluir la sangre (aunque este tratamiento deberá cesarse a medida que se aproxima el día del parto para evitar que la mujer sangre en exceso durante el mismo). La capacidad de coagular será monitorizada durante el tratamiento.

Si un coágulo llega a los pulmones, puede hacerse necesario el uso de fármacos para disolverlo (y, rara vez, cirugía), además del tratamiento de los efectos secundarios.

Prevención. Para prevenir los coágulos, lo mejor es mantener la sangre en circulación; para ello, es aconsejable hacer ejercicio físico y evitar permanecer sentada muchas horas. Si la mujer es propensa a los coágulos, puede usar medias de compresión para evitar que se le formen en las piernas.

Placenta acreta

¿Qué es? Se trata del crecimiento anómalo de la placenta hacia las capas más profundas de la pared uterina y su adhesión a ella. Dependiendo de la profundidad a la cual llegan las células placentarias, esta situación puede denominarse también placenta percreta o placenta increta. Esta complicación aumenta el riesgo de sangrado excesivo o hemorragia durante la expulsión de la placenta.

¿Es muy común? Uno de cada 2.500 embarazos presenta esta anomalía. La placenta acreta es la forma más común de esta alteración, y supone el 75% de los casos. En la placenta acreta, la placenta

se hunde en la pared uterina, pero no afecta a la musculatura uterina. En la placenta increta, que supone el 15% de los casos, la placenta llega a la musculatura uterina. En la placenta percreta, que suma el 10% restante, la placenta no sólo se inserta en la pared uterina y alcanza la musculatura uterina, sino que además llega a la parte exterior de la pared uterina y puede incluso adherirse a otros órganos adyacentes. El riesgo de placenta acreta aumenta si la mujer tiene placenta previa y ha tenido uno o más partos por cesárea.

Signos y síntomas. No suele haber síntomas aparentes de esta alteración. Suele diagnosticarse por ecografía Doppler en color, o puede no detectarse hasta el momento del parto, cuando la placenta no se desprende (como haría normalmente) de la pared uterina una vez ha nacido el bebé.

¿Qué pueden hacer la mujer y el médico? Por desgracia, la mujer puede hacer muy poca cosa. En la mayoría de los casos, la placenta debe extirparse quirúrgicamente tras el parto para detener el sangrado. Muy rara vez, cuando la hemorragia no puede detenerse ligando los vasos expuestos, se hace necesario extraer todo el útero.

Vasos previos

¿Qué es? Se trata de una alteración en la cual algunos de los vasos sanguíneos que conectan el bebé a la madre están situados fuera del cordón umbilical y pasan por la membrana cervical. Cuando empieza la dilatación, las contracciones y la apertura del cérvix pueden provocar la rotura de los vasos y tal vez causar daños al bebé. Si esta complicación se diagnostica antes del parto, se programará una cesárea y el bebé nacerá sano en casi el cien por cien de los casos.

¿Es muy común? Es una alteración rara que afecta a 1 de cada 5.200 embarazos. Las mujeres que también tienen placenta previa, han pasado por cirugía uterina o llevan varios fetos, son más propensas a los vasos previos.

Signos y síntomas. Normalmente no presenta síntomas, aunque puede haber sangrado en el segundo o tercer trimestre.

¿Qué pueden hacer la mujer y el médico? Las pruebas diagnósticas, como las ecografías, o mejor todavía, la ecografía Doppler en color, pueden detectar los vasos previos.

Las mujeres a quienes se les diagnostica la alteración tendrán un parto por cesárea, normalmente antes de la semana 37, para asegurarse de que el parto no se inicia por sí solo.

Los investigadores están estudiando si los vasos previos pueden tratarse con terapia láser para sellar los vasos mal posicionados.

Complicaciones durante el parto y el posparto

Muchas de las complicaciones citadas a continuación no pueden ser previstas antes del parto y no hay necesidad de leerlas (y empezar a preocuparse) por adelantado, ya que hay muy pocas posibilidades de que ocurran durante o después del nacimiento. Se incluyen aquí para que la futura madre cuente con algo de información en el caso poco probable de que sufra alguna de ellas y, en algunos casos, para que pueda evitarlas cuando vuelva a quedarse embarazada y dé a luz.

Sufrimiento fetal

¿Qué es? Es el término usado para describir la situación en la cual se cree que el feto está en peligro debido al descenso del aporte de oxígeno, antes o durante el parto. El sufrimiento fetal puede ser causado por diversos factores, como la preeclampsia, una diabetes no controlada, la separación de la placenta, demasiado o demasiado poco líquido amniótico, compresión o enredos del cordón umbilical, restricción del crecimiento intrauterino, o simplemente porque una posición adoptada por la madre haga que se presionen los principales vasos sanguíneos y se prive al bebé de oxígeno. La falta continuada de oxígeno y/o el descenso del ritmo cardiaco puede resultar grave para el bebé y debe corregirse tan pronto como sea posible, normalmente con un parto inmediato (a menudo por cesárea, a menos que el parto vaginal sea inminente).

¿Es muy común? La incidencia exacta del sufrimiento fetal es incierta, pero se estima que puede darse en 1 de cada 25 a 100 nacimientos.

Signos y síntomas. Los bebés que están sanos en el útero tienen ritmos cardiacos fuertes y estables y reaccionan a los estímulos con movimientos adecuados. Los bebés con sufrimiento experimentan un descenso del ritmo cardiaco, un cambio de los patrones de movimientos (o dejan de moverse), y/o excretan su primera deposición, llamada meconio, mientras siguen en el interior del útero.

¿Qué pueden hacer la mujer y el médico? Si la mujer cree que el bebé puede estar sufriendo porque ha notado que ha cambiado la actividad fetal (ha disminuido significativamente, ha cesado, se ha vuelto espasmódica y frenética), debe llamar al médico inmediatamente. Ya en la consulta del tocólogo o en el hospital (o durante la dilatación), le conectarán a un monitor fetal para comprobar el estado del bebé. Es posible que se administre oxígeno a la madre y líquidos adicionales por vía intravenosa para favorecer la oxigenación de la sangre y normalizar el ritmo cardiaco fetal. Tumbarse sobre el lado izquierdo para no presionar los vasos sanguíneos principales también puede resultar útil. Si estas técnicas no funcionan, el mejor tratamiento es un parto rápido.

Prolapso del cordón umbilical

¿Qué es? El prolapso del cordón umbilical se produce durante el parto cuando el cordón resbala por el cérvix hasta el canal del parto antes del descenso del bebé. Si el cordón queda comprimido (porque la cabeza del bebé empuja y presiona el cordón), el suministro de oxígeno al bebé se pone en peligro.

¿Es muy común? Afortunadamente, no es un problema corriente, y se da en 1 de cada 300 partos. Ciertas complicaciones del embarazo aumentan el riesgo de prolapso, como el hidramnios, el parto de nalgas o en cualquier posición en que la cabeza del bebé no cubra el cérvix, y el parto prematuro. También puede ocurrir durante la expulsión del segundo gemelo. El prolapso también es un riesgo potencial si la mujer rompe aguas antes de que la cabeza del bebé se haya empezado a encajar en el canal de parto.

Signos y síntomas. Si el cordón resbala hasta la vagina, la mujer lo notará e incluso es posible que pueda verlo. Si el

cordón está comprimido por la cabeza del bebé, el bebé presentará signos de sufrimiento en el monitor fetal.

¿Qué pueden hacer la mujer y el médico? No hay modo de saber con anticipación si el cordón del bebé sufrirá un prolapso. De hecho, sin la monitorización fetal, puede no descubrirse hasta más tarde. Si la mujer sospecha que el cordón sufre un prolapso y no se encuentra en el hospital, debe ponerse a cuatro patas con la cabeza más baja que la pelvis para no presionar el cordón. Si el cordón sale por la vagina, debe aguantarlo suavemente con una toalla limpia. Llamará al 061 o al 112 o hará que alguien la lleve enseguida al hospital (de camino al hospital, se tumbará en el asiento trasero del coche, con las nalgas elevadas). Si se encuentra en el hospital cuando se produce el prolapso, seguramente el médico le pedirá que cambie enseguida de posición, una que facilite el movimiento de la cabeza encajada del bebé y deje de presionar el cordón. El parto deberá ser rápido, probablemente por cesárea.

Distocia de hombros

¿Qué es? Es una complicación de la dilatación y el parto en que uno o los dos hombros del bebé quedan encallados al pasar por el canal del parto.

¿Es muy común? El tamaño importa cuando se trata de la distocia de hombros, que ocurre con mayor frecuencia cuando el bebé es grande. Menos del 1% de los bebés que pesan 3 kilos presentan esta complicación, pero el porcentaje es considerablemente mayor cuando los bebés pesan más de 4,5 kilos. Por eso, las madres con diabetes o diabetes gestacional no controlada –que, por tanto, pueden tener bebés más grandes– son más propensas a sufrir esta complicación durante el parto. Las posibilidades también aumentan si se pasa la fecha de término sin dar a luz (dado que el bebé seguramente será mayor al nacer) o si la mujer ha dado a luz a un bebé que ha provocado este tipo de distocia. Aun así, muchos casos se dan sin que se presente ninguno de estos factores de riesgo.

Signos y síntomas. La expulsión del bebé se detiene después de que salga la cabeza y antes de que lo hagan los hombros. Esto puede ocurrir inesperadamente en un parto que hasta el momento avanzaba con normalidad.

¿Qué pueden hacer la mujer y el médico? Pueden utilizarse diversos métodos para rescatar al bebé cuyo hombro se ha atascado en la pelvis, como hacer flexionar profundamente las rodillas de la madre sobre su abdomen o aplicarle presión sobre el abdomen, justo encima del hueso pélvico.

Prevención. Para estar seguros de que el bebé no es demasiado grande para maniobrar en el canal del parto, es importante mantener bajo control el aumento de peso en el embarazo. También se debe controlar la diabetes o la diabetes gestacional, y elegir una posición para la dilatación que permita que la pelvis se abra al máximo.

Laceraciones perineales graves

¿Qué es? La presión de la cabeza del bebé, que empuja al pasar por los tejidos delicados del cérvix y la vagina, puede provocar desgarros y laceraciones en el perineo, la zona que queda entre la vagina y el ano.

Los desgarros de primer grado (cuando sólo se rompe la piel) y de segundo grado (cuando se rompe la piel y tejido muscular vaginal) son comunes. Pero los desgarros graves –los que casi llegan al recto e incluyen piel y tejido muscular vaginal y musculatura perineal (de tercer grado) o los que incluso llegan a la musculatura del esfínter anal (cuarto grado)– provocan dolor y aumentan no sólo el tiempo de recuperación posparto sino también el riesgo de incontinencia, además de otros problemas del suelo pélvico. Los desgarros también pueden ser cervicales.

¿Es muy común? Todas las mujeres que tienen un parto vaginal se exponen al riesgo de desgarros, y al menos la mitad de ellas sufren al menos un pequeño desgarro. Los de tercer y cuarto grado son mucho menos comunes.

Signos y síntomas. El sangrado es el síntoma inmediato; después de la reparación del desgarro, la mujer puede experimentar dolor y sensibilidad en la zona mientras dura el proceso de curación.

¿Qué pueden hacer la mujer y el médico? Por lo general, todas las laceraciones de más de 2 cm o que siguen sangrando se suturan. Puede administrarse un anestésico local antes si no se administró uno durante el parto.

Si la mujer sufre un desgarro o se le practica una episiotomía, los baños de asiento, bolsas de hielo, el agua de hamamelis, los aerosoles anestésicos y la simple exposición de la zona al aire puede favorecer el proceso de curación y aliviar el dolor (véase la pág. 458).

Prevención. El masaje perineal y los ejercicios de Kegel (véanse las págs. 386 y 327), realizados durante al menos un mes antes del parto, pueden ayudar a conseguir que la zona perineal sea más flexible y más capaz de dilatarse cuando emerge la cabeza del bebé. Las compresas calientes sobre el perineo y el masaje perineal durante la dilatación también pueden ayudar a evitar los desgarros.

Rotura uterina

¿Qué es? La rotura uterina puede ocurrir cuando una zona debilitada de la pared uterina –casi siempre la cicatriz de una cirugía anterior, como una cesárea o una intervención para extirpar fibromas– se desgarra debido a la tensión de la dilatación y el parto. Una rotura uterina puede provocar una hemorragia incontrolada en el abdomen o, raras veces, causar la entrada de parte de la placenta o del bebé en el abdomen de la madre.

¿Es muy común? Afortunadamente, las roturas son raras en mujeres que nunca han dado a luz por cesárea ni se han sometido a cirugía uterina. Aun las mujeres que dilatan tras una cesárea previa presentan sólo un 1% de posibilidades de rotura (y el riesgo es menor cuando la mujer se somete a una segunda cesárea sin dilatar). Las mujeres más propensas a la rotura uterina son las que intentan tener un parto vaginal después de una cesárea y a las cuales se les ha inducido el parto con prostaglandinas u oxitocina sintética. Las anomalías relacionadas con la placenta (separación de la placenta o placenta acreta) o la posición del feto (por ejemplo, si está atravesado) también aumentan el riesgo de rotura uterina. Ésta es más común en mujeres que han tenido seis o más hijos o tienen el útero muy distendido (a causa de múltiples fetos o de un exceso de líquido amniótico).

Signos y síntomas. Fuerte dolor abdominal (acompañado por la sensación de que algo se está "desgarrando" en el interior) seguido de un dolor y sensibilidad abdominales difusos. Normalmente, el monitor fetal indica un descenso del ritmo cardiaco fetal. La madre puede desarrollar signos de volumen sanguíneo bajo, como aumento del ritmo cardiaco, presión arterial baja, mareos, falta de aliento o pérdida de conciencia.

¿Qué pueden hacer la mujer y el médico? Si la mujer se sometió con anterioridad a una cesárea o a cirugía uterina que implicara una incisión completa en el útero, habrá que sopesar los riesgos al plantearse las opciones de parto, especialmente si la mujer desea intentar un parto vaginal. Debe hablar con el tocólogo y comentar las investigaciones que indican que la prostaglandina no debería emplearse para inducir el parto en una mujer que ha sufrido cirugía uterina con anterioridad.

Si la mujer presenta una rotura uterina, es necesario practicar una cesárea inmediatamente, seguida de la reparación del útero. También puede administrársele antibióticos para evitar una infección.

Prevención. Para las mujeres con factores de riesgo, la monitorización fetal durante la dilatación alerta al médico de una rotura inminente o real. No se debería inducir el parto en mujeres que intentan tener un parto vaginal tras una cesárea.

Inversión uterina

¿Qué es? Es una complicación rara del parto en que parte de la pared uterina se gira de fuera hacia dentro (algo muy parecido a darle la vuelta a un calcetín), en ocasiones hasta sobresalir por el cérvix e incluso la vagina. Los problemas que pueden provocar la inversión uterina no se comprenden del todo, pero en muchos casos la placenta no se despega del útero completamente después de nacer el bebé; entonces arrastra consigo el útero cuando sale por el canal de parto. La inversión uterina, cuando no se detecta o no se trata, puede provocar una hemorragia grave y shock. Pero es una posibilidad remota; esta complicación ocurre muy raramente y es poco probable que no se detecte y no se trate.

¿Es muy común? Es muy rara; los porcentajes estimados varían entre 1 de cada 2.000 partos hasta 1 de cada varios cientos de miles. La mujer presenta un mayor riesgo de inversión uterina si ha tenido una en un parto anterior. Otros factores que aumentan ligeramente el riesgo de que ocurra son una dilatación muy larga (de más de 24 horas), varios partos vaginales anteriores, o el uso de fármacos cono el sulfato de magnesio o la terbutalina (administrados para detener el parto prematuro).

El útero también puede ser mucho más propenso a la inversión si está excesivamente relajado o si se tira del cordón con demasiada fuerza en la tercera fase del parto.

Signos y síntomas. Los síntomas incluyen:

- Dolor abdominal.

- Sangrado excesivo.

- Signos de shock en la madre.

- Si la inversión es completa, el útero será visible en la vagina.

¿Qué pueden hacer la mujer y el médico? La mujer debe conocer sus factores de riesgo e informar de ellos al médico si ha tenido una inversión uterina en el pasado.

Si tiene una, el médico intentará empujar el útero de nuevo hacia su lugar, y administrará a la mujer oxitocina sintética para favorecer que la musculatura flácida se contraiga.

En casos raros, cuando esto no funciona, la cirugía es, sin duda alguna, una opción. En cualquier caso, la mujer puede necesitar una transfusión de sangre para recuperar la sangre que haya perdido durante la inversión. Es bastante probable que le administren antibióticos para evitar posibles infecciones.

Prevención. Dado que una mujer que ha tenido una inversión uterina presenta mayor riesgo de tener otra, el médico debe estar informado si la mujer ha tenido una en el pasado.

Hemorragia posparto

¿Qué es? La pérdida de sangre, denominada loquios, es normal después del parto. Pero en ocasiones el útero no se contrae como debería tras el parto y se produce la hemorragia posparto, sangrado excesivo o incontrolado del lugar donde la placenta estaba unida al útero. La hemorragia posparto también puede ser causada por una laceración vaginal o cervical no reparada.

La hemorragia también puede ocurrir hasta una semana o dos después del parto cuando se han retenido fragmentos de la placenta en el interior del útero o adheridos a él. Una infección también puede provocar hemorragia puerperal, justo después del parto o semanas más tarde.

¿Es muy común? Ocurre en alrededor del 2 al 4% de los partos. El exceso de sangrado es más probable que suceda si el útero está demasiado relajado y no se contrae debido a una dilatación larga y difícil; a un parto traumático; a que el útero se distendiera demasiado por haber tenido la mujer varios partos, por ser el bebé muy grande o por la presencia de un exceso de líquido amniótico; a una placenta de forma anómala o a la separación prematura de la placenta; a la presencia de fibromas que impiden la contracción simétrica del útero; o a una alteración debilitante de la madre en el momento del parto (debida, por ejemplo, a una anemia, preeclampsia o fatiga extrema). Las mujeres que toman fármacos o hierbas que interfieren en la coagulación de la sangre (como la aspirina, el ibuprofeno, *Ginkgo biloba* o grandes dosis de vitamina E) también son más propensas a la hemorragia posparto. En raras ocasiones, la causa de la hemorragia es un trastorno hemorrágico previo no diagnosticado en la madre, de origen genético.

Signos y síntomas. Los síntomas de hemorragia posparto incluyen:

■ Sangrado que empapa más de una compresa en una hora durante varias horas seguidas.

■ Sangrado abundante de color rojo vivo durante más de unos pocos días.

■ Grandes coágulos de sangre (del tamaño de un limón o mayores).

■ Dolor y/o hinchazón en la zona baja del abdomen después de los primeros días de posparto.

La pérdida de grandes cantidades de sangre puede hacer que la mujer sienta vahídos, falta de aliento, mareos, o la aceleración del ritmo cardiaco.

¿Qué pueden hacer la mujer y el médico? Después de expulsar la placenta, el tocólogo la examinará para asegurarse de que está completa, que no se ha quedado parte de ella en el interior del útero. Quizá, administrará oxitocina sintética a la madre, y puede realizar un masaje en el útero para favorecer su contracción, con el fin de minimizar el sangrado. Amamantar al bebé (si piensa darle el pecho) en cuanto sea posible también favorece la contracción del útero.

La mujer debe esperar cierto sangrado después del parto, pero debe alertar al médico inmediatamente si sangra con abundancia anómala o si experimenta alguno de los síntomas señalados durante la primera semana posparto. Si el sangrado es tan abundante que se puede calificar de hemorragia, puede que la mujer precise líquidos por vía intravenosa o tal vez una transfusión sanguínea.

Prevención. Evitar cualquier medicación que pueda interferir en la coagulación sanguínea (como las que se enumeran en la pág. anterior), especialmente durante el tercer trimestre y el primer período posparto, reducirá la posibilidad de sangrado posparto anómalo.

Infección posparto

¿Qué es? La mayoría de las mujeres se recuperan del parto sin ningún problema, pero el parto ocasionalmente puede dejar a la mujer expuesta a la infección. Esto se debe a que puede dejar diversas heridas abiertas en el útero (donde la placenta estaba adherida), en el cérvix, la vagina o el perineo (especialmente si hubo desgarro o episiotomía, aunque fueran reparados), o en la incisión de la cesárea. Las infecciones posparto también pueden afectar a la vejiga o los riñones si se colocó una sonda. Un fragmento de placenta que quedara desapercibidamente en el interior del útero también puede causar una infección. Pero la infección posparto más frecuente es la endometritis, una infección del revestimiento del útero (o endometrio).

Si bien algunas infecciones pueden resultar peligrosas, especialmente si no se detectan o no se tratan, casi siempre sólo complican un poco más la recuperación posparto y la ralentizan, además de restarle a la madre tiempo para dedicarse a lo más importante: ir conociendo a su bebé. Aunque sólo sea por este motivo, es importante conseguir ayuda enseguida si se sospecha que existe alguna infección.

¿Es muy común? Hasta un 8% de los partos conllevan una infección. Las mujeres que tuvieron un parto por cesárea o las que presentaron rotura prematura de las membranas tienen mayor riesgo de infección.

Signos y síntomas. Los síntomas de la infección posparto varían, dependiendo de dónde se localiza la infección, pero casi siempre se produce:

- Fiebre.
- Dolor o sensibilidad en la zona infectada.
- Secreciones de olor desagradable (vaginales en caso de infección uterina, o de una incisión).
- Escalofríos.

¿Qué pueden hacer la mujer y el médico? La mujer debe llamar al médico si experimenta fiebre de unos 37,5 °C durante más de un día en el posparto; llamar antes si la fiebre es más alta o si la acompañan otros de los síntomas enumerados. Si la mujer contrae una infección, probablemente se le administrarán antibióticos, que deberá tomar durante todo el tiempo prescrito, aunque enseguida se sienta mejor. También debería descansar mucho (algo casi imposible con un recién nacido en casa, pero debe intentarlo) y beber muchos líquidos. Si amamanta al bebé, cerciórese con el médico y el farmacéutico de que la medicación que le recetan sea compatible con la lactancia (la mayoría de los antibióticos lo son).

Prevención. Una meticulosa limpieza y cuidado de las incisiones después del parto (lavarse las manos antes de tocar la zona perineal, limpiarse de delante hacia atrás al ir al baño, y usar sólo compresas –no tampones– para el sangrado posparto) puede ayudar a evitar las infecciones.

Si la mujer debe guardar cama

La idea de acostarse en la cama con un montón de revistas y el mando a distancia de la tele puede parecer atractiva hasta que se ordena como reposo. Guardar cama, por desgracia, no es nada divertido. Cuando una se da cuenta de que no puede ni salir a por leche ni quedar con las amigas para tomar un café, el atractivo de haraganear todo el día se desvanece enseguida. Por eso es importante no perder de vista el objetivo principal (un embarazo sano, un bebé sano) y recordarse a una misma que el médico seguramente tiene buenos motivos para hacerle guardar cama.

Una cuarta parte de los embarazos se clasifican como de "riesgo" o "alto riesgo". Y el 70% de estas embarazadas deberán guardar cama en algún momento de las 40 semanas de gestación. Aunque hay mucha controversia acerca de los beneficios del reposo en cama, se sigue prescribiendo porque muchos médicos creen, basándose en la experiencia que tienen con sus pacientes, que sirve para evitar el parto prematuro o ralentizar el progreso de la preeclampsia, evitando que un embarazo de alto riesgo se complique más. Entre las razones que se apuntan para prescribir reposo en cama están las siguientes: guardar cama alivia la presión en el cérvix; reduce la presión que sufre el corazón y mejora la circulación sanguínea hacia los riñones, lo cual favorece la eliminación de líquidos; aumenta el riego sanguíneo en el útero, proporcionando más oxígeno y nutrientes al bebé; y, por último, minimiza el nivel de

Tipos de reposo en cama

"Guardar reposo" es el término general empleado cuando el médico quiere que la mujer limite su actividad. Pero es probable que la prescripción se acompañe de una lista de actividades permitidas y otras prohibidas. Guardar cama puede significar desde descansar y poner los pies en alto cada dos horas, hasta descansar en la cama pero con la posibilidad de levantarse de vez en cuando, pasando por echarse en la cama y levantarse sólo para ir al baño o ni siquiera para eso (a veces, en el hospital). El tipo de reposo en cama que el médico prescriba dependerá de por qué lo prescriba. He aquí los casos más frecuentes:

Reposo programado. Con el fin de evitar el reposo en cama absoluto más adelante, algunos médicos piden a la futura madre que presenta factores de riesgo (como embarazo múltiple o edad avanzada) que descanse durante períodos determinados durante el día. La recomendación puede ir desde sentarse con los pies elevados o acostarse (mejor aún, echar una siesta) un par de horas al terminar la jornada laboral, hasta descansar durante una hora, acostada sobre un lado, cada cuatro horas durante el día. Algunos facultativos pueden pedir a la mujer que acorte la jornada laboral en el tercer trimestre y que restrinja determinadas actividades como el ejercicio, subir escaleras y caminar o estar de pie durante largos períodos.

Reposo parcial. Con esta modalidad, normalmente se prohíbe a la mujer que trabaje, conduzca y realice tareas domésticas (¡qué bien!). Podrá sentarse a la mesa del ordenador y navegar por internet, y estar de pie el rato que tarde en preparase un bocadillo o ducharse. Podrá incluso salir una noche a la semana, siempre y cuando la salida no implique caminar mucho ni subir escaleras. La mujer podrá dividirse el descanso diario entre la cama y el sofá, aunque no le conviene subir y bajar escaleras.

Reposo absoluto. Esto suele significar que la mujer debe permanecer echada todo el día, excepto para ir al baño o ducharse (un baño tibio es preferible). Si vive en una casa con escaleras, deberá elegir un piso y quedarse en él. (Algunas mujeres podrán subir o bajar una vez al día; otras sólo podrán hacerlo una vez a la semana.) Y la pareja (o la madre o la amiga o la persona que contrate para ayudarla) deberá encargarse de las tareas domésticas y de que la embarazada tenga todo lo que necesita a mano. Esto puede significar tener una neverita junto a ella con el desayuno, la comida y la cena, además de varios tentempiés sanos listos para comer.

Reposo hospitalario. Si la mujer necesita monitorización constante además de fármacos por vía intravenosa porque se ha iniciado el parto prematuro, la ingresarán en el hospital. Si el parto logra detenerse, la mujer puede precisar quedarse en el hospital para garantizar que guarda reposo absoluto. La cama puede incluso inclinarse (de modo que la cabeza quede más elevada que los pies) para que la gravedad ayude a mantener al bebé creciendo en el útero todo el tiempo que sea posible.

---

las hormonas del estrés en el organismo de la madre, que pueden provocar contracciones.

Algunas embarazadas son más propensas a acabar guardando cama, incluidas las mayores de 35 años de edad, las que llevan más de un feto, las que tienen un historial de abortos debido a un cérvix incompetente, las que presentan complicaciones específicas del embarazo o las que sufren determinadas enfermedades crónicas.

Tanto si el reposo en cama es realmente útil para evitar el parto prematuro o minimizar los riesgos de que aparezcan otras complicaciones como si no, está claro que estar acostada mucho tiempo conlleva ciertas desventajas. Las mujeres que deben guardar cama durante largos períodos pueden experimentar dolor muscular y pélvico, jaquecas, pérdida de masa muscular (lo cual puede dificultar la recuperación de la forma física después del parto), irritaciones cutáneas y depresión, y pueden ser más propensas a la formación de coágulos de sangre. El hecho de no poder moverse puede además agravar muchos de los síntomas normales del embarazo, como la acidez de estómago, el estreñimiento, la hinchazón de las piernas y el dolor de espalda. Finalmente, el reposo en cama puede disminuir el apetito de la mujer, lo cual puede ser conveniente para la línea (¿qué línea?) pero no tanto para la alimentación del bebé (o bebés), que cuenta con las calorías y nutrientes adicionales que la madre debe ingerir durante la gestación.

Las buenas noticias son que muchos de los efectos secundarios del reposo en cama pueden minimizarse siguiendo estos consejos:

■ Mantenga la circulación activa. Maximizar el flujo de sangre hacia el útero acostándose sobre un costado, no sobre la espalda. Para estar cómoda, colocarse una almohada bajo la cabeza, una almohada bajo el abdomen y otra entre las piernas, y tal vez, también una detrás para favorecer el equilibrio. Cambiar de lado cada hora más o menos para minimizar los dolores corporales y evitar las irritaciones de la piel.

■ Muévase tanto como pueda. Hable con el médico de la posibilidad de realizar ejercicios diarios con los brazos (con pesas pequeñas) para mantener fuertes los músculos de la parte superior del cuerpo; normalmente se permite si la mujer hace reposo parcial. Si el médico le da luz verde, puede ejercitar los bíceps, los tríceps y levantar las pesas por encima de la cabeza, todo sentada en la cama. También podrá realizar estiramientos y ejercicios de hombros.

■ Haga estiramientos. Pregunte al médico si puede realizar estiramientos suaves de piernas, como flexionar los pies y hacer girar los tobillos (sin elevarlos por encima del nivel de la cadera). Así se puede evitar la formación de coágulos en las piernas y puede mantener la musculatura algo más fuerte.

■ Controle su alimentación. La pérdida de apetito de la madre puede significar una pérdida de peso para ella y un peso más bajo al nacer para el bebé; aunque no tenga un gran apetito, siga tomando tentempiés sanos, de fácil digestión (con mucha fibra, como fruta seca, para combatir también el estreñimiento). Por supuesto, si resulta que come demasiado (por aburrimiento o depresión), un aumento excesivo de peso puede convertirse en un problema. Así pues, controle lo que toma entre horas, especialmente si son alimentos ricos en calorías.

■ Mantenerse hidratada es siempre importante para la embarazada, pero especialmente si debe guardar cama (para minimizar la hinchazón y el estreñimiento, incluso posiblemente para evitar las contracciones). Tenga a mano agua y otras bebidas.

■ Cuanto más tiempo está acostada la madre, más acidez de estómago puede experimentar. Una posición semirrecostada (si el médico se lo permite), especialmente después de comer, aliviará el problema.

■ Sea realista después del parto. Con todo lo que su cuerpo ha pasado, una vez haya dado a luz no tendrá la misma capacidad aeróbica ni fuerza muscular que tenía antes de pasar un tiempo en cama, aunque sólo fuera durante pocas semanas. Debe darse tiempo para recuperarse y planificar la recuperación de su forma física lentamente. Para empezar, puede caminar, practicar yoga posparto o nadar.

Guardar cama no sólo tiene un efecto en el bienestar físico. También puede afectar a la cordura de la mujer. Para mantenerla mientras guarda reposo:

Esté conectada. Tenga el teléfono al alcance de la mano, y llame a familiares y amigos cuando necesite desahogarse (o llorar, o cuando esté preocupada o desee reírse). Use el correo electrónico también (una de las razones por las que deseará tener cerca el ordenador). Y no olvide visitar sitios web y foros donde pueda encontrar a otras futuras madres en su misma situación.

Esté preparada. Planifique lo que necesitará al día siguiente para pedirle a su pareja que se lo dé antes de marcharse. Llene una neverita, que tendrá junto a la cama, con agua, fruta, yogures, queso y bocadillos. Compruebe que tiene el teléfono, revistas, libros y el mando de la tele al alcance de la mano.

Estructure el día. Intente establecer una rutina, aunque lo más interesante del día vaya a ser un baño tibio seguido de una siesta, o una mañana en el sofá seguida de una tarde en la cama. Se sentirá un poco mejor si estructura el día de una u otra forma.

Trabaje desde casa. Si guarda reposo parcial y su trabajo lo permite, tal vez le sea posible trabajar desde casa todo el tiempo o parte de él. Entre llamadas y mensajes electrónicos, posiblemente re-

Ayuda entre madres

Todo embarazo conlleva una serie de retos, pero un embarazo de alto riesgo (o con complicaciones) puede conllevar muchos más. Enfrentarse a tales retos siempre es más fácil cuando se tiene compañía: otras madres que sepan exactamente por lo que está pasando la mujer porque estén en la misma situación (o han estado en ella). Tal vez exista algún grupo de apoyo en su zona (pregunte a su médico), y es muy probable que encuentre este apoyo en internet.

sulte una teletrabajadora muy productiva. Hable con su tocólogo y con su jefe para determinar sus capacidades y sus límites (si el trabajo es estresante, puede no obtener el visto bueno del médico).

Haga las compras necesarias. Casi todo lo que se puede hacer en una tienda se puede hacer por internet. Aproveche este tiempo para adquirir los accesorios que necesitará cuando llegue el bebé. Organice la canastilla, encargue la cuna, encuentre una doula, un asesor de lactancia o una canguro. Y, ya puesta, haga el pedido del supermercado (falta leche otra vez, ¿verdad?).

Pida la cena. Recurra a los restaurantes o tiendas de platos preparados de la zona que traigan comida a domicilio. Tenga los menús a mano o búsquelos en internet.

Vea películas. Apúntese a un videoclub que traiga las películas a domicilio y póngase al día de todas las películas que no ha tenido ocasión de ver en el cine (y que ya no tendrá tiempo de ver cuando llegue el bebé).

Invite a sus amigas. Organice una cena informal, o pidan una pizza para comerla en la habitación, y luego miren una película juntas. (Lo mejor de este plan es que serán ellas quienes deban limpiar las migas, no usted.)

Haga manualidades. Aprenda a tejer, a hacer ganchillo o a coser. Mejor todavía, pida a una amiga que sepa que venga y le enseñe a hacerlo. Confeccionará pequeños tesoros para su retoño y además conseguirá compañía. O aprenda a confeccionar álbumes para guardar las fotos que enseguida empezará a acumular.

Organícese. Ordene las viejas fotos y péguelas en álbumes (por fin), o introduzca todas sus direcciones y teléfonos en la agenda electrónica. Estará contenta de haberlo hecho cuando pueda imprimir etiquetas con los nombres y direcciones (para anunciar el nacimiento del bebé, enviar notas de agradecimiento, mandar invitaciones para una fiesta, las felicitaciones de Navidad...) en lugar de tener que escribirlas a mano.

Arréglese. Haga las cosas que la hacen sentir bien, aunque crea que no vale la pena. Péinese, maquíllese, úntese el abdomen con una loción de agradable perfume (tendrá la piel seca de todas formas). Si puede permitírselo, plantéese pedir a una manicura o peluquera que venga a hacerle el servicio a domicilio. (Deje caer cuando esté con sus amigas que esto le gustaría como regalo.) No caiga en la trampa de pensar que "nadie va a venir para verme"; tener buen aspecto hace que una se sienta mejor, tanto si la ve más gente como si no.

Refrésquese. Pida a su pareja que le cambie las sábanas de la cama una vez a la semana. Tenga a mano toallitas refrescantes para usarlas entre duchas y baños.

Escriba un diario. Piense en el lado positivo. Ahora es el mejor momento para empezar a anotar sus pensamientos y sensaciones sobre el embarazo o el reposo en cama, o para escribir unas cuantas cartas al bebé para leérselas el día de mañana. Escribir lo que se siente también es una buena forma de desahogarse.

No olvide el premio. Enmarque una de las ecografías y téngala junto a usted, y cuando pase un mal rato podrá recordarse a sí misma que tiene la mejor de las razones para no moverse de la cama.

CAPÍTULO 23

Enfrentarse a la pérdida del bebé

S E SUPONE QUE EL EMBARAZO ES UNA época feliz, llena de emoción, impaciencia y fantasías de color rosa y celeste (mezcladas con un poco de nerviosismo y ansiedad normales). Y habitualmente, así es; pero no siempre. Si la mujer experimenta la pérdida de un embarazo o del recién nacido, sabrá de primera mano que la profundidad del dolor que siente no puede expresarse con palabras. Este capítulo pretende ser de ayuda a la hora de hacer frente a este dolor y a una de las pérdidas más duras de su vida.

Aborto

El hecho de que suela tener lugar al inicio del embarazo no significa que el aborto no resulte doloroso para los futuros padres. La pena que puede acompañarlo es real, por poco avanzada que estuviera la gestación. Aunque los padres no conocieron al bebé, excepto tal vez por la imagen de las ecografías, la madre era consciente de que el pequeño crecía en su interior y puede haber establecido con él un vínculo más o menos abstracto. Desde el momento en que la mujer descubre que está embarazada, puede haber soñado con el bebé y se habrá imaginado a sí misma como madre. Y luego, la alegría de meses (y años, y décadas) se quiebra de repente. Es comprensible que se sienta un torbellino de emociones: tristeza y desazón por la pérdida; rabia y resentimiento porque le ha pasado a usted; posiblemente se aleje de sus amistades y familiares (especialmente de los que esperan un bebé o acaban de tener uno). La mujer puede tener problemas para comer y dormir al principio, y para aceptar que todo ha acabado. Es posible que llore mucho, o que no lo haga en absoluto. Todas son respuestas naturales y sanas a la pérdida. (Recuerde que su reacción es normal para usted.)

De hecho, para algunas parejas, hacer frente a la pérdida producida al principio del embarazo puede resultar, al menos en algunos sentidos, tan difícil como si se hubiera producido más adelante. En primer lugar, como muchas parejas no quieren decir nada sobre el embarazo hasta después del tercer mes, incluso los amigos más íntimos y la familia pueden no saber nada, lo que implica una falta de apoyo que puede ser difícil de soportar. Incluso los que sabían del embarazo y/o han sido informados del aborto pueden ofrecer menos ayuda que si hubiera sucedido más tarde. Pueden minimizar el peso de la pérdida diciendo: "No te preocupes, inténtalo otra vez." No se dan cuenta de que la pérdida de un bebé, por muy pronto que ocurra en un embarazo, puede crear una gran tristeza. En segundo lugar, el hecho de que no exista la posibilidad de tomar ni siquiera el bebé en brazos, de hacerle una fotografía o de organizar su entierro –rituales de duelo que ofrecen un cierto consuelo a los padres– también complica el proceso de recuperación.

En cualquier caso, si ha sufrido un aborto (o un embarazo ectópico o molar), es importante recordar que la madre tiene todo el derecho y la necesidad de pasar por un período de duelo, tan largo o tan corto como precise. Hallar una forma de expresar esta pena la ayudará a seguir adelante. Tal vez desee organizar una especie de funeral, con unos pocos amigos íntimos y con la familia, o una ceremonia íntima en pareja. La mujer también puede compartir sus emociones –de forma individual, a través de un grupo de apoyo o vía internet– con

Un proceso personal

Cuando se trata de enfrentarse a un aborto u otra pérdida durante el embarazo, no existe una sola fórmula emocional a seguir. Cada pareja se enfrenta y sobrelleva el proceso a su manera. Es posible que se sientan entristecidos, incluso devastados por la pérdida, y descubran que la recuperación es extremadamente lenta. O es posible que se enfrenten a la pérdida de manera más práctica y la consideren un obstáculo del camino para tener el hijo que buscan. Tal vez tras un breve período de tristeza se vean capaces de dejar la experiencia atrás más rápidamente de lo que esperaban –en lugar de centrarse en la pérdida, pueden elegir mirar hacia delante y volver a probarlo. Recuerden que la reacción normal ante una pérdida de este tipo es la que resulte normal para ustedes. Sientan lo que deban para superarla y seguir adelante.

otras mujeres que han pasado por una experiencia similar. Como es muy elevado el porcentaje de abortos espontáneos, es posible que descubra que otras muchas han pasado también por su misma experiencia y quizá no lo comentaron. (Si la mujer no tiene ganas de hablar de sus sentimientos –o no siente la necesidad de hacerlo–, no tiene por qué hacerlo. Debe hacer sólo lo que crea que la ayudará.) Algunos de los consejos ante una pérdida en un momento posterior del embarazo pueden resultar también útiles en este caso. Véase "Estadios del duelo" (recuadro de la pág. 624).

Habrá que aceptar que el feto muerto siempre tendrá un lugar en el corazón y que incluso es posible sentir tristeza o depresión en los aniversarios del aborto

Enfrentarse a abortos recurrentes

Sufrir una pérdida puede ser ya bastante duro. Pero si se sufre más de una, puede resultar infinitamente peor: cada pérdida sabe peor que la anterior. Puede que los padres se desanimen, se depriman, se enfaden, se irriten y no sean capaces de pensar en otra cosa. La recuperación emocional puede no sólo ser más larga que la física, sino que la tristeza puede resultar literalmente debilitante. Es más, el dolor emocional puede provocar síntomas físicos, como jaquecas, pérdida del apetito o hambre compulsiva, insomnio y fatiga. (Algunas parejas se enfrentan a estas pérdidas de forma práctica, lo cual es también normal.)

Es posible que el tiempo no lo cure todo, pero ayudará. Mientras tanto, la paciencia, el conocimiento y el apoyo serán los mejores remedios. Es posible que exista algún grupo de apoyo para padres que han pasado por lo mismo; vale la pena preguntar al médico o encontrar uno en internet, si la pareja cree que esto puede ayudarles (algunas parejas prefieren contar el uno con el otro para ofrecerse consuelo). Compartir con otros padres que hayan experimentado el mismo tipo de pérdidas puede ayudarles a sentirse menos solos, y más esperanzados. Es importante no dejar que el sentimiento de culpabilidad se añada a su pena. El aborto no es culpa de los padres. En lugar de ello, concéntrense en lo fuertes que deben ser y en su determinación para tener un bebé.

---

o de la posible fecha de nacimiento, tal vez durante varios años. Puede servir de ayuda planificar algo especial para esas fechas, sobre todo durante los primeros años: plantar flores o un árbol, disfrutar de una merienda en el parque, compartir una cena conmemorativa con la pareja.

Aunque es normal y necesario llorar la pérdida, la mujer debería comenzar a sentirse mejor con el tiempo. En caso contrario, o si ha seguido teniendo problemas con la comida o el sueño, de concentración en el trabajo, de aislamiento con amigos y familiares, o si sigue sintiendo ansiedad (la ansiedad es más común que la depresión después de un aborto), lo mejor es buscar consejo profesional para facilitar la recuperación.

Intente recordar que podrá –y seguramente lo hará– quedar embarazada de nuevo y dar a luz a un bebé sano. Para la inmensa mayoría de las mujeres, un aborto es algo puntual, y de hecho, una indicación de fertilidad futura.

Muerte en el útero

Cuando el feto no da señales de vida durante varias horas o más, es natural temer lo peor. Y lo peor es que el bebé no nacido haya muerto.

Después de que se le haya comunicado que no se encuentra el latido cardiaco del bebé y que éste ha muerto dentro del útero, es probable que la incredulidad y el dolor se apoderen de la embarazada. Puede que le sea difícil o incluso imposible continuar con la vida normal mientras transporta un feto que ya no vive, y los estudios demuestran que es mucho más probable que la mujer sufra una depresión grave después de dar a luz a un mortinato si el parto se retrasa más de tres días después del diagnóstico de la muerte. Por este motivo, se tendrá en cuenta su estado mental mientras los médicos deciden cuál va a ser su forma de actuar. Si la dilatación es inminente o ya ha comenzado, es probable que el parto sea normal. Si no está claro que la dilatación vaya a comenzar, la decisión de si inducirla de inmediato o no, o de permitir que la mujer vuelva a casa hasta que ésta empiece espontáneamente, dependerá de lo lejos que se halle de la fecha de salida de cuentas, y de cuál sea su estado físico y mental.

La aflicción que sentirá la madre si el feto ha muerto en el interior del útero probablemente será parecida a la de los padres cuyo bebé ha muerto durante o después del parto (véase más adelante) y es importante intentar actuar de una forma similar, incluyendo, cuando sea posible o práctico, coger al feto en brazos o hacerle un funeral.

Muerte durante o después del parto

Algunas veces la muerte del feto tiene lugar durante la dilatación o la expulsión, y a veces justo después de ésta. De cualquier modo, a la mujer el mundo se le viene encima. Ha estado esperando a este bebé durante casi nueve meses y tendrá que regresar a casa con las manos vacías.

Quizá no existe mayor dolor que el de perder a un hijo. Y aunque nada puede evitar el dolor, hay algunas medidas que pueden hacer más llevadera la pena que se siente:

- Es aconsejable ver al bebé, tenerlo en brazos, ponerle un nombre. Sufrir el dolor es un paso vital para aceptar y recuperarse de la pérdida, pero nadie se puede afligir por un niño sin nombre al que nunca se ha visto. Incluso si presenta malformaciones, los expertos afirman que es mejor verlo que no verlo, debido a que generalmente lo que se imagina es peor que la realidad. Si la madre coge en brazos y nombra a su bebé, la muerte se hará más real para

ella y más fácil de superar a largo plazo. También tendrá este efecto preparar un funeral y un entierro, que darán una nueva oportunidad de despedirse. Si hay un entierro, la tumba será un lugar permanente donde se podrá visitar al bebé durante años.

- Guarde una foto u otro recuerdo del bebé (un mechón de cabello, su huella del pie), para conservar una prueba tangible que pueda atesorar y contemplar cuando recuerde al bebé en el futuro. Intente concentrarse en los detalles que querrá recordar: sus grandes ojos y largas pestañas, sus bonitas manos con dedos delicados, su cabello.

Depresión posparto y pérdida

Cualquier padre o madre que pierda a un bebé tiene motivos para sentirse triste. Pero, para algunas mujeres, la tristeza puede ser más profunda debido a la depresión posparto y/o la ansiedad. Si no se trata la depresión posparto, puede impedir el progreso de los estadios del duelo, esenciales para recuperarse. Aunque puede resultar difícil distinguir entre la depresión posparto y la depresión provocada por la muerte del bebé, el hecho es que la mujer precisará ayuda. Si muestra señales de depresión (pérdida de interés por las actividades diarias, dificultades para dormir, pérdida del apetito, gran tristeza que interfiere en su capacidad para ocuparse de sus responsabilidades), no dude en buscar consejo profesional. Hable con el tocólogo o con el médico de familia y pídale que la remita a un especialista. La terapia –y, si es necesario, la medicación– la ayudará a recuperarse.

Interrupción de la lactancia cuando muere el bebé

Si la mujer ha sufrido la trágica pérdida de su bebé, lo último que necesita es otro elemento que le recuerde cómo habría sido todo. Por desgracia, la naturaleza puede ser portadora de ese elemento cuando el final del embarazo (aunque haya terminado en tragedia) indica el comienzo de la lactancia y los pechos de la madre se llenan de leche que iba a servir para alimentar al bebé. Esta situación puede resultar muy dolorosa y difícil de sobrellevar, tanto física como emocionalmente, lo mismo que regular la producción de leche que ya se había iniciado (porque el bebé murió cuando ya había empezado a mamar o cuando la madre ya había empezado a sacarse leche para dársela en la UCIN).

Si el bebé muere en el útero o al nacer, y la mujer no ha empezado a amamantarle, deberá hacer frente a la congestión mamaria. Las bolsas de hielo, analgésicos suaves y un buen sujetador pueden ayudarla a minimizar las molestias físicas. Evitar las duchas calientes, la estimulación de los pezones y la extracción de leche ayudará a evitar que siga la producción de la misma. La congestión sólo durará unos días.

Si el bebé muere tras haber iniciado la lactancia o la extracción de leche (co-mo puede ser el caso si el bebé estaba en la UCIN), la mujer pedirá consejo a las enfermeras del hospital o a un asesor de lactancia. Seguramente le aconsejarán que se extraiga la leche necesaria (con un sacaleches o manualmente) para reducir la presión en las mamas, pero no tanta como para favorecer que siga la producción. La frecuencia y duración de las sesiones de extracción varían de una mujer a otra, dependiendo de la cantidad de leche que haya venido produciendo, de la frecuencia de las tomas y del tiempo transcurrido desde el nacimiento del bebé; pero, en general, debería ir alargando el tiempo entre extracciones y extraer cada vez menos. Debe tener en cuenta que puede que salgan gotas de leche de las mamas durante semanas o incluso meses una vez discontinuada la lactancia y/o la extracción de leche.

Si la mujer tiene mucha leche, almacenada o en producción (si produce mucha o tiene leche congelada que se extrajo porque tenía gemelos, por ejemplo), puede plantearse donarla a un banco de leche materna. La donación puede ayudarla a encontrar algún sentido a la muerte de su bebé. Pero, como siempre, debe hacer lo que la ayude en su caso.

- Comente los resultados de la autopsia y demás informes médicos con el tocólogo para aceptar mejor lo ocurrido y ayudarle a pasar los estadios del duelo. Puede que recibiera mucha información en la sala de partos, pero la medicación, su estado hormonal y el fuerte golpe de la noticia probablemente le impidieran comprenderla totalmente.

- Pida a sus amigos y familiares que no se deshagan de los preparativos que hizo usted para la llegada del bebé en casa. Llegar a una casa donde no parece que se esperara al bebé sólo dificultaría la aceptación de lo ocurrido.

- Recuerde que el proceso del duelo suele consistir de varios pasos, incluidos la negación y el aislamiento, la rabia, la depresión y la aceptación. No debe sorprenderle el hecho de sentir estas emociones, aunque no necesariamente en este orden. Y no debe sorprenderle no sentir ninguna de ellas o experimentar otras en lugar de éstas o además de ellas. Cada persona es diferente y cada persona reacciona a su manera incluso en la misma situación, especialmente una situación tan personal.

■ Cabe esperar pasar una mala temporada. Durante un tiempo, la mujer puede sentirse deprimida, angustiada o simplemente triste y tener problemas para comer, dormir o concentrarse en el trabajo. Puede tener poca paciencia con su pareja u otros hijos, si los tiene. Puede sentirse sola, aunque se encuentre rodeada de gente que la quiera, y vacía, incluso puede parecerle oír al bebé que llora de noche. Probablemente sentirá la necesidad de ser una niña ella misma, sentirse querida, arrullada y cuidada. Todo ello es normal.

■ Llore, tanto y tan a menudo como necesite hacerlo.

■ Reconozca que los padres también viven el duelo. El dolor de su pareja puede parecer menos intenso que el suyo propio; en parte porque, a diferencia de usted, no llevó al bebé en su interior todos estos meses. Pero esto no significa que su pena sea menos real ni que su proceso de duelo sea menos difícil. En ocasiones, los padres pueden tener dificultades para expresar su dolor o pueden tragárselo para mostrarse más fuertes ante su pareja. Si cree que éste puede ser su caso, ambos pueden consolarse hablando del dolor. Ayúdele a compartirlo con usted, con un terapeuta o con otro padre que haya experimentado una pérdida similar.

■ Cuídense mutuamente. La pena puede ser absorbente. Usted y su pareja pueden verse tan consumidos por su propio dolor que no dispongan de energía para consolarse uno al otro. Por desgracia, pueden surgir problemas en la relación cuando la pareja se distancia,

lo cual dificulta aún más la recuperación. Aunque es casi seguro que habrá momentos en que la mujer deseará estar sola, también debe dedicar tiempo a compartir sus sentimientos con su pareja. Pueden buscar consejo profesional juntos o unirse a un grupo de apoyo. Además de encontrar consuelo, es posible que también sea beneficioso para la relación.

■ No se enfrente sola al mundo. Si teme encontrarse con conocidos que le pregunten "¿Ya has tenido al bebé?", salga los primeros días acompañada de una amiga que responda este tipo de preguntas. Asegúrese de que, en el trabajo, en la iglesia y otras organizaciones donde participe, estén informados de la noticia antes de su regreso para no tener que dar explicaciones dolorosas a menos que sea absolutamente necesario.

■ Comprenda que algunos familiares y amigos no sabrán qué hacer ni decir. Algunos pueden sentirse tan incómodos que la eviten durante un tiempo. Otros pueden decirle cosas que la hieran en lugar de ayudarla: "Sé cómo te sientes", o "Bueno, ya tendrás otro hijo", o "Al menos el bebé se ha muerto antes de que llegaras a cogerle cariño." Aunque sus intenciones son buenas, no sabrán cómo se siente usted, a menos que hayan pasado por la misma experiencia y pueden no comprender que otro hijo nunca reemplazará al bebé perdido o que los padres pueden cogerle cariño al bebé incluso antes de que nazca. Si oye estos comentarios con frecuencia, pida a una amiga o familiar que explique cómo se siente y comente a los demás que es mejor que le digan simplemente que la acompañan en el sentimiento.

■ Busque el apoyo de las personas que han pasado por lo mismo. Puede confortarla unirse a un grupo de apoyo de padres que también han perdido a sus bebés. Los encontrará también en internet. Pero debe intentar que el grupo no se convierta en una excusa para seguir con el duelo, sino en una ayuda para completar el proceso. Si al cabo de un año sigue teniendo problemas para enfrentarse a la pérdida (antes, si tiene problemas para llevar una vida normal), busque terapia individualizada.

▪ Cuídese. Ante tanto dolor, sus necesidades físicas pueden ser lo último que se le pase por la cabeza y no debería ser así. Alimentarse bien, dormir lo bastante y hacer ejercicio es esencial no sólo para mantenerse sana sino también para favorecer su recuperación. Haga un esfuerzo consciente para sentarse a comer cuando toca, aunque no le apetezca mucho. Tome un baño caliente o haga ejercicios de relajación para relajarse antes de acostarse. Intente realizar algo de ejercicio cada día, aunque sólo sea dar un paseo antes de cenar. Y tómese un respiro de vez en cuando: vaya al cine, acepte una invitación para una fiesta, pase un fin de semana en el campo, y disfrute sin sentirse culpable. Para que la vida siga, usted debe seguir viviendo.

▪ Si van a celebrar una ceremonia en memoria del bebé, hagan una que se ajuste a sus deseos. Puede ser una reunión íntima –para que usted y su pareja compartan su dolor juntos– o una reunión a la que asistan las personas queridas, como familiares y amigos.

▪ Dedique algún acto generoso a la memoria de su hijo, si eso la ayuda. Compre libros para una guardería que acoja a niños con necesidades, haga un donativo a una asociación que cuide de las madres con dificultades, plante un árbol o unas flores nuevas en el jardín.

▪ Refúgiese en la religión, si encuentra consuelo en ella. Para algunos padres, la fe es un gran apoyo.

▪ Vuelva a quedarse embarazada si lo desea, pero no con el objetivo de sentirse mejor ni reemplazar al bebé perdido. Lo mejor es esperar un tiempo prudencial antes de plantearse concebir de nuevo. Véase la página 625 para más consejos.

▪ Deje que el dolor vaya disminuyendo. Al principio, sólo habrá días malos, luego un día bueno de vez en cuando y al final más días buenos que malos. El proceso del duelo, que puede incluir pesadillas y *flashbacks* punzantes, no suele completarse hasta al cabo de dos años, pero la peor parte suele acabar al cabo de tres a seis meses. Si pasados entre seis y nueve meses el duelo sigue dominando su existencia, si tiene problemas para ocuparse de sus responsabilidades o para concentrarse, o le interesa poco todo lo demás, busque ayuda. Búsquela también, desde el primer momento, si no ha podido experimentar el sentimiento de pena. Y recuerde que la depresión posparto puede empeorar el proceso de duelo; véase la página 618.

▪ Acepte que el sentimiento de culpa puede complicar el dolor innecesariamente y dificultar la recuperación después de la pérdida. Si piensa que la pérdida del bebé ha sido un castigo por haber tenido sentimientos contradictorios ante el embarazo, por no mostrar las cualidades necesarias para la maternidad o por cualquier otro motivo, busque apoyo profesional que la ayude a comprender que no es de ningún modo responsable de la pérdida. Busque consejo, también, si ha dudado de su capacidad como madre y ahora cree que esta pérdida es la confirmación de sus dudas. Si se siente culpable al pensar siquiera en volver a hacer vida normal porque cree que esto sería traicionar al bebé que ha perdido, puede resultarle de ayuda pedir perdón o permiso al bebé para volver a disfrutar de la vida. Puede intentarlo escribiéndole una carta, donde exprese todos sus sentimientos, esperanzas y sueños.

* En ocasiones, la donación de órganos puede ser viable si el bebé nace vivo y con órganos funcionales pero sin esperanzas de vida propia. La posibilidad de ayudar a otro bebé a vivir puede aportar consuelo en este caso.

Pérdida de un gemelo

Los padres que pierden un gemelo (o más bebés, en el caso de trillizos o cuatrillizos) tienen que enfrentarse a celebrar un nacimiento (o más) y llorar una muerte (o más) al mismo tiempo. Es posible que la mujer se sienta trastornada y dividida entre la tristeza de la pérdida y la alegría del nacimiento, dos procesos vitales importantes. Comprender por qué se siente así puede ser de ayuda para sentirse mejor. Puede albergar todos o algunos de los siguientes sentimientos:

* Tiene el corazón roto. Ha perdido un bebé y el hecho de tener al otro (u otros) no minimiza el dolor, y ha de saber que tiene todo el derecho a llorar esta pérdida. De hecho, es necesario hacerlo para superarla. Siga los pasos para el duelo descritos en esta sección para poder aceptar con más facilidad la muerte del bebé.

* Está feliz también, pero teme exteriorizarlo. Puede parecerle inapropiado disfrutar del bebé que ha sobrevivido o incluso una deslealtad hacia el que ha muerto. Se trata de un sentimien-

¿Por qué?

Puede que esta pregunta, en su vertiente filosófica, no tenga respuesta. Pero puede resultar de ayuda verter algo de realidad en la tragedia conociendo las causas físicas de la muerte del feto o el recién nacido. Con frecuencia, el bebé parece totalmente normal y la única forma de descubrir la causa de la muerte es analizar cuidadosamente el historial del embarazo y realizar un análisis completo del feto o el bebé. Si el feto murió en el útero o fue un mortinato, el examen patológico de la placenta por parte de un experto es también importante. Saber qué es lo que ha ido mal (lo cual no siempre es posible determinar) no indica la razón por la cual sucedió, pero ayuda a completar el suceso y ayuda a los padres a prepararse para un embarazo futuro.

to natural pero debe deshacerse de él. Cuidar y disfrutar del bebé que tiene es una forma de honrar al hijo perdido; además, es esencial para el bienestar del pequeño.

* Desea celebrar el nacimiento pero no sabe si es buena idea. El nacimiento de un bebé siempre es motivo de celebración, aunque la buena noticia llegue con tristeza. Si la incomoda dar una fiesta sin lamentar la pérdida del otro bebé, piense en celebrar primero una ceremonia en memoria o como despedida del bebé fallecido.

* Siente que la pérdida del bebé es un castigo, tal vez porque no estaba segura de querer o poder cuidar de más de un bebé, o porque deseaba una niña más que un niño (o viceversa). Aunque este sentimiento de culpa es

Reducción del embarazo

En ocasiones, una ecografía revela que uno (o más) de los fetos de un embarazo múltiple no puede sobrevivir o presenta malformaciones graves que implican que sus probabilidades de sobrevivir fuera del útero sean mínimas; peor aún, que el feto enfermo pueda poner en peligro la salud del otro (u otros). O que hay tantos fetos que existe un riesgo para la madre y todos los bebés. En tales casos, el médico puede recomendar una reducción del embarazo. Plantearse este procedimiento puede convertirse en una agonía –puede parecer que se sacrifica a un feto para proteger al otro– y puede hacer aflorar sentimientos de culpa, confusión y duda. Los padres pueden tomar su decisión de seguir (o no) con el proceso con facilidad, o puede convertirse en una decisión dolorosamente difícil de tomar.

Es posible que no haya respuestas fáciles y no existen opciones perfectas, pero los padres desearán estar en paz con la decisión que tomen. Repasen la situación con el médico y pidan una segunda opinión, una tercera o una cuarta, hasta que estén todo lo convencidos que puedan de su decisión. También pueden pedirle al médico que les ponga en contacto con un miembro del comité de bioética del hospital (si es posible). Tal vez deseen compartir sus sentimientos con los amigos más íntimos o mantener el tema en privado. Si la religión es importante en sus vidas, probablemente querrán buscar orientación espiritual. Una vez tomada la decisión, intenten no imaginar lo que podría haber sido: acéptenla como la mejor decisión que pueden tomar dadas las circunstancias. Tampoco se torturen con sentimientos de culpa, sea cual sea su decisión. Porque nada de lo que ocurre es culpa suya, no hay motivo para sentirse culpables.

Si acaban practicándole una reducción del embarazo a la mujer, pueden esperar experimentar la misma pena que los padres que pierden uno o más bebés.

---

común en los padres que experimentan una pérdida, carece por completo de fundamento.

- Se siente decepcionada porque ya no será madre de varios bebés. Es normal sentir tristeza por la pérdida de esta ilusión, especialmente si ha estado imaginando y planificando la llegada de más de un bebé durante meses. Puede incluso sentir punzadas de resentimiento al ver otras familias con muchos bebés.

  No se sienta culpable por tener estos sentimientos; son completamente comprensibles.

- Teme el momento de explicar a los amigos y familiares la situación, especialmente si esperaban ávidamente la llegada de gemelos. Para liberarse de esta carga, se requerirá la ayuda de un amigo o pariente que divulgue la noticia. Durante las primeras semanas, cuando salga de casa, hágalo acompañada de alguien que pueda explicar la situación a la gente.

- Le disgustan los comentarios de la gente. Al intentar ayudar, puede que los amigos y familiares exageren el tono al darle la bienvenida al bebé vivo y mantener un educado silencio sobre el fallecido. O pueden decir a la madre que olvide al niño perdido y que aprecie al que está vivo. Estas actitudes insensibles (por muy bienintencionadas que sean) pueden decepcionar y enfadar a la madre.

Ésta le hará saber a la gente que necesita lamentar la pérdida del bebé muerto tanto como celebrar el nacimiento del otro.

- Se siente demasiado deprimida con la pérdida del bebé y es incapaz de cuidar del bebé superviviente, o, si sigue embarazada, de cuidar del bebé cuidándose a sí misma.

No se torture por sus sentimientos contradictorios ni su infelicidad. Son normales y completamente comprensibles. Pero consiga la ayuda necesaria para seguir cubriendo las necesidades del bebé, tanto físicas como emocionales. Los grupos de apoyo pueden serle de bastante utilidad, así como también recibir consejo profesional.

- Se siente sola en su dolor. Buscar ayuda de otros que sepan por lo que ella está pasando puede ayudar mucho a la mujer.

Debería buscar algún grupo de apoyo o incluso atención a través de algún foro de internet.

Sean cuales sean sus sentimientos, debe concederse tiempo.

Y no se preocupe ni se obsesione, probablemente lo más seguro es que pronto se encontrará mejor.

Estadios del duelo

Independientemente del momento en que ocurra la pérdida del bebé –a principios del embarazo, cerca del parto o en el momento de nacer–, la madre puede experimentar muchos sentimientos y reacciones. Aunque no puede hacerlos desaparecer, comprenderlos será útil para superar definitivamente la pérdida. Casi todo el mundo que experimenta un trauma de este tipo pasa por una serie de estadios en su camino de curación emocional. Estas etapas son comunes, aunque el orden de aparición de las tres primeras puede variar como pueden hacerlo los sentimientos que se experimentan.

- Shock y negación. Puede haber aturdimiento, el sentimiento de que "esto no puede haberme sucedido a mí". Se trata de un mecanismo mental destinado a proteger la psique del trauma de la pérdida.

- Culpabilidad y rabia. Desesperados ante la tragedia sin sentido y con deseos de buscar un culpable, muchos padres se culpan a sí mismos: "Debo de haber hecho algo mal para tener un aborto" o "Si hubiera querido más al bebé, tal vez aún estaría vivo." También hay sentimientos de rabia por la injusticia, quizá contra la divinidad o contra el tocólogo (aunque no haya sido culpa suya). Puede haber envidia hacia otras mujeres embarazadas o hacia otros padres, e incluso sentimientos de odio hacia ellos.

- Depresión y desesperanza. La mujer puede sentirse triste casi todo el tiempo, puede llorar, sentirse desganada, sin poder dormir, sin interés por nada. También puede temer no ser capaz de tener un hijo sano.

- Aceptación. Al final, la mujer llega a aceptar la pérdida. Eso no significa que se olvide del bebé, sino que acepta la pérdida y puede así reanudar su camino en la vida.

Volver a intentarlo

Tomar la decisión de volver a intentar tener un bebé después de una pérdida no siempre resulta fácil. Se trata de una decisión enteramente personal y puede que dolorosa. He aquí algunos aspectos que pueden plantearse los padres al decidir cuándo volver a intentarlo:

- Volver a intentarlo requiere valor. Dense el crédito que merecen y ánimo cuando se embarquen en este proceso.

- El momento adecuado es el momento que ustedes estimen adecuado. Pueden tardar poco en sentirse emocionalmente preparados para volver a intentarlo o puede que necesiten mucho tiempo. No se precipiten ni se dejen influir por los demás. Y no duden de si estarán esperando demasiado. Sigan lo que les dicte el corazón y sabrán cuándo están preparados emocionalmente para otro embarazo.

- La mujer deberá estar físicamente preparada también. Consulte con el médico para saber si deben respetar un período de espera en su caso concreto. A menudo, la mujer puede intentar la concepción en cuanto se siente preparada para ello (y tan pronto como el ciclo menstrual empiece a colaborar). Si hay algún motivo por el cual deban esperar más tiempo del que desearían (como en el caso de un embarazo molar), la mujer aprovechará el tiempo del que disponen para ponerse en la mejor forma física posible para la concepción (véase el Capítulo 1).

- El nuevo embarazo será menos inocente. Ahora los padres saben que no todos los embarazos llegan a buen puerto, lo cual significa que probablemente no darán nada por sentado. Estarán más nerviosos quizá que la primera vez, especialmente hasta que haya pasado la semana en que perdieron al bebé anterior (y si perdieron a un recién nacido, se preocuparán hasta el final). Tal vez intenten reprimir su alegría y noten que los temores ahogan la ilusión; tanto, que pueden incluso dudar en vincularse con el bebé hasta que el miedo a perderle se disipe. Seguramente estarán más atentos a todos los síntomas del embarazo: los que dan esperanza (pechos hinchados, mareos matutinos, viajes frecuentes al baño) y los que provocan angustia (dolores pélvicos, calambres). Todo esto es totalmente comprensible y completamente normal, como le dirán si pregunta a otras parejas que hayan pasado por un embarazo después de experimentar una pérdida. La mujer sólo debe recordar que si estos sentimientos le impiden cuidar de su embarazo, debe conseguir ayuda para controlarlos.

Pensar en el premio –el bebé que tanto desean abrazar– en lugar de mirar atrás les ayudará a mantener una actitud positiva. Recuerden que la mayoría de las mujeres que experimentan una pérdida consiguen más tarde tener un embarazo del todo normal y un bebé completamente sano.

Índice alfabético